TABLES DES MAISONS

TABLES OF HOUSES

HÄUSERTABELLEN

TABLAS DE CASAS

TAVOLE DELLE CASE

Chez le même éditeur :

- Initiation à la Politique Esotérique *(Jacques Sourmail)*
  - Tome 1 : Le Monde Islamique, La Russie
  - Tome 2 : La Chine, J.F. Kennedy, Notre Epoque
  - Tome 3 : Rendez-vous avec l'Inde
  - Tome 4 : Japon, une Histoire secrète
- Les Secrets du Tarot à Jouer *(Monique Pavan)*
- Guide d'Harmonisation avec les Fêtes de la Nature *(Jean Spinetta)*
- Psychogénéalogie astrale *(Irène Andrieu)*
- Psychologie des Interceptions *(Irène Andrieu)*
- Astrologie Soli-Lunaire *(Irène Andrieu)*
- Guide d'Astrologie Conditionaliste *(Christine Saint-Pierre)*
- The New International Ephemerides 1900-2050 (150 ans)
- The Complete Ephemerides 1930-2030
- The Complete Ephemerides 2000-2050
- Ephémérides de la Lune Noire vraie 1910-2010
- Tables des Maisons (latitudes 0 à 66°)
- Tampons pour monter les thèmes
- Blocs de feuilles de thèmes vierges (50 feuilles, Asc. ou Bélier à gauche)
- Logiciels d'astrologie, numérologie, tarots, biorythmes, etc.

Demandez notre catalogue gratuit présentant tous nos produits, ou consultez-le sur Internet : www.aureas.com

English, Deutsch, Español & Italiano :

- The New International Ephemerides 1900-2050 (150 years)
- The Complete Ephemerides 1930-2030
- The Complete Ephemerides 2000-2050
- Tables of Houses 0 to 66°
- Astrological stamps for setting up charts
- Software for computers (PC Windows)

  Our software are available in French, English, Spanish and Italian.
  Demo versions can be downloaded on our web site.

See our catalogue on our web site at : www.aureas.com (or www.aureas.org)

TABLES DES MAISONS
TABLES OF HOUSES
HÄUSERTABELLEN
TABLAS DE CASAS
TAVOLE DELLE CASE

PLACIDUS

LAT. 0° → 66°

INTERNATIONAL EDITION

English – Français – Deutsch – Español – Italiano

AUREAS Editions
15 rue du Cardinal Lemoine • 75005 Paris, France
Internet : www.aureas.com • Email : aureas@aureas.com

21e édition, 2008

ISBN 2-910049-03-5

Imprimé en France • Printed in France

15, rue du Cardinal Lemoine
75005 Paris (France)
Internet : www.aureas.com • Email : aureas@aureas.com

CONTENTS — SOMMAIRE
INHALTSANGABE — INDICE
SOMMARIO

EXAMPLE OF UTILIZATION OF THE TABLES FOR THE SOUTHERN HEMISPHERE

Our Tables of Houses are an important element of our simplified system of astrology. They are usable, even by beginners, for both latitudes north and south of the Equator.

To erect a birth chart for the southern hemisphere, simply add 12 hours to the sidereal hour of the birth, and note the degrees on the cusps of the houses indicated *at the bottom of the page* (from the 4th to the 9th house).

As an example, we will calculate a nativity for the 14th June 1981 at 11 h 50 a.m., in Melbourne, south latitude 38°, east longitude 9 h 40, time zone -10 h (there was no "daylight saving time").

```
Legal Hour .....................................   11h 50m
Time Zone ...................................... – 10h
                                                 ------------------
Universal Time .................................    1h 50m
Correction of 10s per hour .....................             18s
Longitude ......................................    9h 40m
  (add if East longitude of Greenwich,
  subtract if West)
Sidereal Time for 0h* at Greenwich ............. + 17h 28m 49s
                                                 ------------------
That gives, after deduction of 24h,
  the Sidereal Time of birth ...................    4h 59m 07s
For the southern latitudes, add 12h ............ + 12h
                                                 ------------------
The result is the Sidereal time to use
  for the southern hemisphere ..................   16h 59m 07s
```

When this *southern* Sidereal Time is obtained, we look for in the column of the Latitude 38 of the Tables of Houses (see the extract of the page 12) the positions corresponding to the nearest sidereal time (16-59-11). On this line, we find the following positions :

♐ 16°, ♑ 8°, ♒ 2°, ♓ 5° 28', ♈ 21°, ♉ 22°

We write down these positions on the cusps of the houses n° 4, 5, 6, 7, 8 and 9 indicated at the bottom of the page, as shown on the figure of the page 12. After that, it remains for us only to note, as usual, the positions of the opposite houses.

The planetary positions being the same north and south of the Equator, we calculate them from the Ephemeris and note them as for a birth chart in the northern hemisphere.

* *See our «Complete Ephemerides 1930-2030» or «New International Ephemerides 1900-2050».*

EXEMPLE D'UTILISATION DES TABLES POUR L'HEMISPHERE SUD

Nos Tables des Maisons sont un élément important dans le calcul d'un thème astrologique. Elles sont utilisables, même par les débutants, à la fois pour les latitudes au Nord et au Sud de l'Equateur.

Pour dresser un thème natal dans l'Hémisphère Sud, il suffit d'ajouter 12 heures à l'Heure Sidérale de naissance, puis d'inscrire les degrés sur les pointes des maisons indiquées *en bas de page* (de la 4e à la 9e maison).

A titre d'exemple, nous allons calculer une nativité pour le 14 juin 1981, à 11 h 50 du matin, à Melbourne, latitude 38° Sud, longitude 9 h 40 Est, fuseau horaire -10 h (il n'y avait pas d'heure d'été).

```
Heure Légale ....................................   11h 50m
Fuseau horaire ..................................  – 10h
                                                   ----------------
Temps Universel .................................    1h 50m
Correction de 10s par heure de T.U. .............             18s
Longitude .......................................    9h 40m
  (ajouter si longitude Est de Greenwich,
  soustraire si Ouest)
Temps Sidéral pour 0h* à Greenwich ..............  + 17h 28m 49s
                                                   ----------------
Ce qui donne, après déduction de 24h,
  le Temps Sidéral de naissance .................    4h 59m 07s
Pour les latitudes Sud, ajouter 12h .............  + 12h
                                                   ----------------
Le résultat est le Temps Sidéral à utiliser
  pour l'Hémisphère Sud .........................   16h 59m 07s
```

Ayant trouvé cette Heure Sidérale *Sud,* nous cherchons, dans la colonne de la Latitude 38 de la Table des Maisons (voir l'extrait de la page 12), les positions correspondant au Temps Sidéral le plus proche (16-59-11). Sur cette ligne, nous relevons les positions suivantes :

♐ 16°, ♑ 8°, ♒ 2°, ♓ 5° 28', ♈ 21°, ♉ 22°

Nous inscrivons ces positions sur les pointes des maisons 4, 5, 6, 7, 8 et 9 indiquées en bas de page, comme le montre la figure de la page 12. Après cela, il ne nous reste plus qu'à inscrire, comme d'habitude, les positions des maisons opposées.

Les positions planétaires restant les mêmes au Nord et au Sud de l'Equateur, on se contente de les calculer à partir des Ephémérides et de les inscrire comme pour un thème de naissance dans l'Hémisphère Nord.

* *A relever dans nos «Ephemerides 1930-2030» ou «New International Ephemerides 1900-2050».*

GEBRAUCHSBEISPIEL DER TABELLEN FÜR DIE SÜDLICHE ERDHALBKUGEL

Unsere Häusertabellen sind ein wichtiger Bestandteil unseres vereinfachten Astrologiesystems. Sie können schon von Anfängern benutzt werden und sind für die nördliche und südliche Erdhalbkugel (Hemisphäre) gültig.

Um ein Horoskop für die südliche Halbkugel zu berechnen, addieren Sie nur 12 Stunden zur Sternzeit der Geburt und tragen Sie dann die Grade für die Spitzen der Häuser ein, die *unter auf der Seite* stehen (4.-9. Haus. Für die nördliche Halbkugel finden Sie die Häuser in der oberen Leiste angegeben : 10.-3. Haus).

Als Beispiel werden wir eine Geburt berechnen, die am 14. Juni 1981 um 11 Uhr 50 in Melbourne stattgefunden hat. Es liegt 38° südlicher Breite und 9 Uhr 40 östlicher Länge, Korrektur für die Normalzeit (Zeitzone) beträgt -10 Uhr und es ist keine Sommerzeit.

Gesetzliche Zeit	11h 50m
Zeitzone	– 10h
Universalzeit	1h 50m
Korrektur von 10 Sek. pro Stunde	18s
Länge	9h 40m
(hinzufügen wenn Länge Osten von Greenwich, abziehen wenn Westen)	
Sternzeit für 0 Uhr* in Greenwich	+ 17h 28m 49s
Dies ergibt, nach Abzug von 24 Stunden, die Sternzeit zur Geburt	4h 59m 07s
Für die südliche Halbkugel, 12 St. hinzufügen	+ 12h
Das Ergebnis ist die für die südliche Hemisphäre zu brauchende Sternzeit	16h 59m 07s

Wenn wir so diese *südliche* Sternzeit gefunden haben, schlagen wir in der Häusertabelle den 38. Breitengrad auf (siehe Auszug der Seite 12). In der 1. Spalte (Sternzeit) suchen wir die Position, die der errechneten Zeit am nächsten kommt (16-59-11). In dieser Zeile finden wir die folgenden Positionen :

♐ 16°, ♑ 8°, ♒ 2°, ♓ 5° 28', ♈ 21°, ♉ 22°

Diese Angaben sind die Häuserspitzen des 4., 5., 6., 7., 8. und 9. Hauses. Wie das Bild der Seite 12 zeigt, sind sie in der untersten Leiste angegeben. Dann tragen wir, wie gewohnt, die Positionen der gegenüberliegenden Häuser ein.

Da die Planetenpositionen auf der nördlichen und südlichen Erdhalbkugel die selben sind, berechnen und zeichnen wir sie so, als würden wir ein Horoskop für die nördliche Hemisphäre erstellen.

* *«Complete Ephemerides 1930-2030» oder «New International Ephemerides 1900-2050».*

EJEMPLO DE UTILIZACIÓN DE LA TABLAS PARA EL HEMISFERIO SUR

Nuestras Tablas de Casas son un elemento importante de nuestro sistema simplificado de astrología. Pueden ser utilizadas, incluso por los principiantes, para las latitudes al Norte y al Sur del Ecuador.

Para establecer un Tema natal en el hemisferio Sur, basta con añadir 12 horas a la hora sideral de nacimiento y de escribir los grados en las puntas de casas indicadas *abajo de la página* (de la 4a a la 9a casa).

Como ejemplo, vamos a calcular un nacimiento para el 14 de Junio de 1981, a las 11 h 50 de la mañana, en Melburno, latitud 38° Sur, longitud 9 h 40 Este, huso horario –10 h (no hay hora de verano).

```
Hora Legal ...................................   11h 50m
Huso Horario ................................. – 10h
                                                ----------------
Tiempo Universal .............................   1h 50m
Corrección de 10s por hora ...................           18s
Longitud .....................................   9h 40m
  (sumar si longitud Este de Greenwich,
  sustraer si Oeste)
Tiempo Sideral para 0h* en Greenwich ......... + 17h 28m 49s
                                                ----------------
Lo que da, después deducción de 24h,
  el Tiempo Sideral de nacimiento ............   4h 59m 07s
Para las latitudes Sur, añadir 12h ........... + 12h
                                                ----------------
El resultado es el Tiempo Sideral que hay
  que utilizar para el hemisferio Sur ........   16h 59m 07s
```

Hallada esta hora Sideral *Sur*, buscamos en la columna de la Latitud 38 de las Tablas de Casas (ver extracto de la página 12), las posiciones que corresponden al Tiempo Sideral más próximo (16-59-11). En esa línea, tomamos las posiciones siguientes :

♐ 16°, ♑ 8°, ♒ 2°, ♓ 5° 28', ♈ 21°, ♉ 22°

Escribimos esas posiciones en las puntas de casas 4, 5, 6, 7, 8 y 9 indicadas abajo de la página, como lo muestra la figura de la página 12. Luego, sólo nos queda escribir, como de costumbre, las posiciones de las casas opuestas.

Las posiciones planetarias siendo las mismas al Norte y al Sur del ecuador, nos contentamos con calcularlas a partir de las Efemérides y con escribirlas como para un Tema de nacimiento en el hemisferio Norte.

* *«Complete Ephemerides 1930-2030» o «New International Ephemerides 1900-2050».*

ESEMPIO DI UTILIZZO DELLE TAVOLE PER L'EMISFERO SUD

Le nostre Tavole delle Case sono un elemento importante del nostro sistema semplificato di Astrologia, utilizzabili anche dai principianti, sia per le latitudini nord che per quelle sud dell'Equatore.

Per erigere un tema natale nell'emisfero Sud, basta aggiungere 12 ore all'Ora Siderale di nascita, e scrivere i gradi sulle cuspidi case indicate *in basso alla pagina* (dalla 4ª alla 9ª casa).

Come esempio calcoliamo una nascita avvenuta a Melbourne, latitudine 38 Sud, longitudine 9 h 40 E, il 14 giugno 1981 alle ore 11,50 del mattino (ora legale). Fuso orario -10 h.

```
Ora Legale ......................................  11h 50m
Fuso Orario ..................................... – 10h
                                                 ------------------
Tempo Universale ................................  1h 50m
Correzione di 10s per ora .......................          18s
Longitudine .....................................  9h 40m
  (sommare se la longitudine è Est di Greenwich,
  detrarre se è Ovest)
Tempo Siderale per 0h* di Greenwich ............. + 17h 28m 49s
                                                 ------------------
Che dà, dopo aver dedotto 24h,
  il Tempo Siderale di nascita ..................  4h 59m 07s
Per le latitudini Sud aggiungere 12h ............ + 12h
                                                 ------------------
Il risultato è il Tempo Siderale
  per l'emisfero Sud ............................  16h 59m 07s
```

Trovata l'Ora Siderale *Sud,* cerchiamo nella colonna della latitudine 38 delle Tavole delle Case (vedere pag. 12) le posizioni corrispondenti al tempo siderale più vicino (16-59-11). In questo rigo troviamo le seguenti posizioni :

♐ 16°, ♑ 8°, ♒ 2°, ♓ 5° 28', ♈ 21°, ♉ 22°

Scriviamo queste posizioni sulle cuspidi delle case 4, 5, 6, 7, 8 e 9 indicate in basso nella pagina, come mostra la figura a pag. 12. Dopo ciò non resta che scrivere, come sempre, le posizioni delle case opposte.

Per quanto riguarda le posizioni planetarie, essendo le stesse a nord e a sud dell'equatore, le possiamo calcolare partendo dalle Effemeridi e scriverle come per un tema natale nell'emisfero nord.

* *«Complete Ephemerides 1930-2030» o «New International Ephemerides 1900-2050».*

SIDEREAL TIME	LATITUDE 36° N.						LATITUDE 37° N.						LATITUDE 38° N.					
	10	11	12	Asc	2	3	10	11	12	Asc	2	3	10	11	12	Asc	2	3
	♏	♐	♑	♑	♓	♈	♏	♐	♑	♑	♓	♈	♏	♐	♐	♑	♓	♈
h m s	°	°	°	° '	°	°	°	°	°	° '	°	°	°	°	°	° '	°	°
14 54 08	16	10	1	25 19	8	16	16	9	1	24 37	7	16	16	9	♑	23 53	7	17
15 18 20	22	15	7	2 16	16	24	22	15	6	1 35	16	24	22	15	6	0♒53	15	24
15 38 50	27	20	12	8 31	23	♉	27	19	11	7 51	23	♉	27	19	11	7 10	23	♉
15 51 16	♐	22	15	12 28	27	3	♐	22	14	11 50	27	3	♐	22	14	11 10	27	3
15 59 37	2	24	17	15 11	♈	6	2	24	16	14 34	♈	6	2	24	16	13 56	♈	6
16 24 56	8	♑	23	23 48	9	13	8	♑	23	23 15	9	13	8	♑	22	22 41	9	13
16 29 11	9	1	24	25 18	10	14	9	1	24	24 46	10	14	9	1	24	24 13	10	14
16 33 27	10	2	26	26 49	11	15	10	2	25	26 18	12	15	10	2	25	25 46	12	15
16 37 43	11	3	27	28 21	13	16	11	3	26	27 51	13	16	11	3	26	27 20	13	16
16 42 00	12	4	28	29 54	14	17	12	4	27	29 25	15	17	12	4	27	28 56	15	18
16 46 17	13	5	29	1♓28	16	18	13	5	29	1♓01	16	19	13	5	28	0♓32	16	19
16 50 35	14	6	♒	3 03	17	20	14	6	♒	2 37	17	20	14	6	29	2 10	18	20
16 54 53	15	7	1	4 39	19	21	15	7	1	4 14	19	21	15	7	♒	3 48	19	21
16 59 11	16	8	3	6 16	20	22	16	8	2	5 52	20	22	16	8	2	5 28	21	22
17 03 30	17	9	4	7 53	22	23	17	9	3	7 32	22	23	17	9	3	7 08	22	23
17 07 49	18	10	5	9 32	23	24	18	10	5	9 12	23	24	18	10	4	8 50	24	24
17 12 09	19	11	6	11 11	24	25	19	11	6	10 52	25	25	19	11	5	10 33	25	26
HOUSES	4	5	6	7	8	9	4	5	6	7	8	9	4	5	6	7	8	9
	LATITUDE 36° S.						LATITUDE 37° S.						LATITUDE 38° S.					

1. Sidereal Time = *Temps Sidéral* • Sternzeit • *Tiempo Sideral* • Tempo Siderale
2. Houses = *Maisons* • Häuser • *Casas* • Case

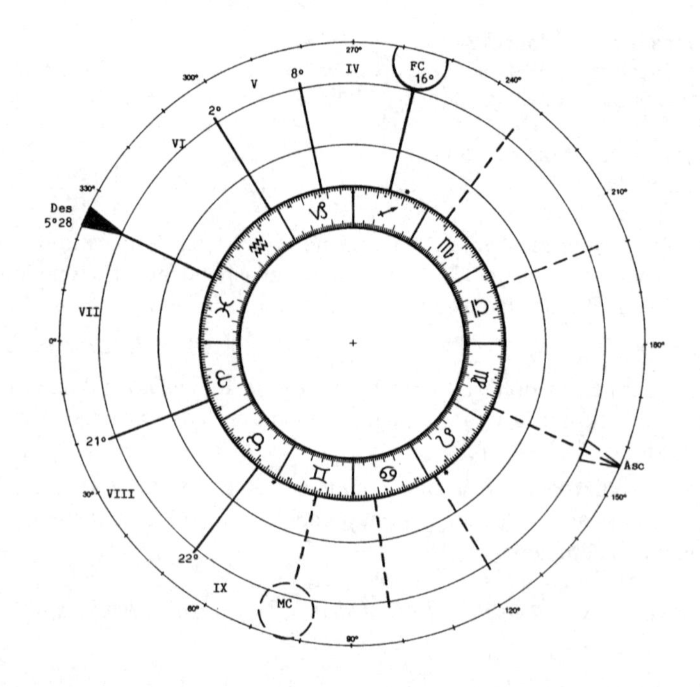

HOW TO READ THE TIME CHANGES TABLES

The following pages list Time changes (Time Zones and Daylight Saving Time) for various European countries. From the legal time of birth of an individual, one uses the time zones to determine *Universal Time* which is the basis for the computation of longitude for planets and houses.

If the date of birth precedes the first date listed in the table for a particular country, the time used was solar time, which means exact local time at the location. To determine Universal Time, one must add or subtract the longitude of the location converted in hours and minutes (+ if West, – if East).

For all other dates, simply add or subtract the time zone listed to get Universal Time :

Universal Time = Legal time of birth ± Time Zone

Examples :

1) Birth on May 18, 1934 at 1.40 PM in Paris, France. We find in the table for France (page 18) :

   07-04-1934, 23h : -1h

   06-10-1934, 24h : 0h

   These two lines indicate that *from* April 7, 1934 at 11.00 PM *until* October 6, 1934 at 11.59 PM one needs to subtract one hour to get Universal Time. As May 18 is located between these two dates, we obtain :

   Universal Time = 1.40 PM – 1h = 0.40 PM

2) Birth on February 2 1987 at 5.25 AM in London England. The table for England (page 24) indicates :

   26-10-1986, 02h : 0h

   29-03-1987, 01h : -1h

   February 2 1987, located between these two dates the time zone is the same (0 hour). Universal Time therefore is the same as the time of birth : 5.25 AM.

Important Note :

Due to the intricacy of the Time Zone and Daylight Saving Time system within certain states, the time zones listed may be unreliable. This is indicated in the tables by a star next to the time zone : (*). In that case (or if there is any doubt) please get your information from the appropriate publication. These time zones are only offered here, based on the present data available to us.

COMMENT LIRE LES TABLEAUX DES DÉCALAGES HORAIRES

Les pages qui suivent indiquent les décalages horaires (heures d'été et fuseaux horaires) de certains pays d'Europe. Ces décalages horaires permettent, à partir de l'heure légale de naissance d'une personne, d'obtenir le *Temps Universel,* donnée indispensable pour le calcul des positions des planètes et des maisons.

Si la date de naissance est antérieure à la première date indiquée dans le tableau d'un pays, l'heure en usage était l'heure solaire, c'est-à-dire l'heure locale exacte. Pour trouver le Temps Universel, il faut alors ajouter ou soustraire la longitude du lieu exprimée en heures et minutes (+ si Ouest, – si Est).

Pour les autres dates, il faut simplement ajouter ou soustraire le décalage horaire indiqué pour obtenir le Temps Universel :

Temps Universel = Heure légale de naissance ± Décalage indiqué

Exemples :

1) Naissance le 18 mai 1934 à 13h 40m à Paris, France. Nous lisons dans le tableau de la France (page 18) :

   07-04-1934, 23h : -1h

   06-10-1934, 24h : 0h

   Ces deux lignes signifient qu'*à partir* du 7 avril 1934, 23 heures, et *jusqu'au* 6 octobre (24h) de la même année, il faut soustraire une heure pour obtenir le Temps Universel. Le 18 mai étant compris entre ces deux dates, nous avons donc :

   Temps Universel = 13h 40m – 1h = 12h 40m.

2) Naissance le 2 février 1987 à 5h 25m à Londres. Le tableau du Royaume-Uni (page 24) nous indique :

   26-10-1986, 02h : 0h

   29-03-1987, 01h : -1h

   Le 2 février 1987, situé entre ces deux dates, le décalage horaire était de 0h. Le Temps Universel est donc identique à l'heure de naissance : 5h 25m.

Important :

Du fait de la complexité des changements d'heure dans certains pays, les décalages indiqués peuvent être incertains. Cela est alors signalé dans les tableaux par la présence d'une étoile à droite du décalage horaire : (*). Il convient dans ce cas (et pour tous ceux pour lesquels vous auriez un doute) de consulter un ouvrage spécialisé. Ces décalages horaires ne sont donnés qu'à titre d'information, selon l'état actuel de nos connaissances.

GEBRAUCHSANWEISUNG DER ZEITVERSCHIEBUNGSTABELLEN

In den folgenden Seiten werden die Zeitverschiebungen verschiedener Europaländer angegeben. Durch diese Zeitverschiebungen wird die *Weltzeit* nach der Normalzeit der Geburt einer Person bestimmt, welche eine unentbehrliche Angabe für die Berechnung der Planeten- und Häuserstände darstellt.

Wenn das Geburtsdatum vor dem ersten auf der Tabelle angegebenen Datum liegt, ist die Sonnenzeit (d. h. die genaue Ortszeit) die übliche Zeit. Um die Weltzeit zu bestimmen, sollte man dann die in Zeit übertragene Ortslänge addieren oder abziehen (+ wenn westlich, – wenn östlich).

Für die anderen Daten sollte man einfach die angegebene Zeitverschiebung addieren oder abziehen, um die Weltzeit zu berechnen :

Weltzeit = Geburtsnormalzeit ± angegebene Verschiebung

Beispiele :

1) Geburt am 18. Mai 1934 um 13.40 Uhr in Paris, Frankreich. Auf der Tabelle Frankreichs steht (Seite18) :

   07-04-1934, 23h : -1h

   06-10-1934, 24h : 0h

   Diese beiden Zeilen bedeuten, daß *vom* 7. April 1934, 23 Uhr, *bis zum* 6. Oktober (24 Uhr) des selben Jahres eine Stunde abgezogen werden soll, um die Weltzeit zu bekommen. Da der 18. Mai zwischen diesen beiden Daten liegt, haben wir :

   Weltzeit = 13.40 Uhr – 1 = 12.40 Uhr.

2) Geburt am 2. Februar 1987 um 5.25 Uhr in London. Die Tabelle des Vereinigten Königreichs (Seite 24) zeigt :

   26-10-1986, 02h : 0h

   29-03-1987, 01h : -1h

   Da der 2. Februar 1987 zwischen diesen beiden Daten liegt, wird die Zeitverschiebung 0 Stunde. So wird die Weltzeit der Geburtszeit gleich : 5.25 Uhr.

Wichtig :

Wegen der Komplexität der Zeitveränderungen in gewißen Ländern mögen die angegebenen Verschiebungen unsicher sein. Dies wird auf den Tabellen mit einem Sternchen rechts der Zeitverschiebung angezeigt : (*). In diesem Fall, sowie in jedem zweifelhaften Fall empfiehlt es sich, in einem Fachbuch nachzuschlagen. Diese Zeitverhältnisse werden nur nach dem gegenwärtigen Stand unserer Kenntnisse als Information mitgeteilt.

COMO LEER LOS RECUADROS DE CAMBIOS HORARIOS

Las páginas siguientes indican los cambios horarios (horarios de verano y husos horarios) de algunos países de Europa. Estos cambios horarios permiten, a partir de la hora legal de nacimiento de una persona, obtener el *Tiempo Universal,* dato indispensable para el cálculo de las posiciones de los planetas y de las casas.

Si la fecha de nacimiento es anterior a la primera fecha indicada en el recuadro de un país, la hora en uso era la hora solar, es decir, la hora local exacta. Para poder encontrar el Tiempo Universal, hay que añadir o restar la longitud del lugar expresado en tiempo (+ si Oeste, – si Este).

Para las demás fechas, hay que simplemente añadir o restar el cambio horario indicado para obtener el Tiempo Universal :

Tiempo Universal = *Hora legal de nacimiento* ± *Cambio indicado*

Ejemplos :

1) Nacimiento el 18 de mayo de 1934 a las 13h 40m en París, Francia. Leemos en el recuadro de Francia (página 18) :

   07-04-1934, 23h : -1h

   06-10-1934, 24h : 0h

   Estas dos líneas significan que *a partir* del 7 de abril de 1934, a las 23 horas, y *hasta* el 6 de octubre (24h) del mismo año, hay que restar una hora para obtener el Tiempo Universal. El 18 de mayo siendo incluido entre estas dos fechas, así tenemos :

   Tiempo Universal = 13h 40m – 1h = 12h 40m.

2) Nacimiento el 2 de febrero de 1987 a las 5h 25m en Londres. El recuadro del Reino Unido (página 24) nos indica :

   26-10-1986, 02h : 0h

   29-03-1987, 01h : -1h

   El 2 de febrero de 1987, situado entre estas dos fechas, el cambio horario era de 0h. El Tiempo Universal es así idéntico a la hora de nacimiento : 5h 25m.

Importante :

Por el simple hecho de la complejidad de los cambios de horas en algunos países, los cambios horarios indicados pueden ser inciertos. Hecho señalizado en los recuadros por la presencia de un asterisco a derecha del cambio horario: (*). Conviene en este caso (y para todos los que tenga una duda) consultar una obra especializada. Estos cambios horarios solo se dan a titulo de información, según el estado actual de nuestros conocimientos.

COME LEGGERE I QUADRI DEGLI SPOSTAMENTI ORARI

Le pagine seguenti indicano gli spostamenti orari (ore estive e fusi orari) di alcuni paesi d'Europa. Questi spostamenti orari permettono, a partire dall'ora legale di nascita di una persona, di ottenere il *Tempo Universale,* dato indispensabile per il calcolo delle posizioni di pianeti e case.

Se la data di nascita è anteriore alla prima data indicata nel pannello di un paese, l'ora in uso era quelle solare, cioè l'ora locale esatta. Per trovare il Tempo Universale, occorre allora aggiungere o sottrarre la longitudine del luogo espressa in tempo (+ se Ovest, – se Est).

Per le altre date, basta semplicemente aggiungere o sottrarre la differenza oraria indicata per ottenere il Tempo Universale :

Tempo Universale = Ora legale di nascita ± Spostamento indicato

Esempi:

1) Nascita il 18 maggio 1934 a Parigi, Francia, alle ore 13,40. Leggiamo nel pannello della Francia (pag. 18):

   07-04-1934, 23h : -1h

   06-10-1934, 24h : 0h

   Queste due linee significano che, *a partire* dal 7 aprile 1934, alle ore 23, *e fino al* 6 ottobre (ore 24) dello stesso anno, occorre sottrarre un'ora per ottenere il Tempo Universale. Il 18 maggio era infatti compreso fra queste due date, avremo quindi:

   Tempo Universale = 13h 40m – 1h = 12h 40m.

2) Nascita a Londra il 2 febbraio 1987 alle 5,25. Il pannello della Gran Bretagna (pag. 24) ci indica:

   26-10-1986, 02h : 0h

   29-03-1987, 01h : -1h

   Il 2 febbraio 1987, situato fra queste due date, la differenza oraria era di ore 0. Il Tempo Universale è dunque eguale all'ora di nascita: 5h 25m.

Nota Bene:

A causa della complessità dei cambiamenti orari di alcuni paesi, le differenze indicate possono essere dubbie. Ciò verrà quindi segnalato nei pannelli con la presenza di una stella alla destra della differenza oraria: (*). In questo caso (e per tutti gli altri per i quali avete qualche dubbio) conviene consultare un libro specializzato. Tali differenze orarie non sono date che a titolo informativo, secondo lo stato attuale delle nostre conoscenze.

FRANCE / FRANKREICH / FRANCIA

15-03-1891, 00h : -0h09m
11-03-1911, 00h : 0h
14-06-1916, 23h : -1h
01-10-1916, 24h : 0h
24-03-1917, 23h : -1h
07-10-1917, 24h : 0h
09-03-1918, 23h : -1h
06-10-1918, 24h : 0h
01-03-1919, 23h : -1h
05-10-1919, 24h : 0h
14-02-1920, 23h : -1h
23-10-1920, 24h : 0h
14-03-1921, 23h : -1h
25-10-1921, 24h : 0h
25-03-1922, 23h : -1h
07-10-1922, 24h : 0h
26-05-1923, 23h : -1h
06-10-1923, 24h : 0h
29-03-1924, 23h : -1h
04-10-1924, 24h : 0h
04-04-1925, 23h : -1h
03-10-1925, 24h : 0h
17-04-1926, 23h : -1h
02-10-1926, 24h : 0h
09-04-1927, 23h : -1h
01-10-1927, 24h : 0h
14-04-1928, 23h : -1h
06-10-1928, 24h : 0h
20-04-1929, 23h : -1h
05-10-1929, 24h : 0h
12-04-1930, 23h : -1h
04-10-1930, 24h : 0h
18-04-1931, 23h : -1h
03-10-1931, 24h : 0h
02-04-1932, 23h : -1h
01-10-1932, 24h : 0h
25-03-1933, 23h : -1h
07-10-1933, 24h : 0h
07-04-1934, 23h : -1h
06-10-1934, 24h : 0h
30-03-1935, 23h : -1h
05-10-1935, 24h : 0h
18-04-1936, 23h : -1h
03-10-1936, 24h : 0h
03-04-1937, 23h : -1h
02-10-1937, 24h : 0h
26-03-1938, 23h : -1h
01-10-1938, 24h : 0h
15-04-1939, 23h : -1h
18-11-1939, 24h : 0h

Zone non occupée / Free zone / Unbesetzte Zone / Zona no ocupada / Zona non occupata :

25-02-1940, 02h : -1h
04-05-1941, 23h : -2h
05-10-1941, 24h : -1h
08-03-1942, 24h : -2h

Zone occupée /Occupied zone / Besetzte Zone / Zona ocupada/ Zona occupata :

??-??-1940, ??h : -2h (*)

Pour toute la France / For all of France / Für ganz Frankreich /

Para toda la Francia / Per tutta la Francia :

02-11-1942, 03h : -1h
29-03-1943, 02h : -2h
04-10-1943, 03h : -1h
03-04-1944, 02h : -2h
08-10-1944, 01h : -1h
02-04-1945, 02h : -2h
16-09-1945, 03h : -1h
28-03-1976, 01h : -2h
26-09-1976, 01h : -1h
03-04-1977, 02h : -2h
25-09-1977, 03h : -1h
02-04-1978, 02h : -2h
01-10-1978, 03h : -1h
01-04-1979, 02h : -2h
30-09-1979, 03h : -1h
06-04-1980, 03h : -2h
28-09-1980, 03h : -1h
29-03-1981, 02h : -2h
27-09-1981, 03h : -1h
28-03-1982, 02h : -2h
26-09-1982, 03h : -1h
27-03-1983, 02h : -2h
25-09-1983, 03h : -1h
25-03-1984, 02h : -2h
30-09-1984, 03h : -1h
31-03-1985, 02h : -2h
29-09-1985, 03h : -1h
30-03-1986, 02h : -2h
28-09-1986, 03h : -1h
29-03-1987, 02h : -2h
27-09-1987, 03h : -1h
27-03-1988, 02h : -2h
25-09-1988, 03h : -1h
26-03-1989, 02h : -2h
24-09-1989, 03h : -1h
25-03-1990, 02h : -2h
30-09-1990, 03h : -1h
31-03-1991, 02h : -2h
29-09-1991, 03h : -1h
29-03-1992, 02h : -2h
27-09-1992, 03h : -1h
28-03-1993, 02h : -2h
26-09-1993, 03h : -1h
27-03-1994, 02h : -2h
25-09-1994, 03h : -1h
26-03-1995, 02h : -2h
24-09-1995, 03h : -1h
31-03-1996, 02h : -2h
27-10-1996, 03h : -1h
30-03-1997, 02h : -2h
26-10-1997, 03h : -1h
29-03-1998, 02h : -2h
25-10-1998, 03h : -1h
28-03-1999, 02h : -2h
31-10-1999, 03h : -1h
26-03-2000, 02h : -2h
29-10-2000, 03h : -1h
25-03-2001, 02h : -2h
28-10-2001, 03h : -1h
31-03-2002, 02h : -2h
27-10-2002, 03h : -1h
30-03-2003, 02h : -2h
26-10-2003, 03h : -1h
28-03-2004, 02h : -2h
31-10-2004, 03h : -1h
27-03-2005, 02h : -2h
30-10-2005, 03h : -1h
26-03-2006, 02h : -2h
29-10-2006, 03h : -1h
25-03-2007, 02h : -2h
28-10-2007, 03h : -1h
30-03-2008, 02h : -2h
26-10-2008, 03h : -1h
29-03-2009, 02h : -2h
25-10-2009, 03h : -1h

(*) *Consulter un ouvrage spécialisé* / Get your information from the appropriate publication / *Siehe Fachbuch* / Consultar una obra especializada / *Consultare testo specializzato.*

BELGIQUE / BELGIUM / BELGIEN / BELGICA / BELGIO

01-01-1880, 00h : -0h17m	19-04-1931, 02h : -1h
01-05-1892, 12h : 0h	04-10-1931, 03h : 0h
22-08-1914, 24h : -1h	03-04-1932, 02h : -1h
30-04-1916, 23h : -2h	02-10-1932, 03h : 0h
01-10-1916, 01h : -1h	26-03-1933, 02h : -1h
16-04-1917, 02h : -2h	08-10-1933, 03h : 0h
17-09-1917, 03h : -1h	08-04-1934, 02h : -1h
15-04-1918, 02h : -2h	07-10-1934, 03h : 0h
16-09-1918, 03h : 0h	31-03-1935, 02h : -1h
01-03-1919, 23h : -1h	06-10-1935, 03h : 0h
04-10-1919, 24h : 0h	19-04-1936, 02h : -1h
14-02-1920, 23h : -1h	04-10-1936, 03h : 0h
23-10-1920, 24h : 0h	04-04-1937, 02h : -1h
14-03-1921, 23h : -1h	03-10-1937, 03h : 0h
25-10-1921, 24h : 0h	27-04-1938, 02h : -1h
25-03-1922, 23h : -1h	02-10-1938, 03h : 0h
07-10-1922, 24h : 0h	16-04-1939, 02h : -1h
21-04-1923, 23h : -1h	19-11-1939, 03h : 0h
06-10-1923, 24h : 0h	25-02-1940, 02h : -1h
29-03-1924, 23h : -1h	20-05-1940, 02h : -2h
04-10-1924, 24h : 0h	02-11-1942, 03h : -1h
04-04-1925, 23h : -1h	29-03-1943, 02h : -2h
03-10-1925, 24h : 0h	04-10-1943, 03h : -1h
17-04-1926, 23h : -1h	03-04-1944, 02h : -2h
02-10-1926, 24h : 0h	17-09-1944, 03h : -1h
09-04-1927, 23h : -1h	02-04-1945, 02h : -2h
01-10-1927, 24h : 0h	16-09-1945, 03h : -1h
14-04-1928, 23h : -1h	19-05-1946, 02h : -2h
07-10-1928, 03h : 0h	07-10-1946, 03h : -1h
21-04-1929, 02h : -1h	03-04-1977, 02h : -2h
06-10-1929, 03h : 0h	25-09-1977, 03h : -1h
13-04-1930, 02h : -1h	02-04-1978, 02h : -2h
05-10-1930, 03h : 0h	01-10-1978, 03h : -1h

01-04-1979, 02h : -2h	27-10-1996, 03h : -1h
30-09-1979, 03h : -1h	30-03-1997, 02h : -2h
06-04-1980, 02h : -2h	26-10-1997, 03h : -1h
28-09-1980, 03h : -1h	29-03-1998, 02h : -2h
29-03-1981, 02h : -2h	25-10-1998, 03h : -1h
27-09-1981, 03h : -1h	28-03-1999, 02h : -2h
28-03-1982, 02h : -2h	31-10-1999, 03h : -1h
26-09-1982, 03h : -1h	26-03-2000, 02h : -2h
27-03-1983, 02h : -2h	29-10-2000, 03h : -1h
25-09-1983, 03h : -1h	25-03-2001, 02h : -2h
25-03-1984, 02h : -2h	28-10-2001, 03h : -1h
30-09-1984, 03h : -1h	31-03-2002, 02h : -2h
31-03-1985, 02h : -2h	27-10-2002, 03h : -1h
29-09-1985, 03h : -1h	30-03-2003, 02h : -2h
30-03-1986, 02h : -2h	26-10-2003, 03h : -1h
28-09-1986, 03h : -1h	28-03-2004, 02h : -2h
29-03-1987, 02h : -2h	31-10-2004, 03h : -1h
27-09-1987, 03h : -1h	27-03-2005, 02h : -2h
27-03-1988, 02h : -2h	30-10-2005, 03h : -1h
25-09-1988, 03h : -1h	26-03-2006, 02h : -2h
26-03-1989, 02h : -2h	29-10-2006, 03h : -1h
24-09-1989, 03h : -1h	25-03-2007, 02h : -2h
25-03-1990, 02h : -2h	28-10-2007, 03h : -1h
30-09-1990, 03h : -1h	30-03-2008, 02h : -2h
31-03-1991, 02h : -2h	26-10-2008, 03h : -1h
29-09-1991, 03h : -1h	29-03-2009, 02h : -2h
29-03-1992, 02h : -2h	25-10-2009, 03h : -1h
27-09-1992, 03h : -1h	
28-03-1993, 02h : -2h	
26-09-1993, 03h : -1h	
27-03-1994, 02h : -2h	
25-09-1994, 03h : -1h	
26-03-1995, 02h : -2h	
24-09-1995, 03h : -1h	
31-03-1996, 02h : -2h	

SUISSE / SWITZERLAND / SCHWEIZ / SUIZA / SVIZZERA

12-09-1848, 00h : -0h29m
01-06-1894, 00h : -1h
05-05-1941, 02h : -2h
06-10-1941, 00h : -1h
04-05-1942, 02h : -2h
05-10-1942, 00h : -1h
29-03-1981, 02h : -2h
27-09-1981, 03h : -1h
28-03-1982, 02h : -2h
26-09-1982, 03h : -1h
27-03-1983, 02h : -2h
25-09-1983, 03h : -1h
25-03-1984, 02h : -2h
30-09-1984, 03h : -1h
31-03-1985, 02h : -2h
29-09-1985, 03h : -1h
30-03-1986, 02h : -2h
28-09-1986, 03h : -1h
29-03-1987, 02h : -2h
27-09-1987, 03h : -1h
27-03-1988, 02h : -2h
25-09-1988, 03h : -1h
26-03-1989, 02h : -2h
24-09-1989, 03h : -1h
25-03-1990, 02h : -2h
30-09-1990, 03h : -1h
31-03-1991, 02h : -2h
29-09-1991, 03h : -1h
29-03-1992, 02h : -2h
27-09-1992, 03h : -1h
28-03-1993, 02h : -2h
26-09-1993, 03h : -1h
27-03-1994, 02h : -2h
25-09-1994, 03h : -1h
26-03-1995, 02h : -2h
24-09-1995, 03h : -1h
31-03-1996, 02h : -2h
27-10-1996, 03h : -1h
30-03-1997, 02h : -2h
26-10-1997, 03h : -1h
29-03-1998, 02h : -2h
25-10-1998, 03h : -1h
28-03-1999, 02h : -2h
31-10-1999, 03h : -1h
26-03-2000, 02h : -2h
29-10-2000, 03h : -1h
25-03-2001, 02h : -2h
28-10-2001, 03h : -1h
31-03-2002, 02h : -2h
27-10-2002, 03h : -1h
30-03-2003, 02h : -2h
26-10-2003, 03h : -1h
28-03-2004, 02h : -2h
31-10-2004, 03h : -1h
27-03-2005, 02h : -2h
30-10-2005, 03h : -1h
26-03-2006, 02h : -2h
29-10-2006, 03h : -1h
25-03-2007, 02h : -2h
28-10-2007, 03h : -1h
30-03-2008, 02h : -2h
26-10-2008, 03h : -1h
29-03-2009, 02h : -2h
25-10-2009, 03h : -1h

ROYAUME-UNI / UNITED KINGDOM / ENGLAND / REINO UNIDO / REGNO UNITO	
01-01-1880, 12h : 0h (*)	02-10-1938, 03h : 0h
29-01-1884, 12h : 0h (*)	16-04-1939, 02h : -1h
21-05-1916, 02h : -1h	19-11-1939, 03h : 0h
01-10-1916, 03h : 0h	25-02-1940, 02h : -1h
08-04-1917, 02h : -1h	04-05-1941, 02h : -2h
17-09-1917, 03h : 0h	10-08-1941, 03h : -1h
24-03-1918, 02h : -1h	05-04-1942, 02h : -2h
30-09-1918, 03h : 0h	09-08-1942, 03h : -1h
30-03-1919, 02h : -1h	04-04-1943, 02h : -2h
29-09-1919, 03h : 0h	15-08-1943, 03h : -1h
28-03-1920, 02h : -1h	02-04-1944, 02h : -2h
25-10-1920, 03h : 0h	17-09-1944, 03h : -1h
03-04-1921, 02h : -1h	02-04-1945, 02h : -2h
03-10-1921, 03h : 0h	15-07-1945, 03h : -1h
26-03-1922, 02h : -1h	07-10-1945, 02h : 0h
08-10-1922, 03h : 0h	14-04-1946, 02h : -1h
22-04-1923, 02h : -1h	06-10-1946, 03h : 0h
16-09-1923, 03h : 0h	16-03-1947, 02h : -1h
20-04-1924, 02h : -1h	13-04-1947, 02h : -2h
21-09-1924, 03h : 0h	10-08-1947, 03h : -1h
19-04-1925, 02h : -1h	02-11-1947, 02h : 0h
04-10-1925, 03h : 0h	14-03-1948, 02h : -1h
18-04-1926, 02h : -1h	31-10-1948, 03h : 0h
03-10-1926, 03h : 0h	03-04-1949, 02h : -1h
10-04-1927, 02h : -1h	30-10-1949, 03h : 0h
02-10-1927, 03h : 0h	16-04-1950, 02h : -1h
22-04-1928, 02h : -1h	22-10-1950, 03h : 0h
07-10-1928, 03h : 0h	15-04-1951, 02h : -1h
21-04-1929, 02h : -1h	21-10-1951, 03h : 0h
06-10-1929, 03h : 0h	20-04-1952, 02h : -1h
13-04-1930, 02h : -1h	26-10-1952, 03h : 0h
05-10-1930, 03h : 0h	19-04-1953, 02h : -1h
19-04-1931, 02h : -1h	04-10-1953, 03h : 0h
04-10-1931, 03h : 0h	11-04-1954, 02h : -1h
17-04-1932, 02h : -1h	03-10-1954, 03h : 0h
02-10-1932, 03h : 0h	17-04-1955, 02h : -1h
09-04-1933, 02h : -1h	02-10-1955, 03h : 0h
08-10-1933, 03h : 0h	22-04-1956, 02h : -1h
22-04-1934, 02h : -1h	07-10-1956, 03h : 0h
07-10-1934, 03h : 0h	14-04-1957, 02h : -1h
14-04-1935, 02h : -1h	06-10-1957, 03h : 0h
06-10-1935, 03h : 0h	20-04-1958, 02h : -1h
19-04-1936, 02h : -1h	05-10-1958, 03h : 0h
04-10-1936, 03h : 0h	19-04-1959, 02h : -1h
18-04-1937, 02h : -1h	04-10-1959, 03h : 0h
03-10-1937, 03h : 0h	10-04-1960, 02h : -1h
10-04-1938, 02h : -1h	02-10-1960, 03h : 0h

26-03-1961, 02h : -1h
29-10-1961, 03h : 0h
25-03-1962, 02h : -1h
28-10-1962, 03h : 0h
31-03-1963, 02h : -1h
27-10-1963, 03h : 0h
22-03-1964, 02h : -1h
25-10-1964, 03h : 0h
21-03-1965, 02h : -1h
24-10-1965, 03h : 0h
20-03-1966, 02h : -1h
23-10-1966, 03h : 0h
19-03-1967, 02h : -1h
29-10-1967, 03h : 0h
18-02-1968, 02h : -1h
17-03-1968, 02h : -2h (*)
27-10-1968, 03h : -1h
31-10-1971, 03h : 0h
19-03-1972, 02h : -1h
29-10-1972, 03h : 0h
18-03-1973, 02h : -1h
28-10-1973, 03h : 0h
17-03-1974, 02h : -1h
27-10-1974, 03h : 0h
16-03-1975, 02h : -1h
26-10-1975, 03h : 0h
21-03-1976, 02h : -1h
24-10-1976, 03h : 0h
20-03-1977, 02h : -1h
23-10-1977, 03h : 0h
19-03-1978, 02h : -1h
29-10-1978, 03h : 0h
18-03-1979, 02h : -1h
28-10-1979, 03h : 0h
16-03-1980, 02h : -1h
26-10-1980, 03h : 0h
29-03-1981, 01h : -1h
25-10-1981, 02h : 0h
28-03-1982, 01h : -1h
24-10-1982, 02h : 0h
27-03-1983, 01h : -1h
23-10-1983, 02h : 0h
25-03-1984, 01h : -1h
28-10-1984, 02h : 0h
31-03-1985, 01h : -1h
27-10-1985, 02h : 0h
30-03-1986, 01h : -1h
26-10-1986, 02h : 0h
29-03-1987, 01h : -1h
25-10-1987, 02h : 0h
27-03-1988, 01h : -1h
23-10-1988, 02h : 0h
26-03-1989, 01h : -1h
29-10-1989, 02h : 0h
25-03-1990, 01h : -1h
28-10-1990, 02h : 0h
31-03-1991, 01h : -1h
27-10-1991, 02h : 0h
29-03-1992, 01h : -1h
25-10-1992, 02h : 0h
28-03-1993, 01h : -1h
31-10-1993, 02h : 0h
27-03-1994, 01h : -1h
23-10-1994, 02h : 0h
26-03-1995, 01h : -1h
29-10-1995, 02h : 0h
31-03-1996, 01h : -1h
27-10-1996, 02h : 0h
30-03-1997, 01h : -1h
26-10-1997, 02h : 0h
29-03-1998, 01h : -1h
25-10-1998, 02h : 0h
28-03-1999, 01h : -1h
31-10-1999, 02h : 0h
26-03-2000, 01h : -1h
29-10-2000, 02h : 0h
25-03-2001, 01h : -1h
28-10-2001, 02h : 0h
31-03-2002, 01h : -1h
27-10-2002, 02h : 0h
30-03-2003, 01h : -1h
26-10-2003, 02h : 0h
28-03-2004, 01h : -1h
31-10-2004, 02h : 0h
27-03-2005, 01h : -1h
30-10-2005, 02h : 0h
26-03-2006, 01h : -1h
29-10-2006, 02h : 0h
25-03-2007, 02h : -1h
28-10-2007, 03h : 0h
30-03-2008, 02h : -1h
26-10-2008, 03h : 0h
29-03-2009, 02h : -1h
25-10-2009, 03h : 0h

(*) *Consulter un ouvrage spécialisé* / Get your information from the appropriate publication / *Siehe Fachbuch* / Consultar una obra especializada / *Consultare testo specializzato.*

ALLEMAGNE / GERMANY / DEUTSCHLAND / ALEMANIA / GERMANIA

01-04-1893, 00h : -1h
01-05-1916, 00h : -2h
01-10-1916, 00h : -1h
16-04-1917, 00h : -2h
17-09-1917, 00h : -1h
15-04-1918, 00h : -2h
16-09-1918, 00h : -1h (*)

Allemagne de l'Ouest / West Germany / Westdeutschland / Alemania del Oeste / Germania dell'Ovest :

01-04-1940, 02h : -2h
02-11-1942, 03h : -1h
29-03-1943, 02h : -2h
04-10-1943, 03h : -1h
03-04-1944, 02h : -2h
02-10-1944, 03h : -1h
02-04-1945, 02h : -2h
16-09-1945, 03h : -1h

Allemagne de l'Est / East Germany / Ostdeutschland / Alemania del Este / Germania dell'Est :

01-04-1940, 02h : -2h
02-11-1942, 03h : -1h
29-03-1943, 02h : -2h
04-10-1943, 03h : -1h
03-04-1944, 02h : -2h
02-10-1944, 03h : -1h
02-04-1945, 02h : -2h
24-05-1945, 02h : -3h
24-09-1945, 03h : -2h
18-11-1945, 03h : -1h

Toute l'Allemagne / For all of Germany / Für ganz Deutschland / Para toda Alemania / Per tutta la Germania :

14-04-1946, 02h : -2h
07-10-1946, 03h : -1h
06-04-1947, 02h : -2h
11-05-1947, 03h : -3h
29-06-1947, 03h : -2h
05-10-1947, 03h : -1h
18-04-1948, 02h : -2h
03-10-1948, 03h : -1h
10-04-1949, 02h : -2h
02-10-1949, 03h : -1h (*)
06-04-1980, 02h : -2h
28-09-1980, 05h : -1h
29-03-1981, 02h : -2h
27-09-1981, 03h : -1h
28-03-1982, 02h : -2h
26-09-1982, 03h : -1h
27-03-1983, 02h : -2h
25-09-1983, 03h : -1h
25-03-1984, 02h : -2h
30-09-1984, 03h : -1h
31-03-1985, 02h : -2h
29-09-1985, 03h : -1h
30-03-1986, 02h : -2h
28-09-1986, 03h : -1h
29-03-1987, 02h : -2h
27-09-1987, 03h : -1h
27-03-1988, 02h : -2h
25-09-1988, 03h : -1h
26-03-1989, 02h : -2h
24-09-1989, 03h : -1h
25-03-1990, 02h : -2h
30-09-1990, 03h : -1h
31-03-1991, 02h : -2h
29-09-1991, 03h : -1h
29-03-1992, 02h : -2h
27-09-1992, 03h : -1h
28-03-1993, 02h : -2h
26-09-1993, 03h : -1h
27-03-1994, 02h : -2h
25-09-1994, 03h : -1h
26-03-1995, 02h : -2h
24-09-1995, 03h : -1h
31-03-1996, 02h : -2h
27-10-1996, 03h : -1h
30-03-1997, 02h : -2h
26-10-1997, 03h : -1h
29-03-1998, 02h : -2h
25-10-1998, 03h : -1h
28-03-1999, 02h : -2h
31-10-1999, 03h : -1h
26-03-2000, 02h : -2h
29-10-2000, 03h : -1h
25-03-2001, 02h : -2h
28-10-2001, 03h : -1h
31-03-2002, 02h : -2h
27-10-2002, 03h : -1h
30-03-2003, 02h : -2h
26-10-2003, 03h : -1h
28-03-2004, 02h : -2h
31-10-2004, 03h : -1h
27-03-2005, 02h : -2h
30-10-2005, 03h : -1h
26-03-2006, 02h : -2h
29-10-2006, 03h : -1h
25-03-2007, 02h : -2h
28-10-2007, 03h : -1h
30-03-2008, 02h : -2h
26-10-2008, 03h : -1h
29-03-2009, 02h : -2h
25-10-2009, 03h : -1h

(*) *Consulter un ouvrage spécialisé* / Get your information from the appropriate publication / *Siehe Fachbuch* / Consultar una obra especializada / *Consultare testo specializzato.*

ESPAGNE / SPAIN / SPANIEN / ESPAÑA / SPAGNA

01-01-1901, 00h : 0h
15-04-1918, 23h : -1h
06-10-1918, 24h : 0h
06-04-1919, 24h : -1h
06-10-1919, 24h : 0h
16-04-1924, 23h : -1h
04-10-1924, 24h : 0h
17-04-1926, 23h : -1h
02-10-1926, 24h : 0h
09-04-1927, 23h : -1h
01-10-1927, 24h : 0h
14-04-1928, 23h : -1h
06-10-1928, 24h : 0h
20-04-1929, 23h : -1h
06-10-1929, 24h : 0h

Zone républicaine / Republican zone / Republikanerzone / Zona republicana / Zona repubblicana :

22-05-1937, 23h : -1h
02-10-1937, 24h : 0h
02-04-1938, 23h : -1h
30-04-1938, 23h : -2h
02-10-1938, 23h : -1h
29-03-1939, 00h : 0h
15-04-1939, 23h : -1h
07-10-1939, 24h : 0h

Zone franquiste / Franquist zone / Francozone / Zona franquista / Zona franchista :

22-05-1937, 23h : -1h
02-10-1937, 24h : 0h
26-03-1938, 23h : -1h
02-10-1938, 00h : 0h
15-04-1939, 23h : -1h
07-10-1939, 24h : 0h

Toute l'Espagne / For all of Spain / Für ganz Spanien / Para toda España / Per tutta la Spagna :

16-03-1940, 23h : -1h
02-05-1942, 23h : -2h
01-09-1942, 24h : -1h
17-04-1943, 23h : -2h
03-10-1943, 24h : -1h
15-04-1944, 23h : -2h
01-10-1944, 24h : -1h
14-04-1945, 23h : -2h
30-09-1945, 24h : -1h
13-04-1946, 23h : -2h
29-09-1946, 24h : -1h
30-04-1949, 23h : -2h
02-10-1949, 01h : -1h
13-04-1974, 23h : -2h
06-10-1974, 00h : -1h
12-04-1975, 23h : -2h
05-10-1975, 00h : -1h
27-03-1976, 23h : -2h
26-09-1976, 00h : -1h
03-04-1977, 00h : -2h
25-09-1977, 03h : -1h

02-04-1978, 02h : -2h
01-10-1978, 03h : -1h
01-04-1979, 02h : -2h
30-09-1979, 03h : -1h
06-04-1980, 02h : -2h
28-09-1980, 03h : -1h
29-03-1981, 02h : -2h
27-09-1981, 03h : -1h
28-03-1982, 02h : -2h
26-09-1982, 03h : -1h
27-03-1983, 02h : -2h
25-09-1983, 03h : -1h
25-03-1984, 02h : -2h
30-09-1984, 03h : -1h
31-03-1985, 02h : -2h
29-09-1985, 03h : -1h
30-03-1986, 02h : -2h
28-09-1986, 03h : -1h
29-03-1987, 02h : -2h
27-09-1987, 03h : -1h
27-03-1988, 02h : -2h
25-09-1988, 03h : -1h
26-03-1989, 02h : -2h
24-09-1989, 03h : -1h
25-03-1990, 02h : -2h
30-09-1990, 03h : -1h
31-03-1991, 02h : -2h
29-09-1991, 03h : -1h
29-03-1992, 02h : -2h
27-09-1992, 03h : -1h
28-03-1993, 02h : -2h
26-09-1993, 03h : -1h
27-03-1994, 02h : -2h
25-09-1994, 03h : -1h
26-03-1995, 02h : -2h
24-09-1995, 03h : -1h
31-03-1996, 02h : -2h
27-10-1996, 03h : -1h
30-03-1997, 02h : -2h
26-10-1997, 03h : -1h
29-03-1998, 02h : -2h
25-10-1998, 03h : -1h
28-03-1999, 02h : -2h
31-10-1999, 03h : -1h
26-03-2000, 02h : -2h
29-10-2000, 03h : -1h
25-03-2001, 02h : -2h
28-10-2001, 03h : -1h
31-03-2002, 02h : -2h
27-10-2002, 03h : -1h
30-03-2003, 02h : -2h
26-10-2003, 03h : -1h
28-03-2004, 02h : -2h
31-10-2004, 03h : -1h
27-03-2005, 02h : -2h
30-10-2005, 03h : -1h
26-03-2006, 02h : -2h
29-10-2006, 03h : -1h
25-03-2007, 02h : -2h
28-10-2007, 03h : -1h
30-03-2008, 02h : -2h
26-10-2008, 03h : -1h
29-03-2009, 02h : -2h
25-10-2009, 03h : -1h

ITALIE / ITALY / ITALIEN / ITALIA

01-01-1880, 00h : -0h50m
01-11-1893, 00h : -1h
03-06-1916, 24h : -2h
30-09-1916, 24h : -1h
31-03-1917, 24h : -2h
30-09-1917, 24h : -1h
09-03-1918, 24h : -2h
06-10-1918, 24h : -1h
01-03-1919, 24h : -2h
04-10-1919, 24h : -1h
20-03-1920, 24h : -2h
18-09-1920, 24h : -1h
14-06-1940, 24h : -2h
02-11-1942, 03h : -1h
29-03-1943, 02h : -2h (*)
04-10-1943, 03h : -1h
03-04-1944, 02h : -2h (*)
02-10-1944, 03h : -1h
02-04-1945, 02h : -2h (*)
16-09-1945, 24h : -1h
17-03-1946, 02h : -2h
06-10-1946, 03h : -1h
16-03-1947, 02h : -2h
05-10-1947, 03h : -1h
29-02-1948, 02h : -2h
03-10-1948, 03h : -1h
22-05-1966, 00h : -2h
25-09-1966, 00h : -1h
28-05-1967, 00h : -2h
24-09-1967, 00h : -1h
26-05-1968, 00h : -2h
22-09-1968, 00h : -1h
01-06-1969, 00h : -2h
28-09-1969, 00h : -1h
31-05-1970, 00h : -2h
27-09-1970, 00h : -1h
23-05-1971, 00h : -2h
26-09-1971, 01h : -1h
28-05-1972, 00h : -2h
01-10-1972, 01h : -1h
03-06-1973, 00h : -2h
30-09-1973, 01h : -1h
26-05-1974, 00h : -2h
29-09-1974, 01h : -1h
01-06-1975, 00h : -2h
28-09-1975, 01h : -1h
30-05-1976, 00h : -2h
26-09-1976, 01h : -1h
22-05-1977, 00h : -2h
24-09-1977, 01h : -1h
28-05-1978, 00h : -2h
01-10-1978, 01h : -1h
27-05-1979, 00h : -2h
30-09-1979, 03h : -1h
06-04-1980, 02h : -2h
28-09-1980, 03h : -1h
29-03-1981, 02h : -2h
27-09-1981, 03h : -1h
28-03-1982, 02h : -2h
26-09-1982, 03h : -1h
27-03-1983, 02h : -2h
25-09-1983, 03h : -1h
25-03-1984, 02h : -2h
30-09-1984, 03h : -1h
31-03-1985, 02h : -2h
29-09-1985, 03h : -1h
30-03-1986, 02h : -2h
28-09-1986, 03h : -1h
29-03-1987, 02h : -2h
27-09-1987, 03h : -1h
27-03-1988, 02h : -2h
25-09-1988, 03h : -1h
26-03-1989, 02h : -2h
24-09-1989, 03h : -1h
25-03-1990, 02h : -2h
30-09-1990, 03h : -1h
31-03-1991, 02h : -2h
29-09-1991, 03h : -1h
29-03-1992, 02h : -2h
27-09-1992, 03h : -1h
28-03-1993, 02h : -2h
26-09-1993, 03h : -1h
27-03-1994, 02h : -2h
25-09-1994, 03h : -1h
26-03-1995, 02h : -2h
24-09-1995, 03h : -1h
31-03-1996, 02h : -2h
27-10-1996, 03h : -1h
30-03-1997, 02h : -2h
26-10-1997, 03h : -1h
29-03-1998, 02h : -2h
25-10-1998, 03h : -1h
28-03-1999, 02h : -2h
31-10-1999, 03h : -1h
26-03-2000, 02h : -2h
29-10-2000, 03h : -1h
25-03-2001, 02h : -2h
28-10-2001, 03h : -1h
31-03-2002, 02h : -2h
27-10-2002, 03h : -1h
30-03-2003, 02h : -2h
26-10-2003, 03h : -1h
28-03-2004, 02h : -2h
31-10-2004, 03h : -1h
27-03-2005, 02h : -2h
30-10-2005, 03h : -1h
26-03-2006, 02h : -2h
29-10-2006, 03h : -1h
25-03-2007, 02h : -2h
28-10-2007, 03h : -1h
30-03-2008, 02h : -2h
26-10-2008, 03h : -1h
29-03-2009, 02h : -2h
25-10-2009, 03h : -1h

(*) *Consulter un ouvrage spécialisé* / Get your information from the appropriate publication / *Consultare testo specializzato.*

COORDINATES OF THE MAIN WORLD'S CITIES

COORDONNÉES GÉOGRAPHIQUES DES PRINCIPALES VILLES DU MONDE

GEOGRAPHISCHE POSITIONEN DER WICHTIGSTEN STÄDTE DER ERDE

DATOS GEOGRÁFICOS DE LAS PRINCIPALES CIUDADES DEL MUNDO

COORDINATE GEOGRAFICHE DELLE PRINCIPALI CITTA' DEL MONDO

COORDINATES OF THE MAIN WORLD'S CITIES

The following pages give the latitude and longitude of the main world's cities, in alphabetical order. Each line contains the following information:

City name, → *Other name,* Region, Country ... Latitude Longitude

Other name: when an other city name is indicated in *italics,* refer to this one to obtain the latitude and longitude.

Region: for the United States and each time a better geografic accuracy is necessary, this data determines to which region (or department state, etc.) the city belongs.

Country: this one is given as a significative code. You can refer to the table of the page 69 to obtain the meaning of each of them.

Latitude: the latitude is given in degrees as *ddXmm: dd* represents the degrees, *mm* the minutes of arc, and *X* a latitude situated to the North (N) or South (S) of the Equator. For example, 46N12 represents a northern latitude of 46° 12'.

Longitude: the longitude is directly given in time (for astrologers using) as *aa*h*mmX: aa* represents the hours, *mm* the minutes of time and *X* a longitude situated on the East (E) or West (W) of Greenwich. For example, 5h28W represents a West longitude of 5 hours and 28 minutes.

However, if you want to know the position of a city in degrees, convert the longitude indicated in minutes and divide the result by 4. For example, for Melbourne, longitude *9 h 40 E* (i.e. 580 minutes):

580 m / 4 = 145° East

The time longitude added: 1) to the Universal Time of birth, 2) to the Sidereal Time of the birth day (stated in the Ephemeris) and 3) to a time correction (see the example at page 7), gives the Sidereal Time of birth. This value, with the latitude, allows us to determine where to read in the Tables of Houses the six cusps of houses, which serve to build the domification of a birth chart.

COORDONNÉES DES PRINCIPALES VILLES DU MONDE

Les pages qui suivent donnent la latitude et la longitude des principales villes du monde, par ordre alphabétique. Chaque ligne contient les informations suivantes :

Nom de la ville, → *Autre nom,* Région, Pays ... Latitude Longitude

Autre nom : lorsqu'un deuxième nom de ville est indiqué (en caractères italiques), référez-vous à celui-ci pour obtenir la latitude et la longitude.

Région : pour les Etats-Unis, et à chaque fois qu'une meilleure précision géographique est nécessaire, cette donnée définit à quelle région (ou département, Etat, etc.) appartient la ville.

Pays : celui-ci est donné sous la forme d'un code significatif. Vous pouvez vous référer au tableau de la page 69 pour la signification de chacun de ceux-ci.

Latitude : la latitude est donnée en degrés sous la forme *ddXmm, dd* représentant les degrés, *mm* les minutes d'arc et *X* une latitude située au Nord (N) de l'équateur ou au Sud (S). Par exemple, 46N12 représente une latitude nord de 46° 12'.

Longitude : la longitude est donnée directement en temps (pour l'usage des astrologues), sous la forme *aa*h*mmX, aa* représentant les heures, *mm* les minutes de temps et *X* une longitude située à l'Est (E) de Greenwich ou à l'Ouest (W). Par exemple, 5h28W représente une longitude Ouest de 5 heures 28 minutes.

Si toutefois vous désirez connaître la position d'une ville en degrés, il suffit de convertir la longitude indiquée en minutes et de la diviser par 4. Par exemple, pour Melbourne, longitude *9 h 40 E* (c'est-à-dire 580 minutes) :

580 m / 4 = 145° Est

La longitude horaire ajoutée : 1) au Temps Universel de naissance, 2) au Temps Sidéral du jour de naissance (relevé dans les éphémérides) et 3) à une correction horaire (voir exemple à la page 8), donne le Temps Sidéral de naissance. Cette valeur, avec la latitude, permet de déterminer où lire dans les Tables des Maisons les six pointes de maisons servant à construire la domification d'un thème.

GEOGRAPHISCHE POSITIONEN DER WICHTIGSTEN STÄDTE DER ERDE

Die folgenden Seiten geben die Breiten- und Längengrade der wichtigsten Städte der Welt an, in alphabetischer Reihenfolge. Jede Zeile enthält die folgenden Angaben :

Name der Stadt, → *zweiter Name,* Region, Land ... Breite Länge

Zweiter Name : wenn ein anderer Stadtname angegeben wird (in Kursivschrift), beziehen Sie sich auf diesen letzten um die Breite und Länge zu erhalten.

Region : für die Vereinigten Staaten, und jedesmal daß eine bessere geographische Genauigkeit notwendig ist, bestimmt diese Angabe zu welcher Region (oder Departement, Staat, u.s.w.) die Stadt gehört.

Land : dieses ist in der Form eines bedeutsamen Kodes angegeben. Für die Bedeutung dieses letzten, können Sie sich bei der Tabelle auf Seite 69 berufen.

Breite : die Breite ist in Grad angegeben, in der Form *ggXmm; gg* stellt die Grade dar, *mm* die Bogenminuten und *X* eine Breite die im Norden (N) des Äquators oder im Süden (S) liegt. Zum Beispiel stellt 46N12 eine nördliche Breite von 46°12' dar.

Länge : die Länge ist direkt in Zeit angegeben (für den Gebrauch der Astrologen), in der Form *sshmmX; ss* stellt die Stunden dar, *mm* die Minuten der Zeit und *X* eine Länge die im Osten (E) von Greenwich oder im Westen (W) liegt. Zum Beispiel stellt 5h28W eine westliche Länge von 5 St. 28 Min. dar.

Wünschen Sie die Stelle einer Stadt in Grad zu kennen, genügt es Ihnen die angegebene Länge in Minuten zu umwandeln, und diese durch 4 zu teilen. Zum Beispiel, für Melbourne, Länge *9h40E* (d.h. 580 Minuten) :

580 M / 4 = 145° Ost

Die zeitliche Länge 1) der universalen Geburtszeit, 2) der Sternzeit des Geburtstags (in den Ephemeriden aufgenommen) und 3) einer zeitlichen Korrektur hinzugefügt (siehe Beispiel auf S. 9), ergibt die Sternzeit der Geburt. Dieser Wert, mit der Breite, läßt uns bestimmen wo wir, in den Häusertabellen, die sechs Häuserspitzen ablesen können, die zum Aufbau eines Themes dienen.

DATOS DE LAS PRINCIPALES CIUDADES DEL MUNDO

Las páginas siguientes dan la latitud y la longitud de las principales ciudades del mundo, por orden alfabético. Cada línea lleva las informaciones siguientes:

Nombre de la ciudad, → *Otro nombre,* Región, País ... Latitud Longitud

Otro nombre: cuando un segundo nombre de ciudad está indicado (en cursivas), refierase a este para hallar la latitud y la longitud.

Región: para los Estados Unidos, y siempre que una mayor precisión geográfica es necesaria, este dato define a que región (o provincia, estado, etc.) pertenece la ciudad.

País: es dado con un código significativo. Puede consultar la tabla de la página 69 para el significado de cada uno de ellos.

Latitud: la latitud es dada en grados bajo la forma *ggXmm: gg* representa los grados, *mm* los minutos de arco, y *X* una latitud situada al Norte (N) del ecuador o al Sur (S). Por ejemplo, 46N12 representa una latitud Norte de 46°12'.

Longitud: la longitud es dada directamente en tiempo (para el uso de los astrólogos) bajo la forma *aahmmX: aa* representa las horas, *mm* los minutos de tiempo, y *X* una longitud situada al Este (E) de Greenwich o al Oeste (W). Por ejemplo, 5h28W representa una longitud Oeste de 5 horas y 28 minutos.

Sin embargo, si quiere saber la posición de una ciudad en grados, le basta convertir la longitud indicada en minutos y dividir el resultado por 4. Por ejemplo, para Melburno, longitud *9 h 40 E* (es decir 580 minutos):

580 m / 4 = 145° Este

La longitud horaria sumada: 1) al Tiempo Universal de nacimiento, 2) al Tiempo Sideral del día de nacimiento (notado en las efemérides), y 3) a una corrección horaria (ver ejemplo en la página 10), nos da el Tiempo Sideral de nacimiento. Este valor, con la latitud, nos permite determinar donde leer en las Tablas de Casas las seis puntas de casas que sirven para construir la domificación de una carta.

COORDINATE DELLE PRINCIPALI CITTÀ DEL MONDO

Le pagine che seguono danno la latitudine e la longitudine delle principali città del mondo in ordine alfabetico. Ogni riga contiene le informazioni seguenti:

Nome della città, → *Altro nome,* Regione, Paese ... Latitudine Longitudine

Altro nome: quando è indicato un secondo nome (in carattere italico), la latitudine e la longitudine è riferita a quest'ultimo.

Regione: per gli Stati Uniti e ogni volta che sia necessaria una migliore precisione geografica, questo dato specifica a quale regione (dipartimento o stato) appartiene la città.

Paese: è dato sotto forma di codice. Riferirsi alla tavola di pag. 69 per ciascun significato.

Latitudine: la latitudine è data in gradi sotto forma di *ddXmm,* dove *dd* rappresenta i gradi, *mm* i minuti e *X* una latitudine situata a Nord (N) o a Sud (S) dell'equatore. Per esempio, 46N12 rappresenta una latitudine di 46° 12' Nord.

Longitudine: la longitudine è data direttamente in tempi (per uso degli astrologi) nella forma *aa*h*mmX,* dove *aa* rappresenta le ore, *mm* i minuti ed *X* una longitudine situata ad Est (E) o ad Ovest (W) di Greenwich. Per esempio, 5h28W rappresenta una longitudine Ovest di 5 ore e 28 minuti.

Tuttavia se si desiderasse conoscere la posizione di una città in gradi sarebbe sufficiente convertire la longitudine indicata in minuti e dividere per 4. Per esempio, per Melbourne, longitudine *9 h 40 E* (9 h x 60 = 540 m + 40 m = 580 minuti):

580 m / 4 = 145° Est

La longitudine oraria aggiunta: 1) al Tempo Universale di nascita, 2) al Tempo Siderale del giorno di nascita (dato nelle effemeridi) e 3) ad una correzione oraria (vedete pag. 11) danno il Tempo Siderale di nascita, il quale, con la latitudine, permette di leggere nelle Tavole delle Case le sei Cuspidi che servono alla domificazione.

City/Ville/Stadt/Ciudad/Città	Lat.	Long.
*** A ***		
Aachen, **BRD**	50N46	0h24E
Aalst (Alost), **Belg.**	50N47	0h16E
Aarau, **Sui.**	47N24	0h32E
Aarschot, **Belg.**	50N59	0h19E
Aba, **Nig.**	5N06	0h29E
Abadan, **Iran**	30N20	3h13E
Abbeville, **Fr.**	50N06	0h07E
Abéché, **Tchad**	13N49	1h23E
Abeokuta, **Nig.**	7N10	0h14E
Aberdeen, **G.-B.**	57N10	0h08W
Aberdeen, SD, **USA**	45N28	6h34W
Aberystwyth, **G.-B.**	52N25	0h16W
Abidjan, **C.Iv.**	5N19	0h16W
Abo, → *Turku,* **Finl.**		
Abomey, **Benin**	7N14	0h08E
Abu Dhabi, **E.A.U.**	24N28	3h38E
Acapulco, **Mex.**	16N51	6h40W
Acarigua, **Ven.**	9N35	4h37W
Accra, **Ghana**	5N33	0h01W
Achacachi, **Bol.**	16S01	4h35W
Acre, → *Akko,* **Isr.**		
Adalya, → *Antalya,* **Tur.**		
Adana (Seyhan), **Tur.**	37N00	2h21E
Adapazari, **Tur.**	40N45	2h02E
Addis Ababa (Addis Abeba), **Eth.**	9N03	2h35E
Adelaide, **Aust.**	34S56	9h14E
Aden, **Yem.d.**	12N47	3h00E
Adjohon, **Benin**	6N41	0h10E
Adrar, **Alg.**	27N51	0h01W
Afula, **Isr.**	32N36	2h21E
Agadez, **Niger**	17N00	0h32E
Agadir, **Mar.**	30N30	0h39W
Agboville, **C.Iv.**	5N55	0h17W
Agen, **Fr.**	44N12	0h03E
Agra, **Ind.**	27N09	5h12E
Agram, → *Zagreb,* **Youg.**		
Agrigento, **Ital.**	37N19	0h54E
Agrínio (Aghrinion), **Grc.**	38N38	1h26E
Aguascalientes, **Mex.**	21N51	6h49W
Ahmadabad (Ahmedabad), **Ind.**	23N03	4h51E
Ahmadnagar, **Ind.**	19N08	4h59E
Ahvaz, **Iran**	31N17	3h15E
Aix-en-Provence, **Fr.**	43N31	0h22E
Aix-la-Chapelle, → *Aachen,* **BRD**		
Ajaccio, Corse, **Fr.**	41N55	0h35E
Ajmer, **Ind.**	26N29	4h59E
Akita, **Jap.**	39N44	9h20E
Akjoujt, **Maur.**	19N44	0h57W
Akko, **Isr.**	32N55	2h20E
Akola, **Ind.**	20N40	5h08E
Akron, Oh., **USA**	41N04	5h26W
Aktyubinsk (Aktioubinsk), **URSS**	50N16	3h49E

City/Ville/Stadt/Ciudad/Città	Lat.	Long.
Akure, **Nig.**	7N14	0h21E
Albacete, **Esp.**	39N00	0h07W
Albany, **Aust.**	34S57	7h52E
Albany, Ga., **USA**	31N37	5h37W
Albany, NY, **USA**	42N40	4h55W
Albertville, **Fr.**	45N40	0h26E
Albi, **Fr.**	43N56	0h09E
Alborg, **Dan.**	57N03	0h40E
Albuquerque, NM, **USA**	35N05	7h07W
Alburquerque, **Esp.**	39N13	0h28W
Alcázar de San Juan, **Esp.**	39N24	0h13W
Alcira, **Esp.**	39N10	0h02W
Alcoy, **Esp.**	38N42	0h02W
Aleksandrovsk, → *Zaporozhye,* **URSS**		
Alençon, **Fr.**	48N25	0h00E
Aleoutiennes I., **Pac.O.**	52N25	11h44W
Alep, → *Halab,* **Syr.**		
Alès, **Fr.**	44N08	0h16E
Alessándria (Alexandrie), **Ital.**	44N55	0h34E
Alesund, **Nor.**	62N28	0h25E
Alexandrette, → *Iskenderun,* **Tur.**		
Alexandria, **Roum.**	43N59	1h41E
Alexandria, La., **USA**	31N19	6h10W
Alexandrie, → *Al Iskandereya,* **Egy.**		
Algeciras, **Esp.**	36N08	0h22W
Alger (Algiers), **Alg.**	36N50	0h12E
Al Hillah, **Iraq**	32N28	2h58E
Al Hufuf (Hofouf), **Ar.S.**	25N20	3h18E
Alicante, **Esp.**	38N21	0h02W
Alice Springs, **Aust.**	23S42	8h55E
Aligarh, **Ind.**	27N54	5h12E
Al Iskandereya, **Egy.**	31N13	2h00E
Alkmaar, **Nth.**	52N38	0h19E
Allada, **Benin**	6N41	0h09E
Allahabad, **Ind.**	25N27	5h27E
Allenstein, → *Olsztyn,* **Pol.**		
Allentown, Pa., **USA**	40N37	5h02W
Allepey, **Ind.**	9N30	5h05E
Alma-Ata, **URSS**	43N19	5h08E
Almada, **Port.**	38N40	0h37W
Al Manamah, **Bahr.**	26N12	3h27E
Al Mawsil, → *Mossoul,* **Iran**		
Almelo, **Nth.**	52N21	0h27E
Almería, **Esp.**	36N50	0h10W
Al Qahira, **Egy.**	30N03	2h05E
Alsfeld, **BRD**	50N45	0h37E
Altdorf, **Sui.**	46N53	0h35E
Altenburg, **DDR**	50N59	0h50E
Altoona, Pa., **USA**	40N32	5h14W
Amagasaki, → *Osaka,* **Jap.**		
Amarillo, Tex., **USA**	35N14	6h47W
Ambala, **Ind.**	30N19	5h07E
Ambato, **Ecuad.**	1S18	5h15W
Ambatondrazaka, **Madag.**	17S49	3h14E

City/Ville/Stadt/Ciudad/Città	Lat.	Long.
Amberg in der Oberpfalz, **BRD**	49N26	0h47E
Ambon, **Indon.**	3S41	8h33E
Amersfoort, **Nth.**	52N09	0h22E
Amiens, **Fr.**	49N54	0h09E
Amirauté I., **Pac.O.**	2S01	9h49E
Amman, **Jord.**	31N57	2h24E
Amoy, → *Hia-men,* **China**		
Amravati (Amraoti), **Ind.**	20N58	5h11E
Amritsar, **Ind.**	31N35	5h00E
Amsterdam, **Nth.**	52N21	0h20E
Amsterdam I., **Ind.O.**	37S50	5h10E
Amstetten, **Aut.**	48N08	0h59E
An-chan (Anshan), **China**	41N05	8h12E
Anchorage, Alas., **USA**	61N10	10h00W
Ancona, **Ital.**	43N37	0h54E
Andaman I. (Port Blair), **Ind.O.**	11N40	6h11E
Anderlecht, **Belg.**	50N50	0h17E
Andermatt, **Sui.**	46N38	0h34E
Andizhan (Andijan), **URSS**	40N48	4h50E
Andorra la Vella, **Andor.**	42N30	0h06E
Andria, **Ital.**	41N14	1h05E
Anécho (Aneho), **Togo**	6N17	0h07E
Angermünde, **DDR**	53N01	0h56E
Angers, **Fr.**	47N29	0h02W
Angoulême, **Fr.**	45N40	0h01E
Anju, **Cor.N.**	39N36	8h23E
Ankara (Angora), **Tur.**	39N55	2h11E
Anklam, **DDR**	53N52	0h55E
Annaba, **Alg.**	36N55	0h31E
An Najaf (Nadjaf), **Iraq**	31N59	2h57E
Annecy, **Fr.**	45N54	0h24E
An Nhon (Binh Dinh), **Viet.**	13N53	7h16E
Ansbach, **BRD**	49N18	0h42E
Antakya, **Tur.**	36N12	2h25E
Antalya, **Tur.**	36N53	2h03E
Antananarivo, **Madag.**	18S52	3h10E
Antequera, **Esp.**	37N01	0h18W
Antibes, **Fr.**	43N35	0h28E
Antigua, **Guat.**	14N33	6h03W
Antioch, Ca., **USA**	38N01	8h07W
Antipodes I., **Pac.O.**	49S45	11h56E
Antofagasta, **Chile**	23S40	4h42W
An-tong (Andong), **China**	40N08	8h18E
Antseranana, **Madag.**	12S19	3h17E
Antsirabe, **Madag.**	19S51	3h08E
Antwerpen (Anvers), **Belg.**	51N13	0h18E
Anvers, → *Antwerpen,* **Belg.**		
Aomori, **Jap.**	40N50	9h23E
Aosta, **Ital.**	45N43	0h29E
Apeldoorn, **Nth.**	52N13	0h24E
Appenzell, **Sui.**	47N22	0h38E
Aracaju, **Brasil**	10S54	2h28W
Arad, **Roum.**	46N10	1h25E
Aranda de Duero, **Esp.**	41N40	0h15W
Aransol, **Ind.**	23N40	5h48E
Arbil, **Iraq**	36N12	2h56E
Arbroath, **G.-B.**	56N34	0h10W
Arcachon, **Fr.**	44N40	0h05W
Arendal, **Nor.**	58N27	0h36E
Arequipa, **Peru**	16S25	4h46W
Arezzo, **Ital.**	43N28	0h48E
Argel, → *Alger,* **Alg.**		
Argentan, **Fr.**	48N45	0h00W
Argenteuil, **Fr.**	48N57	0h09E
Arhus, **Dan.**	56N10	0h41E
Arica, **Chile**	18S30	4h41W
Arkhangelsk, **URSS**	64N32	2h43E
Arles, **Fr.**	43N41	0h19E
Arlon, **Belg.**	49N41	0h23E
Armavir, **URSS**	44N59	2h45E
Armenia, **Col.**	4N32	5h03W
Armentières, **Fr.**	50N41	0h12E
Arnhem, **Nth.**	52N00	0h24E
Arras, **Fr.**	50N17	0h11E
Artigas, **Urug.**	30S25	3h46W
Asahikawa, **Jap.**	43N46	9h30E
Ascension I. (Georgetown), **Atl.O.**	7S56	0h58W
Aschaffenburg, **BRD**	49N58	0h37E
Aschersleben, **DDR**	51N46	0h46E
Ascoli Piceno, **Ital.**	42N52	0h54E
Ashdod, **Isr.**	31N48	2h19E
Asheville, NC, **USA**	35N35	5h30W
Ashkhabad (Achkhabad), **URSS**	37N58	3h54E
Ashqelon, **Isr.**	31N40	2h18E
Asmara (Asmera), **Eth.**	15N20	2h36E
Assen, **Nth.**	53N00	0h26E
Assiout, → *Asyut,* **Egy.**		
Assisi, **Ital.**	43N04	0h50E
Assouan (Aswan), **Egy.**	24N05	2h12E
Asti, **Ital.**	44N54	0h33E
Astrakhan (Astrakan), **URSS**	46N22	3h12E
Asunción (Assomption), **Parag.**	25S15	3h51W
Asyut, **Egy.**	27N14	2h04E
Atakpamé, **Togo**	7N34	0h05E
Atar, **Maur.**	20N32	0h53W
Atbara, **Sudan**	17N42	2h16E
Ath (Aat), **Belg.**	50N38	0h15E
Athènes (Athens), → *Athina,* **Grc.**		
Athiémé, **Benin**	6N38	0h07E
Athina, **Grc.**	38N00	1h35E
Athlone, **Irl.**	53N25	0h32W
Atlanta, Ga., **USA**	33N45	5h38W
Atlantic City, NJ, **USA**	39N23	4h58W
Aubagne, **Fr.**	43N17	0h22E
Aubenas, **Fr.**	44N37	0h18E
Auch, **Fr.**	43N40	0h02E
Auckland, **N.Zel.**	36S55	11h39E
Auckland I., **Pac.O.**	51S00	11h04E
Audincourt, **Fr.**	47N29	0h27E
Augsburg, **BRD**	48N21	0h44E

City/Ville/Stadt/Ciudad/Città	Lat.	Long.
Augusta, Ga., **USA**	33N29	5h28W
Augusta, Me., **USA**	44N17	4h39W
Aurangabad, Maharashtra, **Ind.**	19N52	5h01E
Aurillac, **Fr.**	44N56	0h10E
Aussig, → *Usti,* **Tch.**		
Austin, Tex., **USA**	30N18	6h31W
Auxerre, **Fr.**	47N48	0h14E
Aveiro, **Port.**	40N38	0h35W
Avignon, **Fr.**	43N56	0h19E
Avila, **Esp.**	40N39	0h19W
Ayacucho, **Peru**	13S10	4h57W
Ayr, **G.-B.**	55N28	0h19W
Azemmour, **Mar.**	33N20	0h34W
Azogues, **Ecuad.**	2S46	5h16W
Azul, **Arg.**	36S46	3h59W

*** B ***

City/Ville/Stadt/Ciudad/Città	Lat.	Long.
Ba'albek (Balabakk), **Lbn**	34N00	2h25E
Bacau, **Roum.**	46N33	1h48E
Bacolod, **Phil.**	10N38	8h12E
Badajoz, **Esp.**	38N53	0h28W
Badalona, **Esp.**	41N27	0h09E
Baden, **Sui.**	47N28	0h33E
Baden-Baden, **BRD**	48N45	0h33E
Bad Homburg, **BRD**	50N13	0h34E
Bad Ischl, **Aut.**	47N43	0h55E
Bad Kreuznach, **BRD**	49N51	0h31E
Bad Mergentheim, **BRD**	49N29	0h39E
Bad Oldesloe, **BRD**	53N49	0h41E
Bad Salzuflen, **BRD**	52N06	0h35E
Bafia, **Cam.**	4N49	0h45E
Baghdad, **Iraq**	33N20	2h58E
Bahamas I. (Nassau), **Atl.O.**	25N05	5h09W
Bahawalpur, **Pak.**	29N24	4h47E
Bahia, → *Salvador,* **Brasil**		
Bahia Blanca, **Arg.**	38S45	4h09W
Baile Atha Cliath, → *Dublin,* **Irl.**		
Bakersfield, Ca., **USA**	35N25	7h56W
Baku (Bakou), **URSS**	40N22	3h20E
Bâle, → *Basel,* **Sui.**		
Balikesir, **Tur.**	39N37	1h51E
Balikpapan, **Indon.**	1S15	7h47E
Ballarat, **Aust.**	37S36	9h36E
Baltimore, Md., **USA**	39N18	5h07W
Bamako, **Mali**	12N40	0h32W
Bambari, **C.Afr.**	5N40	1h22E
Bamberg, **BRD**	49N54	0h44E
Bamenda, **Cam.**	5N55	0h41E
Banaba I., **Pac.O.**	0S52	11h18E
Banbury, **G.-B.**	52N04	0h05W
Bandar Abbas, **Iran**	27N12	3h45E
Bandar Seri Begawan, **Brunei**	4N56	7h40E
Bandung (Bandoeng), **Indon.**	6S57	7h10E

City/Ville/Stadt/Ciudad/Città	Lat.	Long.
Banfora, **H.Vol.**	10N36	0h19W
Bangalore, **Ind.**	12N58	5h10E
Bangkok, → *Krung Thep,* **Thai.**		
Bangor, Me., **USA**	44N49	4h35W
Bangui, **C.Afr.**	4N23	1h14E
Banja Luka, **Youg.**	44N47	1h09E
Banjarmasin (Bandjermassin), **Indon.**	3S22	7h38E
Banjul, **Gamb.**	13N28	1h07W
Ban Me Thuot, **Viet.**	12N41	7h12E
Barahona, **Dom.**	18N13	4h44W
Barbacena, Minas Gerais, **Brasil**	21S13	2h55W
Barcelona, **Esp.**	41N25	0h09E
Barcelona, **Ven.**	10N08	4h19W
Bareilly (Bareli), **Ind.**	28N20	5h18E
Bari, **Ital.**	41N07	1h07E
Barinas, **Ven.**	8N36	4h41W
Barisal, **B.desh**	22N41	6h01E
Bar-le-Duc, **Fr.**	48N46	0h21E
Barletta, **Ital.**	41N20	1h05E
Barnaul (Barnaoul), **URSS**	53N21	5h35E
Barnsley, Yorks, **G.-B.**	53N34	0h06W
Baroda, **Ind.**	22N19	4h53E
Barquisimeto, **Ven.**	10N03	4h37W
Barrancabermeja, **Col.**	7N06	4h56W
Barranquilla, Atlántico, **Col.**	11N10	4h59W
Barreiro, **Port.**	38N40	0h36W
Barrow in Furness, **G.-B.**	54N07	0h13W
Basel, **Sui.**	47N33	0h30E
Basildon, **G.-B.**	51N34	0h02E
Basingstoke, **G.-B.**	51N16	0h04W
Bassari (Bassar), **Togo**	9N18	0h04E
Bassein, **Birm.**	16N46	6h19E
Basse Terre, Guadeloupe, **Ant.P.**	16N00	4h07W
Basseterre, Saint Kitts, **Ant.P.**	17N17	4h11W
Bassorah (Basra), **Iraq**	30N30	3h11E
Bastia, Corse, **Fr.**	42N41	0h38E
Bastogne, **Belg.**	50N00	0h23E
Bata, **G.eq.**	1N51	0h39E
Batangas, **Phil.**	13N46	8h04E
Batavia, → *Jakarta,* **Indon.**		
Bath, **G.-B.**	51N23	0h09W
Bathurst, → *Banjul,* **Gamb.**		
Batna, **Alg.**	35N34	0h25E
Baton Rouge, La., **USA**	30N30	6h05W
Batouri, **Cam.**	4N26	0h58E
Batroun, **Lbn**	34N16	2h23E
Battambang, **Kamp.**	13N06	6h53E
Battleford, Sask., **Can.**	52N45	7h13W
Batumi (Batoum), **URSS**	41N37	2h46E
Baubau, **Indon.**	5S30	8h10E
Bauchi, **Nig.**	10N16	0h39E
Bauru, **Brasil**	22S19	3h16W
Bautzen, **DDR**	51N11	0h58E
Bawku, **Ghana**	11N05	0h01W
Bayamo, **Cuba**	20N23	5h07W

City/Ville/Stadt/Ciudad/Città	Lat.	Long.
Bayonne, **Fr.**	43N30	0h06W
Bayreuth, **BRD**	49N57	0h46E
Baza, **Esp.**	37N30	0h11W
Beaumont, **Belg.**	50N14	0h17E
Beaumont, Tex., **USA**	30N04	6h16W
Beauvais, **Fr.**	49N26	0h08E
Béchar (Bechard), **Alg.**	31N35	0h09W
Bedford, **G.-B.**	52N08	0h02W
Beersheba (Beer Sheva), **Isr.**	31N15	2h19E
Behbehan, **Iran**	30N34	3h21E
Beijing, → *Pe-king,* **China**		
Beira, → *Sofala,* **Moz.**		
Beirout (Bairut), **Lbn**	33N52	2h22E
Beja, **Port.**	38N01	0h31W
Béja, **Tun.**	36N43	0h37E
Bejaïa (Bougie), **Alg.**	36N49	0h20E
Bekescsaba, **Hong.**	46N40	1h24E
Belém (Para), **Brasil**	1S27	3h14W
Belfast, **Irl.**	54N35	0h24W
Belfort, **Fr.**	47N38	0h27E
Belgaum, **Ind.**	15N54	4h58E
Belgorod (Bielgorod), **URSS**	50N38	2h26E
Belgrade, → *Beograd,* **Youg.**		
Belize, **Belize**	17N29	5h53W
Bellinzona, **Sui.**	46N12	0h36E
Belmopan, **Belize**	17N13	5h55W
Belo Horizonte, M.Gerais, **Brasil**	19S54	2h56W
Benares, → *Varanasi,* **Ind.**		
Bendigo, **Aust.**	36S48	9h37E
Benevento, **Ital.**	41N08	0h59E
Benghazi, **Lib.**	32N07	1h20E
Benguela, **Angola**	12S34	0h54E
Benicarló, **Esp.**	40N25	0h02E
Beni Mellal, **Mar.**	32N22	0h26W
Benin City, **Nig.**	6N19	0h23E
Beni Souef, **Egy.**	29N05	2h04E
Beograd (Belgrad), **Youg.**	44N50	1h22E
Berbera, **Somal.**	10N28	3h00E
Berbérati, **C.Afr.**	4N19	1h03E
Berezniki, **URSS**	59N26	3h47E
Bergamo, **Ital.**	45N42	0h39E
Bergen, **Nor.**	60N23	0h21E
Bergen op Zoom, **Nth.**	51N30	0h17E
Bergerac, **Fr.**	44N50	0h02E
Berlin, **DDR**	52N32	0h54E
Bermuda I. (Hamilton), **Atl.O.**	32N18	4h19W
Bern (Berne), **Sui.**	46N57	0h30E
Bernburg, **DDR**	51N49	0h47E
Bertoua, **Cam.**	4N34	0h55E
Berwick upon Tweed, **G.-B.**	55N46	0h08W
Besançon, **Fr.**	47N14	0h24E
Bethleem (Beit Lahm), **Jord.**	31N42	2h21E
Bethlehem, **S.Afr.**	28S15	1h53E
Bethlehem, Pa., **USA**	40N36	5h01W
Béthune, **Fr.**	50N32	0h11E
Beyla, **Guin.**	8N42	0h35W
Beyrouth, → *Beirout,* **Lbn**		
Béziers, **Fr.**	43N21	0h13E
Bezwada, → *Vijayavada,* **Ind.**		
Bhagalpur, **Ind.**	25N14	5h48E
Bhatpara, **Ind.**	22N51	5h54E
Bhavnagar, **Ind.**	21N46	4h49E
Bhopal, **Ind.**	23N17	5h10E
Bialystok, **Pol.**	53N09	1h33E
Biarritz, **Fr.**	43N29	0h06W
Bida, **Nig.**	9N06	0h24E
Biel (Bienne), **Sui.**	47N09	0h29E
Bielefeld, **BRD**	52N02	0h34E
Biella, **Ital.**	45N34	0h32E
Bielsko-Biala, **Pol.**	49N50	1h16E
Bikaner, **Ind.**	28N01	4h53E
Bilbao, **Esp.**	43N15	0h12W
Billings, Mt., **USA**	45N47	7h14W
Binche, **Belg.**	50N25	0h17E
Binghamton, NY, **USA**	42N06	5h04W
Binzert, **Tun.**	37N18	0h39E
Birjand, **Iran**	32N55	3h57E
Birkenhead, **G.-B.**	53N24	0h12W
Birmingham, **G.-B.**	52N30	0h07W
Birmingham, Alab., **USA**	33N30	5h48W
Birnin Kebbi, **Nig.**	12N30	0h17E
Birni n'Konni, **Niger**	13N49	0h21E
Biskra (Beskra), **Alg.**	34N50	0h23E
Bismarck, ND, **USA**	46N50	6h43W
Bissau, **G.Bis.**	11N52	1h03W
Bitola (Monastir), **Youg.**	41N01	1h25E
Biysk (Biisk), **URSS**	52N35	5h41E
Bizerte, → *Binzert,* **Tun.**		
Blackburn, Lancs, **G.-B.**	53N45	0h10W
Blackpool, **G.-B.**	53N50	0h12W
Blankenburg, **DDR**	51N48	0h44E
Blantyre, **Malawi**	15S46	2h20E
Blida (El Boulaïda), **Alg.**	36N30	0h11E
Bloemfontein, **S.Afr.**	29S07	1h45E
Blois, **Fr.**	47N36	0h05E
Bloomington, Ill., **USA**	40N29	5h56W
Bludenz, **Aut.**	47N10	0h39E
Blumenau, **Brasil**	26S55	3h16W
Bo, **S.Leo.**	7N58	0h47W
Bobo-Dioulasso, **H.Vol.**	11N11	0h17W
Bobruysk, **URSS**	53N08	1h57E
Bochum, **BRD**	51N28	0h29E
Boden, **Sue.**	65N50	1h27E
Boende, **Zaire**	0S15	1h23E
Bogor, **Indon.**	6S34	7h07E
Bogotá, **Col.**	4N38	4h56W
Boise, Id., **USA**	43N38	7h45W
Bois-le-Duc, → *'s-Hertogenbosch,* **Nth.**		
Boké, **Guin.**	10N57	0h57W

City/Ville/Stadt/Ciudad/Città	Lat.	Long.
Bolgatanga, **Ghana**	10N44	0h04W
Bologna, **Ital.**	44N30	0h45E
Bolton, **G.-B.**	53N35	0h10W
Bolzano, **Ital.**	46N30	0h45E
Boma, **Zaire**	5S50	0h52E
Bombay (Mumbaï), **Ind.**	18N56	4h51E
Bonda, **Gabon**	0S50	0h51E
Bondoukou, **C.Iv.**	8N03	0h11W
Bône, → *Annaba,* **Alg.**		
Bongor, **Tchad**	10N18	1h01E
Bonn, **BRD**	50N44	0h28E
Boras, **Sue.**	57N44	0h52E
Bordeaux, **Fr.**	44N50	0h02W
Borujerd, **Iran**	33N55	3h15E
Bossangoa, **C.Afr.**	6N27	1h09E
Boston, **G.-B.**	52N59	0h00W
Boston, Mass., **USA**	42N20	4h44W
Bottrop, **BRD**	51N31	0h28E
Bouaflé, **C.Iv.**	7N01	0h23W
Bouaké, **C.Iv.**	7N42	0h20W
Bouar, **C.Afr.**	5N58	1h02E
Bouarfa, **Mar.**	32N30	0h08W
Bougouni, **Madag.**	11N25	0h30W
Boulogne-sur-Mer, **Fr.**	50N43	0h06E
Bourail, **N.Cal.**	21S34	11h02E
Bourg-en-Bresse, **Fr.**	46N12	0h21E
Bourges, **Fr.**	47N05	0h10E
Bournemouth, **G.-B.**	50N43	0h08W
Bowling Green, Ky., **USA**	37N00	5h46W
Bozoum, **C.Afr.**	6N16	1h05E
Bradford, Yorks, **G.-B.**	53N48	0h07W
Braga, **Port.**	41N32	0h34W
Braila, **Roum.**	45N17	1h52E
Brandenburg, **DDR**	52N25	0h50E
Brandon, Man., **Can.**	49N50	6h40W
Brasilia, **Brasil**	15S45	3h12W
Brasov, **Roum.**	45N39	1h42E
Bratislava, **Tch.**	48N10	1h09E
Bratsk, **URSS**	56N20	6h47E
Braunau am Inn, **Aut.**	48N16	0h52E
Braunschweig, **BRD**	52N15	0h42E
Brazzaville, **Congo**	4S14	1h01E
Breda, **Nth.**	51N35	0h19E
Bremen (Brême), **BRD**	53N05	0h35E
Bremerhaven, **BRD**	53N33	0h34E
Brescia, **Ital.**	45N33	0h41E
Breslau, → *Wroclaw,* **Pol.**		
Brest, **Fr.**	48N23	0h18W
Brest Litovsk, **URSS**	52N08	1h35E
Briançon, **Fr.**	44N53	0h27E
Bridgeport, Conn., **USA**	41N12	4h53W
Bridgetown, Barbados, **Ant.P.**	13N06	3h58W
Brig (Brigue), **Sui.**	46N19	0h32E
Brighton, **G.-B.**	50N50	0h01W
Brignoles, **Fr.**	43N25	0h24E
Bríndisi, **Ital.**	40N37	1h12E
Brioude, **Fr.**	45N18	0h14E
Brisbane, **Aust.**	27S30	10h12E
Bristol, **G.-B.**	51N27	0h10W
Brive-la-Gaillarde, **Fr.**	45N09	0h06E
Brno, **Tch.**	49N13	1h07E
Broken Hill, **Aust.**	31S57	9h26E
Bromberg, → *Bydgoszcz,* **Pol.**		
Brousse, → *Bursa,* **Tur.**		
Brownsville, Tex., **USA**	25N54	6h30W
Bruay-en-Artois, **Fr.**	50N29	0h10E
Brugge (Bruges), **Belg.**	51N13	0h13E
Brünn, → *Brno,* **Tch.**		
Brunswick, → *Braunschweig,* **BRD**		
Bruxelles (Brussel), **Belg.**	50N50	0h17E
Bryansk (Briansk), **URSS**	53N15	2h17E
Bucaramanga, **Col.**	7N08	4h53W
Buchanan, **Liber.**	5N57	0h40W
Buckingham, **G.-B.**	52N00	0h04W
Bucuresti (Bucarest), **Roum.**	44N25	1h44E
Budapest, **Hong.**	47N30	1h16E
Budweis, → *Ceske Budejovice,* **Tch.**		
Buenaventura, **Col.**	3N54	5h08W
Buenos Aires, **Arg.**	34S40	3h54W
Buffalo, NY, **USA**	42N52	5h16W
Buga, **Col.**	3N53	5h05W
Builth Wells, **G.-B.**	52N09	0h14W
Bujumbura, **Bur.**	3S22	1h57E
Bukama, **Zaire**	9S13	1h43E
Bukavu, **Zaire**	2S30	1h55E
Bukhara (Boukhara), **URSS**	39N47	4h18E
Bukittinggi, **Indon.**	0S18	6h41E
Bulawayo, **Zimb.**	20S10	1h55E
Bulle, **Sui.**	46N37	0h28E
Bundaberg, **Aust.**	24S50	10h09E
Burgas (Bourgas), **Bulg.**	42N30	1h50E
Burgdorf (Berthoud), **Sui.**	47N03	0h31E
Burgos, **Esp.**	42N21	0h15W
Burlington, Vt., **USA**	44N28	4h53W
Burnley, **G.-B.**	53N48	0h09W
Bursa, **Tur.**	40N12	1h56E
Bûr Said, **Egy.**	31N17	2h09E
Burton on Trent, **G.-B.**	52N48	0h06W
Bussum, **Nth.**	52N17	0h21E
Busto Arsizio, **Ital.**	45N37	0h35E
Butare, **Rwanda**	2S35	1h59E
Butte, Mt., **USA**	46N00	7h30W
Buzau, **Roum.**	45N09	1h47E
Bydgoszcz, **Pol.**	53N16	1h12E
Bytom (Beuthen), **Pol.**	50N21	1h15E

*** C ***

City/Ville/Stadt/Ciudad/Città	Lat.	Long.
Cabimas, **Ven.**	10N26	4h46W

City/Ville/Stadt/Ciudad/Città	Lat.	Long.
Cabinda, **Angola**	5S34	0h49E
Cáceres, **Esp.**	39N29	0h26W
Cádiz, **Esp.**	36N32	0h25W
Caen, **Fr.**	49N11	0h01W
Caernarfon, **G.-B.**	53N08	0h17W
Cagliari, Sardegne, **Ital.**	39N13	0h37E
Cahors, **Fr.**	44N28	0h06E
Cairns, **Aust.**	16S51	9h43E
Cairo, Ill., **USA**	37N01	5h57W
Cairo, → *Al Qahira,* **Egy.**		
Cajamarca, **Peru**	7S09	5h14W
Cajàzeiras, **Brasil**	6S52	2h34W
Calabar, **Nig.**	4N56	0h33E
Calabozo, **Ven.**	8N58	4h30W
Calais, **Fr.**	50N57	0h07E
Calama, **Chile**	22S30	4h36W
Calarasi, **Roum.**	44N12	1h49E
Calatayud, **Esp.**	41N21	0h07W
Calcutta (Kalikata), **Ind.**	22N30	5h53E
Calgary, Alb., **Can.**	51N05	7h36W
Cali, **Col.**	3N24	5h06W
Calicut, → *Kozhikode,* **Ind.**		
Callao, **Peru**	12S05	5h09W
Caltanissetta, **Ital.**	37N29	0h56E
Camagüey, **Cuba**	21N25	5h12W
Cambrai, **Fr.**	50N10	0h13E
Cambridge, **G.-B.**	52N12	0h00W
Camden, NJ, **USA**	39N52	5h00W
Campbell I., **Pac.O.**	52S30	11h16E
Campina Grande, **Brasil**	7S15	2h23W
Campinas, **Brasil**	22S54	3h08W
Campoalegre, **Col.**	2N49	5h01W
Campo Grande, **Brasil**	20S24	3h38W
Campos, **Brasil**	21S46	2h45W
Canberra, **Aust.**	35S18	9h57E
Candie, → *Iráklio,* **Grc.**		
Cannes, **Fr.**	43N33	0h28E
Canterbury, **G.-B.**	51N17	0h04E
Canton, Oh., **USA**	40N48	5h26W
Canton, → *Kouang-tcheou,* **China**		
Cape Coast, **Ghana**	5N10	0h05W
Cape Town, **S.Afr.**	33S56	1h14E
Cape Verde I. (Praia), **Atl.O.**	14N56	1h34W
Cap-Haïtien, **Haiti**	19N47	4h49W
Caracal, **Roum.**	44N07	1h37E
Caracas, **Ven.**	10N35	4h28W
Carcassonne, **Fr.**	43N13	0h09E
Cardiff, **G.-B.**	51N30	0h13W
Cardigan, **G.-B.**	52N06	0h19W
Carleton Place, Ont., **Can.**	45N08	5h05W
Carlisle, **G.-B.**	54N54	0h12W
Carlow, **Irl.**	52N50	0h28W
Carmarthen, **G.-B.**	51N52	0h17W
Carolina, **Brasil**	7S20	3h10W
Carolinas I., → *Truk + Palau,* **Pac.O.**		
Carpentras, **Fr.**	44N03	0h20E
Carrara, **Ital.**	44N04	0h40E
Carson City, Nev., **USA**	39N10	7h59W
Cartagena, **Col.**	10N24	5h02W
Cartagena (Carthagène), **Esp.**	37N36	0h04W
Cartago, **Col.**	4N45	5h04W
Caruarú, **Brasil**	8S15	2h24W
Carúpano, **Ven.**	10N39	4h13W
Casablanca, → *Dar el Beida,* **Mar.**		
Caserta, **Ital.**	41N04	0h57E
Casper, Wyo., **USA**	42N50	7h05W
Castellammare di Stabia, **Ital.**	40N47	0h58E
Castellane, **Fr.**	43N50	0h26E
Castellón de la Plana, **Esp.**	39N59	0h00W
Castelo Branco, **Port.**	39N50	0h30W
Castres, **Fr.**	43N36	0h09E
Castries, Sainte-Lucie, **Ant.P.**	14N01	4h04W
Catamarca, **Arg.**	28S28	4h23W
Catania (Catane), **Ital.**	37N31	1h00E
Catanzaro, **Ital.**	38N54	1h06E
Cawnpore, → *Kanpur,* **Ind.**		
Cayambe, **Ecuad.**	0N02	5h13W
Cayenne, **Gu.Fr.**	4N55	3h29W
Ceará, → *Fortaleza,* **Brasil**		
Cebu, **Phil.**	10N17	8h16E
Cedar Rapids, Ia., **USA**	41N59	6h07W
Celle, **BRD**	52N37	0h40E
Cerignola, **Ital.**	41N16	1h04E
Cernauti, → *Chernovtsy,* **URSS**		
Cerro de Pasco, **Peru**	10S43	5h05W
Cesena, **Ital.**	44N09	0h49E
Ceske Budejovice, **Tch.**	48N58	0h58E
Ceuta, **Mar.**	35N53	0h21W
Chagos (Tchagos) I., **Ind.O.**	6S00	4h48E
Châlons-sur-Marne, **Fr.**	48N58	0h17E
Chalon-sur-Saône, **Fr.**	46N47	0h19E
Chambéry, **Fr.**	45N34	0h24E
Chañaral, **Chile**	26S23	4h43W
Chang-hai (Shanghai), **China**	31N13	8h06E
Chang-hua (Tchang-houa), **Taiwan**	24N06	8h02E
Chan-teou (Shantou), **China**	23N23	7h47E
Chao-kouan, → *Shaoguan,* **China**		
Charleroi, **Belg.**	50N25	0h18E
Charleston, SC, **USA**	32N48	5h20W
Charleston, WV, **USA**	38N23	5h27W
Charlestown, Nevis, **Ant.P.**	17N08	4h10W
Charleville-Mézières, **Fr.**	49N46	0h19E
Charlotte, NC, **USA**	35N03	5h23W
Charlottesville, Va., **USA**	38N02	5h14W
Charlottetown, PE, **Can.**	46N19	4h13W
Chartres, **Fr.**	48N27	0h06E
Chascomas, **Arg.**	35S34	3h52W
Châteaubriant, **Fr.**	47N43	0h05W
Châteaudun, **Fr.**	48N04	0h05E

City/Ville/Stadt/Ciudad/Città	Lat.	Long.
Châteauroux, Indre, **Fr.**	46N49	0h07E
Château-Thierry, **Fr.**	49N03	0h14E
Châtellerault, **Fr.**	46N49	0h02E
Chatham, **G.-B.**	51N23	0h02E
Chatham I., **Pac.O.**	44S00	11h44W
Chattanooga, Tenn., **USA**	35N02	5h41W
Chaumont, **Fr.**	48N07	0h21E
Cheboksary, **URSS**	56N08	3h09E
Chelmsford, **G.-B.**	51N44	0h02E
Cheltenham, **G.-B.**	51N54	0h08W
Chelyabinsk, **URSS**	55N12	4h06E
Chemnitz, → *Karl-Marx-Stadt,* **DDR**		
Chen-yang (Shenyang), **China**	41N50	8h14E
Cherbourg, **Fr.**	49N38	0h06W
Cherepovets, **URSS**	59N09	2h31E
Cherkassy, **URSS**	49N27	2h08E
Chernigov, **URSS**	51N30	2h05E
Chernovtsy, **URSS**	48N19	1h43E
Chester, **G.-B.**	53N12	0h12W
Chesterfield, **G.-B.**	53N15	0h06W
Cheyenne, Wyo., **USA**	41N08	6h59W
Chiang Mai (Chiengmai), **Thai.**	18N48	6h36E
Chiba, **Jap.**	35N38	9h20E
Chicago, Ill., **USA**	41N50	5h51W
Chiclayo, **Peru**	6S47	5h19W
Chicoutimi, Que., **Can.**	48N26	4h44W
Chihuahua, **Mex.**	28N40	7h04W
Chillán, **Chile**	36S37	4h49W
Chi-lung (Tsilong), **Taiwan**	25N10	8h07E
Chimay, **Belg.**	50N03	0h17E
Chimbote, **Peru**	9S04	5h14W
Chimkent, **URSS**	42N16	4h36E
Chinju, **Cor.S.**	35N10	8h32E
Chiraz, → *Shiraz,* **Iran**		
Chisinau, → *Kishinev,* **URSS**		
Chita, **URSS**	52N03	7h34E
Chittagong, **B.desh**	22N20	6h07E
Chivilcoy, **Arg.**	34S55	4h00W
Choisy-le-Roi, **Fr.**	48N47	0h10E
Cholet, **Fr.**	47N04	0h04W
Chongjin, **Cor.N.**	41N50	8h40E
Chongju, **Cor.S.**	35N39	8h30E
Chorzow, **Pol.**	50N19	1h16E
Christchurch, **N.Zel.**	43S33	11h31E
Christiana, → *Oslo,* **Nor.**		
Christmas I., **Ind.O.**	10S30	7h03E
Chur (Coire), **Sui.**	46N52	0h38E
Ciénaga, **Col.**	11N01	4h57W
Cienfuegos, **Cuba**	22N10	5h22W
Cimpina, **Roum.**	45N08	1h43E
Cincinnati, Oh., **USA**	39N10	5h40W
Cirebon (Tjirebon), **Indon.**	6S46	7h14E
Ciudad Bolívar, **Ven.**	8N06	4h14W
Ciudad Camargo, Chihuahua, **Mex.**	27N41	7h01W
Ciudadela, **Bal.I.**	40N00	0h15E

City/Ville/Stadt/Ciudad/Città	Lat.	Long.
Ciudad Guyana, **Ven.**	8N22	4h10W
Ciudad Juárez, **Mex.**	31N42	7h06W
Ciudad Obregón, **Mex.**	27N28	7h20W
Ciudad Real, **Esp.**	38N59	0h16W
Ciudad Trujillo, → *Santo-Domingo,* **Dom.**		
Ciudad Victoria, **Mex.**	23N43	6h37W
Clermont-Ferrand, **Fr.**	45N47	0h12E
Cleveland, Oh., **USA**	41N30	5h27W
Cliperton I., **Pac.O.**	10N20	7h17W
Cluj (Kolozsvar), **Roum.**	46N47	1h34E
Coblence, → *Koblenz,* **BRD**		
Coburg, **BRD**	50N15	0h44E
Cochabamba, **Bol.**	17S26	4h25W
Cochin, **Ind.**	9N56	5h05E
Cochrane, Ont., **Can.**	49N04	5h24W
Cognac, **Fr.**	45N42	0h01W
Coimbatore, **Ind.**	11N00	5h08E
Coimbra (Coïmbre), **Port.**	40N12	0h34W
Colchester, **G.-B.**	51N54	0h04E
Colmar, **Fr.**	48N05	0h29E
Cologne, → *Köln,* **BRD**		
Colombo, **Sr.Lka**	6N55	5h19E
Colón, **Cuba**	22N42	5h28W
Colón, **Panama**	9N21	5h20W
Colorado Springs, Colo., **USA**	38N50	6h59W
Columbia, SC, **USA**	34N00	5h24W
Columbus, Ga., **USA**	32N30	5h40W
Columbus, Miss., **USA**	33N30	5h54W
Columbus, Oh., **USA**	39N59	5h32W
Colwyn Bay, **G.-B.**	53N18	0h15W
Comilla, **B.desh**	23N28	6h05E
Commandeur I., **Pac.O.**	55N04	11h05E
Como (Côme), **Ital.**	45N48	0h36E
Comodoro Rivadavia, **Arg.**	45S50	4h30W
Comores I., **Ind.O.**	11S40	2h53E
Compiègne, **Fr.**	49N25	0h11E
Conakry, **Guin.**	9N30	0h55W
Concepción, **Chile**	36S50	4h52W
Concepción, **Parag.**	23S22	3h50W
Concepción del Uruguay, **Arg.**	32S30	3h53W
Concordia, **Arg.**	31S25	3h52W
Constance, → *Konstanz,* **BRD**		
Constanta (Constantza), **Roum.**	44N12	1h55E
Constantine, **Alg.**	36N22	0h27E
Constantinople, → *Istanbul,* **Tur.**		
Copenhague, → *København,* **Dan.**		
Copiapó, **Chile**	27S20	4h42W
Córdoba, **Arg.**	31S25	4h17W
Córdoba (Cordoue), **Esp.**	37N53	0h19W
Corfu (Corfou), **Grc.**	39N38	1h20E
Corinthe, → *Kórinthos,* **Grc.**		
Cork, **Irl.**	51N54	0h34W
Corner Brook, TN, **Can.**	48N58	3h52W
Cornwall, Ont., **Can.**	45N02	4h59W

City/Ville/Stadt/Ciudad/Città	Lat.	Long.
Coro, **Ven.**	11N27	4h39W
Coroico, **Bol.**	16S09	4h31W
Corpus Christi, Tex., **USA**	27N47	6h30W
Corrientes, **Arg.**	27S30	3h55W
Coruche, **Port.**	38N58	0h34W
Cosenza, **Ital.**	39N17	1h05E
Cotagaita, **Bol.**	20S47	4h23W
Cotonou, **Benin**	6N24	0h10E
Cottbus, **DDR**	51N43	0h57E
Courtrai, → *Kortrijk,* **Belg.**		
Coventry, **G.-B.**	52N25	0h06W
Covilhao, **Port.**	40N17	0h30W
Cracovie, → *Krakow,* **Pol.**		
Craiova, **Roum.**	44N18	1h35E
Creil, **Fr.**	49N16	0h10E
Cremona, **Ital.**	45N08	0h40E
Créteil, **Fr.**	48N47	0h10E
Crewe, **G.-B.**	53N05	0h10W
Crozet I., **Ind.O.**	46S00	3h28E
Cruzeiro do Sul, **Brasil**	7S40	4h51W
Cúcuta, **Col.**	7N55	4h50W
Cuenca, **Ecuad.**	2S54	5h16W
Cuenca, **Esp.**	40N04	0h08W
Cuernavaca, **Mex.**	18N57	6h37W
Cuiabá, **Brasil**	15S32	3h44W
Culiacán, **Mex.**	24N50	7h10W
Cumana, **Ven.**	10N29	4h17W
Cumberland, Md., **USA**	39N40	5h15W
Curitiba, **Brasil**	25S25	3h18W
Curvelo, **Brasil**	18S45	2h58W
Cuttack (Kataka), **Ind.**	20N26	5h44E
Cuxhaven, **BRD**	53N52	0h35E
Cuzco (Cusco), **Peru**	13S32	4h48W
Czestochowa, **Pol.**	50N49	1h16E

*** D ***

City/Ville/Stadt/Ciudad/Città	Lat.	Long.
Dabola, **Guin.**	10N48	0h44W
Dacca, **B.desh**	23N42	6h01E
Dairen, → *Ta-lien,* **China**		
Dakar, **Seneg.**	14N38	1h10W
Dalaba, **Guin.**	10N47	0h49W
Dallas, Tex., **USA**	32N47	6h27W
Daloa, **C.Iv.**	6N56	0h26W
Damanhur, **Egy.**	31N03	2h02E
Damas (Esh Sham), **Syr.**	33N30	2h25E
Damiette (Dumyat), **Egy.**	31N26	2h07E
Da Nang, **Viet.**	16N04	7h13E
Danzig, → *Gdansk,* **Pol.**		
Darbhanga, **Ind.**	26N10	5h44E
Dar el Beida, **Mar.**	33N39	0h30W
Dar es Salaam, **Tanz.**	6S51	2h37E
Darjeeling, **Ind.**	27N02	5h53E
Darlington, **G.-B.**	54N31	0h06W
Darmstadt, **BRD**	49N52	0h35E
Darnah (Derna), **Lib.**	32N46	1h31E
Darwin, **Aust.**	12S23	8h43E
Datu Piang, **Phil.**	7N02	8h18E
Daugavpils, **URSS**	55N52	1h46E
Davao, **Phil.**	7N05	8h23E
Davenport, Ia., **USA**	41N32	6h02W
David, **Panama**	8N26	5h30W
Dawson, Yukon, **Can.**	64N04	9h18W
Dawson Creek, Br.Col., **Can.**	55N44	8h01W
Dayton, Oh., **USA**	39N45	5h37W
De Aar, **S.Afr.**	30S40	1h36E
Debrecen, **Hong.**	47N30	1h26E
Debre Markos, **Eth.**	10N19	2h31E
Decatur, Alab., **USA**	34N36	5h48W
Decatur, Ill., **USA**	39N51	5h56W
Dédougou, **H.Vol.**	12N29	0h14W
Dehra Dun, **Ind.**	30N19	5h12E
Deir es Zor, **Syr.**	35N20	2h41E
Delémont, **Sui.**	47N22	0h29E
Delft, **Nth.**	52N01	0h17E
Delhi (Dilli), **Ind.**	28N40	5h09E
Delmenhorst, **BRD**	53N03	0h34E
Demmin, **DDR**	53N55	0h52E
Denain, **Fr.**	50N19	0h14E
Dendermonde (Termonde), **Belg.**	51N02	0h16E
Den Haag, **Nth.**	52N05	0h17E
Den Helder, **Nth.**	52N58	0h19E
Denpaser, **Indon.**	8S40	7h41E
Denver, Colo., **USA**	39N45	7h00W
Dera Ismail Khan, **Pak.**	31N51	4h44E
Derby, **G.-B.**	52N55	0h06W
Des Moines, Ia., **USA**	41N35	6h14W
Dessau, **DDR**	51N51	0h49E
Detmold, **BRD**	51N55	0h35E
Detroit, Mich., **USA**	42N23	5h32W
Deva, **Roum.**	45N53	1h32E
Deventer, **Nth.**	52N15	0h25E
Dibay (Doubaï), → *Dubay,* **E.A.U.**		
Diego Suarez, → *Antseranana,* **Madag.**		
Diepholz, **BRD**	52N37	0h33E
Dieppe, **Fr.**	49N55	0h04E
Diest, **Belg.**	50N58	0h20E
Dietikon, **Sui.**	47N24	0h34E
Digne, **Fr.**	44N05	0h25E
Dijon, **Fr.**	47N20	0h20E
Dili, **Indon.**	8S35	8h22E
Dimashq, → *Damas,* **Syr.**		
Dinant, **Belg.**	50N16	0h20E
Dingwall, **G.-B.**	57N35	0h18W
Diourbel, **Seneg.**	14N39	1h05W
Diredaoua (Dire Dawa), **Eth.**	9N35	2h47E
Disuq, **Egy.**	31N09	2h03E
Diyarbakir, **Tur.**	37N55	2h41E

City/Ville/Stadt/Ciudad/Città	Lat.	Long.
Djakarta, → *Jakarta,* **Indon.**		
Djambi (Jambi), → *Telanaipura,* **Indon.**		
Djedda, → *Jeddah,* **Ar.S.**		
Djenné, **Mali**	13N55	0h18W
Djibouti, **Djib.**	11N36	2h53E
Djokjakarta, → *Yogyakarta,* **Indon.**		
Djougou, **Benin**	9N40	0h07E
Dnepropetrovsk, **URSS**	48N29	2h20E
Dogondoutchi, **Niger**	13N36	0h16E
Doha (Ad Dawhah), **Qatar**	25N15	3h26E
Dôle, **Fr.**	47N05	0h22E
Dolores, **Arg.**	36S23	3h51W
Doncaster, **G.-B.**	53N32	0h04W
Donetsk, **URSS**	48N00	2h31E
Dorchester, Dorset, **G.-B.**	50N43	0h10W
Dordrecht, **Nth.**	51N48	0h19E
Dornbirn, **Aut.**	47N25	0h39E
Dorpat, → *Tartu,* **URSS**		
Dortmund, **BRD**	51N32	0h30E
Dosso, **Niger**	13N03	0h13E
Douai, **Fr.**	50N22	0h12E
Douala, **Cam.**	4N04	0h39E
Douglas, Man I., **G.-B.**	54N09	0h18W
Douna, **Mali**	13N13	0h24W
Dover, Del., **USA**	39N10	5h02W
Dover (Douvres), **G.-B.**	51N08	0h05E
Drachten, **Nth.**	53N07	0h24E
Draguignan, **Fr.**	43N32	0h26E
Dráma, **Grc.**	41N10	1h37E
Drammen, **Nor.**	59N45	0h41E
Dresden (Dresde), **DDR**	51N03	0h55E
Dreux, **Fr.**	48N44	0h06E
Drogheda, **Irl.**	53N43	0h25W
Drumheller, Alb., **Can.**	51N25	7h31W
Dubay, **E.A.U.**	25N14	3h41E
Dublin, **Irl.**	53N20	0h25W
Dubrovnik, **Youg.**	42N40	1h12E
Dubuque, Ia., **USA**	42N31	6h03W
Dudley, **G.-B.**	52N30	0h08W
Duha, → *Doha,* **Qatar**		
Duisburg, **BRD**	51N26	0h27E
Duluth, Minn., **USA**	46N45	6h09W
Dumbarton, **G.-B.**	55N57	0h18W
Dum Dum, **Ind.**	22N37	5h54E
Dumfries, **G.-B.**	55N04	0h14W
Dünaburg, → *Daugavpils,* **URSS**		
Dunaujváros, **Hong.**	47N00	1h16E
Dundalk, **Irl.**	54N01	0h26W
Dundee, **G.-B.**	56N28	0h12W
Dunedin, **N.Zel.**	45S52	11h22E
Dunfermline, **G.-B.**	56N04	0h14W
Dunkerque, **Fr.**	51N02	0h10E
Dunkwa, **Ghana**	5N59	0h07W
Dun Laoghaire, **Irl.**	53N17	0h25W

City/Ville/Stadt/Ciudad/Città	Lat.	Long.
Durango, **Mex.**	24N01	6h59W
Durazno, **Urug.**	33S22	3h46W
Durban, **S.Afr.**	29S53	2h04E
Düren, **BRD**	50N48	0h26E
Durham, **G.-B.**	54N47	0h06W
Durham, NC, **USA**	36N00	5h16W
Dushanbe (Douchambe), **URSS**	38N38	4h35E
Düsseldorf, **BRD**	51N13	0h27E
Dvinsk, → *Daugavpils,* **URSS**		
Dzaudzhikau, → *Ordzhonikidze,* **URSS**		
Dzhambul (Djamboul), **URSS**	42N50	4h46E
*** E ***		
Eastbourne, **G.-B.**	50N46	0h01E
East London, **S.Afr.**	33S00	1h52E
Eau Claire, Wis., **USA**	44N50	6h06W
Eberswalde, **DDR**	52N50	0h55E
Echo Bay, NT, **Can.**	66N04	7h52W
Ede, **Nth.**	52N03	0h23E
Edea, **Cam.**	3N47	0h41E
Edesse, → *Urfa,* **Tur.**		
Edimburgh, **G.-B.**	55N57	0h13W
Edmonton, Alb., **Can.**	53N34	7h34W
Edmundston, NB, **Can.**	47N22	4h33W
Eindhoven, **Nth.**	51N26	0h22E
Eisenach, **DDR**	50N59	0h41E
Eisenerz, **Aut.**	47N33	1h00E
Eisenstadt, **Aut.**	47N50	1h06E
Eisleben, **DDR**	51N32	0h46E
Elath (Eilat), **Isr.**	29N33	2h20E
Elberfeld, → *Wuppertal,* **BRD**		
Elblag (Elbing), **Pol.**	54N10	1h18E
Elche, **Esp.**	38N16	0h03W
El-Djazair, → *Alger,* **Alg.**		
Eldoret, **Kenya**	0N31	2h21E
El Faiyoum, **Egy.**	29N19	2h03E
El Fasher, **Sudan**	13N37	1h41E
El Ferrol, **Esp.**	43N29	0h33W
Elgin, **G.-B.**	57N39	0h13W
Elisabethville, → *Lubumbashi,* **Zaire**		
El Jadida, **Mar.**	33N19	0h34W
El Kef, **Tun.**	36N10	0h35E
Elko, Nev., **USA**	40N50	7h43W
El Ladhiqiya (Latakieh), **Syr.**	35N31	2h23E
El Mahalla el Kubra, **Egy.**	30N59	2h05E
El Manzala, **Egy.**	31N10	2h08E
El Minya, **Egy.**	28N06	2h03E
Elmshorn, **BRD**	53N46	0h39E
El Obeid, **Sudan**	13N11	2h01E
El Paso, Tex., **USA**	31N45	7h06W
El Tigre, **Ven.**	8N44	4h17W

City/Ville/Stadt/Ciudad/Città	Lat.	Long.
Emden, **BRD**	53N23	0h29E
Emmen, **Nth.**	52N47	0h28E
Encarnación, **Parag.**	27S20	3h43W
Ende, **Indon.**	8S51	8h07E
Enns, **Aut.**	48N13	0h58E
Enschede, **Nth.**	52N13	0h28E
Entebbe, **Uganda**	0N04	2h10E
Enugu, **Nig.**	6N20	0h30E
Epernay, **Fr.**	49N02	0h16E
Epinal, **Fr.**	48N10	0h26E
Erbil, → *Arbil,* **Iraq**		
Erfurt, **DDR**	50N58	0h44E
Erie, Pa., **USA**	42N07	5h20W
Erlangen, **BRD**	49N36	0h44E
Ermoupoli, Siros, **Grc.**	37N26	1h40E
Ernakulam, **Ind.**	10N00	5h05E
Erzincan, **Tur.**	39N44	2h38E
Erzurum (Erzeroum), **Tur.**	39N57	2h45E
Esbjerg, **Dan.**	55N28	0h34E
Esch-sur-Alzette, **Luxem.**	49N30	0h24E
Esfahan, → *Ispahan,* **Iran**		
Eskilstuna, **Sue.**	59N22	1h06E
Eskisehir, **Tur.**	39N46	2h02E
Esmeraldas, **Ecuad.**	0N56	5h19W
Esquel, **Arg.**	42S55	4h45W
Essaouira, **Mar.**	31N30	0h39W
Essen, Westfalen, **BRD**	51N27	0h28E
Estremoz, **Port.**	38N50	0h30W
Etampes, **Fr.**	48N26	0h09E
Eugene, Ore., **USA**	44N03	8h12W
Eupen, **Belg.**	50N38	0h24E
Eureka, Ca., **USA**	40N49	8h17W
Euskirchen, **BRD**	50N40	0h27E
Evansville, Ind., **USA**	38N00	5h50W
Evora, **Port.**	38N34	0h32W
Evreux, **Fr.**	49N03	0h05E
Evry, **Fr.**	48N38	0h10E
Exeter, **G.-B.**	50N43	0h14W

*** F ***

City/Ville/Stadt/Ciudad/Città	Lat.	Long.
Facatativá, **Col.**	4N48	4h58W
Fada-N'Gourma, **H.Vol.**	12N05	0h02E
Faenza, **Ital.**	44N17	0h48E
Fairbanks, Alas., **USA**	64N50	9h51W
Faisalabad, **Pak.**	31N25	4h53E
Falkirk, **G.-B.**	56N00	0h15W
Falkland I. (Stanley), **Atl.O.**	51S42	3h51W
Fall River, Mass., **USA**	41N42	4h45W
Fargo, ND, **USA**	47N00	6h28W
Faro, **Port.**	37N01	0h32W
Feira de Santana, **Brasil**	12S17	2h36W
Feldkirch, **Aut.**	47N15	0h39E
Ferkéssédougou, **C.Iv.**	9N30	0h21W
Feroe I. (Torshaven), **Atl.O.**	62N01	0h27W
Ferrara, **Ital.**	44N50	0h47E
Fes (Fez), **Mar.**	34N05	0h20W
Fianarantsoa, **Madag.**	21S27	3h08E
Fidji I. (Suva), **Pac.O.**	18S08	11h54E
Figueras, **Esp.**	42N16	0h12E
Firenze (Florence), **Ital.**	43N47	0h45E
Fiume, → *Rijeka,* **Youg.**		
Flagstaff, Ariz., **USA**	35N12	7h27W
Flensburg, **BRD**	54N47	0h38E
Flessingue, **Nth.**	51N27	0h14E
Flint, Mich., **USA**	43N03	5h35W
Florence, Alab., **USA**	34N48	5h51W
Florence, SC, **USA**	34N12	5h19W
Floriano, **Brasil**	6S45	2h20W
Florianopólis, **Brasil**	27S35	3h14W
Florida, **Urug.**	34S04	3h45W
Focsani, **Roum.**	45N41	1h49E
Foggia, **Ital.**	41N28	1h02E
Fohnsdorf, **Aut.**	47N13	0h59E
Foix, **Fr.**	42N58	0h07E
Foligno, **Ital.**	42N57	0h51E
Forli, **Ital.**	44N14	0h48E
Fortaleza (Ceará), **Brasil**	3S45	2h34W
Fort-de-France, Martinique, **Ant.P.**	14N36	4h04W
Fort Dodge, Ia., **USA**	42N31	6h17W
Fort Lamy, → *N'djamena,* **Tchad**		
Fort Smith, Ark., **USA**	35N22	6h18W
Fort Victoria, **Zimb.**	20S10	2h03E
Fort Wayne, Ind., **USA**	41N05	5h41W
Fort William, → *Thunder Bay,* **Can.**		
Fort Worth, Tex., **USA**	32N45	6h29W
Fou-chouen (Fushun), **China**	41N51	8h16E
Fougères, **Fr.**	48N21	0h05W
Foumban, **Cam.**	5N43	0h43E
Fou-sin (Fuxin), **China**	42N04	8h07E
Fou-tcheou (Fuzhou), **China**	26N09	7h57E
Franceville, **Gabon**	1S40	0h54E
Francistown, **Bots.**	21S11	1h50E
Frankfort, Ky., **USA**	38N11	5h40W
Frankfurt am Main, **BRD**	50N06	0h35E
Frauenfeld, **Sui.**	47N34	0h36E
Fredericton, NB, **Can.**	45N57	4h27W
Frederikshavn, **Dan.**	57N28	0h42E
Fredrikstad, **Nor.**	59N15	0h44E
Freetown, **S.Leo.**	8N30	0h53W
Freiberg, **DDR**	50N55	0h53E
Freiburg im Breisgau, **BRD**	48N00	0h31E
Fréjus, **Fr.**	43N26	0h27E
Fresno, Ca., **USA**	36N41	7h59W
Freundenstadt, **BRD**	48N28	0h34E
Fribourg, **Sui.**	46N50	0h29E
Friedberg, Hessen, **BRD**	50N20	0h35E
Frunze (Frounze), **URSS**	42N53	4h59E
Fujisawa, **Jap.**	35N22	9h18E

City/Ville/Stadt/Ciudad/Città	Lat.	Long.
Fukui, **Jap.**	36N04	9h05E
Fukuoka, Kyushu, **Jap.**	33N39	8h41E
Fukushima, Honshu, **Jap.**	37N44	9h22E
Fukuyama, Honshu, **Jap.**	34N29	8h53E
Fulda, **BRD**	50N33	0h39E
Funtua, **Nig.**	11N34	0h29E
Futuna I., **Pac.O.**	14s25	11h53w
*** G ***		
Gabès, **Tun.**	33N52	0h40E
Gaborone, **Bots.**	24s45	1h44E
Gadsden, Alab., **USA**	34N00	5h44w
Gafsa, **Tun.**	34N28	0h35E
Gagnoa, **C.Iv.**	6N04	0h24w
Galapagos I., **Pac.O.**	1s00	6h04w
Galashiels, **G.-B.**	55N37	0h11w
Galati (Galatz), **Roum.**	45N27	1h52E
Galle, **Sr.Lka**	6N01	5h21E
Gällivare, **Sue.**	67N10	1h23E
Galveston, Tex., **USA**	29N17	6h19w
Galway, **Irl.**	53N16	0h36w
Gambier I., **Pac.O.**	23s07	9h00w
Gamboma, **Congo**	1s50	1h04E
Gand, → *Gent,* **Belg.**		
Gander, TN, **Can.**	48N58	3h38w
Gangtok, **Ind.**	27N20	5h55E
Gao, **Mali**	16N19	0h01w
Gap, **Fr.**	44N33	0h24E
Gardelegen, **DDR**	52N33	0h46E
Garden City, Kans., **USA**	37N57	6h44w
Garoua (Garwa), **Cam.**	9N17	0h53E
Gary, Ind., **USA**	41N34	5h49w
Garzón, **Col.**	2N14	5h02w
Gävle, **Sue.**	60N41	1h09E
Gaya, **Ind.**	24N48	5h40E
Gaza, **Egy.**	31N30	2h18E
Gaziantep, **Tur.**	37N04	2h29E
Gdansk, **Pol.**	54N22	1h15E
Gdynia (Gdingen), **Pol.**	54N31	1h14E
Gedaref, **Sudan**	14N01	2h22E
Geelong, **Aust.**	38s10	9h38E
Géla, **Ital.**	37N04	0h57E
Gelsenkirchen, **BRD**	51N30	0h28E
Genève, **Sui.**	46N12	0h25E
Genova (Gênes), **Ital.**	44N24	0h36E
Gent, **Belg.**	51N02	0h15E
Genthin, **DDR**	52N25	0h49E
Georgetown, **Guyana**	6N46	3h53w
George Town, → *Penang,* **Malay.**		
Gera, **DDR**	50N51	0h49E
Geraldton, **Aust.**	28s49	7h38E
Germiston, **S.Afr.**	26s15	1h53E
Gerona (Girona), **Esp.**	41N59	0h11E

City/Ville/Stadt/Ciudad/Città	Lat.	Long.
Gex, **Fr.**	46N20	0h24E
Ghardaïa, **Alg.**	32N20	0h15E
Ghazni, **Afg.**	33N33	4h34E
Gibraltar, **Esp.**	36N09	0h21w
Giessen, **BRD**	50N35	0h35E
Gifu, **Jap.**	35N27	9h07E
Gijón, **Esp.**	43N32	0h23w
Girardot, **Col.**	4N19	4h59w
Gisborne, **N.Zel.**	38s41	11h52E
Giurgiu, **Roum.**	43N53	1h44E
Gizeh, → *Guizeh,* **Egy.**		
Gladbach, → *Mönchengladbach,* **BRD**		
Glarus (Glaris), **Sui.**	47N03	0h36E
Glasgow, **G.-B.**	55N53	0h17w
Gliwice (Gleiwitz), **Pol.**	50N20	1h15E
Gloucester, **G.-B.**	51N53	0h09w
Gmünd, **Aut.**	48N47	1h00E
Gmunden, **Aut.**	47N56	0h55E
Gniezno, **Pol.**	52N32	1h10E
Godthab (Groenland), **Dan.**	64N15	3h26w
Goiânia, **Brasil**	16s43	3h17w
Gomel, **URSS**	52N25	2h04E
Gonaïves, **Haiti**	19N29	4h51w
Gondar (Gonder), **Eth.**	12N39	2h30E
Göppingen, **BRD**	48N43	0h39E
Gorakhpur, **Ind.**	26N45	5h34E
Gore, **Eth.**	8N10	2h22E
Gorgan, **Iran**	36N50	3h38E
Gorkiy, **URSS**	56N20	2h56E
Görlitz, **DDR**	51N09	1h00E
Gorontalo, **Indon.**	0N33	8h12E
Gorzow Wielkopolski, **Pol.**	52N42	1h01E
Goslar, **BRD**	51N55	0h42E
Göteborg, **Sue.**	57N45	0h48E
Gotha, **DDR**	50N57	0h43E
Göttingen, **BRD**	51N32	0h40E
Gottwaldov, **Tch.**	49N14	1h11E
Gouda, **Nth.**	52N01	0h19E
Goulimine, **Mar.**	28N56	0h40w
Goundam, **Mali**	16N27	0h15w
Gouré, **Niger**	13N59	0h41E
Governador Valadares, **Brasil**	18s51	2h48w
Goya, **Arg.**	29s10	3h57w
Granada (Grenade), **Esp.**	37N10	0h14w
Granby, Que., **Can.**	45N23	4h51w
Grand Bassam, **C.Iv.**	5N14	0h15w
Grand Bourg, Marie Galante, **Ant.P.**	15N53	4h05w
Grande Prairie, Alb., **Can.**	55N10	7h55w
Grand Forks, ND, **USA**	47N57	6h28w
Grand Island, Neb., **USA**	40N56	6h33w
Grand Junction, Colo., **USA**	39N04	7h14w
Grand Rapids, Mich., **USA**	42N57	5h47w
Granges (Grenchen), **Sui.**	47N13	0h30E
Granollers, **Esp.**	41N37	0h09E

City/Ville/Stadt/Ciudad/Città	Lat.	Long.
Grantham, **G.-B.**	52N55	0h03W
Grasse, **Fr.**	43N40	0h28E
Graudenz, → *Grudziadz,* **Pol.**		
Graz, **Aut.**	47N05	1h01E
Great Falls, Mt., **USA**	47N30	7h25W
Great Yarmouth, **G.-B.**	52N37	0h07E
Green Bay, Wis., **USA**	44N32	5h52W
Greenock, **G.-B.**	55N57	0h19W
Greensboro, NC, **USA**	36N03	5h19W
Greenville, SC, **USA**	34N52	5h30W
Greenwich, **G.-B.**	51N29	0h00W
Greenwood, Miss., **USA**	33N31	6h01W
Greifswald, **DDR**	54N06	0h54E
Greiz, **DDR**	50N40	0h49E
Grenoble, **Fr.**	45N11	0h23E
Grimsby, **G.-B.**	53N35	0h00W
Grodno, **URSS**	53N40	1h35E
Groningen, **Nth.**	53N13	0h26E
Grosseto, **Ital.**	42N46	0h44E
Groznyi, **URSS**	43N21	3h03E
Grudziadz, **Pol.**	53N29	1h15E
Guadalajara, **Esp.**	40N37	0h13W
Guadalajara, **Mex.**	20N40	6h53W
Guadix, **Esp.**	37N19	0h13W
Gualeguay, **Arg.**	33S10	3h57W
Guam I., **Pac.O.**	13N30	9h39E
Guantánamo, **Cuba**	20N09	5h01W
Guaqui, **Bol.**	16S38	4h35W
Guaranda, **Ecuad.**	1S36	5h18W
Guarda, **Port.**	40N32	0h29W
Guatemala, **Guat.**	14N38	6h01W
Guayaquil, **Ecuad.**	2S13	5h20W
Guelma, **Alg.**	36N29	0h30E
Guelph, Ont., **Can.**	43N34	5h21W
Guéret, **Fr.**	46N10	0h07E
Guildford, **G.-B.**	51N14	0h02W
Guizeh, **Egy.**	29N59	2h04E
Gujranwala, **Pak.**	32N06	4h57E
Gummersbach, **BRD**	51N02	0h30E
Guntur, **Ind.**	16N20	5h22E
Guryev (Gouriev), **URSS**	47N08	3h28E
Gustavia, Saint-Barthélémy, **Ant.P.**	17N55	4h11W
Güstrow, **DDR**	53N48	0h49E
Gütersloh, **BRD**	51N54	0h33E
Gwalior, **Ind.**	26N12	5h13E
Gwelo, **Zimb.**	19S25	1h59E
Gyöngyös, **Hong.**	47N46	1h20E
Györ (Raab), **Hong.**	47N41	1h11E

*** H ***

City/Ville/Stadt/Ciudad/Città	Lat.	Long.
Haarlem, **Nth.**	52N23	0h19E
Hachinohe, **Jap.**	40N30	9h26E
Hadera, **Isr.**	32N26	2h20E
Haderslev, **Dan.**	55N15	0h38E
Haeju, **Cor.N.**	38N04	8h23E
Hagen, Westfalen, **BRD**	51N22	0h30E
Hagerstown, Md., **USA**	39N39	5h11W
Haidarabad, → *Hyderabad,* **Ind.**		
Haïfa, **Isr.**	32N49	2h20E
Hai-keou (Haikou), **China**	20N05	7h22E
Haïphong, **Viet.**	20N50	7h07E
Hakodate, **Jap.**	41N46	9h23E
Halab, **Syr.**	36N14	2h29E
Halberstadt, **DDR**	51N54	0h44E
Haldensleben, **DDR**	52N18	0h46E
Halifax, **G.-B.**	53N44	0h07W
Halifax, NE, **Can.**	44N38	4h14W
Halle, **DDR**	51N28	0h48E
Halle (Hal), **Belg.**	50N44	0h17E
Hallein, **Aut.**	47N41	0h52E
Halmstad, **Sue.**	56N41	0h52E
Hama (Hamah), **Syr.**	35N09	2h27E
Hamadhan, **Iran**	34N46	3h14E
Hamamatsu, **Jap.**	34N42	9h11E
Hamar, **Nor.**	60N57	0h44E
Hamburg, **BRD**	53N33	0h40E
Hämeenlinna, **Finl.**	61N00	1h38E
Hameln, **BRD**	52N07	0h37E
Hamhung, **Cor.N.**	39N54	8h30E
Hamilton, **G.-B.**	55N47	0h16W
Hamilton, **N.Zel.**	37S46	11h41E
Hamilton, Ont., **Can.**	43N15	5h19W
Hamm, **BRD**	51N40	0h31E
Hang-tcheou (Hangzhou), **China**	30N18	8h00E
Haniá (Khania), **Grc.**	35N30	1h36E
Hannibal, Mo., **USA**	39N41	6h05W
Hannover (Hanovre), **BRD**	52N23	0h39E
Hanoi, **Viet.**	21N01	7h03E
Han-yang, **China**	30N37	7h36E
Hararé, **Zimb.**	17S43	2h04E
Harat, → *Herat,* **Afg.**		
Harbin, **China**	45N45	8h27E
Harer (Harar), **Eth.**	9N20	2h49E
Hargeisa, **Somal.**	9N31	2h56E
Harlem, → *Haarlem,* **Nth.**		
Harrisburg, Pa., **USA**	40N18	5h07W
Harrogate, **G.-B.**	54N00	0h06W
Hartford, Conn., **USA**	41N45	4h51W
Hartlepool, **G.-B.**	54N41	0h05W
Harwich, **G.-B.**	51N57	0h05E
Hasselt, **Belg.**	50N56	0h21E
Hastings, **G.-B.**	50N51	0h02E
Hastings, **N.Zel.**	39S39	11h47E
Hattiesburg, Miss., **USA**	31N20	5h57W
Hawick, **G.-B.**	55N25	0h11W
Hawkesbury, Ont., **Can.**	45N36	4h59W
Hay River, NT, **Can.**	60N51	7h43W
Hazelton, Br.Col., **Can.**	55N15	8h31W

City/Ville/Stadt/Ciudad/Città	Lat.	Long.
Heard I., **Ind.O.**	53s10	4h54E
Hebron (El Khalil), **Jord.**	31N32	2h20E
Heerlen, **Nth.**	50N53	0h24E
Heidelberg, **BRD**	49N25	0h35E
Heidenheim, Württemberg, **BRD**	48N41	0h41E
Heilbronn, **BRD**	49N08	0h37E
Helena, Mt., **USA**	46N35	7h28W
Heliopolis, **Egy.**	30N06	2h05E
Helmond, **Nth.**	51N28	0h23E
Helsingborg, **Sue.**	56N05	0h51E
Helsingor (Elseneur), **Dan.**	56N03	0h51E
Helsinki (Helsingfors), **Finl.**	60N08	1h40E
Hengelo, **Nth.**	52N16	0h27E
Heng-yang, **China**	26N58	7h30E
Henzada, **Birm.**	17N36	6h22E
Herat, **Afg.**	34N20	4h09E
Hereford, **G.-B.**	52N04	0h11W
Herford, **BRD**	52N07	0h35E
Herisau, **Sui.**	47N23	0h37E
Hermannstadt, → *Sibiu,* **Roum.**		
Hermosillo, **Mex.**	29N15	7h24W
Herne, **BRD**	51N32	0h29E
Herning, **Dan.**	56N08	0h36E
Hertford, **G.-B.**	51N48	0h00W
Herzliya, **Isr.**	32N10	2h19E
Hexham, **G.-B.**	54N58	0h08W
Hia-men (Xiamen), **China**	24N28	7h52E
Hildesheim, **BRD**	52N09	0h40E
Hilversum, **Nth.**	52N14	0h21E
Himeji, **Jap.**	34N50	8h59E
Hindenburg, → *Zabrze,* **Pol.**		
Hiroshima, **Jap.**	34N23	8h50E
Hitachi, **Jap.**	36N35	9h23E
Hoa Binh, **Viet.**	20N49	7h01E
Hobart, **Aust.**	42s54	9h49E
Ho-Chi-Minh, **Viet.**	10N46	7h07E
Hof, **BRD**	50N19	0h48E
Ho-fei (Hefei), **China**	31N55	7h49E
Holguín, **Cuba**	20N54	5h05W
Hollandia, → *Jayapura,* **Indon.**		
Holyhead, **G.-B.**	53N19	0h19W
Homburg, Rheinland-Pfalz, **BRD**	49N20	0h29E
Homs, **Syr.**	34N44	2h27E
Honda, **Col.**	5N15	4h59W
Hongkong, → *Kowloon + Victoria,* **H.K.**		
Honiara, **Sal.I.**	9s28	10h40E
Honolulu, Hawaii, **USA**	21N19	10h31W
Hoogeveen, **Nth.**	52N43	0h26E
Horsens, Vejle, **Dan.**	55N53	0h40E
Horten, **Nor.**	59N25	0h42E
Houston, Tex., **USA**	29N45	6h22W
Howrah, **Ind.**	22N35	5h53E
Hradec Králové (Königgrätz), **Tch.**	50N13	1h03E
Hsin-chu (Sintchou), **Taiwan**	24N48	8h04E

City/Ville/Stadt/Ciudad/Città	Lat.	Long.
Huacho, **Peru**	11s05	5h10W
Huambo, **Angola**	12s47	1h03E
Huancayo, **Peru**	12s05	5h01W
Huánuco, **Peru**	9s55	5h05W
Huaráz, **Peru**	9s33	5h10W
Hubli, **Ind.**	15N20	5h01E
Huddersfield, **G.-B.**	53N39	0h07W
Hudson Bay, Sask., **Can.**	52N51	6h50W
Huê, **Viet.**	16N28	7h10E
Huelva, **Esp.**	37N15	0h28W
Huesca, **Esp.**	42N08	0h02W
Huhehot, **China**	40N49	7h26E
Hull, **G.-B.**	53N45	0h01W
Humaitá, **Brasil**	7s33	4h12W
Hungnam, **Cor.N.**	39N49	8h31E
Huntington, WV, **USA**	38N24	5h30W
Huntsville, Alab., **USA**	34N44	5h46W
Husavik, **Isl.**	66N03	1h09W
Huttwill, **Sui.**	47N07	0h31E
Huy (Hoei), **Belg.**	50N32	0h21E
Hyderabad, **Ind.**	17N22	5h14E
Hyderabad, **Pak.**	25N23	4h34E
Hyères, **Fr.**	43N07	0h25E

*** I ***

City/Ville/Stadt/Ciudad/Città	Lat.	Long.
Iaroslav, → *Yaroslav,* **URSS**		
Iasi (Jassy), **Roum.**	47N09	1h51E
Ibadan, **Nig.**	7N23	0h16E
Ibagué, **Col.**	4N25	5h01W
Ibarra, **Ecuad.**	0N23	5h12W
Ibiza, **Bal.I.**	38N54	0h06E
Ichikawa, **Jap.**	35N45	9h20E
Iekaterinburg, → *Sverdlovsk,* **URSS**		
Iekaterinodar, → *Krasnodar,* **URSS**		
Iekaterinoslav, → *Dnepropetrovsk,* **URSS**		
Ielisavetgrad, → *Kirovograd,* **URSS**		
Ieper (Ypres), **Belg.**	50N21	0h12E
Ife, **Nig.**	7N33	0h18E
Ilesha, **Nig.**	7N39	0h19E
Ilhéus, **Brasil**	14s50	2h36W
Illapel, **Chile**	31s40	4h45W
Ilmenau, **DDR**	50N41	0h44E
Iloilo, **Phil.**	10N41	8h10E
Ilorin, **Nig.**	8N32	0h18E
Imbabah, **Egy.**	30N05	2h05E
Imola, **Ital.**	44N22	0h47E
Impfondo, **Congo**	1N36	1h12E
Inchon, **Cor.S.**	37N30	8h27E
Indianapolis, Ind., **USA**	39N45	5h45W
Indore (Indaor), **Ind.**	22N42	5h04E
Ingolstadt, **BRD**	48N46	0h46E
Inhambane, **Moz.**	23s51	2h22E

City/Ville/Stadt/Ciudad/Città	Lat.	Long.
Innsbruck, **Aut.**	47N17	0h46E
Inowroclaw, **Pol.**	52N49	1h13E
Interlaken, **Sui.**	46N42	0h31E
Invercargill, **N.Zel.**	46S26	11h13E
Inverness, **G.-B.**	57N27	0h17W
Ioánina, **Grc.**	39N40	1h23E
Ipoh, **Malay.**	4N36	6h44E
Ipswich, **G.-B.**	52N04	0h05E
Iquique, **Chile**	20S15	4h41W
Iquitos, **Peru**	3S51	4h53W
Iraklio (Heraklion), **Grc.**	35N20	1h41E
Irapuato, **Mex.**	20N40	6h46W
Irbid, **Jord.**	32N33	2h23E
Irkutsk, **URSS**	52N18	6h57E
Iseyin, **Nig.**	7N59	0h15E
Iskenderun, **Tur.**	36N37	2h25E
Islamabad, **Pak.**	33N40	4h53E
Ismaïlia, **Egy.**	30N36	2h09E
Ispahan, **Iran**	32N41	3h27E
Issoudun, **Fr.**	46N57	0h08E
Istanbul, **Tur.**	41N02	1h56E
Itzehoe, **BRD**	53N56	0h38E
Ivanovo, **URSS**	57N00	2h44E
Iwo, **Nig.**	7N38	0h17E
Izhevsk (Ijevsk), **URSS**	56N49	3h33E
Izmir, **Tur.**	38N25	1h49E
Izmit, **Tur.**	40N47	2h00E

*** J ***

City/Ville/Stadt/Ciudad/Città	Lat.	Long.
Jabalpur, **Ind.**	23N10	5h20E
Jackson, Miss., **USA**	32N20	6h01W
Jackson, Tenn., **USA**	35N37	5h55W
Jacksonville, Fla., **USA**	30N20	5h27W
Jacmel, **Haiti**	18N18	4h50W
Jaén, **Esp.**	37N46	0h15W
Jaffna, **Sr.Lka**	9N40	5h20E
Jaipur, Rajasthan, **Ind.**	26N53	5h03E
Jakarta (Djakarta), **Indon.**	6S08	7h07E
Jalai Kut (Jalalabad), **Afg.**	34N26	4h42E
Jalapa Enríquez, **Mex.**	19N32	6h28W
Jamestown, ND, **USA**	46N54	6h35W
Jamestown, NY, **USA**	42N05	5h17W
Jammu, **Ind.**	32N43	5h00E
Jamnagar, **Ind.**	22N28	4h40E
Jamshedpur, **Ind.**	22N47	5h45E
Jan Mayen I., **Atl.O.**	71N00	0h33W
Jasper, Alb., **Can.**	52N55	7h52W
Jayapura (Djajapura), **Indon.**	2N28	9h23E
Jeddah, **Ar.S.**	21N30	2h37E
Jefferson City, Mo., **USA**	38N33	6h09W
Jelenia Gora, **Pol.**	50N55	1h03E
Jena (Iéna), **DDR**	50N56	0h46E
Jenin, **Jord.**	32N28	2h21E
Jequié, **Brasil**	13S52	2h40W
Jerez de la Frontera, **Esp.**	36N41	0h25W
Jericho, **Jord.**	31N51	2h22E
Jersey City, NJ, **USA**	40N43	4h56W
Jerusalem (Yerushalayim), **Isr.**	31N47	2h21E
Jhang Maghiana, **Pak.**	31N19	4h49E
Jhansi, **Ind.**	25N27	5h14E
Jimma (Djimma), **Eth.**	7N39	2h27E
Jinja-Bugembe, **Uganda**	0N27	2h13E
Jipijapa, **Ecuad.**	1S23	5h22W
Joao Pessoa (Paraiba), **Brasil**	7S06	2h20W
Jodhpur, **Ind.**	26N18	4h53E
Johannesburg, **S.Afr.**	26S10	1h52E
Johore Bharu, **Malay.**	1N29	6h55E
Jönköping, **Sue.**	57N45	0h57E
Jonquière, Que., **Can.**	48N25	4h45W
Juan Fernandez I., **Pac.O.**	33S38	5h14W
Juchitán, **Mex.**	16N27	6h20W
Judenburg, **Aut.**	47N10	0h59E
Juiz de Fora, **Brasil**	21S47	2h54W
Jullundur, **Ind.**	31N18	5h03E
Junín, Buenos Aires, **Arg.**	34S34	4h04W
Jüterborg, **DDR**	51N59	0h52E
Jyväskylä, **Finl.**	62N16	1h43E

*** K ***

City/Ville/Stadt/Ciudad/Città	Lat.	Long.
Kabul, **Afg.**	34N30	4h37E
Kaduna, **Nig.**	10N28	0h30E
Kaédi, **Maur.**	16N12	0h54W
Kaesong, **Cor.N.**	37N59	8h26E
Kagoshima, **Jap.**	31N37	8h42E
Kai-fong (Kaifeng), **China**	34N47	7h37E
Kairouan, **Tun.**	35N42	0h40E
Kaiserlautern, **BRD**	49N27	0h31E
Kajaani, **Finl.**	64N12	1h51E
Kalamáta, **Grc.**	37N02	1h28E
Kalgan, → *Tchang-kia-keou,* **China**		
Kalgoorlie, **Aust.**	30S49	8h06E
Kalinin, **URSS**	56N49	2h24E
Kaliningrad, **URSS**	54N40	1h22E
Kalisz, Poznan, **Pol.**	51N46	1h12E
Kalmar, **Sue.**	56N39	1h05E
Kaluga, **URSS**	54N31	2h25E
Kamensk Uralskiy, **URSS**	56N29	4h07E
Kamina, **Zaire**	8S46	1h40E
Kamloops, Br.Col., **Can.**	50N39	8h02W
Kampala, **Uganda**	0N19	2h10E
Kamp-Lintfort, **BRD**	51N30	0h26E
Kampot, **Kamp.**	10N37	6h57E
Kananga, **Zaire**	5S53	1h30E
Kanazawa, **Jap.**	36N35	9h07E
Kandahar, **Afg.**	31N36	4h23E
Kandi, **Benin**	11N05	0h12E

City/Ville/Stadt/Ciudad/Città	Lat.	Long.
Kandy, **Sr.Lka**	7N17	5h23E
Kango, **Gabon**	0N15	0h41E
Kankan, **Guin.**	10N22	0h37W
Kano, **Nig.**	12N00	0h34E
Kanpur, **Ind.**	26N27	5h21E
Kansas City, Kans., **USA**	39N05	6h18W
Kan-tcheou (Ganzhou), **China**	25N52	7h39E
Kanye, **Bots.**	24S59	1h41E
Kao-hsiung (Kaohiong), **Taiwan**	22N36	8h01E
Kaolack, **Seneg.**	14N09	1h05W
Kapfenberg, **Aut.**	47N27	1h01E
Kaposvar, **Hong.**	46N21	1h11E
Karachi, **Pak.**	24N51	4h28E
Karaganda, **URSS**	49N53	4h52E
Karbala (Karbela), **Iraq**	32N37	2h56E
Karl-Marx-Stadt, **DDR**	50N50	0h52E
Karlovac, **Youg.**	45N30	1h02E
Karlsruhe, **BRD**	49N00	0h34E
Karlstad, **Sue.**	59N24	0h54E
Karvina, **Tch.**	49N50	1h14E
Kasama, **Zamb.**	10S10	2h05E
Kasba Tadla, **Mar.**	32N34	0h25W
Kaschau, → *Kosice,* **Tch.**		
Kashan (Kachan), **Iran**	33N59	3h26E
Kashi (Kachgar), **China**	39N29	5h04E
Kassala, **Sudan**	15N24	2h26E
Kassel (Cassel), **BRD**	51N18	0h38E
Kasserine, **Tun.**	35N13	0h35E
Kastoria, **Grc.**	40N33	1h25E
Kateríni, **Grc.**	40N15	1h30E
Kathmandu, **Nepal**	27N42	5h41E
Katiola, **C.Iv.**	8N11	0h20W
Katowice (Kattowitz), **Pol.**	50N15	1h16E
Katsina, **Nig.**	13N00	0h30E
Kaunas, **URSS**	54N52	1h36E
Kaura Namoda, **Nig.**	12N39	0h27E
Kavala, **Grc.**	40N57	1h38E
Kawasaki, **Jap.**	35N32	9h19E
Kayes, **Mali**	14N26	0h46W
Kayseri, **Tur.**	38N42	2h22E
Kazan, **URSS**	55N45	3h17E
Kazanluk, **Bulg.**	42N37	1h42E
Kecskemet, **Hong.**	46N56	1h19E
Kediri, **Indon.**	7S45	7h28E
Keetmanshoop, **Namib.**	26S36	1h13E
Kemerovo, **URSS**	55N25	5h44E
Kemi, **Finl.**	65N46	1h38E
Kempten, Bayern, **BRD**	47N44	0h41E
Kenitra, **Mar.**	34N20	0h26W
Kenora, Ont., **Can.**	49N47	6h18W
Kerch, **URSS**	45N22	2h26E
Kerguelen I., **Ind.O.**	49S33	4h39E
Kerkyra, → *Corfu,* **Grc.**		
Kermadec I., **Pac.O.**	30S00	11h52W
Kerman, **Iran**	30N18	3h48E
Kermanshah, **Iran**	34N19	3h08E
Ketou, **Benin**	7N25	0h11E
Kettering, **G.-B.**	52N24	0h03W
Khabarovsk, **URSS**	48N32	9h01E
Kharagpur, **Ind.**	22N23	5h49E
Kharbin, → *Harbin,* **China**		
Kharkov, **URSS**	50N00	2h25E
Khartoum (El Khartum), **Sudan**	15N33	2h10E
Khaskovo, **Bulg.**	41N57	1h42E
Khenifra, **Mar.**	33N00	0h23W
Kherson, **URSS**	46N39	2h11E
Khouribga, **Mar.**	32N54	0h28W
Kiang-men (Jiangmen), **China**	22N40	7h32E
Kidderminster, **G.-B.**	52N23	0h09W
Kiel, **BRD**	54N20	0h41E
Kielce, **Pol.**	50N51	1h23E
Kieta, **Pap.**	6S15	10h22E
Kiev, → *Kiyev,* **URSS**		
Kigali, **Rwanda**	1S56	2h00E
Kilchu, **Cor.N.**	40N55	8h37E
Kilkenny, **Irl.**	52N39	0h29W
Killarney, **Irl.**	52N03	0h38W
Kilmarnock, **G.-B.**	55N37	0h18W
Kimberley, **S.Afr.**	28S45	1h39E
Kindia, **Guin.**	10N03	0h51W
Kineshma, **URSS**	57N28	2h49E
King's Lynn, **G.-B.**	52N45	0h02E
Kingston, **Jama.**	17N58	5h07W
Kingston, NY, **USA**	41N55	4h56W
Kingston, Ont., **Can.**	44N14	5h06W
Kingston upon Hull, → *Hull,* **G.-B.**		
Kingstown, Saint-Vincent, **Ant.P.**	13N12	4h05W
Kingstown, → *Dun Laoghaire,* **Irl.**		
Kinshasa, **Zaire**	4S18	1h01E
Kiribati (Gilbert) I., **Pac.O.**	0N00	11h36E
Kirkcaldy, **G.-B.**	56N07	0h13W
Kirkuk, **Iraq**	36N28	2h58E
Kirkwall, Orkney, **G.-B.**	58N59	0h12W
Kirov, **URSS**	58N38	3h19E
Kirovabad, **URSS**	40N39	3h05E
Kirovograd, **URSS**	48N31	2h09E
Kiruna, **Sue.**	67N53	1h21E
Kisangani, **Zaire**	0N33	1h41E
Kishinev (Kichinov), **URSS**	47N00	1h55E
Kispest, **Hong.**	47N28	1h17E
Kisumu, **Kenya**	0S08	2h19E
Kita-Kyushu, **Jap.**	33N52	8h43E
Kitale, **Kenya**	1N01	2h20E
Kitchener, Ont., **Can.**	43N27	5h22W
Kitimat, Br.Col., **Can.**	54N05	8h35W
Kiyev (Kiev), **URSS**	50N25	2h02E
Klagenfurt, **Aut.**	46N38	0h57E
Klaipeda, **URSS**	55N43	1h24E
Klamath Falls, Ore., **USA**	42N14	8h07W
Klausenburg, → *Cluj,* **Roum.**		

City/Ville/Stadt/Ciudad/Città	Lat.	Long.
Knittelfeld, **Aut.**	47N14	0h59E
Knokke-Heist, **Belg.**	51N21	0h13E
Knoxville, Tenn., **USA**	36N00	5h36W
Kobe, **Jap.**	34N40	9h01E
Köbenhavn, **Dan.**	55N43	0h50E
Koblenz, **BRD**	50N21	0h30E
Kochi, **Jap.**	33N33	8h54E
Koforidua, **Ghana**	6N01	0h01W
Kofu, **Jap.**	35N42	9h14E
Kohat, **Pak.**	33N37	4h46E
Kokand, **URSS**	40N33	4h44E
Kokkola, **Finl.**	63N50	1h33E
Kolamba, → *Colombo,* **Sr.Lka**		
Kolding, **Dan.**	55N29	0h38E
Köln, **BRD**	50N56	0h28E
Kolomna, **URSS**	55N05	2h35E
Komotiní, **Grc.**	41N06	1h42E
Kompong Cham, **Kamp.**	11N59	7h02E
Komsomolsk-na-Amure, **URSS**	50N32	9h08E
Kongolo, **Zaire**	5S20	1h48E
Königsberg, → *Kaliningrad,* **URSS**		
Königshütte, → *Chorzow,* **Pol.**		
Konstanz, **BRD**	47N40	0h37E
Konya, **Tur.**	37N51	2h10E
Korcë, **Alb.**	40N38	1h23E
Korhogo, **C.Iv.**	9N22	0h22W
Kórinthos, **Grc.**	37N56	1h32E
Koriyama, **Jap.**	37N23	9h21E
Kortrijk, **Belg.**	50N50	0h13E
Kosice, **Tch.**	48N44	1h25E
Kosti, **Sudan**	13N11	2h11E
Kostroma, **URSS**	57N46	2h44E
Koszalin, **Pol.**	54N10	1h05E
Kota, Rajasthan, **Ind.**	25N11	5h04E
Kota Kinabalu (Jesselton), **Malay.**	5N59	7h44E
Kouang-tcheou (Guangzhou), **China**	23N08	7h33E
Koudougou, **H.Vol.**	12N15	0h10W
Kouei-yang (Guiyang), **China**	26N35	7h07E
Kouen-ming (Kunming), **China**	25N04	6h51E
Koumassi, → *Kumasi,* **Ghana**		
Koupéla, **H.Vol.**	12N07	0h01W
Kourgan, → *Kurgan,* **URSS**		
Kouroussa, **Guin.**	10N40	0h39W
Kovno, → *Kaunas,* **URSS**		
Koweit, → *Kuwait,* **Kuwait**		
Kowloon, **H.K.**	22N20	7h37E
Kozáni, **Grc.**	40N18	1h27E
Kozhikode, **Ind.**	11N15	5h03E
Kragujevac, **Youg.**	44N01	1h24E
Krakow, **Pol.**	50N03	1h20E
Kramatorsk, **URSS**	48N43	2h30E
Krasnodar, **URSS**	45N02	2h36E
Krasnoyarsk, **URSS**	56N05	6h11E
Krefeld, **BRD**	51N20	0h26E
Kremenchug, **URSS**	49N03	2h14E

City/Ville/Stadt/Ciudad/Città	Lat.	Long.
Krems, **Aut.**	48N25	1h02E
Kribi, **Cam.**	2N56	0h40E
Kristiansand, **Nor.**	58N08	0h32E
Kristianstad, **Sue.**	56N02	0h57E
Krivoy Rog, **URSS**	47N55	2h14E
Krugersdorp, **S.Afr.**	26S06	1h51E
Krung Thep, **Thai.**	13N44	6h42E
Kuala Lumpur, **Malay.**	3N08	6h47E
Kuching, **Malay.**	1N32	7h21E
Kufstein, **Aut.**	47N36	0h49E
Kum, → *Qom,* **Iran**		
Kumamoto, **Jap.**	32N50	8h43E
Kumanovo, **Youg.**	42N07	1h27E
Kumasi, **Ghana**	6N45	0h06W
Kumba, **Cam.**	4N39	0h38E
Kunsan, **Cor.S.**	35N57	8h27E
Kuopio, **Finl.**	62N54	1h51E
Kupang, **Indon.**	10S13	8h15E
Kurashiki, **Jap.**	34N36	8h55E
Kure, **Jap.**	34N14	8h50E
Kurgan (Kourgan), **URSS**	55N30	4h21E
Kursk (Koursk), **URSS**	51N45	2h25E
Kushiro, **Jap.**	42N58	9h38E
Kustanay (Koustanaï), **URSS**	53N15	4h15E
Kutaisi (Koutaïssi), **URSS**	42N15	2h51E
Kuwait (Al Kuwayt), **Kuwait**	29N20	3h12E
Kuybyshev (Kouïbichev), **URSS**	53N10	3h21E
Kwangju, **Cor.S.**	35N07	8h27E
Kyongsong (Soul), **Cor.S.**	37N32	8h28E
Kyoto, **Jap.**	35N02	9h03E
Kyustendil, **Bulg.**	42N16	1h31E
Kzyl-Orda, **URSS**	44N52	4h22E

*** L ***

City/Ville/Stadt/Ciudad/Città	Lat.	Long.
Labé, **Guin.**	11N17	0h49W
La Canée, → *Hania,* **Grc.**		
La Chaux-de-Fonds, **Sui.**	47N07	0h27E
La Ciotat, **Fr.**	43N10	0h22E
La Coruña, **Esp.**	43N22	0h34W
La Crosse, Wis., **USA**	43N48	6h05W
Lae, **Pap.**	6S45	9h48E
Lafayette, Ind., **USA**	40N25	5h48W
Lafayette, La., **USA**	30N12	6h08W
Laghouat, **Alg.**	33N49	0h12E
Lagos, **Nig.**	6N27	0h14E
La Habana (La Havane), **Cuba**	23N07	5h30W
La Haye, → *Den Haag,* **Nth.**		
Lahn, **BRD**	50N33	0h35E
Lahore, **Pak.**	31N34	4h57E
Lahti, **Finl.**	61N00	1h43E
Laibach, → *Ljubljana,* **Youg.**		
La Louvière, **Belg.**	50N29	0h17E
Lama-Kara, **Togo**	9N36	0h05E

City/Ville/Stadt/Ciudad/Città	Lat.	Long.
Lambarené, **Gabon**	0S41	0h41E
La Mecque, → *Makkah,* **Ar.S.**		
Lamía, **Grc.**	38N55	1h30E
Lampang, **Thai.**	18N16	6h38E
Lancaster, **G.-B.**	54N03	0h11W
Landeck, **Aut.**	47N09	0h42E
Landshut, **BRD**	48N31	0h49E
Langenthal, **Sui.**	47N13	0h31E
Langres, **Fr.**	47N53	0h21E
Lansing, Mich., **USA**	42N44	5h42W
Lan-tcheou (Lanzhou), **China**	36N01	6h55E
Laoag, **Phil.**	18N14	8h02E
Laon, **Fr.**	49N34	0h14E
La Oroya, **Peru**	11S36	5h04W
La Paz, **Bol.**	16S30	4h33W
La Plata, **Arg.**	34S52	3h52W
L'Aquila, **Ital.**	42N21	0h54E
Larache (El Araich), **Mar.**	35N12	0h25W
Laredo, Tex., **USA**	27N32	6h37W
La Rioja, **Arg.**	29S26	4h27W
Lárisa, **Grc.**	39N38	1h30E
La Rochelle, **Fr.**	46N10	0h05W
La Roche-sur-Yon, **Fr.**	46N40	0h06W
La Roda, **Esp.**	39N13	0h09W
Larvik, **Nor.**	59N04	0h40E
La Serena, **Chile**	29S54	4h45W
Las Flores, Buenos Aires, **Arg.**	36S03	3h57W
Las Palmas, **Can.I.**	28N08	1h02W
La Spezia, **Ital.**	44N07	0h39E
Las Vegas, Nev., **USA**	36N10	7h41W
Latacunga, **Ecuad.**	0S58	5h14W
Latina, **Ital.**	41N28	0h52E
Lattaquié, → *El Ladhiqiya,* **Syr.**		
Lauenburg an der Elbe, **BRD**	53N23	0h42E
Launceston, **Aust.**	41S25	9h48E
Launceston, **G.-B.**	50N38	0h17W
Lausanne, **Sui.**	46N32	0h27E
Laval, **Fr.**	48N04	0h03W
La Valette, → *Valleta,* **Malta**		
La Vega, **Dom.**	19N15	4h42W
Lawton, Okla., **USA**	34N36	6h34W
Le Caire, → *Al Qahira,* **Egy.**		
Le Cap, → *Cape Town,* **S.Afr.**		
Lecce, **Ital.**	40N21	1h13E
Le Creusot, **Fr.**	46N48	0h18E
Leeds, **G.-B.**	53N50	0h06W
Leeuwarden, **Nth.**	53N12	0h23E
Legnica, **Pol.**	51N12	1h05E
Le Havre, **Fr.**	49N30	0h00E
Leicester, **G.-B.**	52N38	0h04W
Leiden, → *Leyde,* **Nth.**		
Leipzig, **DDR**	51N20	0h50E
Leith, **G.-B.**	55N59	0h13W
Le Locle, **Sui.**	47N04	0h27E
Le Mans, **Fr.**	48N00	0h01E

City/Ville/Stadt/Ciudad/Città	Lat.	Long.
Lemberg, → *Lvov,* **URSS**		
Leninakan, **URSS**	40N47	2h55E
Leningrad, **URSS**	59N55	2h02E
Lens, **Fr.**	50N26	0h11E
Leoben, Steiermark, **Aut.**	47N23	1h00E
Leominster, **G.-B.**	52N14	0h11W
León, **Esp.**	42N35	0h22W
León, **Mex.**	21N10	6h47W
León, **Nicar.**	12N24	5h47W
Leopoldville, → *Kinshasa,* **Zaire**		
Le Pirée, → *Pireas,* **Grc.**		
Le Puy, **Fr.**	45N03	0h16E
Lérida (Lleida), **Esp.**	41N37	0h03E
Lerwick, Shetland I., **G.-B.**	60N09	0h05W
Les Cayes, **Haiti**	18N15	4h55W
Leszno, **Pol.**	51N51	1h06E
Lethbridge, Alb., **Can.**	49N43	7h31W
Leuven, **Belg.**	50N53	0h19E
Leuze, **Belg.**	50N36	0h14E
Leverkusen, **BRD**	51N02	0h28E
Lexington, Ky., **USA**	38N02	5h38W
Leyde, **Nth.**	52N10	0h18E
Lhassa, **China**	29N41	6h05E
Libau, → *Liepaja,* **URSS**		
Libourne, **Fr.**	44N55	0h01W
Libreville, **Gabon**	0N30	0h38E
Liège (Luik), **Belg.**	50N38	0h22E
Liegnitz, → *Legnica,* **Pol.**		
Lienz, **Aut.**	46N51	0h51E
Liepaja (Liepaïa), **URSS**	56N30	1h24E
Lierre (Lier), **Belg.**	51N08	0h18E
Liestal, **Sui.**	47N29	0h31E
Likasi, **Zaire**	10S58	1h47E
Lille, **Fr.**	50N39	0h12E
Lillehammer, **Nor.**	61N06	0h42E
Lilongwe, **Malawi**	13S58	2h15E
Lima, **Peru**	12S06	5h08W
Lima, Oh., **USA**	40N43	5h36W
Limburg, **BRD**	50N23	0h32E
Limerick, **Irl.**	52N40	0h35W
Limoges, **Fr.**	45N50	0h05E
Limón, **C.Rica**	10N00	5h32W
Linares, **Esp.**	38N05	0h15W
Lincoln, **G.-B.**	53N14	0h02W
Lincoln, Neb., **USA**	40N49	6h27W
Linköping, **Sue.**	58N25	1h02E
Linz, **Aut.**	48N19	0h57E
Lipetsk, **URSS**	52N37	2h38E
Lippstadt, **BRD**	51N41	0h33E
Lisboa (Lisbonne), **Port.**	38N44	0h37W
Lisieux, **Fr.**	49N09	0h01E
Lissabon, → *Lisboa,* **Port.**		
Little Rock, Ark., **USA**	34N42	6h09W
Liverpool, **G.-B.**	53N25	0h12W
Livorno (Livourne), **Ital.**	43N33	0h41E

City/Ville/Stadt/Ciudad/Città	Lat.	Long.
Ljubljana, **Youg.**	46N04	0h58E
Lloydminster, Alb., **Can.**	53N18	7h20W
Loanda, → *Luanda,* **Angola**		
Lobatsi, **Bots.**	25S11	1h43E
Lobito, **Angola**	12S20	0h54E
Locarno, **Sui.**	46N10	0h35E
Lod (Lydda), **Isr.**	31N57	2h20E
Lodz (Lodsch), **Pol.**	51N49	1h18E
Logroño, **Esp.**	42N28	0h10W
Loja, **Ecuad.**	3S59	5h17W
Lokeren, **Belg.**	51N06	0h16E
Lomé, **Togo**	6N10	0h05E
London, Ont., **Can.**	42N58	5h25W
London (Londres), **G.-B.**	51N30	0h01W
Londonderry, **Irl.**	55N00	0h29W
Londrina, **Brasil**	23S18	3h25W
Long Beach, Ca., **USA**	33N47	7h53W
Lons-le-Saunier, **Fr.**	46N41	0h22E
Lorca, **Esp.**	37N40	0h07W
Lorient, **Fr.**	47N45	0h13W
Los Angeles, **Chile**	37S28	4h50W
Los Angeles, Ca., **USA**	34N00	7h53W
Los Mochis, **Mex.**	25N48	7h16W
Loubomo, **Congo**	4S09	0h51E
Louisville, Ky., **USA**	38N13	5h43W
Lourenço-Marques, → *Maputo,* **Moz.**		
Louvain, → *Leuven,* **Belg.**		
Lowestoft, **G.-B.**	52N29	0h07E
Lo-yang (Luoyang), **China**	34N47	7h30E
Luanda, **Angola**	8S50	0h53E
Luang Prabang, **Laos**	19N53	6h49E
Lübben, **DDR**	51N57	0h56E
Lubbock, Tex., **USA**	33N35	6h48W
Lübeck, **BRD**	53N52	0h43E
Lublin, **Pol.**	51N18	1h30E
Lubumbashi, **Zaire**	11S41	1h50E
Lucca, **Ital.**	43N50	0h42E
Lucerne, → *Luzern,* **Sui.**		
Lucknow, **Ind.**	26N50	5h24E
Lucques, → *Lucca,* **Ital.**		
Lüdenscheid, **BRD**	51N13	0h31E
Ludhiana, **Ind.**	30N56	5h03E
Ludwigsburg, **BRD**	48N54	0h37E
Ludwigshafen am Rhein, **BRD**	49N29	0h34E
Ludwigslust, **DDR**	53N20	0h46E
Lugano, **Sui.**	46N01	0h36E
Lugo, **Esp.**	43N00	0h30W
Luimneach, → *Limerick,* **Irl.**		
Lulea, **Sue.**	65N35	1h29E
Luluabourg, → *Kananga,* **Zaire**		
Lundazi, **Zamb.**	12S19	2h13E
Lüneburg, **BRD**	53N15	0h42E
Lünen, **BRD**	51N37	0h30E
Lusaka, **Zamb.**	15S26	1h53E

City/Ville/Stadt/Ciudad/Città	Lat.	Long.
Luton, **G.-B.**	51N53	0h02W
Luxembourg, **Luxem.**	49N37	0h25E
Luzern, **Sui.**	47N03	0h33E
Lvov (Lwow), **URSS**	49N50	1h36E
Lyon, **Fr.**	45N46	0h19E

*** M ***

City/Ville/Stadt/Ciudad/Città	Lat.	Long.
Ma'an, **Jord.**	30N11	2h23E
Maastricht, **Nth.**	50N51	0h23E
Maçao, **China**	22N16	7h34E
Macapá, Amapá, **Brasil**	0N04	3h24W
Maceió, **Brasil**	9S40	2h23W
Machiques, **Ven.**	10N04	4h50W
Mackay, **Aust.**	21S10	9h57E
Mâcon, **Fr.**	46N18	0h19E
Macon, Ga., **USA**	32N49	5h34W
Macquarie I., **Pac.O.**	54S37	10h35E
Madang, **Pap.**	5S14	9h43E
Madeira I. (Funchal), **Atl.O.**	32N40	1h08W
Madison, Wis., **USA**	43N04	5h57W
Madiun, **Indon.**	7S37	7h26E
Madras, **Ind.**	13N05	5h21E
Madrid, **Esp.**	40N25	0h15W
Madurai, **Ind.**	9N55	5h12E
Maebashi, **Jap.**	36N24	9h16E
Mafraq (Al Mafraq), **Jord.**	32N20	2h25E
Magdeburg, **DDR**	52N08	0h46E
Magnitogorsk, **URSS**	53N28	3h56E
Mahajanga, **Madag.**	15S40	3h05E
Maidstone, **G.-B.**	51N17	0h02E
Maiduguri, **Nig.**	11N53	0h53E
Maimana, **Afg.**	35N54	4h19E
Mainz (Mayence), **BRD**	50N00	0h33E
Majene, **Indon.**	3S33	7h56E
Makabana, **Congo**	3S25	0h51E
Makasar, → *Ujung Pandang,* **Indon.**		
Makeni, **S.Leo.**	8N57	0h48W
Makeyevka, **URSS**	48N01	2h32E
Makhachkala, **URSS**	42N59	3h10E
Makkah, **Ar.S.**	21N26	2h39E
Makokou, **Gabon**	0N38	0h51E
Makurdi, **Nig.**	7N44	0h34E
Malabo, **G.eq.**	3N45	0h35E
Malacca (Melaka), **Malay.**	2N14	6h49E
Málaga, **Esp.**	36N43	0h18W
Malang, **Indon.**	7S59	7h31E
Malanje, **Angola**	9S36	1h05E
Malatya, **Tur.**	38N22	2h33E
Maldive I. (Male), **Ind.O.**	4N10	4h54E
Malegaon, **Ind.**	20N32	4h59E
Malines, → *Mechelen,* **Belg.**		
Malmö, **Sue.**	55N35	0h52E
Mamou, **Guin.**	10N24	0h48W

City/Ville/Stadt/Ciudad/Città	Lat.	Long.
Man, **C.Iv.**	7N31	0h30W
Manado, → *Menado,* **Indon.**		
Managua, **Nicar.**	12N06	5h45W
Manaus (Manaos), **Brasil**	3S06	4h00W
Manchester, **G.-B.**	53N30	0h09W
Manchester, NH, **USA**	42N59	4h46W
Mandalay, **Birm.**	21N57	6h24E
Mangalore (Mangalur), **Ind.**	12N54	4h59E
Manila (Manille), **Phil.**	14N37	8h04E
Manisa, **Tur.**	38N36	1h50E
Manizales, **Col.**	5N03	5h02W
Mankono, **C.Iv.**	8N01	0h25W
Mannheim, **BRD**	49N30	0h34E
Manresa, **Esp.**	41N43	0h07E
Mansfield, **G.-B.**	53N09	0h05W
Mansfield, Oh., **USA**	40N46	5h30W
Mansourah (El Mansura), **Egy.**	31N03	2h06E
Manta, **Ecuad.**	0S59	5h23W
Mantes-la-Jolie, **Fr.**	48N59	0h07E
Mantova (Mantoue), **Ital.**	45N10	0h43E
Manzanares, **Esp.**	39N00	0h14W
Manzanillo, **Cuba**	20N21	5h09W
Manzanillo, **Mex.**	19N00	6h57W
Maputo, **Moz.**	25S58	2h10E
Maracaibo, **Ven.**	10N44	4h46W
Maracay, **Ven.**	10N20	4h30W
Maradi, **Niger**	13N29	0h29E
Maramba, **Zamb.**	17S50	1h44E
Marburg an der Lahn, **BRD**	50N49	0h34E
Mar del Plata, **Arg.**	38S00	3h50W
Mariannes I., **Pac.O.**	15N00	9h44E
Maribor (Marburg), **Youg.**	46N34	1h03E
Marigot, Dominique, **Ant.P.**	15N32	4h05W
Marigot, Saint Martin, **Ant.P.**	18N06	4h12W
Marília, **Brasil**	22S13	3h20W
Maringá, **Brasil**	23S26	3h28W
Marioupol, → *Zhdanov,* **URSS**		
Mariscal Estigarribia, **Parag.**	22S03	4h02W
Marl, **BRD**	51N38	0h28E
Marmande, **Fr.**	44N30	0h01E
Maroua, **Cam.**	10N35	0h57E
Marquises I., **Pac.O.**	9S00	9h20W
Marrakech, **Mar.**	31N49	0h32W
Marsala, **Ital.**	37N48	0h50E
Marsa Matruh, **Egy.**	31N21	1h49E
Marseille, **Fr.**	43N18	0h21E
Martigny, **Sui.**	46N06	0h28E
Martigues, **Fr.**	43N24	0h20E
Masan, **Cor.S.**	35N10	8h34E
Masaya, **Nicar.**	11N59	5h44W
Mascara (Mouaskar), **Alg.**	35N20	0h01E
Maseru, **Leso.**	29S19	1h50E
Mashhad, → *Meched,* **Iran**		
Masqat (Maskat), **Oman**	23N37	3h55E
Massa, **Ital.**	44N02	0h41E
Massaoua (Massawa), **Eth.**	15N37	2h38E
Matadi, **Zaire**	5S50	0h54E
Matagalpa, **Nicar.**	12N52	5h44W
Matanzas, **Cuba**	23N04	5h26W
Mataró, **Esp.**	41N32	0h10E
Matehuala, **Mex.**	23N40	6h43W
Mateur, **Tun.**	37N03	0h39E
Mathura, **Ind.**	27N30	5h11E
Matsue, **Jap.**	35N29	8h52E
Matsuyama, **Jap.**	33N50	8h51E
Maturín, **Ven.**	9N45	4h13W
Maubeuge, **Fr.**	50N17	0h16E
Mayagüez, **P.Rico**	18N13	4h29W
Mayence, → *Mainz,* **BRD**		
Maykop (Maïkop), **URSS**	44N37	2h43E
Mayotte I., **Ind.O.**	12S50	3h01E
Mazar-i-Charif, **Afg.**	36N43	4h28E
Mazatenango, **Guat.**	14N31	6h06W
Mazatlán, **Mex.**	23N11	7h06W
Mbabane, **Swaz.**	26S20	2h05E
Mbaïki, **C.Afr.**	3N53	1h12E
Mbalmayo, **Cam.**	3N30	0h46E
Mbandaka, **Zaire**	0N03	1h14E
Mbanza-Ngungu, **Zaire**	5S17	0h59E
Mbeya, **Tanz.**	8S54	2h14E
Mbour, **Seneg.**	14N22	1h08W
Meaux, **Fr.**	48N58	0h12E
Mecca, → *Makkah,* **Ar.S.**		
Meched, **Iran**	36N16	3h58E
Mechelen, **Belg.**	51N02	0h18E
Medan, **Indon.**	3N35	6h35E
Medellín, **Col.**	6N15	5h02W
Medenine, **Tun.**	33N24	0h42E
Medford, Ore., **USA**	42N20	8h11W
Medicine Hat, Alb., **Can.**	50N03	7h23W
Medina (Al Medinah), **Ar.S.**	24N30	2h38E
Medina del Campo, **Esp.**	41N18	0h20W
Meerut, **Ind.**	29N00	5h11E
Meiktila, **Birm.**	20N53	6h24E
Meiningen, **DDR**	50N34	0h42E
Meiringen, **Sui.**	46N44	0h33E
Meissen, **DDR**	51N50	0h54E
Meknès, **Mar.**	33N53	0h22W
Melbourne, **Aust.**	37S45	9h40E
Melilla, **Mar.**	35N20	0h12W
Melitopol, **URSS**	46N51	2h21E
Melo, **Urug.**	32S22	3h37W
Melun, **Fr.**	48N32	0h11E
Memel, → *Klaipeda,* **URSS**		
Memmingen, **BRD**	47N59	0h41E
Memphis, Tenn., **USA**	35N10	6h00W
Menado, **Indon.**	1N32	8h20E
Mende, **Fr.**	44N32	0h14E
Mendoza, **Arg.**	32S48	4h35W
Menen (Menin), **Belg.**	50N48	0h12E

City/Ville/Stadt/Ciudad/Città	Lat.	Long.
Menggala, **Indon.**	4s30	7h01E
Menton, **Fr.**	43N47	0h30E
Merced, Ca., **USA**	37N17	8h02w
Mercedes, **Urug.**	33s15	3h52w
Mercedes, Buenos Aires, **Arg.**	34s42	3h58w
Mercedes, Corrientes, **Arg.**	29s15	3h52w
Mercedes, San Luis, **Arg.**	33s41	4h22w
Mergui, **Birm.**	12N26	6h34E
Mérida, **Esp.**	38N55	0h25w
Mérida, **Mex.**	20N59	5h59w
Mérida, **Ven.**	8N24	4h45w
Meridian, Miss., **USA**	32N21	5h55w
Mersin, **Tur.**	36N47	2h18E
Merthyr Tydfil, **G.-B.**	51N46	0h14w
Messina, **Ital.**	38N13	1h02E
Metz, **Fr.**	49N07	0h25E
Mexicali, **Mex.**	32N38	7h42w
Mexico, **Mex.**	19N25	6h37w
Miami, Fla., **USA**	25N45	5h21w
Middlesbrough, **G.-B.**	54N35	0h05w
Midland, Tex., **USA**	32N00	6h49w
Mieres, **Esp.**	43N15	0h23w
Mikhaylovgrad, **Bulg.**	43N25	1h33E
Milagro, **Ecuad.**	2s11	5h18w
Milano, **Ital.**	45N28	0h37E
Millau, **Fr.**	44N06	0h12E
Milwaukee, Wis., **USA**	43N03	5h52w
Minas, **Urug.**	34s20	3h41w
Minden, **BRD**	52N18	0h36E
Minna, **Nig.**	9N39	0h26E
Minneapolis, Minn., **USA**	45N00	6h13w
Minot, ND, **USA**	48N16	6h45w
Minsk, **URSS**	53N51	1h50E
Miranda de Ebro, **Esp.**	42N41	0h12w
Mirpur Khas, **Pak.**	25N33	4h36E
Miskolc, **Hong.**	48N07	1h23E
Missoula, Mt., **USA**	46N52	7h36w
Miyazaki, **Jap.**	31N56	8h46E
Moanda, **Gabon**	1s32	0h53E
Mobile, Alab., **USA**	30N40	5h52w
Mochudi, **Bots.**	24s28	1h44E
Modena, **Ital.**	44N39	0h44E
Modesto, Ca., **USA**	37N37	8h04w
Moers, **BRD**	51N27	0h26E
Mogadishu (Mogadiscio), **Somal.**	2N02	3h01E
Mogador, → *Essaouira,* **Mar.**		
Mogilev, **URSS**	53N54	2h01E
Moknine, **Tun.**	35N39	0h44E
Mokolo, **Cam.**	10N49	0h56E
Mokpo, **Cor.S.**	34N50	8h26E
Molfetta, **Ital.**	41N12	1h06E
Mollendo, **Peru**	17s00	4h48w
Molotov, → *Perm,* **URSS**		
Molsheim, **Fr.**	48N33	0h30E
Mombasa, **Kenya**	4s04	2h39E

City/Ville/Stadt/Ciudad/Città	Lat.	Long.
Mönchengladbach, **BRD**	51N12	0h26E
Moncton, NB, **Can.**	46N04	4h19w
Monmouth, **G.-B.**	51N50	0h11w
Monroe, La., **USA**	32N31	6h08w
Monrovia, **Liber.**	6N20	0h43w
Mons (Bergen), **Belg.**	50N28	0h16E
Montauban, **Fr.**	44N01	0h05E
Montbéliard, **Fr.**	47N31	0h27E
Montceau-les-Mines, **Fr.**	46N40	0h18E
Mont-de-Marsan, **Fr.**	43N54	0h02w
Monte-Carlo, **Monaco**	43N44	0h30E
Montego Bay, **Jama.**	18N27	5h12w
Montélimar, **Fr.**	44N33	0h19E
Monterey, Ca., **USA**	36N35	8h08w
Montería, **Col.**	8N45	5h04w
Monterrey, **Mex.**	25N40	6h41w
Montes Claros, **Brasil**	16s45	2h55w
Montevideo, **Urug.**	34s55	3h45w
Montgomery, Alab., **USA**	32N22	5h45w
Montijo, **Port.**	38N55	0h27w
Montluçon, **Fr.**	46N20	0h10E
Montpelier, Vt., **USA**	44N16	4h50w
Montpellier, **Fr.**	43N36	0h16E
Montréal, Que., **Can.**	45N30	4h54w
Montreuil, Seine, **Fr.**	48N52	0h10E
Montreux, **Sui.**	46N27	0h28E
Montrose, **G.-B.**	56N43	0h10w
Monza, **Ital.**	45N35	0h37E
Moose Jaw, Sask., **Can.**	50N23	7h02w
Mopti, **Mali**	14N29	0h17w
Moradabad, **Ind.**	28N50	5h15E
Moratuwa, **Sr.Lka**	6N47	5h20E
Morelia, **Mex.**	19N40	6h45w
Morges, **Sui.**	46N31	0h26E
Morioka, **Jap.**	39N43	9h25E
Morlaix, **Fr.**	48N35	0h15w
Morondava, **Madag.**	20s19	2h57E
Moskva (Moscou), **URSS**	55N45	2h31E
Mosseró, **Brasil**	5s10	2h29w
Mossoul (Mosul), **Iraq**	36N21	2h53E
Most, **Tch.**	50N31	0h55E
Mostaganem (Mestghanem), **Alg.**	35N54	0h00E
Mostar, **Youg.**	43N20	1h11E
Motherwell, **G.-B.**	55N48	0h16w
Moukden, → *Chen-yang,* **China**		
Moulins, **Fr.**	46N34	0h13E
Moulmein, **Birm.**	16N30	6h31E
Moundou, **Tchad**	8N35	1h04E
Mount Vernon, Ill., **USA**	38N19	5h55w
Mouscron (Moeskroën), **Belg.**	50N44	0h13E
Moutier, **Sui.**	47N18	0h30E
Moyobamba, **Peru**	6s04	5h08w
Mozambique, **Moz.**	15s03	2h43E
Mühldorf, **BRD**	48N14	0h50E
Mühlhausen in Thüringen, **DDR**	51N13	0h42E

City/Ville/Stadt/Ciudad/Città	Lat.	Long.
Mülheim an der Ruhr, **BRD**	51N25	0h27E
Mulhouse, **Fr.**	47N45	0h29E
Multan, **Pak.**	30N10	4h46E
München (Munich), **BRD**	48N08	0h46E
Münster, **BRD**	51N58	0h30E
Murcia, **Esp.**	37N59	0h05W
Muriaé, **Brasil**	21S08	2h50W
Murmansk (Mourmansk), **URSS**	68N59	2h13E
Muroran, **Jap.**	42N21	9h24E
Mürzzuschlag, **Aut.**	47N37	1h03E
Mwanza, **Tanz.**	2S31	2h12E
Mysore, **Ind.**	12N18	5h06E
*** N ***		
Nabeul, **Tun.**	36N30	0h43E
Nablus, **Jord.**	32N13	2h21E
Nagano, **Jap.**	36N39	9h13E
Nagaoka, **Jap.**	37N27	9h15E
Nagasaki, **Jap.**	32N45	8h39E
Nagoya, **Jap.**	35N08	9h08E
Nagpur, **Ind.**	21N10	5h17E
Nagy Varad, → *Oradea,* **Roum.**		
Naha, Okinawa, **Jap.**	26N10	8h31E
Nahariya, **Isr.**	33N01	2h20E
Nairobi, **Kenya**	1S17	2h27E
Najin, **Cor.N.**	42N10	8h41E
Nakhon Ratchasima (Khorat), **Thai.**	15N00	6h48E
Nakina, Ont., **Can.**	50N11	5h47W
Nakuru, **Kenya**	0S16	2h24E
Nalchik, **URSS**	43N31	2h55E
Namangan, **URSS**	40N59	4h47E
Nampula, **Moz.**	15S09	2h37E
Namsos, **Nor.**	64N28	0h46E
Namur (Namen), **Belg.**	50N28	0h19E
Nanaimo, Br.Col., **Can.**	49N08	8h16W
Nancy, **Fr.**	48N42	0h25E
Nankin (Nanjing), **China**	32N03	7h55E
Nan-ning, **China**	22N50	7h13E
Nan-tchang (Nanchang), **China**	28N33	7h44E
Nantes, **Fr.**	47N14	0h06W
Nan-tong (Nantung), **China**	32N05	8h03E
Nantua, **Fr.**	46N09	0h22E
Naplouse, → *Nablus,* **Jord.**		
Napoli (Naples), **Ital.**	40N50	0h57E
Narbonne, **Fr.**	43N11	0h12E
Narvik, **Nor.**	68N26	1h10E
Nashville, Tenn., **USA**	36N10	5h47W
Nasik, **Ind.**	20N00	4h55E
Natal, Rio Grande, **Brasil**	5S46	2h21W
National City, Ca., **USA**	32N39	7h48W
Nauen, **DDR**	52N37	0h52E
Naumburg, **DDR**	51N09	0h47E
Nauru I., **Pac.O.**	0S31	11h08E
Nawabshah, **Pak.**	26N15	4h34E
Náxos, **Grc.**	37N06	1h42E
Nazareth, **Isr.**	32N42	2h21E
Ndélé, **C.Afr.**	8N25	1h23E
N'djamena, **Tchad**	12N10	1h00E
Ndjolé, **Gabon**	0S07	0h43E
Ndola, **Zamb.**	13S00	1h55E
Nefta, **Tun.**	33N53	0h31E
Negombo, **Sr.Lka**	7N13	5h19E
Neiva, **Col.**	2N58	5h01W
Nelson, **N.Zel.**	41S18	11h33E
Netanya, **Isr.**	32N20	2h19E
Neubrandenburg, **DDR**	53N33	0h53E
Neuchâtel, **Sui.**	46N59	0h28E
Neumünster, **BRD**	54N04	0h40E
Neunkirchen, Saar, **BRD**	49N21	0h29E
Neuquén, **Arg.**	38S55	4h32W
Neuruppin, **DDR**	52N56	0h51E
Neusatz, → *Novi Sad,* **Youg.**		
Neuss, **BRD**	51N12	0h27E
Neustadt an der Weinstrasse, **BRD**	49N21	0h33E
Neustrelitz, **DDR**	53N22	0h52E
Nevers, **Fr.**	47N00	0h13E
Newark, NJ, **USA**	40N44	4h57W
New Bedford, Mass., **USA**	41N38	4h44W
Newburgh, NY, **USA**	41N30	4h56W
Newcastle, **Aust.**	32S55	10h07E
Newcastle upon Tyne, **G.-B.**	54N59	0h06W
New Delhi, **Ind.**	28N37	5h09E
New Glasgow, NE, **Can.**	45N36	4h10W
New Haven, Conn., **USA**	41N18	4h52W
New Orleans, La., **USA**	30N00	6h00W
Newport, Gwent, **G.-B.**	51N35	0h12W
Newport, Wight I., **G.-B.**	50N42	0h05W
New York, NY, **USA**	40N40	4h55W
Ngan-chan, → *An-chan,* **China**		
Ngang-tong, → *An-tong,* **China**		
N'Gaoundéré, **Cam.**	7N20	0h54E
Nguru, **Nig.**	12N53	0h42E
Nha Trang, **Viet.**	12N15	7h17E
Niamey, **Niger**	13N32	0h08E
Nice, **Fr.**	43N42	0h29E
Nicobar I. (Nankauri), **Ind.O.**	8N02	6h14E
Nicosia, **Chyp.**	35N09	2h13E
Nienburg, **BRD**	52N38	0h37E
Niigata, **Jap.**	37N58	9h16E
Nijmegen (Nimègue), **Nth.**	51N50	0h23E
Nikolayev, **URSS**	46N57	2h08E
Nikopol, **URSS**	47N34	2h18E
Nimègue, → *Nijmegen,* **Nth.**		
Nîmes, **Fr.**	43N50	0h17E
Ning-po (Ningbo), **China**	29N54	8h06E
Nioro du Sahel, **Mali**	15N12	0h38W
Niort, **Fr.**	46N19	0h02W
Nis (Nish), **Youg.**	43N20	1h28E

City/Ville/Stadt/Ciudad/Città	Lat.	Long.
Niterói, **Brasil**	22s54	2h52w
Niue I., **Pac.O.**	19s02	11h20w
Nivelles (Nijvel), **Belg.**	50N36	0h17E
Nizhniy Novgorod, → *Gorkiy,* **URSS**		
Nizhniy Tagil, **URSS**	58N00	4h00E
N'Kayi, **Congo**	4s07	0h53E
Nobeoka, **Jap.**	32N36	8h47E
Nogent-sur-Seine, **Fr.**	48N30	0h14E
Norden, **BRD**	53N36	0h29E
Nordhausen, **DDR**	51N31	0h43E
Nordhorn, **BRD**	52N27	0h28E
Nördlingen, **BRD**	48N51	0h42E
Norfolk, Va., **USA**	36N54	5h05w
Norfolk I., **Pac.O.**	29s00	11h12E
Norman Wells, NT, **Can.**	65N18	8h27w
Norrköping, **Sue.**	58N35	1h05E
Northampton, **G.-B.**	52N14	0h04w
North Bay, Ont., **Can.**	46N20	5h18w
North Platte, Neb., **USA**	41N09	6h43w
Northwich, **G.-B.**	53N16	0h10w
Norwich, **G.-B.**	52N38	0h05E
Nottingham, **G.-B.**	52N58	0h05w
Nouakchott, **Maur.**	18N09	1h04w
Nouméa, **N.Cal.**	22s16	11h06E
Novara (Novare), **Ital.**	45N27	0h34E
Nove Zamky, **Tch.**	48N00	1h13E
Novgorod, **URSS**	58N30	2h05E
Novi Sad, **Youg.**	45N15	1h19E
Novokuznetsk, **URSS**	53N45	5h49E
Novomoskovsk, **URSS**	54N06	2h33E
Novorossiysk, **URSS**	44N44	2h31E
Novosibirsk (Novonikolaïevsk), **URSS**	55N04	5h32E
Nsawam, **Ghana**	5N47	0h01w
Nueva Rosita, **Mex.**	27N58	6h45w
Nuevo Laredo, **Mex.**	27N30	6h38w
Nukus (Noukous), **URSS**	42N28	3h56E
Numazu, **Jap.**	35N08	9h15E
Nuneaton, **G.-B.**	52N32	0h06w
Nürnberg (Nuremberg), **BRD**	49N27	0h44E
Nyíregyháza, **Hong.**	47N57	1h27E
Nykobing, Storstrom, **Dan.**	54N47	0h48E
Nyon, **Sui.**	46N23	0h25E
Nyons, **Fr.**	44N22	0h21E

*** O ***

City/Ville/Stadt/Ciudad/Città	Lat.	Long.
Oakland, Ca., **USA**	37N50	8h09w
Oaxaca, **Mex.**	17N05	6h27w
Oban, **G.-B.**	56N25	0h22w
Oberhausen, Westfalen, **BRD**	51N27	0h27E
Obuasi, **Ghana**	6N15	0h06w
Ocaña, **Esp.**	39N57	0h14w
Oceanside, Ca., **USA**	33N12	7h50w
Oda, **Ghana**	5N55	0h04w
Odense, **Dan.**	55N14	0h42E
Odessa, **URSS**	46N30	2h03E
Odienné, **C.Iv.**	9N36	0h30w
Oerebro, **Sue.**	59N18	1h00E
Oernsköldsvik, **Sue.**	63N19	1h15E
Oestersund, **Sue.**	63N10	0h59E
Offenburg, **BRD**	48N29	0h32E
Ogbomosho, **Nig.**	8N05	0h17E
Ogden, Ut., **USA**	41N14	7h28w
Oita, **Jap.**	33N15	8h46E
Okayama, **Jap.**	34N40	8h56E
Oklahoma City, Okla., **USA**	35N28	6h30w
Oldenburg, **BRD**	53N08	0h33E
Oldham, **G.-B.**	53N33	0h08w
Olmütz, → *Olomouc,* **Tch.**		
Olomouc, **Tch.**	49N38	1h09E
Olsztyn, **Pol.**	53N48	1h22E
Olten, **Sui.**	47N22	0h32E
Olympia, Wash., **USA**	47N03	8h12w
Omaha, Neb., **USA**	41N15	6h24w
Omdurman, **Sudan**	15N37	2h10E
Omiya, **Jap.**	35N54	9h19E
Omsk, **URSS**	55N00	4h53E
Omuta, **Jap.**	33N02	8h42E
Ondo, **Nig.**	7N05	0h20E
Onitsha, **Nig.**	6N10	0h27E
Oostende, **Belg.**	51N13	0h12E
Opole (Oppeln), **Pol.**	50N40	1h12E
Oradea, **Roum.**	47N03	1h28E
Oran, **Alg.**	35N45	0h03w
Orange, **Fr.**	44N08	0h19E
Ordzhonikidze, **URSS**	43N02	2h59E
Orekhovo Zuyevo, **URSS**	55N47	2h36E
Orël (Orol), **URSS**	52N58	2h24E
Orenburg, **URSS**	51N50	3h40E
Orense, **Esp.**	42N20	0h31w
Orihuela, **Esp.**	38N05	0h04w
Orizaba, **Mex.**	18N51	6h29w
Orlando, Fla., **USA**	28N33	5h25w
Orléans, **Fr.**	47N54	0h08E
Orsk, **URSS**	51N13	3h54E
Oruro, **Bol.**	17s59	4h29w
Osaka, **Jap.**	34N42	9h02E
Oshawa, Ont., **Can.**	43N53	5h15w
Oshogbo, **Nig.**	7N50	0h18E
Osijek, **Youg.**	45N33	1h15E
Oslo, **Nor.**	59N56	0h43E
Osnabrück, **BRD**	52N17	0h32E
Osorno, **Chile**	40s35	4h53w
Ostende, → *Oostende,* **Belg.**		
Osterode am Harz, **BRD**	51N44	0h41E
Ostrava, **Tch.**	49N50	1h13E
Otaru, **Jap.**	43N14	9h24E
Ottawa, Ont., **Can.**	45N25	5h03w

City/Ville/Stadt/Ciudad/Città	Lat.	Long.
Ouagadougou, **H.Vol.**	12N20	0h07W
Ouahigouya, **H.Vol.**	13N31	0h09W
Oudenaarde (Audenarde), **Belg.**	50N50	0h14E
Oudtshoorn, **S.Afr.**	33S35	1h29E
Oued Zem, **Mar.**	32N55	0h26W
Ouesso, **Congo**	1N38	1h04E
Ouezzane, **Mar.**	34N52	0h22W
Ouidah, **Benin**	6N23	0h09E
Oujda (Oudjda), **Mar.**	34N41	0h07W
Oulan-Oude, → *Ulan-Ude,* **URSS**		
Oulu (Ouleaborg), **Finl.**	65N00	1h42E
Ourga, → *Ulaan Baatar,* **Mong.**		
Ourmia, → *Urumiyeh,* **Iran**		
Oviedo, **Esp.**	43N21	0h23W
Owerri, **Nig.**	5N29	0h28E
Oxford, **G.-B.**	51N46	0h05W
Oyo, **Nig.**	7N50	0h16E

*** P ***

City/Ville/Stadt/Ciudad/Città	Lat.	Long.
Pachuca, **Mex.**	20N10	6h35W
Padang, Sumatra, **Indon.**	1S00	6h41E
Paderborn, **BRD**	51N43	0h35E
Padova (Padoue), **Ital.**	45N24	0h48E
Paisley, **G.-B.**	55N50	0h18W
Pakse, **Laos**	15N09	7h03E
Palau (Palos) I., **Pac.O.**	7N30	8h58E
Palembang, **Indon.**	2S59	6h59E
Palencia, **Esp.**	42N01	0h18W
Palermo (Palerme), **Ital.**	38N08	0h54E
Palimé (Kpalimé), **Togo**	6N55	0h03E
Palma de Mallorca, **Bal.I.**	39N35	0h11E
Palmerston North, **N.Zel.**	40S20	11h43E
Palmira, **Col.**	3N33	5h05W
Palo Alto, Ca., **USA**	37N26	8h09W
Pamplona, **Col.**	7N24	4h51W
Pamplona (Pampelune), **Esp.**	42N49	0h07W
Panaji (Panjim), **Ind.**	15N31	4h55E
Panamá, **Panama**	8N57	5h18W
Pancevo, **Youg.**	44N52	1h23E
Pangkalpinang, **Indon.**	2S05	7h05E
Pao-teou (Baotou), **China**	40N38	7h20E
Pao-ting (Baoding), **China**	38N54	7h42E
Papeete, Tahiti I., **Pac.O.**	17S32	9h58W
Paraguarí, **Parag.**	25S36	3h48W
Parakou, **Benin**	9N23	0h11E
Paramaribo, **Surin.**	5N52	3h41W
Paraná, **Arg.**	31S45	4h02W
Pardubice, **Tch.**	50N03	1h03E
Paris, **Fr.**	48N52	0h09E
Parkersburg, WV, **USA**	39N17	5h26W
Parma (Parme), **Ital.**	44N48	0h41E
Parnaíba, **Brasil**	2S58	2h47W
Pasadena, Ca., **USA**	34N10	7h53W
Pascua (Pâques) I., **Pac.O.**	27S09	7h18W
Pasewalk, **DDR**	53N30	0h56E
Passau, **BRD**	48N35	0h54E
Passo Fundo, **Brasil**	28S16	3h29W
Pasto, **Col.**	1N12	5h09W
Paterson, NJ, **USA**	40N56	4h57W
Pathankot, **Ind.**	32N16	5h03E
Patiala, **Ind.**	30N21	5h06E
Patna, Bihar, **Ind.**	25N37	5h41E
Pátra (Patras), **Grc.**	38N14	1h27E
Pau, **Fr.**	43N18	0h01W
Pavia (Pavie), **Ital.**	45N12	0h37E
Pavlodar, **URSS**	52N21	5h08E
Paysandú, **Urug.**	32S21	3h52W
Pazardzhik, **Bulg.**	42N10	1h37E
Peace River, Alb., **Can.**	56N15	7h49W
Pecos, Tex., **USA**	31N25	6h54W
Pecs, **Hong.**	46N04	1h13E
Pedro Juan Caballero, **Parag.**	22S30	3h43W
Peine, **BRD**	52N19	0h41E
Pekanbaru (Pâkanbaru), **Indon.**	0N33	6h46E
Pe-king (Pekin), **China**	39N55	7h46E
Pelotas, **Brasil**	31S45	3h29W
Pembroke, Ont., **Can.**	45N49	5h09W
Penang, **Malay.**	5N30	6h42E
Peng-pou (Bengbu), **China**	32N56	7h50E
Pen-hsi (Benxi), **China**	41N20	8h15E
Penrith, **G.-B.**	54N40	0h11W
Penticton, Br.Col., **Can.**	49N29	7h59W
Penza, **URSS**	53N11	3h00E
Penzance, **G.-B.**	50N07	0h22W
Peoria, Ill., **USA**	40N43	5h59W
Pereira, **Col.**	4N47	5h03W
Pergamino, **Arg.**	33S52	4h02W
Périgueux, **Fr.**	45N10	0h03E
Perm, **URSS**	58N00	3h45E
Pernambuco, → *Recife,* **Brasil**		
Pernik (Dimitrovo), **Bulg.**	42N36	1h32E
Perpignan, **Fr.**	42N42	0h12E
Perth, **Aust.**	31S58	7h43E
Perth, Tayside, **G.-B.**	56N24	0h14W
Perugia (Pérouse), **Ital.**	43N07	0h50E
Pesaro, **Ital.**	43N54	0h52E
Pescara, **Ital.**	42N27	0h57E
Pescia, **Ital.**	43N54	0h43E
Peshawar, **Pak.**	34N01	4h47E
Petah Tiqva, **Isr.**	32N05	2h20E
Peterborough, **G.-B.**	52N35	0h01W
Peterborough, Ont., **Can.**	44N19	5h13W
Petropavlovsk, **URSS**	54N53	4h37E
Petropavlovsk Kamchatskiy, **URSS**	53N03	10h35E
Petrópolis, **Brasil**	22S30	2h52W
Pètrozavodsk, **URSS**	61N46	2h17E
Pforzheim, **BRD**	48N53	0h35E
Philadelphia, Pa., **USA**	40N00	5h01W

City/Ville/Stadt/Ciudad/Città	Lat.	Long.
Philippeville, **Belg.**	50N12	0h18E
Phnom Penh, **Kamp.**	11N35	7h00E
Phoenix, Ariz., **USA**	33N30	7h28W
Phoenix I., **Pac.O.**	3S43	11h26W
Piacenza, **Ital.**	45N03	0h39E
Piazza Armerina, **Ital.**	37N22	0h57E
Pierre, SD, **USA**	44N23	6h41W
Pietermaritzburg, **S.Afr.**	29S36	2h02E
Pietersburg, **S.Afr.**	23S54	1h58E
Pilar, **Parag.**	26S51	3h53W
Pilsen, → *Plzen,* **Tch.**		
Pine Bluff, Ark., **USA**	34N13	6h08W
Piotrkow, Lodz, **Pol.**	51N27	1h19E
Piracicaba, **Brasil**	22S45	3h11W
Piréas, **Grc.**	37N57	1h35E
Pirmasens, **BRD**	49N12	0h30E
Pisa (Pise), **Ital.**	43N43	0h42E
Pisco, **Peru**	13S46	5h05W
Pistoia, **Ital.**	43N56	0h44E
Pitcairn I., **Pac.O.**	25S04	8h40W
Pitea, **Sue.**	65N19	1h26E
Pitesti, **Roum.**	44N51	1h39E
Pithiviers, **Fr.**	48N10	0h09E
Pittsburgh, Pa., **USA**	40N26	5h20W
Piura, **Peru**	5S15	5h23W
Plaisance, → *Piacenza,* **Ital.**		
Plauen, **DDR**	50N29	0h49E
Pleven, **Bulg.**	43N25	1h39E
Ploiesti, **Roum.**	44N57	1h44E
Plovdiv, **Bulg.**	42N08	1h39E
Plymouth, **G.-B.**	50N23	0h17W
Plymouth, Montserrat, **Ant.P.**	16N44	4h09W
Plzen, **Tch.**	49N45	0h54E
Pobé, **Benin**	7N00	0h12E
Pocatello, Id., **USA**	42N53	7h30W
Pointe-à-Pitre, Guadeloupe, **Ant.P.**	16N14	4h06W
Pointe Noire, **Congo**	4S46	0h48E
Poitiers, **Fr.**	46N35	0h01E
Pokhara, **Nepal**	28N14	5h36E
Poltava, **URSS**	49N35	2h18E
Ponce, **P.Rico**	18N01	4h26W
Pondichery, **Ind.**	11N59	5h19E
Ponferrada, **Esp.**	42N33	0h26W
Ponta Delgada, Açores I., **Atl.O.**	37N29	1h43W
Ponta Grossa, **Brasil**	25S07	3h21W
Pontevedra, **Esp.**	42N25	0h35W
Pontianak, **Indon.**	0S05	7h17E
Poole, **G.-B.**	50N43	0h08W
Poona, **Ind.**	18N34	4h56E
Popayán, **Col.**	2N27	5h06W
Poperinge, **Belg.**	50N52	0h11E
Poplar Bluff, Mo., **USA**	36N46	6h02W
Pori, **Finl.**	61N28	1h27E
Portachuelo, **Bol.**	17S20	3h34W
Portalegre, **Port.**	39N17	0h30W
Port Arthur, Tex., **USA**	29N55	6h16W
Port Arthur, → *Thunder Bay,* **Can.**		
Port au Prince, **Haiti**	18N33	4h49W
Port Elizabeth, **S.Afr.**	33S58	1h42E
Port Harcourt, **Nig.**	4N43	0h29E
Portland, Me., **USA**	43N41	4h41W
Portland, Ore., **USA**	45N32	8h11W
Port Louis, **Mau.I.**	20S10	3h50E
Port Moresby, **Pap.**	9S30	9h48E
Porto, **Port.**	41N09	0h34W
Porto Alegre, Rio Grande, **Brasil**	30S03	3h25W
Port of Spain, **T.Tob.**	10N38	4h06W
Porto Novo, **Benin**	6N30	0h11E
Port Pirie, **Aust.**	33S11	9h12E
Port Saïd, → *Bûr Said,* **Egy.**		
Portsmouth, **G.-B.**	50N48	0h04W
Portsmouth, Va., **USA**	36N50	5h05W
Port Sudan, **Sudan**	19N38	2h28E
Posadas, **Arg.**	27S27	3h43W
Possesion I., **Ind.O.**	46S25	3h27E
Potenza, **Ital.**	40N38	1h03E
Potiskum, **Nig.**	11N40	0h44E
Potosi, **Bol.**	19S34	4h23W
Potsdam, **DDR**	52N24	0h52E
Poznan (Posen), **Pol.**	52N25	1h08E
Pozzuoli (Pouzzoles), **Ital.**	40N49	0h56E
Prague, → *Praha,* **Tch.**		
Praha, **Tch.**	50N06	0h58E
Prato, **Ital.**	43N53	0h44E
Prenzlau, **DDR**	53N19	0h55E
Presidente Prudente, **Brasil**	22S09	3h26W
Pressburg, → *Bratislava,* **Tch.**		
Preston, Lancs, **G.-B.**	53N46	0h11W
Pretoria, **S.Afr.**	25S45	1h53E
Prince Albert, Sask., **Can.**	53N13	7h03W
Prince Edouard I., **Ind.O.**	46S50	2h31E
Prince George, Br.Col., **Can.**	53N55	8h11W
Prince Rupert, Br.Col., **Can.**	54N18	8h41W
Pritzwalk, **DDR**	53N09	0h49E
Privas, **Fr.**	44N44	0h18E
Prokopyevsk, **URSS**	53N55	5h47E
Providence, RI, **USA**	41N50	4h46W
Przemysl, **Pol.**	49N48	1h31E
Pskov, **URSS**	57N48	1h54E
Puebla, **Mex.**	19N03	6h33W
Pueblo, Colo., **USA**	38N17	6h59W
Puertollano, **Esp.**	38N41	0h16W
Puerto Montt, **Chile**	41S28	4h52W
Puerto Plata, **Dom.**	19N48	4h43W
Pula, **Youg.**	44N52	0h55E
Punakha, **Bhutan**	27N38	5h59E
Puno, **Peru**	15S53	4h40W
Punta Arenas, **Chile**	53S10	4h44W
Puntarenas, **C.Rica**	10N00	5h39W
Pursat, **Kamp.**	12N27	6h55E

City/Ville/Stadt/Ciudad/Città	Lat.	Long.
Pusan, **Cor.S.**	35N05	8h36E
Pyinmana, **Birm.**	19N45	6h25E
Pyongyang, **Cor.N.**	39N00	8h23E

*** Q ***

City/Ville/Stadt/Ciudad/Città	Lat.	Long.
Qacentina, → *Constantine,* **Alg.**		
Qazvin, **Iran**	36N16	3h20E
Qena, **Egy.**	26N08	2h11E
Qiryat Gat, **Isr.**	31N37	2h19E
Qiryat Shemona, **Isr.**	33N13	2h22E
Qom (Qum), **Iran**	34N39	3h24E
Québec, Que., **Can.**	46N50	4h45W
Querétaro, **Mex.**	20N38	6h42W
Quesnel, Br.Col., **Can.**	53N03	8h10W
Quetta, **Pak.**	30N15	4h28E
Quezaltenango, **Guat.**	14N50	6h06W
Quezon City, **Phil.**	14N39	8h04E
Quimper, **Fr.**	48N00	0h16W
Quito, **Ecuad.**	0S14	5h14W

*** R ***

City/Ville/Stadt/Ciudad/Città	Lat.	Long.
Raba, **Indon.**	8S27	7h55E
Rabat, **Mar.**	34N02	0h27W
Rabaul, **Pap.**	4S13	10h09E
Radom, **Pol.**	51N26	1h25E
Ragusa, **Ital.**	36N56	0h59E
Raipur, **Ind.**	21N16	5h27E
Rajkot, **Ind.**	22N18	4h44E
Raleigh, NC, **USA**	35N42	5h15W
Rambouillet, **Fr.**	48N39	0h07E
Ramla (Ramleh), **Isr.**	31N56	2h19E
Rampur, Uttar Pradesh, **Ind.**	28N48	5h16E
Ramtha (Ar-Ramtha), **Jord.**	32N34	2h24E
Rancagua, **Chile**	34S10	4h43W
Ranchi, **Ind.**	23N22	5h41E
Randers, **Dan.**	56N28	0h40E
Rangoon (Rangun), **Birm.**	16N47	6h25E
Rangpur, **B.desh**	25N25	5h57E
Rapa Iti I., **Pac.O.**	27S35	9h37W
Rapid City, SD, **USA**	44N06	6h53W
Rashid, **Egy.**	31N25	2h02E
Rasht, **Iran**	37N18	3h19E
Rathenow, **DDR**	52N37	0h49E
Ratisbonne, → *Regensburg,* **BRD**		
Ravenna, **Ital.**	44N25	0h49E
Ravensburg, **BRD**	47N47	0h38E
Rawalpindi, **Pak.**	33N40	4h53E
Razgrad, **Bulg.**	43N31	1h46E
Reading, **G.-B.**	51N28	0h04W
Reading, Pa., **USA**	40N20	5h04W
Recht, → *Rasht,* **Iran**		
Recife, **Brasil**	8S06	2h20W
Recklinghausen, **BRD**	51N37	0h29E
Red Deer, Alb., **Can.**	52N15	7h35W
Redding, Ca., **USA**	40N35	8h10W
Regensburg, **BRD**	49N01	0h48E
Reggio Calabria, **Ital.**	38N06	1h03E
Reggio Emilia, **Ital.**	44N42	0h42E
Regina, Sask., **Can.**	50N30	6h59W
Rehovot, **Isr.**	31N54	2h19E
Reichenbach, **DDR**	50N36	0h49E
Reims, **Fr.**	49N15	0h16E
Remscheid, **BRD**	51N10	0h29E
Rendsburg, **BRD**	54N19	0h39E
Rennes, **Fr.**	48N06	0h07W
Reno, Nev., **USA**	39N32	7h59W
Requena, **Esp.**	39N29	0h05W
Resistencia, **Arg.**	27S28	3h56W
Resita, **Roum.**	45N16	1h28E
Reutlingen, **BRD**	48N30	0h37E
Reval, → *Tallinn,* **URSS**		
Reykjavik, **Isl.**	64N09	1h28W
Rheine, **BRD**	52N17	0h30E
Rhondda, **G.-B.**	51N40	0h14W
Riad, → *Riyad,* **Ar.S.**		
Ribeirao Prêto, **Brasil**	21S09	3h11W
Riberalta, **Bol.**	10S59	4h24W
Richland, Wash., **USA**	46N17	7h57W
Richmond, Ca., **USA**	37N56	8h09W
Richmond, Ind., **USA**	39N50	5h39W
Richmond, Va., **USA**	37N34	5h10W
Ried im Innkreis, **Aut.**	48N13	0h54E
Riesa, **DDR**	51N18	0h53E
Riga, **URSS**	56N53	1h37E
Rijeka, **Youg.**	45N20	0h58E
Rimini, **Ital.**	44N03	0h50E
Riobamba, **Ecuad.**	1S44	5h15W
Rio Branco, **Brasil**	9S59	4h31W
Rio Cuarto, **Arg.**	33S08	4h17W
Rio de Janeiro, **Brasil**	22S53	2h53W
Rio Gallegos, **Arg.**	51S35	4h37W
Ríosucio, Caldas, **Col.**	5N26	5h03W
Rishon le Zion, **Isr.**	31N57	2h19E
Rivera, **Urug.**	31S00	3h43W
Riverside, Ca., **USA**	33N59	7h49W
Riyad (Ar Riyad), **Ar.S.**	24N39	3h07E
Roanne, **Fr.**	46N02	0h16E
Roanoke, Va., **USA**	37N15	5h20W
Rocha, **Urug.**	34S30	3h37W
Rochdale, **G.-B.**	53N38	0h09W
Rochefort, **Fr.**	45N57	0h04W
Rochester, NY, **USA**	43N12	5h10W
Rockford, Ill., **USA**	42N16	5h56W
Rockhampton, **Aust.**	23S22	10h02E
Rodez, **Fr.**	44N21	0h10E
Rodos (Rhodes), **Grc.**	36N26	1h53E

City/Ville/Stadt/Ciudad/Città	Lat.	Long.
Rodriguez I., **Ind.O.**	19S40	4h14E
Roermond, **Nth.**	51N12	0h24E
Roeselare (Roulers), **Belg.**	50N57	0h13E
Roma (Rome), **Ital.**	41N53	0h50E
Romans-sur-Isère, **Fr.**	45N03	0h20E
Ronse (Renaix), **Belg.**	50N45	0h14E
Roosendaal, **Nth.**	51N32	0h18E
Rorschach, **Sui.**	47N28	0h38E
Rosario, Santa Fé, **Arg.**	33S00	4h03W
Rosenheim, **BRD**	47N51	0h49E
Rosetown, Sask., **Can.**	51N34	7h12W
Rosette, → *Rashid,* **Egy.**		
Rostock, **DDR**	54N06	0h49E
Rostov na Donu, **URSS**	47N15	2h39E
Roswell, NM, **USA**	33N24	6h58W
Rotherham, **G.-B.**	53N26	0h05W
Rotterdam, **Nth.**	51N55	0h18E
Rottweil, **BRD**	48N10	0h35E
Roubaix, **Fr.**	50N42	0h13E
Rouen, **Fr.**	49N26	0h04E
Rouyn, Que., **Can.**	48N15	5h16W
Royal Leamington Spa, **G.-B.**	52N18	0h06W
Rudolstadt, **DDR**	50N44	0h45E
Rufino, **Arg.**	34S16	4h11W
Rugby, **G.-B.**	52N23	0h05W
Ruse (Ruschuk), **Bulg.**	43N50	1h44E
Rutland, Vt., **USA**	43N37	4h52W
Ryazan (Riazan), **URSS**	54N37	2h39E
Rybinsk, **URSS**	58N01	2h35E
*** S ***		
Saalfeld, **DDR**	50N39	0h45E
Saanen (Gessenay), **Sui.**	46N30	0h29E
Saarbrücken, **BRD**	49N15	0h28E
Saarlouis (Sarrelouis), **BRD**	49N19	0h27E
Sabadell, **Esp.**	41N33	0h08E
Sacramento, Ca., **USA**	38N33	8h06W
Safi, **Mar.**	32N18	0h37W
Saginaw, Mich., **USA**	43N25	5h36W
Saharanpur, **Ind.**	29N58	5h10E
Sahiwal, **Pak.**	30N14	4h53E
Saïgon, → *Ho-Chi-Minh,* **Viet.**		
Saint Albans, **G.-B.**	51N46	0h01W
Saint-Brieuc, **Fr.**	48N31	0h11W
Saint-Denis, **Reu.I.**	20S52	3h42E
Saint-Dizier, Haute-Marne, **Fr.**	48N38	0h20E
Saint-Domingue, → *Santo Domingo,* **Dom.**		
Sainte-Menehould, **Fr.**	49N05	0h20E
Saintes, **Fr.**	45N44	0h03W
Saint-Etienne, Loire, **Fr.**	45N26	0h18E
Saint-Gall, → *Sankt Gallen,* **Sui.**		
Saint George's, Grenade, **Ant.P.**	12N04	4h07W

City/Ville/Stadt/Ciudad/Città	Lat.	Long.
Saint Helena I., **Atl.O.**	15S57	0h23W
Saint Helens, **G.-B.**	53N28	0h11W
Saint Helier, Jersey, **G.-B.**	49N12	0h08W
Saint Hyacinthe, Que., **Can.**	45N38	4h52W
Saint John (Saint Jean), NB, **Can.**	45N16	4h24W
Saint John's, Antigua, **Ant.P.**	17N08	4h07W
Saint John's (Saint Jean), TN, **Can.**	47N34	3h31W
Saint Joseph, Mo., **USA**	39N46	6h19W
Saint-Lô, **Fr.**	49N07	0h04W
Saint-Louis, **Reu.I.**	21S17	3h42E
Saint Louis, **Seneg.**	16N01	1h06W
Saint Louis, Mo., **USA**	38N40	6h01W
Saint-Malo, **Fr.**	48N39	0h08W
Saint Moritz, **Sui.**	46N30	0h39E
Saint-Nazaire, **Fr.**	47N17	0h09W
Saint Paul, Minn., **USA**	45N00	6h13W
Saint Petersburg, Fla., **USA**	27N45	5h31W
Saint-Pierre, **Reu.I.**	21S20	3h42E
Saint-Pierre et Miquelon, **Atl.O.**	46N46	3h45W
Saint-Quentin, **Fr.**	49N51	0h13E
Saint-Trond (St-Truiden), **Belg.**	50N49	0h21E
Sakété, **Benin**	6N45	0h11E
Salaga, **Ghana**	8N34	0h02W
Salalah, **Oman**	17N00	3h36E
Salamanca (Salamanque), **Esp.**	40N58	0h23W
Sala y Gómez I., **Pac.O.**	26S28	7h02W
Salé, **Mar.**	34N04	0h27W
Salem, **Ind.**	11N38	5h13E
Salem, Ore., **USA**	44N57	8h12W
Salerno, **Ital.**	40N40	0h59E
Salisbury, **G.-B.**	51N05	0h07W
Salisbury, → *Hararé,* **Zimb.**		
Salonique, → *Thessaloniki,* **Grc.**		
Salt (As Salt), **Jord.**	32N03	2h23E
Salta, **Arg.**	24S46	4h22W
Saltillo, **Mex.**	25N30	6h44W
Salt Lake City, Ut., **USA**	40N45	7h28W
Salto, **Urug.**	31S27	3h51W
Salvador, **Brasil**	12S58	2h34W
Salzburg (Salzbourg), **Aut.**	47N48	0h52E
Salzgitter, **BRD**	52N13	0h41E
Salzwedel, **DDR**	52N51	0h45E
Samara, → *Kuybyshev,* **URSS**		
Samarang, → *Semarang,* **Indon.**		
Samarkand, **URSS**	39N40	4h28E
Samoa I. (Apia), **Pac.O.**	13S48	11h27W
Samsun, **Tur.**	41N17	2h25E
San, **Mali**	13N21	0h20W
Sana (Sanaa), **Yemen**	15N24	2h57E
San Angelo, Tex., **USA**	31N28	6h42W
San Antonio, Tex., **USA**	29N25	6h34W
San Bernardino, Ca., **USA**	34N07	7h49W
San Cristóbal, **Arg.**	30S20	4h05W
San Cristóbal, **Ven.**	7N46	4h49W
Sancti Spíritus, **Cuba**	21N55	5h18W

City/Ville/Stadt/Ciudad/Città	Lat.	Long.
Sandakan, **Malay.**	5N52	7h52E
San Diego, Ca., **USA**	32N45	7h49W
San Felipe, **Chile**	32S45	4h43W
San Felipe, **Ven.**	10N25	4h35W
San Fernando, **Chile**	34S40	4h44W
San Fernando, **T.Tob.**	10N16	4h06W
San Fernando, Ca., **USA**	34N17	7h54W
San Fernando de Apure, **Ven.**	7N53	4h29W
San Francisco, Ca., **USA**	37N45	8h10W
San Francisco, Córdoba, **Arg.**	31S29	4h08W
San Francisco de Macoris, **Dom.**	19N19	4h41W
San José, **C.Rica**	9N59	5h36W
San Jose, Ca., **USA**	37N20	8h08W
San Juan, **Arg.**	31S33	4h34W
San Juan, **P.Rico**	18N29	4h25W
San Juan de los Morros, **Ven.**	9N53	4h30W
Sankt Gallen, **Sui.**	47N25	0h38E
Sankt Pölten, **Aut.**	48N13	1h02E
San Luis, **Arg.**	33S20	4h26W
San Luis Obispo, Ca., **USA**	35N16	8h03W
San Luis Potosí, **Mex.**	22N10	6h44W
San Marino, San Marino, **Ital.**	43N56	0h50E
San Mateo, Ca., **USA**	37N33	8h09W
San Miguel, **Salv.**	13N28	5h53W
San Miguel de Tucumán, **Arg.**	26S47	4h21W
San Nicolas, **Arg.**	33S25	4h01W
San Pedro Sula, **Hond.**	15N26	5h52W
San Rafael, **Arg.**	34S35	4h34W
San Remo, **Ital.**	43N48	0h31E
San Salvador, **Salv.**	13N40	5h57W
San Salvador de Jujuy, **Arg.**	24S10	4h23W
Sansanné-Mango, **Togo**	10N23	0h02E
San Sebastián (Saint-Sébastien), **Esp.**	43N19	0h08W
San Severo, **Ital.**	41N41	1h02E
Santa Ana, **Salv.**	14N00	5h58W
Santa Ana, Beni, **Bol.**	13S46	4h22W
Santa Ana, Ca., **USA**	33N44	7h52W
Santa Bárbara, **Mex.**	26N48	7h03W
Santa Barbara, Ca., **USA**	34N25	7h59W
Santa Clara, **Cuba**	22N25	5h20W
Santa Cruz, **Bol.**	17S45	4h13W
Santa Cruz, Ca., **USA**	36N58	8h08W
Santa Cruz de Tenerife, **Can.I.**	28N28	1h05W
Santa Cruz I., **Pac.O.**	10S42	11h03E
Santa Fé, **Arg.**	31S38	4h03W
Santa Fe, NM, **USA**	35N41	7h04W
Santa Isabel, → *Malabo,* **G.eq.**		
Santa Maria, Rio Grande, **Brasil**	29S40	3h35W
Santa Marta, **Col.**	11N18	4h57W
Santana do Livramento, **Brasil**	30S52	3h42W
Santander, **Col.**	3N00	5h06W
Santander, **Esp.**	43N28	0h15W
Santarém, **Brasil**	2S26	3h39W
Santarém, **Port.**	39N14	0h35W
Santa Rosa, Ca., **USA**	38N26	8h11W
Santa Rosa, La Pampa, **Arg.**	36S37	4h17W
Santiago, **Chile**	33S30	4h43W
Santiago, **Cuba**	20N00	5h03W
Santiago, **Dom.**	19N30	4h43W
Santiago, **Panama**	8N08	5h24W
Santiago de Compostela, **Esp.**	42N52	0h34W
Santiago del Estero, **Arg.**	27S47	4h17W
Santo Domingo, **Dom.**	18N30	4h40W
Santos, **Brasil**	23S56	3h05W
Sao José do Rio Prêto, **Brasil**	20S50	3h17W
Sao Luis, Maranhao, **Brasil**	2S34	2h57W
Sao Paulo, **Brasil**	23S33	3h07W
Sao Thome I., **Atl.O.**	0N19	0h27E
Sapporo, **Jap.**	43N05	9h25E
Saragosse, → *Zaragoza,* **Esp.**		
Sarajevo, **Youg.**	43N52	1h14E
Saransk, **URSS**	54N12	3h01E
Saratov, **URSS**	51N30	3h04E
Sarh, **Tchad**	9N08	1h13E
Sarnen, **Sui.**	46N54	0h33E
Sarnia, Ont., **Can.**	42N57	5h30W
Sarpsborg, **Nor.**	59N17	0h44E
Sarrebourg, **Fr.**	48N44	0h28E
Sarrebrück, → *Saarbrücken,* **BRD**		
Sasebo, **Jap.**	33N10	8h39E
Saskatoon, Sask., **Can.**	52N10	7h07W
Sássari, Sardegne, **Ital.**	40N43	0h34E
Satu-Mare, **Roum.**	47N48	1h31E
Sault Sainte Marie, Ont., **Can.**	46N32	5h37W
Saumur, **Fr.**	47N16	0h00W
Savalou, **Benin**	7N59	0h08E
Savannah, Ga., **USA**	32N04	5h24W
Savannakhet, **Laos**	16N34	6h59E
Savé, **Benin**	8N04	0h10E
Savona, **Ital.**	44N18	0h34E
Savonlinna, **Finl.**	61N54	1h56E
Sayda (Sidon), **Lbn**	33N32	2h21E
Scarborough, **G.-B.**	54N17	0h02W
Schaffhausen, **Sui.**	47N42	0h35E
Schenectady, NY, **USA**	42N48	4h56W
Schiedam, **Nth.**	51N55	0h18E
Schleiz, **DDR**	50N34	0h47E
Schleswig, **BRD**	54N32	0h38E
Schweinfurt, **BRD**	50N03	0h41E
Schwenningen, **BRD**	48N03	0h34E
Schwerin, **DDR**	53N38	0h46E
Schwyz, **Sui.**	47N02	0h35E
Scranton, Pa., **USA**	41N25	5h03W
Scutari, → *Usküdar,* **Tur.**		
Seattle, Wash., **USA**	47N35	8h09W
Sebastopol, → *Sevastopol,* **URSS**		
Secunderabad, **Ind.**	17N27	5h14E
Sedan, **Fr.**	49N42	0h20E
Sefrou, **Mar.**	33N50	0h19W
Segou, **Mali**	13N28	0h25W

City/Ville/Stadt/Ciudad/Città	Lat.	Long.
Segovia, **Esp.**	40N57	0h16W
Sekondi, **Ghana**	4N59	0h07W
Semarang, **Indon.**	6S58	7h22E
Semipalatinsk, **URSS**	50N26	5h21E
Semnan, **Iran**	35N30	3h34E
Sendai, Kyushu, **Jap.**	31N50	8h41E
Senlis, **Fr.**	49N12	0h10E
Sens, **Fr.**	48N12	0h13E
Seoul, → *Kyongsong,* **Cor.S.**		
Serang, **Indon.**	6S07	7h05E
Serowe, **Bots.**	22S25	1h47E
Serrai (Sérès), **Grc.**	41N03	1h34E
Sète, **Fr.**	43N25	0h15E
Setif (Stif), **Alg.**	36N11	0h22E
Settat, **Mar.**	33N04	0h30W
Setúbal, **Port.**	38N31	0h36W
Sevastopol, **URSS**	44N36	2h14E
Sevilla, **Col.**	4N16	5h04W
Sevilla (Séville), **Esp.**	37N24	0h24W
Seychelles I. (Mahé), **Ind.O.**	4S38	3h42E
Sfax, **Tun.**	34N45	0h43E
's-Gravenhague, → *Den Haag,* **Nth.**		
Shahjahanpur, **Ind.**	27N53	5h20E
Shaki, **Nig.**	8N39	0h14E
Shangai, → *Chang-hai,* **China**		
Shaoguan, **China**	24N50	7h34E
Shawinigan, Que., **Can.**	46N33	4h51W
Sheffield, **G.-B.**	53N23	0h06W
Sherbrooke, Que., **Can.**	45N24	4h48W
Sheridan, Wyo., **USA**	44N48	7h08W
's-Hertogenbosch, **Nth.**	51N41	0h21E
Shimizu, Honshu, **Jap.**	35N01	9h14E
Shimonoseki, **Jap.**	33N59	8h44E
Shiraz, **Iran**	29N38	3h30E
Shizuoka, **Jap.**	34N59	9h14E
Shkodër (Scutari), **Alb.**	42N03	1h16E
Sholapur, **Ind.**	18N00	5h04E
Shreveport, La., **USA**	32N30	6h15W
Shrewsbury, **G.-B.**	52N42	0h11W
Shumen (Kolarovgrad), **Bulg.**	43N17	1h48E
Sialkot, **Pak.**	32N29	4h58E
Siang-tan (Xiangtan), **China**	27N55	7h31E
Sibenik, **Youg.**	43N45	1h04E
Sibiu, **Roum.**	45N46	1h37E
Sibolga, **Indon.**	1N42	6h35E
Sicasica, **Bol.**	17S23	4h31W
Sidi-bel-Abbès, **Alg.**	35N15	0h03W
Sidi Ifni, **Mar.**	29N24	0h41W
Sidi Kacem, **Mar.**	34N15	0h23W
Siedlce, **Pol.**	52N10	1h29E
Siegen, **BRD**	50N52	0h32E
Siena (Sienne), **Ital.**	43N19	0h45E
Sierre, **Sui.**	46N18	0h30E
Siguiri, **Guin.**	11N28	0h36W
Sikasso, **Mali**	11N18	0h23W

City/Ville/Stadt/Ciudad/Città	Lat.	Long.
Simbirsk, → *Ulyanovsk,* **URSS**		
Simferopol, **URSS**	44N57	2h16E
Sincelejo, **Col.**	9N17	5h02W
Sinfra, **C.Iv.**	6N35	0h24W
Si-ngan (Xi'an), **China**	34N16	7h16E
Singapore (Singapour), **Malay.**	1N19	6h55E
Singkawang, **Indon.**	0N57	7h16E
Si-ning (Xining), **China**	36N35	6h48E
Sint-Niklas (Saint-Nicolas), **Belg.**	51N10	0h17E
Sion, **Sui.**	46N14	0h29E
Sioux City, Ia., **USA**	42N30	6h26W
Sioux Falls, SD, **USA**	43N34	6h27W
Siracusa (Syracuse), **Ital.**	37N04	1h01E
Sittard, **Nth.**	51N00	0h23E
Sivas, **Tur.**	39N44	2h28E
Skelleftea, **Sue.**	64N47	1h24E
Skien, **Nor.**	59N14	0h38E
Skikda (Philippeville), **Alg.**	36N53	0h28E
Skopje, **Youg.**	42N00	1h26E
Slagelse, **Dan.**	55N24	0h46E
Sligo, **Irl.**	54N17	0h34W
Sliven, **Bulg.**	42N40	1h45E
Slupsk, **Pol.**	54N28	1h08E
Smolensk, **URSS**	54N49	2h08E
Smyrne, → *Izmir,* **Tur.**		
Socotra I., **Ind.O.**	12N30	3h36E
Söderhamn, **Sue.**	61N19	1h09E
Sofala, **Moz.**	19S49	2h19E
Sofiya (Sofia), **Bulg.**	42N40	1h33E
Sohag, **Egy.**	26N33	2h07E
Soignies (Zinnik), **Belg.**	50N35	0h16E
Soissons, **Fr.**	49N23	0h13E
Sokodé, **Togo**	8N59	0h05E
Sokoto, **Nig.**	13N02	0h21E
Solingen, **BRD**	51N10	0h28E
Solothurn (Soleure), **Sui.**	47N13	0h30E
Soltau, **BRD**	52N59	0h39E
Sopron, **Hong.**	47N40	1h06E
Soria, **Esp.**	41N46	0h10W
Sorocaba, **Brasil**	23S30	3h10W
Sosnowiec, **Pol.**	50N16	1h16E
Sour, **Lbn**	33N16	2h21E
Sousse, **Tun.**	35N50	0h43E
Sou-tcheou (Suzhou), **China**	31N21	8h03E
Southampton, **G.-B.**	50N55	0h06W
South Bend, Ind., **USA**	41N40	5h45W
Southend on Sea, **G.-B.**	51N33	0h03E
South Georgia I., **Atl.O.**	54S16	2h26W
Southport, **G.-B.**	53N39	0h12W
South Shields, **G.-B.**	55N00	0h06W
Spartanburg, SC, **USA**	34N56	5h28W
Speyer (Spire), **BRD**	49N18	0h34E
Spittal an der Drau, **Aut.**	46N48	0h54E
Spitzberg (Svalbard) I., **Atl.O.**	78N00	1h08E
Split (Spalato), **Youg.**	43N31	1h06E

City/Ville/Stadt/Ciudad/Città	Lat.	Long.
Spokane, Wash., **USA**	47N40	7h50w
Springfield, Ill., **USA**	39N49	5h59w
Springfield, Mass., **USA**	42N07	4h50w
Springfield, Mo., **USA**	37N11	6h13w
Springfield, Oh., **USA**	39N50	5h35w
Springfontein, **S.Afr.**	30s16	1h43E
Srinagar, **Ind.**	34N08	4h59E
Stadthagen, **BRD**	52N19	0h37E
Stafford, **G.-B.**	52N48	0h08w
Stalinabad, → *Dushanbe,* **URSS**		
Stalingrad, → *Volgograd,* **URSS**		
Stalino, → *Donetsk,* **URSS**		
Stalinogorsk, → *Novomoskovsk,* **URSS**		
Stalinsk, → *Novokuznetsk,* **URSS**		
Stamford, **G.-B.**	52N39	0h02w
Stanleyville, → *Kisangani,* **Zaire**		
Stans, **Sui.**	46N57	0h34E
Stara Zagora, **Bulg.**	42N25	1h42E
Stavanger, **Nor.**	58N58	0h23E
Stavropol, **URSS**	45N03	2h48E
Stendal, **DDR**	52N36	0h47E
Sterlitamak, **URSS**	53N40	3h44E
Stettin, → *Szczecin,* **Pol.**		
Steyr, **Aut.**	48N04	0h58E
Stirling, Central, **G.-B.**	56N07	0h16w
Stockerau, **Aut.**	48N24	1h05E
Stockholm, **Sue.**	59N20	1h12E
Stockport, **G.-B.**	53N25	0h09w
Stockton, Ca., **USA**	37N58	8h05w
Stockton on Tees, **G.-B.**	54N34	0h05w
Stoke on Trent, **G.-B.**	53N00	0h09w
Stralsund, **DDR**	54N18	0h52E
Stranraer, **G.-B.**	54N54	0h20w
Strasbourg, **Fr.**	48N35	0h31E
Stratford, Ont., **Can.**	43N22	5h24w
Straubing, **BRD**	48N53	0h50E
Stuttgart, **BRD**	48N47	0h37E
Subotica, **Youg.**	46N04	1h19E
Sucre, **Bol.**	19s05	4h21w
Sudbury, Ont., **Can.**	46N30	5h24w
Suez (As Suwais), **Egy.**	29N59	2h10E
Suhl, **DDR**	50N37	0h43E
Sukarnopura, → *Jayapura,* **Indon.**		
Sukhumi (Soukhoumi), **URSS**	43N01	2h44E
Sukkur, **Pak.**	27N42	4h36E
Sullana, **Peru**	4s52	5h23w
Summit Lake, Br.Col., **Can.**	58N35	8h19w
Sumy (Soumy), **URSS**	50N55	2h19E
Sunderland, **G.-B.**	54N55	0h06w
Sundsvall, **Sue.**	62N22	1h09E
Surabaya, **Indon.**	7s14	7h31E
Surakarta, **Indon.**	7s32	7h23E
Surat, **Ind.**	21N10	4h52E
Svendborg, **Dan.**	55N04	0h43E
Sverdlovsk, **URSS**	56N52	4h02E
Swansea, **G.-B.**	51N38	0h16w
Swatow, → *Chan-teou,* **China**		
Swift Current, Sask., **Can.**	50N17	7h11w
Swindon, **G.-B.**	51N34	0h07w
Sydney, **Aust.**	33s55	10h05E
Sydney, NE, **Can.**	46N10	4h01w
Syktyvkar, **URSS**	61N42	3h23E
Syracuse, NY, **USA**	43N03	5h05w
Syzran, **URSS**	53N10	3h14E
Szczecin, **Pol.**	53N25	0h58E
Szeged, **Hong.**	46N15	1h21E
Székesfehérvár, **Hong.**	47N11	1h13E
Szekszárd, **Hong.**	46N21	1h15E
Szolnok, **Hong.**	47N10	1h21E
Szombathely, **Hong.**	47N14	1h07E

*** T ***

City/Ville/Stadt/Ciudad/Città	Lat.	Long.
Tabora, **Tanz.**	5s02	2h12E
Tabriz, **Iran**	38N05	3h05E
Tacloban, **Phil.**	11N15	8h20E
Tacna, **Peru**	18s00	4h41w
Tacoma, Wash., **USA**	47N16	8h10w
Tacuarembó, **Urug.**	31s42	3h44w
Taegu, **Cor.S.**	35N52	8h34E
Taejon, **Cor.S.**	36N20	8h30E
Taganrog, **URSS**	47N14	2h36E
Tahoua, **Niger**	14N57	0h21E
T'ai-chung (Tai-tchong), **Taiwan**	24N09	8h03E
T'ai-nan, **Taiwan**	23N01	8h01E
T'ai-pei (Taipeh), **Taiwan**	25N05	8h06E
Tai-yuan, **China**	37N50	7h30E
Takamatsu, **Jap.**	34N20	8h56E
Takoradi, **Ghana**	4N55	0h07w
Talara, **Peru**	4s38	5h25w
Talca, **Chile**	35s28	4h47w
Ta-lien (Lüda), **China**	38N53	8h06E
Tallahassee, Fla., **USA**	30N26	5h37w
Tallinn, **URSS**	59N22	1h39E
Tamale, **Ghana**	9N26	0h03w
Tamatave, → *Toamasina,* **Madag.**		
Tambacounda, **Seneg.**	13N45	0h55w
Tambov, **URSS**	52N44	2h46E
Tampa, Fla., **USA**	27N58	5h31w
Tampere (Tammerfors), **Finl.**	61N32	1h35E
Tampico, **Mex.**	22N18	6h31w
Tananarive, → *Antananarivo,* **Madag.**		
Tandil, **Arg.**	37s18	3h57w
Tang-chan (Tangshan), **China**	39N37	7h52E
Tanger, **Mar.**	35N48	0h23w
Tanjungkarang, **Indon.**	5s22	7h01E
Tanout, **Niger**	15N05	0h35E

City/Ville/Stadt/Ciudad/Città	Lat.	Long.
Tanta (Tantah), **Egy.**	30N48	2h04E
Taourirt, **Mar.**	34N25	0h12W
Tarabulus (Tripoli), **Lib.**	32N58	0h53E
Taranto (Tarente), **Ital.**	40N28	1h09E
Tarbes, **Fr.**	43N14	0h00E
Tarija, **Bol.**	21S33	4h19W
Tarkwa, **Ghana**	5N16	0h08W
Tarlac, **Phil.**	15N29	8h02E
Tarnow, **Pol.**	50N01	1h24E
Taroudannt, **Mar.**	30N31	0h36W
Tarragona, **Esp.**	41N07	0h05E
Tarrasa, **Esp.**	41N34	0h08E
Tartu, **URSS**	58N20	1h47E
Tartus, **Syr.**	34N55	2h23E
Tashkent (Tachkent), **URSS**	41N16	4h37E
Tatabanya, **Hong.**	47N31	1h14E
Ta-tong (Datong), **China**	40N12	7h33E
Taunton, **G.-B.**	51N01	0h12W
Tavua, **Fidji**	17S27	11h51E
Taza, **Mar.**	34N16	0h16W
Tbilisi, **URSS**	41N43	2h59E
Tch'ang-cha (Changsha), **China**	28N10	7h32E
Tchang-kia-keou (Zhangjiakou), **China**	40N59	7h40E
Tchang-tcheou (Zhangzhou), **China**	24N31	7h51E
Tch'ang-tch'ouen (Changchun), **China**	43N50	8h21E
Tcheng-tcheou (Zhengzhou), **China**	34N45	7h35E
Tch'eng-tou (Chengdu), **China**	30N37	6h56E
Tcherepovets, → *Cherepovets,* **URSS**		
Tchkalov, → *Orenburg,* **URSS**		
Tch'ong-K'ing (Chongqing), **China**	29N39	7h06E
Tczew, **Pol.**	54N05	1h15E
Tegucigalpa, **Hond.**	14N05	5h49W
Tehran (Teheran), **Iran**	35N40	3h26E
Telanaipura (Djambi), **Indon.**	1S36	6h55E
Tel Aviv-Jaffa, **Isr.**	32N05	2h19E
Telukbetung, **Indon.**	5S28	7h01E
Tema, **Ghana**	5N40	0h00W
Temesvar, → *Timisoara,* **Roum.**		
Temuco, **Chile**	38S45	4h51W
Tenkodogo, **H.Vol.**	11N54	0h01W
Teplice, **Tch.**	50N40	0h55E
Teresina, **Brasil**	5S09	2h51W
Ternate, **Indon.**	0N48	8h30E
Terni, **Ital.**	42N34	0h51E
Terre Haute, Ind., **USA**	39N27	5h50W
Teruel, **Esp.**	40N21	0h04W
Teterow, **DDR**	53N47	0h50E
Tetouan (Tetuan), **Mar.**	35N34	0h21W
Thessaloniki, **Grc.**	40N38	1h32E
Thiès, **Seneg.**	14N49	1h07W
Thimphu (Thimbu), **Bhutan**	27N32	5h59E
Thionville, **Fr.**	49N22	0h25E
Thonburi, **Thai.**	13N43	6h42E
Thonon-les-Bains, **Fr.**	46N22	0h26E
Thorn, → *Torun,* **Pol.**		
Thun (Thoune), **Sui.**	46N46	0h31E
Thunder Bay, Ont., **Can.**	48N27	5h57W
Thurso, **G.-B.**	58N35	0h14W
Tiaret (Tihert), **Alg.**	35N20	0h05E
Tiberiade, **Isr.**	32N48	2h22E
Tidjikdja, **Maur.**	18N29	0h46W
Tien-tsin (Tianjin), **China**	39N08	7h49E
Tiflis, → *Tbilisi,* **URSS**		
Ti-hua, → *Urümqi,* **China**		
Tijuana, **Mex.**	32N29	7h49W
Tilburg, **Nth.**	51N34	0h20E
Timaru, **N.Zel.**	44S23	11h25E
Timisoara, **Roum.**	45N45	1h25E
Timmins, Ont., **Can.**	48N30	5h25W
Tindouf, **Alg.**	27N42	0h33W
Tipperary, **Irl.**	52N29	0h33W
Tiranë (Tirana), **Alb.**	41N20	1h19E
Tiraspol, **URSS**	46N50	1h59E
Tîrgoviste, **Roum.**	44N56	1h42E
Tîrgu-Mures, **Roum.**	46N33	1h38E
Tirlemont (Tienen), **Belg.**	50N48	0h20E
Tiruchirapalli, **Ind.**	10N50	5h15E
Titograd, **Youg.**	42N28	1h17E
Titovo, **Youg.**	43N52	1h19E
Tiznit, **Mar.**	29N43	0h39W
Tlemcen (Tilimsen), **Alg.**	34N53	0h05W
Toamasina, **Madag.**	18S10	3h18E
Tocopilla, **Chile**	22S05	4h41W
Tokelau I., **Pac.O.**	10S00	11h00W
Tokushima, **Jap.**	34N03	8h58E
Tokyo, **Jap.**	35N40	9h19E
Tolbukhin (Dobricht), **Bulg.**	43N34	1h51E
Toledo, **Esp.**	39N52	0h16W
Toledo, Oh., **USA**	41N40	5h34W
Toliara, **Madag.**	23S20	2h55E
Tolosa, **Esp.**	43N09	0h08W
Toluca, **Mex.**	19N20	6h39W
Tombouctou, **Mali**	16N49	0h12W
Tomsk, **URSS**	56N30	5h40E
Tonga I., **Pac.O.**	21S10	11h41W
Tong-leao (Tongliao), **China**	43N37	8h09E
Topeka, Kans., **USA**	39N02	6h23W
Torbay, **G.-B.**	50N27	0h14W
Torgau, **DDR**	51N34	0h52E
Torhout (Thourout), **Belg.**	51N04	0h12E
Torino, **Ital.**	45N04	0h31E
Toronto, Ont., **Can.**	43N42	5h18W
Tororo, **Uganda**	0N42	2h17E
Torreón, **Mex.**	25N34	6h54W
Tortosa, **Esp.**	40N49	0h02E
Torun, **Pol.**	53N01	1h14E
Totora, **Bol.**	17S40	4h21W

City/Ville/Stadt/Ciudad/Città	Lat.	Long.
Tottori, **Jap.**	35N32	8h57E
Touggourt, **Alg.**	33N08	0h24E
Toulon, **Fr.**	43N07	0h24E
Toulouse, **Fr.**	43N37	0h06E
Tourane, → *Da Nang,* **Viet.**		
Tourcoing, **Fr.**	50N44	0h13E
Tournai (Doornik), **Belg.**	50N36	0h14E
Tours, **Fr.**	47N23	0h03E
Townsville, **Aust.**	19s13	9h47E
Toyama, **Jap.**	36N42	9h09E
Toyohashi, **Jap.**	34N46	9h09E
Trabzon (Trebizonde), **Tur.**	41N00	2h39E
Trail, Br.Col., **Can.**	49N04	7h51w
Trápani, **Ital.**	38N02	0h50E
Treinta y Tres, **Urug.**	33s16	3h37w
Trelew, **Arg.**	43s13	4h21w
Trencin, **Tch.**	48N53	1h12E
Trenque Lauquén, **Arg.**	35s56	4h11w
Trento (Trente), **Ital.**	46N04	0h45E
Trenton, NJ, **USA**	40N15	4h59w
Tres Arroyos, **Arg.**	38s26	4h01w
Treviso (Trévise), **Ital.**	45N40	0h49E
Trichinopoly, → *Tiruchirapalli,* **Ind.**		
Trier (Trèves), **BRD**	49N45	0h27E
Trieste, **Ital.**	45N39	0h55E
Tríkala, **Grc.**	39N33	1h27E
Trincomalee, **Sr.Lka**	8N34	5h25E
Trinidad, **Bol.**	14s46	4h19w
Trinidad, Colo., **USA**	37N11	6h58w
Trípoli, **Grc.**	37N31	1h29E
Tripoli (Trablous), **Lbn**	34N27	2h23E
Tripoli, → *Tarabulus,* **Lib.**		
Tristan da Cunha I., **Atl.O.**	37s03	0h49w
Trivandrum, **Ind.**	8N30	5h08E
Trnava, **Tch.**	48N23	1h10E
Trois Rivières, Que., **Can.**	46N21	4h50w
Trondheim (Trondhjem), **Nor.**	63N36	0h42E
Troyes, **Fr.**	48N18	0h16E
Trujillo, **Peru**	8s06	5h16w
Truk I., **Pac.O.**	7N25	10h07E
Tschenstochau, → *Czestochowa,* **Pol.**		
Tselinograd, **URSS**	51N10	4h46E
Tsi-nan (Jinan), **China**	36N41	7h48E
Tsing-tao (Qingdao), **China**	36N04	8h01E
Tsitsihar (Qiqihaer), **China**	47N23	8h16E
Tuamotu I., **Pac.O.**	16s00	9h40w
Tüblingen, **BRD**	48N32	0h36E
Tubuaï (Australes) I., **Pac.O.**	23s23	9h58w
Tucson, Ariz., **USA**	32N15	7h24w
Tudela, **Esp.**	42N04	0h06w
Tula (Toula), **URSS**	54N11	2h31E
Tulcan, **Ecuad.**	0N50	5h11w
Tulcea, **Roum.**	45N10	1h55E
Tulear, → *Toliara,* **Madag.**		

City/Ville/Stadt/Ciudad/Città	Lat.	Long.
Tulle, **Fr.**	45N16	0h07E
Tulsa, Okla., **USA**	36N07	6h24w
Tuluá, **Col.**	4N05	5h05w
Tumaco, **Col.**	1N51	5h15w
Tunis, **Tun.**	36N50	0h41E
Tunja, **Col.**	5N33	4h54w
Turda, **Roum.**	46N35	1h35E
Turin, → *Torino,* **Ital.**		
Turku, **Finl.**	60N27	1h29E
Turnhout, **Belg.**	51N19	0h20E
Turrialba, **C.Rica**	9N56	5h35w
Tuttlingen, **BRD**	47N59	0h35E
Tuvalu (Ellice) I., **Pac.O.**	8s30	11h57E
Tuzla, **Youg.**	44N33	1h15E
Tver, → *Kalinin,* **URSS**		
Tynemouth, **G.-B.**	55N01	0h06w
Tyr, → *Sour,* **Lbn**		
Tyumen (Tioumen), **URSS**	57N00	4h21E

*** U ***

City/Ville/Stadt/Ciudad/Città	Lat.	Long.
Uberaba, **Brasil**	19s47	3h12w
Uberlândia, **Brasil**	18s57	3h13w
Ubon Ratchathani, **Thai.**	15N15	6h59E
Udaipur, **Ind.**	24N36	4h55E
Uddevalla, **Sue.**	58N20	0h48E
Udine, **Ital.**	46N04	0h53E
Udon Thani, **Thai.**	17N25	6h51E
Uelzen, **BRD**	52N58	0h42E
Ufa (Oufa), **URSS**	54N45	3h44E
Ujjain, **Ind.**	23N11	5h03E
Ujpest, **Hong.**	47N33	1h16E
Ujung Pandang (Macassar), **Indon.**	5s09	7h58E
Ulaan Baatar (Oulan Bator), **Mong.**	47N54	7h07E
Ulan-Ude (Oulan-Oude), **URSS**	51N55	7h11E
Uleaborg, → *Oulu,* **Finl.**		
Ulhasnagar, **Ind.**	19N15	4h53E
Uliastay (Jirga lanta), **Mong.**	47N42	6h27E
Ulm, **BRD**	48N24	0h40E
Ulyanovsk (Oulianovsk), **URSS**	54N19	3h13E
Umea, **Sue.**	63N50	1h21E
Umtali, **Zimb.**	19s00	2h11E
Upington, **S.Afr.**	28s28	1h25E
Uppsala (Upsal), **Sue.**	59N55	1h11E
Uralsk (Ouralsk), **URSS**	51N19	3h25E
Urawa, **Jap.**	35N52	9h19E
Urfa, **Tur.**	37N08	2h35E
Urumiyeh (Rezaye), **Iran**	37N32	3h00E
Urümqi (Ouroumtsi), **China**	43N43	5h51E
Usküdar, **Tur.**	41N01	1h56E
Usti nad Labem, **Tch.**	50N41	0h56E
Ust Kamenogorsk, **URSS**	49N58	5h30E
Usumbura, → *Bujumbura,* **Bur.**		
Utica, NY, **USA**	43N06	5h01w

City/Ville/Stadt/Ciudad/Città	Lat.	Long.
Utrecht, **Nth.**	52N06	0h20E
Utsunomiya, **Jap.**	36N33	9h19E
Uyuni, **Bol.**	20S28	4h27W

*** V ***

City/Ville/Stadt/Ciudad/Città	Lat.	Long.
Vaasa, **Finl.**	63N06	1h26E
Vadodara, **Ind.**	22N19	4h53E
Vaduz, **Liech.**	47N08	0h38E
Valdepeñas, **Esp.**	38N46	0h14W
Valdivia, **Chile**	39S46	4h53W
Valence, Drôme, **Fr.**	44N56	0h20E
Valencia, **Esp.**	39N29	0h02W
Valencia, **Ven.**	10N14	4h32W
Valenciennes, **Fr.**	50N22	0h14E
Valladolid, **Esp.**	41N39	0h19W
Vallenar, **Chile**	28S36	4h43W
Valleta, **Malta**	35N54	0h58E
Valleyfield, Que., **Can.**	45N15	4h57W
Valparaiso, **Chile**	33S05	4h47W
Vancouver, Br.Col., **Can.**	49N13	8h12W
Vannes, **Fr.**	47N40	0h11W
Vanuatu I. (Vila), **Pac.O.**	17S45	11h13E
Varanasi, **Ind.**	25N20	5h32E
Varese, **Ital.**	45N49	0h35E
Varna, **Bulg.**	43N12	1h52E
Varsovie, → *Warszawa,* **Pol.**		
Västerås, **Sue.**	59N36	1h06E
Växjö, **Sue.**	56N52	0h59E
Venezia (Venise), **Ital.**	45N26	0h49E
Vénissieux, **Fr.**	45N42	0h19E
Veracruz, **Mex.**	19N11	6h25W
Vercelli, **Ital.**	45N19	0h34E
Verdun-sur-Meuse, **Fr.**	49N10	0h22E
Vereeniging, **S.Afr.**	26S41	1h52E
Verona (Vérone), **Ital.**	45N26	0h44E
Versailles, **Fr.**	48N48	0h09E
Verviers, **Belg.**	50N36	0h23E
Vervins, **Fr.**	49N50	0h16E
Vesoul, **Fr.**	47N38	0h25E
Vevey, **Sui.**	46N28	0h27E
Viacha, **Bol.**	16S40	4h33W
Viareggio, **Ital.**	43N52	0h41E
Viborg, **Dan.**	56N28	0h38E
Vicenza (Vicence), **Ital.**	45N33	0h46E
Vichy, **Fr.**	46N08	0h14E
Victoria, **Arg.**	32S40	4h01W
Victoria, **Cam.**	4N01	0h37E
Victoria, **H.K.**	22N16	7h37E
Victoria, Br.Col., **Can.**	48N25	8h13W
Viedma, **Arg.**	40S45	4h12W
Vienne, **Fr.**	45N32	0h20E
Vienne (Vienna), → *Wien,* **Aut.**		
Vientiane, **Laos**	17N59	6h51E
Vierzon, **Fr.**	47N14	0h08E
Vigevano, **Ital.**	45N19	0h35E
Vigo, **Esp.**	42N15	0h35W
Vijayavada, **Ind.**	16N34	5h23E
Vila Real, **Port.**	41N17	0h31W
Villach (Bela), **Aut.**	46N37	0h55E
Villahermosa, **Mex.**	18N00	6h12W
Villa María, **Arg.**	32S25	4h13W
Villa Montes, **Bol.**	21S15	4h14W
Villarrica, **Parag.**	25S45	3h46W
Villefranche-sur-Saône, **Fr.**	46N00	0h19E
Villeneuve-sur-Lot, **Fr.**	44N24	0h03E
Villingen-Schwenningen, **BRD**	48N03	0h34E
Vilnius (Vilna), **URSS**	54N40	1h41E
Vilvoorde, **Belg.**	50N56	0h18E
Vinh, **Viet.**	18N42	7h03E
Vinnitsa, **URSS**	49N11	1h54E
Vishakhapatnam, **Ind.**	17N42	5h34E
Vitebsk, **URSS**	55N10	2h01E
Viterbo, **Ital.**	42N24	0h48E
Vitória, **Brasil**	20S19	2h41W
Vitoria, **Esp.**	42N51	0h11W
Vlaardingen, **Nth.**	51N55	0h17E
Vladikavkaz, → *Ordzhonikidze,* **URSS**		
Vladimir, **URSS**	56N08	2h42E
Vladivostok, **URSS**	43N09	8h48E
Vlissingen, → *Flessingue,* **Nth.**		
Vlorë (Valona), **Alb.**	40N29	1h18E
Vogan, **Togo**	6N20	0h06E
Volgograd, **URSS**	48N45	2h58E
Vologda, **URSS**	59N10	2h40E
Vólos, **Grc.**	39N22	1h32E
Voronezh (Voronej), **URSS**	51N40	2h37E
Voroshilovgrad, **URSS**	48N35	2h37E
Voroshilovsk, → *Stavropol,* **URSS**		
Vratsa, **Bulg.**	43N12	1h34E

*** W ***

City/Ville/Stadt/Ciudad/Città	Lat.	Long.
Waco, Tex., **USA**	31N33	6h29W
Wad Medani, **Sudan**	14N24	2h14E
Wakayama, **Jap.**	34N12	9h01E
Wake I., **Pac.O.**	19N18	11h06E
Walbrzych (Waldenburg), **Pol.**	50N48	1h05E
Wallis I., **Pac.O.**	13S22	11h45W
Walsall, **G.-B.**	52N35	0h08W
Wankie, **Zimb.**	18S20	1h46E
Wanne-Eickel, **BRD**	51N31	0h29E
Warangal, **Ind.**	18N00	5h18E
Warburg, **BRD**	51N28	0h37E
Waren, **DDR**	53N32	0h51E
Warendorf, **BRD**	51N57	0h32E
Warrington, **G.-B.**	53N24	0h10W

City/Ville/Stadt/Ciudad/Città	Lat.	Long.
Warszawa, **Pol.**	52N15	1h24E
Warwick, **G.-B.**	52N17	0h06W
Washington, DC, **USA**	38N55	5h08W
Waterbury, Conn., **USA**	41N33	4h52W
Waterford, **Irl.**	52N15	0h28W
Waterloo, Ia., **USA**	42N30	6h09W
Watertown, NY, **USA**	43N57	5h04W
Wavre (Waver), **Belg.**	50N43	0h18E
Weiden in der Oberpfalz, **BRD**	49N40	0h49E
Weimar, **DDR**	50N59	0h45E
Weissenfels, **DDR**	51N12	0h48E
Wellington, **N.Zel.**	41S17	11h39E
Wels, **Aut.**	48N10	0h56E
Wen-tcheou (Wenzhou), **China**	28N02	8h03E
Wesel, **BRD**	51N39	0h26E
West Palm Beach, Fla., **USA**	26N42	5h20W
Westport, **N.Zel.**	41S46	11h27E
Wetaskiwin, Alb., **Can.**	52N57	7h33W
Wexford, **Irl.**	52N20	0h26W
Weymouth, **G.-B.**	50N36	0h10W
Wharan, → *Oran,* **Alg.**		
Wheeling, WV, **USA**	40N05	5h23W
Whitehaven, **G.-B.**	54N33	0h14W
Whitehorse, Yukon, **Can.**	60N41	9h01W
Wichita, Kans., **USA**	37N43	6h29W
Wichita Falls, Tex., **USA**	33N55	6h34W
Wien, **Aut.**	48N13	1h05E
Wiener Neustadt, **Aut.**	47N49	1h05E
Wiesbaden, **BRD**	50N05	0h33E
Wilhelmshaven, **BRD**	53N32	0h32E
Wilkes Barre, Pa., **USA**	41N15	5h03W
Willemstad, Curaçao, **Ant.P.**	12N12	4h36W
Williamsport, Pa., **USA**	41N16	5h08W
Wilmington, Del., **USA**	39N46	5h02W
Wilmington, NC, **USA**	34N14	5h12W
Winchester, **G.-B.**	51N04	0h05W
Windhoek, **Namib.**	22S34	1h08E
Windsor, **G.-B.**	51N29	0h03W
Windsor, Ont., **Can.**	42N18	5h32W
Winneba, **Ghana**	5N22	0h03W
Winnipeg, Man., **Can.**	49N53	6h29W
Winston-Salem, NC, **USA**	36N05	5h21W
Winthertur, **Sui.**	47N30	0h35E
Wismar, **DDR**	53N54	0h46E
Witten, **BRD**	51N25	0h29E
Wittenberg, **DDR**	51N53	0h51E
Wittlich, **BRD**	49N59	0h28E
Wittstock, **DDR**	53N10	0h50E
Wloclawek, **Pol.**	52N39	1h16E
Wohlen, **Sui.**	47N21	0h33E
Wolfenbüttel, **BRD**	52N10	0h42E
Wolfsburg, **BRD**	52N27	0h43E
Wollongong, **Aust.**	34S25	10h03E
Wolverhampton, **G.-B.**	52N36	0h09W
Wonsan, **Cor.N.**	39N07	8h30E
Worcester, **G.-B.**	52N11	0h09W
Worcester, **S.Afr.**	33S39	1h18E
Worcester, Mass., **USA**	42N17	4h47W
Worms, **BRD**	49N38	0h34E
Worthing, **G.-B.**	50N48	0h02W
Wou-han (Wuhan), **China**	30N35	7h37E
Wou-hou (Wuhu), **China**	31N23	7h54E
Wou-si (Wuxi), **China**	31N35	8h01E
Wrexham, **G.-B.**	53N03	0h12W
Wroclaw, **Pol.**	51N05	1h08E
Wuppertal, **BRD**	51N15	0h29E
Würzburg, **BRD**	49N48	0h40E

*** X ***

City/Ville/Stadt/Ciudad/Città	Lat.	Long.
Xi'an, → *Si-ngan,* **China**		
Xieng Khouang, **Laos**	19N21	6h54E

*** Y ***

City/Ville/Stadt/Ciudad/Città	Lat.	Long.
Yako, **H.Vol.**	12N59	0h09W
Yakutsk (Iakoutsk), **URSS**	62N10	8h39E
Yamagata, **Jap.**	38N16	9h21E
Yambol, **Bulg.**	42N28	1h46E
Yaoundé, **Cam.**	3N51	0h46E
Yaritagua, **Ven.**	10N05	4h36W
Yarmouth, NE, **Can.**	43N50	4h25W
Yaroslavl (Iaroslavl), **URSS**	57N34	2h39E
Yatsushiro, **Jap.**	32N32	8h42E
Yazd (Yezd), **Iran**	31N55	3h37E
Yellowknife, NT, **Can.**	62N30	7h38W
Yendi, **Ghana**	9N30	0h00W
Yeovil, **G.-B.**	50N57	0h11W
Yerevan (Erevan), **URSS**	40N10	2h58E
Yin-tch'ouan (Yinchuan), **China**	38N30	7h05E
Yogyakarta, **Indon.**	7S48	7h22E
Yokkaichi, **Jap.**	34N58	9h07E
Yokohama, Kanagawa, **Jap.**	35N28	9h19E
Yokosuka, Kanagawa, **Jap.**	35N18	9h19E
Yola, **Nig.**	9N14	0h50E
Yonkers, NY, **USA**	40N57	4h55W
York, **G.-B.**	53N58	0h04W
Yorkton, Sask., **Can.**	51N12	6h50W
Youngstown, Oh., **USA**	41N05	5h23W
Yumen, **China**	39N54	6h31E
Yverdon, **Sui.**	46N47	0h27E

*** Z ***

City/Ville/Stadt/Ciudad/Città	Lat.	Long.
Zaandam, **Nth.**	52N26	0h19E
Zabrze, **Pol.**	50N18	1h15E
Zadar, **Youg.**	44N07	1h01E

City/Ville/Stadt/Ciudad/Città	Lat.	Long.
Zagazig, **Egy.**	30N35	2h06E
Zagreb, **Youg.**	45N48	1h04E
Zahedan (Duzdab), **Iran**	29N32	4h04E
Zahle, **Lbn**	33N50	2h24E
Zalaegerszeg, **Hong.**	46N53	1h07E
Zamora, **Esp.**	41N30	0h23W
Zanesville, Oh., **USA**	39N55	5h28W
Zanzibar, **Tanz.**	6S10	2h37E
Zaporozhye, **URSS**	47N50	2h21E
Zaragoza, **Esp.**	41N39	0h04W
Zárate, **Arg.**	34S07	3h56W
Zaraza, **Ven.**	9N23	4h21W
Zaria, **Nig.**	11N01	0h31E
Zarqa (Az-Zarqa), **Jord.**	32N04	2h24E
Zefat (Safad), **Isr.**	32N57	2h22E
Zeitz, **DDR**	51N03	0h49E
Zemio, **C.Afr.**	5N00	1h41E
Zenica, **Youg.**	44N11	1h12E
Zhdanov (Jdanov), **URSS**	47N05	2h30E
Zhitomir (Jitomir), **URSS**	50N18	1h55E
Zielona Góra, **Pol.**	51N57	1h02E
Ziguinchor, **Seneg.**	12N35	1h05W
Zinder, **Niger**	13N46	0h36E
Zlatoust, **URSS**	55N10	3h59E
Zlin, → *Gottwaldov,* **Tch.**		
Zofingen (Zofingue), **Sui.**	47N18	0h32E
Zomba, **Malawi**	15S22	2h21E
Zrenjanin (Petrovgrad), **Youg.**	45N22	1h22E
Zug (Zoug), **Sui.**	47N10	0h34E
Zürich, **Sui.**	47N23	0h34E
Zutphen, **Nth.**	52N08	0h25E
Zwickau, **DDR**	50N43	0h50E
Zwolle, **Nth.**	52N31	0h24E

COUNTRY CODE TABLE
TABLE DES CODES DES PAYS
TABELLE DER LÄNDERABKÜRZUNGEN
TABLA DE LOS CÓDIGOS DE LOS PAÍSES
TAVOLA DEI CODICI DEI PAESI

	ENGLISH	FRANÇAIS	DEUTSCH	ESPAÑOL	ITALIANO
Afg.	Afghanistan	*Afghanistan*	Afghanistan	*Afganistán*	Afghanistan
Alb.	Albania	*Albanie*	Albanien	*Albania*	Albania
Alg.	Algeria	*Algérie*	Algerien	*Argelia*	Algeria
Andor.	Andorra	*Andorre*	Andorra	*Andorra*	Andorra
Angola	Angola	*Angola*	Angola	*Angola*	Angola
Ant.P.	Lesser Antilles	*Petites Antilles*	Kleine Antillen	*Pequeñas Antillas*	Piccole Antille
Arg.	Argentina	*Argentine*	Argentinien	*Argentina*	Argentina
Ar.S.	Saudi Arabia	*Arabie Saoudite*	Saudi-Arabien	*Arabia Saudita*	Arabia Saudita
Atl.O.	Atlantic ocean	*Océan Atlantique*	Atlantischer Ozean	*Océano Atlántico*	Oceano Atlantico
Aust.	Australia	*Australie*	Australien	*Australia*	Australia
Aut.	Austria	*Autriche*	Österreich	*Austria*	Austria
Bahr.	Bahrein	*Bahreïn*	Bahrain	*Bahrein*	Bahrein
Bal.I.	Balearic I.	*Baléares I.*	Balearen I.	*Baleares I.*	Baleari I.
B.desh	Bangladesh	*Bangladesh*	Bangladesh	*Bangladesh*	Bangladesh
Belg.	Belgium	*Belgique*	Belgien	*Bélgica*	Belgio
Belize	Belize	*Belize (Honduras* brit.)	Belize	*Belice*	Belize
Benin	Benin	*Bénin (Dahomey)*	Benin	*Benin*	Benin
Bhutan	Bhutan	*Bhoutan*	Bhutan	*Bután*	Butan
Birm.	Burma	*Birmanie*	Birma	*Birmania*	Birmania
Bol.	Bolivia	*Bolivie*	Bolivien	*Bolivia*	Bolivia
Bots.	Botswana	*Botswana* (Bechuanaland)	Botswana	*Botswana*	Botswana
Brasil	Brazil	*Brésil*	Brasilien	*Brasil*	Brasile
BRD	West Germany (GFR)	*Allemagne de l'ouest (RFA)*	Westdeutschland (BRD)	*Alemania del oeste (RFA)*	Germania Occidentale (RFT)
Brunei	Brunei	*Brunei*	Brunei	*Brunei*	Brunei
Bulg.	Bulgaria	*Bulgarie*	Bulgarien	*Bulgaria*	Bulgaria
Bur.	Burundi	*Burundi*	Burundi	*Burundi*	Burundi
C.Afr.	Central African R.	*Centrafricaine R.*	Zentralafrikanische R.	*Centroafricana R.*	R. Centro-Africana
Cam.	Cameroon	*Cameroun*	Kamerun	*Camerún*	Camerum
Can.	Canada	*Canada*	Kanada	*Canadá*	Canada
Can.I.	Canary I.	*Canaries I.*	Kanarische I.	*Canarias I.*	Canarie I.
Chile	Chile	*Chili*	Chile	*Chile*	Cile
China	China	*Chine*	China	*China*	Cina
Chyp.	Cyprus	*Chypre*	Zypern	*Chipre*	Cipro
C.Iv.	Ivory Coast	*Côte d'Ivoire*	Elfenbeinküste	*Costa de Marfil*	Costa d'Avorio
Col.	Columbia	*Colombie*	Kolumbien	*Colombia*	Colombia
Congo	Congo	*Congo*	Kongo	*Congo*	Congo
Cor.N.	Korea, North	*Corée du Nord*	Nordkorea	*Corea del Norte*	Corea del Nord
Cor.S.	Korea, South	*Corée du Sud*	Südkorea	*Corea del Sur*	Corea del Sud
C.Rica	Costa Rica	*Costa Rica*	Kostarika	*Costa Rica*	Costa Rica
Cuba	Cuba	*Cuba*	Kuba	*Cuba*	Cuba
Dan.	Denmark	*Danemark*	Dänemark	*Dinamarca*	Danimarca
DDR	East Germany (GDR)	*Allemagne de l'Est (RDA)*	Ostdeutschland (DDR)	*Alemania del este (RDA)*	Germania Est (RDT)

	ENGLISH	FRANÇAIS	DEUTSCH	ESPAÑOL	ITALIANO
Djib.	Djibouti	*Djibouti*	Djibouti	*Djibouti*	Gibuti
Dom.	Dominican R.	*Dominicaine R.*	Dominikanische R.	*Dominicana R.*	Republica Domenicana
E.A.U.	United Arab Emirates	*Emirats Arabes Unis*	Vereinigte Arab. Emiraten	*Emiratos Arabes Unidos*	Emirati Arabi
Ecuad.	Ecuador	*Equateur*	Ecuador	*Ecuador*	Ecuador
Egy.	Egypt	*Egypte*	Ägypten	*Egipto*	Egitto
Esp.	Spain	*Espagne*	Spanien	*España*	Spagna
Eth.	Ethiopia	*Ethiopie*	Äthiopien	*Etiopia*	Etiopia
Finl.	Finland	*Finlande*	Finnland	*Finlandia*	Finlandia
Fr.	France	*France*	Frankreich	*Francia*	Francia
G.-B.	Great Britain	*Grande-Bretagne*	Grossbritannien	*Gran Bretaña*	Gran Bretagna
Gabon	Gabon	*Gabon*	Gabun	*Gabón*	Gabon
Gamb.	Gambia	*Gambie*	Gambia	*Gambia*	Gambia
G.Bis.	Guinea-Bissau	*Guinée-Bissau*	Guinea-Bissau	*Guinea-Bissau*	Guinea-Bissau
G.eq.	Equatorial Guinea	*Guinée équatoriale*	Äquatorial Guinea	*Guinea ecuatorial*	Guinea Equatoriale
Ghana	Ghana	*Ghana*	Ghana	*Ghana*	Gana
Grc.	Greece	*Grèce*	Griechenland	*Grecia*	Grecia
Guat.	Guatemala	*Guatemala*	Guatemala	*Guatemala*	Guatemala
Gu.Fr.	French Guiana	*Guyane française*	Französisch-Guayana	*Guayana francesa*	Guiana Francese
Guin.	Guinea	*Guinée*	Guinea	*Guinea*	Guinea
Guyana	Guyana	*Guyana*	Guayana	*Guyana*	Guiana
Haiti	Haiti	*Haïti*	Haiti	*Haiti*	Haiti
H.K.	Hong Kong	*Hongkong*	Hongkong	*Hong-Kong*	Hong Kong
Hond.	Honduras	*Honduras*	Honduras	*Honduras*	Honduras
Hong.	Hungary	*Hongrie*	Ungarn	*Hungria*	Ungheria
H.Vol.	Upper Volta	*Haute-Volta*	Obervolta	*Alto Volta*	Alto Volta
Ind.	India	*Inde*	Indien	*India*	India
Ind.O.	Indian ocean	*Océan Indien*	Indischer Ozean	*Océano Indico*	Oceano Indiano
Indon.	Indonesia	*Indonésie*	Indonesien	*Indonesia*	Indonesia
Iran	Iran	*Iran*	Iran	*Irán*	Iran
Iraq	Iraq	*Iraq*	Iraq	*Iraq*	Iraq
Irl.	Ireland	*Irlande (Eire)*	Irland	*Irlanda*	Irlanda
Isl.	Iceland	*Islande*	Island	*Islandia*	Islanda
Isr.	Israel	*Israël*	Israel	*Israel*	Isdraele
Ital.	Italy	*Italie*	Italien	*Italia*	Italia
Jama.	Jamaica	*Jamaïque*	Jamaika	*Jamaica*	Giamaica
Jap.	Japan	*Japon*	Japan	*Japón*	Giappone
Jord.	Jordan	*Jordanie*	Jordanien	*Jordania*	Giordania
Kamp.	Kampuchea (Cambodia)	*Kampuchea (Cambodge)*	Kampuchea (Kanbodscha)	*Kampuchea (Camboya)*	Cambogia
Kenya	Kenya	*Kenya*	Kenia	*Kenya*	Kenia
Kuwait	Kuwait	*Koweït*	Kuwait	*Kuwait*	Kuwait
Laos	Laos	*Laos*	Laos	*Laos*	Laos
Lbn	Lebanon	*Liban*	Libanon	*Líbano*	Libano
Leso.	Lesotho	*Lesotho (Basutoland)*	Lesotho	*Lesotho*	Lesotho
Lib.	Libya	*Libye*	Libyen	*Libia*	Libia
Liber.	Liberia	*Liberia*	Liberia	*Liberia*	Liberia
Liech.	Liechtenstein	*Liechtenstein*	Liechtenstein	*Liechtenstein*	Liechtenstein
Luxem.	Luxembourg	*Luxembourg*	Luxemburg	*Luxemburgo*	Lussemburgo
Madag.	Madagascar	*Madagascar*	Madagaskar	*Madagascar*	Madagascar
Malawi	Malawi	*Malawi (Nyasaland)*	Malawi	*Malawi*	Malawi
Malay.	Malaysia	*Malaisie*	Malaysia	*Malasia*	Malesia
Mali	Mali	*Mali*	Mali	*Mali*	Mali
Malta	Malta	*Malte*	Malta	*Malta*	Malta
Mar.	Morocco	*Maroc*	Marokko	*Marruecos*	Morocco

	ENGLISH	*FRANÇAIS*	*DEUTSCH*	*ESPAÑOL*	*ITALIANO*
Mau.I.	Mauritius I.	*Maurice I.*	Mauritius I.	*Mauricio I.*	Maurizius
Maur.	Mauritania	*Mauritanie*	Mauretanien	*Mauritania*	Mauritania
Mex.	Mexico	*Mexique*	Mexiko	*Méjico*	Messico
Monaco	Monaco	*Monaco*	Monaco	*Mónaco*	Monaco
Mong.	Mongolia	*Mongolie*	Mongolei	*Mongolia*	Mongolia
Moz.	Mozambique	*Mozambique*	Mosambik	*Mozambique*	Mozambico
Namib.	Namibia	*Namibie*	Namibia	*Namibia*	Namibia
N.Cal.	New Caledonia	*Nouvelle-Calédonie*	Neukaledonien	*Nueva Caledonia*	Nuova Caledonia
Nepal	Nepal	*Népal*	Nepal	*Nepal*	Nepal
Nicar.	Nicaragua	*Nicaragua*	Nicaragua	*Nicaragua*	Nicaragua
Nig.	Nigeria	*Nigeria*	Nigeria	*Nigeria*	Nigeria
Niger	Niger	*Niger*	Niger	*Níger*	Niger
Nor.	Norway	*Norvège*	Norwegen	*Noruega*	Norvegia
Nth.	Netherlands	*Pays-Bas (Hollande)*	Niederlande	*Países Bajos (Holanda)*	Olanda
N.Zel.	New Zealand	*Nouvelle-Zélande*	Neuseeland	*Nueva Zelanda*	Nuova Zelanda
Oman	Oman	*Oman*	Oman	*Omán*	Oman
Pac.O.	Pacific ocean	*Océan Pacifique*	Pazifischer Ozean	*Océano Pacífico*	Oceano Pacifico
Pak.	Pakistan	*Pakistan*	Pakistan	*Pakistan*	Pakistan
Panama	Panama	*Panama*	Panama	*Panamá*	Panama
Pap.	Papua-New Guinea	*Papouasie-Nouvelle-Guinée*	Papua - Neuginea	*Papuasia-Nueva Guinea*	Papuasia-Nuova Guinea
Parag.	Paraguay	*Paraguay*	Paraguay	*Paraguay*	Paraguay
Peru	Peru	*Pérou*	Peru	*Perú*	Peru
Phil.	Philippines	*Philippines*	Philippinen	*Filipinas*	Filippine
Pol.	Poland	*Pologne*	Polen	*Polonia*	Polonia
Port.	Portugal	*Portugal*	Portugal	*Portugal*	Portogallo
P.Rico	Puerto Rico	*Porto Rico*	Puerto Rico	*Puerto Rico*	Porto Rico
Qatar	Qatar	*Qatar*	Katar	*Qatar*	Qatar
Reu.I.	Reunion I.	*Réunion I.*	Reunion I.	*Reunión I.*	Reunion I.
Roum.	Rumania	*Roumanie*	Rumänien	*Rumania*	Romania
Rwanda	Rwanda	*Rwanda*	Rwanda	*Rwanda*	Rwanda
S.Afr.	South Africa R.	*Sud-Africaine R.*	Südafrikanische R.	*Sudafricana R.*	R. Sud Africana
Sal.I.	Solomon I.	*Salomon I.*	Salomonen I.	*Salomón I.*	Salomone I.
Salv.	El Salvador	*El Salvador*	El Salvador	*El Salvador*	Salvador
Seneg.	Senegal	*Sénégal*	Senegal	*Senegal*	Senegal
S.Leo.	Sierra Leone	*Sierra Leone*	Sierra Leone	*Sierra Leona*	Serra Leone
Somal.	Somalia	*Somalie*	Somalia	*Somalia*	Somalia
Sr.Lka	Sri Lanka (Ceylon)	*Sri Lanka (Ceylan)*	Sri Lanka (Ceylon)	*Sri Lanka (Ceilán)*	Sri Lanka (Ceylon)
Sudan	Sudan	*Soudan*	Sudan	*Sudán*	Sudan
Sue.	Sweden	*Suède*	Schweden	*Suecia*	Sveria
Sui.	Switzerland	*Suisse*	Schweiz	*Suiza*	Svizzera
Surin.	Surinam	*Surinam*	Surinam	*Surinam*	Surinam
Swaz.	Swaziland	*Swaziland (Ngwane)*	Swasiland	*Zwasilandia*	Swaziland
Syr.	Syria	*Syrie*	Syrien	*Siria*	Siria
Taiwan	Taiwan	*Taiwan (Formosa)*	Taiwan	*Taiwan*	Taiwan
Tanz.	Tanzania	*Tanzanie*	Tansania	*Tanzania*	Tanzania
Tch.	Czechoslovakia	*Tchécoslovaquie*	Tschechoslowakei	*Checoslovaquia*	Cecoslovacchia
Tchad	Chad	*Tchad*	Tschad	*Chad*	Ciad
Thai.	Thailand	*Thaïlande (Siam)*	Thailand	*Tailandia*	Tailandia
Togo	Togo	*Togo*	Togo	*Togo*	Togo
T.Tob.	Trinidad and Tobago	*Trinité-et-Tobago*	Trinidad und Tobago	*Trinidad y Tobago*	Trinità e Tobago
Tun.	Tunisia	*Tunisie*	Tunesien	*Túnez*	Tunisia
Tur.	Turkey	*Turquie*	Türkei	*Turquía*	Turchia
Uganda	Uganda	*Ouganda*	Uganda	*Uganda*	Uganda
URSS	USSR	*URSS*	UdSSr	*URSS*	USSR

	ENGLISH	FRANÇAIS	DEUTSCH	ESPAÑOL	ITALIANO
Urug.	Uruguay	*Uruguay*	Uruguay	*Uruguay*	Uruguay
USA	United States	*Etats-Unis*	Vereinigte Staaten	*Estados Unidos*	Stati Uniti
Ven.	Venezuela	*Venezuela*	Venezuela	*Venezuela*	Venezuela
Viet.	Vietnam	*Vietnam*	Vietnam	*Vietnam*	Vietnam
Yem.d.	Yemen R. dem.	*Yémen, R. dém.*	Jemen, dem. R.	*Yemen, R. dem.*	Yemen R. dem
Yemen	Yemen	*Yémen*	Jemen	*Yemen*	Yemen
Youg.	Yugoslavia	*Yougoslavie*	Jugoslawien	*Yugoslavia*	Jugoslavia
Zaire	Zaire	*Zaïre*	Zaïre	*Zaira*	Zaire
Zamb.	Zambia	*Zambie*	Sambia	*Zambia*	Zambia
Zimb.	Zimbabwe (Rhodesia)	*Zimbabwe (Rhodésie)*	Zimbabwe (Rhodesien)	*Zimbabwe (Rodesia)*	Zimbabwe (Rhodesia)

TABLES DES MAISONS

TABLES OF HOUSES

HÄUSERTABELLEN

TABLAS DE CASAS

TAVOLE DELLE CASE

LATITUDE 0° N.

SIDEREAL TIME	10	11	12	Asc	2	3
	♈	♉	♊	♋	♋	♌
h m s	°	°	°	° '	°	°
0 00 00	0	2	2	0 00	28	28
0 03 40	1	3	3	0 50	29	29
0 07 20	2	4	4	1 41	♌	♍
0 11 01	3	5	5	2 31	1	1
0 14 41	4	6	6	3 22	1	2
0 18 21	5	7	6	4 13	2	3
0 22 02	6	8	7	5 03	3	4
0 25 43	7	9	8	5 54	4	5
0 29 23	8	10	9	6 45	5	6
0 33 04	9	11	10	7 35	6	7
0 36 45	10	12	11	8 26	7	7
0 40 27	11	13	12	9 17	8	8
0 44 08	12	13	12	10 08	9	9
0 47 50	13	14	13	11 00	10	10
0 51 32	14	15	14	11 51	10	11
0 55 15	15	16	15	12 42	11	12
0 58 57	16	17	16	13 34	12	13
1 02 41	17	18	17	14 26	13	14
1 06 24	18	19	18	15 18	14	15
1 10 08	19	20	19	16 10	15	16
1 13 52	20	21	19	17 02	16	17
1 17 36	21	22	20	17 54	17	18
1 21 21	22	23	21	18 47	18	19
1 25 07	23	24	22	19 40	19	21
1 28 53	24	25	23	20 32	20	22
1 32 39	25	25	24	21 26	21	23
1 36 26	26	26	25	22 19	22	24
1 40 13	27	27	25	23 13	23	25
1 44 01	28	28	26	24 07	24	26
1 47 49	29	29	27	25 01	25	27
1 51 38	♉	♊	28	25 55	26	28
1 55 28	1	1	29	26 50	27	29
1 59 18	2	2	♋	27 44	28	♎
2 03 09	3	3	1	28 40	29	1
2 07 00	4	4	2	29 35	♍	2
2 10 52	5	5	2	0♌31	1	3
2 14 45	6	6	3	1 27	2	4
2 18 38	7	7	4	2 23	3	5
2 22 32	8	7	5	3 20	4	6
2 26 27	9	8	6	4 17	5	7
2 30 22	10	9	7	5 14	6	8
2 34 18	11	10	8	6 11	7	9
2 38 14	12	11	9	7 09	8	10
2 42 12	13	12	10	8 08	9	11
2 46 10	14	13	11	9 06	10	13
HOUSES	4	5	6	7	8	9

LATITUDE 0° S.

LATITUDE 1° N.

SIDEREAL TIME	10	11	12	Asc	2	3
	♈	♉	♊	♋	♋	♌
h m s	°	°	°	° '	°	°
0 00 00	0	2	2	0 24	28	28
0 03 40	1	3	3	1 14	29	29
0 07 20	2	4	4	2 05	♌	♍
0 11 01	3	5	5	2 55	1	1
0 14 41	4	6	6	3 46	2	2
0 18 21	5	7	7	4 36	3	3
0 22 02	6	8	8	5 27	3	4
0 25 43	7	9	8	6 18	4	5
0 29 23	8	10	9	7 08	5	6
0 33 04	9	11	10	7 59	6	7
0 36 45	10	12	11	8 50	7	8
0 40 27	11	13	12	9 41	8	9
0 44 08	12	14	13	10 32	9	10
0 47 50	13	15	14	11 23	10	10
0 51 32	14	15	14	12 14	11	11
0 55 15	15	16	15	13 06	12	12
0 58 57	16	17	16	13 57	12	13
1 02 41	17	18	17	14 49	13	14
1 06 24	18	19	18	15 41	14	15
1 10 08	19	20	19	16 33	15	16
1 13 52	20	21	20	17 25	16	17
1 17 36	21	22	21	18 17	17	18
1 21 21	22	23	21	19 10	18	20
1 25 07	23	24	22	20 02	19	21
1 28 53	24	25	23	20 55	20	22
1 32 39	25	26	24	21 48	21	23
1 36 26	26	27	25	22 41	22	24
1 40 13	27	27	26	23 35	23	25
1 44 01	28	28	27	24 29	24	26
1 47 49	29	29	27	25 23	25	27
1 51 38	♉	♊	28	26 17	26	28
1 55 28	1	1	29	27 11	27	29
1 59 18	2	2	♋	28 06	28	♎
2 03 09	3	3	1	29 01	29	1
2 07 00	4	4	2	29 56	♍	2
2 10 52	5	5	3	0♌52	1	3
2 14 45	6	6	4	1 48	2	4
2 18 38	7	7	5	2 44	3	5
2 22 32	8	8	5	3 40	4	6
2 26 27	9	8	6	4 37	5	7
2 30 22	10	9	7	5 34	6	8
2 34 18	11	10	8	6 31	7	9
2 38 14	12	11	9	7 29	8	10
2 42 12	13	12	10	8 27	9	11
2 46 10	14	13	11	9 25	10	13
HOUSES	4	5	6	7	8	9

LATITUDE 1° S.

LATITUDE 2° N.

SIDEREAL TIME	10	11	12	Asc	2	3
	♈	♉	♊	♋	♋	♌
h m s	°	°	°	° '	°	°
0 00 00	0	2	3	0 48	28	28
0 03 40	1	3	3	1 38	29	29
0 07 20	2	4	4	2 29	♌	♍
0 11 01	3	5	5	3 19	1	1
0 14 41	4	6	6	4 10	2	2
0 18 21	5	7	7	5 00	3	3
0 22 02	6	8	8	5 51	4	4
0 25 43	7	9	9	6 41	5	5
0 29 23	8	10	10	7 32	5	6
0 33 04	9	11	10	8 23	6	7
0 36 45	10	12	11	9 14	7	8
0 40 27	11	13	12	10 04	8	9
0 44 08	12	14	13	10 55	9	10
0 47 50	13	15	14	11 47	10	11
0 51 32	14	16	15	12 38	11	12
0 55 15	15	16	16	13 29	12	13
0 58 57	16	17	16	14 21	13	14
1 02 41	17	18	17	15 12	14	15
1 06 24	18	19	18	16 04	15	16
1 10 08	19	20	19	16 56	15	17
1 13 52	20	21	20	17 48	16	18
1 17 36	21	22	21	18 40	17	19
1 21 21	22	23	22	19 32	18	20
1 25 07	23	24	23	20 25	19	21
1 28 53	24	25	23	21 18	20	22
1 32 39	25	26	24	22 10	21	23
1 36 26	26	27	25	23 04	22	24
1 40 13	27	28	26	23 57	23	25
1 44 01	28	28	27	24 51	24	26
1 47 49	29	29	28	25 44	25	27
1 51 38	♉	♊	29	26 38	26	28
1 55 28	1	1	29	27 33	27	29
1 59 18	2	2	♋	28 27	28	♎
2 03 09	3	3	1	29 22	29	1
2 07 00	4	4	2	0♌17	♍	2
2 10 52	5	5	3	1 13	1	3
2 14 45	6	6	4	2 08	2	4
2 18 38	7	7	5	3 04	3	5
2 22 32	8	8	6	4 00	4	6
2 26 27	9	9	7	4 57	5	7
2 30 22	10	10	7	5 54	6	8
2 34 18	11	10	8	6 51	7	9
2 38 14	12	11	9	7 48	8	10
2 42 12	13	12	10	8 46	9	11
2 46 10	14	13	11	9 44	10	12
HOUSES	4	5	6	7	8	9

LATITUDE 2° S.

LATITUDE 0° N.

SIDEREAL TIME			10 ♉	11 ♊	12 ♋	Asc ♌		2 ♍	3 ♎
h	m	s	°	°	°	°	'	°	°
2	50	09	15	14	12	10	05	11	14
2	54	08	16	15	12	11	04	12	15
2	58	08	17	16	13	12	04	13	16
3	02	09	18	17	14	13	04	14	17
3	06	11	19	18	15	14	05	15	18
3	10	13	20	19	16	15	05	16	19
3	14	16	21	19	17	16	06	18	20
3	18	20	22	20	18	17	08	19	21
3	22	25	23	21	19	18	10	20	22
3	26	30	24	22	20	19	12	21	23
3	30	36	25	23	21	20	15	22	24
3	34	43	26	24	22	21	17	23	26
3	38	50	27	25	23	22	21	24	27
3	42	58	28	26	24	23	25	25	28
3	47	07	29	27	25	24	29	26	29
3	51	16	♊	28	26	25	33	28	♏
3	55	27	1	29	27	26	38	29	1
3	59	37	2	♋	28	27	43	♎	2
4	03	49	3	1	29	28	49	1	3
4	08	01	4	2	♌	29	54	2	4
4	12	14	5	3	1	1♍	01	3	5
4	16	27	6	4	2	2	07	4	6
4	20	41	7	5	3	3	14	6	8
4	24	56	8	6	4	4	21	7	9
4	29	11	9	7	5	5	29	8	10
4	33	27	10	8	6	6	37	9	11
4	37	43	11	9	7	7	45	10	12
4	42	00	12	10	8	8	53	11	13
4	46	17	13	11	9	10	02	13	14
4	50	35	14	12	10	11	11	14	15
4	54	53	15	13	11	12	20	15	16
4	59	11	16	14	12	13	30	16	17
5	03	30	17	15	13	14	40	17	18
5	07	49	18	16	14	15	50	18	19
5	12	09	19	17	16	17	00	20	20
5	16	29	20	18	17	18	10	21	22
5	20	49	21	19	18	19	20	22	23
5	25	10	22	20	19	20	31	23	24
5	29	31	23	21	20	21	42	24	25
5	33	52	24	22	21	22	53	25	26
5	38	13	25	23	22	24	04	26	27
5	42	34	26	24	23	25	15	28	28
5	46	55	27	25	24	26	26	29	29
5	51	17	28	26	26	27	37	♏	♐
5	55	38	29	27	27	28	49	1	1
HOUSES			4	5	6	7		8	9

LATITUDE 0° S.

LATITUDE 1° N.

SIDEREAL TIME			10 ♉	11 ♊	12 ♋	Asc ♌		2 ♍	3 ♎
h	m	s	°	°	°	°	'	°	°
2	50	09	15	14	12	10	24	11	14
2	54	08	16	15	13	11	23	12	15
2	58	08	17	16	14	12	22	13	16
3	02	09	18	17	15	13	22	14	17
3	06	11	19	18	15	14	22	15	18
3	10	13	20	19	16	15	23	17	19
3	14	16	21	20	17	16	24	18	20
3	18	20	22	21	18	17	25	19	21
3	22	25	23	21	19	18	26	20	22
3	26	30	24	22	20	19	28	21	23
3	30	36	25	23	21	20	31	22	24
3	34	43	26	24	22	21	33	23	25
3	38	50	27	25	23	22	36	24	27
3	42	58	28	26	24	23	40	25	28
3	47	07	29	27	25	24	43	27	29
3	51	16	♊	28	26	25	47	28	♏
3	55	27	1	29	27	26	52	29	1
3	59	37	2	♋	28	27	57	♎	2
4	03	49	3	1	29	29	02	1	3
4	08	01	4	2	♌	0♍	07	2	4
4	12	14	5	3	1	1	13	3	5
4	16	27	6	4	2	2	19	4	6
4	20	41	7	5	3	3	26	6	7
4	24	56	8	6	4	4	32	7	9
4	29	11	9	7	5	5	40	8	10
4	33	27	10	8	6	6	47	9	11
4	37	43	11	9	7	7	55	10	12
4	42	00	12	10	8	9	03	11	13
4	46	17	13	11	9	10	11	13	14
4	50	35	14	12	10	11	19	14	15
4	54	53	15	13	11	12	28	15	16
4	59	11	16	14	13	13	37	16	17
5	03	30	17	15	14	14	46	17	18
5	07	49	18	16	15	15	56	18	19
5	12	09	19	17	16	17	05	19	20
5	16	29	20	18	17	18	15	21	21
5	20	49	21	19	18	19	25	22	22
5	25	10	22	20	19	20	35	23	24
5	29	31	23	21	20	21	46	24	25
5	33	52	24	22	21	22	56	25	26
5	38	13	25	23	22	24	06	26	27
5	42	34	26	24	23	25	17	27	28
5	46	55	27	25	25	26	28	29	29
5	51	17	28	26	26	27	38	♏	♐
5	55	38	29	27	27	28	49	1	1
HOUSES			4	5	6	7		8	9

LATITUDE 1° S.

LATITUDE 2° N.

SIDEREAL TIME			10 ♉	11 ♊	12 ♋	Asc ♌		2 ♍	3 ♎
h	m	s	°	°	°	°	'	°	°
2	50	09	15	14	12	10	43	11	14
2	54	08	16	15	13	11	42	12	15
2	58	08	17	16	14	12	41	13	16
3	02	09	18	17	15	13	40	14	17
3	06	11	19	18	16	14	40	16	18
3	10	13	20	19	17	15	40	17	19
3	14	16	21	20	18	16	41	18	20
3	18	20	22	21	19	17	42	19	21
3	22	25	23	22	20	18	43	20	22
3	26	30	24	23	20	19	44	21	23
3	30	36	25	24	21	20	46	22	24
3	34	43	26	24	22	21	49	23	25
3	38	50	27	25	23	22	51	24	27
3	42	58	28	26	24	23	54	25	28
3	47	07	29	27	25	24	58	27	29
3	51	16	♊	28	26	26	01	28	♏
3	55	27	1	29	27	27	05	29	1
3	59	37	2	♋	28	28	10	♎	2
4	03	49	3	1	29	29	15	1	3
4	08	01	4	2	♌	0♍	20	2	4
4	12	14	5	3	1	1	25	3	5
4	16	27	6	4	2	2	31	4	6
4	20	41	7	5	3	3	37	6	7
4	24	56	8	6	4	4	43	7	8
4	29	11	9	7	5	5	50	8	10
4	33	27	10	8	6	6	57	9	11
4	37	43	11	9	7	8	04	10	12
4	42	00	12	10	9	9	12	11	13
4	46	17	13	11	10	10	19	12	14
4	50	35	14	12	11	11	28	14	15
4	54	53	15	13	12	12	36	15	16
4	59	11	16	14	13	13	44	16	17
5	03	30	17	15	14	14	53	17	18
5	07	49	18	16	15	16	02	18	19
5	12	09	19	17	16	17	11	19	20
5	16	29	20	18	17	18	20	20	21
5	20	49	21	19	18	19	30	22	22
5	25	10	22	20	19	20	40	23	23
5	29	31	23	21	20	21	49	24	25
5	33	52	24	22	21	22	59	25	26
5	38	13	25	23	23	24	09	26	27
5	42	34	26	24	24	25	19	27	28
5	46	55	27	25	25	26	29	28	29
5	51	17	28	26	26	27	39	♏	♐
5	55	38	29	27	27	28	50	1	1
HOUSES			4	5	6	7		8	9

LATITUDE 2° S.

LATITUDE 0° N.

SIDEREAL TIME			10 ♋	11 ♋	12 ♌	Asc ♎		2 ♏	3 ♐
h	m	s	°	°	°	°	'	°	°
6	00	00	0	28	28	0	00	2	2
6	04	22	1	29	29	1	11	3	3
6	08	43	2	♌	♍	2	22	4	4
6	13	05	3	1	1	3	34	6	5
6	17	26	4	2	2	4	45	7	6
6	21	47	5	3	4	5	56	8	7
6	26	08	6	4	5	7	07	9	8
6	30	29	7	5	6	8	18	10	9
6	34	50	8	6	7	9	29	11	10
6	39	11	9	7	8	10	39	12	11
6	43	31	10	8	9	11	50	13	12
6	47	51	11	10	10	13	00	14	13
6	52	11	12	11	12	14	10	16	14
6	56	30	13	12	13	15	20	17	15
7	00	49	14	13	14	16	30	18	16
7	05	07	15	14	15	17	39	19	17
7	09	25	16	15	16	18	49	20	18
7	13	43	17	16	17	19	57	21	19
7	18	00	18	17	19	21	06	22	20
7	22	17	19	18	20	22	15	23	21
7	26	33	20	19	21	23	23	24	22
7	30	49	21	20	22	24	31	25	23
7	35	04	22	21	23	25	38	26	24
7	39	19	23	22	24	26	45	27	25
7	43	33	24	24	26	27	52	28	26
7	47	46	25	25	27	28	59	29	27
7	51	59	26	26	28	0♏	05	♐	28
7	56	11	27	27	29	1	11	1	29
8	00	23	28	28	♎	2	17	2	♑
8	04	33	29	29	1	3	22	3	1
8	08	44	♌	♍	2	4	27	4	2
8	12	53	1	1	4	5	31	5	3
8	17	02	2	2	5	6	35	6	4
8	21	10	3	3	6	7	39	7	5
8	25	17	4	4	7	8	42	8	6
8	29	24	5	6	8	9	45	9	7
8	33	30	6	7	9	10	48	10	8
8	37	35	7	8	10	11	50	11	9
8	41	40	8	9	11	12	52	12	10
8	45	44	9	10	12	13	53	13	11
8	49	47	10	11	14	14	54	14	11
8	53	49	11	12	15	15	55	15	12
8	57	51	12	13	16	16	55	16	13
9	01	52	13	14	17	17	56	17	14
9	05	52	14	15	18	18	55	18	15
HOUSES			4	5	6	7		8	9

LATITUDE 0° S.

LATITUDE 1° N.

SIDEREAL TIME			10 ♋	11 ♋	12 ♌	Asc ♎		2 ♏	3 ♐
h	m	s	°	°	°	°	'	°	°
6	00	00	0	28	28	0	00	2	2
6	04	22	1	29	29	1	11	3	3
6	08	43	2	♌	♍	2	21	4	4
6	13	05	3	1	1	3	32	5	5
6	17	26	4	2	3	4	43	7	6
6	21	47	5	3	4	5	53	8	7
6	26	08	6	4	5	7	04	9	8
6	30	29	7	5	6	8	14	10	9
6	34	50	8	6	7	9	24	11	10
6	39	11	9	7	8	10	34	12	11
6	43	31	10	9	9	11	44	13	12
6	47	51	11	10	11	12	54	14	13
6	52	11	12	11	12	14	04	15	14
6	56	30	13	12	13	15	13	16	15
7	00	49	14	13	14	16	22	17	16
7	05	07	15	14	15	17	31	19	17
7	09	25	16	15	16	18	40	20	18
7	13	43	17	16	17	19	49	21	19
7	18	00	18	17	19	20	57	22	20
7	22	17	19	18	20	22	05	23	21
7	26	33	20	19	21	23	13	24	22
7	30	49	21	20	22	24	20	25	23
7	35	04	22	21	23	25	27	26	24
7	39	19	23	23	24	26	34	27	25
7	43	33	24	24	26	27	40	28	26
7	47	46	25	25	27	28	47	29	27
7	51	59	26	26	28	29	52	♐	28
7	56	11	27	27	29	0♏	58	1	29
8	00	23	28	28	♎	2	03	2	♑
8	04	33	29	29	1	3	08	3	1
8	08	44	♌	♍	2	4	12	4	2
8	12	53	1	1	3	5	16	5	3
8	17	02	2	2	5	6	20	6	4
8	21	10	3	3	6	7	23	7	5
8	25	17	4	5	7	8	26	8	6
8	29	24	5	6	8	9	29	9	7
8	33	30	6	7	9	10	31	10	8
8	37	35	7	8	10	11	33	11	8
8	41	40	8	9	11	12	35	12	9
8	45	44	9	10	12	13	36	13	10
8	49	47	10	11	13	14	37	14	11
8	53	49	11	12	15	15	37	14	12
8	57	51	12	13	16	16	37	15	13
9	01	52	13	14	17	17	37	16	14
9	05	52	14	15	18	18	37	17	15
HOUSES			4	5	6	7		8	9

LATITUDE 1° S.

LATITUDE 2° N.

SIDEREAL TIME			10 ♋	11 ♋	12 ♌	Asc ♎		2 ♏	3 ♐
h	m	s	°	°	°	°	'	°	°
6	00	00	0	28	28	0	00	2	2
6	04	22	1	29	29	1	10	3	3
6	08	43	2	♌	♍	2	20	4	4
6	13	05	3	1	2	3	30	5	5
6	17	26	4	2	3	4	40	6	6
6	21	47	5	3	4	5	51	7	7
6	26	08	6	4	5	7	01	9	8
6	30	29	7	5	6	8	10	10	9
6	34	50	8	7	7	9	20	11	10
6	39	11	9	8	8	10	30	12	11
6	43	31	10	9	9	11	39	13	12
6	47	51	11	10	11	12	48	14	13
6	52	11	12	11	12	13	58	15	14
6	56	30	13	12	13	15	07	16	15
7	00	49	14	13	14	16	15	17	16
7	05	07	15	14	15	17	24	18	17
7	09	25	16	15	16	18	32	19	18
7	13	43	17	16	18	19	40	20	19
7	18	00	18	17	19	20	48	21	20
7	22	17	19	18	20	21	55	23	21
7	26	33	20	19	21	23	03	24	22
7	30	49	21	20	22	24	10	25	23
7	35	04	22	22	23	25	16	26	24
7	39	19	23	23	24	26	23	27	25
7	43	33	24	24	26	27	29	28	26
7	47	46	25	25	27	28	34	29	27
7	51	59	26	26	28	29	40	♐	28
7	56	11	27	27	29	0♏	45	1	29
8	00	23	28	28	♎	1	50	2	♑
8	04	33	29	29	1	2	54	3	1
8	08	44	♌	♍	2	3	58	4	2
8	12	53	1	1	3	5	02	5	3
8	17	02	2	2	5	6	05	6	4
8	21	10	3	3	6	7	08	7	5
8	25	17	4	5	7	8	11	8	6
8	29	24	5	6	8	9	13	9	6
8	33	30	6	7	9	10	15	10	7
8	37	35	7	8	10	11	17	10	8
8	41	40	8	9	11	12	18	11	9
8	45	44	9	10	12	13	19	12	10
8	49	47	10	11	13	14	19	13	11
8	53	49	11	12	14	15	20	14	12
8	57	51	12	13	16	16	19	15	13
9	01	52	13	14	17	17	19	16	14
9	05	52	14	15	18	18	18	17	15
HOUSES			4	5	6	7		8	9

LATITUDE 2° S.

LATITUDE 0° N.

SIDEREAL TIME	10 ♌	11 ♍	12 ♎	Asc ♏		2 ♐	3 ♑
h m s	°	°	°	°	'	°	°
9 09 51	15	16	19	19	54	18	16
9 13 50	16	17	20	20	53	19	17
9 17 48	17	19	21	21	52	20	18
9 21 46	18	20	22	22	50	21	19
9 25 42	19	21	23	23	48	22	20
9 29 38	20	22	24	24	46	23	21
9 33 33	21	23	25	25	43	24	22
9 37 28	22	24	26	26	40	25	23
9 41 22	23	25	27	27	37	26	23
9 45 15	24	26	28	28	33	27	24
9 49 08	25	27	29	29	29	28	25
9 53 00	26	28	♏	0♐	25	28	26
9 56 51	27	29	1	1	20	29	27
10 00 42	28	♎	2	2	15	♑	28
10 04 32	29	1	3	3	10	1	29
10 08 22	♍	2	4	4	05	2	♒
10 12 10	1	3	5	4	59	3	1
10 15 59	2	4	6	5	53	4	2
10 19 47	3	5	7	6	47	5	3
10 23 34	4	6	8	7	41	5	4
10 27 21	5	7	9	8	34	6	4
10 31 07	6	8	10	9	27	7	5
10 34 53	7	9	11	10	20	8	6
10 38 39	8	11	12	11	13	9	7
10 42 24	9	12	13	12	05	10	8
10 46 08	10	13	14	12	58	11	9
10 49 52	11	14	15	13	50	11	10
10 53 36	12	15	16	14	42	12	11
10 57 19	13	16	17	15	34	13	12
11 01 03	14	17	18	16	26	14	13
11 04 45	15	18	19	17	17	15	14
11 08 28	16	19	20	18	09	16	15
11 12 10	17	20	20	19	00	17	16
11 15 52	18	21	21	19	51	17	17
11 19 33	19	22	22	20	42	18	17
11 23 15	20	22	23	21	33	19	18
11 26 56	21	23	24	22	24	20	19
11 30 37	22	24	25	23	15	21	20
11 34 17	23	25	26	24	06	22	21
11 37 58	24	26	27	24	56	23	22
11 41 39	25	27	28	25	47	24	23
11 45 19	26	28	29	26	38	24	24
11 48 59	27	29	29	27	28	25	25
11 52 40	28	♏	♐	28	19	26	26
11 56 20	29	1	1	29	09	27	27
HOUSES	4	5	6	7		8	9

LATITUDE 0° S.

LATITUDE 1° N.

SIDEREAL TIME	10 ♌	11 ♍	12 ♎	Asc ♏		2 ♐	3 ♑
h m s	°	°	°	°	'	°	°
9 09 51	15	16	19	19	36	18	16
9 13 50	16	17	20	20	34	19	17
9 17 48	17	19	21	21	33	20	18
9 21 46	18	20	22	22	31	21	19
9 25 42	19	21	23	23	28	22	20
9 29 38	20	22	24	24	26	23	21
9 33 33	21	23	25	25	23	24	22
9 37 28	22	24	26	26	20	25	22
9 41 22	23	25	27	27	16	25	23
9 45 15	24	26	28	28	12	26	24
9 49 08	25	27	29	29	08	27	25
9 53 00	26	28	♏	0♐	03	28	26
9 56 51	27	29	1	0	59	29	27
10 00 42	28	♎	2	1	54	♑	28
10 04 32	29	1	3	2	48	1	29
10 08 22	♍	2	4	3	43	2	♒
10 12 10	1	3	5	4	37	3	1
10 15 59	2	4	6	5	31	3	2
10 19 47	3	5	7	6	25	4	3
10 23 34	4	6	8	7	18	5	3
10 27 21	5	7	9	8	12	6	4
10 31 07	6	8	10	9	05	7	5
10 34 53	7	9	11	9	57	8	6
10 38 39	8	10	12	10	50	9	7
10 42 24	9	11	13	11	43	9	8
10 46 08	10	13	14	12	35	10	9
10 49 52	11	14	15	13	27	11	10
10 53 36	12	15	16	14	19	12	11
10 57 19	13	16	17	15	11	13	12
11 01 03	14	17	18	16	02	14	13
11 04 45	15	18	18	16	54	15	14
11 08 28	16	19	19	17	45	16	15
11 12 10	17	19	20	18	36	16	15
11 15 52	18	20	21	19	28	17	16
11 19 33	19	21	22	20	19	18	17
11 23 15	20	22	23	21	10	19	18
11 26 56	21	23	24	22	00	20	19
11 30 37	22	24	25	22	51	21	20
11 34 17	23	25	26	23	42	22	21
11 37 58	24	26	27	24	33	22	22
11 41 39	25	27	27	25	23	23	23
11 45 19	26	28	28	26	14	24	24
11 48 59	27	29	29	27	04	25	25
11 52 40	28	♏	♐	27	55	26	26
11 56 20	29	1	1	28	45	27	27
HOUSES	4	5	6	7		8	9

LATITUDE 1° S.

LATITUDE 2° N.

SIDEREAL TIME	10 ♌	11 ♍	12 ♎	Asc ♏		2 ♐	3 ♑
h m s	°	°	°	°	'	°	°
9 09 51	15	16	19	19	17	18	16
9 13 50	16	18	20	20	15	19	17
9 17 48	17	19	21	21	13	20	18
9 21 46	18	20	22	22	11	21	19
9 25 42	19	21	23	23	09	22	20
9 29 38	20	22	24	24	06	22	20
9 33 33	21	23	25	25	03	23	21
9 37 28	22	24	26	25	59	24	22
9 41 22	23	25	27	26	55	25	23
9 45 15	24	26	28	27	51	26	24
9 49 08	25	27	29	28	47	27	25
9 53 00	26	28	♏	29	42	28	26
9 56 51	27	29	1	0♐	38	29	27
10 00 42	28	♎	2	1	32	♑	28
10 04 32	29	1	3	2	27	1	29
10 08 22	♍	2	4	3	21	1	♒
10 12 10	1	3	5	4	15	2	1
10 15 59	2	4	6	5	09	3	2
10 19 47	3	5	7	6	03	4	2
10 23 34	4	6	8	6	56	5	3
10 27 21	5	7	9	7	49	6	4
10 31 07	6	8	10	8	42	7	5
10 34 53	7	9	11	9	35	7	6
10 38 39	8	10	12	10	27	8	7
10 42 24	9	11	13	11	20	9	8
10 46 08	10	12	14	12	12	10	9
10 49 52	11	13	15	13	04	11	10
10 53 36	12	14	15	13	56	12	11
10 57 19	13	15	16	14	48	13	12
11 01 03	14	16	17	15	39	14	13
11 04 45	15	17	18	16	31	14	14
11 08 28	16	18	19	17	22	15	14
11 12 10	17	19	20	18	13	16	15
11 15 52	18	20	21	19	04	17	16
11 19 33	19	21	22	19	55	18	17
11 23 15	20	22	23	20	46	19	18
11 26 56	21	23	24	21	37	20	19
11 30 37	22	24	25	22	28	20	20
11 34 17	23	25	25	23	18	21	21
11 37 58	24	26	26	24	09	22	22
11 41 39	25	27	27	25	00	23	23
11 45 19	26	28	28	25	50	24	24
11 48 59	27	29	29	26	41	25	25
11 52 40	28	♏	♐	27	31	26	26
11 56 20	29	1	1	28	22	27	27
HOUSES	4	5	6	7		8	9

LATITUDE 2° S.

SIDEREAL TIME	LATITUDE 0° N.						LATITUDE 1° N.						LATITUDE 2° N.					
	10	11	12	Asc	2	3	10	11	12	Asc	2	3	10	11	12	Asc	2	3
	♎	♏	♐	♑	♑	♒	♎	♏	♐	♐	♑	♒	♎	♏	♐	♐	♑	♒
h m s	°	°	°	° '	°	°	°	°	°	° '	°	°	°	°	°	° '	°	°
12 00 00	0	2	2	0 00	28	28	0	2	2	29 36	28	28	0	2	2	29 12	27	28
12 03 40	1	3	3	0 50	29	29	1	3	3	0♑26	29	29	1	3	2	0♑03	28	29
12 07 20	2	4	4	1 41	♒	♓	2	4	4	1 17	29	♓	2	4	3	0 53	29	♓
12 11 01	3	5	5	2 31	1	1	3	5	4	2 08	♒	1	3	5	4	1 44	♒	1
12 14 41	4	6	6	3 22	1	2	4	6	5	2 58	1	2	4	6	5	2 34	1	2
12 18 21	5	7	6	4 13	2	3	5	7	6	3 49	2	3	5	7	6	3 25	2	2
12 22 02	6	8	7	5 03	3	4	6	8	7	4 39	3	4	6	8	7	4 16	3	3
12 25 43	7	9	8	5 54	4	5	7	9	8	5 30	4	5	7	9	8	5 06	4	4
12 29 23	8	10	9	6 45	5	6	8	10	9	6 21	5	5	8	10	9	5 57	5	5
12 33 04	9	11	10	7 35	6	7	9	11	10	7 12	6	6	9	11	9	6 48	5	6
12 36 45	10	12	11	8 26	7	7	10	12	11	8 03	7	7	10	11	10	7 39	6	7
12 40 27	11	13	12	9 17	8	8	11	12	11	8 54	7	8	11	12	11	8 30	7	8
12 44 08	12	13	12	10 08	9	9	12	13	12	9 45	8	9	12	13	12	9 21	8	9
12 47 50	13	14	13	11 00	10	10	13	14	13	10 36	9	10	13	14	13	10 13	9	10
12 51 32	14	15	14	11 51	10	11	14	15	14	11 27	10	11	14	15	14	11 04	10	11
12 55 15	15	16	15	12 42	11	12	15	16	15	12 19	11	12	15	16	15	11 55	11	12
12 58 57	16	17	16	13 34	12	13	16	17	16	13 11	12	13	16	17	15	12 47	12	13
13 02 41	17	18	17	14 26	13	14	17	18	17	14 02	13	14	17	18	16	13 39	13	14
13 06 24	18	19	18	15 18	14	15	18	19	17	14 54	14	15	18	19	17	14 31	14	15
13 10 08	19	20	19	16 10	15	16	19	20	18	15 47	15	16	19	20	18	15 23	15	16
13 13 52	20	21	19	17 02	16	17	20	21	19	16 39	16	17	20	21	19	16 16	16	17
13 17 36	21	22	20	17 54	17	18	21	22	20	17 31	17	18	21	22	20	17 08	17	18
13 21 21	22	23	21	18 47	18	19	22	23	21	18 24	18	19	22	23	21	18 01	18	19
13 25 07	23	24	22	19 40	19	21	23	24	22	19 17	19	20	23	23	21	18 54	18	20
13 28 53	24	25	23	20 32	20	22	24	24	23	20 10	20	22	24	24	22	19 47	19	21
13 32 39	25	25	24	21 26	21	23	25	25	23	21 03	21	23	25	25	23	20 40	20	23
13 36 26	26	26	25	22 19	22	24	26	26	24	21 57	22	24	26	26	24	21 34	21	24
13 40 13	27	27	25	23 13	23	25	27	27	25	22 50	23	25	27	27	25	22 28	22	25
13 44 01	28	28	26	24 07	24	26	28	28	26	23 44	24	26	28	28	26	23 22	23	26
13 47 49	29	29	27	25 01	25	27	29	29	27	24 39	24	27	29	29	27	24 16	24	27
13 51 38	♏	♐	28	25 55	26	28	♏	♐	28	25 33	25	28	♏	♐	28	25 11	25	28
13 55 28	1	1	29	26 50	27	29	1	1	29	26 28	26	29	1	1	28	26 06	26	29
13 59 18	2	2	♑	27 44	28	♈	2	2	♑	27 23	27	♈	2	2	29	27 01	27	♈
14 03 09	3	3	1	28 40	29	1	3	3	0	28 18	28	1	3	3	♑	27 57	28	1
14 07 00	4	4	2	29 35	♓	2	4	4	1	29 14	29	2	4	4	1	28 52	29	2
14 10 52	5	5	2	0♒31	1	3	5	5	2	0♒10	♓	3	5	4	2	29 48	♓	3
14 14 45	6	6	3	1 27	2	4	6	5	3	1 06	2	4	6	5	3	0♒45	1	4
14 18 38	7	7	4	2 23	3	5	7	6	4	2 02	3	5	7	6	4	1 41	2	5
14 22 32	8	7	5	3 20	4	6	8	7	5	2 59	4	6	8	7	5	2 38	3	6
14 26 27	9	8	6	4 17	5	7	9	8	6	3 56	5	7	9	8	6	3 36	5	7
14 30 22	10	9	7	5 14	6	8	10	9	7	4 54	6	8	10	9	6	4 33	6	8
14 34 18	11	10	8	6 11	7	9	11	10	8	5 51	7	9	11	10	7	5 31	7	9
14 38 14	12	11	9	7 09	8	10	12	11	9	6 50	8	10	12	11	8	6 30	8	10
14 42 12	13	12	10	8 08	9	11	13	12	9	7 48	9	11	13	12	9	7 28	9	12
14 46 10	14	13	11	9 06	10	13	14	13	10	8 47	10	13	14	13	10	8 27	10	13
HOUSES	4	5	6	7	8	9	4	5	6	7	8	9	4	5	6	7	8	9
	LATITUDE 0° S.						LATITUDE 1° S.						LATITUDE 2° S.					

	LATITUDE 0° N.						LATITUDE 1° N.						LATITUDE 2° N.					
SIDEREAL TIME	10 ♏	11 ♐	12 ♑	Asc ♒	2 ♓	3 ♈	10 ♏	11 ♐	12 ♑	Asc ♒	2 ♓	3 ♈	10 ♏	11 ♐	12 ♑	Asc ♒	2 ♓	3 ♈
h m s	°	°	°	° '	°	°	°	°	°	° '	°	°	°	°	°	° '	°	°
14 50 09	15	14	12	10 05	11	14	15	14	11	9 46	11	14	15	14	11	9 27	11	14
14 54 08	16	15	12	11 04	12	15	16	15	12	10 46	12	15	16	15	12	10 27	12	15
14 58 08	17	16	13	12 04	13	16	17	16	13	11 46	13	16	17	15	13	11 27	13	16
15 02 09	18	17	14	13 04	14	17	18	17	14	12 46	14	17	18	16	14	12 27	14	17
15 06 11	19	18	15	14 05	15	18	19	17	15	13 47	15	18	19	17	15	13 28	15	18
15 10 13	20	19	16	15 05	16	19	20	18	16	14 48	16	19	20	18	16	14 30	16	19
15 14 16	21	19	17	16 06	18	20	21	19	17	15 49	18	20	21	19	17	15 31	17	20
15 18 20	22	20	18	17 08	19	21	22	20	18	16 51	19	21	22	20	18	16 33	19	21
15 22 25	23	21	19	18 10	20	22	23	21	19	17 53	20	22	23	21	19	17 36	20	22
15 26 30	24	22	20	19 12	21	23	24	22	20	18 55	21	23	24	22	19	18 39	21	23
15 30 36	25	23	21	20 15	22	24	25	23	21	19 58	22	25	25	23	20	19 42	22	25
15 34 43	26	24	22	21 17	23	26	26	24	22	21 02	23	26	26	24	21	20 46	23	26
15 38 50	27	25	23	22 21	24	27	27	25	23	22 05	24	27	27	25	22	21 50	24	27
15 42 58	28	26	24	23 25	25	28	28	26	24	23 09	25	28	28	26	23	22 54	25	28
15 47 07	29	27	25	24 29	26	29	29	27	25	24 14	26	29	29	27	24	23 59	26	29
15 51 16	♐	28	26	25 33	28	♉	♐	28	26	25 19	28	♉	♐	28	25	25 04	28	♉
15 55 27	1	29	27	26 38	29	1	1	29	27	26 24	29	1	1	29	26	26 10	29	1
15 59 37	2	♑	28	27 43	♈	2	2	♑	28	27 29	♈	2	2	♑	27	27 16	♈	2
16 03 49	3	1	29	28 49	1	3	3	1	29	28 35	1	3	3	1	28	28 22	1	3
16 08 01	4	2	♒	29 54	2	4	4	2	♒	29 42	2	4	4	2	29	29 29	2	4
16 12 14	5	3	1	1♓01	3	5	5	3	1	0♓48	3	5	5	3	♒	0♓36	3	6
16 16 27	6	4	2	2 07	4	6	6	4	2	1 55	5	7	6	4	1	1 43	5	7
16 20 41	7	5	3	3 14	6	8	7	5	3	3 03	6	8	7	4	2	2 51	6	8
16 24 56	8	6	4	4 21	7	9	8	6	4	4 10	7	9	8	5	3	3 59	7	9
16 29 11	9	7	5	5 29	8	10	9	7	5	5 18	8	10	9	6	4	5 07	8	10
16 33 27	10	8	6	6 37	9	11	10	8	6	6 27	9	11	10	7	6	6 16	9	11
16 37 43	11	9	7	7 45	10	12	11	9	7	7 35	10	12	11	8	7	7 25	10	12
16 42 00	12	10	8	8 53	11	13	12	10	8	8 44	11	13	12	9	8	8 35	12	13
16 46 17	13	11	9	10 02	13	14	13	11	9	9 53	13	14	13	10	9	9 44	13	14
16 50 35	14	12	10	11 11	14	15	14	11	10	11 03	14	15	14	11	10	10 54	14	15
16 54 53	15	13	11	12 20	15	16	15	12	11	12 12	15	16	15	12	11	12 04	15	16
16 59 11	16	14	12	13 30	16	17	16	13	12	13 22	16	17	16	13	12	13 15	16	17
17 03 30	17	15	13	14 40	17	18	17	14	13	14 33	17	18	17	14	13	14 26	17	19
17 07 49	18	16	14	15 50	18	19	18	15	14	15 43	18	20	18	15	14	15 37	19	20
17 12 09	19	17	16	17 00	20	20	19	17	15	16 54	20	21	19	16	15	16 48	20	21
17 16 29	20	18	17	18 10	21	22	20	18	16	18 05	21	22	20	17	16	17 59	21	22
17 20 49	21	19	18	19 20	22	23	21	19	18	19 16	22	23	21	18	17	19 11	22	23
17 25 10	22	20	19	20 31	23	24	22	20	19	20 27	23	24	22	19	18	20 22	23	24
17 29 31	23	21	20	21 42	24	25	23	21	20	21 38	24	25	23	20	20	21 34	24	25
17 33 52	24	22	21	22 53	25	26	24	22	21	22 50	25	26	24	21	21	22 46	26	26
17 38 13	25	23	22	24 04	26	27	25	23	22	24 01	27	27	25	22	22	23 58	27	27
17 42 34	26	24	23	25 15	28	28	26	24	23	25 13	28	28	26	24	23	25 11	28	28
17 46 55	27	25	24	26 26	29	29	27	25	24	26 24	29	29	27	25	24	26 23	29	29
17 51 17	28	26	26	27 37	♉	♊	28	26	25	27 36	♉	♊	28	26	25	27 35	♉	♊
17 55 38	29	27	27	28 49	1	1	29	27	27	28 48	1	1	29	27	26	28 47	1	1
HOUSES	4	5	6	7	8	9	4	5	6	7	8	9	4	5	6	7	8	9
	LATITUDE 0° S.						LATITUDE 1° S.						LATITUDE 2° S.					

LATITUDE 0° N.

SIDEREAL TIME h m s	10 ♑ °	11 ♑ °	12 ♒ °	Asc ♈ °	Asc ♈ '	2 ♉ °	3 ♊ °
18 00 00	0	28	28	0	00	2	2
18 04 22	1	29	29	1	11	3	3
18 08 43	2	♒	♓	2	22	4	4
18 13 05	3	1	1	3	34	6	5
18 17 26	4	2	2	4	45	7	6
18 21 47	5	3	4	5	56	8	7
18 26 08	6	4	5	7	07	9	8
18 30 29	7	5	6	8	18	10	9
18 34 50	8	6	7	9	29	11	10
18 39 11	9	7	8	10	39	12	11
18 43 31	10	8	9	11	50	13	12
18 47 51	11	10	10	13	00	14	13
18 52 11	12	11	12	14	10	16	14
18 56 30	13	12	13	15	20	17	15
19 00 49	14	13	14	16	30	18	16
19 05 07	15	14	15	17	39	19	17
19 09 25	16	15	16	18	49	20	18
19 13 43	17	16	17	19	57	21	19
19 18 00	18	17	19	21	06	22	20
19 22 17	19	18	20	22	15	23	21
19 26 33	20	19	21	23	23	24	22
19 30 49	21	20	22	24	31	25	23
19 35 04	22	21	23	25	38	26	24
19 39 19	23	22	24	26	45	27	25
19 43 33	24	24	26	27	52	28	26
19 47 46	25	25	27	28	59	29	27
19 51 59	26	26	28	0♉	05	♊	28
19 56 11	27	27	29	1	11	1	29
20 00 23	28	28	♈	2	17	2	♋
20 04 33	29	29	1	3	22	3	1
20 08 44	♒	♓	2	4	27	4	2
20 12 53	1	1	4	5	31	5	3
20 17 02	2	2	5	6	35	6	4
20 21 10	3	3	6	7	39	7	5
20 25 17	4	4	7	8	42	8	6
20 29 24	5	6	8	9	45	9	7
20 33 30	6	7	9	10	48	10	8
20 37 35	7	8	10	11	50	11	9
20 41 40	8	9	11	12	52	12	10
20 45 44	9	10	12	13	53	13	11
20 49 47	10	11	14	14	54	14	11
20 53 49	11	12	15	15	55	15	12
20 57 51	12	13	16	16	55	16	13
21 01 52	13	14	17	17	56	17	14
21 05 52	14	15	18	18	55	18	15
HOUSES	4	5	6	7		8	9

LATITUDE 0° S.

LATITUDE 1° N.

SIDEREAL TIME h m s	10 ♑ °	11 ♑ °	12 ♒ °	Asc ♈ °	Asc ♈ '	2 ♉ °	3 ♊ °
18 00 00	0	28	28	0	00	2	2
18 04 22	1	29	29	1	12	3	3
18 08 43	2	♒	♓	2	23	5	4
18 13 05	3	1	1	3	35	6	5
18 17 26	4	2	2	4	47	7	6
18 21 47	5	3	3	5	59	8	7
18 26 08	6	4	5	7	10	9	8
18 30 29	7	5	6	8	22	10	9
18 34 50	8	6	7	9	33	11	10
18 39 11	9	7	8	10	44	12	11
18 43 31	10	8	9	11	55	14	12
18 47 51	11	9	10	13	06	15	13
18 52 11	12	10	12	14	17	16	14
18 56 30	13	12	13	15	27	17	16
19 00 49	14	13	14	16	37	18	17
19 05 07	15	14	15	17	47	19	18
19 09 25	16	15	16	18	57	20	18
19 13 43	17	16	17	20	06	21	19
19 18 00	18	17	19	21	16	22	20
19 22 17	19	18	20	22	24	23	21
19 26 33	20	19	21	23	33	24	22
19 30 49	21	20	22	24	41	25	23
19 35 04	22	21	23	25	49	26	24
19 39 19	23	22	24	26	57	27	25
19 43 33	24	23	25	28	04	28	26
19 47 46	25	25	27	29	11	29	27
19 51 59	26	26	28	0♉	18	♊	28
19 56 11	27	27	29	1	24	1	29
20 00 23	28	28	♈	2	30	2	♋
20 04 33	29	29	1	3	36	3	1
20 08 44	♒	♓	2	4	41	4	2
20 12 53	1	1	4	5	46	5	3
20 17 02	2	2	5	6	50	6	4
20 21 10	3	3	6	7	54	7	5
20 25 17	4	4	7	8	58	8	6
20 29 24	5	5	8	10	01	9	7
20 33 30	6	7	9	11	04	10	8
20 37 35	7	8	10	12	07	11	9
20 41 40	8	9	11	13	09	12	10
20 45 44	9	10	12	14	11	13	11
20 49 47	10	11	14	15	12	14	12
20 53 49	11	12	15	16	13	15	13
20 57 51	12	13	16	17	14	16	13
21 01 52	13	14	17	18	14	17	14
21 05 52	14	15	18	19	14	18	15
HOUSES	4	5	6	7		8	9

LATITUDE 1° S.

LATITUDE 2° N.

SIDEREAL TIME h m s	10 ♑ °	11 ♑ °	12 ♒ °	Asc ♈ °	Asc ♈ '	2 ♉ °	3 ♊ °
18 00 00	0	28	28	0	00	2	2
18 04 22	1	29	29	1	12	4	3
18 08 43	2	♒	♓	2	25	5	4
18 13 05	3	1	1	3	37	6	5
18 17 26	4	2	2	4	49	7	6
18 21 47	5	3	3	6	01	8	8
18 26 08	6	4	4	7	13	9	9
18 30 29	7	5	6	8	25	10	10
18 34 50	8	6	7	9	37	12	11
18 39 11	9	7	8	10	49	13	12
18 43 31	10	8	9	12	00	14	13
18 47 51	11	9	10	13	12	15	14
18 52 11	12	10	11	14	23	16	15
18 56 30	13	11	13	15	34	17	16
19 00 49	14	13	14	16	45	18	17
19 05 07	15	14	15	17	55	19	18
19 09 25	16	15	16	19	05	20	19
19 13 43	17	16	17	20	15	21	20
19 18 00	18	17	18	21	25	22	21
19 22 17	19	18	20	22	34	23	22
19 26 33	20	19	21	23	43	24	23
19 30 49	21	20	22	24	52	26	24
19 35 04	22	21	23	26	01	27	25
19 39 19	23	22	24	27	09	28	26
19 43 33	24	23	25	28	17	29	26
19 47 46	25	24	27	29	24	♊	27
19 51 59	26	26	28	0♉	31	1	28
19 56 11	27	27	29	1	38	2	29
20 00 23	28	28	♈	2	44	3	♋
20 04 33	29	29	1	3	50	4	1
20 08 44	♒	♓	2	4	56	5	2
20 12 53	1	1	4	6	01	6	3
20 17 02	2	2	5	7	06	7	4
20 21 10	3	3	6	8	10	8	5
20 25 17	4	4	7	9	14	9	6
20 29 24	5	5	8	10	18	10	7
20 33 30	6	7	9	11	21	11	8
20 37 35	7	8	10	12	24	11	9
20 41 40	8	9	11	13	26	12	10
20 45 44	9	10	13	14	28	13	11
20 49 47	10	11	14	15	30	14	12
20 53 49	11	12	15	16	31	15	13
20 57 51	12	13	16	17	32	16	14
21 01 52	13	14	17	18	33	17	14
21 05 52	14	15	18	19	33	18	15
HOUSES	4	5	6	7		8	9

LATITUDE 2° S.

SIDEREAL TIME	LATITUDE 0° N.						LATITUDE 1° N.						LATITUDE 2° N.					
	10 ♒	11 ♓	12 ♈	Asc ♉	2 ♊	3 ♋	10 ♒	11 ♓	12 ♈	Asc ♉	2 ♊	3 ♋	10 ♒	11 ♓	12 ♈	Asc ♉	2 ♊	3 ♋
h m s	°	°	°	° '	°	°	°	°	°	° '	°	°	°	°	°	° '	°	°
21 09 51	15	16	19	19 54	18	16	15	16	19	20 14	19	16	15	16	19	20 33	19	16
21 13 50	16	17	20	20 53	19	17	16	17	20	21 13	20	17	16	17	20	21 32	20	17
21 17 48	17	19	21	21 52	20	18	17	18	21	22 12	21	18	17	18	21	22 31	21	18
21 21 46	18	20	22	22 50	21	19	18	20	22	23 10	21	19	18	20	22	23 30	22	19
21 25 42	19	21	23	23 48	22	20	19	21	23	24 08	22	20	19	21	23	24 28	23	20
21 29 38	20	22	24	24 46	23	21	20	22	24	25 06	23	21	20	22	24	25 26	24	21
21 33 33	21	23	25	25 43	24	22	21	23	25	26 03	24	22	21	23	25	26 24	24	22
21 37 28	22	24	26	26 40	25	23	22	24	26	27 01	25	23	22	24	27	27 21	25	23
21 41 22	23	25	27	27 37	26	23	23	25	27	27 57	26	24	23	25	28	28 18	26	24
21 45 15	24	26	28	28 33	27	24	24	26	28	28 54	27	25	24	26	29	29 15	27	25
21 49 08	25	27	29	29 29	28	25	25	27	29	29 50	28	25	25	27	♉	0♊11	28	26
21 53 00	26	28	♉	0♊25	28	26	26	28	♉	0♊46	29	26	26	28	1	1 07	29	26
21 56 51	27	29	1	1 20	29	27	27	29	2	1 42	♋	27	27	29	2	2 03	♋	27
22 00 42	28	♈	2	2 15	♋	28	28	♈	3	2 37	0	28	28	♈	3	2 59	1	28
22 04 32	29	1	3	3 10	1	29	29	1	4	3 32	1	29	29	1	4	3 54	2	29
22 08 22	♓	2	4	4 05	2	♌	♓	2	5	4 27	2	♌	♓	2	5	4 49	2	♌
22 12 10	1	3	5	4 59	3	1	1	3	5	5 21	3	1	1	3	6	5 43	3	1
22 15 59	2	4	6	5 53	4	2	2	4	6	6 15	4	2	2	4	7	6 38	4	2
22 19 47	3	5	7	6 47	5	3	3	5	7	7 09	5	3	3	5	8	7 32	5	3
22 23 34	4	6	8	7 41	5	4	4	6	8	8 03	6	4	4	6	9	8 26	6	4
22 27 21	5	7	9	8 34	6	4	5	7	9	8 57	7	5	5	7	10	9 19	7	5
22 31 07	6	8	10	9 27	7	5	6	8	10	9 50	7	6	6	9	11	10 13	8	6
22 34 53	7	9	11	10 20	8	6	7	10	11	10 43	8	6	7	10	12	11 06	9	7
22 38 39	8	11	12	11 13	9	7	8	11	12	11 36	9	7	8	11	12	11 59	9	7
22 42 24	9	12	13	12 05	10	8	9	12	13	12 28	10	8	9	12	13	12 51	10	8
22 46 08	10	13	14	12 58	11	9	10	13	14	13 21	11	9	10	13	14	13 44	11	9
22 49 52	11	14	15	13 50	11	10	11	14	15	14 13	12	10	11	14	15	14 36	12	10
22 53 36	12	15	16	14 42	12	11	12	15	16	15 05	13	11	12	15	16	15 29	13	11
22 57 19	13	16	17	15 34	13	12	13	16	17	15 57	13	12	13	16	17	16 21	14	12
23 01 03	14	17	18	16 26	14	13	14	17	18	16 49	14	13	14	17	18	17 12	15	13
23 04 45	15	18	19	17 17	15	14	15	18	19	17 41	15	14	15	18	19	18 04	15	14
23 08 28	16	19	20	18 09	16	15	16	19	20	18 32	16	15	16	19	20	18 56	16	15
23 12 10	17	20	20	19 00	17	16	17	20	21	19 24	17	16	17	20	21	19 47	17	16
23 15 52	18	21	21	19 51	17	17	18	21	22	20 15	18	17	18	21	22	20 38	18	17
23 19 33	19	22	22	20 42	18	17	19	22	23	21 06	19	18	19	22	23	21 30	19	18
23 23 15	20	22	23	21 33	19	18	20	23	23	21 57	19	18	20	23	24	22 21	20	19
23 26 56	21	23	24	22 24	20	19	21	24	24	22 48	20	19	21	24	25	23 12	21	19
23 30 37	22	24	25	23 15	21	20	22	25	25	23 39	21	20	22	25	25	24 03	21	20
23 34 17	23	25	26	24 06	22	21	23	25	26	24 30	22	21	23	26	26	24 53	22	21
23 37 58	24	26	27	24 56	23	22	24	26	27	25 20	23	22	24	27	27	25 44	23	22
23 41 39	25	27	28	25 47	24	23	25	27	28	26 11	24	23	25	28	28	26 35	24	23
23 45 19	26	28	29	26 38	24	24	26	28	29	27 02	25	24	26	28	29	27 25	25	24
23 48 59	27	29	29	27 28	25	25	27	29	♊	27 52	26	25	27	29	♊	28 16	26	25
23 52 40	28	♉	♊	28 19	26	26	28	♉	1	28 43	26	26	28	♉	1	29 07	27	26
23 56 20	29	1	1	29 09	27	27	29	1	1	29 33	27	27	29	1	2	29 57	28	27
HOUSES	4	5	6	7	8	9	4	5	6	7	8	9	4	5	6	7	8	9
	LATITUDE 0° S.						LATITUDE 1° S.						LATITUDE 2° S.					

LATITUDE 3° N.

SIDEREAL TIME h m s	10 ♈ °	11 ♉ °	12 ♊ °	Asc ♋ °	Asc '	2 ♋ °	3 ♌ °
0 00 00	0	2	3	1	11	29	28
0 03 40	1	3	4	2	02	29	29
0 07 20	2	4	5	2	52	♌	♍
0 11 01	3	5	5	3	43	1	1
0 14 41	4	6	6	4	33	2	2
0 18 21	5	7	7	5	24	3	3
0 22 02	6	8	8	6	14	4	4
0 25 43	7	9	9	7	05	5	5
0 29 23	8	10	10	7	56	6	6
0 33 04	9	11	11	8	46	7	7
0 36 45	10	12	12	9	37	7	8
0 40 27	11	13	12	10	28	8	9
0 44 08	12	14	13	11	19	9	10
0 47 50	13	15	14	12	10	10	11
0 51 32	14	16	15	13	01	11	12
0 55 15	15	17	16	13	52	12	13
0 58 57	16	18	17	14	44	13	14
1 02 41	17	18	18	15	35	14	15
1 06 24	18	19	18	16	27	15	16
1 10 08	19	20	19	17	19	16	17
1 13 52	20	21	20	18	10	17	18
1 17 36	21	22	21	19	03	18	19
1 21 21	22	23	22	19	55	18	20
1 25 07	23	24	23	20	47	19	21
1 28 53	24	25	24	21	40	20	22
1 32 39	25	26	25	22	33	21	23
1 36 26	26	27	25	23	26	22	24
1 40 13	27	28	26	24	19	23	25
1 44 01	28	29	27	25	12	24	26
1 47 49	29	♊	28	26	06	25	27
1 51 38	♉	0	29	27	00	26	28
1 55 28	1	1	♋	27	54	27	29
1 59 18	2	2	1	28	49	28	♎
2 03 09	3	3	2	29	43	29	1
2 07 00	4	4	2	0♌	38	♍	2
2 10 52	5	5	3	1	33	1	3
2 14 45	6	6	4	2	29	2	4
2 18 38	7	7	5	3	24	3	5
2 22 32	8	8	6	4	21	4	6
2 26 27	9	9	7	5	17	5	7
2 30 22	10	10	8	6	13	6	8
2 34 18	11	11	9	7	10	7	9
2 38 14	12	12	10	8	08	8	10
2 42 12	13	12	10	9	05	9	11
2 46 10	14	13	11	10	03	10	12
HOUSES	4	5	6	7		8	9

LATITUDE 3° S.

LATITUDE 4° N.

SIDEREAL TIME h m s	10 ♈ °	11 ♉ °	12 ♊ °	Asc ♋ °	Asc '	2 ♋ °	3 ♌ °
0 00 00	0	2	3	1	35	29	28
0 03 40	1	3	4	2	26	♌	29
0 07 20	2	4	5	3	16	1	♍
0 11 01	3	5	6	4	07	1	1
0 14 41	4	6	7	4	57	2	2
0 18 21	5	7	7	5	48	3	3
0 22 02	6	8	8	6	38	4	4
0 25 43	7	9	9	7	29	5	5
0 29 23	8	10	10	8	19	6	6
0 33 04	9	11	11	9	10	7	7
0 36 45	10	12	12	10	01	8	8
0 40 27	11	13	13	10	52	9	9
0 44 08	12	14	14	11	42	9	10
0 47 50	13	15	14	12	33	10	11
0 51 32	14	16	15	13	24	11	12
0 55 15	15	17	16	14	16	12	13
0 58 57	16	18	17	15	07	13	14
1 02 41	17	19	18	15	58	14	15
1 06 24	18	19	19	16	50	15	16
1 10 08	19	20	20	17	41	16	17
1 13 52	20	21	20	18	33	17	18
1 17 36	21	22	21	19	25	18	19
1 21 21	22	23	22	20	17	19	20
1 25 07	23	24	23	21	10	20	21
1 28 53	24	25	24	22	02	21	22
1 32 39	25	26	25	22	55	21	23
1 36 26	26	27	26	23	48	22	24
1 40 13	27	28	27	24	41	23	25
1 44 01	28	29	27	25	34	24	26
1 47 49	29	♊	28	26	28	25	27
1 51 38	♉	1	29	27	21	26	28
1 55 28	1	1	♋	28	15	27	29
1 59 18	2	2	1	29	10	28	♎
2 03 09	3	3	2	0♌	04	29	1
2 07 00	4	4	3	0	59	♍	2
2 10 52	5	5	4	1	54	1	3
2 14 45	6	6	4	2	49	2	4
2 18 38	7	7	5	3	45	3	5
2 22 32	8	8	6	4	41	4	6
2 26 27	9	9	7	5	37	5	7
2 30 22	10	10	8	6	33	6	8
2 34 18	11	11	9	7	30	7	9
2 38 14	12	12	10	8	27	8	10
2 42 12	13	13	11	9	24	9	11
2 46 10	14	13	12	10	22	10	12
HOUSES	4	5	6	7		8	9

LATITUDE 4° S.

LATITUDE 5° N.

SIDEREAL TIME h m s	10 ♈ °	11 ♉ °	12 ♊ °	Asc ♋ °	Asc '	2 ♋ °	3 ♌ °
0 00 00	0	3	3	1	59	29	28
0 03 40	1	4	4	2	50	♌	29
0 07 20	2	4	5	3	40	1	♍
0 11 01	3	5	6	4	31	2	1
0 14 41	4	6	7	5	21	3	2
0 18 21	5	7	8	6	12	3	3
0 22 02	6	8	9	7	02	4	4
0 25 43	7	9	9	7	53	5	5
0 29 23	8	10	10	8	43	6	6
0 33 04	9	11	11	9	34	7	7
0 36 45	10	12	12	10	24	8	8
0 40 27	11	13	13	11	15	9	9
0 44 08	12	14	14	12	06	10	10
0 47 50	13	15	15	12	57	11	11
0 51 32	14	16	16	13	48	11	12
0 55 15	15	17	16	14	39	12	13
0 58 57	16	18	17	15	30	13	14
1 02 41	17	19	18	16	21	14	15
1 06 24	18	20	19	17	13	15	16
1 10 08	19	21	20	18	04	16	17
1 13 52	20	21	21	18	56	17	18
1 17 36	21	22	22	19	48	18	19
1 21 21	22	23	22	20	40	19	20
1 25 07	23	24	23	21	32	20	21
1 28 53	24	25	24	22	24	21	22
1 32 39	25	26	25	23	17	22	23
1 36 26	26	27	26	24	10	23	24
1 40 13	27	28	27	25	03	24	25
1 44 01	28	29	28	25	56	24	26
1 47 49	29	♊	29	26	49	25	27
1 51 38	♉	1	29	27	43	26	28
1 55 28	1	2	♋	28	37	27	29
1 59 18	2	3	1	29	31	28	♎
2 03 09	3	3	2	0♌	25	29	1
2 07 00	4	4	3	1	20	♍	2
2 10 52	5	5	4	2	14	1	3
2 14 45	6	6	5	3	09	2	4
2 18 38	7	7	6	4	05	3	5
2 22 32	8	8	6	5	00	4	6
2 26 27	9	9	7	5	56	5	7
2 30 22	10	10	8	6	53	6	8
2 34 18	11	11	9	7	49	7	9
2 38 14	12	12	10	8	46	8	10
2 42 12	13	13	11	9	43	9	11
2 46 10	14	14	12	10	40	10	12
HOUSES	4	5	6	7		8	9

LATITUDE 5° S.

LATITUDE 3° N.

SIDEREAL TIME	10 ♉	11 ♊	12 ♋	Asc ♌		2 ♍	3 ♎
h m s	°	°	°	°	'	°	°
2 50 09	15	14	12	11	01	11	14
2 54 08	16	15	13	12	00	12	15
2 58 08	17	16	14	12	59	13	16
3 02 09	18	17	15	13	58	15	17
3 06 11	19	18	16	14	57	16	18
3 10 13	20	19	17	15	57	17	19
3 14 16	21	20	18	16	58	18	20
3 18 20	22	21	19	17	58	19	21
3 22 25	23	22	20	18	59	20	22
3 26 30	24	23	21	20	00	21	23
3 30 36	25	24	22	21	02	22	24
3 34 43	26	25	23	22	04	23	25
3 38 50	27	26	24	23	06	24	26
3 42 58	28	26	25	24	09	25	28
3 47 07	29	27	26	25	12	27	29
3 51 16	♊	28	27	26	15	28	♏
3 55 27	1	29	28	27	19	29	1
3 59 37	2	♋	29	28	23	♎	2
4 03 49	3	1	♌	29	27	1	3
4 08 01	4	2	1	0♍	32	2	4
4 12 14	5	3	2	1	37	3	5
4 16 27	6	4	3	2	42	4	6
4 20 41	7	5	4	3	48	6	7
4 24 56	8	6	5	4	54	7	8
4 29 11	9	7	6	6	00	8	9
4 33 27	10	8	7	7	07	9	11
4 37 43	11	9	8	8	14	10	12
4 42 00	12	10	9	9	21	11	13
4 46 17	13	11	10	10	28	12	14
4 50 35	14	12	11	11	36	14	15
4 54 53	15	13	12	12	43	15	16
4 59 11	16	14	13	13	51	16	17
5 03 30	17	15	14	15	00	17	18
5 07 49	18	16	15	16	08	18	19
5 12 09	19	17	16	17	17	19	20
5 16 29	20	18	17	18	26	20	21
5 20 49	21	19	18	19	35	22	22
5 25 10	22	20	19	20	44	23	23
5 29 31	23	21	20	21	53	24	24
5 33 52	24	22	22	23	02	25	25
5 38 13	25	23	23	24	12	26	27
5 42 34	26	24	24	25	21	27	28
5 46 55	27	25	25	26	31	28	29
5 51 17	28	26	26	27	40	29	♐
5 55 38	29	27	27	28	50	♏	1
HOUSES	4	5	6	7		8	9

LATITUDE 4° N.

SIDEREAL TIME	10 ♉	11 ♊	12 ♋	Asc ♌		2 ♍	3 ♎
h m s	°	°	°	°	'	°	°
2 50 09	15	14	13	11	20	11	13
2 54 08	16	15	13	12	18	12	15
2 58 08	17	16	14	13	17	14	16
3 02 09	18	17	15	14	16	15	17
3 06 11	19	18	16	15	15	16	18
3 10 13	20	19	17	16	14	17	19
3 14 16	21	20	18	17	14	18	20
3 18 20	22	21	19	18	15	19	21
3 22 25	23	22	20	19	15	20	22
3 26 30	24	23	21	20	16	21	23
3 30 36	25	24	22	21	18	22	24
3 34 43	26	25	23	22	19	23	25
3 38 50	27	26	24	23	21	24	26
3 42 58	28	27	25	24	23	25	27
3 47 07	29	28	26	25	26	27	29
3 51 16	♊	29	27	26	29	28	♏
3 55 27	1	29	28	27	32	29	1
3 59 37	2	♋	29	28	36	♎	2
4 03 49	3	1	♌	29	40	1	3
4 08 01	4	2	1	0♍	44	2	4
4 12 14	5	3	2	1	49	3	5
4 16 27	6	4	3	2	54	4	6
4 20 41	7	5	4	3	59	6	7
4 24 56	8	6	5	5	05	7	8
4 29 11	9	7	6	6	10	8	9
4 33 27	10	8	7	7	17	9	10
4 37 43	11	9	8	8	23	10	11
4 42 00	12	10	9	9	30	11	13
4 46 17	13	11	10	10	36	12	14
4 50 35	14	12	11	11	44	13	15
4 54 53	15	13	12	12	51	15	16
4 59 11	16	14	13	13	58	16	17
5 03 30	17	15	14	15	06	17	18
5 07 49	18	16	15	16	14	18	19
5 12 09	19	17	16	17	22	19	20
5 16 29	20	18	17	18	31	20	21
5 20 49	21	19	18	19	39	21	22
5 25 10	22	20	20	20	48	23	23
5 29 31	23	21	21	21	56	24	24
5 33 52	24	22	22	23	05	25	25
5 38 13	25	23	23	24	14	26	26
5 42 34	26	24	24	25	23	27	27
5 46 55	27	25	25	26	32	28	28
5 51 17	28	26	26	27	41	29	♐
5 55 38	29	27	27	28	51	♏	1
HOUSES	4	5	6	7		8	9

LATITUDE 5° N.

SIDEREAL TIME	10 ♉	11 ♊	12 ♋	Asc ♌		2 ♍	3 ♎
h m s	°	°	°	°	'	°	°
2 50 09	15	15	13	11	38	12	13
2 54 08	16	15	14	12	36	13	15
2 58 08	17	16	15	13	34	14	16
3 02 09	18	17	16	14	33	15	17
3 06 11	19	18	17	15	32	16	18
3 10 13	20	19	17	16	31	17	19
3 14 16	21	20	18	17	31	18	20
3 18 20	22	21	19	18	31	19	21
3 22 25	23	22	20	19	31	20	22
3 26 30	24	23	21	20	32	21	23
3 30 36	25	24	22	21	33	22	24
3 34 43	26	25	23	22	34	23	25
3 38 50	27	26	24	23	36	24	26
3 42 58	28	27	25	24	38	25	27
3 47 07	29	28	26	25	40	27	28
3 51 16	♊	29	27	26	43	28	♏
3 55 27	1	♋	28	27	46	29	1
3 59 37	2	1	29	28	49	♎	2
4 03 49	3	2	♌	29	53	1	3
4 08 01	4	3	1	0♍	57	2	4
4 12 14	5	3	2	2	01	3	5
4 16 27	6	4	3	3	05	4	6
4 20 41	7	5	4	4	10	5	7
4 24 56	8	6	5	5	15	7	8
4 29 11	9	7	6	6	21	8	9
4 33 27	10	8	7	7	26	9	10
4 37 43	11	9	8	8	32	10	11
4 42 00	12	10	9	9	38	11	12
4 46 17	13	11	10	10	45	12	14
4 50 35	14	12	11	11	51	13	15
4 54 53	15	13	12	12	58	15	16
4 59 11	16	14	13	14	05	16	17
5 03 30	17	15	14	15	13	17	18
5 07 49	18	16	15	16	20	18	19
5 12 09	19	17	17	17	28	19	20
5 16 29	20	18	18	18	36	20	21
5 20 49	21	19	19	19	44	21	22
5 25 10	22	20	20	20	52	22	23
5 29 31	23	21	21	22	00	24	24
5 33 52	24	22	22	23	08	25	25
5 38 13	25	23	23	24	17	26	26
5 42 34	26	24	24	25	25	27	27
5 46 55	27	25	25	26	34	28	28
5 51 17	28	26	26	27	42	29	29
5 55 38	29	27	27	28	51	♏	♐
HOUSES	4	5	6	7		8	9

LATITUDE 3° S. LATITUDE 4° S. LATITUDE 5° S.

LATITUDE 3° N.

SIDEREAL TIME h	m	s	10 ♋ °	11 ♋ °	12 ♌ °	Asc ♎ °	Asc '	2 ♏ °	3 ♐ °
6	00	00	0	28	28	0	00	2	2
6	04	22	1	29	29	1	10	3	3
6	08	43	2	♌	♍	2	19	4	4
6	13	05	3	1	2	3	29	5	5
6	17	26	4	2	3	4	38	6	6
6	21	47	5	3	4	5	48	7	7
6	26	08	6	5	5	6	57	8	8
6	30	29	7	6	6	8	07	9	9
6	34	50	8	7	7	9	16	11	10
6	39	11	9	8	8	10	25	12	11
6	43	31	10	9	10	11	34	13	12
6	47	51	11	10	11	12	43	14	13
6	52	11	12	11	12	13	51	15	14
6	56	30	13	12	13	15	00	16	15
7	00	49	14	13	14	16	08	17	16
7	05	07	15	14	15	17	16	18	17
7	09	25	16	15	16	18	24	19	18
7	13	43	17	16	18	19	32	20	19
7	18	00	18	17	19	20	39	21	20
7	22	17	19	18	20	21	46	22	21
7	26	33	20	19	21	22	53	23	22
7	30	49	21	21	22	23	59	24	23
7	35	04	22	22	23	25	06	25	24
7	39	19	23	23	24	26	12	26	25
7	43	33	24	24	26	27	17	27	26
7	47	46	25	25	27	28	22	28	27
7	51	59	26	26	28	29	28	29	28
7	56	11	27	27	29	0♏	32	♐	29
8	00	23	28	28	♎	1	37	1	♑
8	04	33	29	29	1	2	41	2	1
8	08	44	♌	♍	2	3	44	3	2
8	12	53	1	1	3	4	48	4	3
8	17	02	2	2	5	5	51	5	4
8	21	10	3	4	6	6	53	6	4
8	25	17	4	5	7	7	56	7	5
8	29	24	5	6	8	8	58	8	6
8	33	30	6	7	9	9	59	9	7
8	37	35	7	8	10	11	01	10	8
8	41	40	8	9	11	12	01	11	9
8	45	44	9	10	12	13	02	12	10
8	49	47	10	11	13	14	02	13	11
8	53	49	11	12	14	15	02	14	12
8	57	51	12	13	15	16	02	15	13
9	01	52	13	14	17	17	01	16	14
9	05	52	14	15	18	18	00	17	15
HOUSES			4	5	6	7		8	9

LATITUDE 3° S.

LATITUDE 4° N.

SIDEREAL TIME h	m	s	10 ♋ °	11 ♋ °	12 ♌ °	Asc ♎ °	Asc '	2 ♏ °	3 ♐ °
6	00	00	0	28	28	0	00	2	2
6	04	22	1	29	♍	1	09	3	3
6	08	43	2	♌	1	2	18	4	4
6	13	05	3	2	2	3	27	5	5
6	17	26	4	3	3	4	36	6	6
6	21	47	5	4	4	5	45	7	7
6	26	08	6	5	5	6	54	8	8
6	30	29	7	6	6	8	03	9	9
6	34	50	8	7	7	9	12	10	10
6	39	11	9	8	9	10	21	11	11
6	43	31	10	9	10	11	29	13	12
6	47	51	11	10	11	12	37	14	13
6	52	11	12	11	12	13	45	15	14
6	56	30	13	12	13	14	53	16	15
7	00	49	14	13	14	16	01	17	16
7	05	07	15	14	15	17	09	18	17
7	09	25	16	15	17	18	16	19	18
7	13	43	17	16	18	19	23	20	19
7	18	00	18	17	19	20	30	21	20
7	22	17	19	18	20	21	37	22	21
7	26	33	20	20	21	22	43	23	22
7	30	49	21	21	22	23	49	24	23
7	35	04	22	22	23	24	55	25	24
7	39	19	23	23	24	26	00	26	25
7	43	33	24	24	26	27	06	27	26
7	47	46	25	25	27	28	11	28	27
7	51	59	26	26	28	29	15	29	28
7	56	11	27	27	29	0♏	20	♐	29
8	00	23	28	28	♎	1	24	1	♑
8	04	33	29	29	1	2	27	2	1
8	08	44	♌	♍	2	3	30	3	1
8	12	53	1	1	3	4	33	4	2
8	17	02	2	3	5	5	36	5	3
8	21	10	3	4	6	6	38	6	4
8	25	17	4	5	7	7	40	7	5
8	29	24	5	6	8	8	42	8	6
8	33	30	6	7	9	9	43	9	7
8	37	35	7	8	10	10	44	10	8
8	41	40	8	9	11	11	45	11	9
8	45	44	9	10	12	12	45	12	10
8	49	47	10	11	13	13	45	13	11
8	53	49	11	12	14	14	45	14	12
8	57	51	12	13	15	15	44	15	13
9	01	52	13	14	16	16	43	16	14
9	05	52	14	15	18	17	42	17	15
HOUSES			4	5	6	7		8	9

LATITUDE 4° S.

LATITUDE 5° N.

SIDEREAL TIME h	m	s	10 ♋ °	11 ♋ °	12 ♌ °	Asc ♎ °	Asc '	2 ♏ °	3 ♐ °
6	00	00	0	29	29	0	00	1	1
6	04	22	1	♌	♍	1	08	3	3
6	08	43	2	1	1	2	17	4	4
6	13	05	3	2	2	3	26	5	5
6	17	26	4	3	3	4	34	6	6
6	21	47	5	4	4	5	43	7	7
6	26	08	6	5	5	6	51	8	8
6	30	29	7	6	6	8	00	9	9
6	34	50	8	7	8	9	08	10	10
6	39	11	9	8	9	10	16	11	11
6	43	31	10	9	10	11	24	12	12
6	47	51	11	10	11	12	32	13	13
6	52	11	12	11	12	13	39	15	14
6	56	30	13	12	13	14	47	16	15
7	00	49	14	13	14	15	54	17	16
7	05	07	15	14	15	17	01	18	17
7	09	25	16	15	17	18	08	19	18
7	13	43	17	16	18	19	15	20	19
7	18	00	18	18	19	20	21	21	20
7	22	17	19	19	20	21	27	22	21
7	26	33	20	20	21	22	33	23	22
7	30	49	21	21	22	23	39	24	23
7	35	04	22	22	23	24	44	25	24
7	39	19	23	23	25	25	50	26	25
7	43	33	24	24	26	26	54	27	26
7	47	46	25	25	27	27	59	28	27
7	51	59	26	26	28	29	03	29	27
7	56	11	27	27	29	0♏	07	♐	28
8	00	23	28	28	♎	1	11	1	29
8	04	33	29	29	1	2	14	2	♑
8	08	44	♌	♍	2	3	17	3	1
8	12	53	1	2	3	4	19	4	2
8	17	02	2	3	5	5	22	5	3
8	21	10	3	4	6	6	24	6	4
8	25	17	4	5	7	7	25	7	5
8	29	24	5	6	8	8	27	8	6
8	33	30	6	7	9	9	28	9	7
8	37	35	7	8	10	10	28	10	8
8	41	40	8	9	11	11	29	11	9
8	45	44	9	10	12	12	29	12	10
8	49	47	10	11	13	13	28	13	11
8	53	49	11	12	14	14	28	13	12
8	57	51	12	13	15	15	27	14	13
9	01	52	13	14	16	16	25	15	14
9	05	52	14	15	17	17	24	16	15
HOUSES			4	5	6	7		8	9

LATITUDE 5° S.

LATITUDE 3° N.

SIDEREAL TIME	10 ♌	11 ♍	12 ♎	Asc ♏		2 ♐	3 ♑
h m s	°	°	°	°	'	°	°
9 09 51	15	16	19	18	58	18	16
9 13 50	16	18	20	19	57	19	17
9 17 48	17	19	21	20	54	20	18
9 21 46	18	20	22	21	52	20	18
9 25 42	19	21	23	22	49	21	19
9 29 38	20	22	24	23	46	22	20
9 33 33	21	23	25	24	43	23	21
9 37 28	22	24	26	25	39	24	22
9 41 22	23	25	27	26	35	25	23
9 45 15	24	26	28	27	31	26	24
9 49 08	25	27	29	28	26	27	25
9 53 00	26	28	♏	29	22	28	26
9 56 51	27	29	1	0♐	16	28	27
10 00 42	28	♎	2	1	11	29	28
10 04 32	29	1	3	2	06	♑	29
10 08 22	♍	2	4	3	00	1	♒
10 12 10	1	3	5	3	54	2	0
10 15 59	2	4	6	4	47	3	1
10 19 47	3	5	7	5	41	4	2
10 23 34	4	6	8	6	34	5	3
10 27 21	5	7	9	7	27	5	4
10 31 07	6	8	10	8	20	6	5
10 34 53	7	9	11	9	12	7	6
10 38 39	8	10	12	10	05	8	7
10 42 24	9	11	12	10	57	9	8
10 46 08	10	12	13	11	49	10	9
10 49 52	11	13	14	12	41	11	10
10 53 36	12	14	15	13	33	12	11
10 57 19	13	15	16	14	24	12	12
11 01 03	14	16	17	15	16	13	12
11 04 45	15	17	18	16	07	14	13
11 08 28	16	18	19	16	59	15	14
11 12 10	17	19	20	17	50	16	15
11 15 52	18	20	21	18	41	17	16
11 19 33	19	21	22	19	32	18	17
11 23 15	20	22	23	20	22	18	18
11 26 56	21	23	23	21	13	19	19
11 30 37	22	24	24	22	04	20	20
11 34 17	23	25	25	22	55	21	21
11 37 58	24	26	26	23	45	22	22
11 41 39	25	27	27	24	36	23	23
11 45 19	26	28	28	25	26	24	24
11 48 59	27	29	29	26	17	25	25
11 52 40	28	♏	♐	27	07	25	26
11 56 20	29	1	1	27	58	26	27
HOUSES	4	5	6	7		8	9

LATITUDE 3° S.

LATITUDE 4° N.

SIDEREAL TIME	10 ♌	11 ♍	12 ♎	Asc ♏		2 ♐	3 ♑
h m s	°	°	°	°	'	°	°
9 09 51	15	17	19	18	40	17	16
9 13 50	16	18	20	19	38	18	17
9 17 48	17	19	21	20	36	19	17
9 21 46	18	20	22	21	33	20	18
9 25 42	19	21	23	22	30	21	19
9 29 38	20	22	24	23	27	22	20
9 33 33	21	23	25	24	23	23	21
9 37 28	22	24	26	25	19	24	22
9 41 22	23	25	27	26	15	25	23
9 45 15	24	26	28	27	10	26	24
9 49 08	25	27	29	28	06	26	25
9 53 00	26	28	♏	29	01	27	26
9 56 51	27	29	1	29	56	28	27
10 00 42	28	♎	2	0♐	50	29	28
10 04 32	29	1	3	1	44	♑	29
10 08 22	♍	2	4	2	38	1	29
10 12 10	1	3	5	3	32	2	♒
10 15 59	2	4	6	4	25	3	1
10 19 47	3	5	7	5	19	3	2
10 23 34	4	6	8	6	12	4	3
10 27 21	5	7	9	7	05	5	4
10 31 07	6	8	9	7	57	6	5
10 34 53	7	9	10	8	50	7	6
10 38 39	8	10	11	9	42	8	7
10 42 24	9	11	12	10	34	9	8
10 46 08	10	12	13	11	26	10	9
10 49 52	11	13	14	12	18	10	10
10 53 36	12	14	15	13	10	11	11
10 57 19	13	15	16	14	01	12	11
11 01 03	14	16	17	14	53	13	12
11 04 45	15	17	18	15	44	14	13
11 08 28	16	18	19	16	35	15	14
11 12 10	17	19	20	17	26	16	15
11 15 52	18	20	21	18	17	16	16
11 19 33	19	21	21	19	08	17	17
11 23 15	20	22	22	19	59	18	18
11 26 56	21	23	23	20	50	19	19
11 30 37	22	24	24	21	40	20	20
11 34 17	23	25	25	22	31	21	21
11 37 58	24	26	26	23	21	22	22
11 41 39	25	27	27	24	12	23	23
11 45 19	26	28	28	25	02	23	24
11 48 59	27	29	29	25	53	24	25
11 52 40	28	♏	29	26	43	25	26
11 56 20	29	1	♐	27	34	26	27
HOUSES	4	5	6	7		8	9

LATITUDE 4° S.

LATITUDE 5° N.

SIDEREAL TIME	10 ♌	11 ♍	12 ♎	Asc ♏		2 ♐	3 ♑
h m s	°	°	°	°	'	°	°
9 09 51	15	17	18	18	22	17	15
9 13 50	16	18	20	19	19	18	16
9 17 48	17	19	21	20	17	19	17
9 21 46	18	20	22	21	14	20	18
9 25 42	19	21	23	22	11	21	19
9 29 38	20	22	24	23	07	22	20
9 33 33	21	23	25	24	03	23	21
9 37 28	22	24	26	24	59	24	22
9 41 22	23	25	27	25	55	24	23
9 45 15	24	26	28	26	50	25	24
9 49 08	25	27	29	27	45	26	25
9 53 00	26	28	♏	28	40	27	26
9 56 51	27	29	1	29	35	28	27
10 00 42	28	♎	2	0♐	29	29	27
10 04 32	29	1	3	1	23	♑	28
10 08 22	♍	2	4	2	17	1	29
10 12 10	1	3	5	3	10	1	♒
10 15 59	2	4	5	4	04	2	1
10 19 47	3	5	6	4	57	3	2
10 23 34	4	6	7	5	50	4	3
10 27 21	5	7	8	6	43	5	4
10 31 07	6	8	9	7	35	6	5
10 34 53	7	9	10	8	28	7	6
10 38 39	8	10	11	9	20	8	7
10 42 24	9	11	12	10	12	8	8
10 46 08	10	12	13	11	04	9	9
10 49 52	11	13	14	11	55	10	9
10 53 36	12	14	15	12	47	11	10
10 57 19	13	15	16	13	38	12	11
11 01 03	14	16	17	14	30	13	12
11 04 45	15	17	18	15	21	14	13
11 08 28	16	18	19	16	12	14	14
11 12 10	17	19	19	17	03	15	15
11 15 52	18	20	20	17	54	16	16
11 19 33	19	21	21	18	45	17	17
11 23 15	20	22	22	19	35	18	18
11 26 56	21	23	23	20	26	19	19
11 30 37	22	24	24	21	17	20	20
11 34 17	23	25	25	22	07	21	21
11 37 58	24	26	26	22	58	21	22
11 41 39	25	27	27	23	48	22	23
11 45 19	26	28	27	24	39	23	24
11 48 59	27	29	28	25	29	24	25
11 52 40	28	♏	29	26	19	25	26
11 56 20	29	1	♐	27	10	26	26
HOUSES	4	5	6	7		8	9

LATITUDE 5° S.

SIDEREAL TIME h m s	LATITUDE 3° N. 10 ♎ °	11 ♏ °	12 ♐ °	Asc ♐ ° '	2 ♑ °	3 ♒ °
12 00 00	0	2	1	28 48	27	28
12 03 40	1	3	2	29 39	28	29
12 07 20	2	4	3	0♑29	29	♓
12 11 01	3	5	4	1 20	♒	0
12 14 41	4	6	5	2 10	1	1
12 18 21	5	7	6	3 01	2	2
12 22 02	6	8	7	3 52	3	3
12 25 43	7	9	7	4 42	3	4
12 29 23	8	9	8	5 33	4	5
12 33 04	9	10	9	6 24	5	6
12 36 45	10	11	10	7 15	6	7
12 40 27	11	12	11	8 06	7	8
12 44 08	12	13	12	8 57	8	9
12 47 50	13	14	13	9 49	9	10
12 51 32	14	15	13	10 40	10	11
12 55 15	15	16	14	11 32	11	12
12 58 57	16	17	15	12 24	12	13
13 02 41	17	18	16	13 16	13	14
13 06 24	18	19	17	14 08	14	15
13 10 08	19	20	18	15 00	14	16
13 13 52	20	21	19	15 52	15	17
13 17 36	21	21	19	16 45	16	18
13 21 21	22	22	20	17 38	17	19
13 25 07	23	23	21	18 31	18	20
13 28 53	24	24	22	19 24	19	21
13 32 39	25	25	23	20 18	20	22
13 36 26	26	26	24	21 11	21	24
13 40 13	27	27	25	22 05	22	25
13 44 01	28	28	26	23 00	23	26
13 47 49	29	29	26	23 54	24	27
13 51 38	♏	♐	27	24 49	25	28
13 55 28	1	1	28	25 44	26	29
13 59 18	2	2	29	26 39	27	♈
14 03 09	3	2	♑	27 35	28	1
14 07 00	4	3	1	28 31	29	2
14 10 52	5	4	2	29 27	♓	3
14 14 45	6	5	3	0♒23	1	4
14 18 38	7	6	3	1 20	2	5
14 22 32	8	7	4	2 17	3	6
14 26 27	9	8	5	3 15	4	7
14 30 22	10	9	6	4 13	5	8
14 34 18	11	10	7	5 11	6	9
14 38 14	12	11	8	6 10	8	10
14 42 12	13	12	9	7 08	9	12
14 46 10	14	13	10	8 08	10	13
HOUSES	4	5	6	7	8	9
LATITUDE 3° S.						

SIDEREAL TIME h m s	LATITUDE 4° N. 10 ♎ °	11 ♏ °	12 ♐ °	Asc ♐ ° '	2 ♑ °	3 ♒ °
12 00 00	0	2	1	28 24	27	28
12 03 40	1	3	2	29 15	28	28
12 07 20	2	4	3	0♑05	29	29
12 11 01	3	5	4	0 56	♒	♓
12 14 41	4	6	5	1 46	0	1
12 18 21	5	7	5	2 37	1	2
12 22 02	6	8	6	3 28	2	3
12 25 43	7	8	7	4 18	3	4
12 29 23	8	9	8	5 09	4	5
12 33 04	9	10	9	6 00	5	6
12 36 45	10	11	10	6 51	6	7
12 40 27	11	12	11	7 42	7	8
12 44 08	12	13	11	8 34	8	9
12 47 50	13	14	12	9 25	9	10
12 51 32	14	15	13	10 17	10	11
12 55 15	15	16	14	11 08	11	12
12 58 57	16	17	15	12 00	11	13
13 02 41	17	18	16	12 52	12	14
13 06 24	18	19	17	13 44	13	15
13 10 08	19	20	17	14 36	14	16
13 13 52	20	20	18	15 29	15	17
13 17 36	21	21	19	16 22	16	18
13 21 21	22	22	20	17 15	17	19
13 25 07	23	23	21	18 08	18	20
13 28 53	24	24	22	19 01	19	21
13 32 39	25	25	23	19 55	20	22
13 36 26	26	26	24	20 48	21	24
13 40 13	27	27	24	21 43	22	25
13 44 01	28	28	25	22 37	23	26
13 47 49	29	29	26	23 31	24	27
13 51 38	♏	♐	27	24 26	25	28
13 55 28	1	1	28	25 22	26	29
13 59 18	2	1	29	26 17	27	♈
14 03 09	3	2	♑	27 13	28	1
14 07 00	4	3	1	28 09	29	2
14 10 52	5	4	1	29 05	♓	3
14 14 45	6	5	2	0♒02	1	4
14 18 38	7	6	3	0 59	2	5
14 22 32	8	7	4	1 56	3	6
14 26 27	9	8	5	2 54	4	7
14 30 22	10	9	6	3 52	5	8
14 34 18	11	10	7	4 50	6	9
14 38 14	12	11	8	5 49	7	11
14 42 12	13	12	9	6 48	9	12
14 46 10	14	12	10	7 48	10	13
HOUSES	4	5	6	7	8	9
LATITUDE 4° S.						

SIDEREAL TIME h m s	LATITUDE 5° N. 10 ♎ °	11 ♏ °	12 ♐ °	Asc ♐ ° '	2 ♑ °	3 ♒ °
12 00 00	0	2	1	28 00	27	27
12 03 40	1	3	2	28 51	28	28
12 07 20	2	4	3	29 41	28	29
12 11 01	3	5	3	0♑32	29	♓
12 14 41	4	6	4	1 22	♒	1
12 18 21	5	7	5	2 13	1	2
12 22 02	6	7	6	3 04	2	3
12 25 43	7	8	7	3 54	3	4
12 29 23	8	9	8	4 45	4	5
12 33 04	9	10	9	5 36	5	6
12 36 45	10	11	10	6 27	6	7
12 40 27	11	12	10	7 18	7	8
12 44 08	12	13	11	8 10	8	9
12 47 50	13	14	12	9 01	8	10
12 51 32	14	15	13	9 53	9	11
12 55 15	15	16	14	10 44	10	12
12 58 57	16	17	15	11 36	11	13
13 02 41	17	18	16	12 28	12	14
13 06 24	18	19	16	13 20	13	15
13 10 08	19	19	17	14 13	14	16
13 13 52	20	20	18	15 05	15	17
13 17 36	21	21	19	15 58	16	18
13 21 21	22	22	20	16 51	17	19
13 25 07	23	23	21	17 44	18	20
13 28 53	24	24	22	18 38	19	21
13 32 39	25	25	22	19 31	20	22
13 36 26	26	26	23	20 25	21	23
13 40 13	27	27	24	21 20	22	25
13 44 01	28	28	25	22 14	23	26
13 47 49	29	29	26	23 09	24	27
13 51 38	♏	29	27	24 04	25	28
13 55 28	1	♐	28	24 59	26	29
13 59 18	2	1	29	25 55	27	♈
14 03 09	3	2	29	26 51	28	1
14 07 00	4	3	♑	27 47	29	2
14 10 52	5	4	1	28 43	♓	3
14 14 45	6	5	2	29 40	1	4
14 18 38	7	6	3	0♒37	2	5
14 22 32	8	7	4	1 35	3	6
14 26 27	9	8	5	2 33	4	7
14 30 22	10	9	6	3 31	5	8
14 34 18	11	10	7	4 30	6	9
14 38 14	12	10	7	5 29	7	11
14 42 12	13	11	8	6 28	8	12
14 46 10	14	12	9	7 28	10	13
HOUSES	4	5	6	7	8	9
LATITUDE 5° S.						

	LATITUDE 3° N.						LATITUDE 4° N.						LATITUDE 5° N.					
SIDEREAL TIME	10 ♏	11 ♐	12 ♑	Asc ♒	2 ♓	3 ♈	10 ♏	11 ♐	12 ♑	Asc ♒	2 ♓	3 ♈	10 ♏	11 ♐	12 ♑	Asc ♒	2 ♓	3 ♈
h m s	°	°	°	° '	°	°	°	°	°	° '	°	°	°	°	°	° '	°	°
14 50 09	15	14	11	9 07	11	14	15	13	10	8 48	11	14	15	13	10	8 28	11	14
14 54 08	16	14	12	10 07	12	15	16	14	11	9 48	12	15	16	14	11	9 28	12	15
14 58 08	17	15	13	11 08	13	16	17	15	12	10 49	13	16	17	15	12	10 29	13	16
15 02 09	18	16	14	12 09	14	17	18	16	13	11 50	14	17	18	16	13	11 31	14	17
15 06 11	19	17	14	13 10	15	18	19	17	14	12 51	15	18	19	17	14	12 32	15	18
15 10 13	20	18	15	14 11	16	19	20	18	15	13 53	16	19	20	18	15	13 35	16	19
15 14 16	21	19	16	15 13	17	20	21	19	16	14 55	17	20	21	19	16	14 37	17	20
15 18 20	22	20	17	16 16	18	21	22	20	17	15 58	18	21	22	20	17	15 40	18	21
15 22 25	23	21	18	17 19	20	22	23	21	18	17 01	20	22	23	21	18	16 43	20	23
15 26 30	24	22	19	18 22	21	24	24	22	19	18 05	21	24	24	22	19	17 47	21	24
15 30 36	25	23	20	19 25	22	25	25	23	20	19 09	22	25	25	23	20	18 52	22	25
15 34 43	26	24	21	20 29	23	26	26	24	21	20 13	23	26	26	24	21	19 56	23	26
15 38 50	27	25	22	21 34	24	27	27	25	22	21 18	24	27	27	24	22	21 01	24	27
15 42 58	28	26	23	22 38	25	28	28	26	23	22 23	25	28	28	25	23	22 07	25	28
15 47 07	29	27	24	23 44	26	29	29	27	24	23 28	26	29	29	26	24	23 13	26	29
15 51 16	♐	28	25	24 49	28	♉	♐	27	25	24 34	28	♉	♐	27	25	24 19	28	♉
15 55 27	1	29	26	25 55	29	1	1	28	26	25 41	29	1	1	28	26	25 26	29	1
15 59 37	2	♑	27	27 02	♈	2	2	29	27	26 47	♈	2	2	29	27	26 33	♈	2
16 03 49	3	0	28	28 08	1	3	3	♑	28	27 54	1	3	3	♑	28	27 40	1	4
16 08 01	4	1	29	29 15	2	4	4	1	29	29 02	2	5	4	1	29	28 48	2	5
16 12 14	5	2	♒	0♓23	3	6	5	2	♒	0♓10	3	6	5	2	♒	29 57	3	6
16 16 27	6	3	1	1 31	5	7	6	3	1	1 18	5	7	6	3	1	1♓05	5	7
16 20 41	7	4	2	2 39	6	8	7	4	2	2 27	6	8	7	4	2	2 14	6	8
16 24 56	8	5	3	3 47	7	9	8	5	3	3 36	7	9	8	5	3	3 24	7	9
16 29 11	9	6	4	4 56	8	10	9	6	4	4 45	8	10	9	6	4	4 34	8	10
16 33 27	10	7	5	6 06	9	11	10	7	5	5 55	9	11	10	7	5	5 44	9	11
16 37 43	11	8	6	7 15	10	12	11	8	6	7 05	10	12	11	8	6	6 54	11	12
16 42 00	12	9	7	8 25	12	13	12	9	7	8 15	12	13	12	9	7	8 05	12	13
16 46 17	13	10	8	9 35	13	14	13	10	8	9 26	13	14	13	10	8	9 16	13	15
16 50 35	14	11	10	10 46	14	15	14	11	9	10 37	14	16	14	11	9	10 28	14	16
16 54 53	15	12	11	11 56	15	16	15	12	10	11 48	15	17	15	12	10	11 40	15	17
16 59 11	16	13	12	13 07	16	18	16	13	12	13 00	16	18	16	13	11	12 52	16	18
17 03 30	17	14	13	14 19	17	19	17	14	13	14 11	18	19	17	14	12	14 04	18	19
17 07 49	18	15	14	15 30	19	20	18	15	14	15 23	19	20	18	15	13	15 17	19	20
17 12 09	19	16	15	16 42	20	21	19	16	15	16 36	20	21	19	16	15	16 29	20	21
17 16 29	20	17	16	17 54	21	22	20	17	16	17 48	21	22	20	17	16	17 42	21	22
17 20 49	21	18	17	19 06	22	23	21	18	17	19 01	22	23	21	18	17	18 55	22	23
17 25 10	22	19	18	20 18	23	24	22	19	18	20 13	23	24	22	19	18	20 09	24	24
17 29 31	23	20	19	21 30	25	25	23	20	19	21 26	25	25	23	20	19	21 22	25	25
17 33 52	24	21	21	22 43	26	26	24	21	20	22 39	26	26	24	21	20	22 36	26	26
17 38 13	25	22	22	23 56	27	27	25	22	21	23 53	27	27	25	22	21	23 50	27	27
17 42 34	26	23	23	25 08	28	28	26	23	23	25 06	28	28	26	23	22	25 04	28	28
17 46 55	27	24	24	26 21	29	29	27	24	24	26 19	29	29	27	24	24	26 18	29	♊
17 51 17	28	25	25	27 34	♉	♊	28	25	25	27 33	♉	♊	28	25	25	27 32	♉	1
17 55 38	29	27	26	28 47	1	1	29	26	26	28 46	2	2	29	26	26	28 46	2	2
HOUSES	4	5	6	7	8	9	4	5	6	7	8	9	4	5	6	7	8	9
	LATITUDE 3° S.						LATITUDE 4° S.						LATITUDE 5° S.					

	LATITUDE 3° N.						LATITUDE 4° N.						LATITUDE 5° N.					
SIDEREAL TIME	10 ♑	11 ♑	12 ♒	Asc ♈	2 ♉	3 ♊	10 ♑	11 ♑	12 ♒	Asc ♈	2 ♉	3 ♊	10 ♑	11 ♑	12 ♒	Asc ♈	2 ♉	3 ♊
h m s	°	°	°	° '	°	°	°	°	°	° '	°	°	°	°	°	° '	°	°
18 00 00	0	28	27	0 00	3	2	0	27	27	0 00	3	3	0	27	27	0 00	3	3
18 04 22	1	29	29	1 13	4	3	1	28	28	1 13	4	4	1	28	28	1 14	4	4
18 08 43	2	♒	♓	2 26	5	5	2	♒	♓	2 27	5	5	2	29	29	2 28	5	5
18 13 05	3	1	1	3 39	6	6	3	1	1	3 40	6	6	3	♒	♓	3 42	6	6
18 17 26	4	2	2	4 51	7	7	4	2	2	4 54	7	7	4	2	2	4 56	8	7
18 21 47	5	3	3	6 04	8	8	5	3	3	6 07	9	8	5	3	3	6 10	9	8
18 26 08	6	4	4	7 17	9	9	6	4	4	7 20	10	9	6	4	4	7 24	10	9
18 30 29	7	5	5	8 29	11	10	7	5	5	8 33	11	10	7	5	5	8 37	11	10
18 34 50	8	6	7	9 42	12	11	8	6	7	9 46	12	11	8	6	6	9 51	12	11
18 39 11	9	7	8	10 54	13	12	9	7	8	10 59	13	12	9	7	8	11 04	13	12
18 43 31	10	8	9	12 06	14	13	10	8	9	12 12	14	13	10	8	9	12 17	14	13
18 47 51	11	9	10	13 18	15	14	11	9	10	13 24	15	14	11	9	10	13 30	15	14
18 52 11	12	10	11	14 30	16	15	12	10	11	14 36	16	15	12	10	11	14 43	17	15
18 56 30	13	11	13	15 41	17	16	13	11	12	15 48	17	16	13	11	12	15 56	18	16
19 00 49	14	12	14	16 52	18	17	14	12	14	17 00	18	17	14	12	14	17 08	19	17
19 05 07	15	14	15	18 03	19	18	15	13	15	18 12	20	18	15	13	15	18 20	20	18
19 09 25	16	15	16	19 14	20	19	16	14	16	19 23	21	19	16	14	16	19 32	21	19
19 13 43	17	16	17	20 24	22	20	17	16	17	20 34	22	20	17	15	17	20 43	22	20
19 18 00	18	17	18	21 35	23	21	18	17	18	21 44	23	21	18	17	18	21 54	23	21
19 22 17	19	18	20	22 45	24	22	19	18	20	22 55	24	22	19	18	19	23 05	24	22
19 26 33	20	19	21	23 54	25	23	20	19	21	24 05	25	23	20	19	21	24 16	25	23
19 30 49	21	20	22	25 03	26	24	21	20	22	25 15	26	24	21	20	22	25 26	26	24
19 35 04	22	21	23	26 12	27	25	22	21	23	26 24	27	25	22	21	23	26 36	27	25
19 39 19	23	22	24	27 21	28	26	23	22	24	27 33	28	26	23	22	24	27 45	28	26
19 43 33	24	23	25	28 29	29	27	24	23	25	28 42	29	27	24	23	25	28 54	29	27
19 47 46	25	24	27	29 37	♊	28	25	24	27	29 50	♊	28	25	24	27	0♉03	♊	28
19 51 59	26	25	28	0♉44	1	29	26	25	28	0♉58	1	29	26	25	28	1 11	1	29
19 56 11	27	27	29	1 51	2	♋	27	27	29	2 05	2	♋	27	26	29	2 19	2	♋
20 00 23	28	28	♈	2 58	3	0	28	28	♈	3 12	3	1	28	28	♈	3 27	3	1
20 04 33	29	29	1	4 04	4	1	29	29	1	4 19	4	2	29	29	1	4 34	4	2
20 08 44	♒	♓	2	5 10	5	2	♒	♓	2	5 25	5	3	♒	♓	2	5 41	5	3
20 12 53	1	1	4	6 16	6	3	1	1	4	6 31	6	3	1	1	4	6 47	6	4
20 17 02	2	2	5	7 21	7	4	2	2	5	7 37	7	4	2	2	5	7 53	7	5
20 21 10	3	3	6	8 26	8	5	3	3	6	8 42	8	5	3	3	6	8 58	8	6
20 25 17	4	4	7	9 30	9	6	4	4	7	9 47	9	6	4	4	7	10 03	9	6
20 29 24	5	5	8	10 34	10	7	5	5	8	10 51	10	7	5	5	8	11 08	10	7
20 33 30	6	6	9	11 38	11	8	6	6	9	11 55	11	8	6	6	9	12 12	11	8
20 37 35	7	8	10	12 41	12	9	7	7	10	12 58	12	9	7	7	10	13 16	12	9
20 41 40	8	9	11	13 44	13	10	8	9	12	14 02	13	10	8	9	12	14 20	13	10
20 45 44	9	10	13	14 46	14	11	9	10	13	15 04	14	11	9	10	13	15 22	14	11
20 49 47	10	11	14	15 48	15	12	10	11	14	16 06	15	12	10	11	14	16 25	15	12
20 53 49	11	12	15	16 50	16	13	11	12	15	17 08	16	13	11	12	15	17 27	16	13
20 57 51	12	13	16	17 51	16	14	12	13	16	18 10	17	14	12	13	16	18 29	17	14
21 01 52	13	14	17	18 52	17	15	13	14	17	19 11	18	15	13	14	17	19 30	18	15
21 05 52	14	15	18	19 52	18	16	14	15	18	20 12	19	16	14	15	18	20 31	19	16
HOUSES	4	5	6	7	8	9	4	5	6	7	8	9	4	5	6	7	8	9
	LATITUDE 3° S.						LATITUDE 4° S.						LATITUDE 5° S.					

LATITUDE 3° N.

SIDEREAL TIME	10 ♒	11 ♓	12 ♈	Asc ♉	2 ♊	3 ♋
h m s	°	°	°	° '	°	°
21 09 51	15	16	19	20 52	19	16
21 13 50	16	17	20	21 52	20	17
21 17 48	17	18	21	22 51	21	18
21 21 46	18	20	22	23 50	22	19
21 25 42	19	21	23	24 49	23	20
21 29 38	20	22	25	25 47	24	21
21 33 33	21	23	26	26 45	25	22
21 37 28	22	24	27	27 42	26	23
21 41 22	23	25	28	28 39	27	24
21 45 15	24	26	29	29 36	27	25
21 49 08	25	27	♉	0♊33	28	26
21 53 00	26	28	1	1 29	29	27
21 56 51	27	29	2	2 25	♋	28
22 00 42	28	♈	3	3 21	1	28
22 04 32	29	1	4	4 16	2	29
22 08 22	♓	2	5	5 11	3	♌
22 12 10	1	3	6	6 06	4	1
22 15 59	2	4	7	7 00	4	2
22 19 47	3	5	8	7 54	5	3
22 23 34	4	6	9	8 48	6	4
22 27 21	5	7	10	9 42	7	5
22 31 07	6	9	11	10 36	8	6
22 34 53	7	10	12	11 29	9	7
22 38 39	8	11	13	12 22	10	8
22 42 24	9	12	14	13 15	11	8
22 46 08	10	13	15	14 07	11	9
22 49 52	11	14	16	15 00	12	10
22 53 36	12	15	16	15 52	13	11
22 57 19	13	16	17	16 44	14	12
23 01 03	14	17	18	17 36	15	13
23 04 45	15	18	19	18 28	16	14
23 08 28	16	19	20	19 19	17	15
23 12 10	17	20	21	20 11	17	16
23 15 52	18	21	22	21 02	18	17
23 19 33	19	22	23	21 53	19	18
23 23 15	20	23	24	22 45	20	19
23 26 56	21	24	25	23 36	21	20
23 30 37	22	25	26	24 26	22	21
23 34 17	23	26	27	25 17	23	21
23 37 58	24	27	27	26 08	23	22
23 41 39	25	28	28	26 59	24	23
23 45 19	26	29	29	27 49	25	24
23 48 59	27	♉	♊	28 40	26	25
23 52 40	28	0	1	29 30	27	26
23 56 20	29	1	2	0♋21	28	27
HOUSES	4	5	6	7	8	9

LATITUDE 3° S.

LATITUDE 4° N.

SIDEREAL TIME	10 ♒	11 ♓	12 ♈	Asc ♉	2 ♊	3 ♋
h m s	°	°	°	° '	°	°
21 09 51	15	16	19	21 12	20	17
21 13 50	16	17	20	22 12	20	18
21 17 48	17	18	21	23 11	21	18
21 21 46	18	19	23	24 10	22	19
21 25 42	19	21	24	25 09	23	20
21 29 38	20	22	25	26 08	24	21
21 33 33	21	23	26	27 06	25	22
21 37 28	22	24	27	28 03	26	23
21 41 22	23	25	28	29 01	27	24
21 45 15	24	26	29	29 58	28	25
21 49 08	25	27	♉	0♊54	29	26
21 53 00	26	28	1	1 51	29	27
21 56 51	27	29	2	2 47	♋	28
22 00 42	28	♈	3	3 43	1	29
22 04 32	29	1	4	4 38	2	29
22 08 22	♓	2	5	5 33	3	♌
22 12 10	1	3	6	6 28	4	1
22 15 59	2	4	7	7 23	5	2
22 19 47	3	5	8	8 17	6	3
22 23 34	4	6	9	9 11	6	4
22 27 21	5	8	10	10 05	7	5
22 31 07	6	9	11	10 59	8	6
22 34 53	7	10	12	11 52	9	7
22 38 39	8	11	13	12 45	10	8
22 42 24	9	12	14	13 38	11	9
22 46 08	10	13	15	14 31	12	10
22 49 52	11	14	16	15 23	13	10
22 53 36	12	15	17	16 16	13	11
22 57 19	13	16	18	17 08	14	12
23 01 03	14	17	19	18 00	15	13
23 04 45	15	18	19	18 51	16	14
23 08 28	16	19	20	19 43	17	15
23 12 10	17	20	21	20 35	18	16
23 15 52	18	21	22	21 26	19	17
23 19 33	19	22	23	22 17	19	18
23 23 15	20	23	24	23 08	20	19
23 26 56	21	24	25	23 59	21	20
23 30 37	22	25	26	24 50	22	21
23 34 17	23	26	27	25 41	23	22
23 37 58	24	27	28	26 32	24	22
23 41 39	25	28	29	27 23	25	23
23 45 19	26	29	♊	28 13	25	24
23 48 59	27	♉	0	29 04	26	25
23 52 40	28	1	1	29 54	27	26
23 56 20	29	2	2	0♋45	28	27
HOUSES	4	5	6	7	8	9

LATITUDE 4° S.

LATITUDE 5° N.

SIDEREAL TIME	10 ♒	11 ♓	12 ♈	Asc ♉	2 ♊	3 ♋
h m s	°	°	°	° '	°	°
21 09 51	15	16	19	21 32	20	17
21 13 50	16	17	20	22 32	21	18
21 17 48	17	18	22	23 32	22	19
21 21 46	18	19	23	24 31	23	20
21 25 42	19	21	24	25 30	23	20
21 29 38	20	22	25	26 29	24	21
21 33 33	21	23	26	27 27	25	22
21 37 28	22	24	27	28 25	26	23
21 41 22	23	25	28	29 22	27	24
21 45 15	24	26	29	0♊19	28	25
21 49 08	25	27	♉	1 16	29	26
21 53 00	26	28	1	2 13	♋	27
21 56 51	27	29	2	3 09	1	28
22 00 42	28	♈	3	4 05	1	29
22 04 32	29	1	4	5 01	2	♌
22 08 22	♓	2	5	5 56	3	0
22 12 10	1	3	6	6 51	4	1
22 15 59	2	4	7	7 46	5	2
22 19 47	3	5	8	8 40	6	3
22 23 34	4	6	9	9 34	7	4
22 27 21	5	8	10	10 28	8	5
22 31 07	6	9	11	11 22	8	6
22 34 53	7	10	12	12 15	9	7
22 38 39	8	11	13	13 08	10	8
22 42 24	9	12	14	14 01	11	9
22 46 08	10	13	15	14 54	12	10
22 49 52	11	14	16	15 47	13	11
22 53 36	12	15	17	16 39	14	11
22 57 19	13	16	18	17 31	14	12
23 01 03	14	17	19	18 23	15	13
23 04 45	15	18	20	19 15	16	14
23 08 28	16	19	21	20 07	17	15
23 12 10	17	20	22	20 59	18	16
23 15 52	18	21	22	21 50	19	17
23 19 33	19	22	23	22 41	20	18
23 23 15	20	23	24	23 32	20	19
23 26 56	21	24	25	24 23	21	20
23 30 37	22	25	26	25 14	22	21
23 34 17	23	26	27	26 05	23	22
23 37 58	24	27	28	26 56	24	23
23 41 39	25	28	29	27 47	25	23
23 45 19	26	29	♊	28 37	26	24
23 48 59	27	♉	1	29 28	26	25
23 52 40	28	1	2	0♋18	27	26
23 56 20	29	2	2	1 09	28	27
HOUSES	4	5	6	7	8	9

LATITUDE 5° S.

LATITUDE 6° N.

SIDEREAL TIME h m s	10 ♈ °	11 ♉ °	12 ♊ °	Asc ♋ °	Asc '	2 ♋ °	3 ♌ °
0 00 00	0	3	4	2	23	29	28
0 03 40	1	4	4	3	14	♌	29
0 07 20	2	5	5	4	04	1	♍
0 11 01	3	6	6	4	55	2	1
0 14 41	4	6	7	5	45	3	2
0 18 21	5	7	8	6	35	4	3
0 22 02	6	8	9	7	26	5	4
0 25 43	7	9	10	8	16	5	5
0 29 23	8	10	11	9	07	6	6
0 33 04	9	11	11	9	57	7	7
0 36 45	10	12	12	10	48	8	8
0 40 27	11	13	13	11	39	9	9
0 44 08	12	14	14	12	29	10	10
0 47 50	13	15	15	13	20	11	11
0 51 32	14	16	16	14	11	12	12
0 55 15	15	17	17	15	02	13	13
0 58 57	16	18	18	15	53	13	14
1 02 41	17	19	18	16	44	14	15
1 06 24	18	20	19	17	36	15	16
1 10 08	19	21	20	18	27	16	17
1 13 52	20	22	21	19	19	17	18
1 17 36	21	22	22	20	10	18	19
1 21 21	22	23	23	21	02	19	20
1 25 07	23	24	24	21	54	20	21
1 28 53	24	25	24	22	47	21	22
1 32 39	25	26	25	23	39	22	23
1 36 26	26	27	26	24	32	23	24
1 40 13	27	28	27	25	24	24	25
1 44 01	28	29	28	26	17	25	26
1 47 49	29	♊	29	27	11	26	27
1 51 38	♉	1	♋	28	04	27	28
1 55 28	1	2	1	28	58	28	29
1 59 18	2	3	1	29	52	29	♎
2 03 09	3	4	2	0♌	46	29	1
2 07 00	4	4	3	1	40	♍	2
2 10 52	5	5	4	2	35	1	3
2 14 45	6	6	5	3	30	2	4
2 18 38	7	7	6	4	25	3	5
2 22 32	8	8	7	5	20	4	6
2 26 27	9	9	8	6	16	5	7
2 30 22	10	10	9	7	12	6	8
2 34 18	11	11	9	8	08	7	9
2 38 14	12	12	10	9	05	9	10
2 42 12	13	13	11	10	02	10	11
2 46 10	14	14	12	10	59	11	12
HOUSES	4	5	6	7		8	9

LATITUDE 6° S.

LATITUDE 7° N.

SIDEREAL TIME h m s	10 ♈ °	11 ♉ °	12 ♊ °	Asc ♋ °	Asc '	2 ♌ °	3 ♌ °
0 00 00	0	3	4	2	48	0	28
0 03 40	1	4	5	3	38	0	29
0 07 20	2	5	6	4	28	1	♍
0 11 01	3	6	6	5	19	2	1
0 14 41	4	7	7	6	09	3	2
0 18 21	5	8	8	6	59	4	3
0 22 02	6	8	9	7	50	5	4
0 25 43	7	9	10	8	40	6	5
0 29 23	8	10	11	9	31	7	6
0 33 04	9	11	12	10	21	7	7
0 36 45	10	12	13	11	11	8	8
0 40 27	11	13	13	12	02	9	9
0 44 08	12	14	14	12	53	10	10
0 47 50	13	15	15	13	43	11	11
0 51 32	14	16	16	14	34	12	12
0 55 15	15	17	17	15	25	13	13
0 58 57	16	18	18	16	16	14	14
1 02 41	17	19	19	17	07	15	15
1 06 24	18	20	20	17	58	15	16
1 10 08	19	21	20	18	50	16	17
1 13 52	20	22	21	19	41	17	18
1 17 36	21	23	22	20	33	18	19
1 21 21	22	24	23	21	25	19	20
1 25 07	23	24	24	22	17	20	21
1 28 53	24	25	25	23	09	21	22
1 32 39	25	26	26	24	01	22	23
1 36 26	26	27	26	24	53	23	24
1 40 13	27	28	27	25	46	24	25
1 44 01	28	29	28	26	39	25	26
1 47 49	29	♊	29	27	32	26	27
1 51 38	♉	1	♋	28	25	27	28
1 55 28	1	2	1	29	19	28	29
1 59 18	2	3	2	0♌	13	29	♎
2 03 09	3	4	3	1	06	♍	1
2 07 00	4	5	3	2	01	1	2
2 10 52	5	6	4	2	55	2	3
2 14 45	6	6	5	3	50	3	4
2 18 38	7	7	6	4	45	4	5
2 22 32	8	8	7	5	40	5	6
2 26 27	9	9	8	6	35	6	7
2 30 22	10	10	9	7	31	7	8
2 34 18	11	11	10	8	27	8	9
2 38 14	12	12	11	9	24	9	10
2 42 12	13	13	12	10	20	10	11
2 46 10	14	14	12	11	17	11	12
HOUSES	4	5	6	7		8	9

LATITUDE 7° S.

LATITUDE 8° N.

SIDEREAL TIME h m s	10 ♈ °	11 ♉ °	12 ♊ °	Asc ♋ °	Asc '	2 ♌ °	3 ♌ °
0 00 00	0	3	4	3	12	0	28
0 03 40	1	4	5	4	02	1	29
0 07 20	2	5	6	4	52	2	♍
0 11 01	3	6	7	5	43	2	1
0 14 41	4	7	8	6	33	3	2
0 18 21	5	8	8	7	23	4	3
0 22 02	6	9	9	8	14	5	4
0 25 43	7	10	10	9	04	6	5
0 29 23	8	10	11	9	54	7	6
0 33 04	9	11	12	10	45	8	7
0 36 45	10	12	13	11	35	9	8
0 40 27	11	13	14	12	26	9	9
0 44 08	12	14	15	13	16	10	10
0 47 50	13	15	15	14	07	11	11
0 51 32	14	16	16	14	57	12	12
0 55 15	15	17	17	15	48	13	13
0 58 57	16	18	18	16	39	14	14
1 02 41	17	19	19	17	30	15	15
1 06 24	18	20	20	18	21	16	16
1 10 08	19	21	21	19	13	17	17
1 13 52	20	22	22	20	04	18	18
1 17 36	21	23	22	20	55	18	19
1 21 21	22	24	23	21	47	19	20
1 25 07	23	25	24	22	39	20	21
1 28 53	24	25	25	23	31	21	22
1 32 39	25	26	26	24	23	22	23
1 36 26	26	27	27	25	15	23	24
1 40 13	27	28	28	26	08	24	25
1 44 01	28	29	28	27	00	25	26
1 47 49	29	♊	29	27	53	26	27
1 51 38	♉	1	♋	28	46	27	28
1 55 28	1	2	1	29	40	28	29
1 59 18	2	3	2	0♌	33	29	♎
2 03 09	3	4	3	1	27	♍	1
2 07 00	4	5	4	2	21	1	2
2 10 52	5	6	5	3	15	2	3
2 14 45	6	7	6	4	10	3	4
2 18 38	7	8	6	5	05	4	5
2 22 32	8	8	7	6	00	5	6
2 26 27	9	9	8	6	55	6	7
2 30 22	10	10	9	7	50	7	8
2 34 18	11	11	10	8	46	8	9
2 38 14	12	12	11	9	42	9	10
2 42 12	13	13	12	10	39	10	11
2 46 10	14	14	13	11	35	11	12
HOUSES	4	5	6	7		8	9

LATITUDE 8° S.

LATITUDE 6° N.

SIDEREAL TIME h	m	s	10 ♉ °	11 ♊ °	12 ♋ °	Asc ♌ °	Asc '	2 ♍ °	3 ♎ °
2	50	09	15	15	13	11	56	12	13
2	54	08	16	16	14	12	54	13	14
2	58	08	17	17	15	13	52	14	16
3	02	09	18	17	16	14	50	15	17
3	06	11	19	18	17	15	49	16	18
3	10	13	20	19	18	16	48	17	19
3	14	16	21	20	19	17	48	18	20
3	18	20	22	21	20	18	47	19	21
3	22	25	23	22	21	19	47	20	22
3	26	30	24	23	21	20	48	21	23
3	30	36	25	24	22	21	48	22	24
3	34	43	26	25	23	22	49	23	25
3	38	50	27	26	24	23	50	24	26
3	42	58	28	27	25	24	52	25	27
3	47	07	29	28	26	25	54	27	28
3	51	16	♊	29	27	26	56	28	29
3	55	27	1	♋	28	27	59	29	♏
3	59	37	2	1	29	29	02	♎	2
4	03	49	3	2	♌	0♍	05	1	3
4	08	01	4	3	1	1	09	2	4
4	12	14	5	4	2	2	12	3	5
4	16	27	6	5	3	3	17	4	6
4	20	41	7	6	4	4	21	5	7
4	24	56	8	7	5	5	26	7	8
4	29	11	9	7	6	6	31	8	9
4	33	27	10	8	7	7	36	9	10
4	37	43	11	9	8	8	41	10	11
4	42	00	12	10	9	9	47	11	12
4	46	17	13	11	10	10	53	12	13
4	50	35	14	12	11	11	59	13	15
4	54	53	15	13	12	13	06	14	16
4	59	11	16	14	14	14	12	16	17
5	03	30	17	15	15	15	19	17	18
5	07	49	18	16	16	16	26	18	19
5	12	09	19	17	17	17	33	19	20
5	16	29	20	18	18	18	41	20	21
5	20	49	21	19	19	19	48	21	22
5	25	10	22	20	20	20	56	22	23
5	29	31	23	21	21	22	03	23	24
5	33	52	24	22	22	23	11	25	25
5	38	13	25	23	23	24	19	26	26
5	42	34	26	25	24	25	27	27	27
5	46	55	27	26	25	26	35	28	28
5	51	17	28	27	26	27	43	29	29
5	55	38	29	28	28	28	52	♏	♐
HOUSES			4	5	6	7		8	9

LATITUDE 6° S.

LATITUDE 7° N.

SIDEREAL TIME h	m	s	10 ♉ °	11 ♊ °	12 ♋ °	Asc ♌ °	Asc '	2 ♍ °	3 ♎ °
2	50	09	15	15	13	12	14	12	13
2	54	08	16	16	14	13	12	13	14
2	58	08	17	17	15	14	10	14	16
3	02	09	18	18	16	15	08	15	17
3	06	11	19	19	17	16	06	16	18
3	10	13	20	19	18	17	05	17	19
3	14	16	21	20	19	18	04	18	20
3	18	20	22	21	20	19	03	19	21
3	22	25	23	22	21	20	03	20	22
3	26	30	24	23	22	21	03	21	23
3	30	36	25	24	23	22	03	22	24
3	34	43	26	25	24	23	04	23	25
3	38	50	27	26	25	24	05	24	26
3	42	58	28	27	26	25	06	26	27
3	47	07	29	28	27	26	08	27	28
3	51	16	♊	29	28	27	10	28	29
3	55	27	1	♋	28	28	12	29	♏
3	59	37	2	1	29	29	15	♎	2
4	03	49	3	2	♌	0♍	17	1	3
4	08	01	4	3	1	1	20	2	4
4	12	14	5	4	2	2	24	3	5
4	16	27	6	5	3	3	28	4	6
4	20	41	7	6	4	4	32	5	7
4	24	56	8	7	5	5	36	7	8
4	29	11	9	8	6	6	40	8	9
4	33	27	10	9	8	7	45	9	10
4	37	43	11	10	9	8	50	10	11
4	42	00	12	11	10	9	56	11	12
4	46	17	13	12	11	11	01	12	13
4	50	35	14	13	12	12	07	13	14
4	54	53	15	14	13	13	13	14	15
4	59	11	16	15	14	14	19	16	17
5	03	30	17	16	15	15	25	17	18
5	07	49	18	17	16	16	32	18	19
5	12	09	19	18	17	17	39	19	20
5	16	29	20	19	18	18	46	20	21
5	20	49	21	20	19	19	53	21	22
5	25	10	22	21	20	21	00	22	23
5	29	31	23	22	21	22	07	23	24
5	33	52	24	23	22	23	14	24	25
5	38	13	25	24	23	24	22	26	26
5	42	34	26	25	24	25	29	27	27
5	46	55	27	26	26	26	37	28	28
5	51	17	28	27	27	27	44	29	29
5	55	38	29	28	28	28	52	♏	♐
HOUSES			4	5	6	7		8	9

LATITUDE 7° S.

LATITUDE 8° N.

SIDEREAL TIME h	m	s	10 ♉ °	11 ♊ °	12 ♋ °	Asc ♌ °	Asc '	2 ♍ °	3 ♎ °
2	50	09	15	15	14	12	32	12	13
2	54	08	16	16	15	13	29	13	14
2	58	08	17	17	15	14	27	14	15
3	02	09	18	18	16	15	25	15	17
3	06	11	19	19	17	16	23	16	18
3	10	13	20	20	18	17	21	17	19
3	14	16	21	21	19	18	20	18	20
3	18	20	22	21	20	19	19	19	21
3	22	25	23	22	21	20	19	20	22
3	26	30	24	23	22	21	18	21	23
3	30	36	25	24	23	22	18	22	24
3	34	43	26	25	24	23	19	23	25
3	38	50	27	26	25	24	19	24	26
3	42	58	28	27	26	25	20	26	27
3	47	07	29	28	27	26	22	27	28
3	51	16	♊	29	28	27	23	28	29
3	55	27	1	♋	29	28	25	29	♏
3	59	37	2	1	♌	29	27	♎	1
4	03	49	3	2	1	0♍	30	1	3
4	08	01	4	3	2	1	32	2	4
4	12	14	5	4	3	2	35	3	5
4	16	27	6	5	4	3	39	4	6
4	20	41	7	6	5	4	42	5	7
4	24	56	8	7	6	5	46	7	8
4	29	11	9	8	7	6	50	8	9
4	33	27	10	9	8	7	55	9	10
4	37	43	11	10	9	8	59	10	11
4	42	00	12	11	10	10	04	11	12
4	46	17	13	12	11	11	09	12	13
4	50	35	14	13	12	12	14	13	14
4	54	53	15	14	13	13	20	14	15
4	59	11	16	15	14	14	26	15	16
5	03	30	17	16	15	15	32	17	18
5	07	49	18	17	16	16	38	18	19
5	12	09	19	18	17	17	44	19	20
5	16	29	20	19	18	18	50	20	21
5	20	49	21	20	19	19	57	21	22
5	25	10	22	21	20	21	04	22	23
5	29	31	23	22	21	22	10	23	24
5	33	52	24	23	22	23	17	24	25
5	38	13	25	24	24	24	24	25	26
5	42	34	26	25	25	25	31	27	27
5	46	55	27	26	26	26	38	28	28
5	51	17	28	27	27	27	45	29	29
5	55	38	29	28	28	28	53	♏	♐
HOUSES			4	5	6	7		8	9

LATITUDE 8° S.

	LATITUDE 6° N.						LATITUDE 7° N.						LATITUDE 8° N.					
SIDEREAL TIME	10 ♋	11 ♋	12 ♌	Asc ♎	2 ♏	3 ♐	10 ♋	11 ♋	12 ♌	Asc ♎	2 ♏	3 ♐	10 ♋	11 ♋	12 ♌	Asc ♎	2 ♏	3 ♐
h m s	°	°	°	° '	°	°	°	°	°	° '	°	°	°	°	°	° '	°	°
6 00 00	0	29	29	0 00	1	1	0	29	29	0 00	1	1	0	29	29	0 00	1	1
6 04 22	1	♌	♍	1 08	2	2	1	♌	♍	1 07	2	2	1	♌	♍	1 07	2	2
6 08 43	2	1	1	2 16	4	3	2	1	1	2 15	3	3	2	1	1	2 14	3	3
6 13 05	3	2	2	3 24	5	4	3	2	2	3 23	4	4	3	2	2	3 21	4	4
6 17 26	4	3	3	4 32	6	5	4	3	3	4 30	6	5	4	3	3	4 28	5	5
6 21 47	5	4	4	5 40	7	7	5	4	4	5 38	7	6	5	4	5	5 35	6	6
6 26 08	6	5	5	6 48	8	8	6	5	6	6 45	8	7	6	5	6	6 42	8	7
6 30 29	7	6	7	7 56	9	9	7	6	7	7 53	9	8	7	6	7	7 49	9	8
6 34 50	8	7	8	9 04	10	10	8	7	8	9 00	10	9	8	7	8	8 56	10	9
6 39 11	9	8	9	10 12	11	11	9	8	9	10 07	11	10	9	8	9	10 03	11	10
6 43 31	10	9	10	11 19	12	12	10	9	10	11 14	12	11	10	9	10	11 09	12	11
6 47 51	11	10	11	12 26	13	13	11	10	11	12 21	13	12	11	10	11	12 16	13	12
6 52 11	12	11	12	13 34	14	14	12	11	12	13 28	14	13	12	11	12	13 22	14	13
6 56 30	13	12	13	14 41	15	15	13	12	13	14 34	15	14	13	12	13	14 28	15	14
7 00 49	14	13	14	15 47	16	16	14	13	14	15 41	16	15	14	14	15	15 34	16	15
7 05 07	15	14	16	16 54	18	17	15	15	16	16 47	17	16	15	15	16	16 40	17	16
7 09 25	16	15	17	18 00	19	18	16	16	17	17 53	18	17	16	16	17	17 45	18	17
7 13 43	17	17	18	19 07	20	19	17	17	18	18 59	19	18	17	17	18	18 50	19	18
7 18 00	18	18	19	20 13	21	20	18	18	19	20 04	20	19	18	18	19	19 56	20	19
7 22 17	19	19	20	21 18	22	21	19	19	20	21 09	21	20	19	19	20	21 00	21	20
7 26 33	20	20	21	22 24	23	22	20	20	21	22 14	22	21	20	20	21	22 05	22	21
7 30 49	21	21	22	23 29	24	23	21	21	22	23 19	24	22	21	21	22	23 09	23	22
7 35 04	22	22	23	24 34	25	23	22	22	23	24 24	25	23	22	22	23	24 14	24	23
7 39 19	23	23	25	25 39	26	24	23	23	25	25 28	26	24	23	23	25	25 17	25	24
7 43 33	24	24	26	26 43	27	25	24	24	26	26 32	27	25	24	24	26	26 21	26	25
7 47 46	25	25	27	27 47	28	26	25	25	27	27 36	28	26	25	25	27	27 24	27	26
7 51 59	26	26	28	28 51	29	27	26	26	28	28 39	29	27	26	26	28	28 27	28	27
7 56 11	27	27	29	29 55	♐	28	27	27	29	29 42	♐	28	27	27	29	29 30	29	28
8 00 23	28	28	♎	0♏58	1	29	28	28	♎	0♏45	1	29	28	29	♎	0♏33	♐	29
8 04 33	29	29	1	2 01	2	♑	29	♍	1	1 48	2	♑	29	♍	1	1 35	1	♑
8 08 44	♌	♍	2	3 03	3	1	♌	1	2	2 50	2	1	♌	1	2	2 37	2	1
8 12 53	1	2	3	4 06	4	2	1	2	3	3 52	3	2	1	2	3	3 38	3	2
8 17 02	2	3	4	5 08	5	3	2	3	4	4 53	4	3	2	3	4	4 39	4	3
8 21 10	3	4	6	6 09	6	4	3	4	6	5 55	5	4	3	4	6	5 40	5	4
8 25 17	4	5	7	7 10	7	5	4	5	7	6 56	6	5	4	5	7	6 41	6	5
8 29 24	5	6	8	8 11	8	6	5	6	8	7 56	7	6	5	6	8	7 41	7	6
8 33 30	6	7	9	9 12	9	7	6	7	9	8 57	8	7	6	7	9	8 41	8	7
8 37 35	7	8	10	10 12	9	8	7	8	10	9 57	9	8	7	8	10	9 41	9	8
8 41 40	8	9	11	11 12	10	9	8	9	11	10 56	10	9	8	9	11	10 40	10	9
8 45 44	9	10	12	12 12	11	10	9	10	12	11 56	11	10	9	10	12	11 39	11	9
8 49 47	10	11	13	13 11	12	11	10	11	13	12 55	12	11	10	11	13	12 38	12	10
8 53 49	11	12	14	14 10	13	12	11	12	14	13 53	13	11	11	12	14	13 37	13	11
8 57 51	12	13	15	15 09	14	13	12	13	15	14 52	14	12	12	13	15	14 35	14	12
9 01 52	13	14	16	16 08	15	13	13	14	16	15 50	15	13	13	15	16	15 33	15	13
9 05 52	14	16	17	17 06	16	14	14	16	17	16 48	16	14	14	16	17	16 30	15	14
HOUSES	4	5	6	7	8	9	4	5	6	7	8	9	4	5	6	7	8	9
	LATITUDE 6° S.						LATITUDE 7° S.						LATITUDE 8° S.					

LATITUDE 6° N.

SIDEREAL TIME	10 ♌	11 ♍	12 ♎	Asc ♏		2 ♐	3 ♑
h m s	°	°	°	°	'	°	°
9 09 51	15	17	18	18	03	17	15
9 13 50	16	18	19	19	01	18	16
9 17 48	17	19	20	19	58	19	17
9 21 46	18	20	21	20	55	20	18
9 25 42	19	21	22	21	51	21	19
9 29 38	20	22	24	22	48	21	20
9 33 33	21	23	25	23	44	22	21
9 37 28	22	24	26	24	39	23	22
9 41 22	23	25	27	25	35	24	23
9 45 15	24	26	28	26	30	25	24
9 49 08	25	27	29	27	25	26	25
9 53 00	26	28	♏	28	19	27	26
9 56 51	27	29	0	29	14	28	26
10 00 42	28	♎	1	0♐	08	29	27
10 04 32	29	1	2	1	02	29	28
10 08 22	♍	2	3	1	56	♑	29
10 12 10	1	3	4	2	49	1	♒
10 15 59	2	4	5	3	42	2	1
10 19 47	3	5	6	4	35	3	2
10 23 34	4	6	7	5	28	4	3
10 27 21	5	7	8	6	21	5	4
10 31 07	6	8	9	7	13	6	5
10 34 53	7	9	10	8	05	6	6
10 38 39	8	10	11	8	57	7	7
10 42 24	9	11	12	9	49	8	8
10 46 08	10	12	13	10	41	9	8
10 49 52	11	13	14	11	33	10	9
10 53 36	12	14	15	12	24	11	10
10 57 19	13	15	16	13	15	12	11
11 01 03	14	16	17	14	07	12	12
11 04 45	15	17	17	14	58	13	13
11 08 28	16	18	18	15	49	14	14
11 12 10	17	19	19	16	40	15	15
11 15 52	18	20	20	17	30	16	16
11 19 33	19	21	21	18	21	17	17
11 23 15	20	22	22	19	12	18	18
11 26 56	21	23	23	20	02	19	19
11 30 37	22	24	24	20	53	19	20
11 34 17	23	25	25	21	43	20	21
11 37 58	24	26	25	22	34	21	22
11 41 39	25	27	26	23	24	22	23
11 45 19	26	28	27	24	15	23	24
11 48 59	27	29	28	25	05	24	24
11 52 40	28	♏	29	25	55	25	25
11 56 20	29	1	♐	26	46	26	26
HOUSES	4	5	6	7		8	9

LATITUDE 6° S.

LATITUDE 7° N.

SIDEREAL TIME	10 ♌	11 ♍	12 ♎	Asc ♏		2 ♐	3 ♑
h m s	°	°	°	°	'	°	°
9 09 51	15	17	18	17	45	17	15
9 13 50	16	18	19	18	43	18	16
9 17 48	17	19	20	19	39	18	17
9 21 46	18	20	21	20	36	19	18
9 25 42	19	21	22	21	32	20	19
9 29 38	20	22	23	22	28	21	20
9 33 33	21	23	24	23	24	22	21
9 37 28	22	24	25	24	20	23	22
9 41 22	23	25	26	25	15	24	23
9 45 15	24	26	27	26	10	25	24
9 49 08	25	27	28	27	05	26	24
9 53 00	26	28	29	27	59	27	25
9 56 51	27	29	♏	28	53	27	26
10 00 42	28	♎	1	29	47	28	27
10 04 32	29	1	2	0♐	41	29	28
10 08 22	♍	2	3	1	34	♑	29
10 12 10	1	3	4	2	28	1	♒
10 15 59	2	4	5	3	21	2	1
10 19 47	3	5	6	4	14	3	2
10 23 34	4	6	7	5	06	4	3
10 27 21	5	7	8	5	59	4	4
10 31 07	6	8	9	6	51	5	5
10 34 53	7	9	10	7	43	6	6
10 38 39	8	10	11	8	35	7	6
10 42 24	9	11	12	9	27	8	7
10 46 08	10	12	13	10	18	9	8
10 49 52	11	13	14	11	10	10	9
10 53 36	12	14	14	12	01	10	10
10 57 19	13	15	15	12	52	11	11
11 01 03	14	16	16	13	44	12	12
11 04 45	15	17	17	14	35	13	13
11 08 28	16	18	18	15	25	14	14
11 12 10	17	19	19	16	16	15	15
11 15 52	18	20	20	17	07	16	16
11 19 33	19	21	21	17	58	17	17
11 23 15	20	22	22	18	48	17	18
11 26 56	21	23	23	19	39	18	19
11 30 37	22	24	23	20	29	19	20
11 34 17	23	25	24	21	20	20	21
11 37 58	24	26	25	22	10	21	22
11 41 39	25	27	26	23	00	22	22
11 45 19	26	28	27	23	51	23	23
11 48 59	27	29	28	24	41	24	24
11 52 40	28	♏	29	25	31	24	25
11 56 20	29	1	♐	26	22	25	26
HOUSES	4	5	6	7		8	9

LATITUDE 7° S.

LATITUDE 8° N.

SIDEREAL TIME	10 ♌	11 ♍	12 ♎	Asc ♏		2 ♐	3 ♑
h m s	°	°	°	°	'	°	°
9 09 51	15	17	18	17	27	16	15
9 13 50	16	18	19	18	24	17	16
9 17 48	17	19	20	19	21	18	17
9 21 46	18	20	21	20	17	19	18
9 25 42	19	21	22	21	13	20	19
9 29 38	20	22	23	22	09	21	20
9 33 33	21	23	24	23	05	22	21
9 37 28	22	24	25	24	00	23	22
9 41 22	23	25	26	24	55	24	22
9 45 15	24	26	27	25	50	24	23
9 49 08	25	27	28	26	44	25	24
9 53 00	26	28	29	27	39	26	25
9 56 51	27	29	♏	28	33	27	26
10 00 42	28	♎	1	29	26	28	27
10 04 32	29	1	2	0♐	20	29	28
10 08 22	♍	2	3	1	13	♑	29
10 12 10	1	3	4	2	06	1	♒
10 15 59	2	4	5	2	59	2	1
10 19 47	3	5	6	3	52	2	2
10 23 34	4	6	7	4	44	3	3
10 27 21	5	7	8	5	37	4	4
10 31 07	6	8	9	6	29	5	5
10 34 53	7	9	10	7	21	6	5
10 38 39	8	10	11	8	13	7	6
10 42 24	9	11	12	9	04	8	7
10 46 08	10	12	12	9	56	8	8
10 49 52	11	13	13	10	47	9	9
10 53 36	12	14	14	11	38	10	10
10 57 19	13	15	15	12	29	11	11
11 01 03	14	16	16	13	20	12	12
11 04 45	15	17	17	14	11	13	13
11 08 28	16	18	18	15	02	14	14
11 12 10	17	19	19	15	53	15	15
11 15 52	18	20	20	16	43	15	16
11 19 33	19	21	21	17	34	16	17
11 23 15	20	22	21	18	25	17	18
11 26 56	21	23	22	19	15	18	19
11 30 37	22	24	23	20	05	19	20
11 34 17	23	25	24	20	56	20	20
11 37 58	24	26	25	21	46	21	21
11 41 39	25	27	26	22	36	22	22
11 45 19	26	28	27	23	27	22	23
11 48 59	27	29	28	24	17	23	24
11 52 40	28	♏	28	25	07	24	25
11 56 20	29	1	29	25	57	25	26
HOUSES	4	5	6	7		8	9

LATITUDE 8° S.

LATITUDE 6° N.

SIDEREAL TIME h m s	10 ♎ °	11 ♏ °	12 ♐ °	Asc ♐ ° '	2 ♑ °	3 ♒ °
12 00 00	0	2	1	27 36	26	27
12 03 40	1	3	2	28 27	27	28
12 07 20	2	4	2	29 17	28	29
12 11 01	3	5	3	0♑08	29	♓
12 14 41	4	5	4	0 58	♒	1
12 18 21	5	6	5	1 49	1	2
12 22 02	6	7	6	2 39	2	3
12 25 43	7	8	7	3 30	3	4
12 29 23	8	9	8	4 21	4	5
12 33 04	9	10	8	5 12	5	6
12 36 45	10	11	9	6 03	5	7
12 40 27	11	12	10	6 54	6	8
12 44 08	12	13	11	7 46	7	9
12 47 50	13	14	12	8 37	8	10
12 51 32	14	15	13	9 29	9	11
12 55 15	15	16	14	10 20	10	12
12 58 57	16	17	14	11 12	11	13
13 02 41	17	18	15	12 04	12	14
13 06 24	18	18	16	12 57	13	15
13 10 08	19	19	17	13 49	14	16
13 13 52	20	20	18	14 42	15	17
13 17 36	21	21	19	15 35	16	18
13 21 21	22	22	20	16 28	17	19
13 25 07	23	23	20	17 21	18	20
13 28 53	24	24	21	18 14	19	21
13 32 39	25	25	22	19 08	20	22
13 36 26	26	26	23	20 02	21	23
13 40 13	27	27	24	20 56	22	25
13 44 01	28	28	25	21 51	23	26
13 47 49	29	28	26	22 46	24	27
13 51 38	♏	29	26	23 41	25	28
13 55 28	1	♐	27	24 36	26	29
13 59 18	2	1	28	25 32	27	♈
14 03 09	3	2	29	26 28	28	1
14 07 00	4	3	♑	27 25	29	2
14 10 52	5	4	1	28 21	♓	3
14 14 45	6	5	2	29 18	1	4
14 18 38	7	6	3	0♒16	2	5
14 22 32	8	7	4	1 13	3	6
14 26 27	9	8	4	2 11	4	7
14 30 22	10	9	5	3 10	5	8
14 34 18	11	9	6	4 09	6	9
14 38 14	12	10	7	5 08	7	11
14 42 12	13	11	8	6 07	8	12
14 46 10	14	12	9	7 07	9	13
HOUSES	4	5	6	7	8	9

LATITUDE 6° S.

LATITUDE 7° N.

SIDEREAL TIME h m s	10 ♎ °	11 ♏ °	12 ♐ °	Asc ♐ ° '	2 ♑ °	3 ♒ °
12 00 00	0	2	0	27 12	26	27
12 03 40	1	3	1	28 02	27	28
12 07 20	2	4	2	28 53	28	29
12 11 01	3	4	3	29 43	29	♓
12 14 41	4	5	4	0♑34	♒	1
12 18 21	5	6	5	1 25	1	2
12 22 02	6	7	6	2 15	2	3
12 25 43	7	8	6	3 06	2	4
12 29 23	8	9	7	3 57	3	5
12 33 04	9	10	8	4 48	4	6
12 36 45	10	11	9	5 39	5	7
12 40 27	11	12	10	6 30	6	8
12 44 08	12	13	11	7 21	7	9
12 47 50	13	14	12	8 13	8	10
12 51 32	14	15	12	9 04	9	11
12 55 15	15	16	13	9 56	10	12
12 58 57	16	16	14	10 48	11	13
13 02 41	17	17	15	11 40	12	14
13 06 24	18	18	16	12 33	13	15
13 10 08	19	19	17	13 25	14	16
13 13 52	20	20	18	14 18	15	17
13 17 36	21	21	18	15 11	16	18
13 21 21	22	22	19	16 04	17	19
13 25 07	23	23	20	16 57	18	20
13 28 53	24	24	21	17 51	19	21
13 32 39	25	25	22	18 45	19	22
13 36 26	26	26	23	19 39	20	23
13 40 13	27	27	24	20 33	21	25
13 44 01	28	27	24	21 28	22	26
13 47 49	29	28	25	22 23	23	27
13 51 38	♏	29	26	23 18	24	28
13 55 28	1	♐	27	24 13	26	29
13 59 18	2	1	28	25 09	27	♈
14 03 09	3	2	29	26 06	28	1
14 07 00	4	3	♑	27 02	29	2
14 10 52	5	4	1	27 59	♓	3
14 14 45	6	5	2	28 56	1	4
14 18 38	7	6	2	29 54	2	5
14 22 32	8	7	3	0♒51	3	6
14 26 27	9	7	4	1 50	4	7
14 30 22	10	8	5	2 48	5	8
14 34 18	11	9	6	3 47	6	9
14 38 14	12	10	7	4 47	7	11
14 42 12	13	11	8	5 47	8	12
14 46 10	14	12	9	6 47	9	13
HOUSES	4	5	6	7	8	9

LATITUDE 7° S.

LATITUDE 8° N.

SIDEREAL TIME h m s	10 ♎ °	11 ♏ °	12 ♐ °	Asc ♐ ° '	2 ♑ °	3 ♒ °
12 00 00	0	2	0	26 48	26	27
12 03 40	1	3	1	27 38	27	28
12 07 20	2	3	2	28 29	28	29
12 11 01	3	4	3	29 19	29	♓
12 14 41	4	5	4	0♑10	♒	1
12 18 21	5	6	4	1 00	0	2
12 22 02	6	7	5	1 51	1	3
12 25 43	7	8	6	2 42	2	4
12 29 23	8	9	7	3 32	3	5
12 33 04	9	10	8	4 23	4	6
12 36 45	10	11	9	5 14	5	7
12 40 27	11	12	10	6 06	6	8
12 44 08	12	13	10	6 57	7	9
12 47 50	13	14	11	7 49	8	10
12 51 32	14	15	12	8 40	9	11
12 55 15	15	15	13	9 32	10	12
12 58 57	16	16	14	10 24	11	13
13 02 41	17	17	15	11 16	12	14
13 06 24	18	18	16	12 08	12	15
13 10 08	19	19	16	13 01	13	16
13 13 52	20	20	17	13 54	14	17
13 17 36	21	21	18	14 47	15	18
13 21 21	22	22	19	15 40	16	19
13 25 07	23	23	20	16 33	17	20
13 28 53	24	24	21	17 27	18	21
13 32 39	25	25	22	18 21	19	22
13 36 26	26	26	22	19 15	20	23
13 40 13	27	26	23	20 10	21	24
13 44 01	28	27	24	21 04	22	26
13 47 49	29	28	25	21 59	23	27
13 51 38	♏	29	26	22 55	24	28
13 55 28	1	♐	27	23 50	25	29
13 59 18	2	1	28	24 46	26	♈
14 03 09	3	2	29	25 43	27	1
14 07 00	4	3	29	26 39	28	2
14 10 52	5	4	♑	27 36	29	3
14 14 45	6	5	1	28 34	♓	4
14 18 38	7	6	2	29 31	2	5
14 22 32	8	6	3	0♒29	3	6
14 26 27	9	7	4	1 28	4	7
14 30 22	10	8	5	2 27	5	8
14 34 18	11	9	6	3 26	6	10
14 38 14	12	10	7	4 25	7	11
14 42 12	13	11	8	5 25	8	12
14 46 10	14	12	8	6 26	9	13
HOUSES	4	5	6	7	8	9

LATITUDE 8° S.

	LATITUDE 6° N.						LATITUDE 7° N.						LATITUDE 8° N.					
SIDEREAL TIME	10 ♏	11 ♐	12 ♑	Asc ♒	2 ♓	3 ♈	10 ♏	11 ♐	12 ♑	Asc ♒	2 ♓	3 ♈	10 ♏	11 ♐	12 ♑	Asc ♒	2 ♓	3 ♈
h m s	°	°	°	° '	°	°	°	°	°	° '	°	°	°	°	°	° '	°	°
14 50 09	15	13	10	8 08	10	14	15	13	10	7 47	10	14	15	13	9	7 27	10	14
14 54 08	16	14	11	9 09	12	15	16	14	11	8 48	11	15	16	14	10	8 28	11	15
14 58 08	17	15	12	10 10	13	16	17	15	12	9 50	13	16	17	15	11	9 30	13	16
15 02 09	18	16	13	11 11	14	17	18	16	12	10 52	14	17	18	16	12	10 32	14	17
15 06 11	19	17	14	12 13	15	18	19	17	13	11 54	15	18	19	17	13	11 34	15	18
15 10 13	20	18	15	13 16	16	19	20	18	14	12 57	16	19	20	18	14	12 37	16	19
15 14 16	21	19	16	14 19	17	20	21	19	15	14 00	17	20	21	18	15	13 41	17	21
15 18 20	22	20	17	15 22	18	22	22	20	16	15 03	18	22	22	19	16	14 45	18	22
15 22 25	23	21	17	16 26	19	23	23	20	17	16 07	19	23	23	20	17	15 49	19	23
15 26 30	24	22	18	17 30	21	24	24	21	18	17 12	21	24	24	21	18	16 54	20	24
15 30 36	25	22	19	18 34	22	25	25	22	19	18 17	22	25	25	22	19	17 59	22	25
15 34 43	26	23	20	19 39	23	26	26	23	20	19 22	23	26	26	23	20	19 05	23	26
15 38 50	27	24	21	20 45	24	27	27	24	21	20 28	24	27	27	24	21	20 11	24	27
15 42 58	28	25	22	21 51	25	28	28	25	22	21 34	25	28	28	25	22	21 17	25	28
15 47 07	29	26	23	22 57	26	29	29	26	23	22 41	26	29	29	26	23	22 24	26	29
15 51 16	♐	27	24	24 03	28	♉	♐	27	24	23 48	28	♉	♐	27	24	23 32	28	♉
15 55 27	1	28	25	25 11	29	1	1	28	25	24 55	29	2	1	28	25	24 40	29	2
15 59 37	2	29	26	26 18	♈	3	2	29	26	26 03	♈	3	2	29	26	25 48	♈	3
16 03 49	3	♑	27	27 26	1	4	3	♑	27	27 12	1	4	3	♑	27	26 57	1	4
16 08 01	4	1	28	28 34	2	5	4	1	28	28 20	2	5	4	1	28	28 06	2	5
16 12 14	5	2	29	29 43	3	6	5	2	29	29 30	3	6	5	2	29	29 16	3	6
16 16 27	6	3	♒	0♓52	5	7	6	3	♒	0♓39	5	7	6	3	♒	0♓26	5	7
16 20 41	7	4	1	2 02	6	8	7	4	1	1 49	6	8	7	4	1	1 36	6	8
16 24 56	8	5	3	3 12	7	9	8	5	2	3 00	7	9	8	5	2	2 47	7	9
16 29 11	9	6	4	4 22	8	10	9	6	3	4 10	8	10	9	6	3	3 58	8	10
16 33 27	10	7	5	5 33	9	11	10	7	4	5 21	9	11	10	7	4	5 10	9	12
16 37 43	11	8	6	6 44	11	12	11	8	5	6 33	11	13	11	8	5	6 22	11	13
16 42 00	12	9	7	7 55	12	14	12	9	7	7 45	12	14	12	9	6	7 34	12	14
16 46 17	13	10	8	9 07	13	15	13	10	8	8 57	13	15	13	10	7	8 47	13	15
16 50 35	14	11	9	10 19	14	16	14	11	9	10 10	14	16	14	11	8	10 00	14	16
16 54 53	15	12	10	11 31	15	17	15	12	10	11 22	15	17	15	12	10	11 13	16	17
16 59 11	16	13	11	12 44	17	18	16	13	11	12 35	17	18	16	13	11	12 27	17	18
17 03 30	17	14	12	13 56	18	19	17	14	12	13 49	18	19	17	14	12	13 41	18	19
17 07 49	18	15	13	15 10	19	20	18	15	13	15 02	19	20	18	15	13	14 55	19	20
17 12 09	19	16	14	16 23	20	21	19	16	14	16 16	20	21	19	16	14	16 10	20	21
17 16 29	20	17	15	17 36	21	22	20	17	15	17 31	21	22	20	17	15	17 24	22	22
17 20 49	21	18	17	18 50	23	23	21	18	16	18 45	23	23	21	18	16	18 39	23	23
17 25 10	22	19	18	20 04	24	24	22	19	18	19 59	24	24	22	19	17	19 54	24	25
17 29 31	23	20	19	21 18	25	25	23	20	19	21 14	25	26	23	20	18	21 10	25	26
17 33 52	24	21	20	22 32	26	26	24	21	20	22 29	26	27	24	21	20	22 25	26	27
17 38 13	25	22	21	23 47	27	28	25	22	21	23 44	27	28	25	22	21	23 41	28	28
17 42 34	26	23	22	25 01	28	29	26	23	22	24 59	29	29	26	23	22	24 56	29	29
17 46 55	27	24	23	26 16	♉	♊	27	24	23	26 14	♉	♊	27	24	23	26 12	♉	♊
17 51 17	28	25	25	27 30	1	1	28	25	24	27 29	1	1	28	25	24	27 28	1	1
17 55 38	29	26	26	28 45	2	2	29	26	26	28 45	2	2	29	26	25	28 44	2	2
HOUSES	4	5	6	7	8	9	4	5	6	7	8	9	4	5	6	7	8	9
	LATITUDE 6° S.						LATITUDE 7° S.						LATITUDE 8° S.					

LATITUDE 6° N.

SIDEREAL TIME h	m	s	10 ♑ °	11 ♑ °	12 ♒ °	Asc ♈ °	Asc ♈ '	2 ♉ °	3 ♊ °
18	00	00	0	27	27	0	00	3	3
18	04	22	1	28	28	1	14	4	4
18	08	43	2	29	29	2	29	5	5
18	13	05	3	♒	♓	3	44	7	6
18	17	26	4	1	2	4	58	8	7
18	21	47	5	2	3	6	13	9	8
18	26	08	6	4	4	7	27	10	9
18	30	29	7	5	5	8	41	11	10
18	34	50	8	6	6	9	55	12	11
18	39	11	9	7	7	11	09	13	12
18	43	31	10	8	9	12	23	15	13
18	47	51	11	9	10	13	37	16	14
18	52	11	12	10	11	14	50	17	15
18	56	30	13	11	12	16	03	18	16
19	00	49	14	12	13	17	16	19	17
19	05	07	15	13	15	18	29	20	18
19	09	25	16	14	16	19	41	21	19
19	13	43	17	15	17	20	53	22	20
19	18	00	18	16	18	22	04	23	21
19	22	17	19	18	19	23	16	24	22
19	26	33	20	19	21	24	27	25	23
19	30	49	21	20	22	25	38	26	24
19	35	04	22	21	23	26	48	27	25
19	39	19	23	22	24	27	58	29	26
19	43	33	24	23	25	29	07	♊	27
19	47	46	25	24	27	0♉	16	1	28
19	51	59	26	25	28	1	25	2	29
19	56	11	27	26	29	2	34	3	♋
20	00	23	28	27	♈	3	41	4	1
20	04	33	29	29	1	4	49	5	2
20	08	44	♒	♓	2	5	56	6	3
20	12	53	1	1	4	7	03	7	4
20	17	02	2	2	5	8	09	8	5
20	21	10	3	3	6	9	15	9	6
20	25	17	4	4	7	10	20	10	7
20	29	24	5	5	8	11	25	11	8
20	33	30	6	6	9	12	30	12	8
20	37	35	7	7	11	13	34	13	9
20	41	40	8	8	12	14	38	13	10
20	45	44	9	10	13	15	41	14	11
20	49	47	10	11	14	16	44	15	12
20	53	49	11	12	15	17	46	16	13
20	57	51	12	13	16	18	48	17	14
21	01	52	13	14	17	19	50	18	15
21	05	52	14	15	18	20	51	19	16
HOUSES			4	5	6	7		8	9

LATITUDE 6° S.

LATITUDE 7° N.

SIDEREAL TIME h	m	s	10 ♑ °	11 ♑ °	12 ♒ °	Asc ♈ °	Asc ♈ '	2 ♉ °	3 ♊ °
18	00	00	0	27	27	0	00	3	3
18	04	22	1	28	28	1	15	4	4
18	08	43	2	29	29	2	30	6	5
18	13	05	3	♒	♓	3	46	7	6
18	17	26	4	1	1	5	01	8	7
18	21	47	5	2	3	6	16	9	8
18	26	08	6	3	4	7	31	10	9
18	30	29	7	4	5	8	46	11	10
18	34	50	8	6	6	10	00	12	11
18	39	11	9	7	7	11	15	14	12
18	43	31	10	8	9	12	29	15	13
18	47	51	11	9	10	13	43	16	14
18	52	11	12	10	11	14	57	17	15
18	56	30	13	11	12	16	11	18	16
19	00	49	14	12	13	17	24	19	17
19	05	07	15	13	15	18	37	20	18
19	09	25	16	14	16	19	50	21	19
19	13	43	17	15	17	21	03	22	20
19	18	00	18	16	18	22	15	23	21
19	22	17	19	17	19	23	27	25	22
19	26	33	20	19	21	24	38	26	23
19	30	49	21	20	22	25	49	27	24
19	35	04	22	21	23	27	00	28	25
19	39	19	23	22	24	28	10	29	26
19	43	33	24	23	25	29	20	♊	27
19	47	46	25	24	27	0♉	30	1	28
19	51	59	26	25	28	1	39	2	29
19	56	11	27	26	29	2	48	3	♋
20	00	23	28	27	♈	3	56	4	1
20	04	33	29	28	1	5	04	5	2
20	08	44	♒	♓	2	6	12	6	3
20	12	53	1	1	4	7	19	7	4
20	17	02	2	2	5	8	26	8	5
20	21	10	3	3	6	9	32	9	6
20	25	17	4	4	7	10	38	10	7
20	29	24	5	5	8	11	43	11	8
20	33	30	6	6	9	12	48	12	9
20	37	35	7	7	11	13	52	13	10
20	41	40	8	8	12	14	56	14	10
20	45	44	9	10	13	16	00	15	11
20	49	47	10	11	14	17	03	16	12
20	53	49	11	12	15	18	06	17	13
20	57	51	12	13	16	19	08	18	14
21	01	52	13	14	17	20	10	18	15
21	05	52	14	15	18	21	11	19	16
HOUSES			4	5	6	7		8	9

LATITUDE 7° S.

LATITUDE 8° N.

SIDEREAL TIME h	m	s	10 ♑ °	11 ♑ °	12 ♒ °	Asc ♈ °	Asc ♈ '	2 ♉ °	3 ♊ °
18	00	00	0	27	27	0	00	3	3
18	04	22	1	28	28	1	16	5	4
18	08	43	2	29	29	2	32	6	5
18	13	05	3	♒	♓	3	47	7	6
18	17	26	4	1	1	5	03	8	7
18	21	47	5	2	2	6	19	9	8
18	26	08	6	3	4	7	34	10	9
18	30	29	7	4	5	8	50	12	10
18	34	50	8	5	6	10	05	13	11
18	39	11	9	6	7	11	20	14	12
18	43	31	10	8	8	12	35	15	13
18	47	51	11	9	10	13	50	16	14
18	52	11	12	10	11	15	04	17	15
18	56	30	13	11	12	16	19	18	16
19	00	49	14	12	13	17	33	19	17
19	05	07	15	13	14	18	46	20	18
19	09	25	16	14	16	20	00	22	19
19	13	43	17	15	17	21	13	23	20
19	18	00	18	16	18	22	25	24	21
19	22	17	19	17	19	23	38	25	22
19	26	33	20	18	21	24	50	26	23
19	30	49	21	20	22	26	01	27	24
19	35	04	22	21	23	27	13	28	25
19	39	19	23	22	24	28	23	29	26
19	43	33	24	23	25	29	34	♊	27
19	47	46	25	24	27	0♉	44	1	28
19	51	59	26	25	28	1	54	2	29
19	56	11	27	26	29	3	03	3	♋
20	00	23	28	27	♈	4	12	4	1
20	04	33	29	28	1	5	20	5	2
20	08	44	♒	♓	2	6	28	6	3
20	12	53	1	1	4	7	35	7	4
20	17	02	2	2	5	8	42	8	5
20	21	10	3	3	6	9	49	9	6
20	25	17	4	4	7	10	55	10	7
20	29	24	5	5	8	12	01	11	8
20	33	30	6	6	9	13	06	12	9
20	37	35	7	7	11	14	11	13	10
20	41	40	8	8	12	15	15	14	11
20	45	44	9	9	13	16	19	15	12
20	49	47	10	11	14	17	22	16	12
20	53	49	11	12	15	18	25	17	13
20	57	51	12	13	16	19	28	18	14
21	01	52	13	14	17	20	30	19	15
21	05	52	14	15	19	21	32	20	16
HOUSES			4	5	6	7		8	9

LATITUDE 8° S.

	LATITUDE 6° N.						LATITUDE 7° N.						LATITUDE 8° N.					
SIDEREAL TIME	10 ♒	11 ♓	12 ♈	Asc ♉	2 ♊	3 ♋	10 ♒	11 ♓	12 ♈	Asc ♉	2 ♊	3 ♋	10 ♒	11 ♓	12 ♈	Asc ♉	2 ♊	3 ♋
h m s	°	°	°	° '	°	°	°	°	°	° '	°	°	°	°	°	° '	°	°
21 09 51	15	16	20	21 52	20	17	15	16	20	22 12	20	17	15	16	20	22 33	21	17
21 13 50	16	17	21	22 52	21	18	16	17	21	23 13	21	18	16	17	21	23 34	22	18
21 17 48	17	18	22	23 52	22	19	17	18	22	24 13	22	19	17	18	22	24 34	22	19
21 21 46	18	19	23	24 52	23	20	18	19	23	25 13	23	20	18	19	23	25 34	23	20
21 25 42	19	21	24	25 51	24	21	19	20	24	26 12	24	21	19	20	24	26 34	24	21
21 29 38	20	22	25	26 50	25	21	20	22	25	27 11	25	22	20	22	25	27 33	25	22
21 33 33	21	23	26	27 48	26	22	21	23	26	28 10	26	23	21	23	26	28 32	26	23
21 37 28	22	24	27	28 46	26	23	22	24	27	29 08	27	23	22	24	27	29 30	27	24
21 41 22	23	25	28	29 44	27	24	23	25	28	0♊06	28	24	23	25	28	0♊28	28	24
21 45 15	24	26	29	0♊41	28	25	24	26	29	1 04	28	25	24	26	29	1 26	29	25
21 49 08	25	27	♉	1 38	29	26	25	27	♉	2 01	29	26	25	27	♉	2 23	♋	26
21 53 00	26	28	1	2 35	♋	27	26	28	1	2 58	♋	27	26	28	2	3 20	1	27
21 56 51	27	29	2	3 31	1	28	27	29	2	3 54	1	28	27	29	3	4 17	1	28
22 00 42	28	♈	3	4 28	2	29	28	♈	3	4 50	2	29	28	♈	4	5 13	2	29
22 04 32	29	1	4	5 23	3	♌	29	1	4	5 46	3	♌	29	1	5	6 09	3	♌
22 08 22	♓	2	5	6 19	4	1	♓	2	5	6 42	4	1	♓	2	6	7 05	4	1
22 12 10	1	3	6	7 14	4	2	1	3	7	7 37	5	2	1	3	7	8 00	5	2
22 15 59	2	4	7	8 09	5	2	2	4	8	8 32	6	3	2	4	8	8 55	6	3
22 19 47	3	5	8	9 03	6	3	3	5	9	9 27	6	3	3	5	9	9 50	7	4
22 23 34	4	7	9	9 57	7	4	4	7	10	10 21	7	4	4	7	10	10 45	8	4
22 27 21	5	8	10	10 51	8	5	5	8	11	11 15	8	5	5	8	11	11 39	8	5
22 31 07	6	9	11	11 45	9	6	6	9	11	12 09	9	6	6	9	12	12 33	9	6
22 34 53	7	10	12	12 39	10	7	7	10	12	13 02	10	7	7	10	13	13 26	10	7
22 38 39	8	11	13	13 32	10	8	8	11	13	13 56	11	8	8	11	14	14 20	11	8
22 42 24	9	12	14	14 25	11	9	9	12	14	14 49	12	9	9	12	15	15 13	12	9
22 46 08	10	13	15	15 18	12	10	10	13	15	15 42	12	10	10	13	16	16 06	13	10
22 49 52	11	14	16	16 11	13	11	11	14	16	16 35	13	11	11	14	17	16 59	14	11
22 53 36	12	15	17	17 03	14	12	12	15	17	17 27	14	12	12	15	18	17 51	14	12
22 57 19	13	16	18	17 55	15	12	13	16	18	18 19	15	13	13	16	18	18 44	15	13
23 01 03	14	17	19	18 47	16	13	14	17	19	19 11	16	13	14	17	19	19 36	16	14
23 04 45	15	18	20	19 39	16	14	15	18	20	20 03	17	14	15	18	20	20 28	17	15
23 08 28	16	19	21	20 31	17	15	16	19	21	20 55	18	15	16	19	21	21 19	18	15
23 12 10	17	20	22	21 23	18	16	17	20	22	21 47	18	16	17	20	22	22 11	19	16
23 15 52	18	21	23	22 14	19	17	18	21	23	22 38	19	17	18	21	23	23 03	20	17
23 19 33	19	22	24	23 05	20	18	19	22	24	23 30	20	18	19	22	24	23 54	20	18
23 23 15	20	23	25	23 57	21	19	20	23	25	24 21	21	19	20	23	25	24 45	21	19
23 26 56	21	24	25	24 48	22	20	21	24	26	25 12	22	20	21	24	26	25 36	22	20
23 30 37	22	25	26	25 39	22	21	22	25	27	26 03	23	21	22	25	27	26 27	23	21
23 34 17	23	26	27	26 29	23	22	23	26	28	26 54	24	22	23	26	28	27 18	24	22
23 37 58	24	27	28	27 20	24	23	24	27	28	27 44	24	23	24	27	29	28 09	25	23
23 41 39	25	28	29	28 11	25	24	25	28	29	28 35	25	24	25	28	♊	28 59	26	24
23 45 19	26	29	♊	29 01	26	25	26	29	♊	29 26	26	25	26	29	0	29 50	26	25
23 48 59	27	♉	1	29 52	27	25	27	♉	1	0♋16	27	26	27	♉	1	0♋41	27	26
23 52 40	28	1	2	0♋43	28	26	28	1	2	1 07	28	26	28	1	2	1 31	28	27
23 56 20	29	2	3	1 33	28	27	29	2	3	1 57	29	27	29	2	3	2 21	29	27
HOUSES	4	5	6	7	8	9	4	5	6	7	8	9	4	5	6	7	8	9
	LATITUDE 6° S.						LATITUDE 7° S.						LATITUDE 8° S.					

SIDEREAL TIME	LATITUDE 9° N.						LATITUDE 10° N.						LATITUDE 11° N.					
	10	11	12	Asc	2	3	10	11	12	Asc	2	3	10	11	12	Asc	2	3
	♈	♉	♊	♋	♌	♌	♈	♉	♊	♋	♌	♌	♈	♉	♊	♋	♌	♌
h m s	°	°	°	° '	°	°	°	°	°	° '	°	°	°	°	°	° '	°	°
0 00 00	0	3	4	3 36	0	28	0	3	5	4 01	0	29	0	3	5	4 25	1	29
0 03 40	1	4	5	4 26	1	29	1	4	5	4 51	1	29	1	4	6	5 15	1	♍
0 07 20	2	5	6	5 17	2	♍	2	5	6	5 41	2	♍	2	5	7	6 05	2	1
0 11 01	3	6	7	6 07	3	1	3	6	7	6 31	3	1	3	6	7	6 56	3	1
0 14 41	4	7	8	6 57	3	2	4	7	8	7 21	4	2	4	7	8	7 46	4	2
0 18 21	5	8	9	7 47	4	3	5	8	9	8 12	5	3	5	8	9	8 36	5	3
0 22 02	6	9	10	8 38	5	4	6	9	10	9 02	5	4	6	9	10	9 26	6	4
0 25 43	7	10	10	9 28	6	5	7	10	11	9 52	6	5	7	10	11	10 16	7	5
0 29 23	8	11	11	10 18	7	6	8	11	12	10 42	7	6	8	11	12	11 06	7	6
0 33 04	9	12	12	11 08	8	7	9	12	12	11 32	8	7	9	12	13	11 56	8	7
0 36 45	10	12	13	11 59	9	8	10	13	13	12 23	9	8	10	13	14	12 46	9	8
0 40 27	11	13	14	12 49	10	9	11	14	14	13 13	10	9	11	14	15	13 37	10	9
0 44 08	12	14	15	13 40	11	10	12	14	15	14 03	11	10	12	15	15	14 27	11	10
0 47 50	13	15	16	14 30	11	11	13	15	16	14 54	12	11	13	16	16	15 17	12	11
0 51 32	14	16	17	15 21	12	12	14	16	17	15 44	12	12	14	16	17	16 08	13	12
0 55 15	15	17	17	16 12	13	13	15	17	18	16 35	13	13	15	17	18	16 58	14	13
0 58 57	16	18	18	17 02	14	14	16	18	19	17 25	14	14	16	18	19	17 49	14	14
1 02 41	17	19	19	17 53	15	15	17	19	19	18 16	15	15	17	19	20	18 39	15	15
1 06 24	18	20	20	18 44	16	16	18	20	20	19 07	16	16	18	20	21	19 30	16	16
1 10 08	19	21	21	19 35	17	17	19	21	21	19 58	17	17	19	21	21	20 21	17	17
1 13 52	20	22	22	20 27	18	18	20	22	22	20 49	18	18	20	22	22	21 12	18	18
1 17 36	21	23	23	21 18	19	19	21	23	23	21 40	19	19	21	23	23	22 03	19	19
1 21 21	22	24	24	22 09	20	20	22	24	24	22 32	20	20	22	24	24	22 54	20	20
1 25 07	23	25	24	23 01	20	21	23	25	25	23 23	21	21	23	25	25	23 46	21	21
1 28 53	24	26	25	23 53	21	22	24	26	26	24 15	22	22	24	26	26	24 37	22	22
1 32 39	25	27	26	24 45	22	23	25	27	26	25 07	22	23	25	27	27	25 29	23	23
1 36 26	26	27	27	25 37	23	24	26	28	27	25 59	23	24	26	28	28	26 21	24	24
1 40 13	27	28	28	26 29	24	25	27	29	28	26 51	24	25	27	29	28	27 13	25	25
1 44 01	28	29	29	27 22	25	26	28	29	29	27 43	25	26	28	♊	29	28 05	25	26
1 47 49	29	♊	♋	28 15	26	27	29	♊	♋	28 36	26	27	29	0	♋	28 57	26	27
1 51 38	♉	1	0	29 08	27	28	♉	1	1	29 29	27	28	♉	1	1	29 50	27	28
1 55 28	1	2	1	0♌01	28	29	1	2	2	0♌22	28	29	1	2	2	0♌43	28	29
1 59 18	2	3	2	0 54	29	♎	2	3	3	1 15	29	♎	2	3	3	1 36	29	♎
2 03 09	3	4	3	1 48	♍	1	3	4	3	2 08	♍	1	3	4	4	2 29	♍	1
2 07 00	4	5	4	2 42	1	2	4	5	4	3 02	1	2	4	5	5	3 22	1	2
2 10 52	5	6	5	3 36	2	3	5	6	5	3 56	2	3	5	6	5	4 16	2	3
2 14 45	6	7	6	4 30	3	4	6	7	6	4 50	3	4	6	7	6	5 10	3	4
2 18 38	7	8	7	5 24	4	5	7	8	7	5 44	4	5	7	8	7	6 04	4	5
2 22 32	8	9	8	6 19	5	6	8	9	8	6 39	5	6	8	9	8	6 58	5	6
2 26 27	9	9	8	7 14	6	7	9	10	9	7 33	6	7	9	10	9	7 53	6	7
2 30 22	10	10	9	8 09	7	8	10	11	10	8 29	7	8	10	11	10	8 48	7	8
2 34 18	11	11	10	9 05	8	9	11	11	11	9 24	8	9	11	12	11	9 43	8	9
2 38 14	12	12	11	10 01	9	10	12	12	11	10 19	9	10	12	13	12	10 38	9	10
2 42 12	13	13	12	10 57	10	11	13	13	12	11 15	10	11	13	13	13	11 34	10	11
2 46 10	14	14	13	11 53	11	12	14	14	13	12 12	11	12	14	14	13	12 30	11	12
HOUSES	4	5	6	7	8	9	4	5	6	7	8	9	4	5	6	7	8	9
	LATITUDE 9° S.						LATITUDE 10° S.						LATITUDE 11° S.					

LATITUDE 9° N. — LATITUDE 9° S.

SIDEREAL TIME	10 ♉	11 ♊	12 ♋	Asc ♌		2 ♍	3 ♎
h m s	°	°	°	°	'	°	°
2 50 09	15	15	14	12	50	12	13
2 54 08	16	16	15	13	47	13	14
2 58 08	17	17	16	14	44	14	15
3 02 09	18	18	17	15	42	15	16
3 06 11	19	19	18	16	40	16	18
3 10 13	20	20	18	17	38	17	19
3 14 16	21	21	19	18	36	18	20
3 18 20	22	22	20	19	35	19	21
3 22 25	23	23	21	20	34	20	22
3 26 30	24	24	22	21	34	21	23
3 30 36	25	24	23	22	33	22	24
3 34 43	26	25	24	23	33	23	25
3 38 50	27	26	25	24	34	24	26
3 42 58	28	27	26	25	34	26	27
3 47 07	29	28	27	26	35	27	28
3 51 16	♊	29	28	27	36	28	29
3 55 27	1	♋	29	28	38	29	♏
3 59 37	2	1	♌	29	40	♎	1
4 03 49	3	2	1	0♍	42	1	2
4 08 01	4	3	2	1	44	2	4
4 12 14	5	4	3	2	47	3	5
4 16 27	6	5	4	3	50	4	6
4 20 41	7	6	5	4	53	5	7
4 24 56	8	7	6	5	56	6	8
4 29 11	9	8	7	7	00	8	9
4 33 27	10	9	8	8	04	9	10
4 37 43	11	10	9	9	08	10	11
4 42 00	12	11	10	10	13	11	12
4 46 17	13	12	11	11	17	12	13
4 50 35	14	13	12	12	22	13	14
4 54 53	15	14	13	13	27	14	15
4 59 11	16	15	14	14	32	15	16
5 03 30	17	16	15	15	38	16	17
5 07 49	18	17	16	16	43	18	18
5 12 09	19	18	17	17	49	19	20
5 16 29	20	19	18	18	55	20	21
5 20 49	21	20	19	20	01	21	22
5 25 10	22	21	20	21	07	22	23
5 29 31	23	22	22	22	14	23	24
5 33 52	24	23	23	23	20	24	25
5 38 13	25	24	24	24	27	25	26
5 42 34	26	25	25	25	33	26	27
5 46 55	27	26	26	26	40	28	28
5 51 17	28	27	27	27	46	29	29
5 55 38	29	28	28	28	53	♏	♐
HOUSES	4	5	6	7		8	9

LATITUDE 10° N. — LATITUDE 10° S.

SIDEREAL TIME	10 ♉	11 ♊	12 ♋	Asc ♌		2 ♍	3 ♎
h m s	°	°	°	°	'	°	°
2 50 09	15	15	14	13	08	12	13
2 54 08	16	16	15	14	05	13	14
2 58 08	17	17	16	15	02	14	15
3 02 09	18	18	17	15	59	15	16
3 06 11	19	19	18	16	57	16	18
3 10 13	20	20	19	17	54	17	19
3 14 16	21	21	20	18	53	18	20
3 18 20	22	22	21	19	51	19	21
3 22 25	23	23	22	20	50	20	22
3 26 30	24	24	22	21	49	21	23
3 30 36	25	25	23	22	48	22	24
3 34 43	26	26	24	23	48	23	25
3 38 50	27	26	25	24	48	25	26
3 42 58	28	27	26	25	48	26	27
3 47 07	29	28	27	26	49	27	28
3 51 16	♊	29	28	27	49	28	29
3 55 27	1	♋	29	28	51	29	♏
3 59 37	2	1	♌	29	52	♎	1
4 03 49	3	2	1	0♍	54	1	2
4 08 01	4	3	2	1	56	2	3
4 12 14	5	4	3	2	58	3	5
4 16 27	6	5	4	4	00	4	6
4 20 41	7	6	5	5	03	5	7
4 24 56	8	7	6	6	06	6	8
4 29 11	9	8	7	7	10	8	9
4 33 27	10	9	8	8	13	9	10
4 37 43	11	10	9	9	17	10	11
4 42 00	12	11	10	10	21	11	12
4 46 17	13	12	11	11	25	12	13
4 50 35	14	13	12	12	30	13	14
4 54 53	15	14	13	13	34	14	15
4 59 11	16	15	14	14	39	15	16
5 03 30	17	16	15	15	44	16	17
5 07 49	18	17	16	16	49	18	18
5 12 09	19	18	17	17	54	19	19
5 16 29	20	19	19	19	00	20	20
5 20 49	21	20	20	20	06	21	22
5 25 10	22	21	21	21	11	22	23
5 29 31	23	22	22	22	17	23	24
5 33 52	24	23	23	23	23	24	25
5 38 13	25	24	24	24	29	25	26
5 42 34	26	25	25	25	35	26	27
5 46 55	27	26	26	26	41	27	28
5 51 17	28	27	27	27	47	29	29
5 55 38	29	28	28	28	54	♏	♐
HOUSES	4	5	6	7		8	9

LATITUDE 11° N. — LATITUDE 11° S.

SIDEREAL TIME	10 ♉	11 ♊	12 ♋	Asc ♌		2 ♍	3 ♎
h m s	°	°	°	°	'	°	°
2 50 09	15	15	14	13	26	12	13
2 54 08	16	16	15	14	22	13	14
2 58 08	17	17	16	15	19	14	15
3 02 09	18	18	17	16	16	15	16
3 06 11	19	19	18	17	13	16	17
3 10 13	20	20	19	18	11	17	19
3 14 16	21	21	20	19	09	18	20
3 18 20	22	22	21	20	07	19	21
3 22 25	23	23	22	21	05	20	22
3 26 30	24	24	23	22	04	21	23
3 30 36	25	25	24	23	03	22	24
3 34 43	26	26	25	24	02	23	25
3 38 50	27	27	26	25	02	25	26
3 42 58	28	28	27	26	02	26	27
3 47 07	29	29	28	27	02	27	28
3 51 16	♊	29	28	28	03	28	29
3 55 27	1	♋	29	29	03	29	♏
3 59 37	2	1	♌	0♍	04	♎	1
4 03 49	3	2	1	1	06	1	2
4 08 01	4	3	2	2	07	2	3
4 12 14	5	4	3	3	09	3	4
4 16 27	6	5	4	4	11	4	6
4 20 41	7	6	5	5	14	5	7
4 24 56	8	7	6	6	16	6	8
4 29 11	9	8	7	7	19	8	9
4 33 27	10	9	8	8	22	9	10
4 37 43	11	10	9	9	26	10	11
4 42 00	12	11	10	10	29	11	12
4 46 17	13	12	11	11	33	12	13
4 50 35	14	13	12	12	37	13	14
4 54 53	15	14	13	13	41	14	15
4 59 11	16	15	15	14	46	15	16
5 03 30	17	16	16	15	50	16	17
5 07 49	18	17	17	16	55	17	18
5 12 09	19	18	18	18	00	19	19
5 16 29	20	19	19	19	05	20	20
5 20 49	21	20	20	20	10	21	21
5 25 10	22	21	21	21	15	22	22
5 29 31	23	22	22	22	20	23	24
5 33 52	24	23	23	23	26	24	25
5 38 13	25	24	24	24	31	25	26
5 42 34	26	25	25	25	37	26	27
5 46 55	27	26	26	26	43	27	28
5 51 17	28	27	27	27	48	28	29
5 55 38	29	28	28	28	54	29	♐
HOUSES	4	5	6	7		8	9

LATITUDE 9° N.

SIDEREAL TIME	10 ♋	11 ♋	12 ♌	Asc ♎	2 ♏	3 ♐
h m s	°	°	°	° '	°	°
6 00 00	0	29	29	0 00	1	1
6 04 22	1	♌	♍	1 07	2	2
6 08 43	2	1	1	2 13	3	3
6 13 05	3	2	2	3 20	4	4
6 17 26	4	3	4	4 26	5	5
6 21 47	5	4	5	5 33	6	6
6 26 08	6	5	6	6 39	7	7
6 30 29	7	6	7	7 46	8	8
6 34 50	8	7	8	8 52	10	9
6 39 11	9	8	9	9 58	11	10
6 43 31	10	9	10	11 04	12	11
6 47 51	11	10	11	12 10	13	12
6 52 11	12	12	12	13 16	14	13
6 56 30	13	13	14	14 22	15	14
7 00 49	14	14	15	15 27	16	15
7 05 07	15	15	16	16 33	17	16
7 09 25	16	16	17	17 38	18	17
7 13 43	17	17	18	18 42	19	18
7 18 00	18	18	19	19 47	20	19
7 22 17	19	19	20	20 52	21	20
7 26 33	20	20	21	21 56	22	21
7 30 49	21	21	22	23 00	23	22
7 35 04	22	22	24	24 03	24	23
7 39 19	23	23	25	25 07	25	24
7 43 33	24	24	26	26 10	26	25
7 47 46	25	25	27	27 13	27	26
7 51 59	26	26	28	28 16	28	27
7 56 11	27	28	29	29 18	29	28
8 00 23	28	29	♎	0♏20	♐	29
8 04 33	29	♍	1	1 22	1	♑
8 08 44	♌	1	2	2 23	2	1
8 12 53	1	2	3	3 25	3	2
8 17 02	2	3	4	4 25	4	3
8 21 10	3	4	6	5 26	5	4
8 25 17	4	5	7	6 26	6	5
8 29 24	5	6	8	7 26	7	6
8 33 30	6	7	9	8 26	8	6
8 37 35	7	8	10	9 25	9	7
8 41 40	8	9	11	10 24	10	8
8 45 44	9	10	12	11 23	11	9
8 49 47	10	11	13	12 22	12	10
8 53 49	11	12	14	13 20	12	11
8 57 51	12	14	15	14 18	13	12
9 01 52	13	15	16	15 15	14	13
9 05 52	14	16	17	16 13	15	14
HOUSES	4	5	6	7	8	9

LATITUDE 9° S.

LATITUDE 10° N.

SIDEREAL TIME	10 ♋	11 ♋	12 ♌	Asc ♎	2 ♏	3 ♐
h m s	°	°	°	° '	°	°
6 00 00	0	29	29	0 00	1	1
6 04 22	1	♌	♍	1 06	2	2
6 08 43	2	1	1	2 12	3	3
6 13 05	3	2	3	3 18	4	4
6 17 26	4	3	4	4 25	5	5
6 21 47	5	4	5	5 31	6	6
6 26 08	6	5	6	6 37	7	7
6 30 29	7	6	7	7 43	8	8
6 34 50	8	7	8	8 48	9	9
6 39 11	9	8	9	9 54	10	10
6 43 31	10	10	10	11 00	11	11
6 47 51	11	11	11	12 05	13	12
6 52 11	12	12	12	13 10	14	13
6 56 30	13	13	14	14 16	15	14
7 00 49	14	14	15	15 21	16	15
7 05 07	15	15	16	16 25	17	16
7 09 25	16	16	17	17 30	18	17
7 13 43	17	17	18	18 35	19	18
7 18 00	18	18	19	19 39	20	19
7 22 17	19	19	20	20 43	21	20
7 26 33	20	20	21	21 47	22	21
7 30 49	21	21	22	22 50	23	22
7 35 04	22	22	24	23 53	24	23
7 39 19	23	23	25	24 56	25	24
7 43 33	24	24	26	25 59	26	25
7 47 46	25	25	27	27 02	27	26
7 51 59	26	27	28	28 04	28	27
7 56 11	27	28	29	29 06	29	28
8 00 23	28	29	♎	0♏08	♐	29
8 04 33	29	♍	1	1 09	1	♑
8 08 44	♌	1	2	2 10	2	1
8 12 53	1	2	3	3 11	3	2
8 17 02	2	3	4	4 12	4	3
8 21 10	3	4	5	5 12	5	4
8 25 17	4	5	7	6 12	6	4
8 29 24	5	6	8	7 11	7	5
8 33 30	6	7	9	8 11	8	6
8 37 35	7	8	10	9 10	8	7
8 41 40	8	9	11	10 09	9	8
8 45 44	9	10	12	11 07	10	9
8 49 47	10	11	13	12 05	11	10
8 53 49	11	12	14	13 03	12	11
8 57 51	12	14	15	14 01	13	12
9 01 52	13	15	16	14 58	14	13
9 05 52	14	16	17	15 55	15	14
HOUSES	4	5	6	7	8	9

LATITUDE 10° S.

LATITUDE 11° N.

SIDEREAL TIME	10 ♋	11 ♋	12 ♌	Asc ♎	2 ♏	3 ♐
h m s	°	°	°	° '	°	°
6 00 00	0	29	29	0 00	1	1
6 04 22	1	♌	♍	1 06	2	2
6 08 43	2	1	2	2 11	3	3
6 13 05	3	2	3	3 17	4	4
6 17 26	4	3	4	4 23	5	5
6 21 47	5	4	5	5 28	6	6
6 26 08	6	5	6	6 34	7	7
6 30 29	7	6	7	7 39	8	8
6 34 50	8	8	8	8 45	9	9
6 39 11	9	9	9	9 50	10	10
6 43 31	10	10	10	10 55	11	11
6 47 51	11	11	11	12 00	12	12
6 52 11	12	12	13	13 05	13	13
6 56 30	13	13	14	14 10	14	14
7 00 49	14	14	15	15 14	15	15
7 05 07	15	15	16	16 18	17	16
7 09 25	16	16	17	17 23	18	17
7 13 43	17	17	18	18 27	19	18
7 18 00	18	18	19	19 30	20	19
7 22 17	19	19	20	20 34	21	20
7 26 33	20	20	21	21 37	22	21
7 30 49	21	21	22	22 40	23	22
7 35 04	22	22	24	23 43	24	23
7 39 19	23	23	25	24 46	25	24
7 43 33	24	24	26	25 48	26	25
7 47 46	25	26	27	26 51	27	26
7 51 59	26	27	28	27 52	28	27
7 56 11	27	28	29	28 54	29	28
8 00 23	28	29	♎	29 55	♐	29
8 04 33	29	♍	1	0♏56	1	♑
8 08 44	♌	1	2	1 57	2	1
8 12 53	1	2	3	2 58	2	1
8 17 02	2	3	4	3 58	3	2
8 21 10	3	4	5	4 58	4	3
8 25 17	4	5	7	5 57	5	4
8 29 24	5	6	8	6 57	6	5
8 33 30	6	7	9	7 56	7	6
8 37 35	7	8	10	8 54	8	7
8 41 40	8	9	11	9 53	9	8
8 45 44	9	10	12	10 51	10	9
8 49 47	10	11	13	11 49	11	10
8 53 49	11	13	14	12 46	12	11
8 57 51	12	14	15	13 44	13	12
9 01 52	13	15	16	14 41	14	13
9 05 52	14	16	17	15 37	15	14
HOUSES	4	5	6	7	8	9

LATITUDE 11° S.

LATITUDE 9° N.

SIDEREAL TIME	10 ♌	11 ♍	12 ♎	Asc ♏		2 ♐	3 ♑
h m s	°	°	°	°	'	°	°
9 09 51	15	17	18	17	09	16	15
9 13 50	16	18	19	18	06	17	16
9 17 48	17	19	20	19	03	18	17
9 21 46	18	20	21	19	59	19	18
9 25 42	19	21	22	20	55	20	19
9 29 38	20	22	23	21	50	21	20
9 33 33	21	23	24	22	45	22	20
9 37 28	22	24	25	23	40	22	21
9 41 22	23	25	26	24	35	23	22
9 45 15	24	26	27	25	30	24	23
9 49 08	25	27	28	26	24	25	24
9 53 00	26	28	29	27	18	26	25
9 56 51	27	29	♏	28	12	27	26
10 00 42	28	♎	1	29	05	28	27
10 04 32	29	1	2	29	59	29	28
10 08 22	♍	2	3	0♐	52	♑	29
10 12 10	1	3	4	1	45	0	♒
10 15 59	2	4	5	2	38	1	1
10 19 47	3	5	6	3	30	2	2
10 23 34	4	6	7	4	23	3	3
10 27 21	5	7	8	5	15	4	3
10 31 07	6	8	9	6	07	5	4
10 34 53	7	9	10	6	59	6	5
10 38 39	8	10	10	7	50	6	6
10 42 24	9	11	11	8	42	7	7
10 46 08	10	12	12	9	33	8	8
10 49 52	11	13	13	10	24	9	9
10 53 36	12	14	14	11	15	10	10
10 57 19	13	15	15	12	06	11	11
11 01 03	14	16	16	12	57	12	12
11 04 45	15	17	17	13	48	13	13
11 08 28	16	18	18	14	39	13	14
11 12 10	17	19	19	15	29	14	15
11 15 52	18	20	19	16	20	15	16
11 19 33	19	21	20	17	10	16	17
11 23 15	20	22	21	18	01	17	18
11 26 56	21	23	22	18	51	18	18
11 30 37	22	24	23	19	41	19	19
11 34 17	23	25	24	20	32	20	20
11 37 58	24	26	25	21	22	20	21
11 41 39	25	27	26	22	12	21	22
11 45 19	26	28	27	23	02	22	23
11 48 59	27	29	27	23	53	23	24
11 52 40	28	♏	28	24	43	24	25
11 56 20	29	1	29	25	33	25	26
HOUSES	4	5	6	7		8	9

LATITUDE 9° S.

LATITUDE 10° N.

SIDEREAL TIME	10 ♌	11 ♍	12 ♎	Asc ♏		2 ♐	3 ♑
h m s	°	°	°	°	'	°	°
9 09 51	15	17	18	16	52	16	15
9 13 50	16	18	19	17	48	17	16
9 17 48	17	19	20	18	44	18	17
9 21 46	18	20	21	19	40	19	18
9 25 42	19	21	22	20	36	19	19
9 29 38	20	22	23	21	31	20	19
9 33 33	21	23	24	22	26	21	20
9 37 28	22	24	25	23	21	22	21
9 41 22	23	25	26	24	16	23	22
9 45 15	24	26	27	25	10	24	23
9 49 08	25	27	28	26	04	25	24
9 53 00	26	28	29	26	58	26	25
9 56 51	27	29	♏	27	51	27	26
10 00 42	28	♎	1	28	45	27	27
10 04 32	29	1	2	29	38	28	28
10 08 22	♍	2	3	0♐	31	29	29
10 12 10	1	3	4	1	24	♑	♒
10 15 59	2	4	5	2	16	1	1
10 19 47	3	5	6	3	09	2	1
10 23 34	4	6	7	4	01	3	2
10 27 21	5	7	8	4	53	4	3
10 31 07	6	8	8	5	45	4	4
10 34 53	7	9	9	6	36	5	5
10 38 39	8	10	10	7	28	6	6
10 42 24	9	11	11	8	19	7	7
10 46 08	10	12	12	9	10	8	8
10 49 52	11	13	13	10	02	9	9
10 53 36	12	14	14	10	53	10	10
10 57 19	13	15	15	11	43	11	11
11 01 03	14	16	16	12	34	11	12
11 04 45	15	17	17	13	25	12	13
11 08 28	16	18	18	14	15	13	14
11 12 10	17	19	18	15	06	14	15
11 15 52	18	20	19	15	56	15	16
11 19 33	19	21	20	16	47	16	16
11 23 15	20	22	21	17	37	17	17
11 26 56	21	23	22	18	27	17	18
11 30 37	22	24	23	19	18	18	19
11 34 17	23	25	24	20	08	19	20
11 37 58	24	26	25	20	58	20	21
11 41 39	25	27	25	21	48	21	22
11 45 19	26	28	26	22	38	22	23
11 48 59	27	29	27	23	28	23	24
11 52 40	28	♏	28	24	19	24	25
11 56 20	29	0	29	25	09	25	26
HOUSES	4	5	6	7		8	9

LATITUDE 10° S.

LATITUDE 11° N.

SIDEREAL TIME	10 ♌	11 ♍	12 ♎	Asc ♏		2 ♐	3 ♑
h m s	°	°	°	°	'	°	°
9 09 51	15	17	18	16	34	16	15
9 13 50	16	18	19	17	30	17	16
9 17 48	17	19	20	18	26	17	17
9 21 46	18	20	21	19	22	18	17
9 25 42	19	21	22	20	17	19	18
9 29 38	20	22	23	21	12	20	19
9 33 33	21	23	24	22	07	21	20
9 37 28	22	24	25	23	01	22	21
9 41 22	23	25	26	23	56	23	22
9 45 15	24	26	27	24	50	24	23
9 49 08	25	27	28	25	44	25	24
9 53 00	26	28	29	26	37	25	25
9 56 51	27	29	♏	27	31	26	26
10 00 42	28	♎	1	28	24	27	27
10 04 32	29	1	2	29	17	28	28
10 08 22	♍	2	3	0♐	10	29	29
10 12 10	1	3	4	1	02	♑	♒
10 15 59	2	4	5	1	55	1	0
10 19 47	3	5	5	2	47	2	1
10 23 34	4	6	6	3	39	2	2
10 27 21	5	7	7	4	31	3	3
10 31 07	6	8	8	5	22	4	4
10 34 53	7	9	9	6	14	5	5
10 38 39	8	10	10	7	05	6	6
10 42 24	9	11	11	7	57	7	7
10 46 08	10	12	12	8	48	8	8
10 49 52	11	13	13	9	39	9	9
10 53 36	12	14	14	10	30	9	10
10 57 19	13	15	15	11	20	10	11
11 01 03	14	16	16	12	11	11	12
11 04 45	15	17	16	13	02	12	13
11 08 28	16	18	17	13	52	13	14
11 12 10	17	19	18	14	42	14	14
11 15 52	18	20	19	15	33	15	15
11 19 33	19	21	20	16	23	15	16
11 23 15	20	22	21	17	13	16	17
11 26 56	21	23	22	18	03	17	18
11 30 37	22	24	23	18	54	18	19
11 34 17	23	25	23	19	44	19	20
11 37 58	24	26	24	20	34	20	21
11 41 39	25	27	25	21	24	21	22
11 45 19	26	28	26	22	14	22	23
11 48 59	27	29	27	23	04	23	24
11 52 40	28	29	28	23	54	23	25
11 56 20	29	♏	29	24	44	24	26
HOUSES	4	5	6	7		8	9

LATITUDE 11° S.

	LATITUDE 9° N.						LATITUDE 10° N.						LATITUDE 11° N.					
SIDEREAL TIME	10 ♎	11 ♏	12 ♐	Asc ♐	2 ♑	3 ♒	10 ♎	11 ♏	12 ♐	Asc ♐	2 ♑	3 ♒	10 ♎	11 ♏	12 ♏	Asc ♐	2 ♑	3 ♒
h m s	°	°	°	° '	°	°	°	°	°	° '	°	°	°	°	°	° '	°	°
12 00 00	0	2	0	26 24	26	27	0	1	0	25 59	25	27	0	1	29	25 35	25	27
12 03 40	1	2	1	27 14	27	28	1	2	1	26 49	26	28	1	2	♐	26 25	26	28
12 07 20	2	3	2	28 04	27	29	2	3	1	27 40	27	29	2	3	1	27 15	27	29
12 11 01	3	4	3	28 55	28	♓	3	4	2	28 30	28	♓	3	4	2	28 05	28	♓
12 14 41	4	5	3	29 45	29	1	4	5	3	29 21	29	1	4	5	3	28 56	29	1
12 18 21	5	6	4	0♑36	♒	2	5	6	4	0♑11	♒	2	5	6	4	29 46	♒	2
12 22 02	6	7	5	1 26	1	3	6	7	5	1 02	1	3	6	7	5	0♑37	1	3
12 25 43	7	8	6	2 17	2	4	7	8	6	1 52	2	4	7	8	5	1 28	2	4
12 29 23	8	9	7	3 08	3	5	8	9	7	2 43	3	5	8	9	6	2 18	2	5
12 33 04	9	10	8	3 59	4	6	9	10	7	3 34	4	6	9	10	7	3 09	3	6
12 36 45	10	11	9	4 50	5	7	10	11	8	4 25	5	7	10	11	8	4 00	4	7
12 40 27	11	12	9	5 41	6	8	11	12	9	5 16	5	8	11	12	9	4 52	5	8
12 44 08	12	13	10	6 33	7	9	12	13	10	6 08	6	9	12	12	10	5 43	6	9
12 47 50	13	14	11	7 24	8	10	13	13	11	6 59	7	10	13	13	11	6 34	7	10
12 51 32	14	14	12	8 16	8	11	14	14	12	7 51	8	11	14	14	11	7 26	8	11
12 55 15	15	15	13	9 07	9	12	15	15	13	8 43	9	12	15	15	12	8 18	9	12
12 58 57	16	16	14	9 59	10	13	16	16	13	9 35	10	13	16	16	13	9 10	10	13
13 02 41	17	17	14	10 52	11	14	17	17	14	10 27	11	14	17	17	14	10 02	11	14
13 06 24	18	18	15	11 44	12	15	18	18	15	11 19	12	15	18	18	15	10 55	12	15
13 10 08	19	19	16	12 37	13	16	19	19	16	12 12	13	16	19	19	16	11 47	13	16
13 13 52	20	20	17	13 29	14	17	20	20	17	13 05	14	17	20	20	17	12 40	14	17
13 17 36	21	21	18	14 22	15	18	21	21	18	13 58	15	18	21	21	17	13 33	15	18
13 21 21	22	22	19	15 16	16	19	22	22	18	14 51	16	19	22	22	18	14 27	16	19
13 25 07	23	23	20	16 09	17	20	23	23	19	15 45	17	20	23	22	19	15 20	17	20
13 28 53	24	24	20	17 03	18	21	24	23	20	16 39	18	21	24	23	20	16 14	18	21
13 32 39	25	24	21	17 57	19	22	25	24	21	17 33	19	22	25	24	21	17 08	19	22
13 36 26	26	25	22	18 51	20	23	26	25	22	18 27	20	23	26	25	22	18 03	20	23
13 40 13	27	26	23	19 46	21	24	27	26	23	19 22	21	24	27	26	23	18 57	21	24
13 44 01	28	27	24	20 41	22	26	28	27	24	20 17	22	26	28	27	23	19 52	22	26
13 47 49	29	28	25	21 36	23	27	29	28	25	21 12	23	27	29	28	24	20 48	23	27
13 51 38	♏	29	26	22 31	24	28	♏	29	25	22 07	24	28	♏	29	25	21 43	24	28
13 55 28	1	♐	27	23 27	25	29	1	♐	26	23 03	25	29	1	♐	26	22 39	25	29
13 59 18	2	1	27	24 23	26	♈	2	1	27	24 00	26	♈	2	1	27	23 36	26	♈
14 03 09	3	2	28	25 20	27	1	3	2	28	24 56	27	1	3	2	28	24 32	27	1
14 07 00	4	3	29	26 16	28	2	4	3	29	25 53	28	2	4	2	29	25 29	28	2
14 10 52	5	4	♑	27 13	29	3	5	3	♑	26 50	29	3	5	3	♑	26 27	29	3
14 14 45	6	4	1	28 11	♓	4	6	4	1	27 48	♓	4	6	4	0	27 25	♓	4
14 18 38	7	5	2	29 09	1	5	7	5	2	28 46	1	5	7	5	1	28 23	1	5
14 22 32	8	6	3	0♒07	3	6	8	6	2	29 44	2	6	8	6	2	29 21	2	6
14 26 27	9	7	4	1 06	4	7	9	7	3	0♒43	3	7	9	7	3	0♒20	3	7
14 30 22	10	8	5	2 05	5	8	10	8	4	1 42	5	8	10	8	4	1 20	4	8
14 34 18	11	9	5	3 04	6	10	11	9	5	2 42	6	10	11	9	5	2 19	6	10
14 38 14	12	10	6	4 04	7	11	12	10	6	3 42	7	11	12	10	6	3 20	7	11
14 42 12	13	11	7	5 04	8	12	13	11	7	4 42	8	12	13	11	7	4 20	8	12
14 46 10	14	12	8	6 05	9	13	14	12	8	5 43	9	13	14	12	8	5 21	9	13
HOUSES	4	5	6	7	8	9	4	5	6	7	8	9	4	5	6	7	8	9
	LATITUDE 9° S.						LATITUDE 10° S.						LATITUDE 11° S.					

LATITUDE 9° N.

SIDEREAL TIME h m s	10 ♏ °	11 ♐ °	12 ♑ °	Asc ♒ ° '	2 ♓ °	3 ♈ °
14 50 09	15	13	9	7 06	10	14
14 54 08	16	14	10	8 07	11	15
14 58 08	17	15	11	9 09	12	16
15 02 09	18	16	12	10 12	14	17
15 06 11	19	16	13	11 14	15	18
15 10 13	20	17	14	12 18	16	19
15 14 16	21	18	15	13 21	17	21
15 18 20	22	19	16	14 25	18	22
15 22 25	23	20	17	15 30	19	23
15 26 30	24	21	18	16 35	20	24
15 30 36	25	22	19	17 41	22	25
15 34 43	26	23	20	18 47	23	26
15 38 50	27	24	21	19 53	24	27
15 42 58	28	25	22	21 00	25	28
15 47 07	29	26	23	22 08	26	29
15 51 16	♐	27	24	23 15	28	♉
15 55 27	1	28	25	24 24	29	2
15 59 37	2	29	26	25 33	♈	3
16 03 49	3	♑	27	26 42	1	4
16 08 01	4	1	28	27 51	2	5
16 12 14	5	2	29	29 01	3	6
16 16 27	6	3	♒	0♓12	5	7
16 20 41	7	4	1	1 23	6	8
16 24 56	8	5	2	2 34	7	9
16 29 11	9	5	3	3 46	8	11
16 33 27	10	6	4	4 58	10	12
16 37 43	11	7	5	6 11	11	13
16 42 00	12	8	6	7 24	12	14
16 46 17	13	9	7	8 37	13	15
16 50 35	14	10	8	9 50	14	16
16 54 53	15	11	9	11 04	16	17
16 59 11	16	12	10	12 19	17	18
17 03 30	17	13	12	13 33	18	19
17 07 49	18	14	13	14 48	19	20
17 12 09	19	15	14	16 03	20	21
17 16 29	20	16	15	17 18	22	23
17 20 49	21	17	16	18 34	23	24
17 25 10	22	19	17	19 49	24	25
17 29 31	23	20	18	21 05	25	26
17 33 52	24	21	19	22 21	26	27
17 38 13	25	22	21	23 38	28	28
17 42 34	26	23	22	24 54	29	29
17 46 55	27	24	23	26 10	♉	♊
17 51 17	28	25	24	27 27	1	1
17 55 38	29	26	25	28 43	2	2
HOUSES	4	5	6	7	8	9

LATITUDE 9° S.

LATITUDE 10° N.

SIDEREAL TIME h m s	10 ♏ °	11 ♐ °	12 ♑ °	Asc ♒ ° '	2 ♓ °	3 ♈ °
14 50 09	15	13	9	6 44	10	14
14 54 08	16	14	10	7 46	11	15
14 58 08	17	14	11	8 48	12	16
15 02 09	18	15	12	9 51	13	17
15 06 11	19	16	13	10 54	15	18
15 10 13	20	17	14	11 58	16	20
15 14 16	21	18	15	13 02	17	21
15 18 20	22	19	15	14 06	18	22
15 22 25	23	20	16	15 11	19	23
15 26 30	24	21	17	16 16	20	24
15 30 36	25	22	18	17 22	22	25
15 34 43	26	23	19	18 29	23	26
15 38 50	27	24	20	19 36	24	27
15 42 58	28	25	21	20 43	25	28
15 47 07	29	26	22	21 51	26	♉
15 51 16	♐	27	23	22 59	27	1
15 55 27	1	28	24	24 08	29	2
15 59 37	2	29	25	25 17	♈	3
16 03 49	3	♑	26	26 26	1	4
16 08 01	4	0	27	27 36	2	5
16 12 14	5	1	28	28 47	4	6
16 16 27	6	2	29	29 58	5	7
16 20 41	7	3	♒	1♓09	6	8
16 24 56	8	4	2	2 21	7	10
16 29 11	9	5	3	3 34	8	11
16 33 27	10	6	4	4 46	10	12
16 37 43	11	7	5	5 59	11	13
16 42 00	12	8	6	7 13	12	14
16 46 17	13	9	7	8 26	13	15
16 50 35	14	10	8	9 41	14	16
16 54 53	15	11	9	10 55	16	17
16 59 11	16	12	10	12 10	17	18
17 03 30	17	13	11	13 25	18	19
17 07 49	18	14	12	14 40	19	20
17 12 09	19	15	14	15 56	21	22
17 16 29	20	16	15	17 12	22	23
17 20 49	21	17	16	18 28	23	24
17 25 10	22	18	17	19 44	24	25
17 29 31	23	19	18	21 01	25	26
17 33 52	24	20	19	22 18	27	27
17 38 13	25	21	20	23 34	28	28
17 42 34	26	23	22	24 51	29	29
17 46 55	27	24	23	26 08	♉	♊
17 51 17	28	25	24	27 25	1	1
17 55 38	29	26	25	28 43	3	2
HOUSES	4	5	6	7	8	9

LATITUDE 10° S.

LATITUDE 11° N.

SIDEREAL TIME h m s	10 ♏ °	11 ♐ °	12 ♑ °	Asc ♒ ° '	2 ♓ °	3 ♈ °
14 50 09	15	12	9	6 23	10	14
14 54 08	16	13	10	7 25	11	15
14 58 08	17	14	10	8 27	12	16
15 02 09	18	15	11	9 30	13	17
15 06 11	19	16	12	10 33	15	18
15 10 13	20	17	13	11 37	16	20
15 14 16	21	18	14	12 42	17	21
15 18 20	22	19	15	13 46	18	22
15 22 25	23	20	16	14 52	19	23
15 26 30	24	21	17	15 57	20	24
15 30 36	25	22	18	17 04	22	25
15 34 43	26	23	19	18 10	23	26
15 38 50	27	24	20	19 17	24	27
15 42 58	28	25	21	20 25	25	28
15 47 07	29	26	22	21 33	26	♉
15 51 16	♐	27	23	22 42	27	1
15 55 27	1	27	24	23 51	29	2
15 59 37	2	28	25	25 01	♈	3
16 03 49	3	29	26	26 11	1	4
16 08 01	4	♑	27	27 21	2	5
16 12 14	5	1	28	28 32	4	6
16 16 27	6	2	29	29 44	5	7
16 20 41	7	3	♒	0♓56	6	8
16 24 56	8	4	1	2 08	7	10
16 29 11	9	5	2	3 21	8	11
16 33 27	10	6	3	4 34	10	12
16 37 43	11	7	5	5 48	11	13
16 42 00	12	8	6	7 01	12	14
16 46 17	13	9	7	8 16	13	15
16 50 35	14	10	8	9 31	15	16
16 54 53	15	11	9	10 46	16	17
16 59 11	16	12	10	12 01	17	18
17 03 30	17	13	11	13 17	18	20
17 07 49	18	14	12	14 33	19	21
17 12 09	19	15	13	15 49	21	22
17 16 29	20	16	14	17 05	22	23
17 20 49	21	17	16	18 22	23	24
17 25 10	22	18	17	19 39	24	25
17 29 31	23	19	18	20 56	26	26
17 33 52	24	20	19	22 14	27	27
17 38 13	25	21	20	23 31	28	28
17 42 34	26	22	21	24 49	29	29
17 46 55	27	23	23	26 06	♉	♊
17 51 17	28	24	24	27 24	2	1
17 55 38	29	26	25	28 42	3	2
HOUSES	4	5	6	7	8	9

LATITUDE 11° S.

LATITUDE 9° N.

SIDEREAL TIME h m s	10 ♑ °	11 ♑ °	12 ♒ °	Asc ♈ ° '	2 ♉ °	3 ♊ °
18 00 00	0	27	26	0 00	4	3
18 04 22	1	28	28	1 16	5	4
18 08 43	2	29	29	2 33	6	5
18 13 05	3	♒	♓	3 49	7	6
18 17 26	4	1	1	5 06	8	7
18 21 47	5	2	2	6 22	9	8
18 26 08	6	3	4	7 38	11	9
18 30 29	7	4	5	8 54	12	10
18 34 50	8	5	6	10 10	13	11
18 39 11	9	6	7	11 26	14	12
18 43 31	10	7	8	12 41	15	14
18 47 51	11	9	10	13 57	16	15
18 52 11	12	10	11	15 12	17	16
18 56 30	13	11	12	16 27	18	17
19 00 49	14	12	13	17 41	20	18
19 05 07	15	13	14	18 55	21	19
19 09 25	16	14	16	20 09	22	20
19 13 43	17	15	17	21 23	23	21
19 18 00	18	16	18	22 36	24	22
19 22 17	19	17	19	23 49	25	23
19 26 33	20	18	20	25 01	26	24
19 30 49	21	19	22	26 14	27	24
19 35 04	22	21	23	27 25	28	25
19 39 19	23	22	24	28 37	29	26
19 43 33	24	23	25	29 48	♊	27
19 47 46	25	24	27	0♉58	1	28
19 51 59	26	25	28	2 08	2	29
19 56 11	27	26	29	3 18	3	♋
20 00 23	28	27	♈	4 27	4	1
20 04 33	29	28	1	5 36	5	2
20 08 44	♒	29	2	6 44	6	3
20 12 53	1	♓	4	7 52	7	4
20 17 02	2	2	5	8 59	8	5
20 21 10	3	3	6	10 06	9	6
20 25 17	4	4	7	11 13	10	7
20 29 24	5	5	8	12 19	11	8
20 33 30	6	6	10	13 24	12	9
20 37 35	7	7	11	14 30	13	10
20 41 40	8	8	12	15 34	14	11
20 45 44	9	9	13	16 38	15	12
20 49 47	10	11	14	17 42	16	13
20 53 49	11	12	15	18 45	17	14
20 57 51	12	13	16	19 48	18	14
21 01 52	13	14	18	20 50	19	15
21 05 52	14	15	19	21 52	20	16
HOUSES	4	5	6	7	8	9

LATITUDE 9° S.

LATITUDE 10° N.

SIDEREAL TIME h m s	10 ♑ °	11 ♑ °	12 ♒ °	Asc ♈ ° '	2 ♉ °	3 ♊ °
18 00 00	0	27	26	0 00	4	3
18 04 22	1	28	27	1 17	5	4
18 08 43	2	29	29	2 34	6	5
18 13 05	3	♒	♓	3 51	7	6
18 17 26	4	1	1	5 08	8	7
18 21 47	5	2	2	6 25	10	9
18 26 08	6	3	3	7 42	11	10
18 30 29	7	4	5	8 59	12	11
18 34 50	8	5	6	10 15	13	12
18 39 11	9	6	7	11 32	14	13
18 43 31	10	7	8	12 48	15	14
18 47 51	11	8	9	14 04	16	15
18 52 11	12	10	11	15 19	18	16
18 56 30	13	11	12	16 35	19	17
19 00 49	14	12	13	17 50	20	18
19 05 07	15	13	14	19 05	21	19
19 09 25	16	14	16	20 19	22	20
19 13 43	17	15	17	21 33	23	21
19 18 00	18	16	18	22 47	24	22
19 22 17	19	17	19	24 00	25	23
19 26 33	20	18	20	25 13	26	24
19 30 49	21	19	22	26 26	27	25
19 35 04	22	20	23	27 38	28	26
19 39 19	23	22	24	28 50	29	27
19 43 33	24	23	25	0♉02	♊	28
19 47 46	25	24	26	1 13	2	29
19 51 59	26	25	28	2 23	3	29
19 56 11	27	26	29	3 33	4	♋
20 00 23	28	27	♈	4 43	5	1
20 04 33	29	28	1	5 52	6	2
20 08 44	♒	29	3	7 01	7	3
20 12 53	1	♓	4	8 09	8	4
20 17 02	2	2	5	9 17	9	5
20 21 10	3	3	6	10 24	10	6
20 25 17	4	4	7	11 31	11	7
20 29 24	5	5	8	12 37	12	8
20 33 30	6	6	10	13 43	13	9
20 37 35	7	7	11	14 49	14	10
20 41 40	8	8	12	15 54	15	11
20 45 44	9	9	13	16 58	15	12
20 49 47	10	10	14	18 02	16	13
20 53 49	11	12	15	19 06	17	14
20 57 51	12	13	17	20 09	18	15
21 01 52	13	14	18	21 11	19	16
21 05 52	14	15	19	22 13	20	16
HOUSES	4	5	6	7	8	9

LATITUDE 10° S.

LATITUDE 11° N.

SIDEREAL TIME h m s	10 ♑ °	11 ♑ °	12 ♒ °	Asc ♈ ° '	2 ♉ °	3 ♊ °
18 00 00	0	27	26	0 00	4	3
18 04 22	1	28	27	1 18	5	4
18 08 43	2	29	28	2 35	6	6
18 13 05	3	♒	♓	3 53	7	7
18 17 26	4	1	1	5 11	9	8
18 21 47	5	2	2	6 29	10	9
18 26 08	6	3	3	7 46	11	10
18 30 29	7	4	4	9 03	12	11
18 34 50	8	5	6	10 20	13	12
18 39 11	9	6	7	11 37	14	13
18 43 31	10	7	8	12 54	16	14
18 47 51	11	8	9	14 11	17	15
18 52 11	12	9	11	15 27	18	16
18 56 30	13	10	12	16 43	19	17
19 00 49	14	12	13	17 59	20	18
19 05 07	15	13	14	19 14	21	19
19 09 25	16	14	15	20 29	22	20
19 13 43	17	15	17	21 44	23	21
19 18 00	18	16	18	22 58	24	22
19 22 17	19	17	19	24 12	25	23
19 26 33	20	18	20	25 26	27	24
19 30 49	21	19	22	26 39	28	25
19 35 04	22	20	23	27 52	29	26
19 39 19	23	21	24	29 04	♊	27
19 43 33	24	23	25	0♉16	1	28
19 47 46	25	24	26	1 27	2	29
19 51 59	26	25	28	2 38	3	♋
19 56 11	27	26	29	3 49	4	1
20 00 23	28	27	♈	4 59	5	2
20 04 33	29	28	1	6 09	6	3
20 08 44	♒	29	3	7 18	7	3
20 12 53	1	♓	4	8 26	8	4
20 17 02	2	2	5	9 35	9	5
20 21 10	3	3	6	10 42	10	6
20 25 17	4	4	7	11 49	11	7
20 29 24	5	5	8	12 56	12	8
20 33 30	6	6	10	14 02	13	9
20 37 35	7	7	11	15 08	14	10
20 41 40	8	8	12	16 13	15	11
20 45 44	9	9	13	17 18	16	12
20 49 47	10	10	14	18 22	17	13
20 53 49	11	12	15	19 26	18	14
20 57 51	12	13	17	20 30	19	15
21 01 52	13	14	18	21 32	20	16
21 05 52	14	15	19	22 35	20	17
HOUSES	4	5	6	7	8	9

LATITUDE 11° S.

	LATITUDE 9° N.					
SIDEREAL TIME	10 ♒	11 ♓	12 ♈	Asc ♉	2 ♊	3 ♋
h m s	°	°	°	° '	°	°
21 09 51	15	16	20	22 54	21	17
21 13 50	16	17	21	23 55	22	18
21 17 48	17	18	22	24 56	23	19
21 21 46	18	19	23	25 56	24	20
21 25 42	19	20	24	26 56	25	21
21 29 38	20	22	25	27 55	25	22
21 33 33	21	23	26	28 54	26	23
21 37 28	22	24	27	29 53	27	24
21 41 22	23	25	29	0♊51	28	25
21 45 15	24	26	♉	1 49	29	26
21 49 08	25	27	1	2 46	♋	26
21 53 00	26	28	2	3 43	1	27
21 56 51	27	29	3	4 40	2	28
22 00 42	28	♈	4	5 37	3	29
22 04 32	29	1	5	6 33	3	♌
22 08 22	♓	2	6	7 28	4	1
22 12 10	1	3	7	8 24	5	2
22 15 59	2	4	8	9 19	6	3
22 19 47	3	6	9	10 14	7	4
22 23 34	4	7	10	11 08	8	5
22 27 21	5	8	11	12 03	9	6
22 31 07	6	9	12	12 57	10	6
22 34 53	7	10	13	13 50	10	7
22 38 39	8	11	14	14 44	11	8
22 42 24	9	12	15	15 37	12	9
22 46 08	10	13	16	16 30	13	10
22 49 52	11	14	17	17 23	14	11
22 53 36	12	15	18	18 16	15	12
22 57 19	13	16	19	19 08	16	13
23 01 03	14	17	20	20 00	16	14
23 04 45	15	18	21	20 52	17	15
23 08 28	16	19	22	21 44	18	16
23 12 10	17	20	22	22 36	19	16
23 15 52	18	21	23	23 27	20	17
23 19 33	19	22	24	24 18	21	18
23 23 15	20	23	25	25 10	21	19
23 26 56	21	24	26	26 01	22	20
23 30 37	22	25	27	26 52	23	21
23 34 17	23	26	28	27 43	24	22
23 37 58	24	27	29	28 33	25	23
23 41 39	25	28	♊	29 24	26	24
23 45 19	26	29	1	0♋15	27	25
23 48 59	27	♉	2	1 05	27	26
23 52 40	28	1	3	1 55	28	27
23 56 20	29	2	3	2 46	29	28
HOUSES	4	5	6	7	8	9
	LATITUDE 9° S.					

	LATITUDE 10° N.					
SIDEREAL TIME	10 ♒	11 ♓	12 ♈	Asc ♉	2 ♊	3 ♋
h m s	°	°	°	° '	°	°
21 09 51	15	16	20	23 15	21	17
21 13 50	16	17	21	24 16	22	18
21 17 48	17	18	22	25 17	23	19
21 21 46	18	19	23	26 18	24	20
21 25 42	19	20	24	27 18	25	21
21 29 38	20	22	25	28 17	26	22
21 33 33	21	23	27	29 17	27	23
21 37 28	22	24	28	0♊15	28	24
21 41 22	23	25	29	1 14	28	25
21 45 15	24	26	♉	2 12	29	26
21 49 08	25	27	1	3 09	♋	27
21 53 00	26	28	2	4 07	1	27
21 56 51	27	29	3	5 04	2	28
22 00 42	28	♈	4	6 00	3	29
22 04 32	29	1	5	6 56	4	♌
22 08 22	♓	2	6	7 52	5	1
22 12 10	1	3	7	8 48	5	2
22 15 59	2	4	8	9 43	6	3
22 19 47	3	6	9	10 38	7	4
22 23 34	4	7	10	11 33	8	5
22 27 21	5	8	11	12 27	9	6
22 31 07	6	9	12	13 21	10	7
22 34 53	7	10	13	14 15	11	7
22 38 39	8	11	14	15 08	12	8
22 42 24	9	12	15	16 02	12	9
22 46 08	10	13	16	16 55	13	10
22 49 52	11	14	17	17 48	14	11
22 53 36	12	15	18	18 40	15	12
22 57 19	13	16	19	19 33	16	13
23 01 03	14	17	20	20 25	17	14
23 04 45	15	18	21	21 17	17	15
23 08 28	16	19	22	22 09	18	16
23 12 10	17	20	23	23 00	19	17
23 15 52	18	21	24	23 52	20	17
23 19 33	19	22	25	24 43	21	18
23 23 15	20	23	25	25 34	22	19
23 26 56	21	24	26	26 25	23	20
23 30 37	22	25	27	27 16	23	21
23 34 17	23	26	28	28 07	24	22
23 37 58	24	27	29	28 58	25	23
23 41 39	25	28	♊	29 49	26	24
23 45 19	26	29	1	0♋39	27	25
23 48 59	27	♉	2	1 30	28	26
23 52 40	28	1	3	2 20	29	27
23 56 20	29	2	4	3 10	29	28
HOUSES	4	5	6	7	8	9
	LATITUDE 10° S.					

	LATITUDE 11° N.					
SIDEREAL TIME	10 ♒	11 ♓	12 ♈	Asc ♉	2 ♊	3 ♋
h m s	°	°	°	° '	°	°
21 09 51	15	16	20	23 37	21	18
21 13 50	16	17	21	24 38	22	18
21 17 48	17	18	22	25 39	23	19
21 21 46	18	19	23	26 40	24	20
21 25 42	19	20	24	27 40	25	21
21 29 38	20	21	26	28 40	26	22
21 33 33	21	23	27	29 39	27	23
21 37 28	22	24	28	0♊38	28	24
21 41 22	23	25	29	1 37	29	25
21 45 15	24	26	♉	2 35	♋	26
21 49 08	25	27	1	3 33	0	27
21 53 00	26	28	2	4 30	1	28
21 56 51	27	29	3	5 27	2	28
22 00 42	28	♈	4	6 24	3	29
22 04 32	29	1	5	7 20	4	♌
22 08 22	♓	2	6	8 16	5	1
22 12 10	1	3	7	9 12	6	2
22 15 59	2	4	8	10 07	7	3
22 19 47	3	6	9	11 02	7	4
22 23 34	4	7	10	11 57	8	5
22 27 21	5	8	11	12 51	9	6
22 31 07	6	9	12	13 46	10	7
22 34 53	7	10	13	14 39	11	8
22 38 39	8	11	14	15 33	12	8
22 42 24	9	12	15	16 26	13	9
22 46 08	10	13	16	17 19	13	10
22 49 52	11	14	17	18 12	14	11
22 53 36	12	15	18	19 05	15	12
22 57 19	13	16	19	19 57	16	13
23 01 03	14	17	20	20 50	17	14
23 04 45	15	18	21	21 42	18	15
23 08 28	16	19	22	22 34	19	16
23 12 10	17	20	23	23 25	19	17
23 15 52	18	21	24	24 17	20	18
23 19 33	19	22	25	25 08	21	18
23 23 15	20	23	26	25 59	22	19
23 26 56	21	24	27	26 50	23	20
23 30 37	22	25	28	27 41	24	21
23 34 17	23	26	28	28 32	25	22
23 37 58	24	27	29	29 23	25	23
23 41 39	25	28	♊	0♋13	26	24
23 45 19	26	29	1	1 04	27	25
23 48 59	27	♉	2	1 54	28	26
23 52 40	28	1	3	2 45	29	27
23 56 20	29	2	4	3 35	♌	28
HOUSES	4	5	6	7	8	9
	LATITUDE 11° S.					

LATITUDE 12° N.

SIDEREAL TIME	10	11	12	Asc		2	3
	♈	♉	♊	♋		♌	♌
h m s	°	°	°	°	'	°	°
0 00 00	0	3	5	4	50	1	29
0 03 40	1	4	6	5	40	2	♍
0 07 20	2	5	7	6	30	2	1
0 11 01	3	6	8	7	20	3	2
0 14 41	4	7	9	8	10	4	2
0 18 21	5	8	10	9	00	5	3
0 22 02	6	9	10	9	50	6	4
0 25 43	7	10	11	10	40	7	5
0 29 23	8	11	12	11	30	8	6
0 33 04	9	12	13	12	20	9	7
0 36 45	10	13	14	13	10	9	8
0 40 27	11	14	15	14	00	10	9
0 44 08	12	15	16	14	51	11	10
0 47 50	13	16	17	15	41	12	11
0 51 32	14	17	17	16	31	13	12
0 55 15	15	18	18	17	21	14	13
0 58 57	16	18	19	18	12	15	14
1 02 41	17	19	20	19	02	16	15
1 06 24	18	20	21	19	53	16	16
1 10 08	19	21	22	20	44	17	17
1 13 52	20	22	23	21	35	18	18
1 17 36	21	23	23	22	26	19	19
1 21 21	22	24	24	23	17	20	20
1 25 07	23	25	25	24	08	21	21
1 28 53	24	26	26	24	59	22	22
1 32 39	25	27	27	25	51	23	23
1 36 26	26	28	28	26	42	24	24
1 40 13	27	29	29	27	34	25	25
1 44 01	28	♊	♋	28	26	26	26
1 47 49	29	1	0	29	19	27	27
1 51 38	♉	2	1	0♌	11	27	28
1 55 28	1	2	2	1	04	28	29
1 59 18	2	3	3	1	56	29	♎
2 03 09	3	4	4	2	49	♍	1
2 07 00	4	5	5	3	43	1	2
2 10 52	5	6	6	4	36	2	3
2 14 45	6	7	7	5	30	3	4
2 18 38	7	8	7	6	23	4	5
2 22 32	8	9	8	7	18	5	6
2 26 27	9	10	9	8	12	6	7
2 30 22	10	11	10	9	07	7	8
2 34 18	11	12	11	10	01	8	9
2 38 14	12	13	12	10	57	9	10
2 42 12	13	14	13	11	52	10	11
2 46 10	14	15	14	12	48	11	12
HOUSES	4	5	6	7		8	9

LATITUDE 12° S.

LATITUDE 13° N.

SIDEREAL TIME	10	11	12	Asc		2	3
	♈	♉	♊	♋		♌	♌
h m s	°	°	°	°	'	°	°
0 00 00	0	3	5	5	15	1	29
0 03 40	1	4	6	6	05	2	♍
0 07 20	2	5	7	6	55	3	1
0 11 01	3	6	8	7	45	4	2
0 14 41	4	7	9	8	35	4	3
0 18 21	5	8	10	9	25	5	3
0 22 02	6	9	11	10	15	6	4
0 25 43	7	10	12	11	04	7	5
0 29 23	8	11	12	11	54	8	6
0 33 04	9	12	13	12	44	9	7
0 36 45	10	13	14	13	34	10	8
0 40 27	11	14	15	14	24	10	9
0 44 08	12	15	16	15	14	11	10
0 47 50	13	16	17	16	04	12	11
0 51 32	14	17	18	16	55	13	12
0 55 15	15	18	19	17	45	14	13
0 58 57	16	19	19	18	35	15	14
1 02 41	17	20	20	19	26	16	15
1 06 24	18	20	21	20	16	17	16
1 10 08	19	21	22	21	07	18	17
1 13 52	20	22	23	21	57	18	18
1 17 36	21	23	24	22	48	19	19
1 21 21	22	24	25	23	39	20	20
1 25 07	23	25	25	24	30	21	21
1 28 53	24	26	26	25	21	22	22
1 32 39	25	27	27	26	13	23	23
1 36 26	26	28	28	27	04	24	24
1 40 13	27	29	29	27	56	25	25
1 44 01	28	♊	♋	28	48	26	26
1 47 49	29	1	1	29	40	27	27
1 51 38	♉	2	2	0♌	32	28	28
1 55 28	1	3	2	1	24	29	29
1 59 18	2	4	3	2	17	♍	♎
2 03 09	3	4	4	3	10	0	1
2 07 00	4	5	5	4	03	1	2
2 10 52	5	6	6	4	56	2	3
2 14 45	6	7	7	5	49	3	4
2 18 38	7	8	8	6	43	4	5
2 22 32	8	9	9	7	37	5	6
2 26 27	9	10	10	8	31	6	7
2 30 22	10	11	10	9	25	7	8
2 34 18	11	12	11	10	20	8	9
2 38 14	12	13	12	11	15	9	10
2 42 12	13	14	13	12	10	10	11
2 46 10	14	15	14	13	05	11	12
HOUSES	4	5	6	7		8	9

LATITUDE 13° S.

LATITUDE 14° N.

SIDEREAL TIME	10	11	12	Asc		2	3
	♈	♉	♊	♋		♌	♌
h m s	°	°	°	°	'	°	°
0 00 00	0	3	6	5	40	1	29
0 03 40	1	4	7	6	30	2	♍
0 07 20	2	5	7	7	20	3	1
0 11 01	3	6	8	8	09	4	2
0 14 41	4	7	9	8	59	5	3
0 18 21	5	8	10	9	49	5	4
0 22 02	6	9	11	10	39	6	4
0 25 43	7	10	12	11	29	7	5
0 29 23	8	11	13	12	19	8	6
0 33 04	9	12	14	13	09	9	7
0 36 45	10	13	14	13	58	10	8
0 40 27	11	14	15	14	48	11	9
0 44 08	12	15	16	15	38	12	10
0 47 50	13	16	17	16	28	12	11
0 51 32	14	17	18	17	18	13	12
0 55 15	15	18	19	18	08	14	13
0 58 57	16	19	20	18	59	15	14
1 02 41	17	20	21	19	49	16	15
1 06 24	18	21	21	20	39	17	16
1 10 08	19	22	22	21	30	18	17
1 13 52	20	22	23	22	20	19	18
1 17 36	21	23	24	23	11	20	19
1 21 21	22	24	25	24	02	20	20
1 25 07	23	25	26	24	53	21	21
1 28 53	24	26	27	25	44	22	22
1 32 39	25	27	28	26	35	23	23
1 36 26	26	28	28	27	26	24	24
1 40 13	27	29	29	28	18	25	25
1 44 01	28	♊	♋	29	09	26	26
1 47 49	29	1	1	0♌	01	27	27
1 51 38	♉	2	2	0	53	28	28
1 55 28	1	3	3	1	45	29	29
1 59 18	2	4	4	2	38	♍	♎
2 03 09	3	5	5	3	30	1	1
2 07 00	4	6	5	4	23	2	2
2 10 52	5	6	6	5	16	3	3
2 14 45	6	7	7	6	09	3	4
2 18 38	7	8	8	7	03	4	5
2 22 32	8	9	9	7	56	5	6
2 26 27	9	10	10	8	50	6	7
2 30 22	10	11	11	9	44	7	8
2 34 18	11	12	12	10	39	8	9
2 38 14	12	13	12	11	33	9	10
2 42 12	13	14	13	12	28	10	11
2 46 10	14	15	14	13	23	11	12
HOUSES	4	5	6	7		8	9

LATITUDE 14° S.

	LATITUDE 12° N.						LATITUDE 13° N.						LATITUDE 14° N.					
SIDEREAL TIME	10 ♉	11 ♊	12 ♋	Asc ♌	2 ♍	3 ♎	10 ♉	11 ♊	12 ♋	Asc ♌	2 ♍	3 ♎	10 ♉	11 ♊	12 ♋	Asc ♌	2 ♍	3 ♎
h m s	°	°	°	° '	°	°	°	°	°	° '	°	°	°	°	°	° '	°	°
2 50 09	15	15	15	13 43	12	13	15	16	15	14 01	12	13	15	16	15	14 19	12	13
2 54 08	16	16	16	14 40	13	14	16	17	16	14 57	13	14	16	17	16	15 14	13	14
2 58 08	17	17	16	15 36	14	15	17	17	17	15 53	14	15	17	18	17	16 10	14	15
3 02 09	18	18	17	16 33	15	16	18	18	18	16 50	15	16	18	19	18	17 06	15	16
3 06 11	19	19	18	17 30	16	17	19	19	19	17 46	16	17	19	19	19	18 03	16	17
3 10 13	20	20	19	18 27	17	18	20	20	20	18 43	17	18	20	20	20	18 59	17	18
3 14 16	21	21	20	19 25	18	20	21	21	20	19 41	18	19	21	21	21	19 56	18	19
3 18 20	22	22	21	20 22	19	21	22	22	21	20 38	19	21	22	22	22	20 54	19	20
3 22 25	23	23	22	21 21	20	22	23	23	22	21 36	20	22	23	23	23	21 51	20	22
3 26 30	24	24	23	22 19	21	23	24	24	23	22 34	21	23	24	24	24	22 49	21	23
3 30 36	25	25	24	23 18	22	24	25	25	24	23 32	22	24	25	25	24	23 47	23	24
3 34 43	26	26	25	24 17	24	25	26	26	25	24 31	24	25	26	26	25	24 45	24	25
3 38 50	27	27	26	25 16	25	26	27	27	26	25 30	25	26	27	27	26	25 44	25	26
3 42 58	28	28	27	26 16	26	27	28	28	27	26 29	26	27	28	28	27	26 43	26	27
3 47 07	29	29	28	27 15	27	28	29	29	28	27 29	27	28	29	29	28	27 42	27	28
3 51 16	♊	♋	29	28 16	28	29	♊	♋	29	28 28	28	29	♊	♋	29	28 41	28	29
3 55 27	1	1	♌	29 16	29	♏	1	1	♌	29 28	29	♏	1	1	♌	29 41	29	♏
3 59 37	2	2	1	0♍17	♎	1	2	2	1	0♍29	♎	1	2	2	1	0♍41	♎	1
4 03 49	3	2	2	1 18	1	2	3	3	2	1 29	1	2	3	3	2	1 41	1	2
4 08 01	4	3	3	2 19	2	3	4	4	3	2 30	2	3	4	4	3	2 42	2	3
4 12 14	5	4	4	3 20	3	4	5	5	4	3 31	3	4	5	5	4	3 42	3	4
4 16 27	6	5	5	4 22	4	5	6	6	5	4 33	4	5	6	6	5	4 43	4	5
4 20 41	7	6	6	5 24	5	7	7	6	6	5 34	5	6	7	7	6	5 44	5	6
4 24 56	8	7	7	6 26	6	8	8	7	7	6 36	6	7	8	8	7	6 46	6	7
4 29 11	9	8	8	7 29	7	9	9	8	8	7 38	7	9	9	9	8	7 48	7	8
4 33 27	10	9	9	8 31	9	10	10	9	9	8 40	9	10	10	10	9	8 49	8	10
4 37 43	11	10	10	9 34	10	11	11	10	10	9 43	10	11	11	11	10	9 51	10	11
4 42 00	12	11	11	10 37	11	12	12	11	11	10 46	11	12	12	12	11	10 54	11	12
4 46 17	13	12	12	11 41	12	13	13	12	12	11 49	12	13	13	12	12	11 56	12	13
4 50 35	14	13	13	12 44	13	14	14	13	13	12 52	13	14	14	13	13	12 59	13	14
4 54 53	15	14	14	13 48	14	15	15	14	14	13 55	14	15	15	14	14	14 02	14	15
4 59 11	16	15	15	14 52	15	16	16	15	15	14 58	15	16	16	15	15	15 05	15	16
5 03 30	17	16	16	15 56	16	17	17	16	16	16 02	16	17	17	16	16	16 08	16	17
5 07 49	18	17	17	17 00	17	18	18	17	17	17 06	17	18	18	17	17	17 11	17	18
5 12 09	19	18	18	18 05	18	19	19	18	18	18 10	18	19	19	18	18	18 15	18	19
5 16 29	20	19	19	19 09	20	20	20	19	19	19 14	19	20	20	19	19	19 19	19	20
5 20 49	21	20	20	20 14	21	21	21	20	20	20 18	21	21	21	20	20	20 22	20	21
5 25 10	22	21	21	21 19	22	22	22	21	21	21 23	22	22	22	21	21	21 26	22	22
5 29 31	23	22	22	22 24	23	23	23	22	22	22 27	23	23	23	22	22	22 30	23	23
5 33 52	24	23	23	23 29	24	24	24	23	23	23 32	24	24	24	23	23	23 34	24	24
5 38 13	25	24	24	24 34	25	25	25	24	24	24 36	25	25	25	24	25	24 38	25	25
5 42 34	26	25	25	25 39	26	27	26	25	25	25 41	26	26	26	26	26	25 43	26	26
5 46 55	27	26	26	26 44	27	28	27	26	26	26 45	27	27	27	27	27	26 47	27	27
5 51 17	28	27	27	27 49	28	29	28	27	28	27 50	28	28	28	28	28	27 51	28	28
5 55 38	29	28	28	28 55	29	♐	29	28	29	28 55	29	29	29	29	29	28 55	29	29
HOUSES	4	5	6	7	8	9	4	5	6	7	8	9	4	5	6	7	8	9
	LATITUDE 12° S.						LATITUDE 13° S.						LATITUDE 14° S.					

	LATITUDE 12° N.						LATITUDE 13° N.						LATITUDE 14° N.					
SIDEREAL TIME	10	11	12	Asc	2	3	10	11	12	Asc	2	3	10	11	12	Asc	2	3
	♋	♋	♍	♎	♏	♐	♋	♋	♍	♎	♏	♐	♋	♌	♍	♎	♏	♐
h m s	°	°	°	° '	°	°	°	°	°	° '	°	°	°	°	°	° '	°	°
6 00 00	0	29	0	0 00	0	1	0	29	0	0 00	0	1	0	0	0	0 00	0	0
6 04 22	1	♌	1	1 05	2	2	1	♌	1	1 05	1	2	1	1	1	1 04	1	1
6 08 43	2	1	2	2 10	3	3	2	2	2	2 09	2	3	2	2	2	2 08	2	2
6 13 05	3	2	3	3 16	4	4	3	3	3	3 14	4	4	3	3	3	3 13	3	3
6 17 26	4	3	4	4 21	5	5	4	4	4	4 19	5	5	4	4	4	4 17	4	4
6 21 47	5	5	5	5 26	6	6	5	5	5	5 24	6	6	5	5	5	5 21	5	6
6 26 08	6	6	6	6 31	7	7	6	6	6	6 28	7	7	6	6	6	6 25	7	7
6 30 29	7	7	7	7 36	8	8	7	7	7	7 33	8	8	7	7	7	7 29	8	8
6 34 50	8	8	8	8 41	9	9	8	8	8	8 37	9	9	8	8	8	8 33	9	9
6 39 11	9	9	9	9 46	10	10	9	9	9	9 41	10	10	9	9	10	9 37	10	10
6 43 31	10	10	10	10 50	11	11	10	10	11	10 46	11	11	10	10	11	10 41	11	11
6 47 51	11	11	12	11 55	12	12	11	11	12	11 50	12	12	11	11	12	11 45	12	12
6 52 11	12	12	13	12 59	13	13	12	12	13	12 54	13	13	12	12	13	12 48	13	13
6 56 30	13	13	14	14 03	14	14	13	13	14	13 57	14	14	13	13	14	13 52	14	14
7 00 49	14	14	15	15 08	15	15	14	14	15	15 01	15	15	14	14	15	14 55	15	15
7 05 07	15	15	16	16 12	16	16	15	15	16	16 05	16	16	15	15	16	15 58	16	16
7 09 25	16	16	17	17 15	17	17	16	16	17	17 08	17	17	16	16	17	17 01	17	17
7 13 43	17	17	18	18 19	18	18	17	17	18	18 11	18	18	17	17	18	18 03	18	18
7 18 00	18	18	19	19 22	19	19	18	18	19	19 14	19	19	18	18	19	19 06	19	18
7 22 17	19	19	20	20 25	20	20	19	19	20	20 17	20	20	19	19	20	20 08	20	19
7 26 33	20	20	21	21 28	21	21	20	20	21	21 19	21	21	20	20	22	21 10	21	20
7 30 49	21	21	23	22 31	22	22	21	21	23	22 22	22	22	21	22	23	22 12	22	21
7 35 04	22	22	24	23 33	23	23	22	23	24	23 24	23	23	22	23	24	23 14	23	22
7 39 19	23	23	25	24 36	24	24	23	24	25	24 25	24	24	23	24	25	24 15	24	23
7 43 33	24	25	26	25 38	25	25	24	25	26	25 27	25	24	24	25	26	25 16	25	24
7 47 46	25	26	27	26 39	26	26	25	26	27	26 28	26	25	25	26	27	26 17	26	25
7 51 59	26	27	28	27 41	27	27	26	27	28	27 29	27	26	26	27	28	27 18	27	26
7 56 11	27	28	29	28 42	28	28	27	28	29	28 30	28	27	27	28	29	28 18	28	27
8 00 23	28	29	♎	29 43	29	28	28	29	♎	29 31	29	28	28	29	♎	29 19	29	28
8 04 33	29	♍	1	0♏44	♐	29	29	♍	1	0♏31	♐	29	29	♍	1	0♏19	♐	29
8 08 44	♌	1	2	1 44	1	♑	♌	1	2	1 31	1	♑	♌	1	2	1 18	1	♑
8 12 53	1	2	3	2 44	2	1	1	2	3	2 31	2	1	1	2	3	2 18	2	1
8 17 02	2	3	4	3 44	3	2	2	3	4	3 30	3	2	2	3	4	3 17	3	2
8 21 10	3	4	5	4 44	4	3	3	4	5	4 30	4	3	3	4	5	4 16	4	3
8 25 17	4	5	6	5 43	5	4	4	5	6	5 29	5	4	4	5	6	5 14	5	4
8 29 24	5	6	8	6 42	6	5	5	6	8	6 27	6	5	5	6	7	6 13	6	5
8 33 30	6	7	9	7 41	7	6	6	7	9	7 26	7	6	6	7	9	7 11	6	6
8 37 35	7	8	10	8 39	8	7	7	8	10	8 24	8	7	7	8	10	8 08	7	7
8 41 40	8	9	11	9 37	9	8	8	9	11	9 22	9	8	8	10	11	9 06	8	8
8 45 44	9	10	12	10 35	10	9	9	11	12	10 19	10	9	9	11	12	10 03	9	9
8 49 47	10	12	13	11 33	11	10	10	12	13	11 16	10	10	10	12	13	11 00	10	10
8 53 49	11	13	14	12 30	12	11	11	13	14	12 13	11	11	11	13	14	11 57	11	11
8 57 51	12	14	15	13 27	13	12	12	14	15	13 10	12	12	12	14	15	12 53	12	11
9 01 52	13	15	16	14 24	14	13	13	15	16	14 06	13	13	13	15	16	13 49	13	12
9 05 52	14	16	17	15 20	14	14	14	16	17	15 03	14	13	14	16	17	14 45	14	13
HOUSES	4	5	6	7	8	9	4	5	6	7	8	9	4	5	6	7	8	9
	LATITUDE 12° S.						LATITUDE 13° S.						LATITUDE 14° S.					

LATITUDE 12° N.

SIDEREAL TIME h m s	10 ♌ °	11 ♍ °	12 ♎ °	Asc ♏ °	Asc '	2 ♐ °	3 ♑ °
9 09 51	15	17	18	16	16	15	15
9 13 50	16	18	19	17	12	16	15
9 17 48	17	19	20	18	08	17	16
9 21 46	18	20	21	19	03	18	17
9 25 42	19	21	22	19	58	19	18
9 29 38	20	22	23	20	53	20	19
9 33 33	21	23	24	21	48	21	20
9 37 28	22	24	25	22	42	22	21
9 41 22	23	25	26	23	36	23	22
9 45 15	24	26	27	24	30	23	23
9 49 08	25	27	28	25	24	24	24
9 53 00	26	28	29	26	17	25	25
9 56 51	27	29	♏	27	10	26	26
10 00 42	28	♎	1	28	03	27	27
10 04 32	29	1	2	28	56	28	28
10 08 22	♍	2	3	29	49	29	28
10 12 10	1	3	3	0♐	41	♑	29
10 15 59	2	4	4	1	33	0	♒
10 19 47	3	5	5	2	25	1	1
10 23 34	4	6	6	3	17	2	2
10 27 21	5	7	7	4	09	3	3
10 31 07	6	8	8	5	00	4	4
10 34 53	7	9	9	5	52	5	5
10 38 39	8	10	10	6	43	6	6
10 42 24	9	11	11	7	34	7	7
10 46 08	10	12	12	8	25	7	8
10 49 52	11	13	13	9	16	8	9
10 53 36	12	14	14	10	07	9	10
10 57 19	13	15	14	10	57	10	11
11 01 03	14	16	15	11	48	11	12
11 04 45	15	17	16	12	38	12	12
11 08 28	16	18	17	13	29	13	13
11 12 10	17	19	18	14	19	13	14
11 15 52	18	20	19	15	09	14	15
11 19 33	19	21	20	15	59	15	16
11 23 15	20	22	21	16	49	16	17
11 26 56	21	23	21	17	39	17	18
11 30 37	22	24	22	18	29	18	19
11 34 17	23	25	23	19	20	19	20
11 37 58	24	26	24	20	10	20	21
11 41 39	25	27	25	21	00	20	22
11 45 19	26	28	26	21	50	21	23
11 48 59	27	28	27	22	40	22	24
11 52 40	28	29	28	23	30	23	25
11 56 20	29	♏	28	24	20	24	26
HOUSES	4	5	6	7		8	9

LATITUDE 12° S.

LATITUDE 13° N.

SIDEREAL TIME h m s	10 ♌ °	11 ♍ °	12 ♎ °	Asc ♏ °	Asc '	2 ♐ °	3 ♑ °
9 09 51	15	17	18	15	59	15	14
9 13 50	16	18	19	16	54	16	15
9 17 48	17	19	20	17	50	17	16
9 21 46	18	20	21	18	45	18	17
9 25 42	19	21	22	19	40	19	18
9 29 38	20	22	23	20	34	20	19
9 33 33	21	23	24	21	29	20	20
9 37 28	22	24	25	22	23	21	21
9 41 22	23	25	26	23	17	22	22
9 45 15	24	26	27	24	10	23	23
9 49 08	25	27	28	25	04	24	24
9 53 00	26	28	29	25	57	25	25
9 56 51	27	29	♏	26	50	26	26
10 00 42	28	♎	0	27	43	27	26
10 04 32	29	1	1	28	35	28	27
10 08 22	♍	2	2	29	28	28	28
10 12 10	1	3	3	0♐	20	29	29
10 15 59	2	4	4	1	12	♑	♒
10 19 47	3	5	5	2	04	1	1
10 23 34	4	6	6	2	55	2	2
10 27 21	5	7	7	3	47	3	3
10 31 07	6	8	8	4	38	4	4
10 34 53	7	9	9	5	29	4	5
10 38 39	8	10	10	6	21	5	6
10 42 24	9	11	11	7	11	6	7
10 46 08	10	12	12	8	02	7	8
10 49 52	11	13	12	8	53	8	9
10 53 36	12	14	13	9	44	9	10
10 57 19	13	15	14	10	34	10	10
11 01 03	14	16	15	11	24	11	11
11 04 45	15	17	16	12	15	11	12
11 08 28	16	18	17	13	05	12	13
11 12 10	17	19	18	13	55	13	14
11 15 52	18	20	19	14	45	14	15
11 19 33	19	21	20	15	35	15	16
11 23 15	20	22	20	16	25	16	17
11 26 56	21	23	21	17	15	17	18
11 30 37	22	24	22	18	05	18	19
11 34 17	23	25	23	18	55	18	20
11 37 58	24	26	24	19	45	19	21
11 41 39	25	27	25	20	35	20	22
11 45 19	26	27	26	21	25	21	23
11 48 59	27	28	26	22	15	22	24
11 52 40	28	29	27	23	05	23	25
11 56 20	29	♏	28	23	55	24	26
HOUSES	4	5	6	7		8	9

LATITUDE 13° S.

LATITUDE 14° N.

SIDEREAL TIME h m s	10 ♌ °	11 ♍ °	12 ♎ °	Asc ♏ °	Asc '	2 ♐ °	3 ♑ °
9 09 51	15	17	18	15	41	15	14
9 13 50	16	18	19	16	36	16	15
9 17 48	17	19	20	17	31	17	16
9 21 46	18	20	21	18	26	17	17
9 25 42	19	21	22	19	21	18	18
9 29 38	20	22	23	20	15	19	19
9 33 33	21	23	24	21	09	20	20
9 37 28	22	24	25	22	03	21	21
9 41 22	23	25	26	22	57	22	22
9 45 15	24	26	27	23	50	23	23
9 49 08	25	27	27	24	44	24	24
9 53 00	26	28	28	25	37	25	24
9 56 51	27	29	29	26	29	25	25
10 00 42	28	♎	♏	27	22	26	26
10 04 32	29	1	1	28	14	27	27
10 08 22	♍	2	2	29	06	28	28
10 12 10	1	3	3	29	58	29	29
10 15 59	2	4	4	0♐	50	♑	♒
10 19 47	3	5	5	1	42	1	1
10 23 34	4	6	6	2	33	2	2
10 27 21	5	7	7	3	25	2	3
10 31 07	6	8	8	4	16	3	4
10 34 53	7	9	9	5	07	4	5
10 38 39	8	10	10	5	58	5	6
10 42 24	9	11	10	6	49	6	7
10 46 08	10	12	11	7	39	7	8
10 49 52	11	13	12	8	30	8	8
10 53 36	12	14	13	9	20	9	9
10 57 19	13	15	14	10	11	9	10
11 01 03	14	16	15	11	01	10	11
11 04 45	15	17	16	11	51	11	12
11 08 28	16	18	17	12	41	12	13
11 12 10	17	19	18	13	31	13	14
11 15 52	18	20	18	14	21	14	15
11 19 33	19	21	19	15	11	15	16
11 23 15	20	22	20	16	01	16	17
11 26 56	21	23	21	16	51	16	18
11 30 37	22	24	22	17	41	17	19
11 34 17	23	25	23	18	31	18	20
11 37 58	24	26	24	19	21	19	21
11 41 39	25	26	25	20	10	20	22
11 45 19	26	27	25	21	00	21	23
11 48 59	27	28	26	21	50	22	24
11 52 40	28	29	27	22	40	23	25
11 56 20	29	♏	28	23	30	23	26
HOUSES	4	5	6	7		8	9

LATITUDE 14° S.

LATITUDE 12° N.

SIDEREAL TIME	10 ♎	11 ♏	12 ♏	Asc ♐	2 ♑	3 ♒
h m s	°	°	°	° '	°	°
12 00 00	0	1	29	25 10	25	27
12 03 40	1	2	♐	26 00	26	28
12 07 20	2	3	1	26 50	27	29
12 11 01	3	4	2	27 41	28	♓
12 14 41	4	5	3	28 31	29	1
12 18 21	5	6	4	29 21	29	2
12 22 02	6	7	4	0♑12	♒	3
12 25 43	7	8	5	1 03	1	4
12 29 23	8	9	6	1 53	2	5
12 33 04	9	10	7	2 44	3	6
12 36 45	10	11	8	3 35	4	7
12 40 27	11	11	9	4 27	5	8
12 44 08	12	12	9	5 18	6	9
12 47 50	13	13	10	6 09	7	10
12 51 32	14	14	11	7 01	8	11
12 55 15	15	15	12	7 53	9	12
12 58 57	16	16	13	8 45	10	13
13 02 41	17	17	14	9 37	11	14
13 06 24	18	18	15	10 30	12	15
13 10 08	19	19	15	11 22	13	16
13 13 52	20	20	16	12 15	14	17
13 17 36	21	21	17	13 08	15	18
13 21 21	22	21	18	14 02	16	19
13 25 07	23	22	19	14 55	17	20
13 28 53	24	23	20	15 49	18	21
13 32 39	25	24	21	16 44	19	22
13 36 26	26	25	21	17 38	20	23
13 40 13	27	26	22	18 33	21	24
13 44 01	28	27	23	19 28	22	26
13 47 49	29	28	24	20 23	23	27
13 51 38	♏	29	25	21 19	24	28
13 55 28	1	♐	26	22 15	25	29
13 59 18	2	0	27	23 12	26	♈
14 03 09	3	1	27	24 08	27	1
14 07 00	4	2	28	25 06	28	2
14 10 52	5	3	29	26 03	29	3
14 14 45	6	4	♑	27 01	♓	4
14 18 38	7	5	1	27 59	1	5
14 22 32	8	6	2	28 58	2	6
14 26 27	9	7	3	29 57	3	7
14 30 22	10	8	4	0♒57	4	9
14 34 18	11	9	5	1 57	5	10
14 38 14	12	10	6	2 57	7	11
14 42 12	13	11	6	3 58	8	12
14 46 10	14	11	7	4 59	9	13
HOUSES	4	5	6	7	8	9

LATITUDE 12° S.

LATITUDE 13° N.

SIDEREAL TIME	10 ♎	11 ♏	12 ♏	Asc ♐	2 ♑	3 ♒
h m s	°	°	°	° '	°	°
12 00 00	0	1	29	24 45	25	27
12 03 40	1	2	♐	25 35	26	28
12 07 20	2	3	1	26 25	26	29
12 11 01	3	4	2	27 16	27	♓
12 14 41	4	5	2	28 06	28	1
12 18 21	5	6	3	28 56	29	2
12 22 02	6	7	4	29 47	♒	3
12 25 43	7	8	5	0♑37	1	4
12 29 23	8	9	6	1 28	2	5
12 33 04	9	10	7	2 19	3	6
12 36 45	10	10	7	3 10	4	7
12 40 27	11	11	8	4 01	5	8
12 44 08	12	12	9	4 53	6	9
12 47 50	13	13	10	5 44	7	10
12 51 32	14	14	11	6 36	8	11
12 55 15	15	15	12	7 28	8	12
12 58 57	16	16	13	8 20	9	13
13 02 41	17	17	13	9 12	10	14
13 06 24	18	18	14	10 04	11	15
13 10 08	19	19	15	10 57	12	16
13 13 52	20	20	16	11 50	13	17
13 17 36	21	20	17	12 43	14	18
13 21 21	22	21	18	13 37	15	19
13 25 07	23	22	19	14 30	16	20
13 28 53	24	23	19	15 24	17	21
13 32 39	25	24	20	16 18	18	22
13 36 26	26	25	21	17 13	19	23
13 40 13	27	26	22	18 08	20	24
13 44 01	28	27	23	19 03	21	25
13 47 49	29	28	24	19 59	22	27
13 51 38	♏	29	25	20 54	23	28
13 55 28	1	29	25	21 51	24	29
13 59 18	2	♐	26	22 47	26	♈
14 03 09	3	1	27	23 44	27	1
14 07 00	4	2	28	24 41	28	2
14 10 52	5	3	29	25 39	29	3
14 14 45	6	4	♑	26 37	♓	4
14 18 38	7	5	1	27 35	1	5
14 22 32	8	6	2	28 34	2	6
14 26 27	9	7	3	29 34	3	7
14 30 22	10	8	3	0♒33	4	9
14 34 18	11	9	4	1 33	5	10
14 38 14	12	9	5	2 34	6	11
14 42 12	13	10	6	3 35	7	12
14 46 10	14	11	7	4 37	9	13
HOUSES	4	5	6	7	8	9

LATITUDE 13° S.

LATITUDE 14° N.

SIDEREAL TIME	10 ♎	11 ♏	12 ♏	Asc ♐	2 ♑	3 ♒
h m s	°	°	°	° '	°	°
12 00 00	0	1	29	24 20	24	27
12 03 40	1	2	♐	25 10	25	28
12 07 20	2	3	0	26 00	26	29
12 11 01	3	4	1	26 50	27	♓
12 14 41	4	5	2	27 41	28	1
12 18 21	5	6	3	28 31	29	2
12 22 02	6	7	4	29 21	♒	3
12 25 43	7	8	5	0♑12	1	4
12 29 23	8	9	6	1 03	2	5
12 33 04	9	9	6	1 54	3	6
12 36 45	10	10	7	2 45	4	7
12 40 27	11	11	8	3 36	4	8
12 44 08	12	12	9	4 27	5	9
12 47 50	13	13	10	5 18	6	10
12 51 32	14	14	11	6 10	7	11
12 55 15	15	15	11	7 02	8	12
12 58 57	16	16	12	7 54	9	13
13 02 41	17	17	13	8 46	10	14
13 06 24	18	18	14	9 39	11	15
13 10 08	19	18	15	10 31	12	16
13 13 52	20	19	16	11 24	13	17
13 17 36	21	20	17	12 18	14	18
13 21 21	22	21	17	13 11	15	19
13 25 07	23	22	18	14 05	16	20
13 28 53	24	23	19	14 59	17	21
13 32 39	25	24	20	15 53	18	22
13 36 26	26	25	21	16 48	19	23
13 40 13	27	26	22	17 43	20	24
13 44 01	28	27	23	18 38	21	25
13 47 49	29	28	23	19 33	22	27
13 51 38	♏	28	24	20 29	23	28
13 55 28	1	29	25	21 26	24	29
13 59 18	2	♐	26	22 22	25	♈
14 03 09	3	1	27	23 19	26	1
14 07 00	4	2	28	24 17	27	2
14 10 52	5	3	29	25 15	29	3
14 14 45	6	4	♑	26 13	♓	4
14 18 38	7	5	0	27 11	1	5
14 22 32	8	6	1	28 10	2	6
14 26 27	9	7	2	29 10	3	7
14 30 22	10	8	3	0♒10	4	9
14 34 18	11	8	4	1 10	5	10
14 38 14	12	9	5	2 11	6	11
14 42 12	13	10	6	3 12	7	12
14 46 10	14	11	7	4 14	9	13
HOUSES	4	5	6	7	8	9

LATITUDE 14° S.

	LATITUDE 12° N.							LATITUDE 13° N.							LATITUDE 14° N.						
SIDEREAL TIME	10 ♏	11 ♐	12 ♑	Asc ♒		2 ♓	3 ♈	10 ♏	11 ♐	12 ♑	Asc ♒		2 ♓	3 ♈	10 ♏	11 ♐	12 ♑	Asc ♒		2 ♓	3 ♈
h m s	°	°	°	°	'	°	°	°	°	°	°	'	°	°	°	°	°	°	'	°	°
14 50 09	15	12	8	6	01	10	14	15	12	8	5	39	10	14	15	12	8	5	16	10	14
14 54 08	16	13	9	7	03	11	15	16	13	9	6	41	11	15	16	13	9	6	18	11	15
14 58 08	17	14	10	8	06	12	16	17	14	10	7	44	12	16	17	14	10	7	22	12	16
15 02 09	18	15	11	9	09	13	17	18	15	11	8	47	13	17	18	15	11	8	25	13	17
15 06 11	19	16	12	10	12	14	18	19	16	12	9	51	14	19	19	16	11	9	29	14	19
15 10 13	20	17	13	11	17	16	20	20	17	13	10	56	16	20	20	17	12	10	34	15	20
15 14 16	21	18	14	12	21	17	21	21	18	14	12	00	17	21	21	18	13	11	39	17	21
15 18 20	22	19	15	13	26	18	22	22	19	15	13	06	18	22	22	19	14	12	45	18	22
15 22 25	23	20	16	14	32	19	23	23	20	16	14	12	19	23	23	19	15	13	51	19	23
15 26 30	24	21	17	15	38	20	24	24	21	17	15	18	20	24	24	20	16	14	58	20	24
15 30 36	25	22	18	16	44	21	25	25	22	18	16	25	21	25	25	21	17	16	05	21	25
15 34 43	26	23	19	17	51	23	26	26	22	19	17	32	23	26	26	22	18	17	13	23	26
15 38 50	27	24	20	18	59	24	27	27	23	20	18	40	24	28	27	23	19	18	21	24	28
15 42 58	28	24	21	20	07	25	29	28	24	21	19	49	25	29	28	24	20	19	30	25	29
15 47 07	29	25	22	21	16	26	♉	29	25	22	20	58	26	♉	29	25	21	20	39	26	♉
15 51 16	♐	26	23	22	25	27	1	♐	26	23	22	07	27	1	♐	26	22	21	49	27	1
15 55 27	1	27	24	23	34	29	2	1	27	24	23	17	29	2	1	27	23	22	59	29	2
15 59 37	2	28	25	24	44	♈	3	2	28	25	24	28	♈	3	2	28	24	24	10	♈	3
16 03 49	3	29	26	25	55	1	4	3	29	26	25	38	1	4	3	29	25	25	22	1	4
16 08 01	4	♑	27	27	06	2	5	4	♑	27	26	50	2	5	4	♑	26	26	34	2	5
16 12 14	5	1	28	28	17	4	6	5	1	28	28	02	4	6	5	1	27	27	46	4	7
16 16 27	6	2	29	29	29	5	7	6	2	29	29	14	5	8	6	2	28	28	59	5	8
16 20 41	7	3	♒	0♓	42	6	9	7	3	♒	0♓	27	6	9	7	3	29	0♓	12	6	9
16 24 56	8	4	1	1	54	7	10	8	4	1	1	41	7	10	8	4	♒	1	26	7	10
16 29 11	9	5	2	3	08	8	11	9	5	2	2	54	9	11	9	5	2	2	41	9	11
16 33 27	10	6	3	4	21	10	12	10	6	3	4	09	10	12	10	6	3	3	55	10	12
16 37 43	11	7	4	5	36	11	13	11	7	4	5	23	11	13	11	7	4	5	11	11	13
16 42 00	12	8	5	6	50	12	14	12	8	5	6	38	12	14	12	8	5	6	26	12	14
16 46 17	13	9	6	8	05	13	15	13	9	6	7	54	13	15	13	9	6	7	42	14	15
16 50 35	14	10	8	9	20	15	16	14	10	7	9	10	15	16	14	10	7	8	59	15	17
16 54 53	15	11	9	10	36	16	17	15	11	8	10	26	16	18	15	11	8	10	16	16	18
16 59 11	16	12	10	11	52	17	19	16	12	10	11	43	17	19	16	12	9	11	33	17	19
17 03 30	17	13	11	13	08	18	20	17	13	11	12	59	18	20	17	13	10	12	51	19	20
17 07 49	18	14	12	14	25	20	21	18	14	12	14	17	20	21	18	14	12	14	08	20	21
17 12 09	19	15	13	15	42	21	22	19	15	13	15	34	21	22	19	15	13	15	27	21	22
17 16 29	20	16	14	16	59	22	23	20	16	14	16	52	22	23	20	16	14	16	45	22	23
17 20 49	21	17	15	18	16	23	24	21	17	15	18	10	23	24	21	17	15	18	04	23	24
17 25 10	22	18	17	19	34	24	25	22	18	16	19	28	25	25	22	18	16	19	23	25	25
17 29 31	23	19	18	20	52	26	26	23	19	17	20	47	26	26	23	19	17	20	42	26	26
17 33 52	24	20	19	22	10	27	27	24	20	19	22	06	27	27	24	20	18	22	01	27	27
17 38 13	25	21	20	23	28	28	28	25	21	20	23	24	28	28	25	21	20	23	21	28	29
17 42 34	26	22	21	24	46	29	29	26	22	21	24	43	29	29	26	22	21	24	40	♉	♊
17 46 55	27	23	22	26	04	♉	♊	27	23	22	26	02	♉	♊	27	23	22	26	00	1	1
17 51 17	28	24	24	27	23	2	1	28	24	23	27	21	2	2	28	24	23	27	20	2	2
17 55 38	29	25	25	28	41	3	3	29	25	25	28	41	3	3	29	25	24	28	40	3	3
HOUSES	4	5	6	7		8	9	4	5	6	7		8	9	4	5	6	7		8	9
	LATITUDE 12° S.							LATITUDE 13° S.							LATITUDE 14° S.						

LATITUDE 12° N.

SIDEREAL TIME	10 ♑	11 ♑	12 ♒	Asc ♈		2 ♉	3 ♊
h m s	°	°	°	°	'	°	°
18 00 00	0	26	26	0	00	4	4
18 04 22	1	27	27	1	18	5	5
18 08 43	2	29	28	2	37	6	6
18 13 05	3	♒	29	3	55	8	7
18 17 26	4	1	♓	5	14	9	8
18 21 47	5	2	2	6	32	10	9
18 26 08	6	3	3	7	50	11	10
18 30 29	7	4	4	9	08	12	11
18 34 50	8	5	6	10	26	13	12
18 39 11	9	6	7	11	43	15	13
18 43 31	10	7	8	13	01	16	14
18 47 51	11	8	9	14	18	17	15
18 52 11	12	9	10	15	35	18	16
18 56 30	13	10	12	16	51	19	17
19 00 49	14	11	13	18	08	20	18
19 05 07	15	13	14	19	24	21	19
19 09 25	16	14	15	20	39	22	20
19 13 43	17	15	17	21	55	24	21
19 18 00	18	16	18	23	10	25	22
19 22 17	19	17	19	24	24	26	23
19 26 33	20	18	20	25	38	27	24
19 30 49	21	19	22	26	52	28	25
19 35 04	22	20	23	28	05	29	26
19 39 19	23	21	24	29	18	♊	27
19 43 33	24	23	25	0♉	30	1	28
19 47 46	25	24	26	1	42	2	29
19 51 59	26	25	28	2	54	3	♋
19 56 11	27	26	29	4	05	4	1
20 00 23	28	27	♈	5	15	5	2
20 04 33	29	28	1	6	25	6	3
20 08 44	♒	29	3	7	35	7	4
20 12 53	1	♓	4	8	44	8	5
20 17 02	2	1	5	9	53	9	6
20 21 10	3	3	6	11	01	10	6
20 25 17	4	4	7	12	08	11	7
20 29 24	5	5	9	13	15	12	8
20 33 30	6	6	10	14	22	13	9
20 37 35	7	7	11	15	28	14	10
20 41 40	8	8	12	16	33	15	11
20 45 44	9	9	13	17	38	16	12
20 49 47	10	10	14	18	43	17	13
20 53 49	11	12	16	19	47	18	14
20 57 51	12	13	17	20	51	19	15
21 01 52	13	14	18	21	54	20	16
21 05 52	14	15	19	22	57	21	17
HOUSES	4	5	6	7		8	9

LATITUDE 12° S.

LATITUDE 13° N.

SIDEREAL TIME	10 ♑	11 ♑	12 ♒	Asc ♈		2 ♉	3 ♊
h m s	°	°	°	°	'	°	°
18 00 00	0	26	26	0	00	4	4
18 04 22	1	27	27	1	19	5	5
18 08 43	2	28	28	2	38	7	6
18 13 05	3	29	29	3	57	8	7
18 17 26	4	♒	♓	5	16	9	8
18 21 47	5	2	2	6	35	10	9
18 26 08	6	3	3	7	54	11	10
18 30 29	7	4	4	9	13	13	11
18 34 50	8	5	5	10	31	14	12
18 39 11	9	6	7	11	50	15	13
18 43 31	10	7	8	13	08	16	14
18 47 51	11	8	9	14	25	17	15
18 52 11	12	9	10	15	43	18	16
18 56 30	13	10	12	17	00	19	17
19 00 49	14	11	13	18	17	20	18
19 05 07	15	12	14	19	34	22	19
19 09 25	16	14	15	20	50	23	20
19 13 43	17	15	17	22	06	24	21
19 18 00	18	16	18	23	21	25	22
19 22 17	19	17	19	24	36	26	23
19 26 33	20	18	20	25	51	27	24
19 30 49	21	19	21	27	05	28	25
19 35 04	22	20	23	28	19	29	26
19 39 19	23	21	24	29	32	♊	27
19 43 33	24	22	25	0♉	45	1	28
19 47 46	25	24	26	1	58	2	29
19 51 59	26	25	28	3	10	3	♋
19 56 11	27	26	29	4	21	4	1
20 00 23	28	27	♈	5	32	5	2
20 04 33	29	28	1	6	43	6	3
20 08 44	♒	29	3	7	53	7	4
20 12 53	1	♓	4	9	02	8	5
20 17 02	2	1	5	10	11	9	6
20 21 10	3	2	6	11	19	10	7
20 25 17	4	4	7	12	27	11	8
20 29 24	5	5	9	13	35	12	8
20 33 30	6	6	10	14	42	13	9
20 37 35	7	7	11	15	48	14	10
20 41 40	8	8	12	16	54	15	11
20 45 44	9	9	13	17	59	16	12
20 49 47	10	10	14	19	04	17	13
20 53 49	11	11	16	20	08	18	14
20 57 51	12	13	17	21	12	19	15
21 01 52	13	14	18	22	16	20	16
21 05 52	14	15	19	23	19	21	17
HOUSES	4	5	6	7		8	9

LATITUDE 13° S.

LATITUDE 14° N.

SIDEREAL TIME	10 ♑	11 ♑	12 ♒	Asc ♈		2 ♉	3 ♊
h m s	°	°	°	°	'	°	°
18 00 00	0	26	26	0	00	4	4
18 04 22	1	27	27	1	20	6	5
18 08 43	2	28	28	2	40	7	6
18 13 05	3	29	29	3	59	8	7
18 17 26	4	♒	♓	5	19	9	8
18 21 47	5	1	2	6	39	10	9
18 26 08	6	3	3	7	58	12	10
18 30 29	7	4	4	9	18	13	11
18 34 50	8	5	5	10	37	14	12
18 39 11	9	6	7	11	56	15	13
18 43 31	10	7	8	13	15	16	14
18 47 51	11	8	9	14	33	17	15
18 52 11	12	9	10	15	51	18	16
18 56 30	13	10	11	17	09	20	17
19 00 49	14	11	13	18	27	21	18
19 05 07	15	12	14	19	44	22	19
19 09 25	16	13	15	21	01	23	20
19 13 43	17	15	16	22	17	24	21
19 18 00	18	16	18	23	33	25	22
19 22 17	19	17	19	24	49	26	23
19 26 33	20	18	20	26	04	27	24
19 30 49	21	19	21	27	19	28	25
19 35 04	22	20	23	28	33	29	26
19 39 19	23	21	24	29	47	♊	27
19 43 33	24	22	25	1♉	01	2	28
19 47 46	25	23	26	2	13	3	29
19 51 59	26	25	28	3	26	4	♋
19 56 11	27	26	29	4	38	5	1
20 00 23	28	27	♈	5	49	6	2
20 04 33	29	28	1	7	00	7	3
20 08 44	♒	29	3	8	11	8	4
20 12 53	1	♓	4	9	20	9	5
20 17 02	2	1	5	10	30	10	6
20 21 10	3	2	6	11	39	11	7
20 25 17	4	4	7	12	47	12	8
20 29 24	5	5	9	13	55	13	9
20 33 30	6	6	10	15	02	14	10
20 37 35	7	7	11	16	09	15	11
20 41 40	8	8	12	17	15	16	11
20 45 44	9	9	13	18	20	17	12
20 49 47	10	10	15	19	26	18	13
20 53 49	11	11	16	20	30	18	14
20 57 51	12	13	17	21	34	19	15
21 01 52	13	14	18	22	38	20	16
21 05 52	14	15	19	23	41	21	17
HOUSES	4	5	6	7		8	9

LATITUDE 14° S.

LATITUDE 12° N.

SIDEREAL TIME h	m	s	10 ♒ °	11 ♓ °	12 ♈ °	Asc ♉ ° '	2 ♊ °	3 ♋ °
21	09	51	15	16	20	23 59	22	18
21	13	50	16	17	21	25 01	23	19
21	17	48	17	18	22	26 02	24	19
21	21	46	18	19	23	27 03	24	20
21	25	42	19	20	25	28 03	25	21
21	29	38	20	21	26	29 03	26	22
21	33	33	21	23	27	0♊03	27	23
21	37	28	22	24	28	1 02	28	24
21	41	22	23	25	29	2 00	29	25
21	45	15	24	26	♉	2 59	♋	26
21	49	08	25	27	1	3 57	1	27
21	53	00	26	28	2	4 54	2	28
21	56	51	27	29	3	5 51	3	29
22	00	42	28	♈	4	6 48	3	♌
22	04	32	29	1	5	7 44	4	0
22	08	22	♓	2	6	8 41	5	1
22	12	10	1	3	7	9 36	6	2
22	15	59	2	4	8	10 32	7	3
22	19	47	3	6	9	11 27	8	4
22	23	34	4	7	10	12 22	9	5
22	27	21	5	8	11	13 16	9	6
22	31	07	6	9	12	14 10	10	7
22	34	53	7	10	13	15 04	11	8
22	38	39	8	11	14	15 58	12	9
22	42	24	9	12	15	16 51	13	9
22	46	08	10	13	16	17 44	14	10
22	49	52	11	14	17	18 37	15	11
22	53	36	12	15	18	19 30	15	12
22	57	19	13	16	19	20 22	16	13
23	01	03	14	17	20	21 15	17	14
23	04	45	15	18	21	22 07	18	15
23	08	28	16	19	22	22 59	19	16
23	12	10	17	20	23	23 50	20	17
23	15	52	18	21	24	24 42	21	18
23	19	33	19	22	25	25 33	21	19
23	23	15	20	23	26	26 24	22	19
23	26	56	21	24	27	27 15	23	20
23	30	37	22	25	28	28 06	24	21
23	34	17	23	26	29	28 57	25	22
23	37	58	24	27	♊	29 48	26	23
23	41	39	25	28	1	0♋38	26	24
23	45	19	26	29	1	1 29	27	25
23	48	59	27	♉	2	2 19	28	26
23	52	40	28	1	3	3 09	29	27
23	56	20	29	2	4	4 00	♌	28
HOUSES			4	5	6	7	8	9

LATITUDE 12° S.

LATITUDE 13° N.

SIDEREAL TIME h	m	s	10 ♒ °	11 ♓ °	12 ♈ °	Asc ♉ ° '	2 ♊ °	3 ♋ °
21	09	51	15	16	20	24 21	22	18
21	13	50	16	17	21	25 23	23	19
21	17	48	17	18	22	26 25	24	20
21	21	46	18	19	24	27 26	25	21
21	25	42	19	20	25	28 26	26	21
21	29	38	20	21	26	29 26	27	22
21	33	33	21	23	27	0♊26	27	23
21	37	28	22	24	28	1 25	28	24
21	41	22	23	25	29	2 24	29	25
21	45	15	24	26	♉	3 23	♋	26
21	49	08	25	27	1	4 21	1	27
21	53	00	26	28	2	5 18	2	28
21	56	51	27	29	3	6 16	3	29
22	00	42	28	♈	4	7 12	4	♌
22	04	32	29	1	6	8 09	5	1
22	08	22	♓	2	7	9 05	5	1
22	12	10	1	3	8	10 01	6	2
22	15	59	2	5	9	10 57	7	3
22	19	47	3	6	10	11 52	8	4
22	23	34	4	7	11	12 47	9	5
22	27	21	5	8	12	13 41	10	6
22	31	07	6	9	13	14 35	11	7
22	34	53	7	10	14	15 29	11	8
22	38	39	8	11	15	16 23	12	9
22	42	24	9	12	16	17 17	13	10
22	46	08	10	13	17	18 10	14	10
22	49	52	11	14	18	19 03	15	11
22	53	36	12	15	19	19 55	16	12
22	57	19	13	16	20	20 48	17	13
23	01	03	14	17	21	21 40	17	14
23	04	45	15	18	22	22 32	18	15
23	08	28	16	19	22	23 24	19	16
23	12	10	17	20	23	24 16	20	17
23	15	52	18	21	24	25 07	21	18
23	19	33	19	22	25	25 58	22	19
23	23	15	20	23	26	26 50	22	20
23	26	56	21	24	27	27 41	23	20
23	30	37	22	25	28	28 31	24	21
23	34	17	23	26	29	29 22	25	22
23	37	58	24	27	♊	0♋13	26	23
23	41	39	25	28	1	1 03	27	24
23	45	19	26	29	2	1 54	28	25
23	48	59	27	♉	3	2 44	28	26
23	52	40	28	1	4	3 34	29	27
23	56	20	29	2	4	4 25	♌	28
HOUSES			4	5	6	7	8	9

LATITUDE 13° S.

LATITUDE 14° N.

SIDEREAL TIME h	m	s	10 ♒ °	11 ♓ °	12 ♈ °	Asc ♉ ° '	2 ♊ °	3 ♋ °
21	09	51	15	16	20	24 44	22	18
21	13	50	16	17	21	25 46	23	19
21	17	48	17	18	23	26 48	24	20
21	21	46	18	19	24	27 49	25	21
21	25	42	19	20	25	28 50	26	22
21	29	38	20	21	26	29 50	27	22
21	33	33	21	23	27	0♊50	28	23
21	37	28	22	24	28	1 49	29	24
21	41	22	23	25	29	2 48	♋	25
21	45	15	24	26	♉	3 47	0	26
21	49	08	25	27	1	4 45	1	27
21	53	00	26	28	3	5 43	2	28
21	56	51	27	29	4	6 40	3	29
22	00	42	28	♈	5	7 37	4	♌
22	04	32	29	1	6	8 34	5	1
22	08	22	♓	2	7	9 30	6	2
22	12	10	1	3	8	10 26	7	2
22	15	59	2	5	9	11 22	7	3
22	19	47	3	6	10	12 17	8	4
22	23	34	4	7	11	13 12	9	5
22	27	21	5	8	12	14 07	10	6
22	31	07	6	9	13	15 01	11	7
22	34	53	7	10	14	15 55	12	8
22	38	39	8	11	15	16 49	13	9
22	42	24	9	12	16	17 42	13	10
22	46	08	10	13	17	18 35	14	11
22	49	52	11	14	18	19 28	15	11
22	53	36	12	15	19	20 21	16	12
22	57	19	13	16	20	21 13	17	13
23	01	03	14	17	21	22 06	18	14
23	04	45	15	18	22	22 58	19	15
23	08	28	16	19	23	23 50	19	16
23	12	10	17	20	24	24 41	20	17
23	15	52	18	21	25	25 33	21	18
23	19	33	19	22	26	26 24	22	19
23	23	15	20	23	26	27 15	23	20
23	26	56	21	24	27	28 06	24	21
23	30	37	22	25	28	28 57	24	21
23	34	17	23	26	29	29 48	25	22
23	37	58	24	27	♊	0♋38	26	23
23	41	39	25	28	1	1 29	27	24
23	45	19	26	29	2	2 19	28	25
23	48	59	27	♉	3	3 09	29	26
23	52	40	28	1	4	4 00	♌	27
23	56	20	29	2	5	4 50	0	28
HOUSES			4	5	6	7	8	9

LATITUDE 14° S.

LATITUDE 15° N.

SIDEREAL TIME	10 ♈	11 ♉	12 ♊	Asc ♋		2 ♌	3 ♌
h m s	°	°	°	°	'	°	°
0 00 00	0	3	6	6	05	1	29
0 03 40	1	4	7	6	55	2	♍
0 07 20	2	5	8	7	45	3	1
0 11 01	3	6	9	8	34	4	2
0 14 41	4	7	9	9	24	5	3
0 18 21	5	8	10	10	14	6	4
0 22 02	6	9	11	11	04	7	5
0 25 43	7	10	12	11	53	7	5
0 29 23	8	11	13	12	43	8	6
0 33 04	9	12	14	13	33	9	7
0 36 45	10	13	15	14	23	10	8
0 40 27	11	14	16	15	12	11	9
0 44 08	12	15	16	16	02	12	10
0 47 50	13	16	17	16	52	13	11
0 51 32	14	17	18	17	42	14	12
0 55 15	15	18	19	18	32	14	13
0 58 57	16	19	20	19	22	15	14
1 02 41	17	20	21	20	12	16	15
1 06 24	18	21	22	21	02	17	16
1 10 08	19	22	23	21	53	18	17
1 13 52	20	23	23	22	43	19	18
1 17 36	21	24	24	23	34	20	19
1 21 21	22	24	25	24	24	21	20
1 25 07	23	25	26	25	15	22	21
1 28 53	24	26	27	26	06	22	22
1 32 39	25	27	28	26	57	23	23
1 36 26	26	28	29	27	48	24	24
1 40 13	27	29	♋	28	39	25	25
1 44 01	28	♊	0	29	31	26	26
1 47 49	29	1	1	0♌	22	27	27
1 51 38	♉	2	2	1	14	28	28
1 55 28	1	3	3	2	06	29	29
1 59 18	2	4	4	2	58	♍	♎
2 03 09	3	5	5	3	51	1	1
2 07 00	4	6	6	4	43	2	2
2 10 52	5	7	7	5	36	3	3
2 14 45	6	8	7	6	29	4	4
2 18 38	7	8	8	7	22	5	5
2 22 32	8	9	9	8	16	6	6
2 26 27	9	10	10	9	09	7	7
2 30 22	10	11	11	10	03	7	8
2 34 18	11	12	12	10	57	8	9
2 38 14	12	13	13	11	52	9	10
2 42 12	13	14	14	12	46	10	11
2 46 10	14	15	15	13	41	11	12
HOUSES	4	5	6	7		8	9

LATITUDE 15° S.

LATITUDE 16° N.

SIDEREAL TIME	10 ♈	11 ♉	12 ♊	Asc ♋		2 ♌	3 ♌
h m s	°	°	°	°	'	°	°
0 00 00	0	3	6	6	30	2	29
0 03 40	1	4	7	7	20	3	♍
0 07 20	2	5	8	8	10	3	1
0 11 01	3	6	9	9	00	4	2
0 14 41	4	7	10	9	49	5	3
0 18 21	5	8	11	10	39	6	4
0 22 02	6	9	12	11	29	7	5
0 25 43	7	10	12	12	18	8	6
0 29 23	8	11	13	13	08	9	6
0 33 04	9	12	14	13	57	9	7
0 36 45	10	13	15	14	47	10	8
0 40 27	11	14	16	15	37	11	9
0 44 08	12	15	17	16	26	12	10
0 47 50	13	16	18	17	16	13	11
0 51 32	14	17	19	18	06	14	12
0 55 15	15	18	19	18	56	15	13
0 58 57	16	19	20	19	46	15	14
1 02 41	17	20	21	20	36	16	15
1 06 24	18	21	22	21	26	17	16
1 10 08	19	22	23	22	16	18	17
1 13 52	20	23	24	23	06	19	18
1 17 36	21	24	25	23	56	20	19
1 21 21	22	25	25	24	47	21	20
1 25 07	23	26	26	25	37	22	21
1 28 53	24	26	27	26	28	23	22
1 32 39	25	27	28	27	19	24	23
1 36 26	26	28	29	28	10	24	24
1 40 13	27	29	♋	29	01	25	25
1 44 01	28	♊	1	29	52	26	26
1 47 49	29	1	2	0♌	44	27	27
1 51 38	♉	2	2	1	35	28	28
1 55 28	1	3	3	2	27	29	29
1 59 18	2	4	4	3	19	♍	♎
2 03 09	3	5	5	4	11	1	1
2 07 00	4	6	6	5	04	2	2
2 10 52	5	7	7	5	56	3	3
2 14 45	6	8	8	6	49	4	4
2 18 38	7	9	9	7	42	5	5
2 22 32	8	10	9	8	35	6	6
2 26 27	9	10	10	9	29	7	7
2 30 22	10	11	11	10	22	8	8
2 34 18	11	12	12	11	16	9	9
2 38 14	12	13	13	12	10	10	10
2 42 12	13	14	14	13	05	11	11
2 46 10	14	15	15	13	59	11	12
HOUSES	4	5	6	7		8	9

LATITUDE 16° S.

LATITUDE 17° N.

SIDEREAL TIME	10 ♈	11 ♉	12 ♊	Asc ♋		2 ♌	3 ♌
h m s	°	°	°	°	'	°	°
0 00 00	0	4	6	6	56	2	29
0 03 40	1	5	7	7	46	3	♍
0 07 20	2	6	8	8	35	4	1
0 11 01	3	7	9	9	25	4	2
0 14 41	4	7	10	10	14	5	3
0 18 21	5	8	11	11	04	6	4
0 22 02	6	9	12	11	54	7	5
0 25 43	7	10	13	12	43	8	6
0 29 23	8	11	14	13	33	9	7
0 33 04	9	12	14	14	22	10	7
0 36 45	10	13	15	15	12	10	8
0 40 27	11	14	16	16	01	11	9
0 44 08	12	15	17	16	51	12	10
0 47 50	13	16	18	17	40	13	11
0 51 32	14	17	19	18	30	14	12
0 55 15	15	18	20	19	20	15	13
0 58 57	16	19	21	20	09	16	14
1 02 41	17	20	21	20	59	17	15
1 06 24	18	21	22	21	49	17	16
1 10 08	19	22	23	22	39	18	17
1 13 52	20	23	24	23	29	19	18
1 17 36	21	24	25	24	19	20	19
1 21 21	22	25	26	25	10	21	20
1 25 07	23	26	27	26	00	22	21
1 28 53	24	27	28	26	51	23	22
1 32 39	25	28	28	27	41	24	23
1 36 26	26	28	29	28	32	25	24
1 40 13	27	29	♋	29	23	25	25
1 44 01	28	♊	1	0♌	14	26	26
1 47 49	29	1	2	1	05	27	27
1 51 38	♉	2	3	1	57	28	28
1 55 28	1	3	4	2	48	29	29
1 59 18	2	4	4	3	40	♍	♎
2 03 09	3	5	5	4	32	1	1
2 07 00	4	6	6	5	24	2	2
2 10 52	5	7	7	6	16	3	3
2 14 45	6	8	8	7	09	4	4
2 18 38	7	9	9	8	02	5	5
2 22 32	8	10	10	8	55	6	6
2 26 27	9	11	11	9	48	7	7
2 30 22	10	12	12	10	41	8	8
2 34 18	11	12	12	11	35	9	9
2 38 14	12	13	13	12	29	10	10
2 42 12	13	14	14	13	23	11	11
2 46 10	14	15	15	14	17	12	12
HOUSES	4	5	6	7		8	9

LATITUDE 17° S.

LATITUDE 15° N.

SIDEREAL TIME h m s	10 ♉ °	11 ♊ °	12 ♋ °	Asc ♌ ° '	2 ♍ °	3 ♎ °
2 50 09	15	16	15	14 36	12	13
2 54 08	16	17	16	15 32	13	14
2 58 08	17	18	17	16 27	14	15
3 02 09	18	19	18	17 23	15	16
3 06 11	19	20	19	18 19	16	17
3 10 13	20	21	20	19 16	17	18
3 14 16	21	22	21	20 12	18	19
3 18 20	22	22	22	21 09	19	20
3 22 25	23	23	23	22 06	21	21
3 26 30	24	24	24	23 04	22	23
3 30 36	25	25	25	24 02	23	24
3 34 43	26	26	26	25 00	24	25
3 38 50	27	27	27	25 58	25	26
3 42 58	28	28	28	26 56	26	27
3 47 07	29	29	28	27 55	27	28
3 51 16	♊	♋	29	28 54	28	29
3 55 27	1	1	♌	29 53	29	♏
3 59 37	2	2	1	0♍53	♎	1
4 03 49	3	3	2	1 53	1	2
4 08 01	4	4	3	2 53	2	3
4 12 14	5	5	4	3 53	3	4
4 16 27	6	6	5	4 54	4	5
4 20 41	7	7	6	5 55	5	6
4 24 56	8	8	7	6 56	6	7
4 29 11	9	9	8	7 57	7	8
4 33 27	10	10	9	8 58	8	9
4 37 43	11	11	10	10 00	10	10
4 42 00	12	12	11	11 02	11	12
4 46 17	13	13	12	12 04	12	13
4 50 35	14	14	13	13 06	13	14
4 54 53	15	15	14	14 09	14	15
4 59 11	16	16	15	15 11	15	16
5 03 30	17	17	16	16 14	16	17
5 07 49	18	18	17	17 17	17	18
5 12 09	19	19	18	18 20	18	19
5 16 29	20	20	19	19 23	19	20
5 20 49	21	21	20	20 27	20	21
5 25 10	22	22	22	21 30	21	22
5 29 31	23	23	23	22 33	22	23
5 33 52	24	24	24	23 37	24	24
5 38 13	25	25	25	24 41	25	25
5 42 34	26	26	26	25 45	26	26
5 46 55	27	27	27	26 48	27	27
5 51 17	28	28	28	27 52	28	28
5 55 38	29	29	29	28 56	29	29
HOUSES	4	5	6	7	8	9

LATITUDE 15° S.

LATITUDE 16° N.

SIDEREAL TIME h m s	10 ♉ °	11 ♊ °	12 ♋ °	Asc ♌ ° '	2 ♍ °	3 ♎ °
2 50 09	15	16	16	14 54	12	13
2 54 08	16	17	17	15 49	13	14
2 58 08	17	18	18	16 44	14	15
3 02 09	18	19	18	17 40	15	16
3 06 11	19	20	19	18 36	16	17
3 10 13	20	21	20	19 32	17	18
3 14 16	21	22	21	20 28	19	19
3 18 20	22	23	22	21 25	20	20
3 22 25	23	24	23	22 22	21	21
3 26 30	24	24	24	23 19	22	22
3 30 36	25	25	25	24 16	23	24
3 34 43	26	26	26	25 14	24	25
3 38 50	27	27	27	26 12	25	26
3 42 58	28	28	28	27 10	26	27
3 47 07	29	29	29	28 08	27	28
3 51 16	♊	♋	♌	29 07	28	29
3 55 27	1	1	1	0♍06	29	♏
3 59 37	2	2	2	1 05	♎	1
4 03 49	3	3	3	2 05	1	2
4 08 01	4	4	4	3 04	2	3
4 12 14	5	5	5	4 04	3	4
4 16 27	6	6	6	5 04	4	5
4 20 41	7	7	6	6 05	5	6
4 24 56	8	8	7	7 05	6	7
4 29 11	9	9	8	8 06	7	8
4 33 27	10	10	9	9 07	8	9
4 37 43	11	11	10	10 09	9	10
4 42 00	12	12	11	11 10	11	11
4 46 17	13	13	12	12 12	12	12
4 50 35	14	14	13	13 13	13	14
4 54 53	15	15	14	14 15	14	15
4 59 11	16	16	16	15 18	15	16
5 03 30	17	17	17	16 20	16	17
5 07 49	18	18	18	17 22	17	18
5 12 09	19	19	19	18 25	18	19
5 16 29	20	20	20	19 28	19	20
5 20 49	21	21	21	20 31	20	21
5 25 10	22	22	22	21 34	21	22
5 29 31	23	23	23	22 37	22	23
5 33 52	24	24	24	23 40	23	24
5 38 13	25	25	25	24 43	25	25
5 42 34	26	26	26	25 46	26	26
5 46 55	27	27	27	26 50	27	27
5 51 17	28	28	28	27 53	28	28
5 55 38	29	29	29	28 56	29	29
HOUSES	4	5	6	7	8	9

LATITUDE 16° S.

LATITUDE 17° N.

SIDEREAL TIME h m s	10 ♉ °	11 ♊ °	12 ♋ °	Asc ♌ ° '	2 ♍ °	3 ♎ °
2 50 09	15	16	16	15 11	13	13
2 54 08	16	17	17	16 06	14	14
2 58 08	17	18	18	17 01	15	15
3 02 09	18	19	19	17 57	16	16
3 06 11	19	20	20	18 52	17	17
3 10 13	20	21	21	19 48	18	18
3 14 16	21	22	21	20 44	19	19
3 18 20	22	23	22	21 40	20	20
3 22 25	23	24	23	22 37	21	21
3 26 30	24	25	24	23 34	22	22
3 30 36	25	26	25	24 31	23	23
3 34 43	26	27	26	25 28	24	25
3 38 50	27	27	27	26 25	25	26
3 42 58	28	28	28	27 23	26	27
3 47 07	29	29	29	28 21	27	28
3 51 16	♊	♋	♌	29 20	28	29
3 55 27	1	1	1	0♍18	29	♏
3 59 37	2	2	2	1 17	♎	1
4 03 49	3	3	3	2 16	1	2
4 08 01	4	4	4	3 16	2	3
4 12 14	5	5	5	4 15	3	4
4 16 27	6	6	6	5 15	4	5
4 20 41	7	7	7	6 15	5	6
4 24 56	8	8	8	7 15	6	7
4 29 11	9	9	9	8 15	7	8
4 33 27	10	10	10	9 16	8	9
4 37 43	11	11	11	10 17	9	10
4 42 00	12	12	12	11 18	10	11
4 46 17	13	13	13	12 19	12	12
4 50 35	14	14	14	13 21	13	13
4 54 53	15	15	15	14 22	14	14
4 59 11	16	16	16	15 24	15	16
5 03 30	17	17	17	16 26	16	17
5 07 49	18	18	18	17 28	17	18
5 12 09	19	19	19	18 30	18	19
5 16 29	20	20	20	19 32	19	20
5 20 49	21	21	21	20 35	20	21
5 25 10	22	22	22	21 37	21	22
5 29 31	23	23	23	22 40	22	23
5 33 52	24	24	24	23 43	23	24
5 38 13	25	25	25	24 45	24	25
5 42 34	26	26	26	25 48	25	26
5 46 55	27	27	27	26 51	27	27
5 51 17	28	28	28	27 54	28	28
5 55 38	29	29	29	28 57	29	29
HOUSES	4	5	6	7	8	9

LATITUDE 17° S.

LATITUDE 15° N.

SIDEREAL TIME	10 ♋	11 ♌	12 ♍	Asc ♎	2 ♏	3 ♐
h m s	°	°	°	° '	°	°
6 00 00	0	0	0	0 00	0	0
6 04 22	1	1	1	1 04	1	1
6 08 43	2	2	2	2 08	2	2
6 13 05	3	3	3	3 11	3	3
6 17 26	4	4	4	4 15	4	4
6 21 47	5	5	5	5 19	5	5
6 26 08	6	6	6	6 23	6	6
6 30 29	7	7	8	7 26	7	7
6 34 50	8	8	9	8 30	8	8
6 39 11	9	9	10	9 33	10	9
6 43 31	10	10	11	10 36	11	10
6 47 51	11	11	12	11 40	12	11
6 52 11	12	12	13	12 43	13	12
6 56 30	13	13	14	13 46	14	13
7 00 49	14	14	15	14 48	15	14
7 05 07	15	15	16	15 51	16	15
7 09 25	16	16	17	16 53	17	16
7 13 43	17	17	18	17 56	18	17
7 18 00	18	18	19	18 58	19	18
7 22 17	19	20	20	20 00	20	19
7 26 33	20	21	22	21 01	21	20
7 30 49	21	22	23	22 03	22	21
7 35 04	22	23	24	23 04	23	22
7 39 19	23	24	25	24 05	24	23
7 43 33	24	25	26	25 06	25	24
7 47 46	25	26	27	26 06	26	25
7 51 59	26	27	28	27 07	27	26
7 56 11	27	28	29	28 07	28	27
8 00 23	28	29	♎	29 07	29	28
8 04 33	29	♍	1	0♏06	♐	29
8 08 44	♌	1	2	1 05	1	♑
8 12 53	1	2	3	2 05	2	1
8 17 02	2	3	4	3 03	2	2
8 21 10	3	4	5	4 02	3	3
8 25 17	4	5	6	5 00	4	4
8 29 24	5	6	7	5 58	5	5
8 33 30	6	7	8	6 56	6	6
8 37 35	7	9	9	7 53	7	7
8 41 40	8	10	11	8 50	8	8
8 45 44	9	11	12	9 47	9	8
8 49 47	10	12	13	10 44	10	9
8 53 49	11	13	14	11 40	11	10
8 57 51	12	14	15	12 37	12	11
9 01 52	13	15	16	13 32	13	12
9 05 52	14	16	17	14 28	14	13
HOUSES	4	5	6	7	8	9

LATITUDE 15° S.

LATITUDE 16° N.

SIDEREAL TIME	10 ♋	11 ♌	12 ♍	Asc ♎	2 ♏	3 ♐
h m s	°	°	°	° '	°	°
6 00 00	0	0	0	0 00	0	0
6 04 22	1	1	1	1 03	1	1
6 08 43	2	2	2	2 07	2	2
6 13 05	3	3	3	3 10	3	3
6 17 26	4	4	4	4 13	4	4
6 21 47	5	5	5	5 17	5	5
6 26 08	6	6	7	6 20	6	6
6 30 29	7	7	8	7 23	7	7
6 34 50	8	8	9	8 26	8	8
6 39 11	9	9	10	9 29	9	9
6 43 31	10	10	11	10 32	10	10
6 47 51	11	11	12	11 35	11	11
6 52 11	12	12	13	12 37	12	12
6 56 30	13	13	14	13 40	13	13
7 00 49	14	14	15	14 42	14	14
7 05 07	15	15	16	15 44	15	15
7 09 25	16	16	17	16 46	17	16
7 13 43	17	18	18	17 48	18	17
7 18 00	18	19	19	18 50	19	18
7 22 17	19	20	21	19 51	20	19
7 26 33	20	21	22	20 52	21	20
7 30 49	21	22	23	21 53	22	21
7 35 04	22	23	24	22 54	23	22
7 39 19	23	24	25	23 55	24	23
7 43 33	24	25	26	24 55	24	24
7 47 46	25	26	27	25 55	25	25
7 51 59	26	27	28	26 55	26	26
7 56 11	27	28	29	27 55	27	27
8 00 23	28	29	♎	28 55	28	28
8 04 33	29	♍	1	29 54	29	29
8 08 44	♌	1	2	0♏53	♐	♑
8 12 53	1	2	3	1 51	1	1
8 17 02	2	3	4	2 50	2	2
8 21 10	3	4	5	3 48	3	3
8 25 17	4	5	6	4 46	4	4
8 29 24	5	6	7	5 44	5	5
8 33 30	6	8	8	6 41	6	6
8 37 35	7	9	9	7 38	7	6
8 41 40	8	10	10	8 35	8	7
8 45 44	9	11	11	9 32	9	8
8 49 47	10	12	12	10 28	10	9
8 53 49	11	13	14	11 24	11	10
8 57 51	12	14	15	12 20	12	11
9 01 52	13	15	16	13 15	12	12
9 05 52	14	16	17	14 11	13	13
HOUSES	4	5	6	7	8	9

LATITUDE 16° S.

LATITUDE 17° N.

SIDEREAL TIME	10 ♋	11 ♌	12 ♍	Asc ♎	2 ♏	3 ♐
h m s	°	°	°	° '	°	°
6 00 00	0	0	0	0 00	0	0
6 04 22	1	1	1	1 03	1	1
6 08 43	2	2	2	2 06	2	2
6 13 05	3	3	3	3 09	3	3
6 17 26	4	4	5	4 11	4	4
6 21 47	5	5	6	5 14	5	5
6 26 08	6	6	7	6 17	6	6
6 30 29	7	7	8	7 20	7	7
6 34 50	8	8	9	8 22	8	8
6 39 11	9	9	10	9 25	9	9
6 43 31	10	10	11	10 27	10	10
6 47 51	11	11	12	11 30	11	11
6 52 11	12	12	13	12 32	12	12
6 56 30	13	13	14	13 34	13	13
7 00 49	14	14	15	14 36	14	14
7 05 07	15	16	16	15 37	15	15
7 09 25	16	17	17	16 39	16	16
7 13 43	17	18	18	17 40	17	17
7 18 00	18	19	19	18 42	18	18
7 22 17	19	20	21	19 43	19	19
7 26 33	20	21	22	20 43	20	20
7 30 49	21	22	23	21 44	21	21
7 35 04	22	23	24	22 45	22	22
7 39 19	23	24	25	23 45	23	23
7 43 33	24	25	26	24 45	24	24
7 47 46	25	26	27	25 45	25	25
7 51 59	26	27	28	26 44	26	26
7 56 11	27	28	29	27 43	27	27
8 00 23	28	29	♎	28 43	28	28
8 04 33	29	♍	1	29 41	29	29
8 08 44	♌	1	2	0♏40	♐	♑
8 12 53	1	2	3	1 38	1	1
8 17 02	2	3	4	2 36	2	2
8 21 10	3	4	5	3 34	3	3
8 25 17	4	5	6	4 32	4	3
8 29 24	5	7	7	5 29	5	4
8 33 30	6	8	8	6 26	6	5
8 37 35	7	9	9	7 23	7	6
8 41 40	8	10	10	8 19	8	7
8 45 44	9	11	11	9 16	9	8
8 49 47	10	12	12	10 12	9	9
8 53 49	11	13	13	11 08	10	10
8 57 51	12	14	14	12 03	11	11
9 01 52	13	15	15	12 58	12	12
9 05 52	14	16	16	13 53	13	13
HOUSES	4	5	6	7	8	9

LATITUDE 17° S.

LATITUDE 15° N.

SIDEREAL TIME	10 ♌	11 ♍	12 ♎	Asc ♏	2 ♐	3 ♑
h m s	°	°	°	° '	°	°
9 09 51	15	17	18	15 23	15	14
9 13 50	16	18	19	16 18	15	15
9 17 48	17	19	20	17 13	16	16
9 21 46	18	20	21	18 08	17	17
9 25 42	19	21	22	19 02	18	18
9 29 38	20	22	23	19 56	19	19
9 33 33	21	23	23	20 50	20	20
9 37 28	22	24	24	21 44	21	21
9 41 22	23	25	25	22 37	22	22
9 45 15	24	26	26	23 30	23	22
9 49 08	25	27	27	24 23	23	23
9 53 00	26	28	28	25 16	24	24
9 56 51	27	29	29	26 09	25	25
10 00 42	28	♎	♏	27 01	26	26
10 04 32	29	1	1	27 53	27	27
10 08 22	♍	2	2	28 45	28	28
10 12 10	1	3	3	29 37	29	29
10 15 59	2	4	4	0♐29	♑	♒
10 19 47	3	5	5	1 20	0	1
10 23 34	4	6	6	2 12	1	2
10 27 21	5	7	7	3 03	2	3
10 31 07	6	8	8	3 54	3	4
10 34 53	7	9	8	4 45	4	5
10 38 39	8	10	9	5 35	5	6
10 42 24	9	11	10	6 26	6	6
10 46 08	10	12	11	7 17	7	7
10 49 52	11	13	12	8 07	7	8
10 53 36	12	14	13	8 57	8	9
10 57 19	13	15	14	9 47	9	10
11 01 03	14	16	15	10 38	10	11
11 04 45	15	17	16	11 28	11	12
11 08 28	16	18	16	12 18	12	13
11 12 10	17	19	17	13 07	13	14
11 15 52	18	20	18	13 57	13	15
11 19 33	19	21	19	14 47	14	16
11 23 15	20	22	20	15 37	15	17
11 26 56	21	23	21	16 27	16	18
11 30 37	22	24	22	17 16	17	19
11 34 17	23	25	23	18 06	18	20
11 37 58	24	25	23	18 56	19	21
11 41 39	25	26	24	19 46	20	22
11 45 19	26	27	25	20 35	21	23
11 48 59	27	28	26	21 25	21	24
11 52 40	28	29	27	22 15	22	25
11 56 20	29	♏	28	23 05	23	26
HOUSES	4	5	6	7	8	9

LATITUDE 15° S.

LATITUDE 16° N.

SIDEREAL TIME	10 ♌	11 ♍	12 ♎	Asc ♏	2 ♐	3 ♑
h m s	°	°	°	° '	°	°
9 09 51	15	17	18	15 06	14	14
9 13 50	16	18	18	16 01	15	15
9 17 48	17	19	19	16 55	16	16
9 21 46	18	20	20	17 49	17	17
9 25 42	19	21	21	18 44	18	18
9 29 38	20	22	22	19 37	19	19
9 33 33	21	23	23	20 31	20	20
9 37 28	22	24	24	21 24	21	20
9 41 22	23	25	25	22 18	21	21
9 45 15	24	26	26	23 11	22	22
9 49 08	25	27	27	24 03	23	23
9 53 00	26	28	28	24 56	24	24
9 56 51	27	29	29	25 48	25	25
10 00 42	28	♎	♏	26 40	26	26
10 04 32	29	1	1	27 32	27	27
10 08 22	♍	2	2	28 24	28	28
10 12 10	1	3	3	29 16	28	29
10 15 59	2	4	4	0♐07	29	♒
10 19 47	3	5	5	0 58	♑	1
10 23 34	4	6	6	1 50	1	2
10 27 21	5	7	6	2 41	2	3
10 31 07	6	8	7	3 31	3	4
10 34 53	7	9	8	4 22	4	4
10 38 39	8	10	9	5 13	5	5
10 42 24	9	11	10	6 03	5	6
10 46 08	10	12	11	6 54	6	7
10 49 52	11	13	12	7 44	7	8
10 53 36	12	14	13	8 34	8	9
10 57 19	13	15	14	9 24	9	10
11 01 03	14	16	15	10 14	10	11
11 04 45	15	17	15	11 04	11	12
11 08 28	16	18	16	11 54	11	13
11 12 10	17	19	17	12 43	12	14
11 15 52	18	20	18	13 33	13	15
11 19 33	19	21	19	14 23	14	16
11 23 15	20	22	20	15 13	15	17
11 26 56	21	23	21	16 02	16	18
11 30 37	22	24	21	16 52	17	19
11 34 17	23	24	22	17 41	18	20
11 37 58	24	25	23	18 31	18	21
11 41 39	25	26	24	19 21	19	22
11 45 19	26	27	25	20 10	20	23
11 48 59	27	28	26	21 00	21	24
11 52 40	28	29	27	21 50	22	25
11 56 20	29	♏	27	22 40	23	26
HOUSES	4	5	6	7	8	9

LATITUDE 16° S.

LATITUDE 17° N.

SIDEREAL TIME	10 ♌	11 ♍	12 ♎	Asc ♏	2 ♐	3 ♑
h m s	°	°	°	° '	°	°
9 09 51	15	17	17	14 48	14	14
9 13 50	16	18	18	15 43	15	15
9 17 48	17	19	19	16 37	16	16
9 21 46	18	20	20	17 31	17	17
9 25 42	19	21	21	18 25	18	18
9 29 38	20	22	22	19 18	18	18
9 33 33	21	23	23	20 12	19	19
9 37 28	22	24	24	21 05	20	20
9 41 22	23	25	25	21 58	21	21
9 45 15	24	26	26	22 51	22	22
9 49 08	25	27	27	23 43	23	23
9 53 00	26	28	28	24 36	24	24
9 56 51	27	29	29	25 28	25	25
10 00 42	28	♎	♏	26 20	26	26
10 04 32	29	1	1	27 11	26	27
10 08 22	♍	2	2	28 03	27	28
10 12 10	1	3	3	28 54	28	29
10 15 59	2	4	4	29 46	29	♒
10 19 47	3	5	5	0♐37	♑	1
10 23 34	4	6	5	1 28	1	2
10 27 21	5	7	6	2 18	2	2
10 31 07	6	8	7	3 09	2	3
10 34 53	7	9	8	4 00	3	4
10 38 39	8	10	9	4 50	4	5
10 42 24	9	11	10	5 40	5	6
10 46 08	10	12	11	6 30	6	7
10 49 52	11	13	12	7 21	7	8
10 53 36	12	14	13	8 11	8	9
10 57 19	13	15	13	9 00	9	10
11 01 03	14	16	14	9 50	9	11
11 04 45	15	17	15	10 40	10	12
11 08 28	16	18	16	11 30	11	13
11 12 10	17	19	17	12 19	12	14
11 15 52	18	20	18	13 09	13	15
11 19 33	19	21	19	13 59	14	16
11 23 15	20	22	20	14 48	15	17
11 26 56	21	23	20	15 38	16	18
11 30 37	22	23	21	16 27	16	19
11 34 17	23	24	22	17 17	17	20
11 37 58	24	25	23	18 06	18	21
11 41 39	25	26	24	18 56	19	22
11 45 19	26	27	25	19 45	20	23
11 48 59	27	28	26	20 35	21	23
11 52 40	28	29	26	21 24	22	24
11 56 20	29	♏	27	22 14	23	25
HOUSES	4	5	6	7	8	9

LATITUDE 17° S.

	LATITUDE 15° N.						LATITUDE 16° N.						LATITUDE 17° N.					
SIDEREAL TIME	10 ♎	11 ♏	12 ♏	Asc ♐	2 ♑	3 ♒	10 ♎	11 ♏	12 ♏	Asc ♐	2 ♑	3 ♒	10 ♎	11 ♏	12 ♏	Asc ♐	2 ♑	3 ♒
h m s	°	°	°	° '	°	°	°	°	°	° '	°	°	°	°	°	° '	°	°
12 00 00	0	1	29	23 55	24	27	0	1	28	23 29	24	27	0	1	28	23 04	24	26
12 03 40	1	2	29	24 45	25	28	1	2	29	24 19	25	28	1	2	29	23 54	24	27
12 07 20	2	3	♐	25 35	26	29	2	3	♐	25 09	26	29	2	3	♐	24 43	25	28
12 11 01	3	4	1	26 25	27	♓	3	4	1	25 59	27	♓	3	4	1	25 33	26	29
12 14 41	4	5	2	27 15	28	1	4	5	2	26 49	27	1	4	5	1	26 23	27	♓
12 18 21	5	6	3	28 05	29	2	5	6	3	27 40	28	2	5	5	2	27 14	28	1
12 22 02	6	7	4	28 56	♒	3	6	6	3	28 30	29	3	6	6	3	28 04	29	2
12 25 43	7	8	4	29 46	0	4	7	7	4	29 21	♒	4	7	7	4	28 54	♒	3
12 29 23	8	8	5	0♑37	1	5	8	8	5	0♑11	1	5	8	8	5	29 45	1	4
12 33 04	9	9	6	1 28	2	6	9	9	6	1 02	2	6	9	9	6	0♑36	2	5
12 36 45	10	10	7	2 19	3	7	10	10	7	1 53	3	7	10	10	6	1 27	3	6
12 40 27	11	11	8	3 10	4	8	11	11	8	2 44	4	8	11	11	7	2 18	4	8
12 44 08	12	12	9	4 01	5	9	12	12	8	3 35	5	9	12	12	8	3 09	5	9
12 47 50	13	13	10	4 53	6	10	13	13	9	4 27	6	10	13	13	9	4 00	6	10
12 51 32	14	14	10	5 44	7	11	14	14	10	5 18	7	11	14	14	10	4 52	7	11
12 55 15	15	15	11	6 36	8	12	15	15	11	6 10	8	12	15	15	11	5 44	8	12
12 58 57	16	16	12	7 28	9	13	16	16	12	7 02	9	13	16	15	12	6 36	8	13
13 02 41	17	17	13	8 20	10	14	17	16	13	7 54	10	14	17	16	12	7 28	9	14
13 06 24	18	17	14	9 13	11	15	18	17	13	8 47	11	15	18	17	13	8 20	10	15
13 10 08	19	18	15	10 06	12	16	19	18	14	9 39	12	16	19	18	14	9 13	11	16
13 13 52	20	19	15	10 59	13	17	20	19	15	10 32	13	17	20	19	15	10 06	12	17
13 17 36	21	20	16	11 52	14	18	21	20	16	11 26	14	18	21	20	16	10 59	13	18
13 21 21	22	21	17	12 45	15	19	22	21	17	12 19	15	19	22	21	17	11 53	14	19
13 25 07	23	22	18	13 39	16	20	23	22	18	13 13	16	20	23	22	17	12 46	15	20
13 28 53	24	23	19	14 33	17	21	24	23	19	14 07	17	21	24	23	18	13 41	16	21
13 32 39	25	24	20	15 27	18	22	25	24	19	15 01	18	22	25	24	19	14 35	17	22
13 36 26	26	25	21	16 22	19	23	26	25	20	15 56	19	23	26	24	20	15 30	18	23
13 40 13	27	26	21	17 17	20	24	27	25	21	16 51	20	24	27	25	21	16 25	20	24
13 44 01	28	27	22	18 12	21	25	28	26	22	17 47	21	25	28	26	22	17 20	21	25
13 47 49	29	27	23	19 08	22	27	29	27	23	18 42	22	27	29	27	23	18 16	22	27
13 51 38	♏	28	24	20 04	23	28	♏	28	24	19 38	23	28	♏	28	23	19 12	23	28
13 55 28	1	29	25	21 00	24	29	1	29	25	20 35	24	29	1	29	24	20 09	24	29
13 59 18	2	♐	26	21 57	25	♈	2	♐	25	21 32	25	♈	2	♐	25	21 06	25	♈
14 03 09	3	1	27	22 54	26	1	3	1	26	22 29	26	1	3	1	26	22 03	26	1
14 07 00	4	2	28	23 52	27	2	4	2	27	23 26	27	2	4	2	27	23 01	27	2
14 10 52	5	3	28	24 50	28	3	5	3	28	24 24	28	3	5	3	28	23 59	28	3
14 14 45	6	4	29	25 48	29	4	6	4	29	25 23	29	4	6	3	29	24 57	29	4
14 18 38	7	5	♑	26 47	♓	5	7	5	♑	26 22	♓	5	7	4	♑	25 56	♓	5
14 22 32	8	6	1	27 46	2	6	8	5	1	27 21	1	6	8	5	1	26 56	1	6
14 26 27	9	6	2	28 45	3	7	9	6	2	28 21	3	8	9	6	1	27 56	2	8
14 30 22	10	7	3	29 45	4	9	10	7	3	29 21	4	9	10	7	2	28 56	4	9
14 34 18	11	8	4	0♒46	5	10	11	8	4	0♒22	5	10	11	8	3	29 57	5	10
14 38 14	12	9	5	1 47	6	11	12	9	4	1 23	6	11	12	9	4	0♒58	6	11
14 42 12	13	10	6	2 48	7	12	13	10	5	2 24	7	12	13	10	5	2 00	7	12
14 46 10	14	11	7	3 50	8	13	14	11	6	3 26	8	13	14	11	6	3 02	8	13
HOUSES	4	5	6	7	8	9	4	5	6	7	8	9	4	5	6	7	8	9
	LATITUDE 15° S.						LATITUDE 16° S.						LATITUDE 17° S.					

	LATITUDE 15° N.						LATITUDE 16° N.						LATITUDE 17° N.					
SIDEREAL TIME	10 ♏	11 ♐	12 ♑	Asc ♒	2 ♓	3 ♈	10 ♏	11 ♐	12 ♑	Asc ♒	2 ♓	3 ♈	10 ♏	11 ♐	12 ♑	Asc ♒	2 ♓	3 ♈
h m s	°	°	°	° '	°	°	°	°	°	° '	°	°	°	°	°	° '	°	°
14 50 09	15	12	7	4 53	10	14	15	12	7	4 29	9	14	15	12	7	4 05	9	14
14 54 08	16	13	8	5 56	11	15	16	13	8	5 32	11	15	16	13	8	5 08	10	15
14 58 08	17	14	9	6 59	12	16	17	14	9	6 36	12	16	17	14	9	6 12	12	16
15 02 09	18	15	10	8 03	13	18	18	15	10	7 40	13	18	18	14	10	7 17	13	18
15 06 11	19	16	11	9 07	14	19	19	15	11	8 45	14	19	19	15	11	8 22	14	19
15 10 13	20	17	12	10 12	15	20	20	16	12	9 50	15	20	20	16	12	9 27	15	20
15 14 16	21	17	13	11 18	17	21	21	17	13	10 56	16	21	21	17	13	10 33	16	21
15 18 20	22	18	14	12 24	18	22	22	18	14	12 02	18	22	22	18	14	11 40	18	22
15 22 25	23	19	15	13 30	19	23	23	19	15	13 09	19	23	23	19	14	12 47	19	23
15 26 30	24	20	16	14 37	20	24	24	20	16	14 16	20	24	24	20	15	13 54	20	24
15 30 36	25	21	17	15 45	21	25	25	21	17	15 24	21	25	25	21	16	15 03	21	26
15 34 43	26	22	18	16 53	23	27	26	22	18	16 32	22	27	26	22	17	16 12	22	27
15 38 50	27	23	19	18 01	24	28	27	23	19	17 41	24	28	27	23	18	17 21	24	28
15 42 58	28	24	20	19 11	25	29	28	24	20	18 51	25	29	28	24	19	18 31	25	29
15 47 07	29	25	21	20 20	26	♉	29	25	21	20 01	26	♉	29	25	20	19 41	26	♉
15 51 16	♐	26	22	21 31	27	1	♐	26	22	21 12	27	1	♐	26	21	20 53	27	1
15 55 27	1	27	23	22 42	29	2	1	27	23	22 23	29	2	1	27	22	22 04	29	2
15 59 37	2	28	24	23 53	♈	3	2	28	24	23 35	♈	3	2	28	23	23 17	♈	3
16 03 49	3	29	25	25 05	1	4	3	29	25	24 47	1	4	3	29	24	24 29	1	5
16 08 01	4	♑	26	26 17	2	6	4	♑	26	26 00	2	6	4	♑	26	25 43	2	6
16 12 14	5	1	27	27 30	4	7	5	1	27	27 14	4	7	5	0	27	26 57	4	7
16 16 27	6	2	28	28 43	5	8	6	2	28	28 27	5	8	6	1	28	28 11	5	8
16 20 41	7	3	29	29 57	6	9	7	3	29	29 42	6	9	7	2	29	29 26	6	9
16 24 56	8	4	♒	1♓12	7	10	8	4	♒	0♓57	7	10	8	3	♒	0♓42	7	10
16 29 11	9	5	1	2 27	9	11	9	5	1	2 12	9	11	9	4	1	1 58	9	11
16 33 27	10	6	2	3 42	10	12	10	5	2	3 28	10	12	10	5	2	3 14	10	12
16 37 43	11	7	4	4 58	11	13	11	6	3	4 45	11	13	11	6	3	4 31	11	14
16 42 00	12	8	5	6 14	12	14	12	7	4	6 01	12	15	12	7	4	5 49	13	15
16 46 17	13	9	6	7 31	14	16	13	8	5	7 19	14	16	13	8	5	7 06	14	16
16 50 35	14	10	7	8 48	15	17	14	9	7	8 36	15	17	14	9	6	8 25	15	17
16 54 53	15	11	8	10 05	16	18	15	10	8	9 55	16	18	15	10	7	9 44	16	18
16 59 11	16	12	9	11 23	17	19	16	11	9	11 13	17	19	16	11	9	11 03	18	19
17 03 30	17	13	10	12 41	19	20	17	12	10	12 32	19	20	17	12	10	12 22	19	20
17 07 49	18	14	11	14 00	20	21	18	13	11	13 51	20	21	18	13	11	13 42	20	21
17 12 09	19	15	12	15 19	21	22	19	15	12	15 11	21	22	19	14	12	15 02	21	22
17 16 29	20	16	14	16 38	22	23	20	16	13	16 31	22	23	20	15	13	16 23	23	23
17 20 49	21	17	15	17 57	24	24	21	17	14	17 51	24	24	21	16	14	17 44	24	25
17 25 10	22	18	16	19 17	25	25	22	18	16	19 11	25	26	22	17	15	19 05	25	26
17 29 31	23	19	17	20 37	26	26	23	19	17	20 32	26	27	23	18	17	20 26	26	27
17 33 52	24	20	18	21 57	27	28	24	20	18	21 52	27	28	24	19	18	21 48	28	28
17 38 13	25	21	19	23 17	29	29	25	21	19	23 13	29	29	25	21	19	23 10	29	29
17 42 34	26	22	21	24 38	♉	♊	26	22	20	24 35	♉	♊	26	22	20	24 31	♉	♊
17 46 55	27	23	22	25 58	1	1	27	23	22	25 56	1	1	27	23	21	25 53	1	1
17 51 17	28	24	23	27 19	2	2	28	24	23	27 17	2	2	28	24	23	27 16	3	2
17 55 38	29	25	24	28 39	3	3	29	25	24	28 38	4	3	29	25	24	28 38	4	3
HOUSES	4	5	6	7	8	9	4	5	6	7	8	9	4	5	6	7	8	9
	LATITUDE 15° S.						LATITUDE 16° S.						LATITUDE 17° S.					

SIDEREAL TIME	LATITUDE 15° N.						LATITUDE 16° N.						LATITUDE 17° N.					
	10	11	12	Asc	2	3	10	11	12	Asc	2	3	10	11	12	Asc	2	3
	♑	♑	♒	♈	♉	♊	♑	♑	♒	♈	♉	♊	♑	♑	♒	♈	♉	♊
h m s	°	°	°	° '	°	°	°	°	°	° '	°	°	°	°	°	° '	°	°
18 00 00	0	26	25	0 00	5	4	0	26	25	0 00	5	4	0	26	25	0 00	5	4
18 04 22	1	27	27	1 20	6	5	1	27	26	1 21	6	5	1	27	26	1 22	6	5
18 08 43	2	28	28	2 41	7	6	2	28	28	2 43	7	6	2	28	27	2 44	7	6
18 13 05	3	29	29	4 02	8	7	3	29	29	4 04	8	7	3	29	29	4 06	9	7
18 17 26	4	♒	♓	5 22	9	8	4	♒	♓	5 25	10	8	4	♒	♓	5 28	10	8
18 21 47	5	1	1	6 42	11	9	5	1	1	6 46	11	9	5	1	1	6 50	11	9
18 26 08	6	2	3	8 03	12	10	6	2	3	8 07	12	10	6	2	2	8 12	12	11
18 30 29	7	4	4	9 23	13	11	7	3	4	9 28	13	11	7	3	4	9 33	13	12
18 34 50	8	5	5	10 43	14	12	8	4	5	10 49	14	12	8	4	5	10 55	15	13
18 39 11	9	6	6	12 02	15	13	9	6	6	12 09	16	13	9	5	6	12 16	16	14
18 43 31	10	7	8	13 22	16	14	10	7	7	13 29	17	14	10	7	7	13 37	17	15
18 47 51	11	8	9	14 41	18	15	11	8	9	14 49	18	15	11	8	9	14 57	18	16
18 52 11	12	9	10	16 00	19	16	12	9	10	16 08	19	17	12	9	10	16 17	19	17
18 56 30	13	10	11	17 18	20	17	13	10	11	17 28	20	18	13	10	11	17 37	20	18
19 00 49	14	11	13	18 36	21	18	14	11	13	18 47	21	19	14	11	12	18 57	21	19
19 05 07	15	12	14	19 54	22	19	15	12	14	20 05	22	20	15	12	14	20 16	23	20
19 09 25	16	13	15	21 12	23	20	16	13	15	21 23	23	21	16	13	15	21 35	24	21
19 13 43	17	14	16	22 29	24	21	17	14	16	22 41	25	22	17	14	16	22 53	25	22
19 18 00	18	16	18	23 46	25	22	18	15	18	23 58	26	23	18	15	17	24 11	26	23
19 22 17	19	17	19	25 02	26	23	19	17	19	25 15	27	24	19	16	19	25 29	27	24
19 26 33	20	18	20	26 18	28	24	20	18	20	26 31	28	24	20	18	20	26 46	28	25
19 30 49	21	19	21	27 33	29	25	21	19	21	27 47	29	25	21	19	21	28 02	29	26
19 35 04	22	20	23	28 48	♊	26	22	20	23	29 03	♊	26	22	20	23	29 18	♊	27
19 39 19	23	21	24	0♉02	1	27	23	21	24	0♉18	1	27	23	21	24	0♉34	1	28
19 43 33	24	22	25	1 16	2	28	24	22	25	1 32	2	28	24	22	25	1 49	2	29
19 47 46	25	23	26	2 30	3	29	25	23	26	2 46	3	29	25	23	26	3 03	3	♋
19 51 59	26	24	28	3 43	4	♋	26	24	28	3 59	4	♋	26	24	28	4 17	4	0
19 56 11	27	26	29	4 55	5	1	27	26	29	5 12	5	1	27	25	29	5 30	6	1
20 00 23	28	27	♈	6 07	6	2	28	27	♈	6 25	6	2	28	27	♈	6 43	7	2
20 04 33	29	28	1	7 18	7	3	29	28	1	7 36	7	3	29	28	1	7 55	8	3
20 08 44	♒	29	3	8 29	8	4	♒	29	3	8 48	8	4	♒	29	3	9 07	9	4
20 12 53	1	♓	4	9 39	9	5	1	♓	4	9 58	9	5	1	♓	4	10 18	10	5
20 17 02	2	1	5	10 49	10	6	2	1	5	11 09	10	6	2	1	5	11 29	11	6
20 21 10	3	2	6	11 58	11	7	3	2	6	12 18	11	7	3	2	6	12 39	12	7
20 25 17	4	3	7	13 07	12	8	4	3	8	13 27	12	8	4	3	8	13 48	13	8
20 29 24	5	5	9	14 15	13	9	5	5	9	14 36	13	9	5	4	9	14 57	14	9
20 33 30	6	6	10	15 23	14	10	6	6	10	15 44	14	10	6	6	10	16 05	15	10
20 37 35	7	7	11	16 30	15	11	7	7	11	16 51	15	11	7	7	11	17 13	16	11
20 41 40	8	8	12	17 36	16	12	8	8	12	17 58	16	12	8	8	12	18 20	16	12
20 45 44	9	9	13	18 42	17	13	9	9	14	19 04	17	13	9	9	14	19 27	17	13
20 49 47	10	10	15	19 47	18	13	10	10	15	20 10	18	14	10	10	15	20 33	18	14
20 53 49	11	11	16	20 52	19	14	11	11	16	21 15	19	15	11	11	16	21 38	19	15
20 57 51	12	12	17	21 57	20	15	12	12	17	22 20	20	15	12	12	17	22 43	20	16
21 01 52	13	14	18	23 01	21	16	13	14	18	23 24	21	16	13	14	18	23 47	21	16
21 05 52	14	15	19	24 04	22	17	14	15	19	24 27	22	17	14	15	20	24 51	22	17
HOUSES	4	5	6	7	8	9	4	5	6	7	8	9	4	5	6	7	8	9
	LATITUDE 15° S.						LATITUDE 16° S.						LATITUDE 17° S.					

LATITUDE 15° N.

SIDEREAL TIME			10 ♒	11 ♓	12 ♈	Asc ♉		2 ♊	3 ♋
h	m	s	°	°	°	°	'	°	°
21	09	51	15	16	20	25	07	23	18
21	13	50	16	17	22	26	09	23	19
21	17	48	17	18	23	27	11	24	20
21	21	46	18	19	24	28	13	25	21
21	25	42	19	20	25	29	14	26	22
21	29	38	20	21	26	0♊	14	27	23
21	33	33	21	23	27	1	14	28	24
21	37	28	22	24	28	2	14	29	24
21	41	22	23	25	29	3	13	♋	25
21	45	15	24	26	♉	4	12	1	26
21	49	08	25	27	2	5	10	2	27
21	53	00	26	28	3	6	08	2	28
21	56	51	27	29	4	7	05	3	29
22	00	42	28	♈	5	8	02	4	♌
22	04	32	29	1	6	8	59	5	1
22	08	22	♓	2	7	9	56	6	2
22	12	10	1	3	8	10	52	7	3
22	15	59	2	5	9	11	47	8	3
22	19	47	3	6	10	12	43	9	4
22	23	34	4	7	11	13	38	9	5
22	27	21	5	8	12	14	32	10	6
22	31	07	6	9	13	15	27	11	7
22	34	53	7	10	14	16	21	12	8
22	38	39	8	11	15	17	14	13	9
22	42	24	9	12	16	18	08	14	10
22	46	08	10	13	17	19	01	15	11
22	49	52	11	14	18	19	54	15	12
22	53	36	12	15	19	20	47	16	13
22	57	19	13	16	20	21	39	17	13
23	01	03	14	17	21	22	31	18	14
23	04	45	15	18	22	23	24	19	15
23	08	28	16	19	23	24	15	20	16
23	12	10	17	20	24	25	07	20	17
23	15	52	18	21	25	25	58	21	18
23	19	33	19	22	26	26	50	22	19
23	23	15	20	23	27	27	41	23	20
23	26	56	21	24	28	28	32	24	21
23	30	37	22	25	29	29	23	25	22
23	34	17	23	26	♊	0♋	13	26	22
23	37	58	24	27	0	1	04	26	23
23	41	39	25	28	1	1	54	27	24
23	45	19	26	29	2	2	45	28	25
23	48	59	27	♉	3	3	35	29	26
23	52	40	28	1	4	4	25	♌	27
23	56	20	29	2	5	5	15	1	28
HOUSES			4	5	6	7		8	9

LATITUDE 15° S.

LATITUDE 16° N.

SIDEREAL TIME			10 ♒	11 ♓	12 ♈	Asc ♉		2 ♊	3 ♋
h	m	s	°	°	°	°	'	°	°
21	09	51	15	16	21	25	31	23	18
21	13	50	16	17	22	26	33	24	19
21	17	48	17	18	23	27	35	25	20
21	21	46	18	19	24	28	37	26	21
21	25	42	19	20	25	29	38	26	22
21	29	38	20	21	26	0♊	39	27	23
21	33	33	21	22	27	1	39	28	24
21	37	28	22	24	29	2	39	29	25
21	41	22	23	25	♉	3	38	♋	25
21	45	15	24	26	1	4	37	1	26
21	49	08	25	27	2	5	35	2	27
21	53	00	26	28	3	6	33	3	28
21	56	51	27	29	4	7	31	4	29
22	00	42	28	♈	5	8	28	5	♌
22	04	32	29	1	6	9	25	5	1
22	08	22	♓	2	7	10	21	6	2
22	12	10	1	3	8	11	17	7	3
22	15	59	2	5	9	12	13	8	4
22	19	47	3	6	10	13	08	9	5
22	23	34	4	7	11	14	03	10	5
22	27	21	5	8	12	14	58	11	6
22	31	07	6	9	13	15	53	11	7
22	34	53	7	10	14	16	47	12	8
22	38	39	8	11	15	17	40	13	9
22	42	24	9	12	16	18	34	14	10
22	46	08	10	13	17	19	27	15	11
22	49	52	11	14	18	20	20	16	12
22	53	36	12	15	19	21	13	17	13
22	57	19	13	16	20	22	05	17	14
23	01	03	14	17	21	22	58	18	14
23	04	45	15	18	22	23	50	19	15
23	08	28	16	19	23	24	41	20	16
23	12	10	17	20	24	25	33	21	17
23	15	52	18	21	25	26	25	22	18
23	19	33	19	22	26	27	16	22	19
23	23	15	20	23	27	28	07	23	20
23	26	56	21	24	28	28	58	24	21
23	30	37	22	25	29	29	49	25	22
23	34	17	23	26	♊	0♋	39	26	23
23	37	58	24	27	1	1	30	27	23
23	41	39	25	28	2	2	20	27	24
23	45	19	26	29	3	3	10	28	25
23	48	59	27	♉	3	4	00	29	26
23	52	40	28	1	4	4	50	♌	27
23	56	20	29	2	5	5	40	1	28
HOUSES			4	5	6	7		8	9

LATITUDE 16° S.

LATITUDE 17° N.

SIDEREAL TIME			10 ♒	11 ♓	12 ♈	Asc ♉		2 ♊	3 ♋
h	m	s	°	°	°	°	'	°	°
21	09	51	15	16	21	25	55	23	18
21	13	50	16	17	22	26	57	24	19
21	17	48	17	18	23	28	00	25	20
21	21	46	18	19	24	29	02	26	21
21	25	42	19	20	25	0♊	03	27	22
21	29	38	20	21	26	1	04	28	23
21	33	33	21	22	28	2	04	29	24
21	37	28	22	24	29	3	04	29	25
21	41	22	23	25	♉	4	03	♋	26
21	45	15	24	26	1	5	02	1	27
21	49	08	25	27	2	6	01	2	27
21	53	00	26	28	3	6	59	3	28
21	56	51	27	29	4	7	57	4	29
22	00	42	28	♈	5	8	54	5	♌
22	04	32	29	1	6	9	51	6	1
22	08	22	♓	2	7	10	47	7	2
22	12	10	1	3	8	11	44	7	3
22	15	59	2	5	9	12	39	8	4
22	19	47	3	6	10	13	35	9	5
22	23	34	4	7	12	14	30	10	6
22	27	21	5	8	13	15	25	11	6
22	31	07	6	9	14	16	19	12	7
22	34	53	7	10	15	17	13	13	8
22	38	39	8	11	16	18	07	13	9
22	42	24	9	12	17	19	00	14	10
22	46	08	10	13	18	19	54	15	11
22	49	52	11	14	19	20	47	16	12
22	53	36	12	15	20	21	39	17	13
22	57	19	13	16	21	22	32	18	14
23	01	03	14	17	22	23	24	18	15
23	04	45	15	18	22	24	16	19	15
23	08	28	16	19	23	25	08	20	16
23	12	10	17	20	24	26	00	21	17
23	15	52	18	21	25	26	51	22	18
23	19	33	19	22	26	27	42	23	19
23	23	15	20	23	27	28	33	24	20
23	26	56	21	25	28	29	24	24	21
23	30	37	22	26	29	0♋	15	25	22
23	34	17	23	27	♊	1	05	26	23
23	37	58	24	28	1	1	56	27	24
23	41	39	25	29	2	2	46	28	24
23	45	19	26	♉	3	3	36	29	25
23	48	59	27	1	4	4	26	29	26
23	52	40	28	2	5	5	16	♌	27
23	56	20	29	3	6	6	06	1	28
HOUSES			4	5	6	7		8	9

LATITUDE 17° S.

	LATITUDE 18° N.						LATITUDE 19° N.						LATITUDE 20° N.					
SIDEREAL TIME	10 ♈	11 ♉	12 ♊	Asc ♋	2 ♌	3 ♌	10 ♈	11 ♉	12 ♊	Asc ♋	2 ♌	3 ♌	10 ♈	11 ♉	12 ♊	Asc ♋	2 ♌	3 ♌
h m s	°	°	°	° '	°	°	°	°	°	° '	°	°	°	°	°	° '	°	°
0 00 00	0	4	7	7 22	2	29	0	4	7	7 48	2	29	0	4	7	8 14	3	29
0 03 40	1	5	8	8 11	3	♍	1	5	8	8 37	3	♍	1	5	8	9 04	4	♍
0 07 20	2	6	9	9 01	4	1	2	6	9	9 27	4	1	2	6	9	9 53	4	1
0 11 01	3	7	9	9 50	5	2	3	7	10	10 16	5	2	3	7	10	10 42	5	2
0 14 41	4	8	10	10 40	6	3	4	8	11	11 06	6	3	4	8	11	11 31	6	3
0 18 21	5	9	11	11 29	6	4	5	9	11	11 55	7	4	5	9	12	12 21	7	4
0 22 02	6	10	12	12 19	7	5	6	10	12	12 44	7	5	6	10	13	13 10	8	5
0 25 43	7	11	13	13 08	8	6	7	11	13	13 33	8	6	7	11	14	13 59	9	6
0 29 23	8	11	14	13 58	9	7	8	12	14	14 23	9	7	8	12	14	14 48	9	7
0 33 04	9	12	15	14 47	10	8	9	13	15	15 12	10	8	9	13	15	15 37	10	8
0 36 45	10	13	16	15 36	11	8	10	14	16	16 01	11	9	10	14	16	16 26	11	9
0 40 27	11	14	16	16 26	12	9	11	14	17	16 50	12	9	11	15	17	17 15	12	10
0 44 08	12	15	17	17 15	12	10	12	15	18	17 40	13	10	12	16	18	18 05	13	10
0 47 50	13	16	18	18 05	13	11	13	16	19	18 29	13	11	13	17	19	18 54	14	11
0 51 32	14	17	19	18 54	14	12	14	17	19	19 18	14	12	14	17	20	19 43	15	12
0 55 15	15	18	20	19 44	15	13	15	18	20	20 08	15	13	15	18	21	20 32	15	13
0 58 57	16	19	21	20 33	16	14	16	19	21	20 57	16	14	16	19	21	21 21	16	14
1 02 41	17	20	22	21 23	17	15	17	20	22	21 47	17	15	17	20	22	22 11	17	15
1 06 24	18	21	23	22 13	18	16	18	21	23	22 36	18	16	18	21	23	23 00	18	16
1 10 08	19	22	23	23 02	18	17	19	22	24	23 26	19	17	19	22	24	23 50	19	17
1 13 52	20	23	24	23 52	19	18	20	23	25	24 16	20	18	20	23	25	24 39	20	18
1 17 36	21	24	25	24 42	20	19	21	24	26	25 06	20	19	21	24	26	25 29	21	19
1 21 21	22	25	26	25 33	21	20	22	25	26	25 55	21	20	22	25	27	26 19	22	20
1 25 07	23	26	27	26 23	22	21	23	26	27	26 46	22	21	23	26	28	27 08	22	21
1 28 53	24	27	28	27 13	23	22	24	27	28	27 36	23	22	24	27	28	27 58	23	22
1 32 39	25	28	29	28 04	24	23	25	28	29	28 26	24	23	25	28	29	28 48	24	23
1 36 26	26	29	♋	28 54	25	24	26	29	♋	29 16	25	24	26	29	♋	29 39	25	24
1 40 13	27	♊	0	29 45	26	25	27	♊	1	0♌07	26	25	27	♊	1	0♌29	26	25
1 44 01	28	0	1	0♌36	27	26	28	1	2	0 58	27	26	28	1	2	1 19	27	26
1 47 49	29	1	2	1 27	27	27	29	2	2	1 48	28	27	29	2	3	2 10	28	27
1 51 38	♉	2	3	2 18	28	28	♉	2	3	2 39	29	28	♉	3	4	3 01	29	28
1 55 28	1	3	4	3 09	29	29	1	3	4	3 31	29	29	1	4	4	3 52	♍	29
1 59 18	2	4	5	4 01	♍	♎	2	4	5	4 22	♍	♎	2	4	5	4 43	1	♎
2 03 09	3	5	6	4 53	1	1	3	5	6	5 13	1	1	3	5	6	5 34	1	1
2 07 00	4	6	7	5 45	2	2	4	6	7	6 05	2	2	4	6	7	6 26	2	2
2 10 52	5	7	7	6 37	3	3	5	7	8	6 57	3	3	5	7	8	7 17	3	3
2 14 45	6	8	8	7 29	4	4	6	8	9	7 49	4	4	6	8	9	8 09	4	4
2 18 38	7	9	9	8 21	5	5	7	9	9	8 41	5	5	7	9	10	9 01	5	5
2 22 32	8	10	10	9 14	6	6	8	10	10	9 34	6	6	8	10	11	9 53	6	6
2 26 27	9	11	11	10 07	7	7	9	11	11	10 26	7	7	9	11	12	10 46	7	7
2 30 22	10	12	12	11 00	8	8	10	12	12	11 19	8	8	10	12	12	11 38	8	8
2 34 18	11	13	13	11 53	9	9	11	13	13	12 12	9	9	11	13	13	12 31	9	9
2 38 14	12	14	14	12 47	10	10	12	14	14	13 05	10	10	12	14	14	13 24	10	10
2 42 12	13	14	14	13 41	11	11	13	15	15	13 59	11	11	13	15	15	14 17	11	11
2 46 10	14	15	15	14 35	12	12	14	16	16	14 53	12	12	14	16	16	15 11	12	12
HOUSES	4	5	6	7	8	9	4	5	6	7	8	9	4	5	6	7	8	9
	LATITUDE 18° S.						LATITUDE 19° S.						LATITUDE 20° S.					

	LATITUDE 18° N.						LATITUDE 19° N.						LATITUDE 20° N.					
SIDEREAL TIME	10 ♉	11 ♊	12 ♋	Asc ♌	2 ♍	3 ♎	10 ♉	11 ♊	12 ♋	Asc ♌	2 ♍	3 ♎	10 ♉	11 ♊	12 ♋	Asc ♌	2 ♍	3 ♎
h m s	°	°	°	° '	°	°	°	°	°	° '	°	°	°	°	°	° '	°	°
2 50 09	15	16	16	15 29	13	13	15	16	17	15 47	13	13	15	17	17	16 04	13	13
2 54 08	16	17	17	16 24	14	14	16	17	17	16 41	14	14	16	18	18	16 58	14	14
2 58 08	17	18	18	17 18	15	15	17	18	18	17 35	15	15	17	18	19	17 52	15	15
3 02 09	18	19	19	18 13	16	16	18	19	19	18 30	16	16	18	19	20	18 47	16	16
3 06 11	19	20	20	19 09	17	17	19	20	20	19 25	17	17	19	20	20	19 41	17	17
3 10 13	20	21	21	20 04	18	18	20	21	21	20 20	18	18	20	21	21	20 36	18	18
3 14 16	21	22	22	21 00	19	19	21	22	22	21 15	19	19	21	22	22	21 31	19	19
3 18 20	22	23	23	21 56	20	20	22	23	23	22 11	20	20	22	23	23	22 27	20	20
3 22 25	23	24	24	22 52	21	21	23	24	24	23 07	21	21	23	24	24	23 22	21	21
3 26 30	24	25	25	23 48	22	22	24	25	25	24 03	22	22	24	25	25	24 18	22	22
3 30 36	25	26	25	24 45	23	23	25	26	26	25 00	23	23	25	26	26	25 14	23	23
3 34 43	26	27	26	25 42	24	24	26	27	27	25 56	24	24	26	27	27	26 10	24	24
3 38 50	27	28	27	26 39	25	25	27	28	28	26 53	25	25	27	28	28	27 07	25	25
3 42 58	28	29	28	27 37	26	27	28	29	29	27 50	26	26	28	29	29	28 04	26	26
3 47 07	29	♋	29	28 34	27	28	29	♋	29	28 48	27	28	29	♋	♌	29 01	27	27
3 51 16	♊	0	♌	29 32	28	29	♊	1	♌	29 45	28	29	♊	1	1	29 58	28	28
3 55 27	1	1	1	0♍31	29	♏	1	2	1	0♍43	29	♏	1	2	2	0♍55	29	♏
3 59 37	2	2	2	1 29	♎	1	2	3	2	1 41	♎	1	2	3	3	1 53	♎	1
4 03 49	3	3	3	2 28	1	2	3	3	3	2 39	1	2	3	4	4	2 51	1	2
4 08 01	4	4	4	3 27	2	3	4	4	4	3 38	2	3	4	5	5	3 49	2	3
4 12 14	5	5	5	4 26	3	4	5	5	5	4 37	3	4	5	6	5	4 48	3	4
4 16 27	6	6	6	5 25	4	5	6	6	6	5 36	4	5	6	7	6	5 46	4	5
4 20 41	7	7	7	6 25	5	6	7	7	7	6 35	5	6	7	7	7	6 45	5	6
4 24 56	8	8	8	7 25	6	7	8	8	8	7 34	6	7	8	8	8	7 44	6	7
4 29 11	9	9	9	8 25	7	8	9	9	9	8 34	7	8	9	9	9	8 43	7	8
4 33 27	10	10	10	9 25	8	9	10	10	10	9 34	8	9	10	10	10	9 43	8	9
4 37 43	11	11	11	10 25	9	10	11	11	11	10 34	9	10	11	11	11	10 42	9	10
4 42 00	12	12	12	11 26	10	11	12	12	12	11 34	10	11	12	12	12	11 42	10	11
4 46 17	13	13	13	12 27	12	12	13	13	13	12 34	11	12	13	13	13	12 42	11	12
4 50 35	14	14	14	13 28	13	13	14	14	14	13 35	13	13	14	14	14	13 42	12	13
4 54 53	15	15	15	14 29	14	14	15	15	15	14 36	14	14	15	15	15	14 42	13	14
4 59 11	16	16	16	15 30	15	15	16	16	16	15 37	15	15	16	16	16	15 43	15	15
5 03 30	17	17	17	16 32	16	16	17	17	17	16 38	16	16	17	17	17	16 43	16	16
5 07 49	18	18	18	17 33	17	18	18	18	18	17 39	17	17	18	18	18	17 44	17	17
5 12 09	19	19	19	18 35	18	19	19	19	19	18 40	18	18	19	19	19	18 45	18	18
5 16 29	20	20	20	19 37	19	20	20	20	20	19 41	19	19	20	20	20	19 46	19	19
5 20 49	21	21	21	20 39	20	21	21	21	21	20 43	20	21	21	21	21	20 47	20	20
5 25 10	22	22	22	21 41	21	22	22	22	22	21 45	21	22	22	22	22	21 48	21	21
5 29 31	23	23	23	22 43	22	23	23	23	23	22 46	22	23	23	23	23	22 49	22	22
5 33 52	24	24	24	23 45	23	24	24	24	24	23 48	23	24	24	24	24	23 51	23	23
5 38 13	25	25	25	24 48	24	25	25	25	25	24 50	24	25	25	25	26	24 52	24	25
5 42 34	26	26	26	25 50	25	26	26	26	26	25 52	25	26	26	26	27	25 54	25	26
5 46 55	27	27	27	26 52	26	27	27	27	27	26 54	26	27	27	27	28	26 55	26	27
5 51 17	28	28	28	27 55	27	28	28	28	28	27 56	27	28	28	28	29	27 57	27	28
5 55 38	29	29	29	28 57	29	29	29	29	♍	28 58	28	29	29	29	♍	28 58	28	29
HOUSES	4	5	6	7	8	9	4	5	6	7	8	9	4	5	6	7	8	9
	LATITUDE 18° S.						LATITUDE 19° S.						LATITUDE 20° S.					

SIDEREAL TIME	LATITUDE 18° N.						LATITUDE 19° N.						LATITUDE 20° N.					
	10 ♋	11 ♌	12 ♍	Asc ♎	2 ♏	3 ♐	10 ♋	11 ♌	12 ♍	Asc ♎	2 ♎	3 ♐	10 ♋	11 ♌	12 ♍	Asc ♎	2 ♎	3 ♐
h m s	°	°	°	° '	°	°	°	°	°	° '	°	°	°	°	°	° '	°	°
6 00 00	0	0	0	0 00	0	0	0	0	1	0 00	29	0	0	0	1	0 00	29	0
6 04 22	1	1	1	1 02	1	1	1	1	2	1 02	♏	1	1	1	2	1 01	♏	1
6 08 43	2	2	3	2 05	2	2	2	2	3	2 04	2	2	2	2	3	2 03	1	2
6 13 05	3	3	4	3 07	3	3	3	3	4	3 06	3	3	3	3	4	3 04	2	3
6 17 26	4	4	5	4 10	4	4	4	4	5	4 08	4	4	4	4	5	4 06	3	4
6 21 47	5	5	6	5 12	5	5	5	5	6	5 10	5	5	5	5	6	5 07	4	5
6 26 08	6	6	7	6 14	6	6	6	6	7	6 12	6	6	6	6	7	6 09	6	6
6 30 29	7	7	8	7 17	7	7	7	7	8	7 13	7	7	7	8	8	7 10	7	7
6 34 50	8	8	9	8 19	8	8	8	8	9	8 15	8	8	8	9	9	8 11	8	8
6 39 11	9	9	10	9 21	9	9	9	9	10	9 17	9	9	9	10	10	9 13	9	9
6 43 31	10	10	11	10 23	10	10	10	11	11	10 18	10	10	10	11	11	10 14	10	10
6 47 51	11	11	12	11 25	11	11	11	12	12	11 20	11	11	11	12	12	11 15	11	11
6 52 11	12	12	13	12 26	12	12	12	13	13	12 21	12	12	12	13	13	12 15	12	12
6 56 30	13	14	14	13 28	13	13	13	14	14	13 22	13	13	13	14	14	13 16	13	13
7 00 49	14	15	15	14 29	14	14	14	15	15	14 23	14	14	14	15	15	14 17	14	14
7 05 07	15	16	16	15 31	15	15	15	16	16	15 24	15	15	15	16	16	15 17	15	15
7 09 25	16	17	17	16 32	16	16	16	17	17	16 25	16	16	16	17	18	16 17	16	16
7 13 43	17	18	18	17 33	17	17	17	18	19	17 25	17	17	17	18	19	17 18	17	17
7 18 00	18	19	20	18 34	18	18	18	19	20	18 26	18	18	18	19	20	18 18	18	18
7 22 17	19	20	21	19 34	19	19	19	20	21	19 26	19	19	19	20	21	19 17	19	19
7 26 33	20	21	22	20 35	20	20	20	21	22	20 26	20	20	20	21	22	20 17	20	20
7 30 49	21	22	23	21 35	21	21	21	22	23	21 26	21	21	21	22	23	21 16	21	21
7 35 04	22	23	24	22 35	22	22	22	23	24	22 25	22	22	22	23	24	22 16	22	22
7 39 19	23	24	25	23 35	23	23	23	24	25	23 25	23	23	23	24	25	23 15	23	22
7 43 33	24	25	26	24 34	24	24	24	25	26	24 24	24	24	24	25	26	24 13	24	23
7 47 46	25	26	27	25 34	25	25	25	26	27	25 23	25	25	25	26	27	25 12	25	24
7 51 59	26	27	28	26 33	26	26	26	27	28	26 22	26	26	26	27	28	26 10	25	25
7 56 11	27	28	29	27 32	27	27	27	28	29	27 20	27	27	27	28	29	27 09	26	26
8 00 23	28	29	♎	28 31	28	28	28	29	♎	28 19	28	27	28	29	♎	28 07	27	27
8 04 33	29	♍	1	29 29	29	29	29	♍	1	29 17	29	28	29	♍	1	29 04	28	28
8 08 44	♌	1	2	0♏27	♐	♑	♌	1	2	0♏14	♐	29	♌	2	2	0♏02	29	29
8 12 53	1	2	3	1 25	1	0	1	2	3	1 12	1	♑	1	3	3	0 59	♐	♑
8 17 02	2	3	4	2 23	2	1	2	4	4	2 09	1	1	2	4	4	1 56	1	1
8 21 10	3	5	5	3 20	3	2	3	5	5	3 07	2	2	3	5	5	2 53	2	2
8 25 17	4	6	6	4 18	4	3	4	6	6	4 03	3	3	4	6	6	3 49	3	3
8 29 24	5	7	7	5 15	5	4	5	7	7	5 00	4	4	5	7	7	4 46	4	4
8 33 30	6	8	8	6 11	5	5	6	8	8	5 56	5	5	6	8	8	5 42	5	5
8 37 35	7	9	9	7 08	6	6	7	9	9	6 53	6	6	7	9	9	6 37	6	6
8 41 40	8	10	10	8 04	7	7	8	10	10	7 48	7	7	8	10	10	7 33	7	7
8 45 44	9	11	11	9 00	8	8	9	11	11	8 44	8	8	9	11	11	8 28	8	8
8 49 47	10	12	12	9 56	9	9	10	12	12	9 40	9	9	10	12	12	9 23	9	9
8 53 49	11	13	13	10 51	10	10	11	13	13	10 35	10	10	11	13	13	10 18	10	10
8 57 51	12	14	14	11 46	11	11	12	14	14	11 30	11	11	12	14	14	11 13	10	11
9 01 52	13	15	15	12 41	12	12	13	15	15	12 24	12	12	13	15	15	12 07	11	12
9 05 52	14	16	16	13 36	13	13	14	16	16	13 19	13	13	14	16	16	13 01	12	12
HOUSES	4	5	6	7	8	9	4	5	6	7	8	9	4	5	6	7	8	9
	LATITUDE 18° S.						LATITUDE 19° S.						LATITUDE 20° S.					

LATITUDE 18° N.

SIDEREAL TIME			10	11	12	Asc		2	3
			♌	♍	♎	♏		♐	♑
h	m	s	°	°	°	°	'	°	°
9	09	51	15	17	17	14	31	14	14
9	13	50	16	18	18	15	25	15	15
9	17	48	17	19	19	16	19	15	16
9	21	46	18	20	20	17	13	16	16
9	25	42	19	21	21	18	06	17	17
9	29	38	20	22	22	19	00	18	18
9	33	33	21	23	23	19	53	19	19
9	37	28	22	24	24	20	46	20	20
9	41	22	23	25	25	21	38	21	21
9	45	15	24	26	26	22	31	22	22
9	49	08	25	27	27	23	23	23	23
9	53	00	26	28	28	24	15	23	24
9	56	51	27	29	29	25	07	24	25
10	00	42	28	♎	♏	25	59	25	26
10	04	32	29	1	1	26	50	26	27
10	08	22	♍	2	2	27	42	27	28
10	12	10	1	3	3	28	33	28	29
10	15	59	2	4	3	29	24	29	♒
10	19	47	3	5	4	0♐	15	♑	0
10	23	34	4	6	5	1	05	0	1
10	27	21	5	7	6	1	56	1	2
10	31	07	6	8	7	2	47	2	3
10	34	53	7	9	8	3	37	3	4
10	38	39	8	10	9	4	27	4	5
10	42	24	9	11	10	5	17	5	6
10	46	08	10	12	11	6	07	6	7
10	49	52	11	13	12	6	57	7	8
10	53	36	12	14	12	7	47	7	9
10	57	19	13	15	13	8	37	8	10
11	01	03	14	16	14	9	26	9	11
11	04	45	15	17	15	10	16	10	12
11	08	28	16	18	16	11	06	11	13
11	12	10	17	19	17	11	55	12	14
11	15	52	18	20	18	12	45	13	15
11	19	33	19	21	18	13	34	13	16
11	23	15	20	22	19	14	23	14	17
11	26	56	21	22	20	15	13	15	18
11	30	37	22	23	21	16	02	16	19
11	34	17	23	24	22	16	51	17	19
11	37	58	24	25	23	17	41	18	20
11	41	39	25	26	24	18	30	19	21
11	45	19	26	27	24	19	20	20	22
11	48	59	27	28	25	20	09	21	23
11	52	40	28	29	26	20	59	21	24
11	56	20	29	♏	27	21	48	22	25
HOUSES			4	5	6	7		8	9

LATITUDE 18° S.

LATITUDE 19° N.

SIDEREAL TIME			10	11	12	Asc		2	3
			♌	♍	♎	♏		♐	♑
h	m	s	°	°	°	°	'	°	°
9	09	51	15	17	17	14	13	13	14
9	13	50	16	18	18	15	07	14	14
9	17	48	17	19	19	16	01	15	15
9	21	46	18	20	20	16	54	16	16
9	25	42	19	21	21	17	47	17	17
9	29	38	20	22	22	18	41	18	18
9	33	33	21	23	23	19	33	19	19
9	37	28	22	24	24	20	26	20	20
9	41	22	23	25	25	21	18	21	21
9	45	15	24	26	26	22	11	21	22
9	49	08	25	27	27	23	03	22	23
9	53	00	26	28	28	23	55	23	24
9	56	51	27	29	29	24	46	24	25
10	00	42	28	♎	♏	25	38	25	26
10	04	32	29	1	1	26	29	26	27
10	08	22	♍	2	1	27	20	27	28
10	12	10	1	3	2	28	11	28	28
10	15	59	2	4	3	29	02	28	29
10	19	47	3	5	4	29	53	29	♒
10	23	34	4	6	5	0♐	43	♑	1
10	27	21	5	7	6	1	34	1	2
10	31	07	6	8	7	2	24	2	3
10	34	53	7	9	8	3	14	3	4
10	38	39	8	10	9	4	04	4	5
10	42	24	9	11	10	4	54	4	6
10	46	08	10	12	10	5	44	5	7
10	49	52	11	13	11	6	34	6	8
10	53	36	12	14	12	7	23	7	9
10	57	19	13	15	13	8	13	8	10
11	01	03	14	16	14	9	02	9	11
11	04	45	15	17	15	9	52	10	12
11	08	28	16	18	16	10	41	11	13
11	12	10	17	19	17	11	31	11	14
11	15	52	18	20	17	12	20	12	15
11	19	33	19	21	18	13	09	13	16
11	23	15	20	21	19	13	58	14	16
11	26	56	21	22	20	14	48	15	17
11	30	37	22	23	21	15	37	16	18
11	34	17	23	24	22	16	26	17	19
11	37	58	24	25	23	17	15	18	20
11	41	39	25	26	23	18	05	18	21
11	45	19	26	27	24	18	54	19	22
11	48	59	27	28	25	19	43	20	23
11	52	40	28	29	26	20	33	21	24
11	56	20	29	♏	27	21	22	22	25
HOUSES			4	5	6	7		8	9

LATITUDE 19° S.

LATITUDE 20° N.

SIDEREAL TIME			10	11	12	Asc		2	3
			♌	♍	♎	♏		♐	♑
h	m	s	°	°	°	°	'	°	°
9	09	51	15	17	17	13	55	13	13
9	13	50	16	18	18	14	49	14	14
9	17	48	17	19	19	15	42	15	15
9	21	46	18	20	20	16	36	16	16
9	25	42	19	21	21	17	29	17	17
9	29	38	20	22	22	18	22	18	18
9	33	33	21	23	23	19	14	18	19
9	37	28	22	24	24	20	06	19	20
9	41	22	23	25	25	20	59	20	21
9	45	15	24	26	26	21	51	21	22
9	49	08	25	27	27	22	42	22	23
9	53	00	26	28	28	23	34	23	24
9	56	51	27	29	29	24	26	24	25
10	00	42	28	♎	29	25	17	25	26
10	04	32	29	1	♏	26	08	26	26
10	08	22	♍	2	1	26	59	26	27
10	12	10	1	3	2	27	50	27	28
10	15	59	2	4	3	28	40	28	29
10	19	47	3	5	4	29	31	29	♒
10	23	34	4	6	5	0♐	21	♑	1
10	27	21	5	7	6	1	11	1	2
10	31	07	6	8	7	2	01	2	3
10	34	53	7	9	8	2	51	2	4
10	38	39	8	10	8	3	41	3	5
10	42	24	9	11	9	4	31	4	6
10	46	08	10	12	10	5	20	5	7
10	49	52	11	13	11	6	10	6	8
10	53	36	12	14	12	6	59	7	9
10	57	19	13	15	13	7	49	8	10
11	01	03	14	16	14	8	38	9	11
11	04	45	15	17	15	9	28	9	12
11	08	28	16	18	15	10	17	10	13
11	12	10	17	19	16	11	06	11	13
11	15	52	18	20	17	11	55	12	14
11	19	33	19	20	18	12	44	13	15
11	23	15	20	21	19	13	33	14	16
11	26	56	21	22	20	14	22	15	17
11	30	37	22	23	21	15	12	16	18
11	34	17	23	24	21	16	01	16	19
11	37	58	24	25	22	16	50	17	20
11	41	39	25	26	23	17	39	18	21
11	45	19	26	27	24	18	28	19	22
11	48	59	27	28	25	19	17	20	23
11	52	40	28	29	26	20	07	21	24
11	56	20	29	♏	26	20	56	22	25
HOUSES			4	5	6	7		8	9

LATITUDE 20° S.

	LATITUDE 18° N.						LATITUDE 19° N.						LATITUDE 20° N.					
SIDEREAL TIME	10 ♎	11 ♏	12 ♏	Asc ♐	2 ♑	3 ♒	10 ♎	11 ♏	12 ♏	Asc ♐	2 ♑	3 ♒	10 ♎	11 ♏	12 ♏	Asc ♐	2 ♑	3 ♒
h m s	°	°	°	° '	°	°	°	°	°	° '	°	°	°	°	°	° '	°	°
12 00 00	0	1	28	22 38	23	26	0	1	28	22 12	23	26	0	1	27	21 46	23	26
12 03 40	1	2	29	23 28	24	27	1	2	28	23 01	24	27	1	2	28	22 35	24	27
12 07 20	2	3	29	24 17	25	28	2	3	29	23 51	25	28	2	3	29	23 25	25	28
12 11 01	3	4	♐	25 07	26	29	3	3	♐	24 41	26	29	3	3	♐	24 14	25	29
12 14 41	4	4	1	25 57	27	♓	4	4	1	25 31	27	♓	4	4	1	25 04	26	♓
12 18 21	5	5	2	26 47	28	1	5	5	2	26 21	28	1	5	5	1	25 54	27	1
12 22 02	6	6	3	27 38	29	2	6	6	3	27 11	28	2	6	6	2	26 44	28	2
12 25 43	7	7	4	28 28	♒	3	7	7	3	28 01	29	3	7	7	3	27 34	29	3
12 29 23	8	8	5	29 18	1	4	8	8	4	28 52	♒	4	8	8	4	28 25	♒	4
12 33 04	9	9	5	0♑09	2	5	9	9	5	29 42	1	5	9	9	5	29 15	1	5
12 36 45	10	10	6	1 00	2	6	10	10	6	0♑33	2	6	10	10	6	0♑06	2	6
12 40 27	11	11	7	1 51	3	7	11	11	7	1 24	3	7	11	11	6	0 57	3	7
12 44 08	12	12	8	2 42	4	8	12	12	8	2 15	4	8	12	12	7	1 48	4	8
12 47 50	13	13	9	3 33	5	10	13	13	8	3 06	5	9	13	12	8	2 39	5	9
12 51 32	14	14	10	4 25	6	11	14	13	9	3 58	6	10	14	13	9	3 30	6	10
12 55 15	15	14	10	5 17	7	12	15	14	10	4 50	7	12	15	14	10	4 22	7	11
12 58 57	16	15	11	6 09	8	13	16	15	11	5 42	8	13	16	15	11	5 14	8	13
13 02 41	17	16	12	7 01	9	14	17	16	12	6 34	9	14	17	16	12	6 06	9	14
13 06 24	18	17	13	7 53	10	15	18	17	13	7 26	10	15	18	17	12	6 59	10	15
13 10 08	19	18	14	8 46	11	16	19	18	13	8 19	11	16	19	18	13	7 51	11	16
13 13 52	20	19	15	9 39	12	17	20	19	14	9 12	12	17	20	19	14	8 44	12	17
13 17 36	21	20	15	10 32	13	18	21	20	15	10 05	13	18	21	20	15	9 37	13	18
13 21 21	22	21	16	11 26	14	19	22	21	16	10 59	14	19	22	21	16	10 31	14	19
13 25 07	23	22	17	12 20	15	20	23	22	17	11 52	15	20	23	21	17	11 25	15	20
13 28 53	24	23	18	13 14	16	21	24	22	18	12 47	16	21	24	22	17	12 19	16	21
13 32 39	25	23	19	14 08	17	22	25	23	19	13 41	17	22	25	23	18	13 13	17	22
13 36 26	26	24	20	15 03	18	23	26	24	19	14 36	18	23	26	24	19	14 08	18	23
13 40 13	27	25	21	15 58	19	24	27	25	20	15 31	19	24	27	25	20	15 03	19	24
13 44 01	28	26	21	16 54	20	25	28	26	21	16 27	20	25	28	26	21	15 59	20	25
13 47 49	29	27	22	17 49	21	27	29	27	22	17 22	21	27	29	27	22	16 55	21	26
13 51 38	♏	28	23	18 46	22	28	♏	28	23	18 19	22	28	♏	28	23	17 51	22	28
13 55 28	1	29	24	19 42	24	29	1	29	24	19 15	23	29	1	29	23	18 48	23	29
13 59 18	2	♐	25	20 39	25	♈	2	♐	25	20 12	24	♈	2	29	24	19 45	24	♈
14 03 09	3	1	26	21 37	26	1	3	1	25	21 10	25	1	3	♐	25	20 43	25	1
14 07 00	4	2	27	22 34	27	2	4	1	26	22 08	27	2	4	1	26	21 40	26	2
14 10 52	5	2	28	23 33	28	3	5	2	27	23 06	28	3	5	2	27	22 39	27	3
14 14 45	6	3	28	24 31	29	4	6	3	28	24 05	29	4	6	3	28	23 38	29	4
14 18 38	7	4	29	25 30	♓	5	7	4	29	25 04	♓	5	7	4	29	24 37	♓	5
14 22 32	8	5	♑	26 30	1	6	8	5	♑	26 04	1	6	8	5	♑	25 37	1	6
14 26 27	9	6	1	27 30	2	8	9	6	1	27 04	2	8	9	6	1	26 37	2	8
14 30 22	10	7	2	28 30	3	9	10	7	2	28 04	3	9	10	7	1	27 38	3	9
14 34 18	11	8	3	29 31	5	10	11	8	3	29 06	4	10	11	8	2	28 39	4	10
14 38 14	12	9	4	0♒33	6	11	12	9	4	0♒07	6	11	12	9	3	29 41	5	11
14 42 12	13	10	5	1 35	7	12	13	10	4	1 09	7	12	13	9	4	0♒43	7	12
14 46 10	14	11	6	2 37	8	13	14	10	5	2 12	8	13	14	10	5	1 46	8	13
HOUSES	4	5	6	7	8	9	4	5	6	7	8	9	4	5	6	7	8	9
	LATITUDE 18° S.						LATITUDE 19° S.						LATITUDE 20° S.					

SIDEREAL TIME	LATITUDE 18° N.						LATITUDE 19° N.						LATITUDE 20° N.					
	10	11	12	Asc	2	3	10	11	12	Asc	2	3	10	11	12	Asc	2	3
	♏	♐	♑	♒	♓	♈	♏	♐	♑	♒	♓	♈	♏	♐	♑	♒	♓	♈
h m s	°	°	°	° '	°	°	°	°	°	° '	°	°	°	°	°	° '	°	°
14 50 09	15	12	7	3 40	9	14	15	11	6	3 15	9	14	15	11	6	2 50	9	14
14 54 08	16	12	8	4 44	10	15	16	12	7	4 19	10	15	16	12	7	3 54	10	15
14 58 08	17	13	8	5 48	12	17	17	13	8	5 23	11	17	17	13	8	4 58	11	17
15 02 09	18	14	9	6 53	13	18	18	14	9	6 28	13	18	18	14	9	6 03	12	18
15 06 11	19	15	10	7 58	14	19	19	15	10	7 34	14	19	19	15	10	7 09	14	19
15 10 13	20	16	11	9 04	15	20	20	16	11	8 40	15	20	20	16	11	8 15	15	20
15 14 16	21	17	12	10 10	16	21	21	17	12	9 46	16	21	21	17	12	9 22	16	21
15 18 20	22	18	13	11 17	18	22	22	18	13	10 54	17	22	22	18	13	10 30	17	22
15 22 25	23	19	14	12 24	19	23	23	19	14	12 01	19	23	23	19	14	11 38	19	23
15 26 30	24	20	15	13 32	20	24	24	20	15	13 10	20	25	24	20	15	12 47	20	25
15 30 36	25	21	16	14 41	21	26	25	21	16	14 19	21	26	25	21	16	13 56	21	26
15 34 43	26	22	17	15 50	22	27	26	22	17	15 28	22	27	26	21	17	15 06	22	27
15 38 50	27	23	18	17 00	24	28	27	23	18	16 38	24	28	27	22	18	16 16	24	28
15 42 58	28	24	19	18 10	25	29	28	23	19	17 49	25	29	28	23	19	17 28	25	29
15 47 07	29	25	20	19 21	26	♉	29	24	20	19 01	26	♉	29	24	20	18 39	26	♉
15 51 16	♐	26	21	20 33	27	1	♐	25	21	20 13	27	1	♐	25	21	19 52	27	1
15 55 27	1	26	22	21 45	29	2	1	26	22	21 25	29	2	1	26	22	21 05	29	3
15 59 37	2	27	23	22 58	♈	4	2	27	23	22 38	♈	4	2	27	23	22 18	♈	4
16 03 49	3	28	24	24 11	1	5	3	28	24	23 52	1	5	3	28	24	23 33	1	5
16 08 01	4	29	25	25 25	2	6	4	29	25	25 06	2	6	4	29	25	24 48	2	6
16 12 14	5	♑	26	26 39	4	7	5	♑	26	26 21	4	7	5	♑	26	26 03	4	7
16 16 27	6	1	27	27 54	5	8	6	1	27	27 37	5	8	6	1	27	27 19	5	8
16 20 41	7	2	28	29 10	6	9	7	2	28	28 53	6	9	7	2	28	28 36	6	9
16 24 56	8	3	29	0♓26	7	10	8	3	29	0♓10	8	10	8	3	29	29 53	8	11
16 29 11	9	4	♒	1 42	9	11	9	4	♒	1 27	9	12	9	4	♒	1♓11	9	12
16 33 27	10	5	2	3 00	10	13	10	5	1	2 45	10	13	10	5	1	2 29	10	13
16 37 43	11	6	3	4 17	11	14	11	6	2	4 03	11	14	11	6	2	3 48	11	14
16 42 00	12	7	4	5 35	13	15	12	7	4	5 22	13	15	12	7	3	5 07	13	15
16 46 17	13	8	5	6 54	14	16	13	8	5	6 41	14	16	13	8	4	6 27	14	16
16 50 35	14	9	6	8 13	15	17	14	9	6	8 00	15	17	14	9	6	7 48	15	17
16 54 53	15	10	7	9 32	16	18	15	10	7	9 21	17	18	15	10	7	9 09	17	18
16 59 11	16	11	8	10 52	18	19	16	11	8	10 41	18	19	16	11	8	10 30	18	19
17 03 30	17	12	9	12 12	19	20	17	12	9	12 02	19	20	17	12	9	11 52	19	21
17 07 49	18	13	11	13 33	20	21	18	13	10	13 23	20	22	18	13	10	13 14	20	22
17 12 09	19	14	12	14 54	21	23	19	14	11	14 45	22	23	19	14	11	14 36	22	23
17 16 29	20	15	13	16 15	23	24	20	15	13	16 07	23	24	20	15	12	15 59	23	24
17 20 49	21	16	14	17 37	24	25	21	16	14	17 30	24	25	21	16	14	17 22	24	25
17 25 10	22	17	15	18 59	25	26	22	17	15	18 52	25	26	22	17	15	18 46	26	26
17 29 31	23	18	16	20 21	27	27	23	18	16	20 15	27	27	23	18	16	20 09	27	27
17 33 52	24	19	18	21 43	28	28	24	19	17	21 38	28	28	24	19	17	21 33	28	28
17 38 13	25	20	19	23 06	29	29	25	20	19	23 02	29	29	25	20	18	22 57	29	29
17 42 34	26	21	20	24 28	♉	♊	26	21	20	24 25	♉	♊	26	21	19	24 22	♉	♊
17 46 55	27	22	21	25 51	2	1	27	22	21	25 49	2	1	27	22	21	25 46	2	1
17 51 17	28	24	22	27 14	3	2	28	23	22	27 12	3	2	28	23	22	27 11	3	3
17 55 38	29	25	24	28 37	4	3	29	24	23	28 36	4	3	29	24	23	28 35	4	4
HOUSES	4	5	6	7	8	9	4	5	6	7	8	9	4	5	6	7	8	9
	LATITUDE 18° S.						LATITUDE 19° S.						LATITUDE 20° S.					

LATITUDE 18° N. — LATITUDE 18° S.

SIDEREAL TIME	10 ♑	11 ♑	12 ♒	Asc ♈	2 ♉	3 ♊
h m s	°	°	°	° '	°	°
18 00 00	0	26	25	0 00	5	4
18 04 22	1	27	26	1 23	6	5
18 08 43	2	28	27	2 46	8	6
18 13 05	3	29	28	4 09	9	8
18 17 26	4	♒	♓	5 31	10	9
18 21 47	5	1	1	6 54	11	10
18 26 08	6	2	2	8 16	12	11
18 30 29	7	3	3	9 39	14	12
18 34 50	8	4	5	11 01	15	13
18 39 11	9	5	6	12 23	16	14
18 43 31	10	6	7	13 44	17	15
18 47 51	11	7	8	15 06	18	16
18 52 11	12	9	10	16 27	19	17
18 56 30	13	10	11	17 47	21	18
19 00 49	14	11	12	19 08	22	19
19 05 07	15	12	14	20 27	23	20
19 09 25	16	13	15	21 47	24	21
19 13 43	17	14	16	23 06	25	22
19 18 00	18	15	17	24 24	26	23
19 22 17	19	16	19	25 42	27	24
19 26 33	20	17	20	27 00	28	25
19 30 49	21	19	21	28 17	29	26
19 35 04	22	20	23	29 34	♊	27
19 39 19	23	21	24	0♉50	2	28
19 43 33	24	22	25	2 05	3	29
19 47 46	25	23	26	3 20	4	♋
19 51 59	26	24	28	4 35	5	1
19 56 11	27	25	29	5 49	6	2
20 00 23	28	26	♈	7 02	7	3
20 04 33	29	28	1	8 15	8	4
20 08 44	♒	29	3	9 27	9	4
20 12 53	1	♓	4	10 38	10	5
20 17 02	2	1	5	11 49	11	6
20 21 10	3	2	6	13 00	12	7
20 25 17	4	3	8	14 09	13	8
20 29 24	5	4	9	15 19	14	9
20 33 30	6	6	10	16 27	15	10
20 37 35	7	7	11	17 35	16	11
20 41 40	8	8	12	18 43	17	12
20 45 44	9	9	14	19 50	18	13
20 49 47	10	10	15	20 56	19	14
20 53 49	11	11	16	22 02	20	15
20 57 51	12	12	17	23 07	21	16
21 01 52	13	13	18	24 12	22	17
21 05 52	14	15	20	25 16	22	18
HOUSES	4	5	6	7	8	9

LATITUDE 19° N. — LATITUDE 19° S.

SIDEREAL TIME	10 ♑	11 ♑	12 ♒	Asc ♈	2 ♉	3 ♊
h m s	°	°	°	° '	°	°
18 00 00	0	25	25	0 00	5	5
18 04 22	1	27	26	1 24	7	6
18 08 43	2	28	27	2 47	8	7
18 13 05	3	29	28	4 11	9	8
18 17 26	4	♒	♓	5 35	10	9
18 21 47	5	1	1	6 58	11	10
18 26 08	6	2	2	8 21	13	11
18 30 29	7	3	3	9 44	14	12
18 34 50	8	4	5	11 07	15	13
18 39 11	9	5	6	12 30	16	14
18 43 31	10	6	7	13 52	17	15
18 47 51	11	7	8	15 14	19	16
18 52 11	12	8	10	16 36	20	17
18 56 30	13	10	11	17 57	21	18
19 00 49	14	11	12	19 18	22	19
19 05 07	15	12	13	20 39	23	20
19 09 25	16	13	15	21 59	24	21
19 13 43	17	14	16	23 19	25	22
19 18 00	18	15	17	24 38	26	23
19 22 17	19	16	19	25 57	28	24
19 26 33	20	17	20	27 15	29	25
19 30 49	21	18	21	28 33	♊	26
19 35 04	22	20	22	29 50	1	27
19 39 19	23	21	24	1♉07	2	28
19 43 33	24	22	25	2 23	3	29
19 47 46	25	23	26	3 38	4	♋
19 51 59	26	24	28	4 53	5	1
19 56 11	27	25	29	6 08	6	2
20 00 23	28	26	♈	7 21	7	3
20 04 33	29	28	1	8 34	8	4
20 08 44	♒	29	3	9 47	9	5
20 12 53	1	♓	4	10 59	10	6
20 17 02	2	1	5	12 10	11	7
20 21 10	3	2	6	13 21	12	7
20 25 17	4	3	8	14 31	13	8
20 29 24	5	4	9	15 41	14	9
20 33 30	6	5	10	16 50	15	10
20 37 35	7	7	11	17 58	16	11
20 41 40	8	8	13	19 06	17	12
20 45 44	9	9	14	20 13	18	13
20 49 47	10	10	15	21 20	19	14
20 53 49	11	11	16	22 26	20	15
20 57 51	12	12	17	23 31	21	16
21 01 52	13	13	19	24 36	22	17
21 05 52	14	15	20	25 40	23	18
HOUSES	4	5	6	7	8	9

LATITUDE 20° N. — LATITUDE 20° S.

SIDEREAL TIME	10 ♑	11 ♑	12 ♒	Asc ♈	2 ♉	3 ♊
h m s	°	°	°	° '	°	°
18 00 00	0	25	24	0 00	6	5
18 04 22	1	26	26	1 24	7	6
18 08 43	2	27	27	2 49	8	7
18 13 05	3	29	28	4 14	9	8
18 17 26	4	♒	29	5 38	10	9
18 21 47	5	1	♓	7 02	12	10
18 26 08	6	2	2	8 26	13	11
18 30 29	7	3	3	9 50	14	12
18 34 50	8	4	4	11 14	15	13
18 39 11	9	5	6	12 37	16	14
18 43 31	10	6	7	14 01	18	15
18 47 51	11	7	8	15 23	19	16
18 52 11	12	8	10	16 46	20	17
18 56 30	13	9	11	18 08	21	18
19 00 49	14	11	12	19 30	22	19
19 05 07	15	12	13	20 51	23	20
19 09 25	16	13	15	22 12	24	21
19 13 43	17	14	16	23 32	26	22
19 18 00	18	15	17	24 52	27	23
19 22 17	19	16	19	26 12	28	24
19 26 33	20	17	20	27 30	29	25
19 30 49	21	18	21	28 49	♊	26
19 35 04	22	19	22	0♉07	1	27
19 39 19	23	21	24	1 24	2	28
19 43 33	24	22	25	2 40	3	29
19 47 46	25	23	26	3 57	4	♋
19 51 59	26	24	28	5 12	5	1
19 56 11	27	25	29	6 27	6	2
20 00 23	28	26	♈	7 41	7	3
20 04 33	29	27	1	8 55	8	4
20 08 44	♒	29	3	10 08	9	5
20 12 53	1	♓	4	11 20	10	6
20 17 02	2	1	5	12 32	11	7
20 21 10	3	2	6	13 43	12	8
20 25 17	4	3	8	14 54	13	9
20 29 24	5	4	9	16 04	14	9
20 33 30	6	5	10	17 13	15	10
20 37 35	7	7	11	18 22	16	11
20 41 40	8	8	13	19 30	17	12
20 45 44	9	9	14	20 37	18	13
20 49 47	10	10	15	21 44	19	14
20 53 49	11	11	16	22 50	20	15
20 57 51	12	12	18	23 56	21	16
21 01 52	13	13	19	25 01	22	17
21 05 52	14	14	20	26 06	23	18
HOUSES	4	5	6	7	8	9

	LATITUDE 18° N.						LATITUDE 19° N.						LATITUDE 20° N.					
SIDEREAL TIME	10 ♒	11 ♓	12 ♈	Asc ♉	2 ♊	3 ♋	10 ♒	11 ♓	12 ♈	Asc ♉	2 ♊	3 ♋	10 ♒	11 ♓	12 ♈	Asc ♉	2 ♊	3 ♋
h m s	°	°	°	° '	°	°	°	°	°	° '	°	°	°	°	°	° '	°	°
21 09 51	15	16	21	26 19	23	18	15	16	21	26 44	24	19	15	16	21	27 10	24	19
21 13 50	16	17	22	27 22	24	19	16	17	22	27 47	25	20	16	17	22	28 13	25	20
21 17 48	17	18	23	28 25	25	20	17	18	23	28 50	26	20	17	18	23	29 16	26	21
21 21 46	18	19	24	29 27	26	21	18	19	24	29 52	26	21	18	19	25	0♊19	27	21
21 25 42	19	20	25	0♊28	27	22	19	20	26	0♊54	27	22	19	20	26	1 20	28	22
21 29 38	20	21	27	1 29	28	23	20	21	27	1 55	28	23	20	21	27	2 22	29	23
21 33 33	21	22	28	2 30	29	24	21	22	28	2 56	29	24	21	22	28	3 22	29	24
21 37 28	22	24	29	3 30	♋	25	22	24	29	3 56	♋	25	22	24	29	4 23	♋	25
21 41 22	23	25	♉	4 29	1	26	23	25	♉	4 56	1	26	23	25	♉	5 23	1	26
21 45 15	24	26	1	5 28	2	27	24	26	1	5 55	2	27	24	26	1	6 22	2	27
21 49 08	25	27	2	6 27	2	28	25	27	2	6 54	3	28	25	27	3	7 21	3	28
21 53 00	26	28	3	7 25	3	28	26	28	3	7 52	4	29	26	28	4	8 19	4	29
21 56 51	27	29	4	8 23	4	29	27	29	5	8 50	5	29	27	29	5	9 17	5	♌
22 00 42	28	♈	5	9 20	5	♌	28	♈	6	9 47	5	♌	28	♈	6	10 15	6	1
22 04 32	29	1	6	10 17	6	1	29	1	7	10 44	6	1	29	1	7	11 12	7	1
22 08 22	♓	2	8	11 14	7	2	♓	2	8	11 41	7	2	♓	2	8	12 08	7	2
22 12 10	1	3	9	12 10	8	3	1	3	9	12 37	8	3	1	3	9	13 05	8	3
22 15 59	2	5	10	13 06	9	4	2	5	10	13 33	9	4	2	5	10	14 01	9	4
22 19 47	3	6	11	14 01	9	5	3	6	11	14 29	10	5	3	6	11	14 56	10	5
22 23 34	4	7	12	14 57	10	6	4	7	12	15 24	11	6	4	7	12	15 51	11	6
22 27 21	5	8	13	15 51	11	7	5	8	13	16 19	11	7	5	8	13	16 46	12	7
22 31 07	6	9	14	16 46	12	7	6	9	14	17 13	12	8	6	9	14	17 41	13	8
22 34 53	7	10	15	17 40	13	8	7	10	15	18 07	13	8	7	10	15	18 35	13	9
22 38 39	8	11	16	18 34	14	9	8	11	16	19 01	14	9	8	11	16	19 29	14	9
22 42 24	9	12	17	19 27	15	10	9	12	17	19 55	15	10	9	12	17	20 22	15	10
22 46 08	10	13	18	20 21	15	11	10	13	18	20 48	16	11	10	13	18	21 15	16	11
22 49 52	11	14	19	21 14	16	12	11	14	19	21 41	17	12	11	14	19	22 08	17	12
22 53 36	12	15	20	22 06	17	13	12	15	20	22 33	17	13	12	15	20	23 01	18	13
22 57 19	13	16	21	22 59	18	14	13	16	21	23 26	18	14	13	16	21	23 53	18	14
23 01 03	14	17	22	23 51	19	15	14	17	22	24 18	19	15	14	17	22	24 46	19	15
23 04 45	15	18	23	24 43	20	16	15	18	23	25 10	20	16	15	19	23	25 38	20	16
23 08 28	16	19	24	25 35	20	16	16	19	24	26 02	21	17	16	20	24	26 29	21	17
23 12 10	17	20	25	26 26	21	17	17	21	25	26 53	22	17	17	21	25	27 21	22	18
23 15 52	18	22	26	27 18	22	18	18	22	26	27 45	22	18	18	22	26	28 12	23	18
23 19 33	19	23	27	28 09	23	19	19	23	27	28 36	23	19	19	23	27	29 03	23	19
23 23 15	20	24	28	29 00	24	20	20	24	28	29 27	24	20	20	24	28	29 54	24	20
23 26 56	21	25	28	29 50	25	21	21	25	29	0♋17	25	21	21	25	29	0♋44	25	21
23 30 37	22	26	29	0♋41	25	22	22	26	♊	1 08	26	22	22	26	♊	1 35	26	22
23 34 17	23	27	♊	1 32	26	23	23	27	1	1 58	27	23	23	27	1	2 25	27	23
23 37 58	24	28	1	2 22	27	24	24	28	2	2 49	27	24	24	28	2	3 16	28	24
23 41 39	25	29	2	3 12	28	25	25	29	2	3 39	28	25	25	29	3	4 06	28	25
23 45 19	26	♉	3	4 02	29	25	26	♉	3	4 29	29	26	26	♉	4	4 55	29	26
23 48 59	27	1	4	4 52	♌	26	27	1	4	5 19	♌	26	27	1	5	5 45	♌	27
23 52 40	28	2	5	5 42	0	27	28	2	5	6 08	1	27	28	2	5	6 35	1	27
23 56 20	29	3	6	6 32	1	28	29	3	6	6 58	2	28	29	3	6	7 25	2	28
HOUSES	4	5	6	7	8	9	4	5	6	7	8	9	4	5	6	7	8	9
	LATITUDE 18° S.						LATITUDE 19° S.						LATITUDE 20° S.					

LATITUDE 21° N.

SIDEREAL TIME h m s	10 ♈ °	11 ♉ °	12 ♊ °	Asc ♋ °	Asc ♋ '	2 ♌ °	3 ♌ °
0 00 00	0	4	8	8	41	3	29
0 03 40	1	5	9	9	30	4	♍
0 07 20	2	6	9	10	19	5	1
0 11 01	3	7	10	11	08	5	2
0 14 41	4	8	11	11	58	6	3
0 18 21	5	9	12	12	47	7	4
0 22 02	6	10	13	13	36	8	5
0 25 43	7	11	14	14	25	9	6
0 29 23	8	12	15	15	14	10	7
0 33 04	9	13	16	16	03	10	8
0 36 45	10	14	17	16	52	11	9
0 40 27	11	15	17	17	41	12	10
0 44 08	12	16	18	18	30	13	11
0 47 50	13	17	19	19	19	14	11
0 51 32	14	18	20	20	08	15	12
0 55 15	15	19	21	20	57	16	13
0 58 57	16	20	22	21	46	16	14
1 02 41	17	20	23	22	35	17	15
1 06 24	18	21	24	23	24	18	16
1 10 08	19	22	24	24	13	19	17
1 13 52	20	23	25	25	03	20	18
1 17 36	21	24	26	25	52	21	19
1 21 21	22	25	27	26	42	22	20
1 25 07	23	26	28	27	31	23	21
1 28 53	24	27	29	28	21	23	22
1 32 39	25	28	♋	29	11	24	23
1 36 26	26	29	0	0♌	01	25	24
1 40 13	27	♊	1	0	51	26	25
1 44 01	28	1	2	1	41	27	26
1 47 49	29	2	3	2	32	28	27
1 51 38	♉	3	4	3	22	29	28
1 55 28	1	4	5	4	13	♍	29
1 59 18	2	5	6	5	04	1	♎
2 03 09	3	6	7	5	55	2	1
2 07 00	4	6	7	6	46	3	2
2 10 52	5	7	8	7	38	3	3
2 14 45	6	8	9	8	29	4	4
2 18 38	7	9	10	9	21	5	5
2 22 32	8	10	11	10	13	6	6
2 26 27	9	11	12	11	05	7	7
2 30 22	10	12	13	11	57	8	8
2 34 18	11	13	14	12	50	9	9
2 38 14	12	14	14	13	42	10	10
2 42 12	13	15	15	14	35	11	11
2 46 10	14	16	16	15	29	12	12
HOUSES	4	5	6	7		8	9

LATITUDE 21° S.

LATITUDE 22° N.

SIDEREAL TIME h m s	10 ♈ °	11 ♉ °	12 ♊ °	Asc ♋ °	Asc ♋ '	2 ♌ °	3 ♌ °
0 00 00	0	4	8	9	08	3	29
0 03 40	1	5	9	9	57	4	♍
0 07 20	2	6	10	10	46	5	1
0 11 01	3	7	11	11	35	6	2
0 14 41	4	8	12	12	24	7	3
0 18 21	5	9	12	13	13	7	4
0 22 02	6	10	13	14	02	8	5
0 25 43	7	11	14	14	51	9	6
0 29 23	8	12	15	15	39	10	7
0 33 04	9	13	16	16	28	11	8
0 36 45	10	14	17	17	17	12	9
0 40 27	11	15	18	18	06	12	10
0 44 08	12	16	19	18	55	13	11
0 47 50	13	17	19	19	44	14	12
0 51 32	14	18	20	20	32	15	12
0 55 15	15	19	21	21	21	16	13
0 58 57	16	20	22	22	10	17	14
1 02 41	17	21	23	22	59	18	15
1 06 24	18	22	24	23	48	18	16
1 10 08	19	23	25	24	37	19	17
1 13 52	20	23	26	25	27	20	18
1 17 36	21	24	26	26	16	21	19
1 21 21	22	25	27	27	05	22	20
1 25 07	23	26	28	27	55	23	21
1 28 53	24	27	29	28	44	24	22
1 32 39	25	28	♋	29	34	25	23
1 36 26	26	29	1	0♌	24	25	24
1 40 13	27	♊	2	1	14	26	25
1 44 01	28	1	2	2	04	27	26
1 47 49	29	2	3	2	54	28	27
1 51 38	♉	3	4	3	44	29	28
1 55 28	1	4	5	4	35	♍	29
1 59 18	2	5	6	5	25	1	♎
2 03 09	3	6	7	6	16	2	1
2 07 00	4	7	8	7	07	3	2
2 10 52	5	8	9	7	58	4	3
2 14 45	6	9	9	8	49	5	4
2 18 38	7	9	10	9	41	5	5
2 22 32	8	10	11	10	32	6	6
2 26 27	9	11	12	11	24	7	7
2 30 22	10	12	13	12	16	8	8
2 34 18	11	13	14	13	09	9	9
2 38 14	12	14	15	14	01	10	10
2 42 12	13	15	16	14	54	11	11
2 46 10	14	16	17	15	47	12	12
HOUSES	4	5	6	7		8	9

LATITUDE 22° S.

LATITUDE 23° N.

SIDEREAL TIME h m s	10 ♈ °	11 ♉ °	12 ♊ °	Asc ♋ °	Asc ♋ '	2 ♌ °	3 ♍ °
0 00 00	0	4	8	9	35	3	0
0 03 40	1	5	9	10	24	4	0
0 07 20	2	6	10	11	13	5	1
0 11 01	3	7	11	12	02	6	2
0 14 41	4	8	12	12	51	7	3
0 18 21	5	9	13	13	39	8	4
0 22 02	6	10	14	14	28	8	5
0 25 43	7	11	15	15	17	9	6
0 29 23	8	12	15	16	06	10	7
0 33 04	9	13	16	16	54	11	8
0 36 45	10	14	17	17	43	12	9
0 40 27	11	15	18	18	31	13	10
0 44 08	12	16	19	19	20	13	11
0 47 50	13	17	20	20	09	14	12
0 51 32	14	18	21	20	57	15	12
0 55 15	15	19	22	21	46	16	13
0 58 57	16	20	22	22	35	17	14
1 02 41	17	21	23	23	24	18	15
1 06 24	18	22	24	24	13	19	16
1 10 08	19	23	25	25	02	19	17
1 13 52	20	24	26	25	51	20	18
1 17 36	21	25	27	26	40	21	19
1 21 21	22	25	28	27	29	22	20
1 25 07	23	26	28	28	18	23	21
1 28 53	24	27	29	29	07	24	22
1 32 39	25	28	♋	29	57	25	23
1 36 26	26	29	1	0♌	46	26	24
1 40 13	27	♊	2	1	36	26	25
1 44 01	28	1	3	2	26	27	26
1 47 49	29	2	4	3	16	28	27
1 51 38	♉	3	5	4	06	29	28
1 55 28	1	4	5	4	56	♍	29
1 59 18	2	5	6	5	46	1	♎
2 03 09	3	6	7	6	37	2	1
2 07 00	4	7	8	7	28	3	2
2 10 52	5	8	9	8	19	4	3
2 14 45	6	9	10	9	10	5	4
2 18 38	7	10	11	10	01	6	5
2 22 32	8	11	12	10	52	6	6
2 26 27	9	11	12	11	44	7	7
2 30 22	10	12	13	12	36	8	8
2 34 18	11	13	14	13	28	9	9
2 38 14	12	14	15	14	20	10	10
2 42 12	13	15	16	15	12	11	11
2 46 10	14	16	17	16	05	12	12
HOUSES	4	5	6	7		8	9

LATITUDE 23° S.

LATITUDE 21° N.

SIDEREAL TIME	10 ♉	11 ♊	12 ♋	Asc ♌	2 ♍	3 ♎
h m s	°	°	°	° '	°	°
2 50 09	15	17	17	16 22	13	13
2 54 08	16	18	18	17 16	14	14
2 58 08	17	19	19	18 09	15	15
3 02 09	18	20	20	19 04	16	16
3 06 11	19	21	21	19 58	17	17
3 10 13	20	21	22	20 52	18	18
3 14 16	21	22	23	21 47	19	19
3 18 20	22	23	23	22 42	20	20
3 22 25	23	24	24	23 37	21	21
3 26 30	24	25	25	24 33	22	22
3 30 36	25	26	26	25 29	23	23
3 34 43	26	27	27	26 24	24	24
3 38 50	27	28	28	27 21	25	25
3 42 58	28	29	29	28 17	26	26
3 47 07	29	♋	♌	29 14	27	27
3 51 16	♊	1	1	0♍11	28	28
3 55 27	1	2	2	1 08	29	29
3 59 37	2	3	3	2 05	♎	♏
4 03 49	3	4	4	3 03	1	2
4 08 01	4	5	5	4 00	2	3
4 12 14	5	6	6	4 58	3	4
4 16 27	6	7	7	5 57	4	5
4 20 41	7	8	8	6 55	5	6
4 24 56	8	9	9	7 54	6	7
4 29 11	9	10	10	8 52	7	8
4 33 27	10	11	11	9 51	8	9
4 37 43	11	12	12	10 51	9	10
4 42 00	12	13	13	11 50	10	11
4 46 17	13	13	14	12 50	11	12
4 50 35	14	14	15	13 49	12	13
4 54 53	15	15	16	14 49	13	14
4 59 11	16	16	17	15 49	14	15
5 03 30	17	17	18	16 49	16	16
5 07 49	18	18	19	17 50	17	17
5 12 09	19	19	20	18 50	18	18
5 16 29	20	20	21	19 51	19	19
5 20 49	21	21	22	20 51	20	20
5 25 10	22	22	23	21 52	21	21
5 29 31	23	23	24	22 53	22	22
5 33 52	24	24	25	23 54	23	23
5 38 13	25	25	26	24 54	24	24
5 42 34	26	26	27	25 55	25	25
5 46 55	27	27	28	26 57	26	26
5 51 17	28	28	29	27 58	27	27
5 55 38	29	29	♍	28 59	28	28
HOUSES	4	5	6	7	8	9

LATITUDE 21° S.

LATITUDE 22° N.

SIDEREAL TIME	10 ♉	11 ♊	12 ♋	Asc ♌	2 ♍	3 ♎
h m s	°	°	°	° '	°	°
2 50 09	15	17	17	16 40	13	13
2 54 08	16	18	18	17 33	14	14
2 58 08	17	19	19	18 27	15	15
3 02 09	18	20	20	19 20	16	16
3 06 11	19	21	21	20 14	17	17
3 10 13	20	22	22	21 09	18	18
3 14 16	21	23	23	22 03	19	19
3 18 20	22	23	24	22 58	20	20
3 22 25	23	24	25	23 53	21	21
3 26 30	24	25	26	24 48	22	22
3 30 36	25	26	27	25 43	23	23
3 34 43	26	27	27	26 39	24	24
3 38 50	27	28	28	27 34	25	25
3 42 58	28	29	29	28 31	26	26
3 47 07	29	♋	♌	29 27	27	27
3 51 16	♊	1	1	0♍23	28	28
3 55 27	1	2	2	1 20	29	29
3 59 37	2	3	3	2 17	♎	♏
4 03 49	3	4	4	3 14	1	1
4 08 01	4	5	5	4 12	2	3
4 12 14	5	6	6	5 09	3	4
4 16 27	6	7	7	6 07	4	5
4 20 41	7	8	8	7 05	5	6
4 24 56	8	9	9	8 03	6	7
4 29 11	9	10	10	9 02	7	8
4 33 27	10	11	11	10 00	8	9
4 37 43	11	12	12	10 59	9	10
4 42 00	12	13	13	11 58	10	11
4 46 17	13	14	14	12 57	11	12
4 50 35	14	15	15	13 56	12	13
4 54 53	15	16	16	14 56	13	14
4 59 11	16	17	17	15 55	14	15
5 03 30	17	18	18	16 55	15	16
5 07 49	18	19	19	17 55	16	17
5 12 09	19	20	20	18 55	18	18
5 16 29	20	21	21	19 55	19	19
5 20 49	21	22	22	20 55	20	20
5 25 10	22	23	23	21 55	21	21
5 29 31	23	24	24	22 56	22	22
5 33 52	24	25	25	23 56	23	23
5 38 13	25	26	26	24 57	24	24
5 42 34	26	27	27	25 57	25	25
5 46 55	27	28	28	26 58	26	26
5 51 17	28	29	29	27 59	27	27
5 55 38	29	♌	♍	28 59	28	28
HOUSES	4	5	6	7	8	9

LATITUDE 22° S.

LATITUDE 23° N.

SIDEREAL TIME	10 ♉	11 ♊	12 ♋	Asc ♌	2 ♍	3 ♎
h m s	°	°	°	° '	°	°
2 50 09	15	17	18	16 57	13	13
2 54 08	16	18	19	17 50	14	14
2 58 08	17	19	20	18 44	15	15
3 02 09	18	20	20	19 37	16	16
3 06 11	19	21	21	20 31	17	17
3 10 13	20	22	22	21 25	18	18
3 14 16	21	23	23	22 19	19	19
3 18 20	22	24	24	23 13	20	20
3 22 25	23	25	25	24 08	21	21
3 26 30	24	26	26	25 03	22	22
3 30 36	25	26	27	25 58	23	23
3 34 43	26	27	28	26 53	24	24
3 38 50	27	28	29	27 48	25	25
3 42 58	28	29	♌	28 44	26	26
3 47 07	29	♋	1	29 40	27	27
3 51 16	♊	1	1	0♍36	28	28
3 55 27	1	2	2	1 32	29	29
3 59 37	2	3	3	2 29	♎	♏
4 03 49	3	4	4	3 26	1	1
4 08 01	4	5	5	4 23	2	2
4 12 14	5	6	6	5 20	3	3
4 16 27	6	7	7	6 17	4	4
4 20 41	7	8	8	7 15	5	6
4 24 56	8	9	9	8 13	6	7
4 29 11	9	10	10	9 11	7	8
4 33 27	10	11	11	10 09	8	9
4 37 43	11	12	12	11 07	9	10
4 42 00	12	13	13	12 06	10	11
4 46 17	13	14	14	13 05	11	12
4 50 35	14	15	15	14 04	12	13
4 54 53	15	16	16	15 03	13	14
4 59 11	16	17	17	16 02	14	15
5 03 30	17	18	18	17 01	15	16
5 07 49	18	19	19	18 00	16	17
5 12 09	19	20	20	19 00	17	18
5 16 29	20	21	21	20 00	18	19
5 20 49	21	22	22	20 59	20	20
5 25 10	22	23	23	21 59	21	21
5 29 31	23	24	24	22 59	22	22
5 33 52	24	25	25	23 59	23	23
5 38 13	25	26	26	24 59	24	24
5 42 34	26	27	27	25 59	25	25
5 46 55	27	28	28	26 59	26	26
5 51 17	28	29	29	27 59	27	27
5 55 38	29	♌	♍	29 00	28	28
HOUSES	4	5	6	7	8	9

LATITUDE 23° S.

	LATITUDE 21° N.						LATITUDE 22° N.						LATITUDE 23° N.					
SIDEREAL TIME	10 ♋	11 ♌	12 ♍	Asc ♎	2 ♎	3 ♐	10 ♋	11 ♌	12 ♍	Asc ♎	2 ♎	3 ♏	10 ♋	11 ♌	12 ♍	Asc ♎	2 ♎	3 ♏
h m s	°	°	°	° '	°	°	°	°	°	° '	°	°	°	°	°	° '	°	°
6 00 00	0	0	1	0 00	29	0	0	1	1	0 00	29	29	0	1	1	0 00	29	29
6 04 22	1	1	2	1 01	♏	1	1	2	2	1 00	♏	♐	1	2	2	1 00	♏	♐
6 08 43	2	3	3	2 02	1	2	2	3	3	2 01	1	1	2	3	3	2 00	1	1
6 13 05	3	4	4	3 03	2	3	3	4	4	3 02	2	2	3	4	4	3 00	2	2
6 17 26	4	5	5	4 04	3	4	4	5	5	4 02	3	3	4	5	5	4 01	3	3
6 21 47	5	6	6	5 05	4	5	5	6	6	5 03	4	4	5	6	6	5 01	4	4
6 26 08	6	7	7	6 06	5	6	6	7	7	6 03	5	5	6	7	7	6 01	5	5
6 30 29	7	8	8	7 07	6	7	7	8	8	7 04	6	6	7	8	8	7 01	6	6
6 34 50	8	9	9	8 08	7	8	8	9	9	8 04	7	7	8	9	9	8 01	7	7
6 39 11	9	10	10	9 08	8	9	9	10	10	9 04	8	8	9	10	10	9 00	8	8
6 43 31	10	11	11	10 09	9	10	10	11	11	10 05	9	9	10	11	12	10 00	9	9
6 47 51	11	12	12	11 10	10	11	11	12	12	11 05	10	10	11	12	13	11 00	10	10
6 52 11	12	13	13	12 10	11	12	12	13	14	12 05	11	11	12	13	14	11 59	11	11
6 56 30	13	14	14	13 10	12	13	13	14	15	13 05	12	12	13	14	15	12 59	12	12
7 00 49	14	15	16	14 10	13	14	14	15	16	14 04	13	13	14	15	16	13 58	13	13
7 05 07	15	16	17	15 11	14	15	15	16	17	15 04	14	14	15	16	17	14 57	14	14
7 09 25	16	17	18	16 10	15	16	16	17	18	16 03	15	15	16	17	18	15 56	15	15
7 13 43	17	18	19	17 10	16	17	17	18	19	17 03	16	16	17	18	19	16 55	16	16
7 18 00	18	19	20	18 10	17	17	18	19	20	18 02	17	17	18	19	20	17 54	17	17
7 22 17	19	20	21	19 09	18	18	19	20	21	19 01	18	18	19	20	21	18 52	18	18
7 26 33	20	21	22	20 08	19	19	20	21	22	19 59	19	19	20	21	22	19 51	19	19
7 30 49	21	22	23	21 07	20	20	21	22	23	20 58	20	20	21	22	23	20 49	20	20
7 35 04	22	23	24	22 06	21	21	22	23	24	21 56	21	21	22	23	24	21 47	21	21
7 39 19	23	24	25	23 05	22	22	23	24	25	22 55	22	22	23	24	25	22 45	22	22
7 43 33	24	25	26	24 03	23	23	24	25	26	23 53	23	23	24	25	26	23 42	23	23
7 47 46	25	26	27	25 01	24	24	25	26	27	24 50	24	24	25	27	27	24 40	24	24
7 51 59	26	27	28	25 59	25	25	26	27	28	25 48	25	25	26	28	28	25 37	25	25
7 56 11	27	28	29	26 57	26	26	27	29	29	26 45	26	26	27	29	29	26 34	26	26
8 00 23	28	29	♎	27 55	27	27	28	♍	♎	27 43	27	27	28	♍	♎	27 31	27	27
8 04 33	29	♍	1	28 52	28	28	29	1	1	28 40	28	28	29	1	1	28 27	28	28
8 08 44	♌	2	2	29 49	29	29	♌	2	2	29 36	29	29	♌	2	2	29 24	29	29
8 12 53	1	3	3	0♏46	♐	♑	1	3	3	0♏33	♐	♑	1	3	3	0♏20	29	♑
8 17 02	2	4	4	1 43	1	1	2	4	4	1 29	1	1	2	4	4	1 16	♐	1
8 21 10	3	5	5	2 39	2	2	3	5	5	2 25	2	2	3	5	5	2 11	1	2
8 25 17	4	6	6	3 35	3	3	4	6	6	3 21	3	3	4	6	6	3 07	2	3
8 29 24	5	7	7	4 31	4	4	5	7	7	4 17	3	4	5	7	7	4 02	3	4
8 33 30	6	8	8	5 27	5	5	6	8	8	5 12	4	5	6	8	8	4 57	4	4
8 37 35	7	9	9	6 22	6	6	7	9	9	6 07	5	6	7	9	9	5 52	5	5
8 41 40	8	10	10	7 18	7	7	8	10	10	7 02	6	6	8	10	10	6 46	6	6
8 45 44	9	11	11	8 13	7	8	9	11	11	7 57	7	7	9	11	11	7 41	7	7
8 49 47	10	12	12	9 07	8	9	10	12	12	8 51	8	8	10	12	12	8 35	8	8
8 53 49	11	13	13	10 02	9	9	11	13	13	9 45	9	9	11	13	13	9 29	9	9
8 57 51	12	14	14	10 56	10	10	12	14	14	10 39	10	10	12	14	14	10 22	10	10
9 01 52	13	15	15	11 50	11	11	13	15	15	11 33	11	11	13	15	15	11 16	10	11
9 05 52	14	16	16	12 44	12	12	14	16	16	12 27	12	12	14	16	16	12 09	11	12
HOUSES	4	5	6	7	8	9	4	5	6	7	8	9	4	5	6	7	8	9
	LATITUDE 21° S.						LATITUDE 22° S.						LATITUDE 23° S.					

	LATITUDE 21° N.						LATITUDE 22° N.						LATITUDE 23° N.					
SIDEREAL TIME	10 ♌	11 ♍	12 ♎	Asc ♏	2 ♐	3 ♑	10 ♌	11 ♍	12 ♎	Asc ♏	2 ♐	3 ♑	10 ♌	11 ♍	12 ♎	Asc ♏	2 ♐	3 ♑
h m s	°	°	°	° '	°	°	°	°	°	° '	°	°	°	°	°	° '	°	°
9 09 51	15	17	17	13 38	13	13	15	17	17	13 20	13	13	15	17	17	13 02	12	13
9 13 50	16	18	18	14 31	14	14	16	18	18	14 13	13	14	16	18	18	13 55	13	14
9 17 48	17	19	19	15 24	15	15	17	19	19	15 06	14	15	17	19	19	14 48	14	15
9 21 46	18	20	20	16 17	16	16	18	20	20	15 59	15	16	18	20	20	15 40	15	16
9 25 42	19	21	21	17 10	16	17	19	21	21	16 51	16	17	19	21	21	16 32	16	17
9 29 38	20	22	22	18 02	17	18	20	22	22	17 43	17	18	20	22	22	17 24	17	18
9 33 33	21	23	23	18 55	18	19	21	23	23	18 35	18	19	21	23	23	18 16	18	19
9 37 28	22	24	24	19 47	19	20	22	24	24	19 27	19	20	22	24	24	19 07	18	19
9 41 22	23	25	25	20 39	20	21	23	25	25	20 19	20	21	23	25	24	19 59	19	20
9 45 15	24	26	26	21 31	21	22	24	26	25	21 10	21	21	24	26	25	20 50	20	21
9 49 08	25	27	27	22 22	22	23	25	27	26	22 02	21	22	25	27	26	21 41	21	22
9 53 00	26	28	27	23 13	23	24	26	28	27	22 53	22	23	26	28	27	22 32	22	23
9 56 51	27	29	28	24 05	23	24	27	29	28	23 44	23	24	27	29	28	23 23	23	24
10 00 42	28	♎	29	24 56	24	25	28	♎	29	24 34	24	25	28	♎	29	24 13	24	25
10 04 32	29	1	♏	25 47	25	26	29	1	♏	25 25	25	26	29	1	♏	25 04	25	26
10 08 22	♍	2	1	26 37	26	27	♍	2	1	26 16	26	27	♍	2	1	25 54	25	27
10 12 10	1	3	2	27 28	27	28	1	3	2	27 06	27	28	1	3	2	26 44	26	28
10 15 59	2	4	3	28 18	28	29	2	4	3	27 56	27	29	2	4	3	27 34	27	29
10 19 47	3	5	4	29 08	29	♒	3	5	4	28 46	28	♒	3	5	4	28 24	28	♒
10 23 34	4	6	5	29 59	♑	1	4	6	5	29 36	29	1	4	6	4	29 13	29	1
10 27 21	5	7	6	0♐49	0	2	5	7	5	0♐26	♑	2	5	7	5	0♐03	♑	2
10 31 07	6	8	7	1 38	1	3	6	8	6	1 15	1	3	6	8	6	0 52	1	3
10 34 53	7	9	7	2 28	2	4	7	9	7	2 05	2	4	7	9	7	1 42	2	4
10 38 39	8	10	8	3 18	3	5	8	10	8	2 54	3	5	8	10	8	2 31	2	4
10 42 24	9	11	9	4 07	4	6	9	11	9	3 44	4	6	9	11	9	3 20	3	5
10 46 08	10	12	10	4 57	5	7	10	12	10	4 33	4	7	10	12	10	4 09	4	6
10 49 52	11	13	11	5 46	6	8	11	13	11	5 22	5	7	11	13	11	4 58	5	7
10 53 36	12	14	12	6 36	6	9	12	14	12	6 11	6	8	12	14	11	5 47	6	8
10 57 19	13	15	13	7 25	7	10	13	15	12	7 00	7	9	13	15	12	6 36	7	9
11 01 03	14	16	14	8 14	8	10	14	16	13	7 49	8	10	14	16	13	7 25	8	10
11 04 45	15	17	14	9 03	9	11	15	17	14	8 38	9	11	15	17	14	8 13	8	11
11 08 28	16	18	15	9 52	10	12	16	18	15	9 27	10	12	16	18	15	9 02	9	12
11 12 10	17	19	16	10 41	11	13	17	18	16	10 16	11	13	17	18	16	9 51	10	13
11 15 52	18	19	17	11 30	12	14	18	19	17	11 05	11	14	18	19	17	10 39	11	14
11 19 33	19	20	18	12 19	13	15	19	20	18	11 54	12	15	19	20	17	11 28	12	15
11 23 15	20	21	19	13 08	13	16	20	21	18	12 43	13	16	20	21	18	12 17	13	16
11 26 56	21	22	20	13 57	14	17	21	22	19	13 31	14	17	21	22	19	13 05	14	17
11 30 37	22	23	20	14 46	15	18	22	23	20	14 20	15	18	22	23	20	13 54	15	18
11 34 17	23	24	21	15 35	16	19	23	24	21	15 09	16	19	23	24	21	14 43	15	19
11 37 58	24	25	22	16 24	17	20	24	25	22	15 58	17	20	24	25	22	15 31	16	20
11 41 39	25	26	23	17 13	18	21	25	26	23	16 47	18	21	25	26	22	16 20	17	21
11 45 19	26	27	24	18 02	19	22	26	27	23	17 36	18	22	26	27	23	17 09	18	22
11 48 59	27	28	25	18 51	20	23	27	28	24	18 25	19	23	27	28	24	17 58	19	23
11 52 40	28	29	25	19 40	21	24	28	29	25	19 14	20	24	28	29	25	18 47	20	24
11 56 20	29	♏	26	20 30	21	25	29	♏	26	20 03	21	25	29	♏	26	19 36	21	25
HOUSES	4	5	6	7	8	9	4	5	6	7	8	9	4	5	6	7	8	9
	LATITUDE 21° S.						LATITUDE 22° S.						LATITUDE 23° S.					

LATITUDE 21° N.

SIDEREAL TIME	10 ♎	11 ♏	12 ♏	Asc ♐		2 ♑	3 ♒
h m s	°	°	°	°	'	°	°
12 00 00	0	1	27	21	19	22	26
12 03 40	1	2	28	22	08	23	27
12 07 20	2	2	29	22	58	24	28
12 11 01	3	3	♐	23	47	25	29
12 14 41	4	4	0	24	37	26	♓
12 18 21	5	5	1	25	27	27	1
12 22 02	6	6	2	26	17	28	2
12 25 43	7	7	3	27	07	29	3
12 29 23	8	8	4	27	57	♒	4
12 33 04	9	9	5	28	48	1	5
12 36 45	10	10	5	29	38	2	6
12 40 27	11	11	6	0♑	29	3	7
12 44 08	12	11	7	1	20	4	8
12 47 50	13	12	8	2	11	5	9
12 51 32	14	13	9	3	03	5	10
12 55 15	15	14	10	3	54	6	11
12 58 57	16	15	10	4	46	7	12
13 02 41	17	16	11	5	38	8	14
13 06 24	18	17	12	6	31	9	15
13 10 08	19	18	13	7	23	10	16
13 13 52	20	19	14	8	16	11	17
13 17 36	21	20	15	9	09	12	18
13 21 21	22	20	15	10	03	13	19
13 25 07	23	21	16	10	57	14	20
13 28 53	24	22	17	11	51	15	21
13 32 39	25	23	18	12	45	17	22
13 36 26	26	24	19	13	40	18	23
13 40 13	27	25	20	14	35	19	24
13 44 01	28	26	21	15	31	20	25
13 47 49	29	27	21	16	27	21	26
13 51 38	♏	28	22	17	23	22	28
13 55 28	1	28	23	18	20	23	29
13 59 18	2	29	24	19	17	24	♈
14 03 09	3	♐	25	20	15	25	1
14 07 00	4	1	26	21	13	26	2
14 10 52	5	2	27	22	11	27	3
14 14 45	6	3	28	23	10	28	4
14 18 38	7	4	28	24	10	♓	5
14 22 32	8	5	29	25	10	1	6
14 26 27	9	6	♑	26	10	2	8
14 30 22	10	7	1	27	11	3	9
14 34 18	11	7	2	28	12	4	10
14 38 14	12	8	3	29	14	5	11
14 42 12	13	9	4	0♒	17	6	12
14 46 10	14	10	5	1	20	8	13
HOUSES	4	5	6	7		8	9

LATITUDE 21° S.

LATITUDE 22° N.

SIDEREAL TIME	10 ♎	11 ♏	12 ♏	Asc ♐		2 ♑	3 ♒
h m s	°	°	°	°	'	°	°
12 00 00	0	1	27	20	52	22	26
12 03 40	1	1	28	21	41	23	27
12 07 20	2	2	28	22	31	24	28
12 11 01	3	3	29	23	20	25	29
12 14 41	4	4	♐	24	10	26	♓
12 18 21	5	5	1	24	59	27	1
12 22 02	6	6	2	25	49	28	2
12 25 43	7	7	3	26	39	29	3
12 29 23	8	8	3	27	30	29	4
12 33 04	9	9	4	28	20	♒	5
12 36 45	10	10	5	29	10	1	6
12 40 27	11	10	6	0♑	01	2	7
12 44 08	12	11	7	0	52	3	8
12 47 50	13	12	8	1	43	4	9
12 51 32	14	13	8	2	34	5	10
12 55 15	15	14	9	3	26	6	11
12 58 57	16	15	10	4	18	7	12
13 02 41	17	16	11	5	10	8	13
13 06 24	18	17	12	6	02	9	15
13 10 08	19	18	13	6	55	10	16
13 13 52	20	19	13	7	48	11	17
13 17 36	21	19	14	8	41	12	18
13 21 21	22	20	15	9	34	13	19
13 25 07	23	21	16	10	28	14	20
13 28 53	24	22	17	11	22	15	21
13 32 39	25	23	18	12	17	16	22
13 36 26	26	24	19	13	12	17	23
13 40 13	27	25	19	14	07	18	24
13 44 01	28	26	20	15	02	19	25
13 47 49	29	27	21	15	58	21	26
13 51 38	♏	27	22	16	55	22	28
13 55 28	1	28	23	17	52	23	29
13 59 18	2	29	24	18	49	24	♈
14 03 09	3	♐	25	19	46	25	1
14 07 00	4	1	25	20	45	26	2
14 10 52	5	2	26	21	43	27	3
14 14 45	6	3	27	22	42	28	4
14 18 38	7	4	28	23	42	29	5
14 22 32	8	5	29	24	42	♓	7
14 26 27	9	6	♑	25	42	2	8
14 30 22	10	6	1	26	43	3	9
14 34 18	11	7	2	27	45	4	10
14 38 14	12	8	3	28	47	5	11
14 42 12	13	9	4	29	50	6	12
14 46 10	14	10	4	0♒	53	7	13
HOUSES	4	5	6	7		8	9

LATITUDE 22° S.

LATITUDE 23° N.

SIDEREAL TIME	10 ♎	11 ♏	12 ♏	Asc ♐		2 ♑	3 ♒
h m s	°	°	°	°	'	°	°
12 00 00	0	0	27	20	25	22	26
12 03 40	1	1	27	21	14	23	27
12 07 20	2	2	28	22	03	24	28
12 11 01	3	3	29	22	53	25	29
12 14 41	4	4	♐	23	42	25	♓
12 18 21	5	5	1	24	32	26	1
12 22 02	6	6	2	25	21	27	2
12 25 43	7	7	2	26	11	28	3
12 29 23	8	8	3	27	01	29	4
12 33 04	9	9	4	27	52	♒	5
12 36 45	10	9	5	28	42	1	6
12 40 27	11	10	6	29	33	2	7
12 44 08	12	11	7	0♑	23	3	8
12 47 50	13	12	7	1	15	4	9
12 51 32	14	13	8	2	06	5	10
12 55 15	15	14	9	2	57	6	11
12 58 57	16	15	10	3	49	7	12
13 02 41	17	16	11	4	41	8	13
13 06 24	18	17	11	5	33	9	15
13 10 08	19	17	12	6	26	10	16
13 13 52	20	18	13	7	19	11	17
13 17 36	21	19	14	8	12	12	18
13 21 21	22	20	15	9	05	13	19
13 25 07	23	21	16	9	59	14	20
13 28 53	24	22	17	10	53	15	21
13 32 39	25	23	17	11	48	16	22
13 36 26	26	24	18	12	42	17	23
13 40 13	27	25	19	13	38	18	24
13 44 01	28	26	20	14	33	19	25
13 47 49	29	26	21	15	29	20	26
13 51 38	♏	27	22	16	26	21	28
13 55 28	1	28	23	17	23	22	29
13 59 18	2	29	23	18	20	24	♈
14 03 09	3	♐	24	19	17	25	1
14 07 00	4	1	25	20	16	26	2
14 10 52	5	2	26	21	14	27	3
14 14 45	6	3	27	22	13	28	4
14 18 38	7	4	28	23	13	29	5
14 22 32	8	4	29	24	13	♓	7
14 26 27	9	5	♑	25	14	1	8
14 30 22	10	6	0	26	15	3	9
14 34 18	11	7	1	27	17	4	10
14 38 14	12	8	2	28	19	5	11
14 42 12	13	9	3	29	22	6	12
14 46 10	14	10	4	0♒	25	7	13
HOUSES	4	5	6	7		8	9

LATITUDE 23° S.

SIDEREAL TIME			LATITUDE 21° N.							LATITUDE 22° N.							LATITUDE 23° N.						
			10	11	12	Asc		2	3	10	11	12	Asc		2	3	10	11	12	Asc		2	3
			♏	♐	♑	♒		♓	♈	♏	♐	♑	♒		♓	♈	♏	♐	♑	♒		♓	♈
h	m	s	°	°	°	°	'	°	°	°	°	°	°	'	°	°	°	°	°	°	'	°	°
14	50	09	15	11	6	2	24	9	14	15	11	5	1	57	9	14	15	11	5	1	29	9	14
14	54	08	16	12	7	3	28	10	16	16	12	6	3	01	10	16	16	12	6	2	34	10	16
14	58	08	17	13	8	4	33	11	17	17	13	7	4	06	11	17	17	13	7	3	39	11	17
15	02	09	18	14	8	5	38	12	18	18	14	8	5	12	12	18	18	14	8	4	45	12	18
15	06	11	19	15	9	6	44	14	19	19	15	9	6	18	13	19	19	14	9	5	51	13	19
15	10	13	20	16	10	7	50	15	20	20	16	10	7	25	15	20	20	15	10	6	59	15	20
15	14	16	21	17	11	8	58	16	21	21	16	11	8	32	16	21	21	16	11	8	06	16	21
15	18	20	22	18	12	10	05	17	22	22	17	12	9	40	17	22	22	17	12	9	15	17	23
15	22	25	23	18	13	11	14	19	24	23	18	13	10	49	18	24	23	18	13	10	24	18	24
15	26	30	24	19	14	12	23	20	25	24	19	14	11	58	20	25	24	19	14	11	33	20	25
15	30	36	25	20	15	13	33	21	26	25	20	15	13	08	21	26	25	20	15	12	44	21	26
15	34	43	26	21	16	14	43	22	27	26	21	16	14	19	22	27	26	21	16	13	55	22	27
15	38	50	27	22	17	15	54	24	28	27	22	17	15	30	23	28	27	22	17	15	07	23	28
15	42	58	28	23	18	17	05	25	29	28	23	18	16	42	25	29	28	23	18	16	19	25	29
15	47	07	29	24	19	18	18	26	♉	29	24	19	17	55	26	♉	29	24	19	17	32	26	♉
15	51	16	♐	25	20	19	30	27	2	♐	25	20	19	08	27	2	♐	25	20	18	46	27	2
15	55	27	1	26	21	20	44	29	3	1	26	21	20	22	29	3	1	26	21	20	00	29	3
15	59	37	2	27	22	21	58	♈	4	2	27	22	21	37	♈	4	2	27	22	21	15	♈	4
16	03	49	3	28	23	23	13	1	5	3	28	23	22	52	1	5	3	28	23	22	31	1	5
16	08	01	4	29	24	24	28	2	6	4	29	24	24	08	2	6	4	29	24	23	48	2	6
16	12	14	5	♑	25	25	44	4	7	5	♑	25	25	25	4	7	5	♑	25	25	05	4	7
16	16	27	6	1	26	27	01	5	8	6	1	26	26	42	5	8	6	1	26	26	22	5	9
16	20	41	7	2	28	28	18	6	9	7	2	27	28	00	6	10	7	2	27	27	41	6	10
16	24	56	8	3	29	29	36	8	11	8	3	28	29	18	8	11	8	2	28	29	00	8	11
16	29	11	9	4	♒	0♓	54	9	12	9	4	29	0♓	37	9	12	9	3	29	0♓	20	9	12
16	33	27	10	5	1	2	13	10	13	10	5	♒	1	57	10	13	10	4	♒	1	40	10	13
16	37	43	11	6	2	3	33	12	14	11	6	2	3	17	12	14	11	5	1	3	01	12	14
16	42	00	12	7	3	4	53	13	15	12	7	3	4	38	13	15	12	6	2	4	22	13	15
16	46	17	13	8	4	6	13	14	16	13	8	4	5	59	14	16	13	7	4	5	44	14	16
16	50	35	14	9	5	7	35	15	17	14	9	5	7	21	16	17	14	8	5	7	07	16	18
16	54	53	15	10	6	8	56	17	18	15	10	6	8	43	17	19	15	9	6	8	30	17	19
16	59	11	16	11	7	10	18	18	20	16	11	7	10	06	18	20	16	10	7	9	54	18	20
17	03	30	17	12	9	11	41	19	21	17	12	8	11	29	19	21	17	11	8	11	18	20	21
17	07	49	18	13	10	13	04	21	22	18	13	10	12	53	21	22	18	12	9	12	42	21	22
17	12	09	19	14	11	14	27	22	23	19	14	11	14	17	22	23	19	13	10	14	07	22	23
17	16	29	20	15	12	15	50	23	24	20	15	12	15	42	23	24	20	14	12	15	32	23	24
17	20	49	21	16	13	17	14	24	25	21	16	13	17	06	25	25	21	16	13	16	58	25	25
17	25	10	22	17	14	18	39	26	26	22	17	14	18	32	26	26	22	17	14	18	24	26	26
17	29	31	23	18	16	20	03	27	27	23	18	15	19	57	27	27	23	18	15	19	50	27	28
17	33	52	24	19	17	21	28	28	28	24	19	17	21	23	28	28	24	19	16	21	17	29	29
17	38	13	25	20	18	22	53	♉	29	25	20	18	22	48	♉	♊	25	20	18	22	44	♉	♊
17	42	34	26	21	19	24	18	1	♊	26	21	19	24	15	1	1	26	21	19	24	11	1	1
17	46	55	27	22	20	25	43	2	2	27	22	20	25	41	2	2	27	22	20	25	38	2	2
17	51	17	28	23	22	27	09	3	3	28	23	21	27	07	4	3	28	23	21	27	05	4	3
17	55	38	29	24	23	28	34	5	4	29	24	23	28	33	5	4	29	24	22	28	32	5	4
HOUSES			4	5	6	7		8	9	4	5	6	7		8	9	4	5	6	7		8	9
			LATITUDE 21° S.							LATITUDE 22° S.							LATITUDE 23° S.						

LATITUDE 21° N.

SIDEREAL TIME	10 ♑	11 ♑	12 ♒	Asc ♈	2 ♉	3 ♊
h m s	°	°	°	° '	°	°
18 00 00	0	25	24	0 00	6	5
18 04 22	1	26	25	1 25	7	6
18 08 43	2	27	27	2 51	8	7
18 13 05	3	28	28	4 16	10	8
18 17 26	4	29	29	5 41	11	9
18 21 47	5	♒	♓	7 07	12	10
18 26 08	6	2	2	8 32	13	11
18 30 29	7	3	3	9 56	14	12
18 34 50	8	4	4	11 21	16	13
18 39 11	9	5	6	12 45	17	14
18 43 31	10	6	7	14 09	18	15
18 47 51	11	7	8	15 33	19	16
18 52 11	12	8	9	16 56	20	17
18 56 30	13	9	11	18 19	21	18
19 00 49	14	10	12	19 41	22	19
19 05 07	15	12	13	21 03	24	20
19 09 25	16	13	15	22 25	25	21
19 13 43	17	14	16	23 46	26	22
19 18 00	18	15	17	25 07	27	23
19 22 17	19	16	18	26 27	28	24
19 26 33	20	17	20	27 46	29	25
19 30 49	21	18	21	29 05	♊	26
19 35 04	22	19	22	0♉24	1	27
19 39 19	23	21	24	1 42	2	28
19 43 33	24	22	25	2 59	4	29
19 47 46	25	23	26	4 15	5	♋
19 51 59	26	24	28	5 31	6	1
19 56 11	27	25	29	6 47	7	2
20 00 23	28	26	♈	8 02	8	3
20 04 33	29	27	1	9 16	9	4
20 08 44	♒	28	3	10 29	10	5
20 12 53	1	♓	4	11 42	11	6
20 17 02	2	1	5	12 54	12	7
20 21 10	3	2	6	14 06	13	8
20 25 17	4	3	8	15 17	14	9
20 29 24	5	4	9	16 27	15	10
20 33 30	6	5	10	17 37	16	11
20 37 35	7	6	11	18 46	17	12
20 41 40	8	8	13	19 54	18	12
20 45 44	9	9	14	21 02	19	13
20 49 47	10	10	15	22 09	20	14
20 53 49	11	11	16	23 16	21	15
20 57 51	12	12	18	24 22	22	16
21 01 52	13	13	19	25 27	22	17
21 05 52	14	14	20	26 32	23	18
HOUSES	4	5	6	7	8	9

LATITUDE 21° S.

LATITUDE 22° N.

SIDEREAL TIME	10 ♑	11 ♑	12 ♒	Asc ♈	2 ♉	3 ♊
h m s	°	°	°	° '	°	°
18 00 00	0	25	24	0 00	6	5
18 04 22	1	26	25	1 26	7	6
18 08 43	2	27	26	2 53	9	7
18 13 05	3	28	28	4 19	10	8
18 17 26	4	29	29	5 45	11	9
18 21 47	5	♒	♓	7 11	12	10
18 26 08	6	2	2	8 37	13	11
18 30 29	7	3	3	10 03	15	12
18 34 50	8	4	4	11 28	16	13
18 39 11	9	5	5	12 53	17	14
18 43 31	10	6	7	14 18	18	15
18 47 51	11	7	8	15 42	19	16
18 52 11	12	8	9	17 07	20	17
18 56 30	13	9	11	18 30	22	18
19 00 49	14	10	12	19 54	23	19
19 05 07	15	11	13	21 16	24	20
19 09 25	16	13	14	22 39	25	21
19 13 43	17	14	16	24 00	26	22
19 18 00	18	15	17	25 22	27	23
19 22 17	19	16	18	26 43	28	24
19 26 33	20	17	20	28 03	29	25
19 30 49	21	18	21	29 22	♊	26
19 35 04	22	19	22	0♉41	2	27
19 39 19	23	20	24	2 00	3	28
19 43 33	24	22	25	3 18	4	29
19 47 46	25	23	26	4 35	5	♋
19 51 59	26	24	28	5 51	6	1
19 56 11	27	25	29	7 07	7	2
20 00 23	28	26	♈	8 23	8	3
20 04 33	29	27	1	9 37	9	4
20 08 44	♒	28	3	10 51	10	5
20 12 53	1	♓	4	12 05	11	6
20 17 02	2	1	5	13 17	12	7
20 21 10	3	2	7	14 29	13	8
20 25 17	4	3	8	15 40	14	9
20 29 24	5	4	9	16 51	15	10
20 33 30	6	5	10	18 01	16	11
20 37 35	7	6	12	19 11	17	12
20 41 40	8	8	13	20 19	18	13
20 45 44	9	9	14	21 27	19	14
20 49 47	10	10	15	22 35	20	14
20 53 49	11	11	17	23 42	21	15
20 57 51	12	12	18	24 48	22	16
21 01 52	13	13	19	25 53	23	17
21 05 52	14	14	20	26 58	24	18
HOUSES	4	5	6	7	8	9

LATITUDE 22° S.

LATITUDE 23° N.

SIDEREAL TIME	10 ♑	11 ♑	12 ♒	Asc ♈	2 ♉	3 ♊
h m s	°	°	°	° '	°	°
18 00 00	0	25	24	0 00	6	5
18 04 22	1	26	25	1 27	7	6
18 08 43	2	27	26	2 54	9	7
18 13 05	3	28	28	4 22	10	8
18 17 26	4	29	29	5 49	11	9
18 21 47	5	♒	♓	7 16	12	10
18 26 08	6	1	1	8 43	14	11
18 30 29	7	2	3	10 09	15	12
18 34 50	8	4	4	11 35	16	13
18 39 11	9	5	5	13 01	17	14
18 43 31	10	6	7	14 27	18	16
18 47 51	11	7	8	15 52	20	17
18 52 11	12	8	9	17 17	21	18
18 56 30	13	9	10	18 42	22	19
19 00 49	14	10	12	20 06	23	20
19 05 07	15	11	13	21 30	24	21
19 09 25	16	12	14	22 53	25	22
19 13 43	17	14	16	24 15	26	23
19 18 00	18	15	17	25 37	28	24
19 22 17	19	16	18	26 59	29	25
19 26 33	20	17	20	28 20	♊	26
19 30 49	21	18	21	29 40	1	27
19 35 04	22	19	22	1♉00	2	28
19 39 19	23	20	24	2 19	3	28
19 43 33	24	21	25	3 37	4	29
19 47 46	25	23	26	4 55	5	♋
19 51 59	26	24	28	6 12	6	1
19 56 11	27	25	29	7 29	7	2
20 00 23	28	26	♈	8 44	8	3
20 04 33	29	27	1	9 59	9	4
20 08 44	♒	28	3	11 14	10	5
20 12 53	1	29	4	12 28	11	6
20 17 02	2	♓	5	13 41	12	7
20 21 10	3	2	7	14 53	13	8
20 25 17	4	3	8	16 05	14	9
20 29 24	5	4	9	17 16	15	10
20 33 30	6	5	10	18 26	16	11
20 37 35	7	6	12	19 36	17	12
20 41 40	8	7	13	20 45	18	13
20 45 44	9	9	14	21 53	19	14
20 49 47	10	10	15	23 01	20	15
20 53 49	11	11	17	24 08	21	16
20 57 51	12	12	18	25 15	22	16
21 01 52	13	13	19	26 20	23	17
21 05 52	14	14	20	27 26	24	18
HOUSES	4	5	6	7	8	9

LATITUDE 23° S.

LATITUDE 21° N.

SIDEREAL TIME	10 ♒	11 ♓	12 ♈	Asc ♉	2 ♊	3 ♋
h m s	°	°	°	° '	°	°
21 09 51	15	16	21	27 36	24	19
21 13 50	16	17	22	28 40	25	20
21 17 48	17	18	24	29 43	26	21
21 21 46	18	19	25	0♊45	27	22
21 25 42	19	20	26	1 47	28	23
21 29 38	20	21	27	2 49	29	23
21 33 33	21	22	28	3 50	♋	24
21 37 28	22	24	29	4 50	1	25
21 41 22	23	25	♉	5 50	2	26
21 45 15	24	26	2	6 49	2	27
21 49 08	25	27	3	7 48	3	28
21 53 00	26	28	4	8 47	4	29
21 56 51	27	29	5	9 45	5	♌
22 00 42	28	♈	6	10 42	6	1
22 04 32	29	1	7	11 40	7	2
22 08 22	♓	2	8	12 36	8	2
22 12 10	1	4	9	13 33	9	3
22 15 59	2	5	10	14 29	9	4
22 19 47	3	6	11	15 24	10	5
22 23 34	4	7	12	16 19	11	6
22 27 21	5	8	13	17 14	12	7
22 31 07	6	9	15	18 09	13	8
22 34 53	7	10	16	19 03	14	9
22 38 39	8	11	17	19 57	15	10
22 42 24	9	12	18	20 50	15	10
22 46 08	10	13	19	21 43	16	11
22 49 52	11	14	20	22 36	17	12
22 53 36	12	15	21	23 29	18	13
22 57 19	13	16	22	24 21	19	14
23 01 03	14	18	23	25 14	20	15
23 04 45	15	19	24	26 05	20	16
23 08 28	16	20	25	26 57	21	17
23 12 10	17	21	25	27 48	22	18
23 15 52	18	22	26	28 40	23	19
23 19 33	19	23	27	29 31	24	19
23 23 15	20	24	28	0♋21	25	20
23 26 56	21	25	29	1 12	25	21
23 30 37	22	26	♊	2 02	26	22
23 34 17	23	27	1	2 53	27	23
23 37 58	24	28	2	3 43	28	24
23 41 39	25	29	3	4 33	29	25
23 45 19	26	♉	4	5 23	♌	26
23 48 59	27	1	5	6 12	0	27
23 52 40	28	2	6	7 02	1	28
23 56 20	29	3	7	7 51	2	28
HOUSES	4	5	6	7	8	9

LATITUDE 21° S.

LATITUDE 22° N.

SIDEREAL TIME	10 ♒	11 ♓	12 ♈	Asc ♉	2 ♊	3 ♋
h m s	°	°	°	° '	°	°
21 09 51	15	16	21	28 03	25	19
21 13 50	16	17	23	29 07	26	20
21 17 48	17	18	24	0♊10	26	21
21 21 46	18	19	25	1 13	27	22
21 25 42	19	20	26	2 15	28	23
21 29 38	20	21	27	3 16	29	24
21 33 33	21	22	28	4 17	♋	24
21 37 28	22	23	♉	5 18	1	25
21 41 22	23	25	1	6 18	2	26
21 45 15	24	26	2	7 17	3	27
21 49 08	25	27	3	8 17	4	28
21 53 00	26	28	4	9 15	5	29
21 56 51	27	29	5	10 13	5	♌
22 00 42	28	♈	6	11 11	6	1
22 04 32	29	1	7	12 08	7	2
22 08 22	♓	2	8	13 05	8	3
22 12 10	1	4	9	14 01	9	3
22 15 59	2	5	11	14 57	10	4
22 19 47	3	6	12	15 53	11	5
22 23 34	4	7	13	16 48	11	6
22 27 21	5	8	14	17 43	12	7
22 31 07	6	9	15	18 37	13	8
22 34 53	7	10	16	19 32	14	9
22 38 39	8	11	17	20 25	15	10
22 42 24	9	12	18	21 19	16	11
22 46 08	10	13	19	22 12	17	11
22 49 52	11	14	20	23 05	17	12
22 53 36	12	15	21	23 57	18	13
22 57 19	13	17	22	24 50	19	14
23 01 03	14	18	23	25 42	20	15
23 04 45	15	19	24	26 34	21	16
23 08 28	16	20	25	27 25	22	17
23 12 10	17	21	26	28 17	22	18
23 15 52	18	22	27	29 08	23	19
23 19 33	19	23	28	29 59	24	20
23 23 15	20	24	29	0♋49	25	20
23 26 56	21	25	♊	1 40	26	21
23 30 37	22	26	1	2 30	27	22
23 34 17	23	27	1	3 20	27	23
23 37 58	24	28	2	4 10	28	24
23 41 39	25	29	3	5 00	29	25
23 45 19	26	♉	4	5 50	♌	26
23 48 59	27	1	5	6 40	1	27
23 52 40	28	2	6	7 29	2	28
23 56 20	29	3	7	8 18	2	29
HOUSES	4	5	6	7	8	9

LATITUDE 22° S.

LATITUDE 23° N.

SIDEREAL TIME	10 ♒	11 ♓	12 ♈	Asc ♉	2 ♊	3 ♋
h m s	°	°	°	° '	°	°
21 09 51	15	15	21	28 30	25	19
21 13 50	16	17	23	29 34	26	20
21 17 48	17	18	24	0♊38	27	21
21 21 46	18	19	25	1 41	28	22
21 25 42	19	20	26	2 43	29	23
21 29 38	20	21	27	3 45	♋	24
21 33 33	21	22	29	4 46	0	25
21 37 28	22	23	♉	5 46	1	26
21 41 22	23	25	1	6 47	2	26
21 45 15	24	26	2	7 46	3	27
21 49 08	25	27	3	8 45	4	28
21 53 00	26	28	4	9 44	5	29
21 56 51	27	29	5	10 42	6	♌
22 00 42	28	♈	6	11 40	7	1
22 04 32	29	1	8	12 37	7	2
22 08 22	♓	2	9	13 34	8	3
22 12 10	1	4	10	14 30	9	4
22 15 59	2	5	11	15 26	10	4
22 19 47	3	6	12	16 22	11	5
22 23 34	4	7	13	17 17	12	6
22 27 21	5	8	14	18 12	13	7
22 31 07	6	9	15	19 06	13	8
22 34 53	7	10	16	20 01	14	9
22 38 39	8	11	17	20 54	15	10
22 42 24	9	12	18	21 48	16	11
22 46 08	10	13	19	22 41	17	12
22 49 52	11	14	20	23 34	18	12
22 53 36	12	15	21	24 26	18	13
22 57 19	13	17	22	25 19	19	14
23 01 03	14	18	23	26 11	20	15
23 04 45	15	19	24	27 02	21	16
23 08 28	16	20	25	27 54	22	17
23 12 10	17	21	26	28 45	23	18
23 15 52	18	22	27	29 36	23	19
23 19 33	19	23	28	0♋27	24	20
23 23 15	20	24	29	1 18	25	21
23 26 56	21	25	♊	2 08	26	21
23 30 37	22	26	1	2 58	27	22
23 34 17	23	27	2	3 48	28	23
23 37 58	24	28	3	4 38	28	24
23 41 39	25	29	4	5 28	29	25
23 45 19	26	♉	5	6 18	♌	26
23 48 59	27	1	5	7 07	1	27
23 52 40	28	2	6	7 56	2	28
23 56 20	29	3	7	8 46	3	29
HOUSES	4	5	6	7	8	9

LATITUDE 23° S.

LATITUDE 24° N.

SIDEREAL TIME	10 ♈	11 ♉	12 ♊	Asc ♋	2 ♌	3 ♍
h m s	°	°	°	° '	°	°
0 00 00	0	4	9	10 02	4	0
0 03 40	1	5	9	10 51	5	1
0 07 20	2	6	10	11 40	5	1
0 11 01	3	7	11	12 29	6	2
0 14 41	4	8	12	13 18	7	3
0 18 21	5	9	13	14 06	8	4
0 22 02	6	10	14	14 55	9	5
0 25 43	7	11	15	15 43	9	6
0 29 23	8	12	16	16 32	10	7
0 33 04	9	13	17	17 20	11	8
0 36 45	10	14	17	18 09	12	9
0 40 27	11	15	18	18 57	13	10
0 44 08	12	16	19	19 46	14	11
0 47 50	13	17	20	20 34	15	12
0 51 32	14	18	21	21 23	15	13
0 55 15	15	19	22	22 11	16	13
0 58 57	16	20	23	23 00	17	14
1 02 41	17	21	24	23 49	18	15
1 06 24	18	22	24	24 37	19	16
1 10 08	19	23	25	25 26	20	17
1 13 52	20	24	26	26 15	21	18
1 17 36	21	25	27	27 04	21	19
1 21 21	22	26	28	27 52	22	20
1 25 07	23	27	29	28 42	23	21
1 28 53	24	28	♋	29 31	24	22
1 32 39	25	28	1	0♌20	25	23
1 36 26	26	29	1	1 09	26	24
1 40 13	27	♊	2	1 59	27	25
1 44 01	28	1	3	2 48	28	26
1 47 49	29	2	4	3 38	28	27
1 51 38	♉	3	5	4 28	29	28
1 55 28	1	4	6	5 18	♍	29
1 59 18	2	5	7	6 08	1	♎
2 03 09	3	6	7	6 58	2	1
2 07 00	4	7	8	7 49	3	2
2 10 52	5	8	9	8 39	4	3
2 14 45	6	9	10	9 30	5	4
2 18 38	7	10	11	10 21	6	5
2 22 32	8	11	12	11 12	7	6
2 26 27	9	12	13	12 03	8	7
2 30 22	10	13	14	12 55	8	8
2 34 18	11	13	14	13 47	9	9
2 38 14	12	14	15	14 38	10	10
2 42 12	13	15	16	15 31	11	11
2 46 10	14	16	17	16 23	12	12
HOUSES	4	5	6	7	8	9

LATITUDE 24° S.

LATITUDE 25° N.

SIDEREAL TIME	10 ♈	11 ♉	12 ♊	Asc ♋	2 ♌	3 ♍
h m s	°	°	°	° '	°	°
0 00 00	0	4	9	10 30	4	0
0 03 40	1	5	10	11 19	5	1
0 07 20	2	6	11	12 08	6	2
0 11 01	3	7	12	12 56	6	2
0 14 41	4	8	12	13 45	7	3
0 18 21	5	9	13	14 33	8	4
0 22 02	6	10	14	15 22	9	5
0 25 43	7	11	15	16 10	10	6
0 29 23	8	12	16	16 59	11	7
0 33 04	9	13	17	17 47	11	8
0 36 45	10	14	18	18 35	12	9
0 40 27	11	15	19	19 23	13	10
0 44 08	12	16	20	20 12	14	11
0 47 50	13	17	20	21 00	15	12
0 51 32	14	18	21	21 48	16	13
0 55 15	15	19	22	22 37	16	14
0 58 57	16	20	23	23 25	17	14
1 02 41	17	21	24	24 13	18	15
1 06 24	18	22	25	25 02	19	16
1 10 08	19	23	26	25 50	20	17
1 13 52	20	24	27	26 39	21	18
1 17 36	21	25	27	27 28	22	19
1 21 21	22	26	28	28 16	22	20
1 25 07	23	27	29	29 05	23	21
1 28 53	24	28	♋	29 54	24	22
1 32 39	25	29	1	0♌43	25	23
1 36 26	26	♊	2	1 32	26	24
1 40 13	27	1	3	2 21	27	25
1 44 01	28	1	3	3 11	28	26
1 47 49	29	2	4	4 00	29	27
1 51 38	♉	3	5	4 50	29	28
1 55 28	1	4	6	5 40	♍	29
1 59 18	2	5	7	6 29	1	♎
2 03 09	3	6	8	7 19	2	1
2 07 00	4	7	9	8 10	3	2
2 10 52	5	8	10	9 00	4	3
2 14 45	6	9	10	9 51	5	4
2 18 38	7	10	11	10 41	6	5
2 22 32	8	11	12	11 32	7	6
2 26 27	9	12	13	12 23	8	7
2 30 22	10	13	14	13 14	9	8
2 34 18	11	14	15	14 06	10	9
2 38 14	12	15	16	14 57	10	10
2 42 12	13	16	17	15 49	11	11
2 46 10	14	16	17	16 41	12	12
HOUSES	4	5	6	7	8	9

LATITUDE 25° S.

LATITUDE 26° N.

SIDEREAL TIME	10 ♈	11 ♉	12 ♊	Asc ♋	2 ♌	3 ♍
h m s	°	°	°	° '	°	°
0 00 00	0	4	9	10 59	4	0
0 03 40	1	5	10	11 47	5	1
0 07 20	2	6	11	12 36	6	2
0 11 01	3	7	12	13 24	7	3
0 14 41	4	8	13	14 13	7	3
0 18 21	5	9	14	15 01	8	4
0 22 02	6	10	15	15 49	9	5
0 25 43	7	11	15	16 37	10	6
0 29 23	8	12	16	17 26	11	7
0 33 04	9	13	17	18 14	12	8
0 36 45	10	14	18	19 02	12	9
0 40 27	11	15	19	19 50	13	10
0 44 08	12	16	20	20 38	14	11
0 47 50	13	17	21	21 26	15	12
0 51 32	14	18	22	22 14	16	13
0 55 15	15	19	23	23 02	17	14
0 58 57	16	20	23	23 51	18	15
1 02 41	17	21	24	24 39	18	15
1 06 24	18	22	25	25 27	19	16
1 10 08	19	23	26	26 15	20	17
1 13 52	20	24	27	27 04	21	18
1 17 36	21	25	28	27 52	22	19
1 21 21	22	26	29	28 41	23	20
1 25 07	23	27	29	29 29	23	21
1 28 53	24	28	♋	0♌18	24	22
1 32 39	25	29	1	1 07	25	23
1 36 26	26	♊	2	1 55	26	24
1 40 13	27	1	3	2 44	27	25
1 44 01	28	2	4	3 34	28	26
1 47 49	29	3	5	4 23	29	27
1 51 38	♉	3	6	5 12	♍	28
1 55 28	1	4	6	6 02	1	29
1 59 18	2	5	7	6 51	1	♎
2 03 09	3	6	8	7 41	2	1
2 07 00	4	7	9	8 31	3	2
2 10 52	5	8	10	9 21	4	3
2 14 45	6	9	11	10 11	5	4
2 18 38	7	10	12	11 02	6	5
2 22 32	8	11	12	11 52	7	6
2 26 27	9	12	13	12 43	8	7
2 30 22	10	13	14	13 34	9	8
2 34 18	11	14	15	14 25	10	9
2 38 14	12	15	16	15 16	11	10
2 42 12	13	16	17	16 08	11	11
2 46 10	14	17	18	16 59	12	12
HOUSES	4	5	6	7	8	9

LATITUDE 26° S.

LATITUDE 24° N.

SIDEREAL TIME	10 ♉	11 ♊	12 ♋	Asc ♌	2 ♍	3 ♎
h m s	°	°	°	° '	°	°
2 50 09	15	17	18	17 15	13	13
2 54 08	16	18	19	18 08	14	14
2 58 08	17	19	20	19 01	15	15
3 02 09	18	20	21	19 54	16	16
3 06 11	19	21	22	20 47	17	17
3 10 13	20	22	23	21 41	18	18
3 14 16	21	23	23	22 35	19	19
3 18 20	22	24	24	23 29	20	20
3 22 25	23	25	25	24 23	21	21
3 26 30	24	26	26	25 17	22	22
3 30 36	25	27	27	26 12	23	23
3 34 43	26	28	28	27 07	24	24
3 38 50	27	29	29	28 02	25	25
3 42 58	28	29	♌	28 57	26	26
3 47 07	29	♋	1	29 53	27	27
3 51 16	♊	1	2	0♍49	28	28
3 55 27	1	2	3	1 45	29	29
3 59 37	2	3	4	2 41	♎	♏
4 03 49	3	4	5	3 37	1	1
4 08 01	4	5	5	4 34	2	2
4 12 14	5	6	6	5 31	3	3
4 16 27	6	7	7	6 28	4	4
4 20 41	7	8	8	7 25	5	5
4 24 56	8	9	9	8 22	6	6
4 29 11	9	10	10	9 20	7	8
4 33 27	10	11	11	10 18	8	9
4 37 43	11	12	12	11 16	9	10
4 42 00	12	13	13	12 14	10	11
4 46 17	13	14	14	13 12	11	12
4 50 35	14	15	15	14 11	12	13
4 54 53	15	16	16	15 09	13	14
4 59 11	16	17	17	16 08	14	15
5 03 30	17	18	18	17 07	15	16
5 07 49	18	19	19	18 06	16	17
5 12 09	19	20	20	19 05	17	18
5 16 29	20	21	21	20 04	18	19
5 20 49	21	22	22	21 03	19	20
5 25 10	22	23	23	22 03	20	21
5 29 31	23	24	24	23 02	21	22
5 33 52	24	25	25	24 02	23	23
5 38 13	25	26	26	25 01	24	24
5 42 34	26	27	27	26 01	25	25
5 46 55	27	28	28	27 01	26	26
5 51 17	28	29	29	28 00	27	27
5 55 38	29	♌	♍	29 00	28	28
HOUSES	4	5	6	7	8	9

LATITUDE 24° S.

LATITUDE 25° N.

SIDEREAL TIME	10 ♉	11 ♊	12 ♋	Asc ♌	2 ♍	3 ♎
h m s	°	°	°	° '	°	°
2 50 09	15	17	18	17 33	13	13
2 54 08	16	18	19	18 26	14	14
2 58 08	17	19	20	19 18	15	15
3 02 09	18	20	21	20 11	16	16
3 06 11	19	21	22	21 04	17	17
3 10 13	20	22	23	21 57	18	18
3 14 16	21	23	24	22 51	19	19
3 18 20	22	24	25	23 44	20	20
3 22 25	23	25	26	24 38	21	21
3 26 30	24	26	26	25 32	22	22
3 30 36	25	27	27	26 27	23	23
3 34 43	26	28	28	27 21	24	24
3 38 50	27	29	29	28 16	25	25
3 42 58	28	♋	♌	29 11	26	26
3 47 07	29	1	1	0♍06	27	27
3 51 16	♊	2	2	1 02	28	28
3 55 27	1	3	3	1 57	29	29
3 59 37	2	3	4	2 53	♎	♏
4 03 49	3	4	5	3 49	1	1
4 08 01	4	5	6	4 45	2	2
4 12 14	5	6	7	5 42	3	3
4 16 27	6	7	8	6 38	4	4
4 20 41	7	8	9	7 35	5	5
4 24 56	8	9	10	8 32	6	6
4 29 11	9	10	11	9 29	7	7
4 33 27	10	11	11	10 27	8	8
4 37 43	11	12	12	11 24	9	9
4 42 00	12	13	13	12 22	10	11
4 46 17	13	14	14	13 20	11	12
4 50 35	14	15	15	14 18	12	13
4 54 53	15	16	16	15 16	13	14
4 59 11	16	17	17	16 14	14	15
5 03 30	17	18	18	17 13	15	16
5 07 49	18	19	19	18 11	16	17
5 12 09	19	20	20	19 10	17	18
5 16 29	20	21	21	20 09	18	19
5 20 49	21	22	22	21 07	19	20
5 25 10	22	23	23	22 06	20	21
5 29 31	23	24	24	23 05	21	22
5 33 52	24	25	25	24 04	22	23
5 38 13	25	26	26	25 04	23	24
5 42 34	26	27	27	26 03	24	25
5 46 55	27	28	28	27 02	25	26
5 51 17	28	29	29	28 01	27	27
5 55 38	29	♌	♍	29 01	28	28
HOUSES	4	5	6	7	8	9

LATITUDE 25° S.

LATITUDE 26° N.

SIDEREAL TIME	10 ♉	11 ♊	12 ♋	Asc ♌	2 ♍	3 ♎
h m s	°	°	°	° '	°	°
2 50 09	15	18	19	17 51	13	13
2 54 08	16	19	20	18 43	14	14
2 58 08	17	19	20	19 36	15	15
3 02 09	18	20	21	20 28	16	16
3 06 11	19	21	22	21 21	17	17
3 10 13	20	22	23	22 14	18	18
3 14 16	21	23	24	23 07	19	19
3 18 20	22	24	25	24 00	20	20
3 22 25	23	25	26	24 54	21	21
3 26 30	24	26	27	25 47	22	22
3 30 36	25	27	28	26 41	23	23
3 34 43	26	28	29	27 36	24	24
3 38 50	27	29	29	28 30	25	25
3 42 58	28	♋	♌	29 25	26	26
3 47 07	29	1	1	0♍19	27	27
3 51 16	♊	2	2	1 14	28	28
3 55 27	1	3	3	2 10	29	29
3 59 37	2	4	4	3 05	♎	♏
4 03 49	3	5	5	4 01	1	1
4 08 01	4	6	6	4 57	2	2
4 12 14	5	7	7	5 53	3	3
4 16 27	6	7	8	6 49	4	4
4 20 41	7	8	9	7 45	5	5
4 24 56	8	9	10	8 42	6	6
4 29 11	9	10	11	9 39	7	7
4 33 27	10	11	12	10 36	8	8
4 37 43	11	12	13	11 33	9	9
4 42 00	12	13	14	12 30	10	10
4 46 17	13	14	15	13 27	11	11
4 50 35	14	15	16	14 25	12	12
4 54 53	15	16	17	15 23	13	14
4 59 11	16	17	18	16 20	14	15
5 03 30	17	18	19	17 18	15	16
5 07 49	18	19	20	18 17	16	17
5 12 09	19	20	21	19 15	17	18
5 16 29	20	21	22	20 13	18	19
5 20 49	21	22	23	21 11	19	20
5 25 10	22	23	24	22 10	20	21
5 29 31	23	24	25	23 09	21	22
5 33 52	24	25	26	24 07	22	23
5 38 13	25	26	27	25 06	23	24
5 42 34	26	27	28	26 05	24	25
5 46 55	27	28	29	27 03	25	26
5 51 17	28	29	♍	28 02	26	27
5 55 38	29	♌	1	29 01	27	28
HOUSES	4	5	6	7	8	9

LATITUDE 26° S.

	LATITUDE 24° N.						LATITUDE 25° N.						LATITUDE 26° N.					
SIDEREAL TIME	10 ♋	11 ♌	12 ♍	Asc ♎	2 ♎	3 ♏	10 ♋	11 ♌	12 ♍	Asc ♎	2 ♎	3 ♏	10 ♋	11 ♌	12 ♍	Asc ♎	2 ♎	3 ♏
h m s	°	°	°	° '	°	°	°	°	°	° '	°	°	°	°	°	° '	°	°
6 00 00	0	1	1	0 00	29	29	0	1	1	0 00	29	29	0	1	2	0 00	28	29
6 04 22	1	2	2	1 00	♏	♐	1	2	2	0 59	♏	♐	1	2	3	0 59	29	♐
6 08 43	2	3	3	1 59	1	1	2	3	3	1 58	1	1	2	3	4	1 57	♏	1
6 13 05	3	4	4	2 59	2	2	3	4	5	2 58	2	2	3	4	5	2 56	1	2
6 17 26	4	5	5	3 59	3	3	4	5	6	3 57	3	3	4	5	6	3 55	2	3
6 21 47	5	6	6	4 58	4	4	5	6	7	4 56	4	4	5	6	7	4 54	3	4
6 26 08	6	7	7	5 58	5	5	6	7	8	5 55	5	5	6	7	8	5 52	4	5
6 30 29	7	8	8	6 57	6	6	7	8	9	6 54	6	6	7	8	9	6 51	5	6
6 34 50	8	9	10	7 57	7	7	8	9	10	7 53	7	7	8	9	10	7 50	6	7
6 39 11	9	10	11	8 56	8	8	9	10	11	8 52	8	8	9	10	11	8 48	7	8
6 43 31	10	11	12	9 56	9	9	10	11	12	9 51	9	9	10	11	12	9 47	8	9
6 47 51	11	12	13	10 55	10	10	11	12	13	10 50	10	10	11	12	13	10 45	9	10
6 52 11	12	13	14	11 54	11	11	12	13	14	11 48	11	11	12	13	14	11 43	10	11
6 56 30	13	14	15	12 53	12	12	13	14	15	12 47	12	12	13	14	15	12 41	11	12
7 00 49	14	15	16	13 52	13	13	14	15	16	13 45	13	13	14	15	16	13 39	12	13
7 05 07	15	16	17	14 50	14	14	15	16	17	14 44	14	14	15	16	17	14 37	13	14
7 09 25	16	17	18	15 49	15	15	16	17	18	15 42	15	15	16	18	18	15 35	14	15
7 13 43	17	18	19	16 47	16	16	17	18	19	16 40	16	16	17	19	19	16 32	15	16
7 18 00	18	19	20	17 46	17	17	18	19	20	17 38	17	17	18	20	20	17 30	16	17
7 22 17	19	20	21	18 44	18	18	19	21	21	18 35	18	18	19	21	21	18 27	17	18
7 26 33	20	21	22	19 42	19	19	20	22	22	19 33	19	19	20	22	22	19 24	18	19
7 30 49	21	22	23	20 40	20	20	21	23	23	20 30	19	20	21	23	23	20 21	19	20
7 35 04	22	24	24	21 37	21	21	22	24	24	21 27	20	21	22	24	24	21 18	20	21
7 39 19	23	25	25	22 35	22	22	23	25	25	22 24	21	22	23	25	25	22 14	21	22
7 43 33	24	26	26	23 32	23	23	24	26	26	23 21	22	23	24	26	26	23 11	22	23
7 47 46	25	27	27	24 29	24	24	25	27	27	24 18	23	24	25	27	27	24 07	23	23
7 51 59	26	28	28	25 26	25	25	26	28	28	25 14	24	25	26	28	28	25 03	24	24
7 56 11	27	29	29	26 22	25	26	27	29	29	26 11	25	26	27	29	29	25 59	25	25
8 00 23	28	♍	♎	27 19	26	27	28	♍	♎	27 07	26	27	28	♍	♎	26 55	26	26
8 04 33	29	1	1	28 15	27	28	29	1	1	28 02	27	27	29	1	1	27 50	27	27
8 08 44	♌	2	2	29 11	28	29	♌	2	2	28 58	28	28	♌	2	2	28 45	28	28
8 12 53	1	3	3	0♏07	29	♑	1	3	3	29 53	29	29	1	3	3	29 40	29	29
8 17 02	2	4	4	1 02	♐	0	2	4	4	0♏49	♐	♑	2	4	4	0♏35	♐	♑
8 21 10	3	5	5	1 57	1	1	3	5	5	1 44	1	1	3	5	5	1 30	1	1
8 25 17	4	6	6	2 53	2	2	4	6	6	2 38	2	2	4	6	6	2 24	1	2
8 29 24	5	7	7	3 47	3	3	5	7	7	3 33	3	3	5	7	7	3 18	2	3
8 33 30	6	8	8	4 42	4	4	6	8	8	4 27	4	4	6	8	8	4 12	3	4
8 37 35	7	9	9	5 37	5	5	7	9	9	5 21	4	5	7	9	9	5 06	4	5
8 41 40	8	10	10	6 31	6	6	8	10	10	6 15	5	6	8	10	10	5 59	5	6
8 45 44	9	11	11	7 25	7	7	9	11	11	7 09	6	7	9	11	11	6 53	6	7
8 49 47	10	12	12	8 19	7	8	10	12	12	8 02	7	8	10	12	12	7 46	7	8
8 53 49	11	13	13	9 12	8	9	11	13	13	8 56	8	9	11	13	13	8 39	8	9
8 57 51	12	14	14	10 06	9	10	12	14	14	9 49	9	10	12	14	14	9 32	9	10
9 01 52	13	15	15	10 59	10	11	13	15	15	10 41	10	11	13	15	15	10 24	10	11
9 05 52	14	16	16	11 52	11	12	14	16	16	11 34	11	12	14	16	16	11 16	10	11
HOUSES	4	5	6	7	8	9	4	5	6	7	8	9	4	5	6	7	8	9
	LATITUDE 24° S.						LATITUDE 25° S.						LATITUDE 26° S.					

LATITUDE 24° N.

SIDEREAL TIME	10 ♌	11 ♍	12 ♎	Asc ♏	2 ♐	3 ♑
h m s	°	°	°	° '	°	°
9 09 51	15	17	17	12 44	12	13
9 13 50	16	18	18	13 37	13	14
9 17 48	17	19	19	14 29	14	15
9 21 46	18	20	20	15 21	15	16
9 25 42	19	21	21	16 13	16	17
9 29 38	20	22	22	17 05	16	17
9 33 33	21	23	22	17 56	17	18
9 37 28	22	24	23	18 48	18	19
9 41 22	23	25	24	19 39	19	20
9 45 15	24	26	25	20 30	20	21
9 49 08	25	27	26	21 20	21	22
9 53 00	26	28	27	22 11	22	23
9 56 51	27	29	28	23 01	23	24
10 00 42	28	♎	29	23 52	23	25
10 04 32	29	1	♏	24 42	24	26
10 08 22	♍	2	1	25 32	25	27
10 12 10	1	3	2	26 22	26	28
10 15 59	2	4	2	27 11	27	29
10 19 47	3	5	3	28 01	28	♒
10 23 34	4	6	4	28 50	29	1
10 27 21	5	7	5	29 40	29	2
10 31 07	6	8	6	0♐29	♑	2
10 34 53	7	9	7	1 18	1	3
10 38 39	8	10	8	2 07	2	4
10 42 24	9	11	9	2 56	3	5
10 46 08	10	12	9	3 45	4	6
10 49 52	11	13	10	4 34	5	7
10 53 36	12	14	11	5 22	6	8
10 57 19	13	15	12	6 11	6	9
11 01 03	14	16	13	7 00	7	10
11 04 45	15	17	14	7 48	8	11
11 08 28	16	17	15	8 37	9	12
11 12 10	17	18	15	9 25	10	13
11 15 52	18	19	16	10 14	11	14
11 19 33	19	20	17	11 02	12	15
11 23 15	20	21	18	11 51	13	16
11 26 56	21	22	19	12 39	13	17
11 30 37	22	23	20	13 28	14	18
11 34 17	23	24	21	14 16	15	19
11 37 58	24	25	21	15 05	16	20
11 41 39	25	26	22	15 53	17	21
11 45 19	26	27	23	16 42	18	22
11 48 59	27	28	24	17 31	19	23
11 52 40	28	29	25	18 19	20	24
11 56 20	29	29	25	19 08	21	25
HOUSES	4	5	6	7	8	9

LATITUDE 24° S.

LATITUDE 25° N.

SIDEREAL TIME	10 ♌	11 ♍	12 ♎	Asc ♏	2 ♐	3 ♑
h m s	°	°	°	° '	°	°
9 09 51	15	17	17	12 26	12	13
9 13 50	16	18	18	13 19	13	14
9 17 48	17	19	19	14 11	13	14
9 21 46	18	20	20	15 02	14	15
9 25 42	19	21	20	15 54	15	16
9 29 38	20	22	21	16 45	16	17
9 33 33	21	23	22	17 37	17	18
9 37 28	22	24	23	18 28	18	19
9 41 22	23	25	24	19 18	19	20
9 45 15	24	26	25	20 09	20	21
9 49 08	25	27	26	21 00	20	22
9 53 00	26	28	27	21 50	21	23
9 56 51	27	29	28	22 40	22	24
10 00 42	28	♎	29	23 30	23	25
10 04 32	29	1	♏	24 20	24	26
10 08 22	♍	2	1	25 10	25	27
10 12 10	1	3	1	25 59	26	28
10 15 59	2	4	2	26 49	27	29
10 19 47	3	5	3	27 38	27	29
10 23 34	4	6	4	28 27	28	♒
10 27 21	5	7	5	29 16	29	1
10 31 07	6	8	6	0♐05	♑	2
10 34 53	7	9	7	0 54	1	3
10 38 39	8	10	8	1 43	2	4
10 42 24	9	11	8	2 32	3	5
10 46 08	10	12	9	3 21	3	6
10 49 52	11	13	10	4 09	4	7
10 53 36	12	14	11	4 58	5	8
10 57 19	13	15	12	5 46	6	9
11 01 03	14	16	13	6 35	7	10
11 04 45	15	16	14	7 23	8	11
11 08 28	16	17	14	8 11	9	12
11 12 10	17	18	15	9 00	10	13
11 15 52	18	19	16	9 48	10	14
11 19 33	19	20	17	10 36	11	15
11 23 15	20	21	18	11 24	12	16
11 26 56	21	22	19	12 13	13	17
11 30 37	22	23	19	13 01	14	18
11 34 17	23	24	20	13 49	15	19
11 37 58	24	25	21	14 38	16	20
11 41 39	25	26	22	15 26	17	21
11 45 19	26	27	23	16 15	18	22
11 48 59	27	28	24	17 03	18	23
11 52 40	28	28	24	17 52	19	24
11 56 20	29	29	25	18 41	20	25
HOUSES	4	5	6	7	8	9

LATITUDE 25° S.

LATITUDE 26° N.

SIDEREAL TIME	10 ♌	11 ♍	12 ♎	Asc ♏	2 ♐	3 ♑
h m s	°	°	°	° '	°	°
9 09 51	15	17	17	12 08	11	12
9 13 50	16	18	18	13 00	12	13
9 17 48	17	19	19	13 52	13	14
9 21 46	18	20	19	14 43	14	15
9 25 42	19	21	20	15 35	15	16
9 29 38	20	22	21	16 26	16	17
9 33 33	21	23	22	17 17	17	18
9 37 28	22	24	23	18 07	18	19
9 41 22	23	25	24	18 58	18	20
9 45 15	24	26	25	19 48	19	21
9 49 08	25	27	26	20 39	20	22
9 53 00	26	28	27	21 29	21	23
9 56 51	27	29	28	22 19	22	24
10 00 42	28	♎	29	23 08	23	25
10 04 32	29	1	29	23 58	24	26
10 08 22	♍	2	♏	24 48	24	26
10 12 10	1	3	1	25 37	25	27
10 15 59	2	4	2	26 26	26	28
10 19 47	3	5	3	27 15	27	29
10 23 34	4	6	4	28 04	28	♒
10 27 21	5	7	5	28 53	29	1
10 31 07	6	8	6	29 42	♑	2
10 34 53	7	9	6	0♐30	1	3
10 38 39	8	10	7	1 19	1	4
10 42 24	9	11	8	2 08	2	5
10 46 08	10	12	9	2 56	3	6
10 49 52	11	13	10	3 44	4	7
10 53 36	12	14	11	4 33	5	8
10 57 19	13	15	12	5 21	6	9
11 01 03	14	15	12	6 09	7	10
11 04 45	15	16	13	6 57	7	11
11 08 28	16	17	14	7 45	8	12
11 12 10	17	18	15	8 34	9	13
11 15 52	18	19	16	9 22	10	14
11 19 33	19	20	17	10 10	11	15
11 23 15	20	21	18	10 58	12	16
11 26 56	21	22	18	11 46	13	17
11 30 37	22	23	19	12 34	14	18
11 34 17	23	24	20	13 22	14	19
11 37 58	24	25	21	14 10	15	20
11 41 39	25	26	22	14 59	16	21
11 45 19	26	27	23	15 47	17	22
11 48 59	27	27	23	16 35	18	23
11 52 40	28	28	24	17 24	19	24
11 56 20	29	29	25	18 12	20	25
HOUSES	4	5	6	7	8	9

LATITUDE 26° S.

LATITUDE 24° N.

SIDEREAL TIME	10 ♎	11 ♏	12 ♏	Asc ♐		2 ♑	3 ♒
h m s	°	°	°	°	'	°	°
12 00 00	0	0	26	19	57	21	26
12 03 40	1	1	27	20	46	22	27
12 07 20	2	2	28	21	35	23	28
12 11 01	3	3	29	22	25	24	29
12 14 41	4	4	♐	23	14	25	♓
12 18 21	5	5	0	24	03	26	1
12 22 02	6	6	1	24	53	27	2
12 25 43	7	7	2	25	43	28	3
12 29 23	8	8	3	26	33	29	4
12 33 04	9	8	4	27	23	♒	5
12 36 45	10	9	5	28	13	1	6
12 40 27	11	10	5	29	04	2	7
12 44 08	12	11	6	29	55	3	8
12 47 50	13	12	7	0♑	46	4	9
12 51 32	14	13	8	1	37	5	10
12 55 15	15	14	9	2	28	6	11
12 58 57	16	15	10	3	20	7	12
13 02 41	17	16	10	4	12	8	13
13 06 24	18	16	11	5	04	9	14
13 10 08	19	17	12	5	56	10	16
13 13 52	20	18	13	6	49	11	17
13 17 36	21	19	14	7	42	12	18
13 21 21	22	20	15	8	36	13	19
13 25 07	23	21	15	9	29	14	20
13 28 53	24	22	16	10	24	15	21
13 32 39	25	23	17	11	18	16	22
13 36 26	26	24	18	12	13	17	23
13 40 13	27	24	19	13	08	18	24
13 44 01	28	25	20	14	04	19	25
13 47 49	29	26	20	15	00	20	26
13 51 38	♏	27	21	15	56	21	28
13 55 28	1	28	22	16	53	22	29
13 59 18	2	29	23	17	50	23	♈
14 03 09	3	♐	24	18	48	24	1
14 07 00	4	1	25	19	46	26	2
14 10 52	5	2	26	20	45	27	3
14 14 45	6	3	27	21	44	28	4
14 18 38	7	3	27	22	44	29	5
14 22 32	8	4	28	23	44	♓	7
14 26 27	9	5	29	24	45	1	8
14 30 22	10	6	♑	25	46	2	9
14 34 18	11	7	1	26	48	4	10
14 38 14	12	8	2	27	50	5	11
14 42 12	13	9	3	28	53	6	12
14 46 10	14	10	4	29	57	7	13
HOUSES	4	5	6	7		8	9

LATITUDE 24° S.

LATITUDE 25° N.

SIDEREAL TIME	10 ♎	11 ♏	12 ♏	Asc ♐		2 ♑	3 ♒
h m s	°	°	°	°	'	°	°
12 00 00	0	0	26	19	29	21	26
12 03 40	1	1	27	20	18	22	27
12 07 20	2	2	28	21	07	23	28
12 11 01	3	3	29	21	56	24	29
12 14 41	4	4	29	22	45	25	♓
12 18 21	5	5	♐	23	35	26	1
12 22 02	6	6	1	24	24	27	2
12 25 43	7	7	2	25	14	28	3
12 29 23	8	7	3	26	04	29	4
12 33 04	9	8	3	26	54	29	5
12 36 45	10	9	4	27	44	♒	6
12 40 27	11	10	5	28	35	1	7
12 44 08	12	11	6	29	25	2	8
12 47 50	13	12	7	0♑	16	3	9
12 51 32	14	13	8	1	07	4	10
12 55 15	15	14	8	1	58	5	11
12 58 57	16	15	9	2	50	6	12
13 02 41	17	15	10	3	42	7	13
13 06 24	18	16	11	4	34	8	14
13 10 08	19	17	12	5	26	9	15
13 13 52	20	18	13	6	19	10	17
13 17 36	21	19	13	7	12	11	18
13 21 21	22	20	14	8	06	12	19
13 25 07	23	21	15	8	59	13	20
13 28 53	24	22	16	9	53	14	21
13 32 39	25	23	17	10	48	16	22
13 36 26	26	23	18	11	43	17	23
13 40 13	27	24	18	12	38	18	24
13 44 01	28	25	19	13	33	19	25
13 47 49	29	26	20	14	29	20	26
13 51 38	♏	27	21	15	26	21	28
13 55 28	1	28	22	16	23	22	29
13 59 18	2	29	23	17	20	23	♈
14 03 09	3	♐	24	18	18	24	1
14 07 00	4	1	25	19	16	25	2
14 10 52	5	1	25	20	15	26	3
14 14 45	6	2	26	21	14	28	4
14 18 38	7	3	27	22	14	29	5
14 22 32	8	4	28	23	14	♓	7
14 26 27	9	5	29	24	15	1	8
14 30 22	10	6	♑	25	16	2	9
14 34 18	11	7	1	26	18	3	10
14 38 14	12	8	2	27	21	5	11
14 42 12	13	9	3	28	24	6	12
14 46 10	14	10	3	29	28	7	13
HOUSES	4	5	6	7		8	9

LATITUDE 25° S.

LATITUDE 26° N.

SIDEREAL TIME	10 ♎	11 ♏	12 ♏	Asc ♐		2 ♑	3 ♒
h m s	°	°	°	°	'	°	°
12 00 00	0	0	26	19	01	21	26
12 03 40	1	1	27	19	50	22	27
12 07 20	2	2	27	20	39	23	28
12 11 01	3	3	28	21	28	24	29
12 14 41	4	4	29	22	17	24	♓
12 18 21	5	5	♐	23	06	25	1
12 22 02	6	6	1	23	55	26	2
12 25 43	7	6	2	24	45	27	3
12 29 23	8	7	2	25	35	28	4
12 33 04	9	8	3	26	24	29	5
12 36 45	10	9	4	27	15	♒	6
12 40 27	11	10	5	28	05	1	7
12 44 08	12	11	6	28	55	2	8
12 47 50	13	12	6	29	46	3	9
12 51 32	14	13	7	0♑	37	4	10
12 55 15	15	14	8	1	28	5	11
12 58 57	16	14	9	2	20	6	12
13 02 41	17	15	10	3	12	7	13
13 06 24	18	16	11	4	04	8	14
13 10 08	19	17	11	4	56	9	15
13 13 52	20	18	12	5	49	10	17
13 17 36	21	19	13	6	42	11	18
13 21 21	22	20	14	7	35	12	19
13 25 07	23	21	15	8	29	13	20
13 28 53	24	22	16	9	23	14	21
13 32 39	25	22	16	10	17	15	22
13 36 26	26	23	17	11	12	16	23
13 40 13	27	24	18	12	07	17	24
13 44 01	28	25	19	13	03	18	25
13 47 49	29	26	20	13	59	20	26
13 51 38	♏	27	21	14	55	21	28
13 55 28	1	28	22	15	52	22	29
13 59 18	2	29	22	16	49	23	♈
14 03 09	3	♐	23	17	47	24	1
14 07 00	4	0	24	18	45	25	2
14 10 52	5	1	25	19	44	26	3
14 14 45	6	2	26	20	43	27	4
14 18 38	7	3	27	21	43	29	5
14 22 32	8	4	28	22	44	♓	7
14 26 27	9	5	29	23	45	1	8
14 30 22	10	6	29	24	46	2	9
14 34 18	11	7	♑	25	48	3	10
14 38 14	12	8	1	26	51	4	11
14 42 12	13	9	2	27	54	6	12
14 46 10	14	9	3	28	58	7	13
HOUSES	4	5	6	7		8	9

LATITUDE 26° S.

LATITUDE 24° N.

SIDEREAL TIME	10 ♏	11 ♐	12 ♑	Asc ♒	2 ♓	3 ♈
h m s	°	°	°	° '	°	°
14 50 09	15	11	5	1 01	8	15
14 54 08	16	12	6	2 06	10	16
14 58 08	17	12	7	3 11	11	17
15 02 09	18	13	8	4 17	12	18
15 06 11	19	14	8	5 24	13	19
15 10 13	20	15	9	6 32	15	20
15 14 16	21	16	10	7 40	16	21
15 18 20	22	17	11	8 48	17	23
15 22 25	23	18	12	9 58	18	24
15 26 30	24	19	13	11 08	20	25
15 30 36	25	20	14	12 18	21	26
15 34 43	26	21	15	13 30	22	27
15 38 50	27	22	16	14 42	23	28
15 42 58	28	23	17	15 55	25	♉
15 47 07	29	24	18	17 08	26	1
15 51 16	♐	25	19	18 22	27	2
15 55 27	1	26	20	19 37	29	3
15 59 37	2	27	21	20 53	♈	4
16 03 49	3	27	22	22 09	1	5
16 08 01	4	28	23	23 26	3	6
16 12 14	5	29	25	24 44	4	8
16 16 27	6	♑	26	26 02	5	9
16 20 41	7	1	27	27 21	6	10
16 24 56	8	2	28	28 41	8	11
16 29 11	9	3	29	0♓01	9	12
16 33 27	10	4	♒	1 22	10	13
16 37 43	11	5	1	2 44	12	14
16 42 00	12	6	2	4 06	13	15
16 46 17	13	7	3	5 29	14	17
16 50 35	14	8	4	6 52	16	18
16 54 53	15	9	6	8 16	17	19
16 59 11	16	10	7	9 41	18	20
17 03 30	17	11	8	11 06	20	21
17 07 49	18	12	9	12 31	21	22
17 12 09	19	13	10	13 57	22	23
17 16 29	20	14	11	15 23	24	24
17 20 49	21	15	13	16 50	25	26
17 25 10	22	16	14	18 17	26	27
17 29 31	23	17	15	19 44	28	28
17 33 52	24	18	16	21 11	29	29
17 38 13	25	19	17	22 39	♉	♊
17 42 34	26	21	19	24 07	1	1
17 46 55	27	22	20	25 35	3	2
17 51 17	28	23	21	27 03	4	3
17 55 38	29	24	22	28 31	5	4
HOUSES	4	5	6	7	8	9

LATITUDE 24° S.

LATITUDE 25° N.

SIDEREAL TIME	10 ♏	11 ♐	12 ♑	Asc ♒	2 ♓	3 ♈
h m s	°	°	°	° '	°	°
14 50 09	15	11	4	0 32	8	15
14 54 08	16	11	5	1 37	9	16
14 58 08	17	12	6	2 43	11	17
15 02 09	18	13	7	3 49	12	18
15 06 11	19	14	8	4 56	13	19
15 10 13	20	15	9	6 04	14	20
15 14 16	21	16	10	7 12	16	22
15 18 20	22	17	11	8 21	17	23
15 22 25	23	18	12	9 31	18	24
15 26 30	24	19	13	10 41	19	25
15 30 36	25	20	14	11 52	21	26
15 34 43	26	21	15	13 04	22	27
15 38 50	27	22	16	14 17	23	28
15 42 58	28	23	17	15 30	25	♉
15 47 07	29	23	18	16 44	26	1
15 51 16	♐	24	19	17 58	27	2
15 55 27	1	25	20	19 14	29	3
15 59 37	2	26	21	20 30	♈	4
16 03 49	3	27	22	21 47	1	5
16 08 01	4	28	23	23 04	3	7
16 12 14	5	29	24	24 23	4	8
16 16 27	6	♑	25	25 42	5	9
16 20 41	7	1	26	27 01	7	10
16 24 56	8	2	27	28 22	8	11
16 29 11	9	3	28	29 43	9	12
16 33 27	10	4	♒	1♓04	11	13
16 37 43	11	5	1	2 27	12	14
16 42 00	12	6	2	3 50	13	16
16 46 17	13	7	3	5 13	15	17
16 50 35	14	8	4	6 37	16	18
16 54 53	15	9	5	8 02	17	19
16 59 11	16	10	6	9 27	18	20
17 03 30	17	11	8	10 53	20	21
17 07 49	18	12	9	12 19	21	22
17 12 09	19	13	10	13 46	22	23
17 16 29	20	14	11	15 13	24	25
17 20 49	21	15	12	16 41	25	26
17 25 10	22	16	13	18 09	26	27
17 29 31	23	17	15	19 37	28	28
17 33 52	24	18	16	21 05	29	29
17 38 13	25	19	17	22 34	♉	♊
17 42 34	26	20	18	24 03	2	1
17 46 55	27	21	20	25 32	3	2
17 51 17	28	22	21	27 01	4	3
17 55 38	29	24	22	28 30	5	4
HOUSES	4	5	6	7	8	9

LATITUDE 25° S.

LATITUDE 26° N.

SIDEREAL TIME	10 ♏	11 ♐	12 ♑	Asc ♒	2 ♓	3 ♈
h m s	°	°	°	° '	°	°
14 50 09	15	10	4	0 03	8	15
14 54 08	16	11	5	1 08	9	16
14 58 08	17	12	6	2 14	11	17
15 02 09	18	13	7	3 20	12	18
15 06 11	19	14	8	4 27	13	19
15 10 13	20	15	9	5 35	14	20
15 14 16	21	16	10	6 44	16	22
15 18 20	22	17	11	7 53	17	23
15 22 25	23	18	12	9 03	18	24
15 26 30	24	19	13	10 14	19	25
15 30 36	25	20	14	11 25	21	26
15 34 43	26	21	15	12 37	22	27
15 38 50	27	21	16	13 50	23	29
15 42 58	28	22	17	15 04	25	♉
15 47 07	29	23	18	16 18	26	1
15 51 16	♐	24	19	17 34	27	2
15 55 27	1	25	20	18 49	29	3
15 59 37	2	26	21	20 06	♈	4
16 03 49	3	27	22	21 23	1	5
16 08 01	4	28	23	22 42	3	7
16 12 14	5	29	24	24 00	4	8
16 16 27	6	♑	25	25 20	5	9
16 20 41	7	1	26	26 40	7	10
16 24 56	8	2	27	28 01	8	11
16 29 11	9	3	28	29 23	9	12
16 33 27	10	4	29	0♓46	11	13
16 37 43	11	5	♒	2 09	12	15
16 42 00	12	6	2	3 32	13	16
16 46 17	13	7	3	4 57	15	17
16 50 35	14	8	4	6 22	16	18
16 54 53	15	9	5	7 47	17	19
16 59 11	16	10	6	9 13	19	20
17 03 30	17	11	7	10 40	20	21
17 07 49	18	12	8	12 07	21	22
17 12 09	19	13	10	13 35	23	24
17 16 29	20	14	11	15 03	24	25
17 20 49	21	15	12	16 31	25	26
17 25 10	22	16	13	18 00	27	27
17 29 31	23	17	14	19 30	28	28
17 33 52	24	18	16	20 59	29	29
17 38 13	25	19	17	22 29	♉	♊
17 42 34	26	20	18	23 59	2	1
17 46 55	27	21	19	25 29	3	2
17 51 17	28	22	21	26 59	4	3
17 55 38	29	23	22	28 29	6	4
HOUSES	4	5	6	7	8	9

LATITUDE 26° S.

LATITUDE 24° N.

SIDEREAL TIME	10 ♑	11 ♑	12 ♒	Asc ♈	2 ♉	3 ♊
h m s	°	°	°	° '	°	°
18 00 00	0	25	24	0 00	6	5
18 04 22	1	26	25	1 28	8	6
18 08 43	2	27	26	2 56	9	7
18 13 05	3	28	27	4 25	10	8
18 17 26	4	29	29	5 53	11	9
18 21 47	5	♒	♓	7 21	13	11
18 26 08	6	1	1	8 48	14	12
18 30 29	7	2	2	10 16	15	13
18 34 50	8	3	4	11 43	16	14
18 39 11	9	4	5	13 10	17	15
18 43 31	10	6	6	14 37	19	16
18 47 51	11	7	8	16 03	20	17
18 52 11	12	8	9	17 29	21	18
18 56 30	13	9	10	18 54	22	19
19 00 49	14	10	12	20 19	23	20
19 05 07	15	11	13	21 43	24	21
19 09 25	16	12	14	23 07	26	22
19 13 43	17	13	16	24 31	27	23
19 18 00	18	15	17	25 53	28	24
19 22 17	19	16	18	27 16	29	25
19 26 33	20	17	20	28 37	♊	26
19 30 49	21	18	21	29 58	1	27
19 35 04	22	19	22	1♉19	2	28
19 39 19	23	20	24	2 38	3	29
19 43 33	24	21	25	3 57	4	♋
19 47 46	25	22	26	5 16	5	1
19 51 59	26	24	27	6 33	7	2
19 56 11	27	25	29	7 50	8	3
20 00 23	28	26	♈	9 07	9	3
20 04 33	29	27	1	10 22	10	4
20 08 44	♒	28	3	11 37	11	5
20 12 53	1	29	4	12 51	12	6
20 17 02	2	♓	5	14 05	13	7
20 21 10	3	2	7	15 18	14	8
20 25 17	4	3	8	16 30	15	9
20 29 24	5	4	9	17 41	16	10
20 33 30	6	5	10	18 52	17	11
20 37 35	7	6	12	20 02	18	12
20 41 40	8	7	13	21 11	19	13
20 45 44	9	9	14	22 20	20	14
20 49 47	10	10	15	23 28	21	15
20 53 49	11	11	17	24 35	22	16
20 57 51	12	12	18	25 42	22	17
21 01 52	13	13	19	26 48	23	18
21 05 52	14	14	20	27 54	24	18
HOUSES	4	5	6	7	8	9

LATITUDE 24° S.

LATITUDE 25° N.

SIDEREAL TIME	10 ♑	11 ♑	12 ♒	Asc ♈	2 ♉	3 ♊
h m s	°	°	°	° '	°	°
18 00 00	0	25	23	0 00	7	5
18 04 22	1	26	25	1 29	8	6
18 08 43	2	27	26	2 58	9	8
18 13 05	3	28	27	4 28	10	9
18 17 26	4	29	28	5 57	12	10
18 21 47	5	♒	♓	7 26	13	11
18 26 08	6	1	1	8 54	14	12
18 30 29	7	2	2	10 23	15	13
18 34 50	8	3	4	11 51	17	14
18 39 11	9	4	5	13 19	18	15
18 43 31	10	5	6	14 46	19	16
18 47 51	11	7	8	16 14	20	17
18 52 11	12	8	9	17 40	21	18
18 56 30	13	9	10	19 07	22	19
19 00 49	14	10	11	20 32	24	20
19 05 07	15	11	13	21 58	25	21
19 09 25	16	12	14	23 22	26	22
19 13 43	17	13	15	24 46	27	23
19 18 00	18	14	17	26 10	28	24
19 22 17	19	16	18	27 33	29	25
19 26 33	20	17	19	28 55	♊	26
19 30 49	21	18	21	0♉17	1	27
19 35 04	22	19	22	1 38	3	28
19 39 19	23	20	23	2 58	4	29
19 43 33	24	21	25	4 18	5	♋
19 47 46	25	22	26	5 37	6	1
19 51 59	26	23	27	6 55	7	2
19 56 11	27	25	29	8 13	8	3
20 00 23	28	26	♈	9 30	9	4
20 04 33	29	27	1	10 46	10	5
20 08 44	♒	28	3	12 01	11	6
20 12 53	1	29	4	13 16	12	6
20 17 02	2	♓	5	14 30	13	7
20 21 10	3	2	7	15 43	14	8
20 25 17	4	3	8	16 56	15	9
20 29 24	5	4	9	18 07	16	10
20 33 30	6	5	11	19 19	17	11
20 37 35	7	6	12	20 29	18	12
20 41 40	8	7	13	21 39	19	13
20 45 44	9	8	14	22 48	20	14
20 49 47	10	10	16	23 56	21	15
20 53 49	11	11	17	25 03	22	16
20 57 51	12	12	18	26 10	23	17
21 01 52	13	13	19	27 17	24	18
21 05 52	14	14	21	28 22	25	19
HOUSES	4	5	6	7	8	9

LATITUDE 25° S.

LATITUDE 26° N.

SIDEREAL TIME	10 ♑	11 ♑	12 ♒	Asc ♈	2 ♉	3 ♊
h m s	°	°	°	° '	°	°
18 00 00	0	24	23	0 00	7	6
18 04 22	1	26	24	1 30	8	7
18 08 43	2	27	26	3 01	9	8
18 13 05	3	28	27	4 31	11	9
18 17 26	4	29	28	6 01	12	10
18 21 47	5	♒	29	7 31	13	11
18 26 08	6	1	♓	9 01	14	12
18 30 29	7	2	2	10 30	16	13
18 34 50	8	3	3	11 59	17	14
18 39 11	9	4	5	13 28	18	15
18 43 31	10	5	6	14 57	19	16
18 47 51	11	6	7	16 25	20	17
18 52 11	12	8	9	17 52	22	18
18 56 30	13	9	10	19 20	23	19
19 00 49	14	10	11	20 46	24	20
19 05 07	15	11	13	22 12	25	21
19 09 25	16	12	14	23 38	26	22
19 13 43	17	13	15	25 03	27	23
19 18 00	18	14	17	26 27	28	24
19 22 17	19	15	18	27 51	♊	25
19 26 33	20	17	19	29 14	1	26
19 30 49	21	18	21	0♉36	2	27
19 35 04	22	19	22	1 58	3	28
19 39 19	23	20	23	3 19	4	29
19 43 33	24	21	25	4 40	5	♋
19 47 46	25	22	26	5 59	6	1
19 51 59	26	23	27	7 18	7	2
19 56 11	27	25	29	8 36	8	3
20 00 23	28	26	♈	9 54	9	4
20 04 33	29	27	1	11 10	10	5
20 08 44	♒	28	3	12 26	11	6
20 12 53	1	29	4	13 41	12	7
20 17 02	2	♓	5	14 56	13	8
20 21 10	3	1	7	16 09	14	9
20 25 17	4	3	8	17 22	15	9
20 29 24	5	4	9	18 34	16	10
20 33 30	6	5	11	19 46	17	11
20 37 35	7	6	12	20 57	18	12
20 41 40	8	7	13	22 07	19	13
20 45 44	9	8	14	23 16	20	14
20 49 47	10	10	16	24 24	21	15
20 53 49	11	11	17	25 32	22	16
20 57 51	12	12	18	26 39	23	17
21 01 52	13	13	19	27 46	24	18
21 05 52	14	14	21	28 52	25	19
HOUSES	4	5	6	7	8	9

LATITUDE 26° S.

	LATITUDE 24° N.						LATITUDE 25° N.						LATITUDE 26° N.					
SIDEREAL TIME	10 ♒	11 ♓	12 ♈	Asc ♉	2 ♊	3 ♋	10 ♒	11 ♓	12 ♈	Asc ♉	2 ♊	3 ♋	10 ♒	11 ♓	12 ♈	Asc ♉	2 ♊	3 ♋
h m s	°	°	°	° '	°	°	°	°	°	° '	°	°	°	°	°	° '	°	°
21 09 51	15	15	22	28 58	25	19	15	15	22	29 27	26	19	15	15	22	29 57	26	20
21 13 50	16	17	23	0♊03	26	20	16	17	23	0♊32	27	20	16	17	23	1♊02	27	21
21 17 48	17	18	24	1 06	27	21	17	18	24	1 35	27	21	17	18	24	2 05	28	21
21 21 46	18	19	25	2 09	28	22	18	19	25	2 39	28	22	18	19	26	3 09	29	22
21 25 42	19	20	26	3 12	29	23	19	20	27	3 41	29	23	19	20	27	4 11	♋	23
21 29 38	20	21	28	4 14	♋	24	20	21	28	4 43	♋	24	20	21	28	5 14	0	24
21 33 33	21	22	29	5 15	1	25	21	22	29	5 45	1	25	21	22	29	6 15	1	25
21 37 28	22	23	♉	6 16	2	26	22	23	♉	6 45	2	26	22	23	♉	7 16	2	26
21 41 22	23	25	1	7 16	3	27	23	25	1	7 46	3	27	23	25	1	8 16	3	27
21 45 15	24	26	2	8 16	3	27	24	26	2	8 46	4	28	24	26	3	9 16	4	28
21 49 08	25	27	3	9 15	4	28	25	27	4	9 45	5	29	25	27	4	10 16	5	29
21 53 00	26	28	4	10 13	5	29	26	28	5	10 44	5	29	26	28	5	11 14	6	♌
21 56 51	27	29	6	11 12	6	♌	27	29	6	11 42	6	♌	27	29	6	12 13	7	0
22 00 42	28	♈	7	12 09	7	1	28	♈	7	12 40	7	1	28	♈	7	13 10	8	1
22 04 32	29	1	8	13 07	8	2	29	1	8	13 37	8	2	29	1	8	14 08	8	2
22 08 22	♓	2	9	14 04	9	3	♓	2	9	14 34	9	3	♓	2	9	15 05	9	3
22 12 10	1	4	10	15 00	10	4	1	4	10	15 30	10	4	1	4	10	16 01	10	4
22 15 59	2	5	11	15 56	10	5	2	5	11	16 26	11	5	2	5	12	16 57	11	5
22 19 47	3	6	12	16 52	11	6	3	6	12	17 22	12	6	3	6	13	17 53	12	6
22 23 34	4	7	13	17 47	12	6	4	7	13	18 17	12	7	4	7	14	18 48	13	7
22 27 21	5	8	14	18 42	13	7	5	8	14	19 12	13	7	5	8	15	19 43	14	8
22 31 07	6	9	15	19 36	14	8	6	9	16	20 06	14	8	6	9	16	20 37	14	8
22 34 53	7	10	16	20 30	15	9	7	10	17	21 00	15	9	7	10	17	21 31	15	9
22 38 39	8	11	17	21 24	15	10	8	11	18	21 54	16	10	8	11	18	22 25	16	10
22 42 24	9	12	18	22 17	16	11	9	12	19	22 47	17	11	9	12	19	23 18	17	11
22 46 08	10	13	19	23 10	17	12	10	13	20	23 40	17	12	10	13	20	24 11	18	12
22 49 52	11	14	20	24 03	18	13	11	15	21	24 33	18	13	11	15	21	25 04	19	13
22 53 36	12	16	21	24 56	19	14	12	16	22	25 26	19	14	12	16	22	25 56	19	14
22 57 19	13	17	22	25 48	20	14	13	17	23	26 18	20	15	13	17	23	26 48	20	15
23 01 03	14	18	23	26 40	20	15	14	18	24	27 10	21	15	14	18	24	27 40	21	16
23 04 45	15	19	24	27 32	21	16	15	19	25	28 01	22	16	15	19	25	28 31	22	16
23 08 28	16	20	25	28 23	22	17	16	20	26	28 52	22	17	16	20	26	29 23	23	17
23 12 10	17	21	26	29 14	23	18	17	21	27	29 44	23	18	17	21	27	0♋14	24	18
23 15 52	18	22	27	0♋05	24	19	18	22	28	0♋34	24	19	18	22	28	1 04	24	19
23 19 33	19	23	28	0 56	25	20	19	23	29	1 25	25	20	19	23	29	1 55	25	20
23 23 15	20	24	29	1 46	25	21	20	24	♊	2 15	26	21	20	24	♊	2 45	26	21
23 26 56	21	25	♊	2 37	26	22	21	25	0	3 06	27	22	21	25	1	3 35	27	22
23 30 37	22	26	1	3 27	27	22	22	26	1	3 56	27	23	22	26	2	4 25	28	23
23 34 17	23	27	2	4 17	28	23	23	27	2	4 46	28	23	23	27	3	5 15	28	24
23 37 58	24	28	3	5 07	29	24	24	28	3	5 35	29	24	24	28	4	6 04	29	24
23 41 39	25	29	4	5 56	♌	25	25	29	4	6 25	♌	25	25	29	5	6 54	♌	25
23 45 19	26	♉	5	6 46	0	26	26	♉	5	7 14	1	26	26	♉	6	7 43	1	26
23 48 59	27	1	6	7 35	1	27	27	1	6	8 03	1	27	27	1	6	8 32	2	27
23 52 40	28	2	7	8 24	2	28	28	2	7	8 52	2	28	28	2	7	9 21	3	28
23 56 20	29	3	8	9 13	3	29	29	3	8	9 41	3	29	29	3	8	10 10	3	29
HOUSES	4	5	6	7	8	9	4	5	6	7	8	9	4	5	6	7	8	9
	LATITUDE 24° S.						LATITUDE 25° S.						LATITUDE 26° S.					

SIDEREAL TIME			LATITUDE 27° N.							LATITUDE 28° N.							LATITUDE 29° N.						
			10	11	12	Asc		2	3	10	11	12	Asc		2	3	10	11	12	Asc		2	3
			♈	♉	♊	♋		♌	♍	♈	♉	♊	♋		♌	♍	♈	♉	♊	♋		♌	♍
h	m	s	°	°	°	°	'	°	°	°	°	°	°	'	°	°	°	°	°	°	'	°	°
0	00	00	0	5	10	11	27	4	0	0	5	10	11	56	5	0	0	5	10	12	26	5	0
0	03	40	1	6	10	12	16	5	1	1	6	11	12	45	6	1	1	6	11	13	14	6	1
0	07	20	2	7	11	13	04	6	2	2	7	12	13	33	6	2	2	7	12	14	02	7	2
0	11	01	3	8	12	13	52	7	3	3	8	13	14	21	7	3	3	8	13	14	50	7	3
0	14	41	4	9	13	14	41	8	4	4	9	14	15	09	8	4	4	9	14	15	38	8	4
0	18	21	5	10	14	15	29	9	4	5	10	14	15	57	9	4	5	10	15	16	26	9	5
0	22	02	6	11	15	16	17	9	5	6	11	15	16	45	10	5	6	11	16	17	13	10	5
0	25	43	7	12	16	17	05	10	6	7	12	16	17	33	10	6	7	12	17	18	01	11	6
0	29	23	8	13	17	17	53	11	7	8	13	17	18	20	11	7	8	13	17	18	48	12	7
0	33	04	9	14	18	18	41	12	8	9	14	18	19	08	12	8	9	14	18	19	36	12	8
0	36	45	10	14	18	19	29	13	9	10	15	19	19	56	13	9	10	15	19	20	24	13	9
0	40	27	11	15	19	20	17	14	10	11	16	20	20	44	14	10	11	16	20	21	11	14	10
0	44	08	12	16	20	21	04	14	11	12	17	21	21	31	15	11	12	17	21	21	58	15	11
0	47	50	13	17	21	21	52	15	12	13	18	21	22	19	15	12	13	18	22	22	46	16	12
0	51	32	14	18	22	22	40	16	13	14	19	22	23	07	16	13	14	19	23	23	33	16	13
0	55	15	15	19	23	23	28	17	14	15	19	23	23	54	17	14	15	20	24	24	21	17	14
0	58	57	16	20	24	24	16	18	15	16	20	24	24	42	18	15	16	21	24	25	08	18	15
1	02	41	17	21	25	25	04	19	15	17	21	25	25	30	19	16	17	22	25	25	56	19	16
1	06	24	18	22	25	25	52	19	16	18	22	26	26	18	20	16	18	23	26	26	44	20	17
1	10	08	19	23	26	26	40	20	17	19	23	27	27	06	20	17	19	24	27	27	31	21	17
1	13	52	20	24	27	27	28	21	18	20	24	28	27	54	21	18	20	24	28	28	19	22	18
1	17	36	21	25	28	28	17	22	19	21	25	28	28	42	22	19	21	25	29	29	07	22	19
1	21	21	22	26	29	29	05	23	20	22	26	29	29	30	23	20	22	26	♋	29	54	23	20
1	25	07	23	27	♋	29	53	24	21	23	27	♋	0♌	18	24	21	23	27	1	0♌	42	24	21
1	28	53	24	28	1	0♌	42	25	22	24	28	1	1	06	25	22	24	28	1	1	30	25	22
1	32	39	25	29	2	1	30	25	23	25	29	2	1	54	26	23	25	29	2	2	18	26	23
1	36	26	26	♊	2	2	19	26	24	26	♊	3	2	43	26	24	26	♊	3	3	06	27	24
1	40	13	27	1	3	3	08	27	25	27	1	4	3	31	27	25	27	1	4	3	55	28	25
1	44	01	28	2	4	3	56	28	26	28	2	4	4	20	28	26	28	2	5	4	43	28	26
1	47	49	29	3	5	4	45	29	27	29	3	5	5	08	29	27	29	3	6	5	31	29	27
1	51	38	♉	4	6	5	35	♍	28	♉	4	6	5	57	♍	28	♉	4	7	6	20	♍	28
1	55	28	1	5	7	6	24	1	29	1	5	7	6	46	1	29	1	5	7	7	09	1	29
1	59	18	2	6	8	7	13	2	♎	2	6	8	7	35	2	♎	2	6	8	7	57	2	♎
2	03	09	3	6	8	8	03	2	1	3	7	9	8	24	3	1	3	7	9	8	46	3	1
2	07	00	4	7	9	8	52	3	2	4	8	10	9	14	3	2	4	8	10	9	35	4	2
2	10	52	5	8	10	9	42	4	3	5	9	11	10	03	4	3	5	9	11	10	25	5	3
2	14	45	6	9	11	10	32	5	4	6	9	11	10	53	5	4	6	10	12	11	14	5	4
2	18	38	7	10	12	11	22	6	5	7	10	12	11	43	6	5	7	11	13	12	04	6	5
2	22	32	8	11	13	12	12	7	6	8	11	13	12	33	7	6	8	12	13	12	53	7	6
2	26	27	9	12	14	13	03	8	7	9	12	14	13	23	8	7	9	12	14	13	43	8	7
2	30	22	10	13	15	13	53	9	8	10	13	15	14	13	9	8	10	13	15	14	33	9	8
2	34	18	11	14	15	14	44	10	9	11	14	16	15	04	10	9	11	14	16	15	23	10	9
2	38	14	12	15	16	15	35	11	10	12	15	17	15	54	11	10	12	15	17	16	14	11	10
2	42	12	13	16	17	16	26	12	11	13	16	17	16	45	12	11	13	16	18	17	04	12	11
2	46	10	14	17	18	17	18	13	12	14	17	18	17	36	13	12	14	17	19	17	55	13	12
HOUSES			4	5	6	7		8	9	4	5	6	7		8	9	4	5	6	7		8	9
			LATITUDE 27° S.							LATITUDE 28° S.							LATITUDE 29° S.						

LATITUDE 27° N.

SIDEREAL TIME			10 ♉	11 ♊	12 ♋	Asc ♌		2 ♍	3 ♎
h	m	s	°	°	°	°	'	°	°
2	50	09	15	18	19	18	09	13	13
2	54	08	16	19	20	19	01	14	14
2	58	08	17	20	21	19	53	15	15
3	02	09	18	21	22	20	45	16	16
3	06	11	19	21	22	21	38	17	17
3	10	13	20	22	23	22	30	18	18
3	14	16	21	23	24	23	23	19	19
3	18	20	22	24	25	24	16	20	20
3	22	25	23	25	26	25	09	21	21
3	26	30	24	26	27	26	03	22	22
3	30	36	25	27	28	26	56	23	23
3	34	43	26	28	29	27	50	24	24
3	38	50	27	29	♌	28	44	25	25
3	42	58	28	♋	1	29	38	26	26
3	47	07	29	1	2	0♍	33	27	27
3	51	16	♊	2	3	1	27	28	28
3	55	27	1	3	3	2	22	29	29
3	59	37	2	4	4	3	17	♎	♏
4	03	49	3	5	5	4	12	1	1
4	08	01	4	6	6	5	08	2	2
4	12	14	5	7	7	6	03	3	3
4	16	27	6	8	8	6	59	4	4
4	20	41	7	9	9	7	55	5	5
4	24	56	8	10	10	8	51	6	6
4	29	11	9	11	11	9	48	7	7
4	33	27	10	12	12	10	44	8	8
4	37	43	11	12	13	11	41	9	9
4	42	00	12	13	14	12	38	10	10
4	46	17	13	14	15	13	35	11	11
4	50	35	14	15	16	14	32	12	12
4	54	53	15	16	17	15	29	13	13
4	59	11	16	17	18	16	27	14	14
5	03	30	17	18	19	17	24	15	15
5	07	49	18	19	20	18	22	16	16
5	12	09	19	20	21	19	20	17	18
5	16	29	20	21	22	20	18	18	19
5	20	49	21	22	23	21	16	19	20
5	25	10	22	23	24	22	14	20	21
5	29	31	23	24	25	23	12	21	22
5	33	52	24	25	26	24	10	22	23
5	38	13	25	26	27	25	08	23	24
5	42	34	26	27	28	26	06	24	25
5	46	55	27	28	29	27	05	25	26
5	51	17	28	29	♍	28	03	26	27
5	55	38	29	♌	1	29	01	27	28
HOUSES			4	5	6	7		8	9

LATITUDE 27° S.

LATITUDE 28° N.

SIDEREAL TIME			10 ♉	11 ♊	12 ♋	Asc ♌		2 ♍	3 ♎
h	m	s	°	°	°	°	'	°	°
2	50	09	15	18	19	18	28	14	13
2	54	08	16	19	20	19	19	14	14
2	58	08	17	20	21	20	11	15	15
3	02	09	18	21	22	21	02	16	16
3	06	11	19	22	23	21	54	17	17
3	10	13	20	23	24	22	47	18	18
3	14	16	21	24	25	23	39	19	19
3	18	20	22	24	25	24	32	20	20
3	22	25	23	25	26	25	25	21	21
3	26	30	24	26	27	26	18	22	22
3	30	36	25	27	28	27	11	23	23
3	34	43	26	28	29	28	04	24	24
3	38	50	27	29	♌	28	58	25	25
3	42	58	28	♋	1	29	52	26	26
3	47	07	29	1	2	0♍	46	27	27
3	51	16	♊	2	3	1	40	28	28
3	55	27	1	3	4	2	35	29	29
3	59	37	2	4	5	3	29	♎	♏
4	03	49	3	5	6	4	24	1	1
4	08	01	4	6	7	5	19	2	2
4	12	14	5	7	7	6	14	3	3
4	16	27	6	8	8	7	10	4	4
4	20	41	7	9	9	8	05	5	5
4	24	56	8	10	10	9	01	6	6
4	29	11	9	11	11	9	57	7	7
4	33	27	10	12	12	10	53	8	8
4	37	43	11	13	13	11	50	9	9
4	42	00	12	14	14	12	46	10	10
4	46	17	13	15	15	13	43	11	11
4	50	35	14	16	16	14	39	12	12
4	54	53	15	17	17	15	36	13	13
4	59	11	16	18	18	16	33	14	14
5	03	30	17	19	19	17	30	15	15
5	07	49	18	19	20	18	27	16	16
5	12	09	19	20	21	19	25	17	17
5	16	29	20	21	22	20	22	18	18
5	20	49	21	22	23	21	20	19	19
5	25	10	22	23	24	22	17	20	20
5	29	31	23	24	25	23	15	21	21
5	33	52	24	25	26	24	13	22	22
5	38	13	25	26	27	25	10	23	23
5	42	34	26	27	28	26	08	24	25
5	46	55	27	28	29	27	06	25	26
5	51	17	28	29	♍	28	04	26	27
5	55	38	29	♌	1	29	02	27	28
HOUSES			4	5	6	7		8	9

LATITUDE 28° S.

LATITUDE 29° N.

SIDEREAL TIME			10 ♉	11 ♊	12 ♋	Asc ♌		2 ♍	3 ♎
h	m	s	°	°	°	°	'	°	°
2	50	09	15	18	20	18	46	14	13
2	54	08	16	19	20	19	37	15	14
2	58	08	17	20	21	20	28	15	15
3	02	09	18	21	22	21	20	16	16
3	06	11	19	22	23	22	11	17	17
3	10	13	20	23	24	23	03	18	18
3	14	16	21	24	25	23	55	19	19
3	18	20	22	25	26	24	48	20	20
3	22	25	23	26	27	25	40	21	21
3	26	30	24	27	28	26	33	22	22
3	30	36	25	28	28	27	26	23	23
3	34	43	26	28	29	28	19	24	24
3	38	50	27	29	♌	29	12	25	25
3	42	58	28	♋	1	0♍	06	26	26
3	47	07	29	1	2	0	59	27	27
3	51	16	♊	2	3	1	53	28	28
3	55	27	1	3	4	2	47	29	29
3	59	37	2	4	5	3	41	♎	♏
4	03	49	3	5	6	4	36	1	1
4	08	01	4	6	7	5	31	2	2
4	12	14	5	7	8	6	25	3	3
4	16	27	6	8	9	7	20	4	4
4	20	41	7	9	10	8	16	5	5
4	24	56	8	10	11	9	11	6	6
4	29	11	9	11	11	10	06	7	7
4	33	27	10	12	12	11	02	8	8
4	37	43	11	13	13	11	58	9	9
4	42	00	12	14	14	12	54	10	10
4	46	17	13	15	15	13	50	11	11
4	50	35	14	16	16	14	46	12	12
4	54	53	15	17	17	15	43	13	13
4	59	11	16	18	18	16	39	14	14
5	03	30	17	19	19	17	36	15	15
5	07	49	18	20	20	18	33	16	16
5	12	09	19	21	21	19	30	17	17
5	16	29	20	22	22	20	27	18	18
5	20	49	21	23	23	21	24	19	19
5	25	10	22	24	24	22	21	20	20
5	29	31	23	25	25	23	18	21	21
5	33	52	24	26	26	24	15	22	22
5	38	13	25	27	27	25	13	23	23
5	42	34	26	28	28	26	10	24	24
5	46	55	27	29	29	27	07	25	25
5	51	17	28	♌	♍	28	05	26	26
5	55	38	29	1	1	29	02	27	27
HOUSES			4	5	6	7		8	9

LATITUDE 29° S.

LATITUDE 27° N.

SIDEREAL TIME			10	11	12	Asc		2	3
			♋	♌	♍	♎		♎	♏
h	m	s	°	°	°	°	'	°	°
6	00	00	0	1	2	0	00	28	29
6	04	22	1	2	3	0	58	29	♐
6	08	43	2	3	4	1	57	♏	1
6	13	05	3	4	5	2	55	1	2
6	17	26	4	5	6	3	53	2	3
6	21	47	5	6	7	4	52	3	4
6	26	08	6	7	8	5	50	4	5
6	30	29	7	8	9	6	48	5	6
6	34	50	8	9	10	7	46	6	7
6	39	11	9	10	11	8	44	7	8
6	43	31	10	11	12	9	42	8	9
6	47	51	11	12	13	10	40	9	10
6	52	11	12	14	14	11	38	10	11
6	56	30	13	15	15	12	35	11	12
7	00	49	14	16	16	13	33	12	13
7	05	07	15	17	17	14	30	13	14
7	09	25	16	18	18	15	28	14	15
7	13	43	17	19	19	16	25	15	16
7	18	00	18	20	20	17	22	16	17
7	22	17	19	21	21	18	19	17	18
7	26	33	20	22	22	19	15	18	18
7	30	49	21	23	23	20	12	19	19
7	35	04	22	24	24	21	08	20	20
7	39	19	23	25	25	22	04	21	21
7	43	33	24	26	26	23	00	22	22
7	47	46	25	27	27	23	56	23	23
7	51	59	26	28	28	24	52	24	24
7	56	11	27	29	29	25	47	25	25
8	00	23	28	♍	♎	26	42	26	26
8	04	33	29	1	1	27	38	27	27
8	08	44	♌	2	2	28	32	27	28
8	12	53	1	3	3	29	27	28	29
8	17	02	2	4	4	0♏	21	29	♑
8	21	10	3	5	5	1	16	♐	1
8	25	17	4	6	6	2	10	1	2
8	29	24	5	7	7	3	04	2	3
8	33	30	6	8	8	3	57	3	4
8	37	35	7	9	9	4	51	4	5
8	41	40	8	10	10	5	44	5	6
8	45	44	9	11	11	6	37	6	7
8	49	47	10	12	12	7	29	7	8
8	53	49	11	13	13	8	22	8	9
8	57	51	12	14	14	9	14	8	9
9	01	52	13	15	15	10	07	9	10
9	05	52	14	16	16	10	59	10	11
HOUSES			4	5	6	7		8	9

LATITUDE 27° S.

LATITUDE 28° N.

SIDEREAL TIME			10	11	12	Asc		2	3
			♋	♌	♍	♎		♎	♏
h	m	s	°	°	°	°	'	°	°
6	00	00	0	1	2	0	00	28	29
6	04	22	1	2	3	0	58	29	♐
6	08	43	2	3	4	1	56	♏	1
6	13	05	3	4	5	2	54	1	2
6	17	26	4	5	6	3	51	2	3
6	21	47	5	7	7	4	49	3	4
6	26	08	6	8	8	5	47	4	5
6	30	29	7	9	9	6	45	5	6
6	34	50	8	10	10	7	42	6	7
6	39	11	9	11	11	8	40	7	8
6	43	31	10	12	12	9	38	8	9
6	47	51	11	13	13	10	35	9	10
6	52	11	12	14	14	11	32	10	11
6	56	30	13	15	15	12	29	11	11
7	00	49	14	16	16	13	27	12	12
7	05	07	15	17	17	14	24	13	13
7	09	25	16	18	18	15	20	14	14
7	13	43	17	19	19	16	17	15	15
7	18	00	18	20	20	17	14	16	16
7	22	17	19	21	21	18	10	17	17
7	26	33	20	22	22	19	06	18	18
7	30	49	21	23	23	20	02	19	19
7	35	04	22	24	24	20	58	20	20
7	39	19	23	25	25	21	54	21	21
7	43	33	24	26	26	22	50	22	22
7	47	46	25	27	27	23	45	23	23
7	51	59	26	28	28	24	40	23	24
7	56	11	27	29	29	25	35	24	25
8	00	23	28	♍	♎	26	30	25	26
8	04	33	29	1	1	27	25	26	27
8	08	44	♌	2	2	28	19	27	28
8	12	53	1	3	3	29	14	28	29
8	17	02	2	4	4	0♏	08	29	♑
8	21	10	3	5	5	1	02	♐	1
8	25	17	4	6	6	1	55	1	2
8	29	24	5	7	7	2	49	2	3
8	33	30	6	8	8	3	42	3	4
8	37	35	7	9	9	4	35	4	5
8	41	40	8	10	10	5	28	5	6
8	45	44	9	11	11	6	20	5	6
8	49	47	10	12	12	7	13	6	7
8	53	49	11	13	13	8	05	7	8
8	57	51	12	14	14	8	57	8	9
9	01	52	13	15	15	9	49	9	10
9	05	52	14	16	16	10	41	10	11
HOUSES			4	5	6	7		8	9

LATITUDE 28° S.

LATITUDE 29° N.

SIDEREAL TIME			10	11	12	Asc		2	3
			♋	♌	♍	♎		♎	♏
h	m	s	°	°	°	°	'	°	°
6	00	00	0	2	2	0	00	28	28
6	04	22	1	3	3	0	57	29	29
6	08	43	2	4	4	1	55	♏	♐
6	13	05	3	5	5	2	52	1	1
6	17	26	4	6	6	3	50	2	2
6	21	47	5	7	7	4	47	3	3
6	26	08	6	8	8	5	44	4	4
6	30	29	7	9	9	6	42	5	5
6	34	50	8	10	10	7	39	6	6
6	39	11	9	11	11	8	36	7	7
6	43	31	10	12	12	9	33	8	8
6	47	51	11	13	13	10	30	9	9
6	52	11	12	14	14	11	27	10	10
6	56	30	13	15	15	12	24	11	11
7	00	49	14	16	16	13	20	12	12
7	05	07	15	17	17	14	17	13	13
7	09	25	16	18	18	15	13	14	14
7	13	43	17	19	19	16	09	15	15
7	18	00	18	20	20	17	06	16	16
7	22	17	19	21	21	18	02	17	17
7	26	33	20	22	22	18	57	18	18
7	30	49	21	23	23	19	53	19	19
7	35	04	22	24	24	20	49	19	20
7	39	19	23	25	25	21	44	20	21
7	43	33	24	26	26	22	39	21	22
7	47	46	25	27	27	23	34	22	23
7	51	59	26	28	28	24	29	23	24
7	56	11	27	29	29	25	24	24	25
8	00	23	28	♍	♎	26	18	25	26
8	04	33	29	1	1	27	12	26	27
8	08	44	♌	2	2	28	06	27	28
8	12	53	1	3	3	29	00	28	29
8	17	02	2	4	4	29	54	29	♑
8	21	10	3	5	5	0♏	48	♐	1
8	25	17	4	6	6	1	41	1	2
8	29	24	5	7	7	2	34	2	2
8	33	30	6	8	8	3	27	2	3
8	37	35	7	9	9	4	19	3	4
8	41	40	8	10	10	5	12	4	5
8	45	44	9	11	11	6	04	5	6
8	49	47	10	12	12	6	56	6	7
8	53	49	11	13	13	7	48	7	8
8	57	51	12	14	14	8	40	8	9
9	01	52	13	15	14	9	31	9	10
9	05	52	14	16	15	10	23	10	11
HOUSES			4	5	6	7		8	9

LATITUDE 29° S.

LATITUDE 27° N.

SIDEREAL TIME	10 ♌	11 ♍	12 ♎	Asc ♏	2 ♐	3 ♑
h m s	°	°	°	° '	°	°
9 09 51	15	17	17	11 50	11	12
9 13 50	16	18	17	12 42	12	13
9 17 48	17	19	18	13 33	13	14
9 21 46	18	20	19	14 24	14	15
9 25 42	19	21	20	15 15	15	16
9 29 38	20	22	21	16 06	15	17
9 33 33	21	23	22	16 57	16	18
9 37 28	22	24	23	17 47	17	19
9 41 22	23	25	24	18 38	18	20
9 45 15	24	26	25	19 28	19	21
9 49 08	25	27	26	20 18	20	22
9 53 00	26	28	27	21 07	21	23
9 56 51	27	29	28	21 57	22	24
10 00 42	28	♎	28	22 47	22	24
10 04 32	29	1	29	23 36	23	25
10 08 22	♍	2	♏	24 25	24	26
10 12 10	1	3	1	25 14	25	27
10 15 59	2	4	2	26 03	26	28
10 19 47	3	5	3	26 52	27	29
10 23 34	4	6	4	27 41	28	♒
10 27 21	5	7	5	28 29	28	1
10 31 07	6	8	5	29 18	29	2
10 34 53	7	9	6	0♐06	♑	3
10 38 39	8	10	7	0 55	1	4
10 42 24	9	11	8	1 43	2	5
10 46 08	10	12	9	2 31	3	6
10 49 52	11	13	10	3 19	4	7
10 53 36	12	14	11	4 07	5	8
10 57 19	13	15	11	4 55	5	9
11 01 03	14	15	12	5 43	6	10
11 04 45	15	16	13	6 31	7	11
11 08 28	16	17	14	7 19	8	12
11 12 10	17	18	15	8 07	9	13
11 15 52	18	19	16	8 55	10	14
11 19 33	19	20	16	9 43	11	15
11 23 15	20	21	17	10 31	12	16
11 26 56	21	22	18	11 19	12	16
11 30 37	22	23	19	12 07	13	17
11 34 17	23	24	20	12 55	14	18
11 37 58	24	25	21	13 43	15	19
11 41 39	25	26	21	14 31	16	20
11 45 19	26	26	22	15 19	17	21
11 48 59	27	27	23	16 07	18	22
11 52 40	28	28	24	16 56	19	23
11 56 20	29	29	25	17 44	20	24
HOUSES	4	5	6	7	8	9

LATITUDE 27° S.

LATITUDE 28° N.

SIDEREAL TIME	10 ♌	11 ♍	12 ♎	Asc ♏	2 ♐	3 ♑
h m s	°	°	°	° '	°	°
9 09 51	15	17	16	11 32	11	12
9 13 50	16	18	17	12 23	12	13
9 17 48	17	19	18	13 14	13	14
9 21 46	18	20	19	14 05	13	15
9 25 42	19	21	20	14 56	14	16
9 29 38	20	22	21	15 46	15	17
9 33 33	21	23	22	16 37	16	18
9 37 28	22	24	23	17 27	17	19
9 41 22	23	25	24	18 17	18	20
9 45 15	24	26	25	19 07	19	21
9 49 08	25	27	26	19 56	19	21
9 53 00	26	28	26	20 46	20	22
9 56 51	27	29	27	21 35	21	23
10 00 42	28	♎	28	22 24	22	24
10 04 32	29	1	29	23 14	23	25
10 08 22	♍	2	♏	24 03	24	26
10 12 10	1	3	1	24 51	25	27
10 15 59	2	4	2	25 40	26	28
10 19 47	3	5	3	26 29	26	29
10 23 34	4	6	4	27 17	27	♒
10 27 21	5	7	4	28 05	28	1
10 31 07	6	8	5	28 54	29	2
10 34 53	7	9	6	29 42	♑	3
10 38 39	8	10	7	0♐30	1	4
10 42 24	9	11	8	1 18	2	5
10 46 08	10	12	9	2 06	2	6
10 49 52	11	13	10	2 54	3	7
10 53 36	12	14	10	3 42	4	8
10 57 19	13	14	11	4 30	5	9
11 01 03	14	15	12	5 17	6	10
11 04 45	15	16	13	6 05	7	10
11 08 28	16	17	14	6 53	8	11
11 12 10	17	18	15	7 41	9	12
11 15 52	18	19	15	8 28	9	13
11 19 33	19	20	16	9 16	10	14
11 23 15	20	21	17	10 04	11	15
11 26 56	21	22	18	10 51	12	16
11 30 37	22	23	19	11 39	13	17
11 34 17	23	24	20	12 27	14	18
11 37 58	24	25	20	13 15	15	19
11 41 39	25	26	21	14 03	16	20
11 45 19	26	26	22	14 51	16	21
11 48 59	27	27	23	15 39	17	22
11 52 40	28	28	24	16 27	18	23
11 56 20	29	29	24	17 15	19	24
HOUSES	4	5	6	7	8	9

LATITUDE 28° S.

LATITUDE 29° N.

SIDEREAL TIME	10 ♌	11 ♍	12 ♎	Asc ♏	2 ♐	3 ♑
h m s	°	°	°	° '	°	°
9 09 51	15	17	16	11 14	10	12
9 13 50	16	18	17	12 05	11	13
9 17 48	17	19	18	12 55	12	14
9 21 46	18	20	19	13 46	13	15
9 25 42	19	21	20	14 36	14	16
9 29 38	20	22	21	15 26	15	17
9 33 33	21	23	22	16 17	16	18
9 37 28	22	24	23	17 06	17	18
9 41 22	23	25	24	17 56	17	19
9 45 15	24	26	25	18 46	18	20
9 49 08	25	27	25	19 35	19	21
9 53 00	26	28	26	20 24	20	22
9 56 51	27	29	27	21 13	21	23
10 00 42	28	♎	28	22 02	22	24
10 04 32	29	1	29	22 51	23	25
10 08 22	♍	2	♏	23 40	23	26
10 12 10	1	3	1	24 28	24	27
10 15 59	2	4	2	25 17	25	28
10 19 47	3	5	2	26 05	26	29
10 23 34	4	6	3	26 53	27	♒
10 27 21	5	7	4	27 41	28	1
10 31 07	6	8	5	28 29	29	2
10 34 53	7	9	6	29 17	29	3
10 38 39	8	10	7	0♐05	♑	4
10 42 24	9	11	8	0 53	1	5
10 46 08	10	12	8	1 41	2	6
10 49 52	11	13	9	2 28	3	6
10 53 36	12	13	10	3 16	4	7
10 57 19	13	14	11	4 04	5	8
11 01 03	14	15	12	4 51	6	9
11 04 45	15	16	13	5 39	6	10
11 08 28	16	17	14	6 26	7	11
11 12 10	17	18	14	7 14	8	12
11 15 52	18	19	15	8 01	9	13
11 19 33	19	20	16	8 49	10	14
11 23 15	20	21	17	9 36	11	15
11 26 56	21	22	18	10 24	12	16
11 30 37	22	23	18	11 11	13	17
11 34 17	23	24	19	11 59	13	18
11 37 58	24	25	20	12 46	14	19
11 41 39	25	25	21	13 34	15	20
11 45 19	26	26	22	14 22	16	21
11 48 59	27	27	23	15 10	17	22
11 52 40	28	28	23	15 58	18	23
11 56 20	29	29	24	16 46	19	24
HOUSES	4	5	6	7	8	9

LATITUDE 29° S.

	LATITUDE 27° N.						LATITUDE 28° N.						LATITUDE 29° N.					
SIDEREAL TIME	10 ♎	11 ♏	12 ♏	Asc ♐	2 ♑	3 ♒	10 ♎	11 ♏	12 ♏	Asc ♐	2 ♑	3 ♒	10 ♎	11 ♏	12 ♏	Asc ♐	2 ♑	3 ♒
h m s	°	°	°	° '	°	°	°	°	°	° '	°	°	°	°	°	° '	°	°
12 00 00	0	0	26	18 32	20	25	0	0	25	18 03	20	25	0	0	25	17 34	20	25
12 03 40	1	1	26	19 21	21	26	1	1	26	18 52	21	26	1	1	26	18 22	21	26
12 07 20	2	2	27	20 10	22	28	2	2	27	19 40	22	27	2	2	27	19 10	22	27
12 11 01	3	3	28	20 58	23	29	3	3	28	20 29	23	28	3	3	27	19 59	23	28
12 14 41	4	4	29	21 47	24	♓	4	4	29	21 18	24	29	4	4	28	20 47	23	29
12 18 21	5	5	♐	22 36	25	1	5	4	29	22 07	25	♓	5	4	29	21 36	24	♓
12 22 02	6	5	0	23 26	26	2	6	5	♐	22 56	26	2	6	5	♐	22 25	25	1
12 25 43	7	6	1	24 15	27	3	7	6	1	23 45	27	3	7	6	1	23 14	26	2
12 29 23	8	7	2	25 05	28	4	8	7	2	24 34	28	4	8	7	2	24 03	27	4
12 33 04	9	8	3	25 54	29	5	9	8	3	25 24	29	5	9	8	2	24 53	28	5
12 36 45	10	9	4	26 44	♒	6	10	9	3	26 14	29	6	10	9	3	25 43	29	6
12 40 27	11	10	5	27 35	1	7	11	10	4	27 04	♒	7	11	10	4	26 33	♒	7
12 44 08	12	11	5	28 25	2	8	12	11	5	27 54	1	8	12	11	5	27 23	1	8
12 47 50	13	12	6	29 16	3	9	13	12	6	28 45	2	9	13	11	6	28 13	2	9
12 51 32	14	13	7	0♑07	4	10	14	12	7	29 35	3	10	14	12	6	29 04	3	10
12 55 15	15	13	8	0 58	5	11	15	13	8	0♑26	4	11	15	13	7	29 55	4	11
12 58 57	16	14	9	1 49	6	12	16	14	8	1 18	5	12	16	14	8	0♑46	5	12
13 02 41	17	15	9	2 41	7	13	17	15	9	2 09	6	13	17	15	9	1 37	6	13
13 06 24	18	16	10	3 33	8	14	18	16	10	3 01	7	14	18	16	10	2 29	7	14
13 10 08	19	17	11	4 25	9	15	19	17	11	3 53	8	15	19	17	10	3 21	8	15
13 13 52	20	18	12	5 18	10	16	20	18	12	4 46	9	16	20	18	11	4 13	9	16
13 17 36	21	19	13	6 10	11	18	21	19	12	5 39	10	18	21	19	12	5 06	10	17
13 21 21	22	20	14	7 04	12	19	22	20	13	6 32	12	19	22	19	13	5 59	11	19
13 25 07	23	21	14	7 57	13	20	23	20	14	7 25	13	20	23	20	14	6 53	12	20
13 28 53	24	21	15	8 51	14	21	24	21	15	8 19	14	21	24	21	15	7 46	13	21
13 32 39	25	22	16	9 46	15	22	25	22	16	9 13	15	22	25	22	15	8 41	14	22
13 36 26	26	23	17	10 40	16	23	26	23	17	10 08	16	23	26	23	16	9 35	15	23
13 40 13	27	24	18	11 35	17	24	27	24	18	11 03	17	24	27	24	17	10 30	17	24
13 44 01	28	25	19	12 31	18	25	28	25	18	11 59	18	25	28	25	18	11 26	18	25
13 47 49	29	26	20	13 27	19	26	29	26	19	12 55	19	26	29	26	19	12 22	19	26
13 51 38	♏	27	20	14 23	20	28	♏	27	20	13 51	20	28	♏	26	20	13 18	20	28
13 55 28	1	28	21	15 20	21	29	1	28	21	14 48	21	29	1	27	21	14 15	21	29
13 59 18	2	29	22	16 18	23	♈	2	28	22	15 45	22	♈	2	28	21	15 12	22	♈
14 03 09	3	29	23	17 15	24	1	3	29	23	16 43	23	1	3	29	22	16 10	23	1
14 07 00	4	♐	24	18 14	25	2	4	♐	24	17 41	25	2	4	♐	23	17 08	24	2
14 10 52	5	1	25	19 13	26	3	5	1	24	18 40	26	3	5	1	24	18 07	26	3
14 14 45	6	2	26	20 12	27	4	6	2	25	19 40	27	4	6	2	25	19 07	27	4
14 18 38	7	3	26	21 12	28	5	7	3	26	20 40	28	5	7	3	26	20 07	28	6
14 22 32	8	4	27	22 12	29	7	8	4	27	21 40	29	7	8	4	27	21 07	29	7
14 26 27	9	5	28	23 13	♓	8	9	5	28	22 41	♓	8	9	4	28	22 08	♓	8
14 30 22	10	6	29	24 15	2	9	10	6	29	23 43	2	9	10	5	28	23 10	1	9
14 34 18	11	7	♑	25 17	3	10	11	6	♑	24 45	3	10	11	6	29	24 13	3	10
14 38 14	12	7	1	26 20	4	11	12	7	1	25 48	4	11	12	7	♑	25 16	4	11
14 42 12	13	8	2	27 23	5	12	13	8	2	26 52	5	12	13	8	1	26 19	5	12
14 46 10	14	9	3	28 27	7	14	14	9	2	27 56	7	14	14	9	2	27 24	6	14
HOUSES	4	5	6	7	8	9	4	5	6	7	8	9	4	5	6	7	8	9
	LATITUDE 27° S.						LATITUDE 28° S.						LATITUDE 29° S.					

LATITUDE 27° N.

SIDEREAL TIME h m s	10 ♏ °	11 ♐ °	12 ♑ °	Asc ♑ ° '	2 ♓ °	3 ♈ °
14 50 09	15	10	4	29 32	8	15
14 54 08	16	11	5	0♒38	9	16
14 58 08	17	12	6	1 44	10	17
15 02 09	18	13	7	2 50	12	18
15 06 11	19	14	7	3 58	13	19
15 10 13	20	15	8	5 06	14	20
15 14 16	21	16	9	6 15	15	22
15 18 20	22	17	10	7 24	17	23
15 22 25	23	18	11	8 35	18	24
15 26 30	24	18	12	9 46	19	25
15 30 36	25	19	13	10 57	21	26
15 34 43	26	20	14	12 10	22	27
15 38 50	27	21	15	13 23	23	29
15 42 58	28	22	16	14 37	25	♉
15 47 07	29	23	17	15 52	26	1
15 51 16	♐	24	18	17 08	27	2
15 55 27	1	25	19	18 24	29	3
15 59 37	2	26	20	19 41	♈	4
16 03 49	3	27	21	20 59	1	6
16 08 01	4	28	22	22 18	3	7
16 12 14	5	29	24	23 38	4	8
16 16 27	6	♑	25	24 58	5	9
16 20 41	7	1	26	26 19	7	10
16 24 56	8	2	27	27 40	8	11
16 29 11	9	3	28	29 03	9	12
16 33 27	10	4	29	0♓26	11	14
16 37 43	11	5	♒	1 50	12	15
16 42 00	12	6	1	3 14	13	16
16 46 17	13	7	2	4 40	15	17
16 50 35	14	8	3	6 06	16	18
16 54 53	15	9	5	7 32	17	19
16 59 11	16	10	6	8 59	19	20
17 03 30	17	11	7	10 27	20	22
17 07 49	18	12	8	11 55	21	23
17 12 09	19	13	9	13 23	23	24
17 16 29	20	14	10	14 52	24	25
17 20 49	21	15	12	16 22	25	26
17 25 10	22	16	13	17 52	27	27
17 29 31	23	17	14	19 22	28	28
17 33 52	24	18	15	20 52	29	29
17 38 13	25	19	17	22 23	♉	♊
17 42 34	26	20	18	23 54	2	1
17 46 55	27	21	19	25 26	3	2
17 51 17	28	22	20	26 57	5	4
17 55 38	29	23	22	28 28	6	5
HOUSES	4	5	6	7	8	9

LATITUDE 27° S.

LATITUDE 28° N.

SIDEREAL TIME h m s	10 ♏ °	11 ♐ °	12 ♑ °	Asc ♑ ° '	2 ♓ °	3 ♈ °
14 50 09	15	10	3	29 01	8	15
14 54 08	16	11	4	0♒06	9	16
14 58 08	17	12	5	1 13	10	17
15 02 09	18	13	6	2 20	12	18
15 06 11	19	14	7	3 27	13	19
15 10 13	20	15	8	4 36	14	21
15 14 16	21	16	9	5 45	15	22
15 18 20	22	16	10	6 55	17	23
15 22 25	23	17	11	8 05	18	24
15 26 30	24	18	12	9 17	19	25
15 30 36	25	19	13	10 29	21	26
15 34 43	26	20	14	11 42	22	28
15 38 50	27	21	15	12 55	23	29
15 42 58	28	22	16	14 10	25	♉
15 47 07	29	23	17	15 25	26	1
15 51 16	♐	24	18	16 41	27	2
15 55 27	1	25	19	17 58	29	3
15 59 37	2	26	20	19 16	♈	5
16 03 49	3	27	21	20 34	1	6
16 08 01	4	28	22	21 54	3	7
16 12 14	5	29	23	23 14	4	8
16 16 27	6	♑	24	24 35	5	9
16 20 41	7	1	25	25 56	7	10
16 24 56	8	2	26	27 19	8	11
16 29 11	9	3	28	28 42	9	13
16 33 27	10	4	29	0♓06	11	14
16 37 43	11	5	♒	1 31	12	15
16 42 00	12	6	1	2 56	13	16
16 46 17	13	7	2	4 22	15	17
16 50 35	14	8	3	5 49	16	18
16 54 53	15	9	4	7 16	18	19
16 59 11	16	10	5	8 44	19	21
17 03 30	17	11	7	10 12	20	22
17 07 49	18	12	8	11 42	22	23
17 12 09	19	13	9	13 11	23	24
17 16 29	20	14	10	14 41	24	25
17 20 49	21	15	11	16 12	26	26
17 25 10	22	16	13	17 43	27	27
17 29 31	23	17	14	19 14	28	28
17 33 52	24	18	15	20 46	♉	29
17 38 13	25	19	16	22 18	1	♊
17 42 34	26	20	18	23 50	2	2
17 46 55	27	21	19	25 22	4	3
17 51 17	28	22	20	26 55	5	4
17 55 38	29	23	21	28 27	6	5
HOUSES	4	5	6	7	8	9

LATITUDE 28° S.

LATITUDE 29° N.

SIDEREAL TIME h m s	10 ♏ °	11 ♐ °	12 ♑ °	Asc ♑ ° '	2 ♓ °	3 ♈ °
14 50 09	15	10	3	28 29	8	15
14 54 08	16	11	4	29 34	9	16
14 58 08	17	12	5	0♒41	10	17
15 02 09	18	13	6	1 48	11	18
15 06 11	19	14	7	2 56	13	19
15 10 13	20	14	8	4 04	14	21
15 14 16	21	15	9	5 14	15	22
15 18 20	22	16	10	6 24	17	23
15 22 25	23	17	11	7 35	18	24
15 26 30	24	18	12	8 47	19	25
15 30 36	25	19	13	9 59	20	26
15 34 43	26	20	14	11 12	22	28
15 38 50	27	21	15	12 26	23	29
15 42 58	28	22	16	13 41	24	♉
15 47 07	29	23	17	14 57	26	1
15 51 16	♐	24	18	16 14	27	2
15 55 27	1	25	19	17 31	29	3
15 59 37	2	26	20	18 49	♈	5
16 03 49	3	27	21	20 08	1	6
16 08 01	4	28	22	21 28	3	7
16 12 14	5	29	23	22 49	4	8
16 16 27	6	♑	24	24 11	5	9
16 20 41	7	0	25	25 33	7	10
16 24 56	8	1	26	26 56	8	12
16 29 11	9	2	27	28 20	9	13
16 33 27	10	3	28	29 45	11	14
16 37 43	11	4	29	1♓10	12	15
16 42 00	12	5	♒	2 37	14	16
16 46 17	13	6	2	4 03	15	17
16 50 35	14	7	3	5 31	16	18
16 54 53	15	8	4	6 59	18	20
16 59 11	16	9	5	8 28	19	21
17 03 30	17	10	6	9 58	20	22
17 07 49	18	11	7	11 28	22	23
17 12 09	19	12	9	12 59	23	24
17 16 29	20	13	10	14 30	24	25
17 20 49	21	15	11	16 01	26	26
17 25 10	22	16	12	17 33	27	27
17 29 31	23	17	13	19 06	28	28
17 33 52	24	18	15	20 39	♉	♊
17 38 13	25	19	16	22 12	1	1
17 42 34	26	20	17	23 45	2	2
17 46 55	27	21	18	25 19	4	3
17 51 17	28	22	20	26 52	5	4
17 55 38	29	23	21	28 26	6	5
HOUSES	4	5	6	7	8	9

LATITUDE 29° S.

	LATITUDE 27° N.							LATITUDE 28° N.							LATITUDE 29° N.						
SIDEREAL TIME	10	11	12	Asc		2	3	10	11	12	Asc		2	3	10	11	12	Asc		2	3
	♑	♑	♒	♈		♉	♊	♑	♑	♒	♈		♉	♊	♑	♑	♒	♈		♉	♊
h m s	°	°	°	°	'	°	°	°	°	°	°	'	°	°	°	°	°	°	'	°	°
18 00 00	0	24	23	0	00	7	6	0	24	23	0	00	7	6	0	24	22	0	00	8	6
18 04 22	1	25	24	1	31	8	7	1	25	24	1	32	9	7	1	25	24	1	34	9	7
18 08 43	2	26	25	3	03	10	8	2	26	25	3	05	10	8	2	26	25	3	07	10	8
18 13 05	3	28	27	4	34	11	9	3	27	26	4	38	11	9	3	27	26	4	41	12	9
18 17 26	4	29	28	6	05	12	10	4	28	28	6	10	12	10	4	28	28	6	15	13	10
18 21 47	5	♒	29	7	36	13	11	5	♒	29	7	42	14	11	5	29	29	7	48	14	11
18 26 08	6	1	♓	9	07	15	12	6	1	♓	9	14	15	12	6	♒	♓	9	21	15	12
18 30 29	7	2	2	10	38	16	13	7	2	2	10	46	16	13	7	2	1	10	54	16	13
18 34 50	8	3	3	12	08	17	14	8	3	3	12	17	17	14	8	3	3	12	26	18	14
18 39 11	9	4	5	13	38	18	15	9	4	4	13	48	19	15	9	4	4	13	58	19	15
18 43 31	10	5	6	15	07	20	16	10	5	6	15	18	20	16	10	5	6	15	30	20	17
18 47 51	11	6	7	16	36	21	17	11	6	7	16	48	21	17	11	6	7	17	01	21	18
18 52 11	12	7	9	18	05	22	18	12	7	8	18	18	22	18	12	7	8	18	32	23	19
18 56 30	13	8	10	19	33	23	19	13	8	10	19	47	23	19	13	8	10	20	02	24	20
19 00 49	14	10	11	21	01	24	20	14	9	11	21	16	25	20	14	9	11	21	31	25	21
19 05 07	15	11	13	22	28	25	21	15	11	12	22	44	26	21	15	10	12	23	00	26	22
19 09 25	16	12	14	23	54	27	22	16	12	14	24	11	27	22	16	12	14	24	29	27	23
19 13 43	17	13	15	25	20	28	23	17	13	15	25	38	28	23	17	13	15	25	56	28	24
19 18 00	18	14	17	26	45	29	24	18	14	17	27	04	29	24	18	14	16	27	23	29	25
19 22 17	19	15	18	28	10	♊	25	19	15	18	28	29	♊	25	19	15	18	28	49	♊	26
19 26 33	20	16	19	29	34	1	26	20	16	19	29	54	1	26	20	16	19	0♉	15	2	27
19 30 49	21	18	21	0♉	57	2	27	21	17	21	1♉	18	2	27	21	17	21	1	40	3	28
19 35 04	22	19	22	2	19	3	28	22	19	22	2	41	4	28	22	18	22	3	03	4	29
19 39 19	23	20	23	3	41	4	29	23	20	23	4	03	5	29	23	20	23	4	27	5	♋
19 43 33	24	21	25	5	02	5	♋	24	21	25	5	25	6	♋	24	21	25	5	49	6	0
19 47 46	25	22	26	6	22	6	1	25	22	26	6	46	7	1	25	22	26	7	11	7	1
19 51 59	26	23	27	7	42	8	2	26	23	27	8	06	8	2	26	23	27	8	31	8	2
19 56 11	27	24	29	9	00	9	3	27	24	29	9	25	9	3	27	24	29	9	51	9	3
20 00 23	28	26	♈	10	18	10	4	28	25	♈	10	44	10	4	28	25	♈	11	10	10	4
20 04 33	29	27	1	11	35	11	5	29	27	1	12	01	11	5	29	27	1	12	28	11	5
20 08 44	♒	28	3	12	52	12	6	♒	28	3	13	18	12	6	♒	28	3	13	46	12	6
20 12 53	1	29	4	14	07	13	7	1	29	4	14	34	13	7	1	29	4	15	02	13	7
20 17 02	2	♓	5	15	22	14	8	2	♓	5	15	50	14	8	2	♓	6	16	18	14	8
20 21 10	3	1	7	16	36	15	9	3	1	7	17	04	15	9	3	1	7	17	33	15	9
20 25 17	4	3	8	17	50	16	10	4	2	8	18	18	16	10	4	2	8	18	47	16	10
20 29 24	5	4	9	19	02	17	11	5	4	9	19	31	17	11	5	4	10	20	01	17	11
20 33 30	6	5	11	20	14	18	12	6	5	11	20	43	18	12	6	5	11	21	13	18	12
20 37 35	7	6	12	21	25	19	12	7	6	12	21	54	19	13	7	6	12	22	25	19	13
20 41 40	8	7	13	22	35	20	13	8	7	13	23	05	20	14	8	7	13	23	36	20	14
20 45 44	9	8	15	23	45	21	14	9	8	15	24	15	21	14	9	8	15	24	46	21	15
20 49 47	10	10	16	24	54	22	15	10	9	16	25	24	22	15	10	9	16	25	55	22	16
20 53 49	11	11	17	26	02	23	16	11	11	17	26	32	23	16	11	11	17	27	04	23	16
20 57 51	12	12	18	27	09	23	17	12	12	18	27	40	24	17	12	12	19	28	12	24	17
21 01 52	13	13	20	28	16	24	18	13	13	20	28	47	25	18	13	13	20	29	19	25	18
21 05 52	14	14	21	29	22	25	19	14	14	21	29	53	26	19	14	14	21	0♊	25	26	19
HOUSES	4	5	6	7		8	9	4	5	6	7		8	9	4	5	6	7		8	9
	LATITUDE 27° S.							LATITUDE 28° S.							LATITUDE 29° S.						

	LATITUDE 27° N.						LATITUDE 28° N.						LATITUDE 29° N.					
SIDEREAL TIME	10 ♒	11 ♓	12 ♈	Asc ♊	2 ♊	3 ♋	10 ♒	11 ♓	12 ♈	Asc ♊	2 ♊	3 ♋	10 ♒	11 ♓	12 ♈	Asc ♊	2 ♊	3 ♋
h m s	°	°	°	° '	°	°	°	°	°	° '	°	°	°	°	°	° '	°	°
21 09 51	15	15	22	0 27	26	20	15	15	22	0 59	27	20	15	15	22	1 31	27	20
21 13 50	16	16	23	1 32	27	21	16	16	23	2 04	28	21	16	16	24	2 36	28	21
21 17 48	17	18	25	2 36	28	22	17	18	25	3 08	28	22	17	18	25	3 40	29	22
21 21 46	18	19	26	3 40	29	23	18	19	26	4 11	29	23	18	19	26	4 44	♋	23
21 25 42	19	20	27	4 42	♋	23	19	20	27	5 14	♋	24	19	20	27	5 47	1	24
21 29 38	20	21	28	5 45	1	24	20	21	28	6 17	1	24	20	21	29	6 49	2	25
21 33 33	21	22	29	6 46	2	25	21	22	♉	7 18	2	25	21	22	♉	7 51	2	26
21 37 28	22	23	♉	7 47	3	26	22	23	1	8 19	3	26	22	23	1	8 52	3	26
21 41 22	23	25	2	8 48	4	27	23	24	2	9 20	4	27	23	24	2	9 53	4	27
21 45 15	24	26	3	9 48	4	28	24	26	3	10 20	5	28	24	26	3	10 53	5	28
21 49 08	25	27	4	10 47	5	29	25	27	4	11 19	6	29	25	27	4	11 52	6	29
21 53 00	26	28	5	11 46	6	♌	26	28	5	12 18	6	♌	26	28	6	12 51	7	♌
21 56 51	27	29	6	12 44	7	1	27	29	6	13 16	7	1	27	29	7	13 50	8	1
22 00 42	28	♈	7	13 42	8	1	28	♈	8	14 14	8	2	28	♈	8	14 47	9	2
22 04 32	29	1	8	14 39	9	2	29	1	9	15 12	9	2	29	1	9	15 45	9	3
22 08 22	♓	2	10	15 36	10	3	♓	2	10	16 09	10	3	♓	2	10	16 42	10	4
22 12 10	1	4	11	16 33	10	4	1	4	11	17 05	11	4	1	4	11	17 38	11	4
22 15 59	2	5	12	17 29	11	5	2	5	12	18 01	12	5	2	5	12	18 34	12	5
22 19 47	3	6	13	18 24	12	6	3	6	13	18 56	12	6	3	6	13	19 29	13	6
22 23 34	4	7	14	19 19	13	7	4	7	14	19 51	13	7	4	7	15	20 24	14	7
22 27 21	5	8	15	20 14	14	8	5	8	15	20 46	14	8	5	8	16	21 19	15	8
22 31 07	6	9	16	21 08	15	9	6	9	16	21 40	15	9	6	9	17	22 13	15	9
22 34 53	7	10	17	22 02	16	9	7	10	17	22 34	16	10	7	10	18	23 07	16	10
22 38 39	8	11	18	22 56	16	10	8	11	18	23 28	17	10	8	11	19	24 00	17	11
22 42 24	9	12	19	23 49	17	11	9	12	20	24 21	18	11	9	13	20	24 53	18	11
22 46 08	10	14	20	24 42	18	12	10	14	21	25 14	18	12	10	14	21	25 46	19	12
22 49 52	11	15	21	25 35	19	13	11	15	22	26 06	19	13	11	15	22	26 39	19	13
22 53 36	12	16	22	26 27	20	14	12	16	23	26 58	20	14	12	16	23	27 31	20	14
22 57 19	13	17	23	27 19	21	15	13	17	24	27 50	21	15	13	17	24	28 22	21	15
23 01 03	14	18	24	28 11	21	16	14	18	25	28 42	22	16	14	18	25	29 14	22	16
23 04 45	15	19	25	29 02	22	17	15	19	26	29 33	22	17	15	19	26	0♋05	23	17
23 08 28	16	20	26	29 53	23	17	16	20	27	0♋24	23	18	16	20	27	0 56	24	18
23 12 10	17	21	27	0♋44	24	18	17	21	28	1 15	24	18	17	21	28	1 47	24	19
23 15 52	18	22	28	1 35	25	19	18	22	29	2 05	25	19	18	22	29	2 37	25	19
23 19 33	19	23	29	2 25	25	20	19	23	♊	2 56	26	20	19	23	♊	3 27	26	20
23 23 15	20	24	♊	3 15	26	21	20	24	1	3 46	27	21	20	24	1	4 17	27	21
23 26 56	21	25	1	4 05	27	22	21	25	1	4 36	27	22	21	25	2	5 07	28	22
23 30 37	22	26	2	4 55	28	23	22	26	2	5 25	28	23	22	26	3	5 56	28	23
23 34 17	23	27	3	5 45	29	24	23	27	3	6 15	29	24	23	28	4	6 45	29	24
23 37 58	24	28	4	6 34	♌	25	24	28	4	7 04	♌	25	24	29	5	7 35	♌	25
23 41 39	25	29	5	7 23	0	25	25	♉	5	7 53	1	25	25	♉	6	8 23	1	26
23 45 19	26	♉	6	8 12	1	26	26	1	6	8 42	1	26	26	1	7	9 12	2	26
23 48 59	27	1	7	9 01	2	27	27	2	7	9 31	2	27	27	2	7	10 01	3	27
23 52 40	28	2	8	9 50	3	28	28	3	8	10 19	3	28	28	3	8	10 49	3	28
23 56 20	29	4	9	10 39	4	29	29	4	9	11 08	4	29	29	4	9	11 38	4	29
HOUSES	4	5	6	7	8	9	4	5	6	7	8	9	4	5	6	7	8	9
	LATITUDE 27° S.						LATITUDE 28° S.						LATITUDE 29° S.					

	LATITUDE 30° N.						LATITUDE 31° N.						LATITUDE 32° N.					
SIDEREAL TIME	10 ♈	11 ♉	12 ♊	Asc ♋	2 ♌	3 ♍	10 ♈	11 ♉	12 ♊	Asc ♋	2 ♌	3 ♍	10 ♈	11 ♉	12 ♊	Asc ♋	2 ♌	3 ♍
h m s	°	°	°	° '	°	°	°	°	°	° '	°	°	°	°	°	° '	°	°
0 00 00	0	5	11	12 56	5	0	0	5	11	13 26	6	0	0	5	11	13 57	6	0
0 03 40	1	6	12	13 44	6	1	1	6	12	14 14	6	1	1	6	12	14 45	7	1
0 07 20	2	7	12	14 32	7	2	2	7	13	15 02	7	2	2	7	13	15 32	7	2
0 11 01	3	8	13	15 19	8	3	3	8	14	15 49	8	3	3	8	14	16 20	8	3
0 14 41	4	9	14	16 07	9	4	4	9	15	16 37	9	4	4	9	15	17 07	9	4
0 18 21	5	10	15	16 55	9	5	5	10	16	17 24	10	5	5	10	16	17 54	10	5
0 22 02	6	11	16	17 42	10	6	6	11	16	18 11	10	6	6	11	17	18 41	11	6
0 25 43	7	12	17	18 29	11	6	7	12	17	18 58	11	7	7	12	18	19 28	11	7
0 29 23	8	13	18	19 17	12	7	8	13	18	19 46	12	7	8	13	19	20 15	12	7
0 33 04	9	14	19	20 04	13	8	9	14	19	20 33	13	8	9	14	19	21 02	13	8
0 36 45	10	15	20	20 51	13	9	10	15	20	21 20	14	9	10	15	20	21 49	14	9
0 40 27	11	16	20	21 39	14	10	11	16	21	22 07	14	10	11	16	21	22 35	15	10
0 44 08	12	17	21	22 26	15	11	12	17	22	22 54	15	11	12	17	22	23 22	16	11
0 47 50	13	18	22	23 13	16	12	13	18	23	23 41	16	12	13	18	23	24 09	16	12
0 51 32	14	19	23	24 01	17	13	14	19	23	24 28	17	13	14	19	24	24 56	17	13
0 55 15	15	20	24	24 48	18	14	15	20	24	25 15	18	14	15	20	25	25 43	18	14
0 58 57	16	21	25	25 35	18	15	16	21	25	26 02	19	15	16	21	26	26 29	19	15
1 02 41	17	22	26	26 22	19	16	17	22	26	26 49	19	16	17	22	26	27 16	20	16
1 06 24	18	23	27	27 10	20	17	18	23	27	27 36	20	17	18	23	27	28 03	20	17
1 10 08	19	24	27	27 57	21	17	19	24	28	28 23	21	18	19	24	28	28 50	21	18
1 13 52	20	25	28	28 45	22	18	20	25	29	29 10	22	18	20	25	29	29 37	22	18
1 17 36	21	26	29	29 32	23	19	21	26	♋	29 58	23	19	21	26	♋	0♌24	23	19
1 21 21	22	27	♋	0♌20	23	20	22	27	0	0♌45	24	20	22	27	1	1 11	24	20
1 25 07	23	28	1	1 07	24	21	23	28	1	1 32	24	21	23	28	2	1 58	25	21
1 28 53	24	28	2	1 55	25	22	24	29	2	2 20	25	22	24	29	2	2 45	25	22
1 32 39	25	29	3	2 43	26	23	25	♊	3	3 07	26	23	25	♊	3	3 32	26	23
1 36 26	26	♊	3	3 30	27	24	26	1	4	3 55	27	24	26	1	4	4 20	27	24
1 40 13	27	1	4	4 18	28	25	27	1	5	4 43	28	25	27	2	5	5 07	28	25
1 44 01	28	2	5	5 07	29	26	28	2	6	5 30	29	26	28	3	6	5 54	29	26
1 47 49	29	3	6	5 55	29	27	29	3	6	6 18	♍	27	29	4	7	6 42	♍	27
1 51 38	♉	4	7	6 43	♍	28	♉	4	7	7 06	0	28	♉	5	8	7 30	1	28
1 55 28	1	5	8	7 31	1	29	1	5	8	7 54	1	29	1	5	8	8 18	1	29
1 59 18	2	6	9	8 20	2	♎	2	6	9	8 43	2	♎	2	6	9	9 05	2	♎
2 03 09	3	7	9	9 09	3	1	3	7	10	9 31	3	1	3	7	10	9 54	3	1
2 07 00	4	8	10	9 57	4	2	4	8	11	10 19	4	2	4	8	11	10 42	4	2
2 10 52	5	9	11	10 46	5	3	5	9	12	11 08	5	3	5	9	12	11 30	5	3
2 14 45	6	10	12	11 35	6	4	6	10	12	11 57	6	4	6	10	13	12 19	6	4
2 18 38	7	11	13	12 25	6	5	7	11	13	12 46	7	5	7	11	14	13 07	7	5
2 22 32	8	12	14	13 14	7	6	8	12	14	13 35	7	6	8	12	14	13 56	8	6
2 26 27	9	13	15	14 03	8	7	9	13	15	14 24	8	7	9	13	15	14 45	8	7
2 30 22	10	14	16	14 53	9	8	10	14	16	15 13	9	8	10	14	16	15 34	9	8
2 34 18	11	15	16	15 43	10	9	11	15	17	16 03	10	9	11	15	17	16 23	10	9
2 38 14	12	15	17	16 33	11	10	12	16	18	16 53	11	10	12	16	18	17 13	11	10
2 42 12	13	16	18	17 23	12	11	13	17	18	17 43	12	11	13	17	19	18 02	12	11
2 46 10	14	17	19	18 14	13	12	14	18	19	18 33	13	12	14	18	20	18 52	13	12
HOUSES	4	5	6	7	8	9	4	5	6	7	8	9	4	5	6	7	8	9
	LATITUDE 30° S.						LATITUDE 31° S.						LATITUDE 32° S.					

LATITUDE 30° N.

SIDEREAL TIME			10 ♉	11 ♊	12 ♋	Asc ♌		2 ♍	3 ♎
h	m	s	°	°	°	°	'	°	°
2	50	09	15	18	20	19	04	14	13
2	54	08	16	19	21	19	55	15	14
2	58	08	17	20	22	20	46	16	15
3	02	09	18	21	23	21	37	17	16
3	06	11	19	22	23	22	29	17	17
3	10	13	20	23	24	23	20	18	18
3	14	16	21	24	25	24	12	19	19
3	18	20	22	25	26	25	04	20	20
3	22	25	23	26	27	25	56	21	21
3	26	30	24	27	28	26	48	22	22
3	30	36	25	28	29	27	41	23	23
3	34	43	26	29	♌	28	33	24	24
3	38	50	27	♋	1	29	26	25	25
3	42	58	28	1	2	0♍	19	26	26
3	47	07	29	1	2	1	13	27	27
3	51	16	♊	2	3	2	06	28	28
3	55	27	1	3	4	3	00	29	29
3	59	37	2	4	5	3	54	♎	♏
4	03	49	3	5	6	4	48	1	1
4	08	01	4	6	7	5	42	2	2
4	12	14	5	7	8	6	36	3	3
4	16	27	6	8	9	7	31	4	4
4	20	41	7	9	10	8	26	5	5
4	24	56	8	10	11	9	21	6	6
4	29	11	9	11	12	10	16	7	7
4	33	27	10	12	13	11	11	8	8
4	37	43	11	13	14	12	07	9	9
4	42	00	12	14	15	13	02	10	10
4	46	17	13	15	16	13	58	11	11
4	50	35	14	16	16	14	54	12	12
4	54	53	15	17	17	15	50	13	13
4	59	11	16	18	18	16	46	14	14
5	03	30	17	19	19	17	42	15	15
5	07	49	18	20	20	18	38	16	16
5	12	09	19	21	21	19	35	17	17
5	16	29	20	22	22	20	31	18	18
5	20	49	21	23	23	21	28	19	19
5	25	10	22	24	24	22	25	20	20
5	29	31	23	25	25	23	21	21	21
5	33	52	24	26	26	24	18	22	22
5	38	13	25	27	27	25	15	23	23
5	42	34	26	28	28	26	12	24	24
5	46	55	27	29	29	27	09	25	25
5	51	17	28	♌	♍	28	06	26	26
5	55	38	29	1	1	29	03	27	27
HOUSES			4	5	6	7		8	9

LATITUDE 30° S.

LATITUDE 31° N.

SIDEREAL TIME			10 ♉	11 ♊	12 ♋	Asc ♌		2 ♍	3 ♎
h	m	s	°	°	°	°	'	°	°
2	50	09	15	18	20	19	23	14	13
2	54	08	16	19	21	20	13	15	14
2	58	08	17	20	22	21	04	16	15
3	02	09	18	21	23	21	55	17	16
3	06	11	19	22	24	22	46	18	17
3	10	13	20	23	25	23	37	18	18
3	14	16	21	24	26	24	28	19	19
3	18	20	22	25	26	25	20	20	20
3	22	25	23	26	27	26	12	21	21
3	26	30	24	27	28	27	04	22	22
3	30	36	25	28	29	27	56	23	23
3	34	43	26	29	♌	28	48	24	24
3	38	50	27	♋	1	29	41	25	25
3	42	58	28	1	2	0♍	33	26	26
3	47	07	29	2	3	1	26	27	27
3	51	16	♊	3	4	2	19	28	28
3	55	27	1	4	5	3	13	29	29
3	59	37	2	5	5	4	06	♎	♏
4	03	49	3	5	6	5	00	1	1
4	08	01	4	6	7	5	54	2	2
4	12	14	5	7	8	6	48	3	3
4	16	27	6	8	9	7	42	4	4
4	20	41	7	9	10	8	36	5	5
4	24	56	8	10	11	9	31	6	6
4	29	11	9	11	12	10	25	7	7
4	33	27	10	12	13	11	20	8	8
4	37	43	11	13	14	12	15	9	9
4	42	00	12	14	15	13	10	10	10
4	46	17	13	15	16	14	06	11	11
4	50	35	14	16	17	15	01	12	12
4	54	53	15	17	18	15	56	13	13
4	59	11	16	18	19	16	52	14	14
5	03	30	17	19	20	17	48	15	15
5	07	49	18	20	21	18	44	16	16
5	12	09	19	21	22	19	40	17	17
5	16	29	20	22	23	20	36	18	18
5	20	49	21	23	23	21	32	19	19
5	25	10	22	24	24	22	28	20	20
5	29	31	23	25	25	23	24	21	21
5	33	52	24	26	26	24	21	22	22
5	38	13	25	27	27	25	17	23	23
5	42	34	26	28	28	26	14	24	24
5	46	55	27	29	29	27	10	25	25
5	51	17	28	♌	♍	28	07	26	26
5	55	38	29	1	1	29	03	27	27
HOUSES			4	5	6	7		8	9

LATITUDE 31° S.

LATITUDE 32° N.

SIDEREAL TIME			10 ♉	11 ♊	12 ♋	Asc ♌		2 ♍	3 ♎
h	m	s	°	°	°	°	'	°	°
2	50	09	15	19	21	19	42	14	13
2	54	08	16	20	21	20	32	15	13
2	58	08	17	21	22	21	22	16	14
3	02	09	18	21	23	22	13	17	15
3	06	11	19	22	24	23	03	18	16
3	10	13	20	23	25	23	54	19	17
3	14	16	21	24	26	24	45	19	18
3	18	20	22	25	27	25	36	20	19
3	22	25	23	26	28	26	28	21	20
3	26	30	24	27	28	27	19	22	21
3	30	36	25	28	29	28	11	23	22
3	34	43	26	29	♌	29	03	24	24
3	38	50	27	♋	1	29	55	25	25
3	42	58	28	1	2	0♍	47	26	26
3	47	07	29	2	3	1	40	27	27
3	51	16	♊	3	4	2	33	28	28
3	55	27	1	4	5	3	25	29	29
3	59	37	2	5	6	4	18	♎	♏
4	03	49	3	6	7	5	12	1	1
4	08	01	4	7	8	6	05	2	2
4	12	14	5	8	9	6	59	3	3
4	16	27	6	9	9	7	52	4	4
4	20	41	7	9	10	8	46	5	5
4	24	56	8	10	11	9	41	6	6
4	29	11	9	11	12	10	35	7	7
4	33	27	10	12	13	11	29	8	8
4	37	43	11	13	14	12	24	9	9
4	42	00	12	14	15	13	18	10	10
4	46	17	13	15	16	14	13	11	11
4	50	35	14	16	17	15	08	12	12
4	54	53	15	17	18	16	03	13	13
4	59	11	16	18	19	16	59	14	14
5	03	30	17	19	20	17	54	15	15
5	07	49	18	20	21	18	49	16	16
5	12	09	19	21	22	19	45	17	17
5	16	29	20	22	23	20	40	18	18
5	20	49	21	23	24	21	36	19	19
5	25	10	22	24	25	22	32	20	20
5	29	31	23	25	26	23	28	21	21
5	33	52	24	26	27	24	24	22	22
5	38	13	25	27	28	25	20	23	23
5	42	34	26	28	29	26	16	24	24
5	46	55	27	29	♍	27	12	25	25
5	51	17	28	♌	1	28	08	26	26
5	55	38	29	1	2	29	04	27	27
HOUSES			4	5	6	7		8	9

LATITUDE 32° S.

LATITUDE 30° N.

SIDEREAL TIME	10 ♋	11 ♌	12 ♍	Asc ♎	2 ♎	3 ♏
h m s	°	°	°	° '	°	°
6 00 00	0	2	2	0 00	28	28
6 04 22	1	3	3	0 57	29	29
6 08 43	2	4	4	1 54	♏	♐
6 13 05	3	5	5	2 51	1	1
6 17 26	4	6	6	3 48	2	2
6 21 47	5	7	7	4 45	3	3
6 26 08	6	8	8	5 42	4	4
6 30 29	7	9	9	6 38	5	5
6 34 50	8	10	10	7 35	6	6
6 39 11	9	11	11	8 32	7	7
6 43 31	10	12	12	9 28	8	8
6 47 51	11	13	13	10 25	9	9
6 52 11	12	14	14	11 21	10	10
6 56 30	13	15	15	12 18	11	11
7 00 49	14	16	16	13 14	12	12
7 05 07	15	17	17	14 10	13	13
7 09 25	16	18	18	15 06	14	14
7 13 43	17	19	19	16 02	14	15
7 18 00	18	20	20	16 58	15	16
7 22 17	19	21	21	17 53	16	17
7 26 33	20	22	22	18 49	17	18
7 30 49	21	23	23	19 44	18	19
7 35 04	22	24	24	20 39	19	20
7 39 19	23	25	25	21 34	20	21
7 43 33	24	26	26	22 29	21	22
7 47 46	25	27	27	23 23	22	23
7 51 59	26	28	28	24 18	23	24
7 56 11	27	29	29	25 12	24	25
8 00 23	28	♍	♎	26 06	25	26
8 04 33	29	1	1	27 00	26	27
8 08 44	♌	2	2	27 53	27	28
8 12 53	1	3	3	28 47	28	29
8 17 02	2	4	4	29 40	28	29
8 21 10	3	5	5	0♏33	29	♑
8 25 17	4	6	6	1 26	♐	1
8 29 24	5	7	7	2 19	1	2
8 33 30	6	8	8	3 11	2	3
8 37 35	7	9	9	4 04	3	4
8 41 40	8	10	10	4 56	4	5
8 45 44	9	11	11	5 48	5	6
8 49 47	10	12	12	6 40	6	7
8 53 49	11	13	13	7 31	7	8
8 57 51	12	14	13	8 22	7	9
9 01 52	13	15	14	9 14	8	10
9 05 52	14	16	15	10 04	9	11
HOUSES	4	5	6	7	8	9

LATITUDE 30° S.

LATITUDE 31° N.

SIDEREAL TIME	10 ♋	11 ♌	12 ♍	Asc ♎	2 ♎	3 ♏
h m s	°	°	°	° '	°	°
6 00 00	0	2	2	0 00	28	28
6 04 22	1	3	3	0 56	29	29
6 08 43	2	4	4	1 53	♏	♐
6 13 05	3	5	5	2 49	1	1
6 17 26	4	6	6	3 46	2	2
6 21 47	5	7	7	4 42	3	3
6 26 08	6	8	8	5 39	4	4
6 30 29	7	9	9	6 35	5	5
6 34 50	8	10	10	7 31	6	6
6 39 11	9	11	11	8 28	7	7
6 43 31	10	12	12	9 24	7	8
6 47 51	11	13	13	10 20	8	9
6 52 11	12	14	14	11 16	9	10
6 56 30	13	15	15	12 12	10	11
7 00 49	14	16	16	13 08	11	12
7 05 07	15	17	17	14 03	12	13
7 09 25	16	18	18	14 59	13	14
7 13 43	17	19	19	15 54	14	15
7 18 00	18	20	20	16 49	15	16
7 22 17	19	21	21	17 45	16	17
7 26 33	20	22	22	18 40	17	18
7 30 49	21	23	23	19 34	18	19
7 35 04	22	24	24	20 29	19	20
7 39 19	23	25	25	21 24	20	21
7 43 33	24	26	26	22 18	21	22
7 47 46	25	27	27	23 12	22	23
7 51 59	26	28	28	24 06	23	24
7 56 11	27	29	29	25 00	24	25
8 00 23	28	♍	♎	25 54	25	25
8 04 33	29	1	1	26 47	25	26
8 08 44	♌	2	2	27 40	26	27
8 12 53	1	3	3	28 33	27	28
8 17 02	2	4	4	29 26	28	29
8 21 10	3	5	5	0♏19	29	♑
8 25 17	4	6	6	1 12	♐	1
8 29 24	5	7	7	2 04	1	2
8 33 30	6	8	8	2 56	2	3
8 37 35	7	9	9	3 48	3	4
8 41 40	8	10	10	4 40	4	5
8 45 44	9	11	11	5 31	4	6
8 49 47	10	12	12	6 23	5	7
8 53 49	11	13	12	7 14	6	8
8 57 51	12	14	13	8 05	7	9
9 01 52	13	15	14	8 56	8	10
9 05 52	14	16	15	9 46	9	11
HOUSES	4	5	6	7	8	9

LATITUDE 31° S.

LATITUDE 32° N.

SIDEREAL TIME	10 ♋	11 ♌	12 ♍	Asc ♎	2 ♎	3 ♏
h m s	°	°	°	° '	°	°
6 00 00	0	2	2	0 00	27	28
6 04 22	1	3	3	0 56	28	29
6 08 43	2	4	4	1 52	29	♐
6 13 05	3	5	5	2 48	♏	1
6 17 26	4	6	6	3 44	1	2
6 21 47	5	7	7	4 40	2	3
6 26 08	6	8	8	5 36	3	4
6 30 29	7	9	9	6 32	4	5
6 34 50	8	10	10	7 28	5	6
6 39 11	9	11	11	8 24	6	7
6 43 31	10	12	12	9 19	7	8
6 47 51	11	13	13	10 15	8	9
6 52 11	12	14	14	11 10	9	10
6 56 30	13	15	15	12 06	10	11
7 00 49	14	16	16	13 01	11	12
7 05 07	15	17	17	13 56	12	13
7 09 25	16	18	18	14 51	13	14
7 13 43	17	19	19	15 46	14	15
7 18 00	18	20	20	16 41	15	16
7 22 17	19	21	21	17 36	16	17
7 26 33	20	22	22	18 30	17	18
7 30 49	21	23	23	19 25	18	19
7 35 04	22	24	24	20 19	19	20
7 39 19	23	25	25	21 13	20	21
7 43 33	24	26	26	22 07	21	21
7 47 46	25	27	27	23 01	21	22
7 51 59	26	28	28	23 55	22	23
7 56 11	27	29	29	24 48	23	24
8 00 23	28	♍	♎	25 41	24	25
8 04 33	29	1	1	26 34	25	26
8 08 44	♌	2	2	27 27	26	27
8 12 53	1	3	3	28 20	27	28
8 17 02	2	4	4	29 12	28	29
8 21 10	3	5	5	0♏05	29	♑
8 25 17	4	6	6	0 57	♐	1
8 29 24	5	7	7	1 49	1	2
8 33 30	6	9	8	2 40	1	3
8 37 35	7	10	9	3 32	2	4
8 41 40	8	11	10	4 23	3	5
8 45 44	9	12	11	5 15	4	6
8 49 47	10	13	11	6 06	5	7
8 53 49	11	14	12	6 56	6	8
8 57 51	12	15	13	7 47	7	9
9 01 52	13	16	14	8 38	8	9
9 05 52	14	16	15	9 28	9	10
HOUSES	4	5	6	7	8	9

LATITUDE 32° S.

LATITUDE 30° N.

SIDEREAL TIME	10 ♌	11 ♍	12 ♎	Asc ♏	2 ♐	3 ♑
h m s	°	°	°	° '	°	°
9 09 51	15	17	16	10 55	10	12
9 13 50	16	18	17	11 46	11	13
9 17 48	17	19	18	12 36	12	14
9 21 46	18	20	19	13 26	13	15
9 25 42	19	21	20	14 17	14	15
9 29 38	20	22	21	15 06	14	16
9 33 33	21	23	22	15 56	15	17
9 37 28	22	24	23	16 46	16	18
9 41 22	23	25	24	17 35	17	19
9 45 15	24	26	24	18 24	18	20
9 49 08	25	27	25	19 13	19	21
9 53 00	26	28	26	20 02	20	22
9 56 51	27	29	27	20 51	21	23
10 00 42	28	♎	28	21 40	21	24
10 04 32	29	1	29	22 28	22	25
10 08 22	♍	2	♏	23 17	23	26
10 12 10	1	3	1	24 05	24	27
10 15 59	2	4	1	24 53	25	28
10 19 47	3	5	2	25 41	26	29
10 23 34	4	6	3	26 29	27	♒
10 27 21	5	7	4	27 17	27	1
10 31 07	6	8	5	28 05	28	2
10 34 53	7	9	6	28 52	29	2
10 38 39	8	10	7	29 40	♑	3
10 42 24	9	11	7	0♐28	1	4
10 46 08	10	12	8	1 15	2	5
10 49 52	11	13	9	2 03	3	6
10 53 36	12	13	10	2 50	3	7
10 57 19	13	14	11	3 37	4	8
11 01 03	14	15	12	4 25	5	9
11 04 45	15	16	12	5 12	6	10
11 08 28	16	17	13	5 59	7	11
11 12 10	17	18	14	6 46	8	12
11 15 52	18	19	15	7 34	9	13
11 19 33	19	20	16	8 21	10	14
11 23 15	20	21	17	9 08	10	15
11 26 56	21	22	17	9 55	11	16
11 30 37	22	23	18	10 43	12	17
11 34 17	23	24	19	11 30	13	18
11 37 58	24	24	20	12 18	14	19
11 41 39	25	25	21	13 05	15	20
11 45 19	26	26	21	13 53	16	21
11 48 59	27	27	22	14 40	17	22
11 52 40	28	28	23	15 28	18	23
11 56 20	29	29	24	16 16	18	24
HOUSES	4	5	6	7	8	9

LATITUDE 30° S.

LATITUDE 31° N.

SIDEREAL TIME	10 ♌	11 ♍	12 ♎	Asc ♏	2 ♐	3 ♑
h m s	°	°	°	° '	°	°
9 09 51	15	17	16	10 37	10	12
9 13 50	16	18	17	11 27	11	12
9 17 48	17	19	18	12 17	12	13
9 21 46	18	20	19	13 07	12	14
9 25 42	19	21	20	13 57	13	15
9 29 38	20	22	21	14 46	14	16
9 33 33	21	23	22	15 36	15	17
9 37 28	22	24	23	16 25	16	18
9 41 22	23	25	23	17 14	17	19
9 45 15	24	26	24	18 03	18	20
9 49 08	25	27	25	18 52	18	21
9 53 00	26	28	26	19 40	19	22
9 56 51	27	29	27	20 29	20	23
10 00 42	28	♎	28	21 17	21	24
10 04 32	29	1	29	22 05	22	25
10 08 22	♍	2	♏	22 53	23	26
10 12 10	1	3	0	23 41	24	27
10 15 59	2	4	1	24 29	24	28
10 19 47	3	5	2	25 17	25	29
10 23 34	4	6	3	26 05	26	29
10 27 21	5	7	4	26 52	27	♒
10 31 07	6	8	5	27 40	28	1
10 34 53	7	9	6	28 27	29	2
10 38 39	8	10	6	29 15	♑	3
10 42 24	9	11	7	0♐02	0	4
10 46 08	10	12	8	0 49	1	5
10 49 52	11	12	9	1 36	2	6
10 53 36	12	13	10	2 23	3	7
10 57 19	13	14	11	3 11	4	8
11 01 03	14	15	11	3 58	5	9
11 04 45	15	16	12	4 45	6	10
11 08 28	16	17	13	5 32	7	11
11 12 10	17	18	14	6 19	7	12
11 15 52	18	19	15	7 06	8	13
11 19 33	19	20	16	7 53	9	14
11 23 15	20	21	16	8 40	10	15
11 26 56	21	22	17	9 27	11	16
11 30 37	22	23	18	10 14	12	17
11 34 17	23	23	19	11 01	13	18
11 37 58	24	24	20	11 48	14	19
11 41 39	25	25	20	12 36	14	20
11 45 19	26	26	21	13 23	15	21
11 48 59	27	27	22	14 10	16	22
11 52 40	28	28	23	14 58	17	23
11 56 20	29	29	24	15 46	18	24
HOUSES	4	5	6	7	8	9

LATITUDE 31° S.

LATITUDE 32° N.

SIDEREAL TIME	10 ♌	11 ♍	12 ♎	Asc ♏	2 ♐	3 ♑
h m s	°	°	°	° '	°	°
9 09 51	15	17	16	10 18	9	11
9 13 50	16	18	17	11 08	10	12
9 17 48	17	19	18	11 58	11	13
9 21 46	18	20	19	12 47	12	14
9 25 42	19	21	20	13 37	13	15
9 29 38	20	22	21	14 26	14	16
9 33 33	21	23	21	15 15	15	17
9 37 28	22	24	22	16 04	16	18
9 41 22	23	25	23	16 52	16	19
9 45 15	24	26	24	17 41	17	20
9 49 08	25	27	25	18 30	18	21
9 53 00	26	28	26	19 18	19	22
9 56 51	27	29	27	20 06	20	23
10 00 42	28	♎	28	20 54	21	24
10 04 32	29	1	29	21 42	22	25
10 08 22	♍	2	29	22 30	22	25
10 12 10	1	3	♏	23 18	23	26
10 15 59	2	4	1	24 05	24	27
10 19 47	3	5	2	24 53	25	28
10 23 34	4	6	3	25 40	26	29
10 27 21	5	7	4	26 27	27	♒
10 31 07	6	8	5	27 15	28	1
10 34 53	7	9	5	28 02	28	2
10 38 39	8	10	6	28 49	29	3
10 42 24	9	11	7	29 36	♑	4
10 46 08	10	12	8	0♐23	1	5
10 49 52	11	12	9	1 10	2	6
10 53 36	12	13	10	1 57	3	7
10 57 19	13	14	10	2 44	4	8
11 01 03	14	15	11	3 30	4	9
11 04 45	15	16	12	4 17	5	10
11 08 28	16	17	13	5 04	6	11
11 12 10	17	18	14	5 51	7	12
11 15 52	18	19	14	6 37	8	13
11 19 33	19	20	15	7 24	9	14
11 23 15	20	21	16	8 11	10	15
11 26 56	21	22	17	8 58	11	16
11 30 37	22	23	18	9 45	11	17
11 34 17	23	23	19	10 32	12	18
11 37 58	24	24	19	11 19	13	19
11 41 39	25	25	20	12 06	14	20
11 45 19	26	26	21	12 53	15	21
11 48 59	27	27	22	13 40	16	22
11 52 40	28	28	23	14 27	17	23
11 56 20	29	29	23	15 15	18	24
HOUSES	4	5	6	7	8	9

LATITUDE 32° S.

LATITUDE 30° N.

SIDEREAL TIME h m s	10 ♎ °	11 ♏ °	12 ♏ °	Asc ♐ ° '	2 ♑ °	3 ♒ °
12 00 00	0	0	25	17 04	19	25
12 03 40	1	1	26	17 52	20	26
12 07 20	2	2	26	18 40	21	27
12 11 01	3	3	27	19 28	22	28
12 14 41	4	3	28	20 17	23	29
12 18 21	5	4	29	21 05	24	♓
12 22 02	6	5	♐	21 54	25	1
12 25 43	7	6	0	22 43	26	2
12 29 23	8	7	1	23 32	27	3
12 33 04	9	8	2	24 21	28	4
12 36 45	10	9	3	25 11	29	6
12 40 27	11	10	4	26 01	♒	7
12 44 08	12	10	4	26 51	1	8
12 47 50	13	11	5	27 41	2	9
12 51 32	14	12	6	28 31	3	10
12 55 15	15	13	7	29 22	4	11
12 58 57	16	14	8	0♑13	5	12
13 02 41	17	15	9	1 05	6	13
13 06 24	18	16	9	1 56	7	14
13 10 08	19	17	10	2 48	8	15
13 13 52	20	18	11	3 40	9	16
13 17 36	21	18	12	4 33	10	17
13 21 21	22	19	13	5 26	11	19
13 25 07	23	20	13	6 19	12	20
13 28 53	24	21	14	7 13	13	21
13 32 39	25	22	15	8 07	14	22
13 36 26	26	23	16	9 02	15	23
13 40 13	27	24	17	9 57	16	24
13 44 01	28	25	18	10 52	17	25
13 47 49	29	25	19	11 48	18	26
13 51 38	♏	26	19	12 44	20	28
13 55 28	1	27	20	13 41	21	29
13 59 18	2	28	21	14 38	22	♈
14 03 09	3	29	22	15 36	23	1
14 07 00	4	♐	23	16 34	24	2
14 10 52	5	1	24	17 33	25	3
14 14 45	6	2	25	18 33	26	4
14 18 38	7	3	25	19 33	28	6
14 22 32	8	3	26	20 33	29	7
14 26 27	9	4	27	21 35	♓	8
14 30 22	10	5	28	22 36	1	9
14 34 18	11	6	29	23 39	2	10
14 38 14	12	7	♑	24 42	4	11
14 42 12	13	8	1	25 46	5	13
14 46 10	14	9	2	26 50	6	14
HOUSES	4	5	6	7	8	9

LATITUDE 30° S.

LATITUDE 31° N.

SIDEREAL TIME h m s	10 ♎ °	11 ♏ °	12 ♏ °	Asc ♐ ° '	2 ♑ °	3 ♒ °
12 00 00	0	0	24	16 33	19	25
12 03 40	1	1	25	17 21	20	26
12 07 20	2	2	26	18 09	21	27
12 11 01	3	2	27	18 57	22	28
12 14 41	4	3	28	19 45	23	29
12 18 21	5	4	28	20 34	24	♓
12 22 02	6	5	29	21 22	25	1
12 25 43	7	6	♐	22 11	26	2
12 29 23	8	7	1	23 00	27	3
12 33 04	9	8	2	23 49	27	4
12 36 45	10	9	3	24 39	28	5
12 40 27	11	9	3	25 28	29	7
12 44 08	12	10	4	26 18	♒	8
12 47 50	13	11	5	27 08	1	9
12 51 32	14	12	6	27 58	2	10
12 55 15	15	13	7	28 49	3	11
12 58 57	16	14	7	29 40	4	12
13 02 41	17	15	8	0♑31	5	13
13 06 24	18	16	9	1 23	6	14
13 10 08	19	17	10	2 14	7	15
13 13 52	20	17	11	3 07	8	16
13 17 36	21	18	11	3 59	10	17
13 21 21	22	19	12	4 52	11	18
13 25 07	23	20	13	5 45	12	20
13 28 53	24	21	14	6 39	13	21
13 32 39	25	22	15	7 33	14	22
13 36 26	26	23	16	8 27	15	23
13 40 13	27	24	16	9 22	16	24
13 44 01	28	24	17	10 17	17	25
13 47 49	29	25	18	11 13	18	26
13 51 38	♏	26	19	12 10	19	28
13 55 28	1	27	20	13 06	20	29
13 59 18	2	28	21	14 04	22	♈
14 03 09	3	29	22	15 01	23	1
14 07 00	4	♐	22	16 00	24	2
14 10 52	5	1	23	16 58	25	3
14 14 45	6	1	24	17 58	26	4
14 18 38	7	2	25	18 58	27	6
14 22 32	8	3	26	19 59	29	7
14 26 27	9	4	27	21 00	♓	8
14 30 22	10	5	28	22 02	1	9
14 34 18	11	6	29	23 04	2	10
14 38 14	12	7	♑	24 07	3	11
14 42 12	13	8	0	25 11	5	13
14 46 10	14	9	1	26 16	6	14
HOUSES	4	5	6	7	8	9

LATITUDE 31° S.

LATITUDE 32° N.

SIDEREAL TIME h m s	10 ♎ °	11 ♏ °	12 ♏ °	Asc ♐ ° '	2 ♑ °	3 ♒ °
12 00 00	0	0	24	16 02	19	25
12 03 40	1	1	25	16 50	20	26
12 07 20	2	1	26	17 38	20	27
12 11 01	3	2	27	18 26	21	28
12 14 41	4	3	27	19 14	22	29
12 18 21	5	4	28	20 02	23	♓
12 22 02	6	5	29	20 50	24	1
12 25 43	7	6	♐	21 39	25	2
12 29 23	8	7	1	22 28	26	3
12 33 04	9	8	1	23 17	27	4
12 36 45	10	9	2	24 06	28	5
12 40 27	11	9	3	24 55	29	6
12 44 08	12	10	4	25 45	♒	7
12 47 50	13	11	5	26 35	1	9
12 51 32	14	12	5	27 25	2	10
12 55 15	15	13	6	28 15	3	11
12 58 57	16	14	7	29 06	4	12
13 02 41	17	15	8	29 57	5	13
13 06 24	18	16	9	0♑48	6	14
13 10 08	19	16	10	1 40	7	15
13 13 52	20	17	10	2 32	8	16
13 17 36	21	18	11	3 24	9	17
13 21 21	22	19	12	4 17	10	18
13 25 07	23	20	13	5 10	11	20
13 28 53	24	21	14	6 04	12	21
13 32 39	25	22	14	6 58	13	22
13 36 26	26	23	15	7 52	15	23
13 40 13	27	23	16	8 47	16	24
13 44 01	28	24	17	9 42	17	25
13 47 49	29	25	18	10 38	18	26
13 51 38	♏	26	19	11 34	19	27
13 55 28	1	27	20	12 31	20	29
13 59 18	2	28	20	13 28	21	♈
14 03 09	3	29	21	14 26	22	1
14 07 00	4	♐	22	15 24	24	2
14 10 52	5	0	23	16 23	25	3
14 14 45	6	1	24	17 22	26	4
14 18 38	7	2	25	18 22	27	6
14 22 32	8	3	26	19 23	28	7
14 26 27	9	4	26	20 24	♓	8
14 30 22	10	5	27	21 26	1	9
14 34 18	11	6	28	22 29	2	10
14 38 14	12	7	29	23 32	3	11
14 42 12	13	8	♑	24 36	5	13
14 46 10	14	8	1	25 40	6	14
HOUSES	4	5	6	7	8	9

LATITUDE 32° S.

	LATITUDE 30° N.						LATITUDE 31° N.						LATITUDE 32° N.					
SIDEREAL TIME	10 ♏	11 ♐	12 ♑	Asc ♑	2 ♓	3 ♈	10 ♏	11 ♐	12 ♑	Asc ♑	2 ♓	3 ♈	10 ♏	11 ♐	12 ♑	Asc ♑	2 ♓	3 ♈
h m s	°	°	°	° '	°	°	°	°	°	° '	°	°	°	°	°	° '	°	°
14 50 09	15	10	3	27 55	7	15	15	10	2	27 21	7	15	15	9	2	26 46	7	15
14 54 08	16	11	4	29 01	9	16	16	10	3	28 27	9	16	16	10	3	27 52	8	16
14 58 08	17	12	4	0♒08	10	17	17	11	4	29 34	10	17	17	11	4	28 59	10	17
15 02 09	18	12	5	1 15	11	18	18	12	5	0♒41	11	18	18	12	5	0♒07	11	18
15 06 11	19	13	6	2 23	13	20	19	13	6	1 50	12	20	19	13	6	1 15	12	20
15 10 13	20	14	7	3 32	14	21	20	14	7	2 59	14	21	20	14	7	2 24	14	21
15 14 16	21	15	8	4 42	15	22	21	15	8	4 09	15	22	21	15	8	3 35	15	22
15 18 20	22	16	9	5 52	16	23	22	16	9	5 19	16	23	22	16	8	4 45	16	23
15 22 25	23	17	10	7 03	18	24	23	17	10	6 31	18	24	23	17	9	5 57	18	24
15 26 30	24	18	11	8 15	19	25	24	18	11	7 43	19	25	24	18	10	7 10	19	26
15 30 36	25	19	12	9 28	20	27	25	19	12	8 56	20	27	25	19	11	8 23	20	27
15 34 43	26	20	13	10 42	22	28	26	20	13	10 11	22	28	26	19	12	9 38	22	28
15 38 50	27	21	14	11 57	23	29	27	21	14	11 25	23	29	27	20	13	10 53	23	29
15 42 58	28	22	15	13 12	24	♉	28	22	15	12 41	24	♉	28	21	14	12 09	24	♉
15 47 07	29	23	16	14 28	26	1	29	22	16	13 58	26	1	29	22	15	13 27	26	1
15 51 16	♐	24	17	15 45	27	2	♐	23	17	15 16	27	3	♐	23	16	14 45	27	3
15 55 27	1	25	18	17 03	29	4	1	24	18	16 34	28	4	1	24	17	16 04	28	4
15 59 37	2	25	19	18 22	♈	5	2	25	19	17 53	♈	5	2	25	19	17 24	♈	5
16 03 49	3	26	20	19 42	1	6	3	26	20	19 14	1	6	3	26	20	18 44	1	6
16 08 01	4	27	21	21 02	3	7	4	27	21	20 35	3	7	4	27	21	20 06	3	7
16 12 14	5	28	22	22 23	4	8	5	28	22	21 57	4	8	5	28	22	21 29	4	8
16 16 27	6	29	24	23 46	5	9	6	29	23	23 20	5	10	6	29	23	22 53	5	10
16 20 41	7	♑	25	25 09	7	11	7	♑	24	24 43	7	11	7	♑	24	24 17	7	11
16 24 56	8	1	26	26 33	8	12	8	1	25	26 08	8	12	8	1	25	25 43	8	12
16 29 11	9	2	27	27 57	10	13	9	2	26	27 34	10	13	9	2	26	27 09	10	13
16 33 27	10	3	28	29 23	11	14	10	3	28	29 00	11	14	10	3	27	28 36	11	14
16 37 43	11	4	29	0♓49	12	15	11	4	29	0♓27	12	15	11	4	28	0♓04	12	15
16 42 00	12	5	♒	2 16	14	16	12	5	♒	1 55	14	16	12	5	29	1 33	14	17
16 46 17	13	6	1	3 44	15	17	13	6	1	3 24	15	18	13	6	♒	3 03	15	18
16 50 35	14	7	2	5 13	16	19	14	7	2	4 54	17	19	14	7	2	4 33	17	19
16 54 53	15	8	4	6 42	18	20	15	8	3	6 24	18	20	15	8	3	6 05	18	20
16 59 11	16	9	5	8 12	19	21	16	9	4	7 55	19	21	16	9	4	7 37	19	21
17 03 30	17	10	6	9 42	21	22	17	10	6	9 26	21	22	17	10	5	9 10	21	22
17 07 49	18	11	7	11 14	22	23	18	11	7	10 59	22	23	18	11	6	10 43	22	23
17 12 09	19	12	8	12 45	23	24	19	12	8	12 32	23	24	19	12	8	12 17	24	25
17 16 29	20	13	10	14 18	25	25	20	13	9	14 05	25	25	20	13	9	13 52	25	26
17 20 49	21	14	11	15 50	26	26	21	14	10	15 39	26	27	21	14	10	15 27	26	27
17 25 10	22	15	12	17 24	27	28	22	15	12	17 13	28	28	22	15	11	17 03	28	28
17 29 31	23	16	13	18 57	29	29	23	16	13	18 48	29	29	23	16	13	18 39	29	29
17 33 52	24	17	14	20 31	♉	♊	24	17	14	20 23	♉	♊	24	17	14	20 15	♉	♊
17 38 13	25	18	16	22 06	1	1	25	18	15	21 59	2	1	25	18	15	21 52	2	1
17 42 34	26	20	17	23 40	3	2	26	19	17	23 35	3	2	26	19	16	23 29	3	2
17 46 55	27	21	18	25 15	4	3	27	20	18	25 11	4	3	27	20	18	25 07	5	3
17 51 17	28	22	19	26 50	5	4	28	21	19	26 47	6	4	28	21	19	26 44	6	4
17 55 38	29	23	21	28 25	7	5	29	23	20	28 23	7	5	29	22	20	28 22	7	6
HOUSES	4	5	6	7	8	9	4	5	6	7	8	9	4	5	6	7	8	9
	LATITUDE 30° S.						LATITUDE 31° S.						LATITUDE 32° S.					

LATITUDE 30° N.

SIDEREAL TIME	10 ♑	11 ♑	12 ♒	Asc ♈	2 ♉	3 ♊
h m s	°	°	°	° '	°	°
18 00 00	0	24	22	0 00	8	6
18 04 22	1	25	23	1 35	9	7
18 08 43	2	26	25	3 10	11	8
18 13 05	3	27	26	4 45	12	9
18 17 26	4	28	27	6 20	13	10
18 21 47	5	29	29	7 54	14	12
18 26 08	6	♒	♓	9 28	16	13
18 30 29	7	1	1	11 02	17	14
18 34 50	8	2	3	12 36	18	15
18 39 11	9	4	4	14 09	19	16
18 43 31	10	5	5	15 42	20	17
18 47 51	11	6	7	17 14	22	18
18 52 11	12	7	8	18 46	23	19
18 56 30	13	8	9	20 17	24	20
19 00 49	14	9	11	21 48	25	21
19 05 07	15	10	12	23 18	26	22
19 09 25	16	11	14	24 47	28	23
19 13 43	17	13	15	26 15	29	24
19 18 00	18	14	16	27 43	♊	25
19 22 17	19	15	18	29 10	1	26
19 26 33	20	16	19	0♉37	2	27
19 30 49	21	17	20	2 02	3	28
19 35 04	22	18	22	3 27	4	29
19 39 19	23	19	23	4 51	5	♋
19 43 33	24	21	25	6 14	6	1
19 47 46	25	22	26	7 36	8	2
19 51 59	26	23	27	8 58	9	3
19 56 11	27	24	29	10 18	10	4
20 00 23	28	25	♈	11 38	11	5
20 04 33	29	26	1	12 57	12	5
20 08 44	♒	28	3	14 14	13	6
20 12 53	1	29	4	15 32	14	7
20 17 02	2	♓	6	16 48	15	8
20 21 10	3	1	7	18 03	16	9
20 25 17	4	2	8	19 18	17	10
20 29 24	5	3	10	20 31	18	11
20 33 30	6	5	11	21 44	19	12
20 37 35	7	6	12	22 56	20	13
20 41 40	8	7	14	24 07	21	14
20 45 44	9	8	15	25 18	22	15
20 49 47	10	9	16	26 27	23	16
20 53 49	11	10	17	27 36	24	17
20 57 51	12	12	19	28 44	25	18
21 01 52	13	13	20	29 52	25	18
21 05 52	14	14	21	0♊58	26	19
HOUSES	4	5	6	7	8	9

LATITUDE 30° S.

LATITUDE 31° N.

SIDEREAL TIME	10 ♑	11 ♑	12 ♒	Asc ♈	2 ♉	3 ♊
h m s	°	°	°	° '	°	°
18 00 00	0	24	22	0 00	8	6
18 04 22	1	25	23	1 36	10	7
18 08 43	2	26	24	3 13	11	9
18 13 05	3	27	26	4 49	12	10
18 17 26	4	28	27	6 25	13	11
18 21 47	5	29	28	8 01	15	12
18 26 08	6	♒	♓	9 36	16	13
18 30 29	7	1	1	11 11	17	14
18 34 50	8	2	2	12 46	18	15
18 39 11	9	3	4	14 21	20	16
18 43 31	10	5	5	15 55	21	17
18 47 51	11	6	7	17 28	22	18
18 52 11	12	7	8	19 01	23	19
18 56 30	13	8	9	20 33	24	20
19 00 49	14	9	11	22 05	26	21
19 05 07	15	10	12	23 36	27	22
19 09 25	16	11	13	25 06	28	23
19 13 43	17	12	15	26 36	29	24
19 18 00	18	14	16	28 04	♊	25
19 22 17	19	15	18	29 32	1	26
19 26 33	20	16	19	1♉00	2	27
19 30 49	21	17	20	2 26	4	28
19 35 04	22	18	22	3 51	5	29
19 39 19	23	19	23	5 16	6	♋
19 43 33	24	20	25	6 40	7	1
19 47 46	25	22	26	8 03	8	2
19 51 59	26	23	27	9 25	9	3
19 56 11	27	24	29	10 46	10	4
20 00 23	28	25	♈	12 06	11	5
20 04 33	29	26	1	13 26	12	6
20 08 44	♒	27	3	14 44	13	7
20 12 53	1	29	4	16 02	14	8
20 17 02	2	♓	6	17 18	15	8
20 21 10	3	1	7	18 34	16	9
20 25 17	4	2	8	19 49	17	10
20 29 24	5	3	10	21 03	18	11
20 33 30	6	5	11	22 16	19	12
20 37 35	7	6	12	23 29	20	13
20 41 40	8	7	14	24 40	21	14
20 45 44	9	8	15	25 51	22	15
20 49 47	10	9	16	27 01	23	16
20 53 49	11	10	18	28 10	24	17
20 57 51	12	12	19	29 18	25	18
21 01 52	13	13	20	0♊26	26	19
21 05 52	14	14	21	1 32	27	20
HOUSES	4	5	6	7	8	9

LATITUDE 31° S.

LATITUDE 32° N.

SIDEREAL TIME	10 ♑	11 ♑	12 ♒	Asc ♈	2 ♉	3 ♊
h m s	°	°	°	° '	°	°
18 00 00	0	23	21	0 00	9	7
18 04 22	1	24	23	1 38	10	8
18 08 43	2	26	24	3 15	11	9
18 13 05	3	27	25	4 53	12	10
18 17 26	4	28	27	6 30	14	11
18 21 47	5	29	28	8 07	15	12
18 26 08	6	♒	29	9 44	16	13
18 30 29	7	1	♓	11 21	17	14
18 34 50	8	2	2	12 57	19	15
18 39 11	9	3	4	14 33	20	16
18 43 31	10	4	5	16 08	21	17
18 47 51	11	5	6	17 43	22	18
18 52 11	12	7	8	19 17	24	19
18 56 30	13	8	9	20 50	25	20
19 00 49	14	9	10	22 23	26	21
19 05 07	15	10	12	23 55	27	22
19 09 25	16	11	13	25 26	28	23
19 13 43	17	12	15	26 57	29	24
19 18 00	18	13	16	28 26	♊	25
19 22 17	19	15	18	29 55	2	26
19 26 33	20	16	19	1♉23	3	27
19 30 49	21	17	20	2 51	4	28
19 35 04	22	18	22	4 17	5	29
19 39 19	23	19	23	5 42	6	♋
19 43 33	24	20	25	7 07	7	1
19 47 46	25	21	26	8 31	8	2
19 51 59	26	23	27	9 53	9	3
19 56 11	27	24	29	11 15	10	4
20 00 23	28	25	♈	12 36	11	5
20 04 33	29	26	2	13 56	12	6
20 08 44	♒	27	3	15 15	14	7
20 12 53	1	29	4	16 33	15	8
20 17 02	2	♓	6	17 50	16	9
20 21 10	3	1	7	19 06	17	10
20 25 17	4	2	8	20 22	18	11
20 29 24	5	3	10	21 36	19	11
20 33 30	6	4	11	22 50	20	12
20 37 35	7	6	12	24 02	21	13
20 41 40	8	7	14	25 14	22	14
20 45 44	9	8	15	26 25	22	15
20 49 47	10	9	16	27 35	23	16
20 53 49	11	10	18	28 45	24	17
20 57 51	12	12	19	29 53	25	18
21 01 52	13	13	20	1♊01	26	19
21 05 52	14	14	22	2 08	27	20
HOUSES	4	5	6	7	8	9

LATITUDE 32° S.

LATITUDE 30° N.

SIDEREAL TIME	10 ♒	11 ♓	12 ♈	Asc ♊	2 ♊	3 ♋
h m s	°	°	°	° '	°	°
21 09 51	15	15	23	2 04	27	20
21 13 50	16	16	24	3 09	28	21
21 17 48	17	17	25	4 14	29	22
21 21 46	18	19	26	5 18	♋	23
21 25 42	19	20	28	6 21	1	24
21 29 38	20	21	29	7 23	2	25
21 33 33	21	22	♉	8 25	3	26
21 37 28	22	23	1	9 26	4	27
21 41 22	23	24	2	10 27	5	27
21 45 15	24	26	4	11 27	5	28
21 49 08	25	27	5	12 26	6	29
21 53 00	26	28	6	13 25	7	♌
21 56 51	27	29	7	14 24	8	1
22 00 42	28	♈	8	15 21	9	2
22 04 32	29	1	9	16 19	10	3
22 08 22	♓	2	10	17 15	11	4
22 12 10	1	4	12	18 12	11	5
22 15 59	2	5	13	19 08	12	5
22 19 47	3	6	14	20 03	13	6
22 23 34	4	7	15	20 58	14	7
22 27 21	5	8	16	21 52	15	8
22 31 07	6	9	17	22 47	16	9
22 34 53	7	10	18	23 40	17	10
22 38 39	8	11	19	24 34	17	11
22 42 24	9	13	20	25 27	18	12
22 46 08	10	14	21	26 19	19	12
22 49 52	11	15	22	27 12	20	13
22 53 36	12	16	23	28 03	21	14
22 57 19	13	17	24	28 55	21	15
23 01 03	14	18	25	29 46	22	16
23 04 45	15	19	26	0♋37	23	17
23 08 28	16	20	27	1 28	24	18
23 12 10	17	21	28	2 19	25	19
23 15 52	18	22	29	3 09	26	20
23 19 33	19	23	♊	3 59	26	20
23 23 15	20	24	1	4 49	27	21
23 26 56	21	26	2	5 38	28	22
23 30 37	22	27	3	6 28	29	23
23 34 17	23	28	4	7 17	♌	24
23 37 58	24	29	5	8 06	0	25
23 41 39	25	♉	6	8 54	1	26
23 45 19	26	1	7	9 43	2	27
23 48 59	27	2	8	10 31	3	27
23 52 40	28	3	9	11 20	4	28
23 56 20	29	4	10	12 08	4	29
HOUSES	4	5	6	7	8	9

LATITUDE 30° S.

LATITUDE 31° N.

SIDEREAL TIME	10 ♒	11 ♓	12 ♈	Asc ♊	2 ♊	3 ♋
h m s	°	°	°	° '	°	°
21 09 51	15	15	23	2 38	28	20
21 13 50	16	16	24	3 44	29	21
21 17 48	17	17	25	4 48	♋	22
21 21 46	18	19	27	5 52	0	23
21 25 42	19	20	28	6 55	1	24
21 29 38	20	21	29	7 58	2	25
21 33 33	21	22	♉	9 00	3	26
21 37 28	22	23	1	10 01	4	27
21 41 22	23	24	3	11 02	5	28
21 45 15	24	26	4	12 02	6	29
21 49 08	25	27	5	13 01	7	29
21 53 00	26	28	6	14 00	8	♌
21 56 51	27	29	7	14 58	8	1
22 00 42	28	♈	8	15 56	9	2
22 04 32	29	1	10	16 53	10	3
22 08 22	♓	2	11	17 50	11	4
22 12 10	1	4	12	18 46	12	5
22 15 59	2	5	13	19 42	13	6
22 19 47	3	6	14	20 37	14	6
22 23 34	4	7	15	21 32	14	7
22 27 21	5	8	16	22 27	15	8
22 31 07	6	9	17	23 21	16	9
22 34 53	7	10	18	24 14	17	10
22 38 39	8	11	19	25 08	18	11
22 42 24	9	13	20	26 01	19	12
22 46 08	10	14	22	26 53	19	13
22 49 52	11	15	23	27 45	20	13
22 53 36	12	16	24	28 37	21	14
22 57 19	13	17	25	29 29	22	15
23 01 03	14	18	26	0♋20	23	16
23 04 45	15	19	27	1 11	23	17
23 08 28	16	20	28	2 01	24	18
23 12 10	17	21	29	2 52	25	19
23 15 52	18	22	♊	3 42	26	20
23 19 33	19	23	1	4 31	27	20
23 23 15	20	25	2	5 21	27	21
23 26 56	21	26	3	6 10	28	22
23 30 37	22	27	3	7 00	29	23
23 34 17	23	28	4	7 48	♌	24
23 37 58	24	29	5	8 37	1	25
23 41 39	25	♉	6	9 26	2	26
23 45 19	26	1	7	10 14	2	27
23 48 59	27	2	8	11 02	3	28
23 52 40	28	3	9	11 51	4	28
23 56 20	29	4	10	12 39	5	29
HOUSES	4	5	6	7	8	9

LATITUDE 31° S.

LATITUDE 32° N.

SIDEREAL TIME	10 ♒	11 ♓	12 ♈	Asc ♊	2 ♊	3 ♋
h m s	°	°	°	° '	°	°
21 09 51	15	15	23	3 14	28	21
21 13 50	16	16	24	4 19	29	22
21 17 48	17	17	25	5 24	♋	22
21 21 46	18	19	27	6 28	1	23
21 25 42	19	20	28	7 31	2	24
21 29 38	20	21	29	8 34	3	25
21 33 33	21	22	♉	9 36	4	26
21 37 28	22	23	2	10 37	4	27
21 41 22	23	24	3	11 37	5	28
21 45 15	24	26	4	12 38	6	29
21 49 08	25	27	5	13 37	7	♌
21 53 00	26	28	6	14 36	8	0
21 56 51	27	29	8	15 34	9	1
22 00 42	28	♈	9	16 32	10	2
22 04 32	29	1	10	17 29	10	3
22 08 22	♓	3	11	18 26	11	4
22 12 10	1	4	12	19 22	12	5
22 15 59	2	5	13	20 18	13	6
22 19 47	3	6	14	21 13	14	7
22 23 34	4	7	15	22 08	15	7
22 27 21	5	8	17	23 02	16	8
22 31 07	6	9	18	23 56	16	9
22 34 53	7	10	19	24 49	17	10
22 38 39	8	12	20	25 42	18	11
22 42 24	9	13	21	26 35	19	12
22 46 08	10	14	22	27 28	20	13
22 49 52	11	15	23	28 20	20	14
22 53 36	12	16	24	29 11	21	14
22 57 19	13	17	25	0♋03	22	15
23 01 03	14	18	26	0 54	23	16
23 04 45	15	19	27	1 44	24	17
23 08 28	16	20	28	2 35	25	18
23 12 10	17	21	29	3 25	25	19
23 15 52	18	22	♊	4 15	26	20
23 19 33	19	24	1	5 05	27	21
23 23 15	20	25	2	5 54	28	21
23 26 56	21	26	3	6 43	29	22
23 30 37	22	27	4	7 32	29	23
23 34 17	23	28	5	8 21	♌	24
23 37 58	24	29	6	9 09	1	25
23 41 39	25	♉	7	9 58	2	26
23 45 19	26	1	8	10 46	3	27
23 48 59	27	2	9	11 34	3	28
23 52 40	28	3	10	12 22	4	29
23 56 20	29	4	10	13 10	5	29
HOUSES	4	5	6	7	8	9

LATITUDE 32° S.

	LATITUDE 33° N.						LATITUDE 34° N.						LATITUDE 35° N.					
SIDEREAL TIME	10 ♈	11 ♉	12 ♊	Asc ♋	2 ♌	3 ♍	10 ♈	11 ♉	12 ♊	Asc ♋	2 ♌	3 ♍	10 ♈	11 ♉	12 ♊	Asc ♋	2 ♌	3 ♍
h m s	°	°	°	° '	°	°	°	°	°	° '	°	°	°	°	°	° '	°	°
0 00 00	0	5	12	14 29	6	0	0	5	12	15 01	6	1	0	5	13	15 34	7	1
0 03 40	1	6	13	15 16	7	1	1	6	13	15 48	7	1	1	7	14	16 21	7	1
0 07 20	2	7	14	16 03	8	2	2	7	14	16 35	8	2	2	8	14	17 07	8	2
0 11 01	3	8	14	16 50	9	3	3	8	15	17 22	9	3	3	9	15	17 54	9	3
0 14 41	4	9	15	17 37	9	4	4	9	16	18 09	10	4	4	10	16	18 40	10	4
0 18 21	5	10	16	18 24	10	5	5	10	17	18 55	10	5	5	11	17	19 27	11	5
0 22 02	6	11	17	19 11	11	6	6	11	18	19 42	11	6	6	12	18	20 13	11	6
0 25 43	7	12	18	19 58	12	7	7	12	18	20 28	12	7	7	13	19	20 59	12	7
0 29 23	8	13	19	20 45	13	8	8	13	19	21 15	13	8	8	14	20	21 45	13	8
0 33 04	9	14	20	21 31	13	8	9	14	20	22 01	14	9	9	15	21	22 31	14	9
0 36 45	10	15	21	22 18	14	9	10	15	21	22 47	14	9	10	16	22	23 18	15	10
0 40 27	11	16	22	23 04	15	10	11	16	22	23 34	15	10	11	17	22	24 04	15	10
0 44 08	12	17	22	23 51	16	11	12	17	23	24 20	16	11	12	18	23	24 50	16	11
0 47 50	13	18	23	24 37	17	12	13	18	24	25 06	17	12	13	19	24	25 36	17	12
0 51 32	14	19	24	25 24	17	13	14	19	25	25 53	18	13	14	20	25	26 22	18	13
0 55 15	15	20	25	26 10	18	14	15	20	26	26 39	18	14	15	21	26	27 08	19	14
0 58 57	16	21	26	26 57	19	15	16	21	26	27 25	19	15	16	22	27	27 54	20	15
1 02 41	17	22	27	27 44	20	16	17	22	27	28 11	20	16	17	23	28	28 40	20	16
1 06 24	18	23	28	28 30	21	17	18	23	28	28 58	21	17	18	24	29	29 26	21	17
1 10 08	19	24	29	29 17	22	18	19	24	29	29 44	22	18	19	25	29	0♌12	22	18
1 13 52	20	25	29	0♌03	22	19	20	25	♋	0♌30	23	19	20	25	♋	0 58	23	19
1 17 36	21	26	♋	0 50	23	19	21	26	1	1 17	23	19	21	26	1	1 44	24	20
1 21 21	22	27	1	1 37	24	20	22	27	2	2 03	24	20	22	27	2	2 30	24	20
1 25 07	23	28	2	2 24	25	21	23	28	2	2 50	25	21	23	28	3	3 16	25	21
1 28 53	24	29	3	3 10	26	22	24	29	3	3 36	26	22	24	29	4	4 03	26	22
1 32 39	25	♊	4	3 57	27	23	25	♊	4	4 23	27	23	25	♊	4	4 49	27	23
1 36 26	26	1	5	4 44	27	24	26	1	5	5 10	28	24	26	1	5	5 35	28	24
1 40 13	27	2	5	5 32	28	25	27	2	6	5 57	28	25	27	2	6	6 22	29	25
1 44 01	28	3	6	6 19	29	26	28	3	7	6 43	29	26	28	3	7	7 08	29	26
1 47 49	29	4	7	7 06	♍	27	29	4	8	7 30	♍	27	29	4	8	7 55	♍	27
1 51 38	♉	5	8	7 53	1	28	♉	5	8	8 18	1	28	♉	5	9	8 42	1	28
1 55 28	1	6	9	8 41	2	29	1	6	9	9 05	2	29	1	6	10	9 29	2	29
1 59 18	2	7	10	9 29	2	♎	2	7	10	9 52	3	♎	2	7	10	10 16	3	♎
2 03 09	3	8	11	10 16	3	1	3	8	11	10 40	4	1	3	8	11	11 03	4	1
2 07 00	4	8	11	11 04	4	2	4	9	12	11 27	4	2	4	9	12	11 50	5	2
2 10 52	5	9	12	11 52	5	3	5	10	13	12 15	5	3	5	10	13	12 38	5	3
2 14 45	6	10	13	12 40	6	4	6	11	13	13 03	6	4	6	11	14	13 25	6	4
2 18 38	7	11	14	13 29	7	5	7	12	14	13 51	7	5	7	12	15	14 13	7	5
2 22 32	8	12	15	14 17	8	6	8	12	15	14 39	8	6	8	13	16	15 00	8	6
2 26 27	9	13	16	15 06	9	7	9	13	16	15 27	9	7	9	14	16	15 48	9	7
2 30 22	10	14	17	15 55	10	8	10	14	17	16 15	10	8	10	15	17	16 36	10	8
2 34 18	11	15	17	16 43	10	9	11	15	18	17 04	11	9	11	15	18	17 25	11	8
2 38 14	12	16	18	17 32	11	10	12	16	19	17 53	11	9	12	16	19	18 13	12	9
2 42 12	13	17	19	18 22	12	10	13	17	19	18 42	12	10	13	17	20	19 02	12	10
2 46 10	14	18	20	19 11	13	11	14	18	20	19 31	13	11	14	18	21	19 50	13	11
HOUSES	4	5	6	7	8	9	4	5	6	7	8	9	4	5	6	7	8	9
	LATITUDE 33° S.						LATITUDE 34° S.						LATITUDE 35° S.					

LATITUDE 33° N. LATITUDE 34° N. LATITUDE 35° N.

SIDEREAL TIME	10	11	12	Asc	2	3	10	11	12	Asc	2	3	10	11	12	Asc	2	3
	♉	♊	♋	♌	♍	♎	♉	♊	♋	♌	♍	♎	♉	♊	♋	♌	♍	♎
h m s	°	°	°	° '	°	°	°	°	°	° '	°	°	°	°	°	° '	°	°
2 50 09	15	19	21	20 01	14	12	15	19	21	20 20	14	12	15	19	22	20 39	14	12
2 54 08	16	20	22	20 50	15	13	16	20	22	21 09	15	13	16	20	22	21 28	15	13
2 58 08	17	21	23	21 40	16	14	17	21	23	21 59	16	14	17	21	23	22 17	16	14
3 02 09	18	22	24	22 30	17	15	18	22	24	22 48	17	15	18	22	24	23 07	17	15
3 06 11	19	23	24	23 21	18	16	19	23	25	23 38	18	16	19	23	25	23 56	18	16
3 10 13	20	24	25	24 11	19	17	20	24	26	24 28	19	17	20	24	26	24 46	19	17
3 14 16	21	24	26	25 02	20	18	21	25	26	25 19	20	18	21	25	27	25 36	20	18
3 18 20	22	25	27	25 53	20	19	22	26	27	26 09	21	19	22	26	28	26 26	21	19
3 22 25	23	26	28	26 44	21	20	23	27	28	27 00	21	20	23	27	29	27 16	21	20
3 26 30	24	27	29	27 35	22	21	24	28	29	27 51	22	21	24	28	29	28 06	22	21
3 30 36	25	28	♌	28 26	23	22	25	28	♌	28 42	23	22	25	29	♌	28 57	23	22
3 34 43	26	29	1	29 18	24	23	26	29	1	29 33	24	23	26	♋	1	29 48	24	23
3 38 50	27	♋	1	0♍09	25	24	27	♋	2	0♍24	25	24	27	1	2	0♍39	25	24
3 42 58	28	1	2	1 01	26	25	28	1	3	1 16	26	25	28	1	3	1 30	26	25
3 47 07	29	2	3	1 54	27	26	29	2	4	2 07	27	26	29	2	4	2 21	27	26
3 51 16	♊	3	4	2 46	28	27	♊	3	5	2 59	28	27	♊	3	5	3 13	28	27
3 55 27	1	4	5	3 38	29	28	1	4	5	3 51	29	28	1	4	6	4 04	29	28
3 59 37	2	5	6	4 31	♎	29	2	5	6	4 44	♎	29	2	5	7	4 56	♎	29
4 03 49	3	6	7	5 24	1	♏	3	6	7	5 36	1	♏	3	6	8	5 48	1	♏
4 08 01	4	7	8	6 17	2	2	4	7	8	6 29	2	1	4	7	8	6 40	2	1
4 12 14	5	8	9	7 10	3	3	5	8	9	7 21	3	2	5	8	9	7 33	3	2
4 16 27	6	9	10	8 03	4	4	6	9	10	8 14	4	3	6	9	10	8 25	4	3
4 20 41	7	10	11	8 57	5	5	7	10	11	9 07	5	4	7	10	11	9 18	5	4
4 24 56	8	11	12	9 50	6	6	8	11	12	10 01	6	5	8	11	12	10 11	6	5
4 29 11	9	12	12	10 44	7	7	9	12	13	10 54	7	6	9	12	13	11 04	7	6
4 33 27	10	13	13	11 38	8	8	10	13	14	11 47	8	7	10	13	14	11 57	8	7
4 37 43	11	14	14	12 32	9	9	11	14	15	12 41	9	8	11	14	15	12 50	9	8
4 42 00	12	14	15	13 27	10	10	12	15	16	13 35	10	10	12	15	16	13 43	10	9
4 46 17	13	15	16	14 21	11	11	13	16	16	14 29	11	11	13	16	17	14 37	10	10
4 50 35	14	16	17	15 16	12	12	14	17	17	15 23	12	12	14	17	18	15 30	11	11
4 54 53	15	17	18	16 10	13	13	15	18	18	16 17	12	13	15	18	19	16 24	12	12
4 59 11	16	18	19	17 05	14	14	16	19	19	17 11	13	14	16	19	20	17 18	13	13
5 03 30	17	19	20	18 00	15	15	17	20	20	18 06	14	15	17	20	21	18 12	14	14
5 07 49	18	20	21	18 55	16	16	18	21	21	19 00	15	16	18	21	21	19 06	15	15
5 12 09	19	21	22	19 50	17	17	19	21	22	19 55	16	17	19	22	22	20 00	16	16
5 16 29	20	22	23	20 45	17	18	20	22	23	20 50	17	18	20	23	23	20 54	17	17
5 20 49	21	23	24	21 40	18	19	21	23	24	21 44	18	19	21	24	24	21 49	18	18
5 25 10	22	24	25	22 36	19	20	22	24	25	22 39	19	20	22	25	25	22 43	19	19
5 29 31	23	25	26	23 31	20	21	23	25	26	23 34	20	21	23	26	26	23 38	20	20
5 33 52	24	26	27	24 26	21	22	24	26	27	24 29	21	22	24	27	27	24 32	21	21
5 38 13	25	27	28	25 22	22	23	25	27	28	25 24	22	23	25	28	28	25 27	22	22
5 42 34	26	28	29	26 17	23	24	26	28	29	26 19	23	24	26	29	29	26 21	23	23
5 46 55	27	29	♍	27 13	24	25	27	29	♍	27 14	24	25	27	♌	♍	27 16	24	24
5 51 17	28	♌	1	28 09	25	26	28	♌	1	28 10	25	26	28	1	1	28 10	25	25
5 55 38	29	1	2	29 04	26	27	29	1	2	29 05	26	27	29	2	2	29 05	26	26
HOUSES	4	5	6	7	8	9	4	5	6	7	8	9	4	5	6	7	8	9

LATITUDE 33° S. LATITUDE 34° S. LATITUDE 35° S.

	LATITUDE 33° N.						LATITUDE 34° N.						LATITUDE 35° N.					
SIDEREAL TIME	10 ♋	11 ♌	12 ♍	Asc ♎	2 ♎	3 ♏	10 ♋	11 ♌	12 ♍	Asc ♎	2 ♎	3 ♏	10 ♋	11 ♌	12 ♍	Asc ♎	2 ♎	3 ♏
h m s	°	°	°	° '	°	°	°	°	°	° '	°	°	°	°	°	° '	°	°
6 00 00	0	2	3	0 00	27	28	0	2	3	0 00	27	28	0	3	3	0 00	27	27
6 04 22	1	3	4	0 55	28	29	1	3	4	0 55	28	29	1	4	4	0 54	28	28
6 08 43	2	4	5	1 51	29	♐	2	4	5	1 50	29	♐	2	5	5	1 49	29	29
6 13 05	3	5	6	2 47	♏	1	3	5	6	2 45	♏	1	3	6	6	2 44	♏	♐
6 17 26	4	6	7	3 42	1	2	4	6	7	3 40	1	2	4	7	7	3 38	1	1
6 21 47	5	7	8	4 38	2	3	5	7	8	4 35	2	3	5	8	8	4 33	2	2
6 26 08	6	8	9	5 33	3	4	6	8	9	5 30	3	4	6	9	9	5 28	3	3
6 30 29	7	9	10	6 29	4	5	7	9	10	6 25	4	5	7	10	10	6 22	4	4
6 34 50	8	10	11	7 24	5	6	8	10	11	7 20	5	6	8	11	11	7 17	5	5
6 39 11	9	11	12	8 19	6	7	9	11	12	8 15	6	7	9	12	12	8 11	6	6
6 43 31	10	12	13	9 15	7	8	10	12	13	9 10	7	8	10	13	13	9 05	7	7
6 47 51	11	13	13	10 10	8	9	11	13	14	10 05	8	8	11	14	14	9 59	8	8
6 52 11	12	14	14	11 05	9	10	12	14	15	10 59	9	9	12	15	15	10 54	9	9
6 56 30	13	15	15	12 00	10	11	13	15	16	11 54	10	10	13	16	16	11 48	9	10
7 00 49	14	16	16	12 55	11	12	14	16	17	12 48	11	11	14	17	17	12 42	10	11
7 05 07	15	17	17	13 49	12	13	15	17	18	13 43	12	12	15	18	18	13 36	11	12
7 09 25	16	18	18	14 44	13	14	16	18	18	14 37	13	13	16	19	19	14 29	12	13
7 13 43	17	19	19	15 39	14	15	17	19	19	15 31	14	14	17	20	20	15 23	13	14
7 18 00	18	20	20	16 33	15	15	18	20	20	16 25	14	15	18	21	20	16 16	14	15
7 22 17	19	21	21	17 27	16	16	19	21	21	17 19	15	16	19	22	21	17 10	15	16
7 26 33	20	22	22	18 21	17	17	20	23	22	18 12	16	17	20	23	22	18 03	16	17
7 30 49	21	23	23	19 15	18	18	21	24	23	19 06	17	18	21	24	23	18 56	17	18
7 35 04	22	24	24	20 09	18	19	22	25	24	19 59	18	19	22	25	24	19 49	18	19
7 39 19	23	25	25	21 03	19	20	23	26	25	20 52	19	20	23	26	25	20 42	19	20
7 43 33	24	26	26	21 56	20	21	24	27	26	21 45	20	21	24	27	26	21 34	20	21
7 47 46	25	27	27	22 50	21	22	25	28	27	22 38	21	22	25	28	27	22 27	21	22
7 51 59	26	28	28	23 43	22	23	26	29	28	23 31	22	23	26	29	28	23 19	22	23
7 56 11	27	29	29	24 36	23	24	27	♍	29	24 24	23	24	27	♍	29	24 11	22	24
8 00 23	28	♍	♎	25 29	24	25	28	1	♎	25 16	24	25	28	1	♎	25 03	23	25
8 04 33	29	2	1	26 21	25	26	29	2	1	26 08	25	26	29	2	1	25 55	24	26
8 08 44	♌	3	2	27 14	26	27	♌	3	2	27 00	25	27	♌	3	2	26 47	25	27
8 12 53	1	4	3	28 06	27	28	1	4	3	27 52	26	28	1	4	3	27 38	26	28
8 17 02	2	5	4	28 58	28	29	2	5	4	28 44	27	29	2	5	4	28 30	27	29
8 21 10	3	6	5	29 50	29	♑	3	6	5	29 36	28	♑	3	6	5	29 21	28	29
8 25 17	4	7	6	0♏42	29	1	4	7	6	0♏27	29	1	4	7	6	0♏12	29	♑
8 29 24	5	8	7	1 33	♐	2	5	8	7	1 18	♐	2	5	8	7	1 03	♐	1
8 33 30	6	9	8	2 25	1	3	6	9	8	2 09	1	2	6	9	8	1 53	1	2
8 37 35	7	10	9	3 16	2	4	7	10	9	3 00	2	3	7	10	9	2 44	1	3
8 41 40	8	11	10	4 07	3	5	8	11	9	3 51	3	4	8	11	9	3 34	2	4
8 45 44	9	12	10	4 58	4	6	9	12	10	4 41	4	5	9	12	10	4 24	3	5
8 49 47	10	13	11	5 49	5	6	10	13	11	5 31	4	6	10	13	11	5 14	4	6
8 53 49	11	14	12	6 39	6	7	11	14	12	6 21	5	7	11	14	12	6 03	5	7
8 57 51	12	15	13	7 29	6	8	12	15	13	7 11	6	8	12	15	13	6 53	6	8
9 01 52	13	16	14	8 19	7	9	13	16	14	8 01	7	9	13	16	14	7 42	7	9
9 05 52	14	17	15	9 09	8	10	14	17	15	8 50	8	10	14	17	15	8 32	8	10
HOUSES	4	5	6	7	8	9	4	5	6	7	8	9	4	5	6	7	8	9
	LATITUDE 33° S.						LATITUDE 34° S.						LATITUDE 35° S.					

LATITUDE 33° N.

SIDEREAL TIME	10 ♌	11 ♍	12 ♎	Asc ♏	2 ♐	3 ♑
h m s	°	°	°	° '	°	°
9 09 51	15	18	16	9 59	9	11
9 13 50	16	19	17	10 49	10	12
9 17 48	17	20	18	11 38	11	13
9 21 46	18	20	19	12 27	12	14
9 25 42	19	21	20	13 16	13	15
9 29 38	20	22	20	14 05	13	16
9 33 33	21	23	21	14 54	14	17
9 37 28	22	24	22	15 42	15	18
9 41 22	23	25	23	16 31	16	19
9 45 15	24	26	24	17 19	17	20
9 49 08	25	27	25	18 07	18	21
9 53 00	26	28	26	18 55	19	22
9 56 51	27	29	27	19 43	19	22
10 00 42	28	♎	27	20 31	20	23
10 04 32	29	1	28	21 19	21	24
10 08 22	♍	2	29	22 06	22	25
10 12 10	1	3	♏	22 54	23	26
10 15 59	2	4	1	23 41	24	27
10 19 47	3	5	2	24 28	25	28
10 23 34	4	6	3	25 15	25	29
10 27 21	5	7	3	26 02	26	♒
10 31 07	6	8	4	26 49	27	1
10 34 53	7	9	5	27 36	28	2
10 38 39	8	10	6	28 23	29	3
10 42 24	9	11	7	29 10	♑	4
10 46 08	10	11	8	29 56	1	5
10 49 52	11	12	8	0♐43	1	6
10 53 36	12	13	9	1 30	2	7
10 57 19	13	14	10	2 16	3	8
11 01 03	14	15	11	3 03	4	9
11 04 45	15	16	12	3 49	5	10
11 08 28	16	17	13	4 36	6	11
11 12 10	17	18	13	5 22	7	12
11 15 52	18	19	14	6 09	8	13
11 19 33	19	20	15	6 55	8	14
11 23 15	20	21	16	7 42	9	15
11 26 56	21	22	17	8 28	10	16
11 30 37	22	22	17	9 15	11	17
11 34 17	23	23	18	10 02	12	18
11 37 58	24	24	19	10 49	13	19
11 41 39	25	25	20	11 35	14	20
11 45 19	26	26	21	12 22	15	21
11 48 59	27	27	21	13 09	16	22
11 52 40	28	28	22	13 56	16	23
11 56 20	29	29	23	14 43	17	24
HOUSES	4	5	6	7	8	9

LATITUDE 33° S.

LATITUDE 34° N.

SIDEREAL TIME	10 ♌	11 ♍	12 ♎	Asc ♏	2 ♐	3 ♑
h m s	°	°	°	° '	°	°
9 09 51	15	18	16	9 40	9	11
9 13 50	16	19	17	10 29	10	12
9 17 48	17	20	18	11 18	10	13
9 21 46	18	21	19	12 07	11	14
9 25 42	19	21	19	12 56	12	15
9 29 38	20	22	20	13 44	13	16
9 33 33	21	23	21	14 33	14	17
9 37 28	22	24	22	15 21	15	18
9 41 22	23	25	23	16 09	16	18
9 45 15	24	26	24	16 57	17	19
9 49 08	25	27	25	17 45	17	20
9 53 00	26	28	26	18 33	18	21
9 56 51	27	29	26	19 20	19	22
10 00 42	28	♎	27	20 08	20	23
10 04 32	29	1	28	20 55	21	24
10 08 22	♍	2	29	21 42	22	25
10 12 10	1	3	♏	22 29	22	26
10 15 59	2	4	1	23 16	23	27
10 19 47	3	5	2	24 03	24	28
10 23 34	4	6	2	24 50	25	29
10 27 21	5	7	3	25 37	26	♒
10 31 07	6	8	4	26 23	27	1
10 34 53	7	9	5	27 10	28	2
10 38 39	8	10	6	27 56	28	3
10 42 24	9	11	7	28 43	29	4
10 46 08	10	11	7	29 29	♑	5
10 49 52	11	12	8	0♐16	1	6
10 53 36	12	13	9	1 02	2	7
10 57 19	13	14	10	1 48	3	8
11 01 03	14	15	11	2 35	4	9
11 04 45	15	16	12	3 21	4	10
11 08 28	16	17	12	4 07	5	11
11 12 10	17	18	13	4 53	6	12
11 15 52	18	19	14	5 40	7	13
11 19 33	19	20	15	6 26	8	14
11 23 15	20	21	16	7 12	9	15
11 26 56	21	21	16	7 59	10	16
11 30 37	22	22	17	8 45	11	17
11 34 17	23	23	18	9 31	12	18
11 37 58	24	24	19	10 18	12	19
11 41 39	25	25	20	11 04	13	20
11 45 19	26	26	20	11 51	14	21
11 48 59	27	27	21	12 38	15	22
11 52 40	28	28	22	13 25	16	23
11 56 20	29	29	23	14 12	17	24
HOUSES	4	5	6	7	8	9

LATITUDE 34° S.

LATITUDE 35° N.

SIDEREAL TIME	10 ♌	11 ♍	12 ♎	Asc ♏	2 ♐	3 ♑
h m s	°	°	°	° '	°	°
9 09 51	15	18	16	9 21	8	11
9 13 50	16	19	17	10 09	9	12
9 17 48	17	20	18	10 58	10	13
9 21 46	18	21	18	11 47	11	14
9 25 42	19	22	19	12 35	12	15
9 29 38	20	22	20	13 23	13	15
9 33 33	21	23	21	14 11	14	16
9 37 28	22	24	22	14 59	14	17
9 41 22	23	25	23	15 47	15	18
9 45 15	24	26	24	16 35	16	19
9 49 08	25	27	25	17 22	17	20
9 53 00	26	28	25	18 09	18	21
9 56 51	27	29	26	18 57	19	22
10 00 42	28	♎	27	19 44	20	23
10 04 32	29	1	28	20 31	20	24
10 08 22	♍	2	29	21 18	21	25
10 12 10	1	3	♏	22 05	22	26
10 15 59	2	4	1	22 51	23	27
10 19 47	3	5	1	23 38	24	28
10 23 34	4	6	2	24 24	25	29
10 27 21	5	7	3	25 11	25	♒
10 31 07	6	8	4	25 57	26	1
10 34 53	7	9	5	26 43	27	2
10 38 39	8	10	6	27 30	28	3
10 42 24	9	10	6	28 16	29	4
10 46 08	10	11	7	29 02	♑	5
10 49 52	11	12	8	29 48	1	5
10 53 36	12	13	9	0♐34	1	6
10 57 19	13	14	10	1 20	2	7
11 01 03	14	15	10	2 06	3	8
11 04 45	15	16	11	2 52	4	9
11 08 28	16	17	12	3 38	5	10
11 12 10	17	18	13	4 24	6	11
11 15 52	18	19	14	5 10	7	12
11 19 33	19	20	15	5 56	8	13
11 23 15	20	20	15	6 42	8	14
11 26 56	21	21	16	7 28	9	15
11 30 37	22	22	17	8 14	10	16
11 34 17	23	23	18	9 00	11	17
11 37 58	24	24	19	9 47	12	18
11 41 39	25	25	19	10 33	13	19
11 45 19	26	26	20	11 19	14	20
11 48 59	27	27	21	12 06	15	21
11 52 40	28	28	22	12 52	16	22
11 56 20	29	29	23	13 39	16	23
HOUSES	4	5	6	7	8	9

LATITUDE 35° S.

	LATITUDE 33° N.						LATITUDE 34° N.						LATITUDE 35° N.					
SIDEREAL TIME	10	11	12	Asc	2	3	10	11	12	Asc	2	3	10	11	12	Asc	2	3
	♎	♏	♏	♐	♑	♒	♎	♎	♏	♐	♑	♒	♎	♎	♏	♐	♑	♒
h m s	°	°	°	° '	°	°	°	°	°	° '	°	°	°	°	°	° '	°	°
12 00 00	0	0	24	15 31	18	25	0	29	24	14 59	18	25	0	29	23	14 26	17	25
12 03 40	1	0	25	16 18	19	26	1	♏	24	15 46	19	26	1	♏	24	15 13	18	26
12 07 20	2	1	25	17 06	20	27	2	1	25	16 33	20	27	2	1	25	16 00	19	27
12 11 01	3	2	26	17 53	21	28	3	2	26	17 21	21	28	3	2	26	16 47	20	28
12 14 41	4	3	27	18 41	22	29	4	3	27	18 08	22	29	4	3	26	17 35	21	29
12 18 21	5	4	28	19 29	23	♓	5	4	28	18 56	22	♓	5	4	27	18 22	22	♓
12 22 02	6	5	29	20 17	24	1	6	5	28	19 44	23	1	6	5	28	19 10	23	1
12 25 43	7	6	29	21 06	25	2	7	6	29	20 32	24	2	7	6	29	19 58	24	2
12 29 23	8	7	♐	21 54	26	3	8	7	♐	21 20	25	3	8	6	♐	20 46	25	3
12 33 04	9	8	1	22 43	27	4	9	7	1	22 09	26	4	9	7	0	21 34	26	4
12 36 45	10	8	2	23 32	28	5	10	8	2	22 58	27	5	10	8	1	22 23	27	5
12 40 27	11	9	3	24 21	29	6	11	9	2	23 47	28	6	11	9	2	23 12	28	6
12 44 08	12	10	4	25 11	♒	7	12	10	3	24 36	29	7	12	10	3	24 01	29	7
12 47 50	13	11	4	26 00	1	8	13	11	4	25 26	♒	8	13	11	4	24 50	♒	8
12 51 32	14	12	5	26 50	2	10	14	12	5	26 15	1	10	14	12	4	25 40	1	9
12 55 15	15	13	6	27 41	3	11	15	13	6	27 05	2	11	15	12	5	26 29	2	11
12 58 57	16	14	7	28 31	4	12	16	14	6	27 56	3	12	16	13	6	27 20	3	12
13 02 41	17	15	8	29 22	5	13	17	14	7	28 47	4	13	17	14	7	28 10	4	13
13 06 24	18	15	8	0♑13	6	14	18	15	8	29 38	5	14	18	15	8	29 01	5	14
13 10 08	19	16	9	1 05	7	15	19	16	9	0♑29	6	15	19	16	8	29 52	6	15
13 13 52	20	17	10	1 57	8	16	20	17	10	1 21	7	16	20	17	9	0♑44	7	16
13 17 36	21	18	11	2 49	9	17	21	18	10	2 13	8	17	21	18	10	1 35	8	17
13 21 21	22	19	12	3 42	10	18	22	19	11	3 05	10	18	22	19	11	2 28	9	18
13 25 07	23	20	12	4 35	11	20	23	20	12	3 58	11	19	23	19	12	3 20	10	19
13 28 53	24	21	13	5 28	12	21	24	20	13	4 51	12	21	24	20	13	4 13	11	21
13 32 39	25	21	14	6 22	13	22	25	21	14	5 45	13	22	25	21	13	5 07	12	22
13 36 26	26	22	15	7 16	14	23	26	22	15	6 39	14	23	26	22	14	6 01	14	23
13 40 13	27	23	16	8 11	15	24	27	23	15	7 33	15	24	27	23	15	6 55	15	24
13 44 01	28	24	17	9 06	16	25	28	24	16	8 28	16	25	28	24	16	7 50	16	25
13 47 49	29	25	17	10 01	18	26	29	25	17	9 24	17	26	29	25	17	8 45	17	26
13 51 38	♏	26	18	10 57	19	27	♏	26	18	10 20	18	27	♏	26	18	9 41	18	27
13 55 28	1	27	19	11 54	20	29	1	27	19	11 16	20	29	1	26	18	10 38	19	29
13 59 18	2	28	20	12 51	21	♈	2	27	20	12 13	21	♈	2	27	19	11 35	20	♈
14 03 09	3	29	21	13 49	22	1	3	28	20	13 11	22	1	3	28	20	12 32	22	1
14 07 00	4	29	22	14 47	23	2	4	29	21	14 09	23	2	4	29	21	13 30	23	2
14 10 52	5	♐	23	15 46	25	3	5	♐	22	15 08	24	3	5	♐	22	14 29	24	3
14 14 45	6	1	23	16 45	26	4	6	1	23	16 07	25	4	6	1	23	15 28	25	4
14 18 38	7	2	24	17 45	27	6	7	2	24	17 07	27	6	7	2	24	16 28	26	6
14 22 32	8	3	25	18 46	28	7	8	3	25	18 08	28	7	8	3	24	17 29	28	7
14 26 27	9	4	26	19 47	29	8	9	4	26	19 09	29	8	9	3	25	18 30	29	8
14 30 22	10	5	27	20 49	♓	9	10	5	27	20 11	♓	9	10	4	26	19 32	♓	9
14 34 18	11	6	28	21 52	2	10	11	5	27	21 14	2	10	11	5	27	20 35	1	10
14 38 14	12	7	29	22 55	3	11	12	6	28	22 17	3	12	12	6	28	21 38	3	12
14 42 12	13	7	♑	23 59	4	13	13	7	29	23 21	4	13	13	7	29	22 42	4	13
14 46 10	14	8	1	25 04	6	14	14	8	♑	24 26	5	14	14	8	♑	23 47	5	14
HOUSES	4	5	6	7	8	9	4	5	6	7	8	9	4	5	6	7	8	9
	LATITUDE 33° S.						LATITUDE 34° S.						LATITUDE 35° S.					

	LATITUDE 33° N.						LATITUDE 34° N.						LATITUDE 35° N.					
SIDEREAL	10	11	12	Asc	2	3	10	11	12	Asc	2	3	10	11	12	Asc	2	3
TIME	♏	♐	♑	♑	♓	♈	♏	♐	♑	♑	♓	♈	♏	♐	♑	♑	♓	♈
h m s	°	°	°	° '	°	°	°	°	°	° '	°	°	°	°	°	° '	°	°
14 50 09	15	9	1	26 09	7	15	15	9	1	25 32	7	15	15	9	1	24 53	6	15
14 54 08	16	10	2	27 16	8	16	16	10	2	26 38	8	16	16	10	2	25 59	8	16
14 58 08	17	11	3	28 23	9	17	17	11	3	27 45	9	17	17	11	3	27 06	9	18
15 02 09	18	12	4	29 31	11	19	18	12	4	28 53	11	19	18	12	3	28 14	10	19
15 06 11	19	13	5	0♒39	12	20	19	13	5	0♒02	12	20	19	12	4	29 24	12	20
15 10 13	20	14	6	1 49	13	21	20	14	6	1 12	13	21	20	13	5	0♒33	13	21
15 14 16	21	15	7	2 59	15	22	21	14	7	2 22	15	22	21	14	6	1 44	14	22
15 18 20	22	16	8	4 10	16	23	22	15	8	3 34	16	23	22	15	7	2 56	16	23
15 22 25	23	16	9	5 22	17	24	23	16	9	4 46	17	25	23	16	8	4 09	17	25
15 26 30	24	17	10	6 35	19	26	24	17	10	5 59	19	26	24	17	9	5 22	19	26
15 30 36	25	18	11	7 49	20	27	25	18	11	7 14	20	27	25	18	10	6 37	20	27
15 34 43	26	19	12	9 04	22	28	26	19	12	8 29	21	28	26	19	11	7 52	21	28
15 38 50	27	20	13	10 20	23	29	27	20	13	9 45	23	29	27	20	12	9 09	23	29
15 42 58	28	21	14	11 36	24	♉	28	21	14	11 02	24	♉	28	21	13	10 26	24	♉
15 47 07	29	22	15	12 54	26	2	29	22	15	12 20	26	2	29	22	14	11 45	26	2
15 51 16	♐	23	16	14 13	27	3	♐	23	16	13 39	27	3	♐	23	15	13 04	27	3
15 55 27	1	24	17	15 32	28	4	1	24	17	14 59	28	4	1	24	16	14 25	28	4
15 59 37	2	25	18	16 53	♈	5	2	25	18	16 20	♈	5	2	25	17	15 47	♈	5
16 03 49	3	26	19	18 14	1	6	3	26	19	17 42	1	6	3	25	18	17 09	1	7
16 08 01	4	27	20	19 37	3	7	4	27	20	19 06	3	8	4	26	19	18 33	3	8
16 12 14	5	28	21	21 00	4	9	5	28	21	20 30	4	9	5	27	20	19 58	4	9
16 16 27	6	29	22	22 24	6	10	6	29	22	21 55	6	10	6	28	22	21 24	6	10
16 20 41	7	♑	23	23 50	7	11	7	♑	23	23 21	7	11	7	29	23	22 51	7	11
16 24 56	8	1	25	25 16	8	12	8	1	24	24 48	8	12	8	♑	24	24 19	8	12
16 29 11	9	2	26	26 43	10	13	9	1	25	26 16	10	13	9	1	25	25 48	10	14
16 33 27	10	3	27	28 11	11	14	10	2	26	27 45	11	15	10	2	26	27 18	11	15
16 37 43	11	4	28	29 40	13	16	11	3	28	29 15	13	16	11	3	27	28 48	13	16
16 42 00	12	5	29	1♓10	14	17	12	4	29	0♓46	14	17	12	4	28	0♓20	14	17
16 46 17	13	6	♒	2 41	15	18	13	5	♒	2 18	16	18	13	5	29	1 53	16	18
16 50 35	14	7	1	4 12	17	19	14	6	1	3 50	17	19	14	6	♒	3 27	17	19
16 54 53	15	8	3	5 45	18	20	15	7	2	5 24	18	20	15	7	2	5 02	19	21
16 59 11	16	9	4	7 18	20	21	16	8	3	6 58	20	21	16	8	3	6 37	20	22
17 03 30	17	10	5	8 52	21	22	17	9	5	8 33	21	23	17	9	4	8 14	21	23
17 07 49	18	11	6	10 27	22	24	18	10	6	10 09	23	24	18	10	5	9 51	23	24
17 12 09	19	12	7	12 02	24	25	19	12	7	11 46	24	25	19	11	7	11 29	24	25
17 16 29	20	13	9	13 38	25	26	20	13	8	13 23	25	26	20	12	8	13 08	26	26
17 20 49	21	14	10	15 14	27	27	21	14	9	15 01	27	27	21	13	9	14 47	27	27
17 25 10	22	15	11	16 51	28	28	22	15	11	16 39	28	28	22	14	10	16 27	28	28
17 29 31	23	16	12	18 29	29	29	23	16	12	18 18	♉	29	23	15	12	18 07	♉	♊
17 33 52	24	17	13	20 07	♉	♊	24	17	13	19 58	1	♊	24	16	13	19 48	1	1
17 38 13	25	18	15	21 45	2	1	25	18	14	21 37	2	2	25	18	14	21 30	3	2
17 42 34	26	19	16	23 24	3	2	26	19	16	23 18	4	3	26	19	15	23 11	4	3
17 46 55	27	20	17	25 02	5	4	27	20	17	24 58	5	4	27	20	17	24 53	5	4
17 51 17	28	21	19	26 41	6	5	28	21	18	26 38	6	5	28	21	18	26 35	7	5
17 55 38	29	22	20	28 21	7	6	29	22	20	28 19	8	6	29	22	19	28 17	8	6
HOUSES	4	5	6	7	8	9	4	5	6	7	8	9	4	5	6	7	8	9
	LATITUDE 33° S.						LATITUDE 34° S.						LATITUDE 35° S.					

SIDEREAL TIME	LATITUDE 33° N.						LATITUDE 34° N.						LATITUDE 35° N.					
	10 ♑	11 ♑	12 ♒	Asc ♈	2 ♉	3 ♊	10 ♑	11 ♑	12 ♒	Asc ♈	2 ♉	3 ♊	10 ♑	11 ♑	12 ♒	Asc ♈	2 ♉	3 ♊
h m s	°	°	°	° '	°	°	°	°	°	° '	°	°	°	°	°	° '	°	°
18 00 00	0	23	21	0 00	9	7	0	23	21	0 00	9	7	0	23	21	0 00	9	7
18 04 22	1	24	23	1 39	10	8	1	24	22	1 41	10	8	1	24	22	1 42	11	8
18 08 43	2	25	24	3 18	11	9	2	25	24	3 21	12	9	2	25	23	3 24	12	9
18 13 05	3	26	25	4 57	13	10	3	26	25	5 02	13	10	3	26	25	5 07	13	10
18 17 26	4	28	27	6 36	14	11	4	27	26	6 42	14	11	4	27	26	6 48	15	11
18 21 47	5	29	28	8 15	15	12	5	28	28	8 22	16	12	5	28	27	8 30	16	12
18 26 08	6	♒	29	9 53	17	13	6	♒	29	10 02	17	13	6	29	29	10 11	17	14
18 30 29	7	1	♓	11 31	18	14	7	1	♓	11 41	18	14	7	♒	♓	11 52	18	15
18 34 50	8	2	2	13 08	19	15	8	2	2	13 20	19	15	8	2	2	13 33	20	16
18 39 11	9	3	3	14 45	20	16	9	3	3	14 59	21	16	9	3	3	15 13	21	17
18 43 31	10	4	5	16 22	21	17	10	4	5	16 36	22	17	10	4	4	16 52	22	18
18 47 51	11	5	6	17 58	23	18	11	5	6	18 14	23	18	11	5	6	18 31	23	19
18 52 11	12	6	8	19 33	24	19	12	6	7	19 50	24	20	12	6	7	20 08	25	20
18 56 30	13	8	9	21 08	25	20	13	7	9	21 26	25	21	13	7	9	21 46	26	21
19 00 49	14	9	10	22 42	26	21	14	9	10	23 01	27	22	14	8	10	23 22	27	22
19 05 07	15	10	12	24 15	27	22	15	10	12	24 36	28	23	15	9	11	24 58	28	23
19 09 25	16	11	13	25 47	29	23	16	11	13	26 09	29	24	16	11	13	26 32	29	24
19 13 43	17	12	15	27 19	♊	24	17	12	14	27 42	♊	25	17	12	14	28 06	♊	25
19 18 00	18	13	16	28 50	1	25	18	13	16	29 14	1	26	18	13	16	29 39	2	26
19 22 17	19	14	17	0♉19	2	26	19	14	17	0♉45	2	27	19	14	17	1♉11	3	27
19 26 33	20	16	19	1 48	3	27	20	15	19	2 15	4	28	20	15	19	2 42	4	28
19 30 49	21	17	20	3 17	4	28	21	17	20	3 44	5	29	21	16	20	4 12	5	29
19 35 04	22	18	22	4 44	5	29	22	18	22	5 12	6	29	22	18	21	5 41	6	♋
19 39 19	23	19	23	6 10	7	♋	23	19	23	6 39	7	♋	23	19	23	7 09	7	1
19 43 33	24	20	24	7 35	8	1	24	20	24	8 05	8	1	24	20	24	8 36	8	2
19 47 46	25	21	26	9 00	9	2	25	21	26	9 30	9	2	25	21	26	10 02	9	3
19 51 59	26	23	27	10 23	10	3	26	22	27	10 54	10	3	26	22	27	11 27	11	4
19 56 11	27	24	29	11 45	11	4	27	24	29	12 17	11	4	27	23	29	12 50	12	5
20 00 23	28	25	♈	13 07	12	5	28	25	♈	13 39	12	5	28	25	♈	14 13	13	5
20 04 33	29	26	2	14 27	13	6	29	26	2	15 00	13	6	29	26	2	15 35	14	6
20 08 44	♒	27	3	15 47	14	7	♒	27	3	16 20	14	7	♒	27	3	16 55	15	7
20 12 53	1	28	4	17 06	15	8	1	28	4	17 39	15	8	1	28	4	18 15	16	8
20 17 02	2	♓	6	18 23	16	9	2	29	6	18 58	16	9	2	29	6	19 33	17	9
20 21 10	3	1	7	19 40	17	10	3	♓	7	20 15	17	10	3	♓	7	20 51	18	10
20 25 17	4	2	8	20 56	18	11	4	2	9	21 31	18	11	4	2	9	22 07	19	11
20 29 24	5	3	10	22 10	19	12	5	3	10	22 46	19	12	5	3	10	23 23	20	12
20 33 30	6	4	11	23 24	20	13	6	4	11	24 00	20	13	6	4	11	24 38	21	13
20 37 35	7	6	13	24 37	21	13	7	5	13	25 13	21	14	7	5	13	25 51	22	14
20 41 40	8	7	14	25 49	22	14	8	7	14	26 26	22	15	8	7	14	27 04	23	15
20 45 44	9	8	15	27 01	23	15	9	8	15	27 37	23	16	9	8	16	28 15	24	16
20 49 47	10	9	17	28 11	24	16	10	9	17	28 48	24	16	10	9	17	29 26	25	17
20 53 49	11	10	18	29 20	25	17	11	10	18	29 58	25	17	11	10	18	0♊36	26	18
20 57 51	12	11	19	0♊29	26	18	12	11	19	1♊06	26	18	12	11	20	1 45	27	18
21 01 52	13	13	21	1 37	27	19	13	13	21	2 14	27	19	13	12	21	2 53	27	19
21 05 52	14	14	22	2 44	28	20	14	14	22	3 22	28	20	14	14	22	4 01	28	20
HOUSES	4	5	6	7	8	9	4	5	6	7	8	9	4	5	6	7	8	9
	LATITUDE 33° S.						LATITUDE 34° S.						LATITUDE 35° S.					

			LATITUDE 33° N.							LATITUDE 34° N.							LATITUDE 35° N.						
SIDEREAL TIME			10	11	12	Asc		2	3	10	11	12	Asc		2	3	10	11	12	Asc		2	3
			♒	♓	♈	♊		♊	♋	♒	♓	♈	♊		♊	♋	♒	♓	♈	♊		♊	♋
h	m	s	°	°	°	°	'	°	°	°	°	°	°	'	°	°	°	°	°	°	'	°	°
21	09	51	15	15	23	3	50	28	21	15	15	23	4	28	29	21	15	15	24	5	07	29	21
21	13	50	16	16	24	4	56	29	22	16	16	25	5	34	♋	22	16	16	25	6	13	♋	22
21	17	48	17	17	26	6	01	♋	23	17	17	26	6	38	1	23	17	17	26	7	18	1	23
21	21	46	18	19	27	7	05	1	23	18	18	27	7	43	2	24	18	18	27	8	22	2	24
21	25	42	19	20	28	8	08	2	24	19	20	28	8	46	3	25	19	20	29	9	25	3	25
21	29	38	20	21	29	9	11	3	25	20	21	♉	9	49	3	25	20	21	♉	10	28	4	26
21	33	33	21	22	♉	10	12	4	26	21	22	1	10	50	4	26	21	22	1	11	30	5	27
21	37	28	22	23	2	11	14	5	27	22	23	2	11	52	5	27	22	23	2	12	31	6	27
21	41	22	23	24	3	12	14	6	28	23	24	3	12	52	6	28	23	24	4	13	31	6	28
21	45	15	24	26	4	13	14	7	29	24	26	5	13	52	7	29	24	26	5	14	31	7	29
21	49	08	25	27	5	14	14	7	♌	25	27	6	14	52	8	♌	25	27	6	15	31	8	♌
21	53	00	26	28	7	15	13	8	1	26	28	7	15	50	9	1	26	28	7	16	29	9	1
21	56	51	27	29	8	16	11	9	1	27	29	8	16	49	10	2	27	29	8	17	27	10	2
22	00	42	28	♈	9	17	08	10	2	28	♈	9	17	46	10	3	28	♈	10	18	25	11	3
22	04	32	29	1	10	18	06	11	3	29	1	10	18	43	11	3	29	1	11	19	22	12	4
22	08	22	♓	3	11	19	02	12	4	♓	3	12	19	40	12	4	♓	3	12	20	18	12	4
22	12	10	1	4	12	19	58	13	5	1	4	13	20	36	13	5	1	4	13	21	14	13	5
22	15	59	2	5	14	20	54	13	6	2	5	14	21	31	14	6	2	5	14	22	10	14	6
22	19	47	3	6	15	21	49	14	7	3	6	15	22	26	15	7	3	6	15	23	04	15	7
22	23	34	4	7	16	22	44	15	8	4	7	16	23	21	15	8	4	7	16	23	59	16	8
22	27	21	5	8	17	23	38	16	9	5	8	17	24	15	16	9	5	8	18	24	53	17	9
22	31	07	6	9	18	24	32	17	9	6	9	18	25	09	17	10	6	9	19	25	46	17	10
22	34	53	7	10	19	25	25	18	10	7	11	19	26	02	18	10	7	11	20	26	39	18	11
22	38	39	8	12	20	26	18	18	11	8	12	20	26	55	19	11	8	12	21	27	32	19	11
22	42	24	9	13	21	27	11	19	12	9	13	22	27	47	20	12	9	13	22	28	24	20	12
22	46	08	10	14	22	28	03	20	13	10	14	23	28	39	20	13	10	14	23	29	16	21	13
22	49	52	11	15	23	28	55	21	14	11	15	24	29	31	21	14	11	15	24	0♋	08	22	14
22	53	36	12	16	24	29	46	22	15	12	16	25	0♋	22	22	15	12	16	25	0	59	22	15
22	57	19	13	17	25	0♋	37	22	15	13	17	26	1	13	23	16	13	17	26	1	50	23	16
23	01	03	14	18	26	1	28	23	16	14	18	27	2	04	24	16	14	18	27	2	40	24	17
23	04	45	15	19	27	2	19	24	17	15	19	28	2	54	24	17	15	19	28	3	30	25	17
23	08	28	16	20	28	3	09	25	18	16	20	29	3	44	25	18	16	21	29	4	20	26	18
23	12	10	17	21	29	3	59	26	19	17	22	♊	4	34	26	19	17	22	♊	5	10	26	19
23	15	52	18	23	♊	4	49	26	20	18	23	1	5	24	27	20	18	23	1	5	59	27	20
23	19	33	19	24	1	5	38	27	21	19	24	2	6	13	28	21	19	24	2	6	48	28	21
23	23	15	20	25	2	6	28	28	22	20	25	3	7	02	28	22	20	25	3	7	37	29	22
23	26	56	21	26	3	7	17	29	22	21	26	4	7	51	29	23	21	26	4	8	25	♌	23
23	30	37	22	27	4	8	05	♌	23	22	27	5	8	39	♌	23	22	27	5	9	14	0	24
23	34	17	23	28	5	8	54	1	24	23	28	6	9	28	1	24	23	28	6	10	02	1	24
23	37	58	24	29	6	9	42	1	25	24	29	7	10	16	2	25	24	29	7	10	50	2	25
23	41	39	25	♉	7	10	30	2	26	25	♉	8	11	04	2	26	25	♉	8	11	38	3	26
23	45	19	26	1	8	11	18	3	27	26	1	8	11	51	3	27	26	1	9	12	25	4	27
23	48	59	27	2	9	12	06	4	28	27	2	9	12	39	4	28	27	2	10	13	12	4	28
23	52	40	28	3	10	12	54	5	29	28	3	10	13	27	5	29	28	3	11	14	00	5	29
23	56	20	29	4	11	13	41	5	♍	29	4	11	14	14	6	♍	29	4	12	14	47	6	♍
HOUSES			4	5	6	7		8	9	4	5	6	7		8	9	4	5	6	7		8	9
			LATITUDE 33° S.							LATITUDE 34° S.							LATITUDE 35° S.						

	LATITUDE 36° N.						LATITUDE 37° N.						LATITUDE 38° N.					
SIDEREAL TIME	10 ♈	11 ♉	12 ♊	Asc ♋	2 ♌	3 ♍	10 ♈	11 ♉	12 ♊	Asc ♋	2 ♌	3 ♍	10 ♈	11 ♉	12 ♊	Asc ♋	2 ♌	3 ♍
h m s	°	°	°	° '	°	°	°	°	°	° '	°	°	°	°	°	° '	°	°
0 00 00	0	6	13	16 07	7	1	0	6	13	16 41	7	1	0	6	14	17 16	8	1
0 03 40	1	7	14	16 54	8	2	1	7	14	17 27	8	2	1	7	15	18 02	8	2
0 07 20	2	8	15	17 40	9	2	2	8	15	18 13	9	3	2	8	16	18 48	9	3
0 11 01	3	9	16	18 26	9	3	3	9	16	18 59	10	3	3	9	17	19 33	10	4
0 14 41	4	10	17	19 13	10	4	4	10	17	19 45	10	4	4	10	18	20 19	11	4
0 18 21	5	11	18	19 59	11	5	5	11	18	20 31	11	5	5	11	18	21 05	12	5
0 22 02	6	12	18	20 45	12	6	6	12	19	21 17	12	6	6	12	19	21 50	12	6
0 25 43	7	13	19	21 31	13	7	7	13	20	22 03	13	7	7	13	20	22 35	13	7
0 29 23	8	14	20	22 17	13	8	8	14	21	22 48	14	8	8	14	21	23 21	14	8
0 33 04	9	15	21	23 02	14	9	9	15	22	23 34	14	9	9	15	22	24 06	15	9
0 36 45	10	16	22	23 48	15	10	10	16	22	24 19	15	10	10	16	23	24 51	15	10
0 40 27	11	17	23	24 34	16	10	11	17	23	25 05	16	11	11	17	24	25 36	16	11
0 44 08	12	18	24	25 20	17	11	12	18	24	25 50	17	11	12	18	25	26 22	17	11
0 47 50	13	19	25	26 05	17	12	13	19	25	26 36	18	12	13	19	26	27 07	18	12
0 51 32	14	20	25	26 51	18	13	14	20	26	27 21	18	13	14	20	26	27 52	19	13
0 55 15	15	21	26	27 37	19	14	15	21	27	28 07	19	14	15	21	27	28 37	19	14
0 58 57	16	22	27	28 23	20	15	16	22	28	28 52	20	15	16	22	28	29 22	20	15
1 02 41	17	23	28	29 08	21	16	17	23	29	29 37	21	16	17	23	29	0♌07	21	16
1 06 24	18	24	29	29 54	21	17	18	24	29	0♌23	22	17	18	24	♋	0 52	22	17
1 10 08	19	25	♋	0♌40	22	18	19	25	♋	1 08	22	18	19	25	1	1 37	23	18
1 13 52	20	26	1	1 26	23	19	20	26	1	1 54	23	19	20	26	2	2 22	23	19
1 17 36	21	27	1	2 11	24	20	21	27	2	2 39	24	20	21	27	2	3 08	24	20
1 21 21	22	28	2	2 57	25	20	22	28	3	3 25	25	21	22	28	3	3 53	25	21
1 25 07	23	29	3	3 43	25	21	23	29	4	4 10	26	21	23	29	4	4 38	26	21
1 28 53	24	♊	4	4 29	26	22	24	♊	4	4 56	26	22	24	♊	5	5 23	27	22
1 32 39	25	1	5	5 15	27	23	25	1	5	5 42	27	23	25	1	6	6 09	28	23
1 36 26	26	1	6	6 01	28	24	26	2	6	6 28	28	24	26	2	7	6 54	28	24
1 40 13	27	2	7	6 47	29	25	27	3	7	7 13	29	25	27	3	7	7 40	29	25
1 44 01	28	3	7	7 34	♍	26	28	4	8	7 59	♍	26	28	4	8	8 25	♍	26
1 47 49	29	4	8	8 20	0	27	29	5	9	8 45	1	27	29	5	9	9 11	1	27
1 51 38	♉	5	9	9 07	1	28	♉	5	10	9 32	1	28	♉	6	10	9 57	2	28
1 55 28	1	6	10	9 53	2	29	1	6	10	10 18	2	29	1	7	11	10 43	2	29
1 59 18	2	7	11	10 40	3	♎	2	7	11	11 04	3	♎	2	8	12	11 29	3	♎
2 03 09	3	8	12	11 27	4	1	3	8	12	11 51	4	1	3	9	13	12 15	4	1
2 07 00	4	9	13	12 14	5	2	4	9	13	12 37	5	2	4	10	13	13 01	5	2
2 10 52	5	10	13	13 01	6	3	5	10	14	13 24	6	3	5	10	14	13 48	6	3
2 14 45	6	11	14	13 48	6	4	6	11	15	14 11	7	4	6	11	15	14 34	7	4
2 18 38	7	12	15	14 35	7	5	7	12	15	14 58	7	5	7	12	16	15 21	8	5
2 22 32	8	13	16	15 22	8	6	8	13	16	15 45	8	6	8	13	17	16 07	8	6
2 26 27	9	14	17	16 10	9	7	9	14	17	16 32	9	6	9	14	18	16 54	9	6
2 30 22	10	15	18	16 58	10	7	10	15	18	17 19	10	7	10	15	18	17 41	10	7
2 34 18	11	16	19	17 46	11	8	11	16	19	18 07	11	8	11	16	19	18 28	11	8
2 38 14	12	17	19	18 34	12	9	12	17	20	18 54	12	9	12	17	20	19 16	12	9
2 42 12	13	18	20	19 22	13	10	13	18	21	19 42	13	10	13	18	21	20 03	13	10
2 46 10	14	19	21	20 10	13	11	14	19	21	20 30	14	11	14	19	22	20 51	14	11
HOUSES	4	5	6	7	8	9	4	5	6	7	8	9	4	5	6	7	8	9
	LATITUDE 36° S.						LATITUDE 37° S.						LATITUDE 38° S.					

LATITUDE 36° N.

SIDEREAL TIME h m s	10 ♉ °	11 ♊ °	12 ♋ °	Asc ♌ ° '	2 ♍ °	3 ♎ °
2 50 09	15	19	22	20 59	14	12
2 54 08	16	20	23	21 47	15	13
2 58 08	17	21	24	22 36	16	14
3 02 09	18	22	25	23 25	17	15
3 06 11	19	23	25	24 14	18	16
3 10 13	20	24	26	25 04	19	17
3 14 16	21	25	27	25 53	20	18
3 18 20	22	26	28	26 43	21	19
3 22 25	23	27	29	27 33	22	20
3 26 30	24	28	♌	28 23	22	21
3 30 36	25	29	1	29 13	23	22
3 34 43	26	♋	2	0♍03	24	23
3 38 50	27	1	2	0 54	25	24
3 42 58	28	2	3	1 44	26	25
3 47 07	29	3	4	2 35	27	26
3 51 16	♊	4	5	3 26	28	27
3 55 27	1	5	6	4 18	29	28
3 59 37	2	5	7	5 09	♎	29
4 03 49	3	6	8	6 01	1	♏
4 08 01	4	7	9	6 52	2	1
4 12 14	5	8	10	7 44	3	2
4 16 27	6	9	11	8 36	4	3
4 20 41	7	10	11	9 28	5	4
4 24 56	8	11	12	10 21	6	5
4 29 11	9	12	13	11 13	7	6
4 33 27	10	13	14	12 06	8	7
4 37 43	11	14	15	12 59	8	8
4 42 00	12	15	16	13 52	9	9
4 46 17	13	16	17	14 45	10	10
4 50 35	14	17	18	15 38	11	11
4 54 53	15	18	19	16 31	12	12
4 59 11	16	19	20	17 25	13	13
5 03 30	17	20	21	18 18	14	14
5 07 49	18	21	22	19 12	15	15
5 12 09	19	22	23	20 05	16	16
5 16 29	20	23	24	20 59	17	17
5 20 49	21	24	25	21 53	18	18
5 25 10	22	25	25	22 47	19	19
5 29 31	23	26	26	23 41	20	20
5 33 52	24	27	27	24 35	21	21
5 38 13	25	28	28	25 29	22	22
5 42 34	26	29	29	26 23	23	23
5 46 55	27	♌	♍	27 17	24	24
5 51 17	28	1	1	28 11	25	25
5 55 38	29	2	2	29 06	26	26
HOUSES	4	5	6	7	8	9

LATITUDE 36° S.

LATITUDE 37° N.

SIDEREAL TIME h m s	10 ♉ °	11 ♊ °	12 ♋ °	Asc ♌ ° '	2 ♍ °	3 ♎ °
2 50 09	15	20	22	21 18	14	12
2 54 08	16	21	23	22 07	15	13
2 58 08	17	22	24	22 55	16	14
3 02 09	18	22	25	23 44	17	15
3 06 11	19	23	26	24 32	18	16
3 10 13	20	24	27	25 21	19	17
3 14 16	21	25	27	26 10	20	18
3 18 20	22	26	28	27 00	21	19
3 22 25	23	27	29	27 49	22	20
3 26 30	24	28	♌	28 39	23	21
3 30 36	25	29	1	29 29	23	22
3 34 43	26	♋	2	0♍19	24	23
3 38 50	27	1	3	1 09	25	24
3 42 58	28	2	4	1 59	26	25
3 47 07	29	3	5	2 49	27	26
3 51 16	♊	4	5	3 40	28	27
3 55 27	1	5	6	4 31	29	28
3 59 37	2	6	7	5 22	♎	29
4 03 49	3	7	8	6 13	1	♏
4 08 01	4	8	9	7 04	2	1
4 12 14	5	9	10	7 56	3	2
4 16 27	6	10	11	8 47	4	3
4 20 41	7	10	12	9 39	5	4
4 24 56	8	11	13	10 31	6	5
4 29 11	9	12	14	11 23	7	6
4 33 27	10	13	14	12 15	7	7
4 37 43	11	14	15	13 08	8	8
4 42 00	12	15	16	14 00	9	9
4 46 17	13	16	17	14 53	10	10
4 50 35	14	17	18	15 45	11	11
4 54 53	15	18	19	16 38	12	12
4 59 11	16	19	20	17 31	13	13
5 03 30	17	20	21	18 24	14	14
5 07 49	18	21	22	19 17	15	15
5 12 09	19	22	23	20 11	16	16
5 16 29	20	23	24	21 04	17	17
5 20 49	21	24	25	21 57	18	18
5 25 10	22	25	26	22 51	19	19
5 29 31	23	26	27	23 44	20	20
5 33 52	24	27	28	24 38	21	21
5 38 13	25	28	29	25 31	22	22
5 42 34	26	29	29	26 25	23	23
5 46 55	27	♌	♍	27 19	24	24
5 51 17	28	1	1	28 12	25	25
5 55 38	29	2	2	29 06	26	26
HOUSES	4	5	6	7	8	9

LATITUDE 37° S.

LATITUDE 38° N.

SIDEREAL TIME h m s	10 ♉ °	11 ♊ °	12 ♋ °	Asc ♌ ° '	2 ♍ °	3 ♎ °
2 50 09	15	20	23	21 38	15	12
2 54 08	16	21	24	22 26	15	13
2 58 08	17	22	24	23 14	16	14
3 02 09	18	23	25	24 02	17	15
3 06 11	19	24	26	24 51	18	16
3 10 13	20	25	27	25 39	19	17
3 14 16	21	26	28	26 28	20	18
3 18 20	22	26	29	27 17	21	19
3 22 25	23	27	♌	28 06	22	20
3 26 30	24	28	0	28 55	23	21
3 30 36	25	29	1	29 45	23	22
3 34 43	26	♋	2	0♍34	24	23
3 38 50	27	1	3	1 24	25	24
3 42 58	28	2	4	2 14	26	25
3 47 07	29	3	5	3 04	27	26
3 51 16	♊	4	6	3 54	28	27
3 55 27	1	5	7	4 44	29	28
3 59 37	2	6	8	5 35	♎	29
4 03 49	3	7	8	6 26	1	♏
4 08 01	4	8	9	7 16	2	1
4 12 14	5	9	10	8 07	3	2
4 16 27	6	10	11	8 59	4	3
4 20 41	7	11	12	9 50	5	4
4 24 56	8	12	13	10 41	6	5
4 29 11	9	13	14	11 33	6	6
4 33 27	10	14	15	12 25	7	7
4 37 43	11	15	16	13 17	8	8
4 42 00	12	15	17	14 09	9	9
4 46 17	13	16	18	15 01	10	10
4 50 35	14	17	18	15 53	11	11
4 54 53	15	18	19	16 45	12	12
4 59 11	16	19	20	17 38	13	13
5 03 30	17	20	21	18 30	14	14
5 07 49	18	21	22	19 23	15	15
5 12 09	19	22	23	20 16	16	16
5 16 29	20	23	24	21 09	17	17
5 20 49	21	24	25	22 02	18	18
5 25 10	22	25	26	22 55	19	19
5 29 31	23	26	27	23 48	20	20
5 33 52	24	27	28	24 41	21	21
5 38 13	25	28	29	25 34	22	22
5 42 34	26	29	♍	26 27	23	23
5 46 55	27	♌	1	27 20	24	24
5 51 17	28	1	2	28 13	25	25
5 55 38	29	2	3	29 07	26	26
HOUSES	4	5	6	7	8	9

LATITUDE 38° S.

LATITUDE 36° N.

SIDEREAL TIME			10 ♋	11 ♌	12 ♍	Asc ♎		2 ♎	3 ♏
h	m	s	°	°	°	°	'	°	°
6	00	00	0	3	3	0	00	27	27
6	04	22	1	4	4	0	54	28	28
6	08	43	2	5	5	1	48	29	29
6	13	05	3	6	6	2	42	♏	♐
6	17	26	4	7	7	3	37	1	1
6	21	47	5	8	8	4	31	2	2
6	26	08	6	9	9	5	25	3	3
6	30	29	7	10	10	6	19	4	4
6	34	50	8	11	11	7	13	5	5
6	39	11	9	12	12	8	07	5	6
6	43	31	10	13	13	9	01	6	7
6	47	51	11	14	14	9	54	7	8
6	52	11	12	15	15	10	48	8	9
6	56	30	13	16	16	11	42	9	10
7	00	49	14	17	17	12	35	10	11
7	05	07	15	18	18	13	28	11	12
7	09	25	16	19	19	14	22	12	13
7	13	43	17	20	20	15	15	13	14
7	18	00	18	21	21	16	08	14	15
7	22	17	19	22	22	17	01	15	16
7	26	33	20	23	22	17	54	16	17
7	30	49	21	24	23	18	46	17	18
7	35	04	22	25	24	19	39	18	19
7	39	19	23	26	25	20	31	19	20
7	43	33	24	27	26	21	23	19	21
7	47	46	25	28	27	22	15	20	22
7	51	59	26	29	28	23	07	21	23
7	56	11	27	♍	29	23	59	22	24
8	00	23	28	1	♎	24	51	23	24
8	04	33	29	2	1	25	42	24	25
8	08	44	♌	3	2	26	33	25	26
8	12	53	1	4	3	27	24	26	27
8	17	02	2	5	4	28	15	27	28
8	21	10	3	6	5	29	06	28	29
8	25	17	4	7	6	29	57	28	♑
8	29	24	5	8	7	0♏	47	29	1
8	33	30	6	9	8	1	37	♐	2
8	37	35	7	10	8	2	27	1	3
8	41	40	8	11	9	3	17	2	4
8	45	44	9	12	10	4	07	3	5
8	49	47	10	13	11	4	56	4	6
8	53	49	11	14	12	5	45	5	7
8	57	51	12	15	13	6	35	5	8
9	01	52	13	16	14	7	24	6	9
9	05	52	14	17	15	8	12	7	10
HOUSES			4	5	6	7		8	9

LATITUDE 36° S.

LATITUDE 37° N.

SIDEREAL TIME			10 ♋	11 ♌	12 ♍	Asc ♎		2 ♎	3 ♏
h	m	s	°	°	°	°	'	°	°
6	00	00	0	3	3	0	00	27	27
6	04	22	1	4	4	0	54	28	28
6	08	43	2	5	5	1	47	29	29
6	13	05	3	6	6	2	41	♏	♐
6	17	26	4	7	7	3	35	1	1
6	21	47	5	8	8	4	28	1	2
6	26	08	6	9	9	5	22	2	3
6	30	29	7	10	10	6	15	3	4
6	34	50	8	11	11	7	09	4	5
6	39	11	9	12	12	8	02	5	6
6	43	31	10	13	13	8	56	6	7
6	47	51	11	14	14	9	49	7	8
6	52	11	12	15	15	10	42	8	9
6	56	30	13	16	16	11	35	9	10
7	00	49	14	17	17	12	28	10	11
7	05	07	15	18	18	13	21	11	12
7	09	25	16	19	19	14	14	12	13
7	13	43	17	20	20	15	07	13	14
7	18	00	18	21	21	16	00	14	15
7	22	17	19	22	22	16	52	15	16
7	26	33	20	23	23	17	44	16	17
7	30	49	21	24	23	18	36	16	18
7	35	04	22	25	24	19	29	17	19
7	39	19	23	26	25	20	20	18	20
7	43	33	24	27	26	21	12	19	20
7	47	46	25	28	27	22	04	20	21
7	51	59	26	29	28	22	55	21	22
7	56	11	27	♍	29	23	47	22	23
8	00	23	28	1	♎	24	38	23	24
8	04	33	29	2	1	25	29	24	25
8	08	44	♌	3	2	26	20	25	26
8	12	53	1	4	3	27	10	25	27
8	17	02	2	5	4	28	01	26	28
8	21	10	3	6	5	28	51	27	29
8	25	17	4	7	6	29	41	28	♑
8	29	24	5	8	7	0♏	31	29	1
8	33	30	6	9	7	1	21	♐	2
8	37	35	7	10	8	2	10	1	3
8	41	40	8	11	9	3	00	2	4
8	45	44	9	12	10	3	49	2	5
8	49	47	10	13	11	4	38	3	6
8	53	49	11	14	12	5	27	4	7
8	57	51	12	15	13	6	16	5	8
9	01	52	13	16	14	7	05	6	8
9	05	52	14	17	15	7	53	7	9
HOUSES			4	5	6	7		8	9

LATITUDE 37° S.

LATITUDE 38° N.

SIDEREAL TIME			10 ♋	11 ♌	12 ♍	Asc ♎		2 ♎	3 ♏
h	m	s	°	°	°	°	'	°	°
6	00	00	0	3	3	0	00	27	27
6	04	22	1	4	4	0	53	27	28
6	08	43	2	5	5	1	46	28	29
6	13	05	3	6	6	2	40	29	♐
6	17	26	4	7	7	3	33	♏	1
6	21	47	5	8	8	4	26	1	2
6	26	08	6	9	9	5	19	2	3
6	30	29	7	10	10	6	12	3	4
6	34	50	8	11	11	7	05	4	5
6	39	11	9	12	12	7	58	5	6
6	43	31	10	13	13	8	51	6	7
6	47	51	11	14	14	9	44	7	8
6	52	11	12	15	15	10	37	8	9
6	56	30	13	16	16	11	29	9	10
7	00	49	14	17	17	12	22	10	11
7	05	07	15	18	18	13	14	11	12
7	09	25	16	19	19	14	07	12	13
7	13	43	17	20	20	14	59	12	14
7	18	00	18	21	21	15	51	13	15
7	22	17	19	22	22	16	43	14	15
7	26	33	20	23	23	17	35	15	16
7	30	49	21	24	24	18	27	16	17
7	35	04	22	25	24	19	18	17	18
7	39	19	23	26	25	20	10	18	19
7	43	33	24	27	26	21	01	19	20
7	47	46	25	28	27	21	52	20	21
7	51	59	26	29	28	22	43	21	22
7	56	11	27	♍	29	23	34	22	23
8	00	23	28	1	♎	24	25	22	24
8	04	33	29	2	1	25	15	23	25
8	08	44	♌	3	2	26	06	24	26
8	12	53	1	4	3	26	56	25	27
8	17	02	2	5	4	27	46	26	28
8	21	10	3	6	5	28	36	27	29
8	25	17	4	7	6	29	26	28	♑
8	29	24	5	8	7	0♏	15	29	1
8	33	30	6	9	7	1	04	♐	2
8	37	35	7	10	8	1	54	0	3
8	41	40	8	11	9	2	43	1	4
8	45	44	9	12	10	3	32	2	4
8	49	47	10	13	11	4	20	3	5
8	53	49	11	14	12	5	09	4	6
8	57	51	12	15	13	5	57	5	7
9	01	52	13	16	14	6	45	6	8
9	05	52	14	17	15	7	33	6	9
HOUSES			4	5	6	7		8	9

LATITUDE 38° S.

LATITUDE 36° N.

SIDEREAL TIME	10 ♌	11 ♍	12 ♎	Asc ♏	2 ♐	3 ♑
h m s	°	°	°	° '	°	°
9 09 51	15	18	16	9 01	8	11
9 13 50	16	19	17	9 50	9	11
9 17 48	17	20	17	10 38	10	12
9 21 46	18	21	18	11 26	11	13
9 25 42	19	22	19	12 14	11	14
9 29 38	20	23	20	13 02	12	15
9 33 33	21	23	21	13 50	13	16
9 37 28	22	24	22	14 37	14	17
9 41 22	23	25	23	15 25	15	18
9 45 15	24	26	24	16 12	16	19
9 49 08	25	27	24	16 59	17	20
9 53 00	26	28	25	17 46	17	21
9 56 51	27	29	26	18 33	18	22
10 00 42	28	♎	27	19 20	19	23
10 04 32	29	1	28	20 06	20	24
10 08 22	♍	2	29	20 53	21	25
10 12 10	1	3	♏	21 40	22	26
10 15 59	2	4	0	22 26	23	27
10 19 47	3	5	1	23 12	23	28
10 23 34	4	6	2	23 58	24	29
10 27 21	5	7	3	24 44	25	29
10 31 07	6	8	4	25 31	26	♒
10 34 53	7	9	5	26 17	27	1
10 38 39	8	10	5	27 02	28	2
10 42 24	9	10	6	27 48	28	3
10 46 08	10	11	7	28 34	29	4
10 49 52	11	12	8	29 20	♑	5
10 53 36	12	13	9	0♐06	1	6
10 57 19	13	14	9	0 51	2	7
11 01 03	14	15	10	1 37	3	8
11 04 45	15	16	11	2 23	4	9
11 08 28	16	17	12	3 08	5	10
11 12 10	17	18	13	3 54	5	11
11 15 52	18	19	13	4 40	6	12
11 19 33	19	20	14	5 26	7	13
11 23 15	20	20	15	6 11	8	14
11 26 56	21	21	16	6 57	9	15
11 30 37	22	22	17	7 43	10	16
11 34 17	23	23	17	8 29	11	17
11 37 58	24	24	18	9 15	12	18
11 41 39	25	25	19	10 01	12	19
11 45 19	26	26	20	10 47	13	20
11 48 59	27	27	21	11 33	14	21
11 52 40	28	28	21	12 20	15	22
11 56 20	29	28	22	13 06	16	23
HOUSES	4	5	6	7	8	9

LATITUDE 36° S.

LATITUDE 37° N.

SIDEREAL TIME	10 ♌	11 ♍	12 ♎	Asc ♏	2 ♐	3 ♑
h m s	°	°	°	° '	°	°
9 09 51	15	18	16	8 41	8	10
9 13 50	16	19	16	9 29	9	11
9 17 48	17	20	17	10 17	9	12
9 21 46	18	21	18	11 05	10	13
9 25 42	19	22	19	11 53	11	14
9 29 38	20	23	20	12 40	12	15
9 33 33	21	24	21	13 28	13	16
9 37 28	22	24	22	14 15	14	17
9 41 22	23	25	23	15 02	15	18
9 45 15	24	26	23	15 49	15	19
9 49 08	25	27	24	16 36	16	20
9 53 00	26	28	25	17 22	17	21
9 56 51	27	29	26	18 09	18	22
10 00 42	28	♎	27	18 55	19	23
10 04 32	29	1	28	19 42	20	24
10 08 22	♍	2	29	20 28	20	25
10 12 10	1	3	29	21 14	21	25
10 15 59	2	4	♏	22 00	22	26
10 19 47	3	5	1	22 46	23	27
10 23 34	4	6	2	23 32	24	28
10 27 21	5	7	3	24 18	25	29
10 31 07	6	8	3	25 04	26	♒
10 34 53	7	9	4	25 49	26	1
10 38 39	8	9	5	26 35	27	2
10 42 24	9	10	6	27 20	28	3
10 46 08	10	11	7	28 06	29	4
10 49 52	11	12	8	28 51	♑	5
10 53 36	12	13	8	29 37	1	6
10 57 19	13	14	9	0♐22	1	7
11 01 03	14	15	10	1 08	2	8
11 04 45	15	16	11	1 53	3	9
11 08 28	16	17	12	2 38	4	10
11 12 10	17	18	12	3 24	5	11
11 15 52	18	19	13	4 09	6	12
11 19 33	19	19	14	4 55	7	13
11 23 15	20	20	15	5 40	8	14
11 26 56	21	21	16	6 26	8	15
11 30 37	22	22	16	7 11	9	16
11 34 17	23	23	17	7 57	10	17
11 37 58	24	24	18	8 43	11	18
11 41 39	25	25	19	9 28	12	19
11 45 19	26	26	20	10 14	13	20
11 48 59	27	27	20	11 00	14	21
11 52 40	28	27	21	11 46	15	22
11 56 20	29	28	22	12 32	16	23
HOUSES	4	5	6	7	8	9

LATITUDE 37° S.

LATITUDE 38° N.

SIDEREAL TIME	10 ♌	11 ♍	12 ♎	Asc ♏	2 ♐	3 ♑
h m s	°	°	°	° '	°	°
9 09 51	15	18	15	8 21	7	10
9 13 50	16	19	16	9 09	8	11
9 17 48	17	20	17	9 57	9	12
9 21 46	18	21	18	10 44	10	13
9 25 42	19	22	19	11 31	11	14
9 29 38	20	23	20	12 19	12	15
9 33 33	21	24	21	13 05	12	16
9 37 28	22	24	22	13 52	13	17
9 41 22	23	25	22	14 39	14	18
9 45 15	24	26	23	15 26	15	19
9 49 08	25	27	24	16 12	16	20
9 53 00	26	28	25	16 58	17	20
9 56 51	27	29	26	17 45	17	21
10 00 42	28	♎	27	18 31	18	22
10 04 32	29	1	28	19 17	19	23
10 08 22	♍	2	28	20 03	20	24
10 12 10	1	3	29	20 48	21	25
10 15 59	2	4	♏	21 34	22	26
10 19 47	3	5	1	22 20	23	27
10 23 34	4	6	2	23 05	23	28
10 27 21	5	7	2	23 51	24	29
10 31 07	6	8	3	24 36	25	♒
10 34 53	7	9	4	25 22	26	1
10 38 39	8	9	5	26 07	27	2
10 42 24	9	10	6	26 52	28	3
10 46 08	10	11	7	27 37	28	4
10 49 52	11	12	7	28 22	29	5
10 53 36	12	13	8	29 08	♑	6
10 57 19	13	14	9	29 53	1	7
11 01 03	14	15	10	0♐38	2	8
11 04 45	15	16	11	1 23	3	9
11 08 28	16	17	11	2 08	4	10
11 12 10	17	18	12	2 53	4	11
11 15 52	18	18	13	3 38	5	12
11 19 33	19	19	14	4 23	6	13
11 23 15	20	20	15	5 08	7	14
11 26 56	21	21	15	5 54	8	15
11 30 37	22	22	16	6 39	9	16
11 34 17	23	23	17	7 24	10	17
11 37 58	24	24	18	8 10	11	18
11 41 39	25	25	18	8 55	12	19
11 45 19	26	26	19	9 41	12	20
11 48 59	27	26	20	10 26	13	21
11 52 40	28	27	21	11 12	14	22
11 56 20	29	28	22	11 58	15	23
HOUSES	4	5	6	7	8	9

LATITUDE 38° S.

LATITUDE 36° N. (LATITUDE 36° S.)

SIDEREAL TIME	10	11	12	Asc	2	3
	♎	♎	♏	♐	♑	♒
h m s	°	°	°	° '	°	°
12 00 00	0	29	23	13 53	17	24
12 03 40	1	♏	24	14 39	18	25
12 07 20	2	1	25	15 26	19	26
12 11 01	3	2	25	16 13	20	28
12 14 41	4	3	26	17 00	21	29
12 18 21	5	4	27	17 48	22	♓
12 22 02	6	5	28	18 35	23	1
12 25 43	7	5	29	19 23	24	2
12 29 23	8	6	29	20 11	25	3
12 33 04	9	7	♐	20 59	25	4
12 36 45	10	8	1	21 47	26	5
12 40 27	11	9	2	22 36	27	6
12 44 08	12	10	3	23 24	28	7
12 47 50	13	11	3	24 13	29	8
12 51 32	14	11	4	25 03	♒	9
12 55 15	15	12	5	25 52	1	10
12 58 57	16	13	6	26 42	2	12
13 02 41	17	14	6	27 33	3	13
13 06 24	18	15	7	28 23	5	14
13 10 08	19	16	8	29 14	6	15
13 13 52	20	17	9	0♑06	7	16
13 17 36	21	18	10	0 57	8	17
13 21 21	22	18	11	1 49	9	18
13 25 07	23	19	11	2 42	10	19
13 28 53	24	20	12	3 35	11	21
13 32 39	25	21	13	4 28	12	22
13 36 26	26	22	14	5 22	13	23
13 40 13	27	23	15	6 16	14	24
13 44 01	28	24	15	7 11	15	25
13 47 49	29	25	16	8 06	17	26
13 51 38	♏	25	17	9 02	18	27
13 55 28	1	26	18	9 58	19	29
13 59 18	2	27	19	10 55	20	♈
14 03 09	3	28	20	11 52	21	1
14 07 00	4	29	21	12 50	22	2
14 10 52	5	♐	21	13 49	24	3
14 14 45	6	1	22	14 48	25	4
14 18 38	7	2	23	15 48	26	6
14 22 32	8	2	24	16 48	27	7
14 26 27	9	3	25	17 49	29	8
14 30 22	10	4	26	18 51	♓	9
14 34 18	11	5	27	19 54	1	10
14 38 14	12	6	28	20 57	2	12
14 42 12	13	7	28	22 01	4	13
14 46 10	14	8	29	23 06	5	14
HOUSES	4	5	6	7	8	9

LATITUDE 37° N. (LATITUDE 37° S.)

SIDEREAL TIME	10	11	12	Asc	2	3
	♎	♎	♏	♐	♑	♒
h m s	°	°	°	° '	°	°
12 00 00	0	29	23	13 19	17	24
12 03 40	1	♏	23	14 05	17	25
12 07 20	2	1	24	14 52	18	26
12 11 01	3	2	25	15 38	19	27
12 14 41	4	3	26	16 25	20	28
12 18 21	5	4	27	17 12	21	29
12 22 02	6	4	27	17 59	22	♓
12 25 43	7	5	28	18 47	23	2
12 29 23	8	6	29	19 34	24	3
12 33 04	9	7	♐	20 22	25	4
12 36 45	10	8	1	21 10	26	5
12 40 27	11	9	1	21 59	27	6
12 44 08	12	10	2	22 47	28	7
12 47 50	13	10	3	23 36	29	8
12 51 32	14	11	4	24 25	♒	9
12 55 15	15	12	5	25 15	1	10
12 58 57	16	13	5	26 04	2	11
13 02 41	17	14	6	26 54	3	13
13 06 24	18	15	7	27 45	4	14
13 10 08	19	16	8	28 36	5	15
13 13 52	20	17	9	29 27	6	16
13 17 36	21	17	9	0♑18	7	17
13 21 21	22	18	10	1 10	8	18
13 25 07	23	19	11	2 02	9	19
13 28 53	24	20	12	2 55	11	20
13 32 39	25	21	13	3 48	12	22
13 36 26	26	22	13	4 42	13	23
13 40 13	27	23	14	5 36	14	24
13 44 01	28	23	15	6 30	15	25
13 47 49	29	24	16	7 25	16	26
13 51 38	♏	25	17	8 21	17	27
13 55 28	1	26	18	9 17	19	29
13 59 18	2	27	18	10 14	20	♈
14 03 09	3	28	19	11 11	21	1
14 07 00	4	29	20	12 09	22	2
14 10 52	5	♐	21	13 07	23	3
14 14 45	6	0	22	14 06	25	5
14 18 38	7	1	23	15 06	26	6
14 22 32	8	2	24	16 06	27	7
14 26 27	9	3	24	17 08	28	8
14 30 22	10	4	25	18 09	♓	9
14 34 18	11	5	26	19 12	1	10
14 38 14	12	6	27	20 15	2	12
14 42 12	13	7	28	21 20	3	13
14 46 10	14	8	29	22 24	5	14
HOUSES	4	5	6	7	8	9

LATITUDE 38° N. (LATITUDE 38° S.)

SIDEREAL TIME	10	11	12	Asc	2	3
	♎	♎	♏	♐	♑	♒
h m s	°	°	°	° '	°	°
12 00 00	0	29	22	12 44	16	24
12 03 40	1	♏	23	13 30	17	25
12 07 20	2	1	24	14 16	18	26
12 11 01	3	2	25	15 03	19	27
12 14 41	4	3	26	15 49	20	28
12 18 21	5	3	26	16 36	21	29
12 22 02	6	4	27	17 23	22	♓
12 25 43	7	5	28	18 10	23	2
12 29 23	8	6	29	18 58	24	3
12 33 04	9	7	29	19 45	25	4
12 36 45	10	8	♐	20 33	26	5
12 40 27	11	9	1	21 21	27	6
12 44 08	12	10	2	22 09	28	7
12 47 50	13	10	3	22 58	29	8
12 51 32	14	11	3	23 47	♒	9
12 55 15	15	12	4	24 36	1	10
12 58 57	16	13	5	25 25	2	11
13 02 41	17	14	6	26 15	3	12
13 06 24	18	15	7	27 05	4	14
13 10 08	19	16	7	27 56	5	15
13 13 52	20	16	8	28 47	6	16
13 17 36	21	17	9	29 38	7	17
13 21 21	22	18	10	0♑29	8	18
13 25 07	23	19	11	1 22	9	19
13 28 53	24	20	11	2 14	10	20
13 32 39	25	21	12	3 07	11	22
13 36 26	26	22	13	4 00	12	23
13 40 13	27	22	14	4 54	14	24
13 44 01	28	23	15	5 48	15	25
13 47 49	29	24	16	6 43	16	26
13 51 38	♏	25	16	7 39	17	27
13 55 28	1	26	17	8 35	18	29
13 59 18	2	27	18	9 31	19	♈
14 03 09	3	28	19	10 28	21	1
14 07 00	4	29	20	11 26	22	2
14 10 52	5	29	21	12 24	23	3
14 14 45	6	♐	21	13 23	24	5
14 18 38	7	1	22	14 23	25	6
14 22 32	8	2	23	15 23	27	7
14 26 27	9	3	24	16 24	28	8
14 30 22	10	4	25	17 26	29	9
14 34 18	11	5	26	18 29	♓	11
14 38 14	12	6	27	19 32	2	12
14 42 12	13	6	28	20 36	3	13
14 46 10	14	7	28	21 41	4	14
HOUSES	4	5	6	7	8	9

	LATITUDE 36° N.						LATITUDE 37° N.						LATITUDE 38° N.					
SIDEREAL TIME	10 ♏	11 ♐	12 ♑	Asc ♑	2 ♓	3 ♈	10 ♏	11 ♐	12 ♑	Asc ♑	2 ♓	3 ♈	10 ♏	11 ♐	12 ♐	Asc ♑	2 ♓	3 ♈
h m s	°	°	°	° '	°	°	°	°	°	° '	°	°	°	°	°	° '	°	°
14 50 09	15	9	0	24 12	6	15	15	8	0	23 30	6	15	15	8	29	22 47	6	15
14 54 08	16	10	1	25 19	8	16	16	9	1	24 37	7	16	16	9	♑	23 53	7	17
14 58 08	17	10	2	26 26	9	18	17	10	2	25 44	9	18	17	10	1	25 01	8	18
15 02 09	18	11	3	27 34	10	19	18	11	3	26 53	10	19	18	11	2	26 09	10	19
15 06 11	19	12	4	28 43	12	20	19	12	4	28 02	11	20	19	12	3	27 19	11	20
15 10 13	20	13	5	29 54	13	21	20	13	4	29 12	13	21	20	13	4	28 29	13	21
15 14 16	21	14	6	1♒05	14	22	21	14	5	0♒23	14	22	21	14	5	29 40	14	23
15 18 20	22	15	7	2 16	16	24	22	15	6	1 35	16	24	22	15	6	0♒53	15	24
15 22 25	23	16	8	3 29	17	25	23	16	7	2 49	17	25	23	15	7	2 06	17	25
15 26 30	24	17	9	4 43	18	26	24	17	8	4 03	18	26	24	16	8	3 20	18	26
15 30 36	25	18	10	5 58	20	27	25	18	9	5 18	20	27	25	17	9	4 36	20	27
15 34 43	26	19	11	7 14	21	28	26	18	10	6 34	21	28	26	18	10	5 52	21	29
15 38 50	27	20	12	8 31	23	♉	27	19	11	7 51	23	♉	27	19	11	7 10	23	♉
15 42 58	28	21	13	9 49	24	1	28	20	12	9 10	24	1	28	20	12	8 29	24	1
15 47 07	29	21	14	11 08	26	2	29	21	13	10 29	26	2	29	21	13	9 49	25	2
15 51 16	♐	22	15	12 28	27	3	♐	22	14	11 50	27	3	♐	22	14	11 10	27	3
15 55 27	1	23	16	13 49	28	4	1	23	15	13 12	28	4	1	23	15	12 32	28	5
15 59 37	2	24	17	15 11	♈	6	2	24	16	14 34	♈	6	2	24	16	13 56	♈	6
16 03 49	3	25	18	16 35	1	7	3	25	17	15 58	1	7	3	25	17	15 20	1	7
16 08 01	4	26	19	17 59	3	8	4	26	19	17 23	3	8	4	26	18	16 46	3	8
16 12 14	5	27	20	19 25	4	9	5	27	20	18 50	4	9	5	27	19	18 13	4	9
16 16 27	6	28	21	20 51	6	10	6	28	21	20 17	6	10	6	28	20	19 41	6	11
16 20 41	7	29	22	22 19	7	11	7	29	22	21 46	7	12	7	29	21	21 11	7	12
16 24 56	8	♑	23	23 48	9	13	8	♑	23	23 15	9	13	8	♑	22	22 41	9	13
16 29 11	9	1	24	25 18	10	14	9	1	24	24 46	10	14	9	1	24	24 13	10	14
16 33 27	10	2	26	26 49	11	15	10	2	25	26 18	12	15	10	2	25	25 46	12	15
16 37 43	11	3	27	28 21	13	16	11	3	26	27 51	13	16	11	3	26	27 20	13	16
16 42 00	12	4	28	29 54	14	17	12	4	27	29 25	15	17	12	4	27	28 56	15	18
16 46 17	13	5	29	1♓28	16	18	13	5	29	1♓01	16	19	13	5	28	0♓32	16	19
16 50 35	14	6	♒	3 03	17	20	14	6	♒	2 37	17	20	14	6	29	2 10	18	20
16 54 53	15	7	1	4 39	19	21	15	7	1	4 14	19	21	15	7	♒	3 48	19	21
16 59 11	16	8	3	6 16	20	22	16	8	2	5 52	20	22	16	8	2	5 28	21	22
17 03 30	17	9	4	7 53	22	23	17	9	3	7 32	22	23	17	9	3	7 08	22	23
17 07 49	18	10	5	9 32	23	24	18	10	5	9 12	23	24	18	10	4	8 50	24	24
17 12 09	19	11	6	11 11	24	25	19	11	6	10 52	25	25	19	11	5	10 33	25	26
17 16 29	20	12	7	12 51	26	26	20	12	7	12 34	26	27	20	12	7	12 16	26	27
17 20 49	21	13	9	14 32	27	27	21	13	8	14 17	28	28	21	13	8	14 00	28	28
17 25 10	22	14	10	16 14	29	29	22	14	9	16 00	29	29	22	14	9	15 45	29	29
17 29 31	23	15	11	17 56	♉	♊	23	15	11	17 43	♉	♊	23	15	10	17 30	♉	♊
17 33 52	24	16	12	19 38	2	1	24	16	12	19 27	2	1	24	16	12	19 16	2	1
17 38 13	25	17	14	21 21	3	2	25	17	13	21 12	3	2	25	17	13	21 03	4	2
17 42 34	26	18	15	23 04	4	3	26	18	15	22 57	5	3	26	18	14	22 50	5	3
17 46 55	27	19	16	24 48	6	4	27	19	16	24 43	6	4	27	19	16	24 37	6	5
17 51 17	28	20	18	26 32	7	5	28	20	17	26 28	7	5	28	20	17	26 24	8	6
17 55 38	29	22	19	28 16	8	6	29	21	19	28 14	9	6	29	21	18	28 12	9	7
HOUSES	4	5	6	7	8	9	4	5	6	7	8	9	4	5	6	7	8	9
	LATITUDE 36° S.						LATITUDE 37° S.						LATITUDE 38° S.					

LATITUDE 36° N. (LATITUDE 36° S.)

SIDEREAL TIME h m s	10 ♑ °	11 ♑ °	12 ♒ °	Asc ♈ ° '	2 ♉ °	3 ♊ °
18 00 00	0	23	20	0 00	10	7
18 04 22	1	24	22	1 44	11	8
18 08 43	2	25	23	3 28	12	10
18 13 05	3	26	24	5 12	14	11
18 17 26	4	27	26	6 55	15	12
18 21 47	5	28	27	8 39	16	13
18 26 08	6	29	28	10 21	18	14
18 30 29	7	♒	♓	12 04	19	15
18 34 50	8	1	1	13 46	20	16
18 39 11	9	3	3	15 27	21	17
18 43 31	10	4	4	17 08	23	18
18 47 51	11	5	5	18 48	24	19
18 52 11	12	6	7	20 28	25	20
18 56 30	13	7	8	22 06	26	21
19 00 49	14	8	10	23 44	27	22
19 05 07	15	9	11	25 21	29	23
19 09 25	16	10	13	26 57	♊	24
19 13 43	17	12	14	28 32	1	25
19 18 00	18	13	16	0♉06	2	26
19 22 17	19	14	17	1 39	3	27
19 26 33	20	15	19	3 11	4	28
19 30 49	21	16	20	4 42	6	29
19 35 04	22	17	21	6 12	7	♋
19 39 19	23	19	23	7 41	8	1
19 43 33	24	20	24	9 08	9	2
19 47 46	25	21	26	10 35	10	3
19 51 59	26	22	27	12 01	11	4
19 56 11	27	23	29	13 25	12	5
20 00 23	28	24	♈	14 48	13	6
20 04 33	29	26	2	16 11	14	7
20 08 44	♒	27	3	17 32	15	8
20 12 53	1	28	4	18 52	16	9
20 17 02	2	29	6	20 11	17	9
20 21 10	3	♓	7	21 29	18	10
20 25 17	4	2	9	22 46	19	11
20 29 24	5	3	10	24 02	20	12
20 33 30	6	4	12	25 16	21	13
20 37 35	7	5	13	26 30	22	14
20 41 40	8	6	14	27 43	23	15
20 45 44	9	8	16	28 55	24	16
20 49 47	10	9	17	0♊06	25	17
20 53 49	11	10	18	1 16	26	18
20 57 51	12	11	20	2 25	27	19
21 01 52	13	12	21	3 34	28	20
21 05 52	14	14	22	4 41	29	20
HOUSES	4	5	6	7	8	9

LATITUDE 37° N. (LATITUDE 37° S.)

SIDEREAL TIME h m s	10 ♑ °	11 ♑ °	12 ♒ °	Asc ♈ ° '	2 ♉ °	3 ♊ °
18 00 00	0	22	20	0 00	10	8
18 04 22	1	24	21	1 46	11	9
18 08 43	2	25	23	3 31	13	10
18 13 05	3	26	24	5 17	14	11
18 17 26	4	27	25	7 02	15	12
18 21 47	5	28	27	8 47	17	13
18 26 08	6	29	28	10 32	18	14
18 30 29	7	♒	♓	12 16	19	15
18 34 50	8	1	1	14 00	21	16
18 39 11	9	2	2	15 43	22	17
18 43 31	10	3	4	17 25	23	18
18 47 51	11	5	5	19 07	24	19
18 52 11	12	6	7	20 48	25	20
18 56 30	13	7	8	22 28	27	21
19 00 49	14	8	10	24 07	28	22
19 05 07	15	9	11	25 45	29	23
19 09 25	16	10	13	27 23	♊	24
19 13 43	17	11	14	28 59	1	25
19 18 00	18	13	15	0♉34	3	26
19 22 17	19	14	17	2 08	4	27
19 26 33	20	15	18	3 41	5	28
19 30 49	21	16	20	5 13	6	29
19 35 04	22	17	21	6 44	7	♋
19 39 19	23	18	23	8 14	8	1
19 43 33	24	20	24	9 43	9	2
19 47 46	25	21	26	11 10	10	3
19 51 59	26	22	27	12 36	11	4
19 56 11	27	23	29	14 01	13	5
20 00 23	28	24	♈	15 25	14	6
20 04 33	29	26	2	16 48	15	7
20 08 44	♒	27	3	18 10	16	8
20 12 53	1	28	4	19 30	17	9
20 17 02	2	29	6	20 50	18	10
20 21 10	3	♓	7	22 08	19	11
20 25 17	4	2	9	23 26	20	12
20 29 24	5	3	10	24 42	21	12
20 33 30	6	4	12	25 57	22	13
20 37 35	7	5	13	27 11	23	14
20 41 40	8	6	14	28 24	24	15
20 45 44	9	8	16	29 36	25	16
20 49 47	10	9	17	0♊47	26	17
20 53 49	11	10	19	1 58	26	18
20 57 51	12	11	20	3 07	27	19
21 01 52	13	12	21	4 15	28	20
21 05 52	14	14	23	5 23	29	21
HOUSES	4	5	6	7	8	9

LATITUDE 38° N. (LATITUDE 38° S.)

SIDEREAL TIME h m s	10 ♑ °	11 ♑ °	12 ♒ °	Asc ♈ ° '	2 ♉ °	3 ♊ °
18 00 00	0	22	20	0 00	10	8
18 04 22	1	23	21	1 48	12	9
18 08 43	2	24	22	3 35	13	10
18 13 05	3	25	24	5 23	14	11
18 17 26	4	27	25	7 10	16	12
18 21 47	5	28	26	8 57	17	13
18 26 08	6	29	28	10 44	18	14
18 30 29	7	♒	29	12 30	20	15
18 34 50	8	1	♓	14 15	21	16
18 39 11	9	2	2	16 00	22	17
18 43 31	10	3	4	17 44	23	18
18 47 51	11	4	5	19 27	25	19
18 52 11	12	6	6	21 10	26	20
18 56 30	13	7	8	22 51	27	21
19 00 49	14	8	9	24 32	28	22
19 05 07	15	9	11	26 11	♊	23
19 09 25	16	10	12	27 50	1	24
19 13 43	17	11	14	29 28	2	25
19 18 00	18	12	15	1♉04	3	26
19 22 17	19	14	17	2 39	4	27
19 26 33	20	15	18	4 14	5	28
19 30 49	21	16	20	5 47	6	29
19 35 04	22	17	21	7 18	8	♋
19 39 19	23	18	23	8 49	9	1
19 43 33	24	19	24	10 18	10	2
19 47 46	25	21	26	11 47	11	3
19 51 59	26	22	27	13 14	12	4
19 56 11	27	23	29	14 39	13	5
20 00 23	28	24	♈	16 04	14	6
20 04 33	29	25	2	17 28	15	7
20 08 44	♒	27	3	18 50	16	8
20 12 53	1	28	5	20 11	17	9
20 17 02	2	29	6	21 31	18	10
20 21 10	3	♓	7	22 50	19	11
20 25 17	4	1	9	24 07	20	12
20 29 24	5	3	10	25 24	21	13
20 33 30	6	4	12	26 39	22	14
20 37 35	7	5	13	27 54	23	14
20 41 40	8	6	15	29 07	24	15
20 45 44	9	7	16	0♊19	25	16
20 49 47	10	9	17	1 31	26	17
20 53 49	11	10	19	2 41	27	18
20 57 51	12	11	20	3 50	28	19
21 01 52	13	12	22	4 59	29	20
21 05 52	14	13	23	6 06	♋	21
HOUSES	4	5	6	7	8	9

LATITUDE 36° N.

SIDEREAL TIME h m s	10 ♒ °	11 ♓ °	12 ♈ °	Asc ♊ °	'	2 ♋ °	3 ♋ °
21 09 51	15	15	24	5	47	0	21
21 13 50	16	16	25	6	53	1	22
21 17 48	17	17	26	7	58	2	23
21 21 46	18	18	28	9	02	2	24
21 25 42	19	20	29	10	06	3	25
21 29 38	20	21	♉	11	08	4	26
21 33 33	21	22	1	12	10	5	27
21 37 28	22	23	3	13	11	6	28
21 41 22	23	24	4	14	12	7	28
21 45 15	24	26	5	15	12	8	29
21 49 08	25	27	6	16	11	9	♌
21 53 00	26	28	8	17	10	9	1
21 56 51	27	29	9	18	08	10	2
22 00 42	28	♈	10	19	05	11	3
22 04 32	29	1	11	20	02	12	4
22 08 22	♓	3	12	20	58	13	5
22 12 10	1	4	13	21	54	14	5
22 15 59	2	5	15	22	49	15	6
22 19 47	3	6	16	23	44	15	7
22 23 34	4	7	17	24	38	16	8
22 27 21	5	8	18	25	32	17	9
22 31 07	6	9	19	26	25	18	10
22 34 53	7	11	20	27	18	19	11
22 38 39	8	12	21	28	10	19	12
22 42 24	9	13	22	29	02	20	12
22 46 08	10	14	23	29	54	21	13
22 49 52	11	15	24	0♋	45	22	14
22 53 36	12	16	25	1	36	23	15
22 57 19	13	17	27	2	27	23	16
23 01 03	14	18	28	3	17	24	17
23 04 45	15	20	29	4	07	25	18
23 08 28	16	21	♊	4	57	26	18
23 12 10	17	22	1	5	46	27	19
23 15 52	18	23	2	6	35	27	20
23 19 33	19	24	3	7	24	28	21
23 23 15	20	25	4	8	13	29	22
23 26 56	21	26	5	9	01	♌	23
23 30 37	22	27	5	9	49	1	24
23 34 17	23	28	6	10	37	1	25
23 37 58	24	29	7	11	25	2	25
23 41 39	25	♉	8	12	12	3	26
23 45 19	26	1	9	12	59	4	27
23 48 59	27	2	10	13	47	5	28
23 52 40	28	4	11	14	34	5	29
23 56 20	29	5	12	15	20	6	♍
HOUSES	4	5	6	7		8	9

LATITUDE 36° S.

LATITUDE 37° N.

SIDEREAL TIME h m s	10 ♒ °	11 ♓ °	12 ♈ °	Asc ♊ °	'	2 ♋ °	3 ♋ °
21 09 51	15	15	24	6	29	0	22
21 13 50	16	16	25	7	35	1	22
21 17 48	17	17	27	8	40	2	23
21 21 46	18	18	28	9	44	3	24
21 25 42	19	20	29	10	48	4	25
21 29 38	20	21	♉	11	50	5	26
21 33 33	21	22	2	12	52	6	27
21 37 28	22	23	3	13	53	6	28
21 41 22	23	24	4	14	54	7	29
21 45 15	24	25	5	15	53	8	♌
21 49 08	25	27	7	16	52	9	0
21 53 00	26	28	8	17	51	10	1
21 56 51	27	29	9	18	49	11	2
22 00 42	28	♈	10	19	46	12	3
22 04 32	29	1	11	20	43	12	4
22 08 22	♓	3	13	21	39	13	5
22 12 10	1	4	14	22	34	14	6
22 15 59	2	5	15	23	29	15	7
22 19 47	3	6	16	24	24	16	7
22 23 34	4	7	17	25	18	17	8
22 27 21	5	8	18	26	12	17	9
22 31 07	6	9	19	27	05	18	10
22 34 53	7	11	21	27	57	19	11
22 38 39	8	12	22	28	50	20	12
22 42 24	9	13	23	29	42	21	13
22 46 08	10	14	24	0♋	33	21	13
22 49 52	11	15	25	1	24	22	14
22 53 36	12	16	26	2	15	23	15
22 57 19	13	17	27	3	05	24	16
23 01 03	14	19	28	3	55	25	17
23 04 45	15	20	29	4	45	25	18
23 08 28	16	21	♊	5	34	26	19
23 12 10	17	22	1	6	24	27	19
23 15 52	18	23	2	7	12	28	20
23 19 33	19	24	3	8	01	29	21
23 23 15	20	25	4	8	49	29	22
23 26 56	21	26	5	9	37	♌	23
23 30 37	22	27	6	10	25	1	24
23 34 17	23	28	7	11	13	2	25
23 37 58	24	29	8	12	00	3	26
23 41 39	25	♉	9	12	47	3	26
23 45 19	26	2	10	13	34	4	27
23 48 59	27	3	11	14	21	5	28
23 52 40	28	4	12	15	08	6	29
23 56 20	29	5	13	15	55	7	♍
HOUSES	4	5	6	7		8	9

LATITUDE 37° S.

LATITUDE 38° N.

SIDEREAL TIME h m s	10 ♒ °	11 ♓ °	12 ♈ °	Asc ♊ °	'	2 ♋ °	3 ♋ °
21 09 51	15	15	24	7	13	1	22
21 13 50	16	16	26	8	19	2	23
21 17 48	17	17	27	9	24	2	24
21 21 46	18	18	28	10	28	3	24
21 25 42	19	19	29	11	31	4	25
21 29 38	20	21	♉	12	34	5	26
21 33 33	21	22	2	13	35	6	27
21 37 28	22	23	3	14	36	7	28
21 41 22	23	24	5	15	37	8	29
21 45 15	24	25	6	16	36	9	♌
21 49 08	25	27	7	17	35	9	1
21 53 00	26	28	8	18	34	10	1
21 56 51	27	29	9	19	31	11	2
22 00 42	28	♈	11	20	28	12	3
22 04 32	29	1	12	21	25	13	4
22 08 22	♓	3	13	22	21	14	5
22 12 10	1	4	14	23	16	14	6
22 15 59	2	5	15	24	11	15	7
22 19 47	3	6	16	25	06	16	8
22 23 34	4	7	18	25	59	17	8
22 27 21	5	8	19	26	53	18	9
22 31 07	6	10	20	27	46	19	10
22 34 53	7	11	21	28	38	19	11
22 38 39	8	12	22	29	30	20	12
22 42 24	9	13	23	0♋	22	21	13
22 46 08	10	14	24	1	13	22	14
22 49 52	11	15	25	2	04	23	14
22 53 36	12	16	26	2	54	23	15
22 57 19	13	17	27	3	44	24	16
23 01 03	14	19	28	4	34	25	17
23 04 45	15	20	29	5	24	26	18
23 08 28	16	21	♊	6	13	27	19
23 12 10	17	22	1	7	02	27	20
23 15 52	18	23	2	7	50	28	20
23 19 33	19	24	3	8	39	29	21
23 23 15	20	25	4	9	27	♌	22
23 26 56	21	26	5	10	15	1	23
23 30 37	22	27	6	11	02	1	24
23 34 17	23	28	7	11	49	2	25
23 37 58	24	♉	8	12	37	3	26
23 41 39	25	1	9	13	24	4	27
23 45 19	26	2	10	14	10	4	27
23 48 59	27	3	11	14	57	5	28
23 52 40	28	4	12	15	43	6	29
23 56 20	29	5	13	16	30	7	♍
HOUSES	4	5	6	7		8	9

LATITUDE 38° S.

LATITUDE 39° N.

SIDEREAL TIME h m s	10 ♈ °	11 ♉ °	12 ♊ °	Asc ♋ ° '	2 ♌ °	3 ♍ °
0 00 00	0	6	14	17 51	8	1
0 03 40	1	7	15	18 37	9	2
0 07 20	2	8	16	19 22	9	3
0 11 01	3	9	17	20 08	10	4
0 14 41	4	10	18	20 53	11	4
0 18 21	5	11	19	21 38	12	5
0 22 02	6	12	20	22 24	13	6
0 25 43	7	13	21	23 09	13	7
0 29 23	8	14	22	23 54	14	8
0 33 04	9	15	22	24 39	15	9
0 36 45	10	16	23	25 24	16	10
0 40 27	11	17	24	26 08	17	11
0 44 08	12	18	25	26 53	17	12
0 47 50	13	19	26	27 38	18	12
0 51 32	14	20	27	28 23	19	13
0 55 15	15	21	28	29 08	20	14
0 58 57	16	22	29	29 52	20	15
1 02 41	17	23	29	0♌37	21	16
1 06 24	18	24	♋	1 22	22	17
1 10 08	19	25	1	2 07	23	18
1 13 52	20	26	2	2 52	24	19
1 17 36	21	27	3	3 36	24	20
1 21 21	22	28	4	4 21	25	21
1 25 07	23	29	5	5 06	26	21
1 28 53	24	♊	5	5 51	27	22
1 32 39	25	1	6	6 36	28	23
1 36 26	26	2	7	7 21	29	24
1 40 13	27	3	8	8 07	29	25
1 44 01	28	4	9	8 52	♍	26
1 47 49	29	5	10	9 37	1	27
1 51 38	♉	6	10	10 23	2	28
1 55 28	1	7	11	11 08	3	29
1 59 18	2	8	12	11 54	4	♎
2 03 09	3	9	13	12 40	4	1
2 07 00	4	10	14	13 26	5	2
2 10 52	5	11	15	14 12	6	3
2 14 45	6	12	15	14 58	7	4
2 18 38	7	13	16	15 44	8	5
2 22 32	8	14	17	16 30	9	5
2 26 27	9	14	18	17 17	9	6
2 30 22	10	15	19	18 03	10	7
2 34 18	11	16	20	18 50	11	8
2 38 14	12	17	21	19 37	12	9
2 42 12	13	18	21	20 24	13	10
2 46 10	14	19	22	21 11	14	11
HOUSES	4	5	6	7	8	9

LATITUDE 39° S.

LATITUDE 40° N.

SIDEREAL TIME h m s	10 ♈ °	11 ♉ °	12 ♊ °	Asc ♋ ° '	2 ♌ °	3 ♍ °
0 00 00	0	6	15	18 27	8	1
0 03 40	1	7	16	19 13	9	2
0 07 20	2	8	17	19 58	10	3
0 11 01	3	9	18	20 43	11	4
0 14 41	4	10	19	21 28	11	5
0 18 21	5	11	19	22 13	12	5
0 22 02	6	12	20	22 58	13	6
0 25 43	7	13	21	23 43	14	7
0 29 23	8	15	22	24 27	14	8
0 33 04	9	16	23	25 12	15	9
0 36 45	10	17	24	25 57	16	10
0 40 27	11	18	25	26 41	17	11
0 44 08	12	19	26	27 26	18	12
0 47 50	13	20	26	28 10	18	13
0 51 32	14	21	27	28 54	19	13
0 55 15	15	22	28	29 39	20	14
0 58 57	16	23	29	0♌23	21	15
1 02 41	17	24	♋	1 08	22	16
1 06 24	18	25	1	1 52	22	17
1 10 08	19	26	2	2 37	23	18
1 13 52	20	26	2	3 21	24	19
1 17 36	21	27	3	4 06	25	20
1 21 21	22	28	4	4 50	26	21
1 25 07	23	29	5	5 35	26	22
1 28 53	24	♊	6	6 20	27	22
1 32 39	25	1	7	7 04	28	23
1 36 26	26	2	8	7 49	29	24
1 40 13	27	3	8	8 34	♍	25
1 44 01	28	4	9	9 19	0	26
1 47 49	29	5	10	10 04	1	27
1 51 38	♉	6	11	10 49	2	28
1 55 28	1	7	12	11 34	3	29
1 59 18	2	8	13	12 19	4	♎
2 03 09	3	9	13	13 05	5	1
2 07 00	4	10	14	13 50	5	2
2 10 52	5	11	15	14 36	6	3
2 14 45	6	12	16	15 22	7	4
2 18 38	7	13	17	16 07	8	5
2 22 32	8	14	18	16 53	9	5
2 26 27	9	15	18	17 39	10	6
2 30 22	10	16	19	18 26	10	7
2 34 18	11	17	20	19 12	11	8
2 38 14	12	18	21	19 59	12	9
2 42 12	13	18	22	20 45	13	10
2 46 10	14	19	23	21 32	14	11
HOUSES	4	5	6	7	8	9

LATITUDE 40° S.

LATITUDE 41° N.

SIDEREAL TIME h m s	10 ♈ °	11 ♉ °	12 ♊ °	Asc ♋ ° '	2 ♌ °	3 ♍ °
0 00 00	0	6	15	19 04	9	1
0 03 40	1	7	16	19 49	9	2
0 07 20	2	8	17	20 34	10	3
0 11 01	3	10	18	21 19	11	4
0 14 41	4	11	19	22 04	12	5
0 18 21	5	12	20	22 48	12	6
0 22 02	6	13	21	23 33	13	6
0 25 43	7	14	22	24 17	14	7
0 29 23	8	15	23	25 02	15	8
0 33 04	9	16	23	25 46	16	9
0 36 45	10	17	24	26 30	16	10
0 40 27	11	18	25	27 14	17	11
0 44 08	12	19	26	27 59	18	12
0 47 50	13	20	27	28 43	19	13
0 51 32	14	21	28	29 27	19	13
0 55 15	15	22	29	0♌11	20	14
0 58 57	16	23	♋	0 55	21	15
1 02 41	17	24	0	1 39	22	16
1 06 24	18	25	1	2 23	23	17
1 10 08	19	26	2	3 07	23	18
1 13 52	20	27	3	3 51	24	19
1 17 36	21	28	4	4 36	25	20
1 21 21	22	29	5	5 20	26	21
1 25 07	23	♊	5	6 04	27	22
1 28 53	24	1	6	6 48	27	22
1 32 39	25	2	7	7 33	28	23
1 36 26	26	3	8	8 17	29	24
1 40 13	27	4	9	9 02	♍	25
1 44 01	28	4	10	9 46	1	26
1 47 49	29	5	10	10 31	1	27
1 51 38	♉	6	11	11 15	2	28
1 55 28	1	7	12	12 00	3	29
1 59 18	2	8	13	12 45	4	♎
2 03 09	3	9	14	13 30	5	1
2 07 00	4	10	15	14 15	6	2
2 10 52	5	11	15	15 01	6	3
2 14 45	6	12	16	15 46	7	4
2 18 38	7	13	17	16 31	8	5
2 22 32	8	14	18	17 17	9	5
2 26 27	9	15	19	18 03	10	6
2 30 22	10	16	20	18 48	11	7
2 34 18	11	17	21	19 34	11	8
2 38 14	12	18	21	20 21	12	9
2 42 12	13	19	22	21 07	13	10
2 46 10	14	20	23	21 53	14	11
HOUSES	4	5	6	7	8	9

LATITUDE 41° S.

LATITUDE 39° N.

SIDEREAL TIME	10 ♉	11 ♊	12 ♋	Asc ♌		2 ♍	3 ♎
h m s	°	°	°	°	'	°	°
2 50 09	15	20	23	21	58	15	12
2 54 08	16	21	24	22	46	15	13
2 58 08	17	22	25	23	34	16	14
3 02 09	18	23	26	24	21	17	15
3 06 11	19	24	26	25	09	18	16
3 10 13	20	25	27	25	58	19	17
3 14 16	21	26	28	26	46	20	18
3 18 20	22	27	29	27	34	21	19
3 22 25	23	28	♌	28	23	22	20
3 26 30	24	29	1	29	12	23	21
3 30 36	25	♋	2	0♍	01	24	22
3 34 43	26	0	3	0	50	24	23
3 38 50	27	1	3	1	39	25	24
3 42 58	28	2	4	2	29	26	25
3 47 07	29	3	5	3	18	27	26
3 51 16	♊	4	6	4	08	28	27
3 55 27	1	5	7	4	58	29	28
3 59 37	2	6	8	5	48	♎	29
4 03 49	3	7	9	6	38	1	♏
4 08 01	4	8	10	7	29	2	1
4 12 14	5	9	11	8	19	3	2
4 16 27	6	10	11	9	10	4	3
4 20 41	7	11	12	10	01	5	4
4 24 56	8	12	13	10	52	6	5
4 29 11	9	13	14	11	43	6	6
4 33 27	10	14	15	12	34	7	7
4 37 43	11	15	16	13	26	8	8
4 42 00	12	16	17	14	17	9	9
4 46 17	13	17	18	15	09	10	10
4 50 35	14	18	19	16	01	11	11
4 54 53	15	19	20	16	53	12	12
4 59 11	16	20	21	17	45	13	13
5 03 30	17	21	21	18	37	14	14
5 07 49	18	21	22	19	29	15	15
5 12 09	19	22	23	20	21	16	16
5 16 29	20	23	24	21	14	17	17
5 20 49	21	24	25	22	06	18	18
5 25 10	22	25	26	22	58	19	19
5 29 31	23	26	27	23	51	20	20
5 33 52	24	27	28	24	44	21	21
5 38 13	25	28	29	25	36	22	22
5 42 34	26	29	♍	26	29	23	23
5 46 55	27	♌	1	27	22	23	24
5 51 17	28	1	2	28	14	24	25
5 55 38	29	2	3	29	07	25	26
HOUSES	4	5	6	7		8	9

LATITUDE 39° S.

LATITUDE 40° N.

SIDEREAL TIME	10 ♉	11 ♊	12 ♋	Asc ♌		2 ♍	3 ♎
h m s	°	°	°	°	'	°	°
2 50 09	15	20	23	22	19	15	12
2 54 08	16	21	24	23	06	16	13
2 58 08	17	22	25	23	53	16	14
3 02 09	18	23	26	24	41	17	15
3 06 11	19	24	27	25	28	18	16
3 10 13	20	25	28	26	16	19	17
3 14 16	21	26	29	27	04	20	18
3 18 20	22	27	29	27	52	21	19
3 22 25	23	28	♌	28	40	22	20
3 26 30	24	29	1	29	29	23	21
3 30 36	25	♋	2	0♍	17	24	22
3 34 43	26	1	3	1	06	24	23
3 38 50	27	2	4	1	55	25	24
3 42 58	28	3	5	2	44	26	25
3 47 07	29	4	6	3	33	27	26
3 51 16	♊	4	6	4	22	28	27
3 55 27	1	5	7	5	12	29	28
3 59 37	2	6	8	6	01	♎	29
4 03 49	3	7	9	6	51	1	♏
4 08 01	4	8	10	7	41	2	1
4 12 14	5	9	11	8	31	3	2
4 16 27	6	10	12	9	22	4	3
4 20 41	7	11	13	10	12	5	4
4 24 56	8	12	14	11	03	5	5
4 29 11	9	13	14	11	53	6	6
4 33 27	10	14	15	12	44	7	7
4 37 43	11	15	16	13	35	8	8
4 42 00	12	16	17	14	26	9	9
4 46 17	13	17	18	15	17	10	10
4 50 35	14	18	19	16	09	11	11
4 54 53	15	19	20	17	00	12	12
4 59 11	16	20	21	17	51	13	13
5 03 30	17	21	22	18	43	14	14
5 07 49	18	22	23	19	35	15	15
5 12 09	19	23	24	20	27	16	16
5 16 29	20	24	24	21	18	17	17
5 20 49	21	25	25	22	10	18	18
5 25 10	22	26	26	23	02	19	19
5 29 31	23	27	27	23	54	20	20
5 33 52	24	28	28	24	46	21	21
5 38 13	25	29	29	25	39	21	22
5 42 34	26	29	♍	26	31	22	23
5 46 55	27	♌	1	27	23	23	24
5 51 17	28	1	2	28	15	24	25
5 55 38	29	2	3	29	08	25	26
HOUSES	4	5	6	7		8	9

LATITUDE 40° S.

LATITUDE 41° N.

SIDEREAL TIME	10 ♉	11 ♊	12 ♋	Asc ♌		2 ♍	3 ♎
h m s	°	°	°	°	'	°	°
2 50 09	15	21	24	22	40	15	12
2 54 08	16	22	25	23	26	16	13
2 58 08	17	22	26	24	13	17	14
3 02 09	18	23	26	25	00	17	15
3 06 11	19	24	27	25	47	18	16
3 10 13	20	25	28	26	35	19	17
3 14 16	21	26	29	27	22	20	18
3 18 20	22	27	♌	28	10	21	19
3 22 25	23	28	1	28	58	22	20
3 26 30	24	29	2	29	46	23	21
3 30 36	25	♋	2	0♍	34	24	22
3 34 43	26	1	3	1	22	24	23
3 38 50	27	2	4	2	10	25	24
3 42 58	28	3	5	2	59	26	25
3 47 07	29	4	6	3	48	27	26
3 51 16	♊	5	7	4	37	28	27
3 55 27	1	6	8	5	26	29	28
3 59 37	2	7	9	6	15	♎	29
4 03 49	3	8	9	7	04	1	♏
4 08 01	4	9	10	7	54	2	1
4 12 14	5	9	11	8	43	3	2
4 16 27	6	10	12	9	33	4	3
4 20 41	7	11	13	10	23	5	4
4 24 56	8	12	14	11	13	5	5
4 29 11	9	13	15	12	03	6	6
4 33 27	10	14	16	12	54	7	7
4 37 43	11	15	17	13	44	8	8
4 42 00	12	16	17	14	35	9	9
4 46 17	13	17	18	15	26	10	10
4 50 35	14	18	19	16	16	11	11
4 54 53	15	19	20	17	07	12	12
4 59 11	16	20	21	17	58	13	13
5 03 30	17	21	22	18	49	14	14
5 07 49	18	22	23	19	41	15	15
5 12 09	19	23	24	20	32	16	16
5 16 29	20	24	25	21	23	17	17
5 20 49	21	25	26	22	15	18	18
5 25 10	22	26	27	23	06	18	18
5 29 31	23	27	27	23	58	19	19
5 33 52	24	28	28	24	49	20	20
5 38 13	25	29	29	25	41	21	21
5 42 34	26	♌	♍	26	33	22	22
5 46 55	27	1	1	27	25	23	23
5 51 17	28	2	2	28	16	24	24
5 55 38	29	3	3	29	08	25	25
HOUSES	4	5	6	7		8	9

LATITUDE 41° S.

LATITUDE 39° N.

SIDEREAL TIME			10	11	12	Asc		2	3
			♋	♌	♍	♎		♎	♏
h	m	s	°	°	°	°	'	°	°
6	00	00	0	3	4	0	00	26	27
6	04	22	1	4	5	0	53	27	28
6	08	43	2	5	6	1	45	28	29
6	13	05	3	6	6	2	38	29	♐
6	17	26	4	7	7	3	31	♏	1
6	21	47	5	8	8	4	23	1	2
6	26	08	6	9	9	5	16	2	3
6	30	29	7	10	10	6	09	3	4
6	34	50	8	11	11	7	01	4	5
6	39	11	9	12	12	7	54	5	6
6	43	31	10	13	13	8	46	6	7
6	47	51	11	14	14	9	38	7	8
6	52	11	12	15	15	10	31	8	9
6	56	30	13	16	16	11	23	9	9
7	00	49	14	17	17	12	15	9	10
7	05	07	15	18	18	13	07	10	11
7	09	25	16	19	19	13	59	11	12
7	13	43	17	20	20	14	51	12	13
7	18	00	18	21	21	15	42	13	14
7	22	17	19	22	22	16	34	14	15
7	26	33	20	23	23	17	25	15	16
7	30	49	21	24	24	18	17	16	17
7	35	04	22	25	24	19	08	17	18
7	39	19	23	26	25	19	59	18	19
7	43	33	24	27	26	20	50	19	20
7	47	46	25	28	27	21	40	19	21
7	51	59	26	29	28	22	31	20	22
7	56	11	27	♍	29	23	21	21	23
8	00	23	28	1	♎	24	12	22	24
8	04	33	29	2	1	25	02	23	25
8	08	44	♌	3	2	25	52	24	26
8	12	53	1	4	3	26	41	25	27
8	17	02	2	5	4	27	31	26	28
8	21	10	3	6	5	28	20	27	29
8	25	17	4	7	6	29	10	27	♑
8	29	24	5	8	6	29	59	28	0
8	33	30	6	9	7	0♏	48	29	1
8	37	35	7	10	8	1	37	♐	2
8	41	40	8	11	9	2	25	1	3
8	45	44	9	12	10	3	14	2	4
8	49	47	10	13	11	4	02	3	5
8	53	49	11	14	12	4	50	3	6
8	57	51	12	15	13	5	38	4	7
9	01	52	13	16	14	6	26	5	8
9	05	52	14	17	15	7	14	6	9
HOUSES			4	5	6	7		8	9

LATITUDE 39° S.

LATITUDE 40° N.

SIDEREAL TIME			10	11	12	Asc		2	3
			♋	♌	♍	♎		♎	♏
h	m	s	°	°	°	°	'	°	°
6	00	00	0	3	4	0	00	26	27
6	04	22	1	4	5	0	52	27	28
6	08	43	2	5	6	1	44	28	29
6	13	05	3	6	7	2	37	29	♐
6	17	26	4	7	8	3	29	♏	1
6	21	47	5	8	9	4	21	1	1
6	26	08	6	9	9	5	13	2	2
6	30	29	7	10	10	6	05	3	3
6	34	50	8	11	11	6	57	4	4
6	39	11	9	12	12	7	49	5	5
6	43	31	10	13	13	8	41	6	6
6	47	51	11	14	14	9	33	6	7
6	52	11	12	15	15	10	25	7	8
6	56	30	13	16	16	11	17	8	9
7	00	49	14	17	17	12	08	9	10
7	05	07	15	18	18	13	00	10	11
7	09	25	16	19	19	13	51	11	12
7	13	43	17	20	20	14	42	12	13
7	18	00	18	21	21	15	34	13	14
7	22	17	19	22	22	16	25	14	15
7	26	33	20	23	23	17	16	15	16
7	30	49	21	24	24	18	06	16	17
7	35	04	22	25	25	18	57	16	18
7	39	19	23	26	25	19	48	17	19
7	43	33	24	27	26	20	38	18	20
7	47	46	25	28	27	21	28	19	21
7	51	59	26	29	28	22	18	20	22
7	56	11	27	♍	29	23	08	21	23
8	00	23	28	1	♎	23	58	22	24
8	04	33	29	2	1	24	48	23	25
8	08	44	♌	3	2	25	37	24	25
8	12	53	1	4	3	26	27	24	26
8	17	02	2	5	4	27	16	25	27
8	21	10	3	6	5	28	05	26	28
8	25	17	4	7	6	28	54	27	29
8	29	24	5	8	6	29	43	28	♑
8	33	30	6	9	7	0♏	31	29	1
8	37	35	7	10	8	1	19	♐	2
8	41	40	8	11	9	2	08	1	3
8	45	44	9	12	10	2	56	1	4
8	49	47	10	13	11	3	44	2	5
8	53	49	11	14	12	4	31	3	6
8	57	51	12	15	13	5	19	4	7
9	01	52	13	16	14	6	06	5	8
9	05	52	14	17	14	6	54	6	9
HOUSES			4	5	6	7		8	9

LATITUDE 40° S.

LATITUDE 41° N.

SIDEREAL TIME			10	11	12	Asc		2	3
			♋	♌	♍	♎		♎	♏
h	m	s	°	°	°	°	'	°	°
6	00	00	0	4	4	0	00	26	26
6	04	22	1	5	5	0	52	27	27
6	08	43	2	6	6	1	43	28	28
6	13	05	3	7	7	2	35	29	29
6	17	26	4	8	8	3	27	♏	♐
6	21	47	5	9	9	4	19	1	1
6	26	08	6	10	10	5	10	2	2
6	30	29	7	11	11	6	02	3	3
6	34	50	8	11	12	6	53	3	4
6	39	11	9	12	12	7	45	4	5
6	43	31	10	13	13	8	36	5	6
6	47	51	11	14	14	9	28	6	7
6	52	11	12	15	15	10	19	7	8
6	56	30	13	16	16	11	10	8	9
7	00	49	14	17	17	12	01	9	10
7	05	07	15	18	18	12	52	10	11
7	09	25	16	19	19	13	43	11	12
7	13	43	17	20	20	14	34	12	13
7	18	00	18	21	21	15	25	13	14
7	22	17	19	22	22	16	15	13	15
7	26	33	20	23	23	17	06	14	16
7	30	49	21	24	24	17	56	15	17
7	35	04	22	25	25	18	46	16	18
7	39	19	23	26	25	19	36	17	19
7	43	33	24	27	26	20	26	18	20
7	47	46	25	28	27	21	16	19	21
7	51	59	26	29	28	22	06	20	21
7	56	11	27	♍	29	22	55	21	22
8	00	23	28	1	♎	23	45	21	23
8	04	33	29	2	1	24	34	22	24
8	08	44	♌	3	2	25	23	23	25
8	12	53	1	4	3	26	12	24	26
8	17	02	2	5	4	27	01	25	27
8	21	10	3	6	5	27	49	26	28
8	25	17	4	7	6	28	38	27	29
8	29	24	5	8	6	29	26	28	♑
8	33	30	6	9	7	0♏	14	28	1
8	37	35	7	10	8	1	02	29	2
8	41	40	8	11	9	1	50	♐	3
8	45	44	9	12	10	2	37	1	4
8	49	47	10	13	11	3	25	2	5
8	53	49	11	14	12	4	12	3	6
8	57	51	12	15	13	4	59	4	7
9	01	52	13	16	13	5	46	4	7
9	05	52	14	17	14	6	33	5	8
HOUSES			4	5	6	7		8	9

LATITUDE 41° S.

LATITUDE 39° N.

SIDEREAL TIME	10 ♌	11 ♍	12 ♎	Asc ♏	2 ♐	3 ♑
h m s	°	°	°	° '	°	°
9 09 51	15	18	15	8 01	7	10
9 13 50	16	19	16	8 48	8	11
9 17 48	17	20	17	9 36	9	12
9 21 46	18	21	18	10 23	9	13
9 25 42	19	22	19	11 10	10	14
9 29 38	20	23	20	11 56	11	15
9 33 33	21	24	21	12 43	12	16
9 37 28	22	25	21	13 29	13	16
9 41 22	23	25	22	14 16	14	17
9 45 15	24	26	23	15 02	15	18
9 49 08	25	27	24	15 48	15	19
9 53 00	26	28	25	16 34	16	20
9 56 51	27	29	26	17 20	17	21
10 00 42	28	♎	26	18 06	18	22
10 04 32	29	1	27	18 51	19	23
10 08 22	♍	2	28	19 37	20	24
10 12 10	1	3	29	20 22	20	25
10 15 59	2	4	♏	21 08	21	26
10 19 47	3	5	1	21 53	22	27
10 23 34	4	6	1	22 38	23	28
10 27 21	5	7	2	23 23	24	29
10 31 07	6	8	3	24 08	25	♒
10 34 53	7	8	4	24 53	25	1
10 38 39	8	9	5	25 38	26	2
10 42 24	9	10	6	26 23	27	3
10 46 08	10	11	6	27 08	28	4
10 49 52	11	12	7	27 53	29	5
10 53 36	12	13	8	28 38	♑	6
10 57 19	13	14	9	29 23	1	7
11 01 03	14	15	10	0♐07	1	8
11 04 45	15	16	10	0 52	2	9
11 08 28	16	17	11	1 37	3	10
11 12 10	17	18	12	2 22	4	11
11 15 52	18	18	13	3 06	5	12
11 19 33	19	19	13	3 51	6	13
11 23 15	20	20	14	4 36	7	14
11 26 56	21	21	15	5 21	8	15
11 30 37	22	22	16	6 06	8	16
11 34 17	23	23	17	6 51	9	17
11 37 58	24	24	17	7 36	10	18
11 41 39	25	25	18	8 21	11	19
11 45 19	26	25	19	9 06	12	20
11 48 59	27	26	20	9 52	13	21
11 52 40	28	27	21	10 37	14	22
11 56 20	29	28	21	11 23	15	23
HOUSES	4	5	6	7	8	9

LATITUDE 40° N.

SIDEREAL TIME	10 ♌	11 ♍	12 ♎	Asc ♏	2 ♐	3 ♑
h m s	°	°	°	° '	°	°
9 09 51	15	18	15	7 41	7	10
9 13 50	16	19	16	8 28	7	11
9 17 48	17	20	17	9 14	8	12
9 21 46	18	21	18	10 01	9	12
9 25 42	19	22	19	10 48	10	13
9 29 38	20	23	20	11 34	11	14
9 33 33	21	24	20	12 20	12	15
9 37 28	22	25	21	13 06	12	16
9 41 22	23	25	22	13 52	13	17
9 45 15	24	26	23	14 38	14	18
9 49 08	25	27	24	15 24	15	19
9 53 00	26	28	25	16 09	16	20
9 56 51	27	29	25	16 55	17	21
10 00 42	28	♎	26	17 40	17	22
10 04 32	29	1	27	18 26	18	23
10 08 22	♍	2	28	19 11	19	24
10 12 10	1	3	29	19 56	20	25
10 15 59	2	4	♏	20 41	21	26
10 19 47	3	5	0	21 26	22	27
10 23 34	4	6	1	22 11	22	28
10 27 21	5	7	2	22 55	23	29
10 31 07	6	8	3	23 40	24	♒
10 34 53	7	8	4	24 25	25	1
10 38 39	8	9	4	25 09	26	2
10 42 24	9	10	5	25 54	27	3
10 46 08	10	11	6	26 38	28	4
10 49 52	11	12	7	27 23	28	4
10 53 36	12	13	8	28 07	29	5
10 57 19	13	14	8	28 52	♑	6
11 01 03	14	15	9	29 36	1	7
11 04 45	15	16	10	0♐21	2	8
11 08 28	16	17	11	1 05	3	9
11 12 10	17	17	12	1 50	4	10
11 15 52	18	18	12	2 34	4	11
11 19 33	19	19	13	3 19	5	12
11 23 15	20	20	14	4 03	6	13
11 26 56	21	21	15	4 48	7	14
11 30 37	22	22	16	5 32	8	15
11 34 17	23	23	16	6 17	9	17
11 37 58	24	24	17	7 02	10	18
11 41 39	25	25	18	7 47	11	19
11 45 19	26	25	19	8 32	11	20
11 48 59	27	26	19	9 17	12	21
11 52 40	28	27	20	10 02	13	22
11 56 20	29	28	21	10 47	14	23
HOUSES	4	5	6	7	8	9

LATITUDE 41° N.

SIDEREAL TIME	10 ♌	11 ♍	12 ♎	Asc ♏	2 ♐	3 ♑
h m s	°	°	°	° '	°	°
9 09 51	15	18	15	7 20	6	9
9 13 50	16	19	16	8 06	7	10
9 17 48	17	20	17	8 53	8	11
9 21 46	18	21	18	9 39	9	12
9 25 42	19	22	19	10 25	9	13
9 29 38	20	23	19	11 11	10	14
9 33 33	21	24	20	11 57	11	15
9 37 28	22	25	21	12 43	12	16
9 41 22	23	25	22	13 28	13	17
9 45 15	24	26	23	14 14	14	18
9 49 08	25	27	24	14 59	14	19
9 53 00	26	28	24	15 44	15	20
9 56 51	27	29	25	16 29	16	21
10 00 42	28	♎	26	17 14	17	22
10 04 32	29	1	27	17 59	18	23
10 08 22	♍	2	28	18 44	19	24
10 12 10	1	3	29	19 29	20	25
10 15 59	2	4	29	20 14	20	26
10 19 47	3	5	♏	20 58	21	26
10 23 34	4	6	1	21 43	22	27
10 27 21	5	7	2	22 27	23	28
10 31 07	6	8	3	23 11	24	29
10 34 53	7	8	3	23 56	25	♒
10 38 39	8	9	4	24 40	25	1
10 42 24	9	10	5	25 24	26	2
10 46 08	10	11	6	26 08	27	3
10 49 52	11	12	7	26 52	28	4
10 53 36	12	13	7	27 36	29	5
10 57 19	13	14	8	28 21	♑	6
11 01 03	14	15	9	29 05	0	7
11 04 45	15	16	10	29 49	1	8
11 08 28	16	17	11	0♐33	2	9
11 12 10	17	17	11	1 17	3	10
11 15 52	18	18	12	2 01	4	11
11 19 33	19	19	13	2 45	5	12
11 23 15	20	20	14	3 29	6	13
11 26 56	21	21	14	4 14	7	14
11 30 37	22	22	15	4 58	7	15
11 34 17	23	23	16	5 42	8	16
11 37 58	24	24	17	6 27	9	17
11 41 39	25	24	18	7 11	10	18
11 45 19	26	25	18	7 56	11	19
11 48 59	27	26	19	8 41	12	20
11 52 40	28	27	20	9 25	13	22
11 56 20	29	28	21	10 10	14	23
HOUSES	4	5	6	7	8	9

LATITUDE 39° S. LATITUDE 40° S. LATITUDE 41° S.

LATITUDE 39° N.

SIDEREAL TIME h	m	s	10 ♌ °	11 ♌ °	12 ♏ °	Asc ♐ °	'	2 ♑ °	3 ♒ °
12	00	00	0	29	22	12	08	16	24
12	03	40	1	♏	23	12	54	17	25
12	07	20	2	1	24	13	40	17	26
12	11	01	3	2	24	14	26	18	27
12	14	41	4	2	25	15	13	19	28
12	18	21	5	3	26	15	59	20	29
12	22	02	6	4	27	16	46	21	♓
12	25	43	7	5	28	17	33	22	1
12	29	23	8	6	28	18	20	23	2
12	33	04	9	7	29	19	07	24	4
12	36	45	10	8	♐	19	55	25	5
12	40	27	11	9	1	20	42	26	6
12	44	08	12	9	1	21	30	27	7
12	47	50	13	10	2	22	19	28	8
12	51	32	14	11	3	23	07	29	9
12	55	15	15	12	4	23	56	♒	10
12	58	57	16	13	5	24	45	1	11
13	02	41	17	14	5	25	35	2	12
13	06	24	18	15	6	26	25	3	14
13	10	08	19	15	7	27	15	4	15
13	13	52	20	16	8	28	06	5	16
13	17	36	21	17	9	28	57	6	17
13	21	21	22	18	9	29	48	8	18
13	25	07	23	19	10	0♑	40	9	19
13	28	53	24	20	11	1	32	10	20
13	32	39	25	21	12	2	25	11	22
13	36	26	26	21	13	3	18	12	23
13	40	13	27	22	13	4	11	13	24
13	44	01	28	23	14	5	05	14	25
13	47	49	29	24	15	6	00	15	26
13	51	38	♏	25	16	6	55	17	27
13	55	28	1	26	17	7	51	18	29
13	59	18	2	27	18	8	47	19	♈
14	03	09	3	27	18	9	44	20	1
14	07	00	4	28	19	10	42	21	2
14	10	52	5	29	20	11	40	23	3
14	14	45	6	♐	21	12	39	24	5
14	18	38	7	1	22	13	38	25	6
14	22	32	8	2	23	14	38	26	7
14	26	27	9	3	24	15	39	28	8
14	30	22	10	4	24	16	41	29	9
14	34	18	11	4	25	17	44	♓	11
14	38	14	12	5	26	18	47	2	12
14	42	12	13	6	27	19	51	3	13
14	46	10	14	7	28	20	56	4	14
HOUSES			4	5	6	7		8	9

LATITUDE 39° S.

LATITUDE 40° N.

SIDEREAL TIME h	m	s	10 ♌ °	11 ♌ °	12 ♏ °	Asc ♐ °	'	2 ♑ °	3 ♒ °
12	00	00	0	29	22	11	32	15	24
12	03	40	1	♏	23	12	18	16	25
12	07	20	2	1	23	13	03	17	26
12	11	01	3	1	24	13	49	18	27
12	14	41	4	2	25	14	35	19	28
12	18	21	5	3	26	15	21	20	29
12	22	02	6	4	26	16	08	21	♓
12	25	43	7	5	27	16	54	22	1
12	29	23	8	6	28	17	41	23	2
12	33	04	9	7	29	18	28	24	3
12	36	45	10	8	♐	19	15	25	5
12	40	27	11	8	0	20	03	26	6
12	44	08	12	9	1	20	51	27	7
12	47	50	13	10	2	21	39	28	8
12	51	32	14	11	3	22	27	29	9
12	55	15	15	12	3	23	15	♒	10
12	58	57	16	13	4	24	04	1	11
13	02	41	17	14	5	24	54	2	12
13	06	24	18	14	6	25	43	3	13
13	10	08	19	15	7	26	33	4	15
13	13	52	20	16	7	27	23	5	16
13	17	36	21	17	8	28	14	6	17
13	21	21	22	18	9	29	05	7	18
13	25	07	23	19	10	29	57	8	19
13	28	53	24	20	11	0♑	49	9	20
13	32	39	25	20	11	1	41	10	22
13	36	26	26	21	12	2	34	12	23
13	40	13	27	22	13	3	27	13	24
13	44	01	28	23	14	4	21	14	25
13	47	49	29	24	15	5	16	15	26
13	51	38	♏	25	15	6	11	16	27
13	55	28	1	26	16	7	06	17	29
13	59	18	2	26	17	8	02	19	♈
14	03	09	3	27	18	8	59	20	1
14	07	00	4	28	19	9	56	21	2
14	10	52	5	29	20	10	54	22	3
14	14	45	6	♐	21	11	53	23	5
14	18	38	7	1	21	12	52	25	6
14	22	32	8	2	22	13	52	26	7
14	26	27	9	3	23	14	53	27	8
14	30	22	10	3	24	15	54	29	9
14	34	18	11	4	25	16	57	♓	11
14	38	14	12	5	26	18	00	1	12
14	42	12	13	6	27	19	04	3	13
14	46	10	14	7	28	20	09	4	14
HOUSES			4	5	6	7		8	9

LATITUDE 40° S.

LATITUDE 41° N.

SIDEREAL TIME h	m	s	10 ♌ °	11 ♌ °	12 ♏ °	Asc ♐ °	'	2 ♑ °	3 ♒ °
12	00	00	0	29	21	10	55	15	24
12	03	40	1	♏	22	11	40	15	25
12	07	20	2	1	23	12	26	16	26
12	11	01	3	1	24	13	11	17	27
12	14	41	4	2	24	13	57	18	28
12	18	21	5	3	25	14	43	19	29
12	22	02	6	4	26	15	29	20	♓
12	25	43	7	5	27	16	15	21	1
12	29	23	8	6	28	17	01	22	2
12	33	04	9	7	28	17	48	23	3
12	36	45	10	7	29	18	35	24	4
12	40	27	11	8	♐	19	22	25	6
12	44	08	12	9	1	20	10	26	7
12	47	50	13	10	1	20	57	27	8
12	51	32	14	11	2	21	45	28	9
12	55	15	15	12	3	22	34	29	10
12	58	57	16	13	4	23	22	♒	11
13	02	41	17	13	5	24	11	1	12
13	06	24	18	14	5	25	00	2	13
13	10	08	19	15	6	25	50	3	15
13	13	52	20	16	7	26	40	4	16
13	17	36	21	17	8	27	30	5	17
13	21	21	22	18	9	28	21	7	18
13	25	07	23	18	9	29	12	8	19
13	28	53	24	19	10	0♑	04	9	20
13	32	39	25	20	11	0	56	10	21
13	36	26	26	21	12	1	49	11	23
13	40	13	27	22	13	2	42	12	24
13	44	01	28	23	13	3	35	13	25
13	47	49	29	24	14	4	30	15	26
13	51	38	♏	24	15	5	24	16	27
13	55	28	1	25	16	6	20	17	29
13	59	18	2	26	17	7	15	18	♈
14	03	09	3	27	18	8	12	19	1
14	07	00	4	28	18	9	09	21	2
14	10	52	5	29	19	10	07	22	3
14	14	45	6	♐	20	11	05	23	5
14	18	38	7	1	21	12	04	24	6
14	22	32	8	1	22	13	04	26	7
14	26	27	9	2	23	14	05	27	8
14	30	22	10	3	24	15	06	28	9
14	34	18	11	4	24	16	08	♓	11
14	38	14	12	5	25	17	11	1	12
14	42	12	13	6	26	18	15	2	13
14	46	10	14	7	27	19	20	4	14
HOUSES			4	5	6	7		8	9

LATITUDE 41° S.

LATITUDE 39° N.

SIDEREAL TIME h m s	10 ♏ °	11 ♐ °	12 ♐ °	Asc ♑ ° '	2 ♓ °	3 ♈ °
14 50 09	15	8	29	22 01	6	15
14 54 08	16	9	♑	23 08	7	17
14 58 08	17	10	1	24 16	8	18
15 02 09	18	11	2	25 24	10	19
15 06 11	19	12	3	26 34	11	20
15 10 13	20	13	4	27 44	12	21
15 14 16	21	13	5	28 56	14	23
15 18 20	22	14	5	0♒08	15	24
15 22 25	23	15	6	1 22	17	25
15 26 30	24	16	7	2 36	18	26
15 30 36	25	17	8	3 52	20	28
15 34 43	26	18	9	5 09	21	29
15 38 50	27	19	10	6 27	22	♉
15 42 58	28	20	11	7 46	24	1
15 47 07	29	21	12	9 06	25	2
15 51 16	♐	22	13	10 28	27	4
15 55 27	1	23	14	11 51	28	5
15 59 37	2	24	15	13 15	♈	6
16 03 49	3	25	17	14 40	1	7
16 08 01	4	26	18	16 07	3	8
16 12 14	5	27	19	17 34	4	10
16 16 27	6	27	20	19 03	6	11
16 20 41	7	28	21	20 34	7	12
16 24 56	8	29	22	22 05	9	13
16 29 11	9	♑	23	23 38	10	14
16 33 27	10	1	24	25 12	12	15
16 37 43	11	2	25	26 48	13	17
16 42 00	12	3	26	28 24	15	18
16 46 17	13	4	28	0♓02	16	19
16 50 35	14	5	29	1 41	18	20
16 54 53	15	6	♒	3 21	19	21
16 59 11	16	7	1	5 02	21	22
17 03 30	17	8	2	6 44	22	24
17 07 49	18	9	4	8 27	24	25
17 12 09	19	10	5	10 11	25	26
17 16 29	20	11	6	11 56	27	27
17 20 49	21	12	7	13 42	28	28
17 25 10	22	14	9	15 29	♉	29
17 29 31	23	15	10	17 16	1	♊
17 33 52	24	16	11	19 04	2	1
17 38 13	25	17	12	20 52	4	3
17 42 34	26	18	14	22 41	5	4
17 46 55	27	19	15	24 31	7	5
17 51 17	28	20	16	26 20	8	6
17 55 38	29	21	18	28 10	9	7
HOUSES	4	5	6	7	8	9

LATITUDE 39° S.

LATITUDE 40° N.

SIDEREAL TIME h m s	10 ♏ °	11 ♐ °	12 ♐ °	Asc ♑ ° '	2 ♓ °	3 ♈ °
14 50 09	15	8	28	21 14	5	15
14 54 08	16	9	29	22 21	7	17
14 58 08	17	10	♑	23 29	8	18
15 02 09	18	11	1	24 37	9	19
15 06 11	19	11	2	25 47	11	20
15 10 13	20	12	3	26 57	12	22
15 14 16	21	13	4	28 09	14	23
15 18 20	22	14	5	29 21	15	24
15 22 25	23	15	6	0♒35	17	25
15 26 30	24	16	7	1 50	18	26
15 30 36	25	17	8	3 06	19	28
15 34 43	26	18	9	4 23	21	29
15 38 50	27	19	10	5 42	22	♉
15 42 58	28	20	11	7 01	24	1
15 47 07	29	21	12	8 22	25	2
15 51 16	♐	22	13	9 44	27	4
15 55 27	1	22	14	11 07	28	5
15 59 37	2	23	15	12 32	♈	6
16 03 49	3	24	16	13 58	1	7
16 08 01	4	25	17	15 25	3	9
16 12 14	5	26	18	16 54	4	10
16 16 27	6	27	19	18 23	6	11
16 20 41	7	28	20	19 55	7	12
16 24 56	8	29	21	21 27	9	13
16 29 11	9	♑	23	23 01	10	14
16 33 27	10	1	24	24 36	12	16
16 37 43	11	2	25	26 13	13	17
16 42 00	12	3	26	27 51	15	18
16 46 17	13	4	27	29 30	17	19
16 50 35	14	5	28	1♓10	18	20
16 54 53	15	6	♒	2 51	20	21
16 59 11	16	7	1	4 34	21	23
17 03 30	17	8	2	6 18	23	24
17 07 49	18	9	3	8 03	24	25
17 12 09	19	10	4	9 49	25	26
17 16 29	20	11	6	11 36	27	27
17 20 49	21	12	7	13 23	28	28
17 25 10	22	13	8	15 12	♉	29
17 29 31	23	14	9	17 01	1	♊
17 33 52	24	15	11	18 51	3	2
17 38 13	25	16	12	20 42	4	3
17 42 34	26	17	13	22 33	6	4
17 46 55	27	19	15	24 24	7	5
17 51 17	28	20	16	26 16	8	6
17 55 38	29	21	17	28 08	10	7
HOUSES	4	5	6	7	8	9

LATITUDE 40° S.

LATITUDE 41° N.

SIDEREAL TIME h m s	10 ♏ °	11 ♐ °	12 ♐ °	Asc ♑ ° '	2 ♓ °	3 ♈ °
14 50 09	15	8	28	20 26	5	16
14 54 08	16	9	29	21 32	6	17
14 58 08	17	9	♑	22 40	8	18
15 02 09	18	10	1	23 48	9	19
15 06 11	19	11	2	24 58	11	20
15 10 13	20	12	3	26 08	12	22
15 14 16	21	13	4	27 20	13	23
15 18 20	22	14	4	28 33	15	24
15 22 25	23	15	5	29 47	16	25
15 26 30	24	16	6	1♒02	18	27
15 30 36	25	17	7	2 18	19	28
15 34 43	26	18	8	3 35	21	29
15 38 50	27	19	9	4 54	22	♉
15 42 58	28	19	10	6 14	24	1
15 47 07	29	20	11	7 35	25	3
15 51 16	♐	21	12	8 58	27	4
15 55 27	1	22	13	10 21	28	5
15 59 37	2	23	14	11 47	♈	6
16 03 49	3	24	16	13 13	1	7
16 08 01	4	25	17	14 41	3	9
16 12 14	5	26	18	16 10	4	10
16 16 27	6	27	19	17 41	6	11
16 20 41	7	28	20	19 13	8	12
16 24 56	8	29	21	20 47	9	13
16 29 11	9	♑	22	22 22	11	15
16 33 27	10	1	23	23 58	12	16
16 37 43	11	2	24	25 36	14	17
16 42 00	12	3	26	27 15	15	18
16 46 17	13	4	27	28 55	17	19
16 50 35	14	5	28	0♓37	18	21
16 54 53	15	6	29	2 20	20	22
16 59 11	16	7	♒	4 05	21	23
17 03 30	17	8	1	5 50	23	24
17 07 49	18	9	3	7 37	24	25
17 12 09	19	10	4	9 25	26	26
17 16 29	20	11	5	11 13	27	27
17 20 49	21	12	6	13 03	29	29
17 25 10	22	13	8	14 54	♉	♊
17 29 31	23	14	9	16 45	2	1
17 33 52	24	15	10	18 37	3	2
17 38 13	25	16	12	20 30	5	3
17 42 34	26	17	13	22 23	6	4
17 46 55	27	18	14	24 17	7	5
17 51 17	28	19	16	26 11	9	6
17 55 38	29	20	17	28 05	10	7
HOUSES	4	5	6	7	8	9

LATITUDE 41° S.

LATITUDE 39° N.

SIDEREAL TIME	10 ♑	11 ♑	12 ♒	Asc ♈	2 ♉	3 ♊
h m s	°	°	°	° '	°	°
18 00 00	0	22	19	0 00	11	8
18 04 22	1	23	21	1 50	12	9
18 08 43	2	24	22	3 39	14	10
18 13 05	3	25	23	5 29	15	11
18 17 26	4	26	25	7 18	16	12
18 21 47	5	27	26	9 07	17	13
18 26 08	6	29	28	10 56	19	14
18 30 29	7	♒	29	12 44	20	15
18 34 50	8	1	♓	14 31	21	16
18 39 11	9	2	2	16 17	23	18
18 43 31	10	3	3	18 03	24	19
18 47 51	11	4	5	19 48	25	20
18 52 11	12	5	6	21 32	26	21
18 56 30	13	6	8	23 16	28	22
19 00 49	14	8	9	24 58	29	23
19 05 07	15	9	11	26 39	♊	24
19 09 25	16	10	12	28 19	1	25
19 13 43	17	11	14	29 58	2	26
19 18 00	18	12	15	1♉36	3	27
19 22 17	19	13	17	3 12	5	28
19 26 33	20	15	18	4 47	6	29
19 30 49	21	16	20	6 22	7	♋
19 35 04	22	17	21	7 54	8	1
19 39 19	23	18	23	9 26	9	2
19 43 33	24	19	24	10 56	10	3
19 47 46	25	20	26	12 25	11	3
19 51 59	26	22	27	13 53	12	4
19 56 11	27	23	29	15 20	13	5
20 00 23	28	24	♈	16 45	15	6
20 04 33	29	25	2	18 09	16	7
20 08 44	♒	26	3	19 32	17	8
20 12 53	1	28	5	20 53	18	9
20 17 02	2	29	6	22 14	19	10
20 21 10	3	♓	8	23 33	20	11
20 25 17	4	1	9	24 51	21	12
20 29 24	5	2	10	26 08	22	13
20 33 30	6	4	12	27 23	23	14
20 37 35	7	5	13	28 38	24	15
20 41 40	8	6	15	29 52	25	16
20 45 44	9	7	16	1♊04	25	17
20 49 47	10	9	18	2 16	26	17
20 53 49	11	10	19	3 26	27	18
20 57 51	12	11	20	4 35	28	19
21 01 52	13	12	22	5 44	29	20
21 05 52	14	13	23	6 51	♋	21
HOUSES	4	5	6	7	8	9

LATITUDE 39° S.

LATITUDE 40° N.

SIDEREAL TIME	10 ♑	11 ♑	12 ♒	Asc ♈	2 ♉	3 ♊
h m s	°	°	°	° '	°	°
18 00 00	0	22	19	0 00	11	8
18 04 22	1	23	20	1 52	13	9
18 08 43	2	24	22	3 44	14	10
18 13 05	3	25	23	5 35	15	11
18 17 26	4	26	24	7 27	17	13
18 21 47	5	27	26	9 18	18	14
18 26 08	6	28	27	11 09	19	15
18 30 29	7	29	29	12 58	21	16
18 34 50	8	♒	♓	14 48	22	17
18 39 11	9	2	2	16 36	23	18
18 43 31	10	3	3	18 24	24	19
18 47 51	11	4	5	20 11	26	20
18 52 11	12	5	6	21 57	27	21
18 56 30	13	6	7	23 42	28	22
19 00 49	14	7	9	25 26	29	23
19 05 07	15	9	10	27 08	♊	24
19 09 25	16	10	12	28 50	2	25
19 13 43	17	11	13	0♉30	3	26
19 18 00	18	12	15	2 09	4	27
19 22 17	19	13	16	3 47	5	28
19 26 33	20	14	18	5 23	6	29
19 30 49	21	16	20	6 59	7	♋
19 35 04	22	17	21	8 32	9	1
19 39 19	23	18	23	10 05	10	2
19 43 33	24	19	24	11 36	11	3
19 47 46	25	20	26	13 06	12	4
19 51 59	26	21	27	14 35	13	5
19 56 11	27	23	29	16 02	14	6
20 00 23	28	24	♈	17 28	15	7
20 04 33	29	25	2	18 52	16	8
20 08 44	♒	26	3	20 16	17	8
20 12 53	1	27	5	21 38	18	9
20 17 02	2	29	6	22 59	19	10
20 21 10	3	♓	8	24 18	20	11
20 25 17	4	1	9	25 36	21	12
20 29 24	5	2	11	26 54	22	13
20 33 30	6	4	12	28 10	23	14
20 37 35	7	5	13	29 24	24	15
20 41 40	8	6	15	0♊38	25	16
20 45 44	9	7	16	1 51	26	17
20 49 47	10	8	18	3 02	27	18
20 53 49	11	10	19	4 13	28	19
20 57 51	12	11	21	5 22	29	19
21 01 52	13	12	22	6 31	♋	20
21 05 52	14	13	23	7 39	1	21
HOUSES	4	5	6	7	8	9

LATITUDE 40° S.

LATITUDE 41° N.

SIDEREAL TIME	10 ♑	11 ♑	12 ♒	Asc ♈	2 ♉	3 ♊
h m s	°	°	°	° '	°	°
18 00 00	0	22	18	0 00	12	8
18 04 22	1	23	20	1 54	13	10
18 08 43	2	24	21	3 48	14	11
18 13 05	3	25	23	5 43	16	12
18 17 26	4	26	24	7 36	17	13
18 21 47	5	27	25	9 30	18	14
18 26 08	6	28	27	11 22	20	15
18 30 29	7	29	28	13 14	21	16
18 34 50	8	♒	♓	15 06	22	17
18 39 11	9	1	1	16 57	24	18
18 43 31	10	3	3	18 46	25	19
18 47 51	11	4	4	20 35	26	20
18 52 11	12	5	6	22 23	27	21
18 56 30	13	6	7	24 10	29	22
19 00 49	14	7	9	25 55	♊	23
19 05 07	15	8	10	27 39	1	24
19 09 25	16	9	12	29 22	2	25
19 13 43	17	11	13	1♉04	3	26
19 18 00	18	12	15	2 45	4	27
19 22 17	19	13	16	4 24	6	28
19 26 33	20	14	18	6 02	7	29
19 30 49	21	15	19	7 38	8	♋
19 35 04	22	17	21	9 13	9	1
19 39 19	23	18	22	10 46	10	2
19 43 33	24	19	24	12 18	11	3
19 47 46	25	20	26	13 49	12	4
19 51 59	26	21	27	15 19	13	5
19 56 11	27	23	29	16 46	14	6
20 00 23	28	24	♈	18 13	16	7
20 04 33	29	25	2	19 38	17	8
20 08 44	♒	26	3	21 02	18	9
20 12 53	1	27	5	22 25	19	10
20 17 02	2	29	6	23 46	20	11
20 21 10	3	♓	8	25 06	21	11
20 25 17	4	1	9	26 24	22	12
20 29 24	5	2	11	27 42	23	13
20 33 30	6	3	12	28 58	24	14
20 37 35	7	5	14	0♊13	25	15
20 41 40	8	6	15	1 27	26	16
20 45 44	9	7	17	2 40	26	17
20 49 47	10	8	18	3 51	27	18
20 53 49	11	10	19	5 02	28	19
20 57 51	12	11	21	6 11	29	20
21 01 52	13	12	22	7 20	♋	21
21 05 52	14	13	24	8 28	1	21
HOUSES	4	5	6	7	8	9

LATITUDE 41° S.

LATITUDE 39° N.

SIDEREAL TIME	10 ♒	11 ♓	12 ♈	Asc ♊		2 ♋	3 ♋
h m s	°	°	°	°	'	°	°
21 09 51	15	15	24	7	58	1	22
21 13 50	16	16	26	9	04	2	23
21 17 48	17	17	27	10	09	3	24
21 21 46	18	18	28	11	13	4	25
21 25 42	19	19	♉	12	16	5	26
21 29 38	20	21	1	13	19	6	26
21 33 33	21	22	2	14	20	6	27
21 37 28	22	23	4	15	21	7	28
21 41 22	23	24	5	16	21	8	29
21 45 15	24	25	6	17	21	9	♌
21 49 08	25	27	7	18	20	10	1
21 53 00	26	28	9	19	18	11	2
21 56 51	27	29	10	20	15	12	3
22 00 42	28	♈	11	21	12	12	3
22 04 32	29	1	12	22	09	13	4
22 08 22	♓	3	13	23	04	14	5
22 12 10	1	4	15	23	59	15	6
22 15 59	2	5	16	24	54	16	7
22 19 47	3	6	17	25	48	17	8
22 23 34	4	7	18	26	42	17	9
22 27 21	5	8	19	27	35	18	9
22 31 07	6	10	20	28	28	19	10
22 34 53	7	11	21	29	20	20	11
22 38 39	8	12	22	0♋	12	21	12
22 42 24	9	13	24	1	03	21	13
22 46 08	10	14	25	1	54	22	14
22 49 52	11	15	26	2	45	23	15
22 53 36	12	16	27	3	35	24	15
22 57 19	13	18	28	4	25	25	16
23 01 03	14	19	29	5	14	25	17
23 04 45	15	20	♊	6	03	26	18
23 08 28	16	21	1	6	52	27	19
23 12 10	17	22	2	7	41	28	20
23 15 52	18	23	3	8	29	29	21
23 19 33	19	24	4	9	17	29	21
23 23 15	20	25	5	10	05	♌	22
23 26 56	21	26	6	10	53	1	23
23 30 37	22	28	7	11	40	2	24
23 34 17	23	29	8	12	27	2	25
23 37 58	24	♉	9	13	14	3	26
23 41 39	25	1	10	14	00	4	27
23 45 19	26	2	11	14	47	5	28
23 48 59	27	3	12	15	33	6	28
23 52 40	28	4	13	16	19	6	29
23 56 20	29	5	13	17	05	7	♍
HOUSES	4	5	6	7		8	9

LATITUDE 39° S.

LATITUDE 40° N.

SIDEREAL TIME	10 ♒	11 ♓	12 ♈	Asc ♊		2 ♋	3 ♋
h m s	°	°	°	°	'	°	°
21 09 51	15	15	25	8	45	2	22
21 13 50	16	16	26	9	51	2	23
21 17 48	17	17	27	10	56	3	24
21 21 46	18	18	29	12	00	4	25
21 25 42	19	19	♉	13	03	5	26
21 29 38	20	21	1	14	05	6	27
21 33 33	21	22	3	15	07	7	27
21 37 28	22	23	4	16	07	8	28
21 41 22	23	24	5	17	08	9	29
21 45 15	24	25	6	18	07	9	♌
21 49 08	25	27	8	19	05	10	1
21 53 00	26	28	9	20	03	11	2
21 56 51	27	29	10	21	01	12	3
22 00 42	28	♈	11	21	57	13	4
22 04 32	29	1	13	22	54	14	4
22 08 22	♓	3	14	23	49	15	5
22 12 10	1	4	15	24	44	15	6
22 15 59	2	5	16	25	38	16	7
22 19 47	3	6	17	26	32	17	8
22 23 34	4	7	18	27	26	18	9
22 27 21	5	8	20	28	19	19	10
22 31 07	6	10	21	29	11	19	10
22 34 53	7	11	22	0♋	03	20	11
22 38 39	8	12	23	0	54	21	12
22 42 24	9	13	24	1	46	22	13
22 46 08	10	14	25	2	36	23	14
22 49 52	11	15	26	3	27	23	15
22 53 36	12	17	27	4	16	24	16
22 57 19	13	18	28	5	06	25	16
23 01 03	14	19	29	5	55	26	17
23 04 45	15	20	♊	6	44	27	18
23 08 28	16	21	1	7	33	27	19
23 12 10	17	22	2	8	21	28	20
23 15 52	18	23	3	9	09	29	21
23 19 33	19	24	4	9	57	♌	22
23 23 15	20	25	5	10	44	0	22
23 26 56	21	27	6	11	32	1	23
23 30 37	22	28	7	12	19	2	24
23 34 17	23	29	8	13	05	3	25
23 37 58	24	♉	9	13	52	4	26
23 41 39	25	1	10	14	38	4	27
23 45 19	26	2	11	15	24	5	28
23 48 59	27	3	12	16	10	6	29
23 52 40	28	4	13	16	56	7	29
23 56 20	29	5	14	17	42	7	♍
HOUSES	4	5	6	7		8	9

LATITUDE 40° S.

LATITUDE 41° N.

SIDEREAL TIME	10 ♒	11 ♓	12 ♈	Asc ♊		2 ♋	3 ♋
h m s	°	°	°	°	'	°	°
21 09 51	15	14	25	9	34	2	22
21 13 50	16	16	26	10	40	3	23
21 17 48	17	17	28	11	44	4	24
21 21 46	18	18	29	12	48	5	25
21 25 42	19	19	♉	13	51	6	26
21 29 38	20	21	2	14	54	6	27
21 33 33	21	22	3	15	55	7	28
21 37 28	22	23	4	16	55	8	29
21 41 22	23	24	6	17	55	9	29
21 45 15	24	25	7	18	54	10	♌
21 49 08	25	27	8	19	53	11	1
21 53 00	26	28	9	20	51	12	2
21 56 51	27	29	11	21	48	12	3
22 00 42	28	♈	12	22	44	13	4
22 04 32	29	1	13	23	40	14	5
22 08 22	♓	3	14	24	35	15	5
22 12 10	1	4	15	25	30	16	6
22 15 59	2	5	17	26	24	17	7
22 19 47	3	6	18	27	18	17	8
22 23 34	4	7	19	28	11	18	9
22 27 21	5	9	20	29	03	19	10
22 31 07	6	10	21	29	56	20	11
22 34 53	7	11	22	0♋	47	21	12
22 38 39	8	12	23	1	38	21	12
22 42 24	9	13	24	2	29	22	13
22 46 08	10	14	26	3	20	23	14
22 49 52	11	15	27	4	10	24	15
22 53 36	12	17	28	4	59	25	16
22 57 19	13	18	29	5	49	25	17
23 01 03	14	19	♊	6	37	26	17
23 04 45	15	20	1	7	26	27	18
23 08 28	16	21	2	8	14	28	19
23 12 10	17	22	3	9	02	29	20
23 15 52	18	23	4	9	50	29	21
23 19 33	19	24	5	10	37	♌	22
23 23 15	20	26	6	11	25	1	23
23 26 56	21	27	7	12	11	2	23
23 30 37	22	28	8	12	58	2	24
23 34 17	23	29	9	13	45	3	25
23 37 58	24	♉	10	14	31	4	26
23 41 39	25	1	11	15	17	5	27
23 45 19	26	2	12	16	03	6	28
23 48 59	27	3	13	16	48	6	29
23 52 40	28	4	14	17	34	7	29
23 56 20	29	5	14	18	19	8	♍
HOUSES	4	5	6	7		8	9

LATITUDE 41° S.

LATITUDE 42° N.

SIDEREAL TIME	10	11	12	Asc		2	3
	♈	♉	♊	♋		♌	♍
h m s	°	°	°	°	'	°	°
0 00 00	0	7	16	19	42	9	1
0 03 40	1	8	17	20	27	10	2
0 07 20	2	9	18	21	11	10	3
0 11 01	3	10	19	21	56	11	4
0 14 41	4	11	20	22	40	12	5
0 18 21	5	12	20	23	24	13	6
0 22 02	6	13	21	24	09	14	7
0 25 43	7	14	22	24	53	14	7
0 29 23	8	15	23	25	37	15	8
0 33 04	9	16	24	26	21	16	9
0 36 45	10	17	25	27	05	17	10
0 40 27	11	18	26	27	48	17	11
0 44 08	12	19	27	28	32	18	12
0 47 50	13	20	27	29	16	19	13
0 51 32	14	21	28	0♌	00	20	14
0 55 15	15	22	29	0	43	20	14
0 58 57	16	23	♋	1	27	21	15
1 02 41	17	24	1	2	11	22	16
1 06 24	18	25	2	2	55	23	17
1 10 08	19	26	3	3	38	24	18
1 13 52	20	27	3	4	22	24	19
1 17 36	21	28	4	5	06	25	20
1 21 21	22	29	5	5	50	26	21
1 25 07	23	♊	6	6	34	27	22
1 28 53	24	1	7	7	18	28	22
1 32 39	25	2	8	8	02	28	23
1 36 26	26	3	8	8	46	29	24
1 40 13	27	4	9	9	30	♍	25
1 44 01	28	5	10	10	14	1	26
1 47 49	29	6	11	10	58	2	27
1 51 38	♉	7	12	11	42	2	28
1 55 28	1	8	13	12	27	3	29
1 59 18	2	9	13	13	11	4	♎
2 03 09	3	10	14	13	56	5	1
2 07 00	4	10	15	14	41	6	2
2 10 52	5	11	16	15	26	7	3
2 14 45	6	12	17	16	11	7	4
2 18 38	7	13	18	16	56	8	4
2 22 32	8	14	18	17	41	9	5
2 26 27	9	15	19	18	26	10	6
2 30 22	10	16	20	19	12	11	7
2 34 18	11	17	21	19	57	12	8
2 38 14	12	18	22	20	43	12	9
2 42 12	13	19	23	21	29	13	10
2 46 10	14	20	23	22	15	14	11
HOUSES	4	5	6	7		8	9

LATITUDE 42° S.

LATITUDE 43° N.

SIDEREAL TIME	10	11	12	Asc		2	3
	♈	♉	♊	♋		♌	♍
h m s	°	°	°	°	'	°	°
0 00 00	0	7	17	20	21	9	1
0 03 40	1	8	17	21	05	10	2
0 07 20	2	9	18	21	49	11	3
0 11 01	3	10	19	22	34	12	4
0 14 41	4	11	20	23	18	12	5
0 18 21	5	12	21	24	01	13	6
0 22 02	6	13	22	24	45	14	7
0 25 43	7	14	23	25	29	15	7
0 29 23	8	15	24	26	13	15	8
0 33 04	9	16	25	26	56	16	9
0 36 45	10	17	25	27	40	17	10
0 40 27	11	18	26	28	23	18	11
0 44 08	12	19	27	29	07	18	12
0 47 50	13	20	28	29	50	19	13
0 51 32	14	21	29	0♌	33	20	14
0 55 15	15	22	♋	1	17	21	14
0 58 57	16	23	1	2	00	22	15
1 02 41	17	24	1	2	43	22	16
1 06 24	18	25	2	3	27	23	17
1 10 08	19	26	3	4	10	24	18
1 13 52	20	27	4	4	53	25	19
1 17 36	21	28	5	5	37	25	20
1 21 21	22	29	6	6	20	26	21
1 25 07	23	♊	6	7	04	27	22
1 28 53	24	1	7	7	47	28	23
1 32 39	25	2	8	8	31	29	23
1 36 26	26	3	9	9	15	29	24
1 40 13	27	4	10	9	58	♍	25
1 44 01	28	5	11	10	42	1	26
1 47 49	29	6	11	11	26	2	27
1 51 38	♉	7	12	12	10	3	28
1 55 28	1	8	13	12	54	3	29
1 59 18	2	9	14	13	38	4	♎
2 03 09	3	10	15	14	22	5	1
2 07 00	4	11	16	15	07	6	2
2 10 52	5	12	16	15	51	7	3
2 14 45	6	13	17	16	36	7	4
2 18 38	7	14	18	17	20	8	4
2 22 32	8	15	19	18	05	9	5
2 26 27	9	15	20	18	50	10	6
2 30 22	10	16	21	19	35	11	7
2 34 18	11	17	21	20	20	12	8
2 38 14	12	18	22	21	05	12	9
2 42 12	13	19	23	21	51	13	10
2 46 10	14	20	24	22	36	14	11
HOUSES	4	5	6	7		8	9

LATITUDE 43° S.

LATITUDE 44° N.

SIDEREAL TIME	10	11	12	Asc		2	3
	♈	♉	♊	♋		♌	♍
h m s	°	°	°	°	'	°	°
0 00 00	0	7	17	21	01	10	2
0 03 40	1	8	18	21	45	10	2
0 07 20	2	9	19	22	28	11	3
0 11 01	3	10	20	23	12	12	4
0 14 41	4	11	21	23	56	13	5
0 18 21	5	12	22	24	39	13	6
0 22 02	6	13	22	25	23	14	7
0 25 43	7	14	23	26	06	15	8
0 29 23	8	15	24	26	49	16	8
0 33 04	9	16	25	27	32	16	9
0 36 45	10	17	26	28	15	17	10
0 40 27	11	18	27	28	59	18	11
0 44 08	12	19	28	29	42	19	12
0 47 50	13	20	29	0♌	25	20	13
0 51 32	14	21	29	1	08	20	14
0 55 15	15	22	♋	1	51	21	15
0 58 57	16	23	1	2	34	22	15
1 02 41	17	24	2	3	16	23	16
1 06 24	18	25	3	3	59	23	17
1 10 08	19	26	4	4	42	24	18
1 13 52	20	27	4	5	25	25	19
1 17 36	21	28	5	6	08	26	20
1 21 21	22	29	6	6	52	26	21
1 25 07	23	♊	7	7	35	27	22
1 28 53	24	1	8	8	18	28	23
1 32 39	25	2	9	9	01	29	23
1 36 26	26	3	9	9	44	♍	24
1 40 13	27	4	10	10	28	0	25
1 44 01	28	5	11	11	11	1	26
1 47 49	29	6	12	11	54	2	27
1 51 38	♉	7	13	12	38	3	28
1 55 28	1	8	14	13	22	4	29
1 59 18	2	9	14	14	05	4	♎
2 03 09	3	10	15	14	49	5	1
2 07 00	4	11	16	15	33	6	2
2 10 52	5	12	17	16	17	7	3
2 14 45	6	13	18	17	01	8	4
2 18 38	7	14	19	17	45	8	4
2 22 32	8	15	19	18	30	9	5
2 26 27	9	16	20	19	14	10	6
2 30 22	10	17	21	19	59	11	7
2 34 18	11	18	22	20	44	12	8
2 38 14	12	19	23	21	29	13	9
2 42 12	13	20	24	22	14	13	10
2 46 10	14	20	24	22	59	14	11
HOUSES	4	5	6	7		8	9

LATITUDE 44° S.

LATITUDE 42° N.

SIDEREAL TIME	10 ♉	11 ♊	12 ♋	Asc ♌	2 ♍	3 ♎
h m s	°	°	°	° '	°	°
2 50 09	15	21	24	23 01	15	12
2 54 08	16	22	25	23 47	16	13
2 58 08	17	23	26	24 34	17	14
3 02 09	18	24	27	25 20	18	15
3 06 11	19	25	28	26 07	18	16
3 10 13	20	26	29	26 54	19	17
3 14 16	21	27	29	27 41	20	18
3 18 20	22	27	♌	28 28	21	19
3 22 25	23	28	1	29 15	22	20
3 26 30	24	29	2	0♍03	23	21
3 30 36	25	♋	3	0 50	24	22
3 34 43	26	1	4	1 38	25	23
3 38 50	27	2	5	2 26	25	24
3 42 58	28	3	5	3 14	26	25
3 47 07	29	4	6	4 03	27	26
3 51 16	♊	5	7	4 51	28	27
3 55 27	1	6	8	5 40	29	28
3 59 37	2	7	9	6 29	♎	29
4 03 49	3	8	10	7 17	1	♏
4 08 01	4	9	11	8 06	2	1
4 12 14	5	10	11	8 56	3	2
4 16 27	6	11	12	9 45	4	3
4 20 41	7	12	13	10 34	4	4
4 24 56	8	13	14	11 24	5	4
4 29 11	9	14	15	12 14	6	5
4 33 27	10	14	16	13 04	7	6
4 37 43	11	15	17	13 54	8	7
4 42 00	12	16	18	14 44	9	8
4 46 17	13	17	19	15 34	10	9
4 50 35	14	18	20	16 24	11	10
4 54 53	15	19	20	17 15	12	11
4 59 11	16	20	21	18 05	13	12
5 03 30	17	21	22	18 56	14	13
5 07 49	18	22	23	19 47	15	14
5 12 09	19	23	24	20 37	16	15
5 16 29	20	24	25	21 28	16	16
5 20 49	21	25	26	22 19	17	17
5 25 10	22	26	27	23 10	18	18
5 29 31	23	27	28	24 01	19	19
5 33 52	24	28	29	24 52	20	20
5 38 13	25	29	♍	25 44	21	21
5 42 34	26	♌	0	26 35	22	22
5 46 55	27	1	1	27 26	23	23
5 51 17	28	2	2	28 17	24	24
5 55 38	29	3	3	29 09	25	25
HOUSES	4	5	6	7	8	9

LATITUDE 42° S.

LATITUDE 43° N.

SIDEREAL TIME	10 ♉	11 ♊	12 ♋	Asc ♌	2 ♍	3 ♎
h m s	°	°	°	° '	°	°
2 50 09	15	21	25	23 22	15	12
2 54 08	16	22	26	24 08	16	13
2 58 08	17	23	26	24 54	17	14
3 02 09	18	24	27	25 40	18	15
3 06 11	19	25	28	26 26	18	16
3 10 13	20	26	29	27 13	19	17
3 14 16	21	27	♌	28 00	20	18
3 18 20	22	28	1	28 46	21	19
3 22 25	23	29	1	29 33	22	20
3 26 30	24	♋	2	0♍20	23	21
3 30 36	25	1	3	1 07	24	22
3 34 43	26	1	4	1 55	25	23
3 38 50	27	2	5	2 42	25	24
3 42 58	28	3	6	3 30	26	25
3 47 07	29	4	7	4 18	27	26
3 51 16	♊	5	7	5 06	28	27
3 55 27	1	6	8	5 54	29	27
3 59 37	2	7	9	6 42	♎	28
4 03 49	3	8	10	7 31	1	29
4 08 01	4	9	11	8 19	2	♏
4 12 14	5	10	12	9 08	3	1
4 16 27	6	11	13	9 57	4	2
4 20 41	7	12	14	10 46	4	3
4 24 56	8	13	14	11 35	5	4
4 29 11	9	14	15	12 24	6	5
4 33 27	10	15	16	13 14	7	6
4 37 43	11	16	17	14 03	8	7
4 42 00	12	17	18	14 53	9	8
4 46 17	13	18	19	15 43	10	9
4 50 35	14	19	20	16 32	11	10
4 54 53	15	19	21	17 22	12	11
4 59 11	16	20	22	18 12	13	12
5 03 30	17	21	22	19 03	14	13
5 07 49	18	22	23	19 53	15	14
5 12 09	19	23	24	20 43	15	15
5 16 29	20	24	25	21 33	16	16
5 20 49	21	25	26	22 24	17	17
5 25 10	22	26	27	23 14	18	18
5 29 31	23	27	28	24 05	19	19
5 33 52	24	28	29	24 56	20	20
5 38 13	25	29	♍	25 46	21	21
5 42 34	26	♌	1	26 37	22	22
5 46 55	27	1	2	27 28	23	23
5 51 17	28	2	3	28 18	24	24
5 55 38	29	3	3	29 09	25	25
HOUSES	4	5	6	7	8	9

LATITUDE 43° S.

LATITUDE 44° N.

SIDEREAL TIME	10 ♉	11 ♊	12 ♋	Asc ♌	2 ♍	3 ♎
h m s	°	°	°	° '	°	°
2 50 09	15	21	25	23 44	15	12
2 54 08	16	22	26	24 29	16	13
2 58 08	17	23	27	25 15	17	14
3 02 09	18	24	28	26 01	18	15
3 06 11	19	25	29	26 46	19	16
3 10 13	20	26	29	27 32	19	17
3 14 16	21	27	♌	28 19	20	18
3 18 20	22	28	1	29 05	21	19
3 22 25	23	29	2	29 51	22	20
3 26 30	24	♋	3	0♍38	23	21
3 30 36	25	1	4	1 25	24	22
3 34 43	26	2	4	2 12	25	23
3 38 50	27	3	5	2 59	25	23
3 42 58	28	4	6	3 46	26	24
3 47 07	29	5	7	4 33	27	25
3 51 16	♊	6	8	5 21	28	26
3 55 27	1	6	9	6 09	29	27
3 59 37	2	7	10	6 56	♎	28
4 03 49	3	8	10	7 44	1	29
4 08 01	4	9	11	8 32	2	♏
4 12 14	5	10	12	9 21	3	1
4 16 27	6	11	13	10 09	4	2
4 20 41	7	12	14	10 58	4	3
4 24 56	8	13	15	11 46	5	4
4 29 11	9	14	16	12 35	6	5
4 33 27	10	15	17	13 24	7	6
4 37 43	11	16	17	14 13	8	7
4 42 00	12	17	18	15 02	9	8
4 46 17	13	18	19	15 51	10	9
4 50 35	14	19	20	16 41	11	10
4 54 53	15	20	21	17 30	12	11
4 59 11	16	21	22	18 20	13	12
5 03 30	17	22	23	19 09	14	13
5 07 49	18	23	24	19 59	14	14
5 12 09	19	24	25	20 49	15	15
5 16 29	20	25	25	21 39	16	16
5 20 49	21	26	26	22 28	17	17
5 25 10	22	26	27	23 18	18	18
5 29 31	23	27	28	24 09	19	19
5 33 52	24	28	29	24 59	20	20
5 38 13	25	29	♍	25 49	21	21
5 42 34	26	♌	1	26 39	22	22
5 46 55	27	1	2	27 29	23	23
5 51 17	28	2	3	28 19	24	24
5 55 38	29	3	4	29 10	25	25
HOUSES	4	5	6	7	8	9

LATITUDE 44° S.

LATITUDE 42° N.

SIDEREAL TIME h m s	10 ♋ °	11 ♌ °	12 ♍ °	Asc ♎ °	'	2 ♎ °	3 ♏ °
6 00 00	0	4	4	0	00	26	26
6 04 22	1	5	5	0	51	27	27
6 08 43	2	6	6	1	42	28	28
6 13 05	3	7	7	2	34	29	29
6 17 26	4	8	8	3	25	♏	♐
6 21 47	5	9	9	4	16	0	1
6 26 08	6	10	10	5	07	1	2
6 30 29	7	11	11	5	58	2	3
6 34 50	8	12	12	6	49	3	4
6 39 11	9	13	13	7	40	4	5
6 43 31	10	14	13	8	31	5	6
6 47 51	11	15	14	9	22	6	7
6 52 11	12	16	15	10	13	7	8
6 56 30	13	17	16	11	04	8	9
7 00 49	14	18	17	11	54	9	10
7 05 07	15	19	18	12	45	10	11
7 09 25	16	20	19	13	35	10	12
7 13 43	17	21	20	14	26	11	13
7 18 00	18	22	21	15	16	12	14
7 22 17	19	23	22	16	06	13	15
7 26 33	20	24	23	16	56	14	16
7 30 49	21	25	24	17	46	15	16
7 35 04	22	26	25	18	36	16	17
7 39 19	23	26	26	19	25	17	18
7 43 33	24	27	26	20	15	18	19
7 47 46	25	28	27	21	04	19	20
7 51 59	26	29	28	21	53	19	21
7 56 11	27	♍	29	22	42	20	22
8 00 23	28	1	♎	23	31	21	23
8 04 33	29	2	1	24	20	22	24
8 08 44	♌	3	2	25	08	23	25
8 12 53	1	4	3	25	57	24	26
8 17 02	2	5	4	26	45	25	27
8 21 10	3	6	5	27	33	25	28
8 25 17	4	7	5	28	21	26	29
8 29 24	5	8	6	29	09	27	♑
8 33 30	6	9	7	29	57	28	1
8 37 35	7	10	8	0♏	44	29	2
8 41 40	8	11	9	1	32	♐	3
8 45 44	9	12	10	2	19	1	3
8 49 - 47	10	13	11	3	06	1	4
8 53 49	11	14	12	3	53	2	5
8 57 51	12	15	12	4	40	3	6
9 01 52	13	16	13	5	26	4	7
9 05 52	14	17	14	6	13	5	8
HOUSES	4	5	6	7		8	9

LATITUDE 42° S.

LATITUDE 43° N.

SIDEREAL TIME h m s	10 ♋ °	11 ♌ °	12 ♍ °	Asc ♎ °	'	2 ♎ °	3 ♏ °
6 00 00	0	4	4	0	00	26	26
6 04 22	1	5	5	0	51	27	27
6 08 43	2	6	6	1	41	27	28
6 13 05	3	7	7	2	32	28	29
6 17 26	4	8	8	3	23	29	♐
6 21 47	5	9	9	4	13	♏	1
6 26 08	6	10	10	5	04	1	2
6 30 29	7	11	11	5	55	2	3
6 34 50	8	12	12	6	45	3	4
6 39 11	9	13	13	7	36	4	5
6 43 31	10	14	14	8	26	5	6
6 47 51	11	15	15	9	17	6	7
6 52 11	12	16	15	10	07	7	8
6 56 30	13	17	16	10	57	8	9
7 00 49	14	18	17	11	47	8	10
7 05 07	15	19	18	12	37	9	10
7 09 25	16	20	19	13	27	10	11
7 13 43	17	21	20	14	17	11	12
7 18 00	18	22	21	15	07	12	13
7 22 17	19	23	22	15	56	13	14
7 26 33	20	24	23	16	46	14	15
7 30 49	21	25	24	17	35	15	16
7 35 04	22	26	25	18	25	16	17
7 39 19	23	27	26	19	14	16	18
7 43 33	24	28	26	20	03	17	19
7 47 46	25	29	27	20	52	18	20
7 51 59	26	♍	28	21	40	19	21
7 56 11	27	1	29	22	29	20	22
8 00 23	28	2	♎	23	17	21	23
8 04 33	29	3	1	24	06	22	24
8 08 44	♌	3	2	24	54	23	25
8 12 53	1	4	3	25	42	23	26
8 17 02	2	5	4	26	30	24	27
8 21 10	3	6	5	27	17	25	28
8 25 17	4	7	5	28	05	26	29
8 29 24	5	8	6	28	52	27	29
8 33 30	6	9	7	29	39	28	♑
8 37 35	7	10	8	0♏	26	29	1
8 41 40	8	11	9	1	13	29	2
8 45 44	9	12	10	2	00	♐	3
8 49 - 47	10	13	11	2	47	1	4
8 53 49	11	14	12	3	33	2	5
8 57 51	12	15	12	4	19	3	6
9 01 52	13	16	13	5	06	4	7
9 05 52	14	17	14	5	52	4	8
HOUSES	4	5	6	7		8	9

LATITUDE 43° S.

LATITUDE 44° N.

SIDEREAL TIME h m s	10 ♋ °	11 ♌ °	12 ♍ °	Asc ♎ °	'	2 ♎ °	3 ♏ °
6 00 00	0	4	5	0	00	25	26
6 04 22	1	5	5	0	50	26	27
6 08 43	2	6	6	1	40	27	28
6 13 05	3	7	7	2	31	28	29
6 17 26	4	8	8	3	21	29	♐
6 21 47	5	9	9	4	11	♏	1
6 26 08	6	10	10	5	01	1	2
6 30 29	7	11	11	5	51	2	3
6 34 50	8	12	12	6	41	3	4
6 39 11	9	13	13	7	31	4	4
6 43 31	10	14	14	8	21	5	5
6 47 51	11	15	15	9	11	5	6
6 52 11	12	16	16	10	01	6	7
6 56 30	13	17	16	10	50	7	8
7 00 49	14	18	17	11	40	8	9
7 05 07	15	19	18	12	30	9	10
7 09 25	16	20	19	13	19	10	11
7 13 43	17	21	20	14	08	11	12
7 18 00	18	22	21	14	58	12	13
7 22 17	19	23	22	15	47	13	14
7 26 33	20	24	23	16	36	13	15
7 30 49	21	25	24	17	25	14	16
7 35 04	22	26	25	18	13	15	17
7 39 19	23	27	26	19	02	16	18
7 43 33	24	28	26	19	51	17	19
7 47 46	25	29	27	20	39	18	20
7 51 59	26	♍	28	21	27	19	21
7 56 11	27	1	29	22	15	20	22
8 00 23	28	2	♎	23	03	20	23
8 04 33	29	3	1	23	51	21	24
8 08 44	♌	4	2	24	39	22	24
8 12 53	1	5	3	25	26	23	25
8 17 02	2	6	4	26	14	24	26
8 21 10	3	7	5	27	01	25	27
8 25 17	4	7	5	27	48	26	28
8 29 24	5	8	6	28	35	26	29
8 33 30	6	9	7	29	22	27	♑
8 37 35	7	10	8	0♏	08	28	1
8 41 40	8	11	9	0	55	29	2
8 45 44	9	12	10	1	41	♐	3
8 49 - 47	10	13	11	2	27	1	4
8 53 49	11	14	11	3	13	1	5
8 57 51	12	15	12	3	59	2	6
9 01 52	13	16	13	4	45	3	7
9 05 52	14	17	14	5	30	4	8
HOUSES	4	5	6	7		8	9

LATITUDE 44° S.

	LATITUDE 42° N.						LATITUDE 43° N.						LATITUDE 44° N.					
SIDEREAL	10	11	12	Asc	2	3	10	11	12	Asc	2	3	10	11	12	Asc	2	3
TIME	♌	♍	♎	♏	♐	♑	♌	♍	♎	♏	♐	♑	♌	♍	♎	♏	♐	♑
h m s	°	°	°	° '	°	°	°	°	°	° '	°	°	°	°	°	° '	°	°
9 09 51	15	18	15	6 59	6	9	15	18	15	6 37	5	9	15	18	15	6 16	5	9
9 13 50	16	19	16	7 45	7	10	16	19	16	7 23	6	10	16	19	16	7 01	6	10
9 17 48	17	20	17	8 31	7	11	17	20	17	8 09	7	11	17	20	17	7 46	6	10
9 21 46	18	21	18	9 17	8	12	18	21	18	8 54	8	12	18	21	17	8 31	7	11
9 25 42	19	22	18	10 02	9	13	19	22	18	9 39	9	13	19	22	18	9 16	8	12
9 29 38	20	23	19	10 48	10	14	20	23	19	10 25	9	14	20	23	19	10 01	9	13
9 33 33	21	24	20	11 34	11	15	21	24	20	11 10	10	15	21	24	20	10 45	10	14
9 37 28	22	25	21	12 19	12	16	22	25	21	11 55	11	15	22	25	21	11 30	11	15
9 41 22	23	26	22	13 04	12	17	23	26	22	12 39	12	16	23	26	22	12 14	11	16
9 45 15	24	26	23	13 49	13	18	24	26	22	13 24	13	17	24	26	22	12 58	12	17
9 49 08	25	27	23	14 34	14	19	25	27	23	14 09	14	18	25	27	23	13 43	13	18
9 53 00	26	28	24	15 19	15	20	26	28	24	14 53	14	19	26	28	24	14 27	14	19
9 56 51	27	29	25	16 04	16	20	27	29	25	15 37	15	20	27	29	25	15 10	15	20
10 00 42	28	♎	26	16 48	17	21	28	♎	26	16 21	16	21	28	♎	26	15 54	16	21
10 04 32	29	1	27	17 33	17	22	29	1	27	17 06	17	22	29	1	26	16 38	16	22
10 08 22	♍	2	28	18 17	18	23	♍	2	27	17 50	18	23	♍	2	27	17 22	17	23
10 12 10	1	3	28	19 01	19	24	1	3	28	18 34	19	24	1	3	28	18 05	18	24
10 15 59	2	4	29	19 46	20	25	2	4	29	19 17	19	25	2	4	29	18 49	19	25
10 19 47	3	5	♏	20 30	21	26	3	5	♏	20 01	20	26	3	5	♏	19 32	20	26
10 23 34	4	6	1	21 14	22	27	4	6	1	20 45	21	27	4	6	0	20 15	21	27
10 27 21	5	7	2	21 58	22	28	5	7	1	21 29	22	28	5	7	1	20 59	21	28
10 31 07	6	7	2	22 42	23	29	6	7	2	22 12	23	29	6	7	2	21 42	22	29
10 34 53	7	8	3	23 26	24	♒	7	8	3	22 56	24	♒	7	8	3	22 25	23	♒
10 38 39	8	9	4	24 10	25	1	8	9	4	23 39	24	1	8	9	4	23 08	24	1
10 42 24	9	10	5	24 54	26	2	9	10	5	24 23	25	2	9	10	4	23 51	25	2
10 46 08	10	11	6	25 37	27	3	10	11	5	25 06	26	3	10	11	5	24 34	25	3
10 49 52	11	12	6	26 21	27	4	11	12	6	25 50	27	4	11	12	6	25 17	26	4
10 53 36	12	13	7	27 05	28	5	12	13	7	26 33	28	5	12	13	7	26 00	27	5
10 57 19	13	14	8	27 49	29	6	13	14	8	27 16	29	6	13	14	7	26 43	28	6
11 01 03	14	15	9	28 32	♑	7	14	15	8	28 00	29	7	14	15	8	27 26	29	7
11 04 45	15	16	10	29 16	1	8	15	16	9	28 43	♑	8	15	15	9	28 09	♑	8
11 08 28	16	16	10	0♐00	2	9	16	16	10	29 26	1	9	16	16	10	28 52	1	9
11 12 10	17	17	11	0 44	3	10	17	17	11	0♐10	2	10	17	17	10	29 35	1	10
11 15 52	18	18	12	1 27	3	11	18	18	12	0 53	3	11	18	18	11	0♐18	2	11
11 19 33	19	19	13	2 11	4	12	19	19	12	1 37	4	12	19	19	12	1 01	3	12
11 23 15	20	20	13	2 55	5	13	20	20	13	2 20	5	13	20	20	13	1 44	4	13
11 26 56	21	21	14	3 39	6	14	21	21	14	3 04	5	14	21	21	14	2 27	5	14
11 30 37	22	22	15	4 23	7	15	22	22	15	3 47	6	15	22	22	14	3 10	6	15
11 34 17	23	23	16	5 07	8	16	23	23	15	4 31	7	16	23	22	15	3 54	7	16
11 37 58	24	23	16	5 51	9	17	24	23	16	5 14	8	17	24	23	16	4 37	7	17
11 41 39	25	24	17	6 35	10	18	25	24	17	5 58	9	18	25	24	17	5 20	8	18
11 45 19	26	25	18	7 19	10	19	26	25	18	6 42	10	19	26	25	17	6 04	9	19
11 48 59	27	26	19	8 04	11	20	27	26	18	7 26	11	20	27	26	18	6 48	10	20
11 52 40	28	27	20	8 48	12	21	28	27	19	8 10	12	21	28	27	19	7 31	11	21
11 56 20	29	28	20	9 33	13	22	29	28	20	8 54	13	22	29	28	20	8 15	12	22
HOUSES	4	5	6	7	8	9	4	5	6	7	8	9	4	5	6	7	8	9
	LATITUDE 42° S.						LATITUDE 43° S.						LATITUDE 44° S.					

LATITUDE 42° N.

SIDEREAL TIME	10 ♎	11 ♎	12 ♏	Asc ♐	2 ♑	3 ♒
h m s	°	°	°	° '	°	°
12 00 00	0	29	21	10 17	14	23
12 03 40	1	♏	22	11 02	15	25
12 07 20	2	0	23	11 47	16	26
12 11 01	3	1	23	12 32	17	27
12 14 41	4	2	24	13 18	18	28
12 18 21	5	3	25	14 03	19	29
12 22 02	6	4	26	14 49	20	♓
12 25 43	7	5	26	15 35	21	1
12 29 23	8	6	27	16 21	22	2
12 33 04	9	6	28	17 07	23	3
12 36 45	10	7	29	17 54	24	4
12 40 27	11	8	♐	18 41	25	5
12 44 08	12	9	0	19 28	26	7
12 47 50	13	10	1	20 15	27	8
12 51 32	14	11	2	21 03	28	9
12 55 15	15	11	3	21 51	29	10
12 58 57	16	12	3	22 39	♒	11
13 02 41	17	13	4	23 27	1	12
13 06 24	18	14	5	24 16	2	13
13 10 08	19	15	6	25 06	3	14
13 13 52	20	16	7	25 55	4	16
13 17 36	21	17	7	26 45	5	17
13 21 21	22	17	8	27 36	6	18
13 25 07	23	18	9	28 27	7	19
13 28 53	24	19	10	29 18	8	20
13 32 39	25	20	11	0♑10	9	21
13 36 26	26	21	11	1 02	11	23
13 40 13	27	22	12	1 55	12	24
13 44 01	28	23	13	2 48	13	25
13 47 49	29	23	14	3 42	14	26
13 51 38	♏	24	15	4 37	15	27
13 55 28	1	25	15	5 31	17	29
13 59 18	2	26	16	6 27	18	♈
14 03 09	3	27	17	7 23	19	1
14 07 00	4	28	18	8 20	20	2
14 10 52	5	29	19	9 18	21	3
14 14 45	6	29	20	10 16	23	5
14 18 38	7	♐	20	11 15	24	6
14 22 32	8	1	21	12 14	25	7
14 26 27	9	2	22	13 15	27	8
14 30 22	10	3	23	14 16	28	9
14 34 18	11	4	24	15 18	29	11
14 38 14	12	5	25	16 21	♓	12
14 42 12	13	6	26	17 24	2	13
14 46 10	14	7	27	18 29	3	14
HOUSES	4	5	6	7	8	9

LATITUDE 42° S.

LATITUDE 43° N.

SIDEREAL TIME	10 ♎	11 ♎	12 ♏	Asc ♐	2 ♑	3 ♒
h m s	°	°	°	° '	°	°
12 00 00	0	29	21	9 39	13	23
12 03 40	1	29	21	10 23	14	24
12 07 20	2	♏	22	11 08	15	25
12 11 01	3	1	23	11 53	16	26
12 14 41	4	2	24	12 37	17	28
12 18 21	5	3	25	13 23	18	29
12 22 02	6	4	25	14 08	19	♓
12 25 43	7	5	26	14 53	20	1
12 29 23	8	5	27	15 39	21	2
12 33 04	9	6	28	16 25	22	3
12 36 45	10	7	28	17 11	23	4
12 40 27	11	8	29	17 58	24	5
12 44 08	12	9	♐	18 44	25	6
12 47 50	13	10	1	19 31	26	8
12 51 32	14	10	1	20 19	27	9
12 55 15	15	11	2	21 06	28	10
12 58 57	16	12	3	21 54	29	11
13 02 41	17	13	4	22 42	♒	12
13 06 24	18	14	5	23 31	1	13
13 10 08	19	15	5	24 20	2	14
13 13 52	20	16	6	25 09	3	16
13 17 36	21	16	7	25 59	4	17
13 21 21	22	17	8	26 49	6	18
13 25 07	23	18	8	27 40	7	19
13 28 53	24	19	9	28 31	8	20
13 32 39	25	20	10	29 22	9	21
13 36 26	26	21	11	0♑14	10	23
13 40 13	27	22	12	1 07	11	24
13 44 01	28	22	12	2 00	12	25
13 47 49	29	23	13	2 53	14	26
13 51 38	♏	24	14	3 47	15	27
13 55 28	1	25	15	4 42	16	29
13 59 18	2	26	16	5 37	17	♈
14 03 09	3	27	17	6 33	19	1
14 07 00	4	28	17	7 29	20	2
14 10 52	5	28	18	8 27	21	3
14 14 45	6	29	19	9 25	22	5
14 18 38	7	♐	20	10 23	24	6
14 22 32	8	1	21	11 23	25	7
14 26 27	9	2	22	12 23	26	8
14 30 22	10	3	23	13 24	28	10
14 34 18	11	4	23	14 25	29	11
14 38 14	12	5	24	15 28	♓	12
14 42 12	13	5	25	16 32	2	13
14 46 10	14	6	26	17 36	3	14
HOUSES	4	5	6	7	8	9

LATITUDE 43° S.

LATITUDE 44° N.

SIDEREAL TIME	10 ♎	11 ♎	12 ♏	Asc ♐	2 ♑	3 ♒
h m s	°	°	°	° '	°	°
12 00 00	0	28	20	8 59	13	23
12 03 40	1	29	21	9 43	14	24
12 07 20	2	♏	22	10 27	15	25
12 11 01	3	1	23	11 12	16	26
12 14 41	4	2	23	11 56	17	27
12 18 21	5	3	24	12 41	18	28
12 22 02	6	4	25	13 26	19	♓
12 25 43	7	4	26	14 11	19	1
12 29 23	8	5	26	14 56	20	2
12 33 04	9	6	27	15 42	21	3
12 36 45	10	7	28	16 28	22	4
12 40 27	11	8	29	17 14	23	5
12 44 08	12	9	29	18 00	24	6
12 47 50	13	9	♐	18 47	25	7
12 51 32	14	10	1	19 34	26	9
12 55 15	15	11	2	20 21	28	10
12 58 57	16	12	3	21 08	29	11
13 02 41	17	13	3	21 56	♒	12
13 06 24	18	14	4	22 44	1	13
13 10 08	19	15	5	23 33	2	14
13 13 52	20	15	6	24 22	3	15
13 17 36	21	16	6	25 11	4	17
13 21 21	22	17	7	26 01	5	18
13 25 07	23	18	8	26 51	6	19
13 28 53	24	19	9	27 42	7	20
13 32 39	25	20	10	28 33	8	21
13 36 26	26	20	10	29 24	10	23
13 40 13	27	21	11	0♑16	11	24
13 44 01	28	22	12	1 09	12	25
13 47 49	29	23	13	2 02	13	26
13 51 38	♏	24	14	2 56	14	27
13 55 28	1	25	14	3 50	16	29
13 59 18	2	26	15	4 45	17	♈
14 03 09	3	26	16	5 41	18	1
14 07 00	4	27	17	6 37	19	2
14 10 52	5	28	18	7 34	21	3
14 14 45	6	29	19	8 31	22	5
14 18 38	7	♐	19	9 30	23	6
14 22 32	8	1	20	10 29	24	7
14 26 27	9	2	21	11 29	26	8
14 30 22	10	3	22	12 29	27	10
14 34 18	11	3	23	13 31	29	11
14 38 14	12	4	24	14 33	♓	12
14 42 12	13	5	25	15 36	1	13
14 46 10	14	6	26	16 41	3	15
HOUSES	4	5	6	7	8	9

LATITUDE 44° S.

LATITUDE 42° N.

SIDEREAL TIME	10 ♏	11 ♐	12 ♐	Asc ♑	2 ♓	3 ♈
h m s	°	°	°	° '	°	°
14 50 09	15	7	27	19 35	5	16
14 54 08	16	8	28	20 41	6	17
14 58 08	17	9	29	21 49	8	18
15 02 09	18	10	♑	22 57	9	19
15 06 11	19	11	1	24 07	10	21
15 10 13	20	12	2	25 17	12	22
15 14 16	21	13	3	26 29	13	23
15 18 20	22	14	4	27 42	15	24
15 22 25	23	15	5	28 56	16	25
15 26 30	24	16	6	0♒11	18	27
15 30 36	25	16	7	1 27	19	28
15 34 43	26	17	8	2 45	21	29
15 38 50	27	18	9	4 04	22	♉
15 42 58	28	19	10	5 24	24	2
15 47 07	29	20	11	6 46	25	3
15 51 16	♐	21	12	8 09	27	4
15 55 27	1	22	13	9 33	28	5
15 59 37	2	23	14	10 59	♈	6
16 03 49	3	24	15	12 26	1	8
16 08 01	4	25	16	13 55	3	9
16 12 14	5	26	17	15 25	4	10
16 16 27	6	27	18	16 56	6	11
16 20 41	7	28	19	18 29	8	12
16 24 56	8	29	20	20 04	9	14
16 29 11	9	♑	22	21 40	11	15
16 33 27	10	1	23	23 18	12	16
16 37 43	11	2	24	24 57	14	17
16 42 00	12	3	25	26 37	15	18
16 46 17	13	4	26	28 19	17	20
16 50 35	14	5	27	0♓02	18	21
16 54 53	15	6	29	1 47	20	22
16 59 11	16	7	♒	3 33	22	23
17 03 30	17	8	1	5 20	23	24
17 07 49	18	9	2	7 09	25	25
17 12 09	19	10	3	8 59	26	26
17 16 29	20	11	5	10 49	28	28
17 20 49	21	12	6	12 41	29	29
17 25 10	22	13	7	14 34	♉	♊
17 29 31	23	14	9	16 28	2	1
17 33 52	24	15	10	18 22	3	2
17 38 13	25	16	11	20 18	5	3
17 42 34	26	17	12	22 13	6	4
17 46 55	27	18	14	24 10	8	5
17 51 17	28	19	15	26 06	9	7
17 55 38	29	20	17	28 03	11	8
HOUSES	4	5	6	7	8	9

LATITUDE 42° S.

LATITUDE 43° N.

SIDEREAL TIME	10 ♏	11 ♐	12 ♐	Asc ♑	2 ♓	3 ♈
h m s	°	°	°	° '	°	°
14 50 09	15	7	27	18 41	4	16
14 54 08	16	8	28	19 48	6	17
14 58 08	17	9	29	20 55	7	18
15 02 09	18	10	♑	22 03	9	19
15 06 11	19	11	1	23 13	10	21
15 10 13	20	12	2	24 24	12	22
15 14 16	21	13	2	25 35	13	23
15 18 20	22	13	3	26 48	15	24
15 22 25	23	14	4	28 02	16	26
15 26 30	24	15	5	29 18	18	27
15 30 36	25	16	6	0♒34	19	28
15 34 43	26	17	7	1 52	21	29
15 38 50	27	18	8	3 11	22	♉
15 42 58	28	19	9	4 32	24	2
15 47 07	29	20	10	5 54	25	3
15 51 16	♐	21	11	7 17	27	4
15 55 27	1	22	12	8 42	28	5
15 59 37	2	23	13	10 08	♈	7
16 03 49	3	24	14	11 36	1	8
16 08 01	4	25	16	13 05	3	9
16 12 14	5	26	17	14 36	5	10
16 16 27	6	26	18	16 09	6	11
16 20 41	7	27	19	17 43	8	13
16 24 56	8	28	20	19 18	9	14
16 29 11	9	29	21	20 56	11	15
16 33 27	10	♑	22	22 34	12	16
16 37 43	11	1	23	24 15	14	17
16 42 00	12	2	24	25 56	16	19
16 46 17	13	3	26	27 40	17	20
16 50 35	14	4	27	29 25	19	21
16 54 53	15	5	28	1♓11	20	22
16 59 11	16	6	29	2 59	22	23
17 03 30	17	7	♒	4 48	23	24
17 07 49	18	8	2	6 39	25	26
17 12 09	19	9	3	8 31	26	27
17 16 29	20	10	4	10 24	28	28
17 20 49	21	11	5	12 18	29	29
17 25 10	22	12	7	14 13	♉	♊
17 29 31	23	14	8	16 09	2	1
17 33 52	24	15	9	18 06	4	2
17 38 13	25	16	11	20 04	5	4
17 42 34	26	17	12	22 03	7	5
17 46 55	27	18	13	24 01	8	6
17 51 17	28	19	15	26 01	10	7
17 55 38	29	20	16	28 00	11	8
HOUSES	4	5	6	7	8	9

LATITUDE 43° S.

LATITUDE 44° N.

SIDEREAL TIME	10 ♏	11 ♐	12 ♐	Asc ♑	2 ♓	3 ♈
h m s	°	°	°	° '	°	°
14 50 09	15	7	26	17 46	4	16
14 54 08	16	8	27	18 52	6	17
14 58 08	17	9	28	19 59	7	18
15 02 09	18	10	29	21 07	8	20
15 06 11	19	10	♑	22 17	10	21
15 10 13	20	11	1	23 27	11	22
15 14 16	21	12	2	24 39	13	23
15 18 20	22	13	3	25 52	14	24
15 22 25	23	14	4	27 06	16	26
15 26 30	24	15	5	28 21	17	27
15 30 36	25	16	6	29 38	19	28
15 34 43	26	17	7	0♒56	20	29
15 38 50	27	18	8	2 16	22	♉
15 42 58	28	19	9	3 36	24	2
15 47 07	29	20	10	4 59	25	3
15 51 16	♐	21	11	6 23	27	4
15 55 27	1	21	12	7 48	28	6
15 59 37	2	22	13	9 15	♈	7
16 03 49	3	23	14	10 43	1	8
16 08 01	4	24	15	12 13	3	9
16 12 14	5	25	16	13 45	5	10
16 16 27	6	26	17	15 18	6	12
16 20 41	7	27	18	16 53	8	13
16 24 56	8	28	19	18 30	9	14
16 29 11	9	29	20	20 08	11	15
16 33 27	10	♑	22	21 48	13	16
16 37 43	11	1	23	23 30	14	18
16 42 00	12	2	24	25 13	16	19
16 46 17	13	3	25	26 58	17	20
16 50 35	14	4	26	28 45	19	21
16 54 53	15	5	27	0♓33	20	22
16 59 11	16	6	29	2 23	22	24
17 03 30	17	7	♒	4 14	24	25
17 07 49	18	8	1	6 07	25	26
17 12 09	19	9	2	8 01	27	27
17 16 29	20	10	4	9 56	28	28
17 20 49	21	11	5	11 53	♉	29
17 25 10	22	12	6	13 51	1	♊
17 29 31	23	13	7	15 49	3	2
17 33 52	24	14	9	17 49	4	3
17 38 13	25	15	10	19 50	6	4
17 42 34	26	16	11	21 51	7	5
17 46 55	27	17	13	23 53	9	6
17 51 17	28	19	14	25 55	10	7
17 55 38	29	20	16	27 57	12	8
HOUSES	4	5	6	7	8	9

LATITUDE 44° S.

LATITUDE 42° N.

SIDEREAL TIME (h m s)	10 ♑ °	11 ♑ °	12 ♒ °	Asc ♈ ° '	2 ♉ °	3 ♊ °
18 00 00	0	21	18	0 00	12	9
18 04 22	1	22	19	1 57	13	10
18 08 43	2	23	21	3 54	15	11
18 13 05	3	25	22	5 50	16	12
18 17 26	4	26	24	7 46	18	13
18 21 47	5	27	25	9 42	19	14
18 26 08	6	28	27	11 37	20	15
18 30 29	7	29	28	13 32	21	16
18 34 50	8	♒	29	15 25	23	17
18 39 11	9	1	♓	17 18	24	18
18 43 31	10	2	2	19 10	25	19
18 47 51	11	3	4	21 01	27	20
18 52 11	12	5	5	22 51	28	21
18 56 30	13	6	7	24 39	29	22
19 00 49	14	7	8	26 27	♊	23
19 05 07	15	8	10	28 13	1	24
19 09 25	16	9	12	29 57	3	25
19 13 43	17	10	13	1♉41	4	26
19 18 00	18	12	15	3 23	5	27
19 22 17	19	13	16	5 03	6	28
19 26 33	20	14	18	6 42	7	29
19 30 49	21	15	19	8 20	8	♋
19 35 04	22	16	21	9 56	10	1
19 39 19	23	18	22	11 30	11	2
19 43 33	24	19	24	13 03	12	3
19 47 46	25	20	25	14 35	13	4
19 51 59	26	21	27	16 05	14	5
19 56 11	27	22	29	17 34	15	6
20 00 23	28	24	♈	19 01	16	7
20 04 33	29	25	2	20 27	17	8
20 08 44	♒	26	3	21 51	18	9
20 12 53	1	27	5	23 14	19	10
20 17 02	2	28	6	24 35	20	11
20 21 10	3	♓	8	25 56	21	12
20 25 17	4	1	9	27 15	22	13
20 29 24	5	2	11	28 32	23	14
20 33 30	6	3	12	29 49	24	14
20 37 35	7	5	14	1♊04	25	15
20 41 40	8	6	15	2 18	26	16
20 45 44	9	7	17	3 31	27	17
20 49 47	10	8	18	4 43	28	18
20 53 49	11	9	20	5 53	29	19
20 57 51	12	11	21	7 03	♋	20
21 01 52	13	12	22	8 11	1	21
21 05 52	14	13	24	9 19	2	22
HOUSES	4	5	6	7	8	9

LATITUDE 42° S.

LATITUDE 43° N.

SIDEREAL TIME (h m s)	10 ♑ °	11 ♑ °	12 ♒ °	Asc ♈ ° '	2 ♉ °	3 ♊ °
18 00 00	0	21	17	0 00	12	9
18 04 22	1	22	19	1 59	14	10
18 08 43	2	23	20	3 59	15	11
18 13 05	3	24	22	5 58	17	12
18 17 26	4	25	23	7 57	18	13
18 21 47	5	26	25	9 55	19	14
18 26 08	6	28	26	11 53	21	15
18 30 29	7	29	28	13 50	22	16
18 34 50	8	♒	29	15 46	23	18
18 39 11	9	1	♓	17 42	25	19
18 43 31	10	2	2	19 36	26	20
18 47 51	11	3	4	21 29	27	21
18 52 11	12	4	5	23 21	28	22
18 56 30	13	6	7	25 11	♊	23
19 00 49	14	7	8	27 01	1	24
19 05 07	15	8	10	28 48	2	25
19 09 25	16	9	11	0♉35	3	26
19 13 43	17	10	13	2 20	4	27
19 18 00	18	11	14	4 03	6	28
19 22 17	19	13	16	5 45	7	29
19 26 33	20	14	18	7 25	8	♋
19 30 49	21	15	19	9 04	9	1
19 35 04	22	16	21	10 41	10	2
19 39 19	23	17	22	12 17	11	3
19 43 33	24	19	24	13 51	12	3
19 47 46	25	20	25	15 23	13	4
19 51 59	26	21	27	16 54	14	5
19 56 11	27	22	29	18 24	16	6
20 00 23	28	23	♈	19 51	17	7
20 04 33	29	25	2	21 18	18	8
20 08 44	♒	26	3	22 43	19	9
20 12 53	1	27	5	24 06	20	10
20 17 02	2	28	6	25 28	21	11
20 21 10	3	29	8	26 48	22	12
20 25 17	4	♓	9	28 08	23	13
20 29 24	5	2	11	29 26	24	14
20 33 30	6	3	12	0♊42	25	15
20 37 35	7	4	14	1 57	26	16
20 41 40	8	6	15	3 12	27	17
20 45 44	9	7	17	4 24	28	17
20 49 47	10	8	18	5 36	28	18
20 53 49	11	9	20	6 47	29	19
20 57 51	12	11	21	7 56	♋	20
21 01 52	13	12	23	9 05	1	21
21 05 52	14	13	24	10 12	2	22
HOUSES	4	5	6	7	8	9

LATITUDE 43° S.

LATITUDE 44° N.

SIDEREAL TIME (h m s)	10 ♑ °	11 ♑ °	12 ♒ °	Asc ♈ ° '	2 ♉ °	3 ♊ °
18 00 00	0	21	17	0 00	13	9
18 04 22	1	22	18	2 02	14	10
18 08 43	2	23	20	4 05	16	11
18 13 05	3	24	21	6 07	17	13
18 17 26	4	25	23	8 09	19	14
18 21 47	5	26	24	10 10	20	15
18 26 08	6	27	26	12 11	21	16
18 30 29	7	28	27	14 10	23	17
18 34 50	8	♒	29	16 09	24	18
18 39 11	9	1	♓	18 07	25	19
18 43 31	10	2	2	20 03	26	20
18 47 51	11	3	3	21 59	28	21
18 52 11	12	4	5	23 53	29	22
18 56 30	13	5	6	25 46	♊	23
19 00 49	14	6	8	27 37	1	24
19 05 07	15	8	10	29 27	3	25
19 09 25	16	9	11	1♉15	4	26
19 13 43	17	10	13	3 02	5	27
19 18 00	18	11	14	4 47	6	28
19 22 17	19	12	16	6 30	7	29
19 26 33	20	14	17	8 12	8	♋
19 30 49	21	15	19	9 52	10	1
19 35 04	22	16	21	11 30	11	2
19 39 19	23	17	22	13 07	12	3
19 43 33	24	18	24	14 41	13	4
19 47 46	25	20	25	16 15	14	5
19 51 59	26	21	27	17 46	15	6
19 56 11	27	22	29	19 16	16	7
20 00 23	28	23	♈	20 45	17	8
20 04 33	29	24	2	22 12	18	9
20 08 44	♒	26	3	23 37	19	9
20 12 53	1	27	5	25 01	20	10
20 17 02	2	28	6	26 23	21	11
20 21 10	3	29	8	27 44	22	12
20 25 17	4	♓	10	29 03	23	13
20 29 24	5	2	11	0♊22	24	14
20 33 30	6	3	13	1 38	25	15
20 37 35	7	4	14	2 54	26	16
20 41 40	8	6	16	4 08	27	17
20 45 44	9	7	17	5 21	28	18
20 49 47	10	8	19	6 32	29	19
20 53 49	11	9	20	7 43	♋	20
20 57 51	12	10	22	8 52	1	20
21 01 52	13	12	23	10 00	2	21
21 05 52	14	13	24	11 08	3	22
HOUSES	4	5	6	7	8	9

LATITUDE 44° S.

LATITUDE 42° N.

SIDEREAL TIME	10	11	12	Asc		2	3
	♒	♓	♈	♊		♋	♋
h m s	°	°	°	°	'	°	°
21 09 51	15	14	25	10	25	3	23
21 13 50	16	16	27	11	31	3	23
21 17 48	17	17	28	12	35	4	24
21 21 46	18	18	29	13	39	5	25
21 25 42	19	19	♉	14	42	6	26
21 29 38	20	21	2	15	44	7	27
21 33 33	21	22	3	16	45	8	28
21 37 28	22	23	5	17	45	9	29
21 41 22	23	24	6	18	45	10	♌
21 45 15	24	25	7	19	44	10	1
21 49 08	25	27	9	20	42	11	1
21 53 00	26	28	10	21	40	12	2
21 56 51	27	29	11	22	36	13	3
22 00 42	28	♈	12	23	33	14	4
22 04 32	29	1	13	24	28	15	5
22 08 22	♓	3	15	25	23	15	6
22 12 10	1	4	16	26	18	16	7
22 15 59	2	5	17	27	11	17	7
22 19 47	3	6	18	28	05	18	8
22 23 34	4	7	19	28	57	19	9
22 27 21	5	9	21	29	50	19	10
22 31 07	6	10	22	0♋	42	20	11
22 34 53	7	11	23	1	33	21	12
22 38 39	8	12	24	2	24	22	13
22 42 24	9	13	25	3	14	23	13
22 46 08	10	14	26	4	04	23	14
22 49 52	11	16	27	4	54	24	15
22 53 36	12	17	28	5	43	25	16
22 57 19	13	18	29	6	32	26	17
23 01 03	14	19	♊	7	21	27	18
23 04 45	15	20	1	8	09	27	18
23 08 28	16	21	2	8	57	28	19
23 12 10	17	22	3	9	45	29	20
23 15 52	18	23	4	10	32	♌	21
23 19 33	19	25	5	11	19	0	22
23 23 15	20	26	6	12	06	1	23
23 26 56	21	27	7	12	52	2	24
23 30 37	22	28	8	13	39	3	24
23 34 17	23	29	9	14	25	4	25
23 37 58	24	♉	10	15	11	4	26
23 41 39	25	1	11	15	56	5	27
23 45 19	26	2	12	16	42	6	28
23 48 59	27	3	13	17	27	7	29
23 52 40	28	4	14	18	12	7	♍
23 56 20	29	5	15	18	57	8	0
HOUSES	4	5	6	7		8	9

LATITUDE 42° S.

LATITUDE 43° N.

SIDEREAL TIME	10	11	12	Asc		2	3
	♒	♓	♈	♊		♋	♋
h m s	°	°	°	°	'	°	°
21 09 51	15	14	26	11	18	3	23
21 13 50	16	16	27	12	24	4	24
21 17 48	17	17	28	13	28	5	25
21 21 46	18	18	♉	14	32	6	25
21 25 42	19	19	1	15	34	7	26
21 29 38	20	20	2	16	36	7	27
21 33 33	21	22	4	17	37	8	28
21 37 28	22	23	5	18	37	9	29
21 41 22	23	24	6	19	36	10	♌
21 45 15	24	25	8	20	35	11	1
21 49 08	25	27	9	21	33	12	2
21 53 00	26	28	10	22	30	13	2
21 56 51	27	29	11	23	27	13	3
22 00 42	28	♈	13	24	23	14	4
22 04 32	29	1	14	25	18	15	5
22 08 22	♓	3	15	26	13	16	6
22 12 10	1	4	16	27	07	17	7
22 15 59	2	5	18	28	00	18	8
22 19 47	3	6	19	28	53	18	8
22 23 34	4	7	20	29	46	19	9
22 27 21	5	9	21	0♋	37	20	10
22 31 07	6	10	22	1	29	21	11
22 34 53	7	11	23	2	20	22	12
22 38 39	8	12	24	3	10	22	13
22 42 24	9	13	26	4	01	23	14
22 46 08	10	14	27	4	50	24	14
22 49 52	11	16	28	5	40	25	15
22 53 36	12	17	29	6	29	25	16
22 57 19	13	18	♊	7	17	26	17
23 01 03	14	19	1	8	05	27	18
23 04 45	15	20	2	8	53	28	19
23 08 28	16	21	3	9	41	29	20
23 12 10	17	22	4	10	28	29	20
23 15 52	18	24	5	11	15	♌	21
23 19 33	19	25	6	12	02	1	22
23 23 15	20	26	7	12	48	2	23
23 26 56	21	27	8	13	35	2	24
23 30 37	22	28	9	14	20	3	25
23 34 17	23	29	10	15	06	4	25
23 37 58	24	♉	11	15	52	5	26
23 41 39	25	1	12	16	37	5	27
23 45 19	26	2	13	17	22	6	28
23 48 59	27	4	14	18	07	7	29
23 52 40	28	5	15	18	52	8	♍
23 56 20	29	6	16	19	36	9	1
HOUSES	4	5	6	7		8	9

LATITUDE 43° S.

LATITUDE 44° N.

SIDEREAL TIME	10	11	12	Asc		2	3
	♒	♓	♈	♊		♋	♋
h m s	°	°	°	°	'	°	°
21 09 51	15	14	26	12	14	4	23
21 13 50	16	15	27	13	19	4	24
21 17 48	17	17	29	14	23	5	25
21 21 46	18	18	♉	15	26	6	26
21 25 42	19	19	1	16	29	7	27
21 29 38	20	20	3	17	30	8	27
21 33 33	21	22	4	18	31	9	28
21 37 28	22	23	5	19	31	10	29
21 41 22	23	24	7	20	30	11	♌
21 45 15	24	25	8	21	28	11	1
21 49 08	25	27	9	22	26	12	2
21 53 00	26	28	11	23	23	13	3
21 56 51	27	29	12	24	19	14	4
22 00 42	28	♈	13	25	14	15	4
22 04 32	29	1	14	26	09	16	5
22 08 22	♓	3	16	27	04	16	6
22 12 10	1	4	17	27	57	17	7
22 15 59	2	5	18	28	51	18	8
22 19 47	3	6	19	29	43	19	9
22 23 34	4	7	20	0♋	35	20	9
22 27 21	5	9	22	1	27	20	10
22 31 07	6	10	23	2	18	21	11
22 34 53	7	11	24	3	09	22	12
22 38 39	8	12	25	3	59	23	13
22 42 24	9	13	26	4	48	24	14
22 46 08	10	15	27	5	38	24	15
22 49 52	11	16	28	6	27	25	15
22 53 36	12	17	29	7	15	26	16
22 57 19	13	18	♊	8	03	27	17
23 01 03	14	19	1	8	51	27	18
23 04 45	15	20	2	9	39	28	19
23 08 28	16	21	4	10	26	29	20
23 12 10	17	23	5	11	13	♌	21
23 15 52	18	24	6	12	00	1	21
23 19 33	19	25	7	12	46	1	22
23 23 15	20	26	8	13	32	2	23
23 26 56	21	27	9	14	18	3	24
23 30 37	22	28	10	15	03	4	25
23 34 17	23	29	11	15	49	4	26
23 37 58	24	♉	11	16	34	5	26
23 41 39	25	2	12	17	19	6	27
23 45 19	26	3	13	18	03	7	28
23 48 59	27	4	14	18	48	7	29
23 52 40	28	5	15	19	32	8	♍
23 56 20	29	6	16	20	17	9	1
HOUSES	4	5	6	7		8	9

LATITUDE 44° S.

LATITUDE 45° N.

SIDEREAL TIME	10	11	12	Asc		2	3
	♈	♉	♊	♋		♌	♍
h m s	°	°	°	°	'	°	°
0 00 00	0	7	18	21	41	10	2
0 03 40	1	8	19	22	25	11	3
0 07 20	2	9	20	23	08	11	3
0 11 01	3	10	20	23	52	12	4
0 14 41	4	11	21	24	35	13	5
0 18 21	5	12	22	25	18	14	6
0 22 02	6	13	23	26	01	15	7
0 25 43	7	15	24	26	44	15	8
0 29 23	8	16	25	27	27	16	9
0 33 04	9	17	26	28	09	17	9
0 36 45	10	18	27	28	52	18	10
0 40 27	11	19	27	29	35	18	11
0 44 08	12	20	28	0♌	17	19	12
0 47 50	13	21	29	1	00	20	13
0 51 32	14	22	♋	1	43	21	14
0 55 15	15	23	1	2	25	21	15
0 58 57	16	24	2	3	08	22	15
1 02 41	17	25	3	3	50	23	16
1 06 24	18	26	3	4	33	24	17
1 10 08	19	27	4	5	15	24	18
1 13 52	20	28	5	5	58	25	19
1 17 36	21	29	6	6	41	26	20
1 21 21	22	♊	7	7	23	27	21
1 25 07	23	1	8	8	06	28	22
1 28 53	24	2	8	8	49	28	23
1 32 39	25	3	9	9	32	29	23
1 36 26	26	4	10	10	14	♍	24
1 40 13	27	5	11	10	57	1	25
1 44 01	28	6	12	11	40	1	26
1 47 49	29	6	12	12	23	2	27
1 51 38	♉	7	13	13	06	3	28
1 55 28	1	8	14	13	50	4	29
1 59 18	2	9	15	14	33	5	♎
2 03 09	3	10	16	15	16	5	1
2 07 00	4	11	17	16	00	6	2
2 10 52	5	12	17	16	43	7	3
2 14 45	6	13	18	17	27	8	4
2 18 38	7	14	19	18	11	9	4
2 22 32	8	15	20	18	55	9	5
2 26 27	9	16	21	19	39	10	6
2 30 22	10	17	22	20	23	11	7
2 34 18	11	18	22	21	07	12	8
2 38 14	12	19	23	21	52	13	9
2 42 12	13	20	24	22	36	14	10
2 46 10	14	21	25	23	21	14	11
HOUSES	4	5	6	7		8	9

LATITUDE 45° S.

LATITUDE 46° N.

SIDEREAL TIME	10	11	12	Asc		2	3
	♈	♉	♊	♋		♌	♍
h m s	°	°	°	°	'	°	°
0 00 00	0	7	18	22	23	10	2
0 03 40	1	8	19	23	06	11	3
0 07 20	2	9	20	23	49	12	4
0 11 01	3	11	21	24	32	13	4
0 14 41	4	12	22	25	15	13	5
0 18 21	5	13	23	25	58	14	6
0 22 02	6	14	24	26	40	15	7
0 25 43	7	15	25	27	23	16	8
0 29 23	8	16	25	28	05	16	9
0 33 04	9	17	26	28	47	17	9
0 36 45	10	18	27	29	30	18	10
0 40 27	11	19	28	0♌	12	19	11
0 44 08	12	20	29	0	54	19	12
0 47 50	13	21	♋	1	36	20	13
0 51 32	14	22	1	2	18	21	14
0 55 15	15	23	1	3	01	22	15
0 58 57	16	24	2	3	43	22	16
1 02 41	17	25	3	4	25	23	16
1 06 24	18	26	4	5	07	24	17
1 10 08	19	27	5	5	49	25	18
1 13 52	20	28	6	6	31	25	19
1 17 36	21	29	6	7	14	26	20
1 21 21	22	♊	7	7	56	27	21
1 25 07	23	1	8	8	38	28	22
1 28 53	24	2	9	9	20	29	23
1 32 39	25	3	10	10	03	29	24
1 36 26	26	4	11	10	45	♍	24
1 40 13	27	5	11	11	28	1	25
1 44 01	28	6	12	12	10	2	26
1 47 49	29	7	13	12	53	2	27
1 51 38	♉	8	14	13	36	3	28
1 55 28	1	9	15	14	18	4	29
1 59 18	2	10	15	15	01	5	♎
2 03 09	3	11	16	15	44	6	1
2 07 00	4	12	17	16	27	6	2
2 10 52	5	13	18	17	10	7	3
2 14 45	6	14	19	17	54	8	3
2 18 38	7	14	20	18	37	9	4
2 22 32	8	15	20	19	21	10	5
2 26 27	9	16	21	20	04	10	6
2 30 22	10	17	22	20	48	11	7
2 34 18	11	18	23	21	32	12	8
2 38 14	12	19	24	22	16	13	9
2 42 12	13	20	24	23	00	14	10
2 46 10	14	21	25	23	44	15	11
HOUSES	4	5	6	7		8	9

LATITUDE 46° S.

LATITUDE 47° N.

SIDEREAL TIME	10	11	12	Asc		2	3
	♈	♉	♊	♋		♌	♍
h m s	°	°	°	°	'	°	°
0 00 00	0	8	19	23	06	11	2
0 03 40	1	9	20	23	49	11	3
0 07 20	2	10	21	24	31	12	4
0 11 01	3	11	22	25	14	13	4
0 14 41	4	12	23	25	56	14	5
0 18 21	5	13	23	26	38	14	6
0 22 02	6	14	24	27	20	15	7
0 25 43	7	15	25	28	02	16	8
0 29 23	8	16	26	28	44	17	9
0 33 04	9	17	27	29	26	17	10
0 36 45	10	18	28	0♌	08	18	10
0 40 27	11	19	29	0	50	19	11
0 44 08	12	20	♋	1	32	20	12
0 47 50	13	21	0	2	13	20	13
0 51 32	14	22	1	2	55	21	14
0 55 15	15	23	2	3	37	22	15
0 58 57	16	24	3	4	19	23	16
1 02 41	17	25	4	5	00	23	17
1 06 24	18	26	5	5	42	24	17
1 10 08	19	27	5	6	24	25	18
1 13 52	20	28	6	7	05	26	19
1 17 36	21	29	7	7	47	26	20
1 21 21	22	♊	8	8	29	27	21
1 25 07	23	1	9	9	11	28	22
1 28 53	24	2	10	9	53	29	23
1 32 39	25	3	10	10	35	♍	24
1 36 26	26	4	11	11	17	0	24
1 40 13	27	5	12	11	59	1	25
1 44 01	28	6	13	12	41	2	26
1 47 49	29	7	14	13	23	3	27
1 51 38	♉	8	14	14	05	3	28
1 55 28	1	9	15	14	48	4	29
1 59 18	2	10	16	15	30	5	♎
2 03 09	3	11	17	16	13	6	1
2 07 00	4	12	18	16	55	7	2
2 10 52	5	13	18	17	38	7	3
2 14 45	6	14	19	18	21	8	3
2 18 38	7	15	20	19	04	9	4
2 22 32	8	16	21	19	47	10	5
2 26 27	9	17	22	20	30	11	6
2 30 22	10	18	23	21	13	11	7
2 34 18	11	19	23	21	56	12	8
2 38 14	12	20	24	22	40	13	9
2 42 12	13	20	25	23	24	14	10
2 46 10	14	21	26	24	07	15	11
HOUSES	4	5	6	7		8	9

LATITUDE 47° S.

LATITUDE 45° N.

SIDEREAL TIME h	m	s	10 ♉ °	11 ♊ °	12 ♋ °	Asc ♌ °	Asc '	2 ♍ °	3 ♎ °
2	50	09	15	22	26	24	06	15	12
2	54	08	16	23	26	24	51	16	13
2	58	08	17	24	27	25	36	17	14
3	02	09	18	25	28	26	21	18	15
3	06	11	19	25	29	27	07	19	16
3	10	13	20	26	♌	27	52	19	17
3	14	16	21	27	1	28	38	20	18
3	18	20	22	28	1	29	24	21	19
3	22	25	23	29	2	0♍	10	22	20
3	26	30	24	♋	3	0	56	23	20
3	30	36	25	1	4	1	42	24	21
3	34	43	26	2	5	2	29	25	22
3	38	50	27	3	6	3	15	26	23
3	42	58	28	4	7	4	02	26	24
3	47	07	29	5	7	4	49	27	25
3	51	16	♊	6	8	5	36	28	26
3	55	27	1	7	9	6	23	29	27
3	59	37	2	8	10	7	11	♎	28
4	03	49	3	9	11	7	58	1	29
4	08	01	4	10	12	8	46	2	♏
4	12	14	5	11	12	9	33	3	1
4	16	27	6	11	13	10	21	3	2
4	20	41	7	12	14	11	09	4	3
4	24	56	8	13	15	11	57	5	4
4	29	11	9	14	16	12	46	6	5
4	33	27	10	15	17	13	34	7	6
4	37	43	11	16	18	14	23	8	7
4	42	00	12	17	19	15	11	9	8
4	46	17	13	18	19	16	00	10	9
4	50	35	14	19	20	16	49	11	10
4	54	53	15	20	21	17	38	12	11
4	59	11	16	21	22	18	27	12	12
5	03	30	17	22	23	19	16	13	13
5	07	49	18	23	24	20	05	14	14
5	12	09	19	24	25	20	54	15	15
5	16	29	20	25	26	21	44	16	16
5	20	49	21	26	27	22	33	17	17
5	25	10	22	27	28	23	23	18	18
5	29	31	23	28	28	24	12	19	19
5	33	52	24	29	29	25	02	20	20
5	38	13	25	♌	♍	25	51	21	21
5	42	34	26	1	1	26	41	22	22
5	46	55	27	2	2	27	31	23	23
5	51	17	28	2	3	28	20	23	24
5	55	38	29	3	4	29	10	24	25
HOUSES			4	5	6	7		8	9

LATITUDE 45° S.

LATITUDE 46° N.

SIDEREAL TIME h	m	s	10 ♉ °	11 ♊ °	12 ♋ °	Asc ♌ °	Asc '	2 ♍ °	3 ♎ °
2	50	09	15	22	26	24	28	15	12
2	54	08	16	23	27	25	13	16	13
2	58	08	17	24	28	25	58	17	14
3	02	09	18	25	29	26	42	18	15
3	06	11	19	26	29	27	27	19	16
3	10	13	20	27	♌	28	12	20	17
3	14	16	21	28	1	28	58	20	18
3	18	20	22	29	2	29	43	21	18
3	22	25	23	♋	3	0♍	29	22	19
3	26	30	24	0	4	1	14	23	20
3	30	36	25	1	4	2	00	24	21
3	34	43	26	2	5	2	46	25	22
3	38	50	27	3	6	3	32	26	23
3	42	58	28	4	7	4	18	26	24
3	47	07	29	5	8	5	05	27	25
3	51	16	♊	6	9	5	51	28	26
3	55	27	1	7	9	6	38	29	27
3	59	37	2	8	10	7	25	♎	28
4	03	49	3	9	11	8	12	1	29
4	08	01	4	10	12	8	59	2	♏
4	12	14	5	11	13	9	46	3	1
4	16	27	6	12	14	10	34	3	2
4	20	41	7	13	15	11	21	4	3
4	24	56	8	14	15	12	09	5	4
4	29	11	9	15	16	12	57	6	5
4	33	27	10	16	17	13	45	7	6
4	37	43	11	16	18	14	33	8	7
4	42	00	12	17	19	15	21	9	8
4	46	17	13	18	20	16	09	10	9
4	50	35	14	19	21	16	57	11	10
4	54	53	15	20	22	17	46	11	11
4	59	11	16	21	22	18	34	12	12
5	03	30	17	22	23	19	23	13	13
5	07	49	18	23	24	20	11	14	14
5	12	09	19	24	25	21	00	15	15
5	16	29	20	25	26	21	49	16	16
5	20	49	21	26	27	22	38	17	17
5	25	10	22	27	28	23	27	18	18
5	29	31	23	28	29	24	16	19	19
5	33	52	24	29	♍	25	05	20	20
5	38	13	25	♌	0	25	54	21	20
5	42	34	26	1	1	26	43	21	21
5	46	55	27	2	2	27	32	22	22
5	51	17	28	3	3	28	21	23	23
5	55	38	29	4	4	29	11	24	24
HOUSES			4	5	6	7		8	9

LATITUDE 46° S.

LATITUDE 47° N.

SIDEREAL TIME h	m	s	10 ♉ °	11 ♊ °	12 ♋ °	Asc ♌ °	Asc '	2 ♍ °	3 ♎ °
2	50	09	15	22	27	24	51	15	12
2	54	08	16	23	27	25	35	16	13
2	58	08	17	24	28	26	20	17	14
3	02	09	18	25	29	27	04	18	15
3	06	11	19	26	♌	27	48	19	16
3	10	13	20	27	1	28	33	20	17
3	14	16	21	28	1	29	18	20	17
3	18	20	22	29	2	0♍	03	21	18
3	22	25	23	♋	3	0	48	22	19
3	26	30	24	1	4	1	33	23	20
3	30	36	25	2	5	2	18	24	21
3	34	43	26	3	6	3	04	25	22
3	38	50	27	4	6	3	49	26	23
3	42	58	28	5	7	4	35	26	24
3	47	07	29	5	8	5	21	27	25
3	51	16	♊	6	9	6	07	28	26
3	55	27	1	7	10	6	53	29	27
3	59	37	2	8	11	7	40	♎	28
4	03	49	3	9	12	8	26	1	29
4	08	01	4	10	12	9	13	2	♏
4	12	14	5	11	13	9	59	3	1
4	16	27	6	12	14	10	46	3	2
4	20	41	7	13	15	11	33	4	3
4	24	56	8	14	16	12	21	5	4
4	29	11	9	15	17	13	08	6	5
4	33	27	10	16	18	13	55	7	6
4	37	43	11	17	18	14	43	8	7
4	42	00	12	18	19	15	30	9	8
4	46	17	13	19	20	16	18	10	9
4	50	35	14	20	21	17	06	11	10
4	54	53	15	21	22	17	54	11	11
4	59	11	16	21	23	18	42	12	12
5	03	30	17	22	24	19	30	13	13
5	07	49	18	23	24	20	18	14	13
5	12	09	19	24	25	21	06	15	14
5	16	29	20	25	26	21	54	16	15
5	20	49	21	26	27	22	43	17	16
5	25	10	22	27	28	23	31	18	17
5	29	31	23	28	29	24	20	19	18
5	33	52	24	29	♍	25	08	19	19
5	38	13	25	♌	1	25	57	20	20
5	42	34	26	1	2	26	45	21	21
5	46	55	27	2	2	27	34	22	22
5	51	17	28	3	3	28	23	23	23
5	55	38	29	4	4	29	11	24	24
HOUSES			4	5	6	7		8	9

LATITUDE 47° S.

LATITUDE 45° N.

SIDEREAL TIME h m s	10 ♋ °	11 ♌ °	12 ♍ °	Asc ♎ ° '	2 ♎ °	3 ♏ °
6 00 00	0	4	5	0 00	25	26
6 04 22	1	5	6	0 50	26	27
6 08 43	2	6	7	1 39	27	27
6 13 05	3	7	7	2 29	28	28
6 17 26	4	8	8	3 19	29	29
6 21 47	5	9	9	4 08	♏	♐
6 26 08	6	10	10	4 58	1	1
6 30 29	7	11	11	5 47	2	2
6 34 50	8	12	12	6 37	2	3
6 39 11	9	13	13	7 26	3	4
6 43 31	10	14	14	8 16	4	5
6 47 51	11	15	15	9 05	5	6
6 52 11	12	16	16	9 55	6	7
6 56 30	13	17	17	10 44	7	8
7 00 49	14	18	18	11 33	8	9
7 05 07	15	19	18	12 22	9	10
7 09 25	16	20	19	13 11	10	11
7 13 43	17	21	20	14 00	11	12
7 18 00	18	22	21	14 48	11	13
7 22 17	19	23	22	15 37	12	14
7 26 33	20	24	23	16 26	13	15
7 30 49	21	25	24	17 14	14	16
7 35 04	22	26	25	18 02	15	17
7 39 19	23	27	26	18 50	16	18
7 43 33	24	28	27	19 38	17	19
7 47 46	25	29	27	20 26	17	19
7 51 59	26	♍	28	21 14	18	20
7 56 11	27	1	29	22 02	19	21
8 00 23	28	2	♎	22 49	20	22
8 04 33	29	3	1	23 36	21	23
8 08 44	♌	4	2	24 24	22	24
8 12 53	1	5	3	25 11	23	25
8 17 02	2	6	4	25 58	23	26
8 21 10	3	7	4	26 44	24	27
8 25 17	4	8	5	27 31	25	28
8 29 24	5	9	6	28 17	26	29
8 33 30	6	10	7	29 04	27	♑
8 37 35	7	10	8	29 50	28	1
8 41 40	8	11	9	0♏36	29	2
8 45 44	9	12	10	1 22	29	3
8 49 47	10	13	11	2 07	♐	4
8 53 49	11	14	11	2 53	1	5
8 57 51	12	15	12	3 38	2	5
9 01 52	13	16	13	4 24	3	6
9 05 52	14	17	14	5 09	4	7
HOUSES	4	5	6	7	8	9

LATITUDE 45° S.

LATITUDE 46° N.

SIDEREAL TIME h m s	10 ♋ °	11 ♌ °	12 ♍ °	Asc ♎ ° '	2 ♎ °	3 ♏ °
6 00 00	0	5	5	0 00	25	25
6 04 22	1	6	6	0 49	26	26
6 08 43	2	7	7	1 38	27	27
6 13 05	3	8	8	2 27	28	28
6 17 26	4	9	9	3 17	29	29
6 21 47	5	10	9	4 06	♏	♐
6 26 08	6	10	10	4 55	0	1
6 30 29	7	11	11	5 44	1	2
6 34 50	8	12	12	6 33	2	3
6 39 11	9	13	13	7 22	3	4
6 43 31	10	14	14	8 11	4	5
6 47 51	11	15	15	8 59	5	6
6 52 11	12	16	16	9 48	6	7
6 56 30	13	17	17	10 37	7	8
7 00 49	14	18	18	11 26	8	9
7 05 07	15	19	19	12 14	8	10
7 09 25	16	20	19	13 02	9	11
7 13 43	17	21	20	13 51	10	12
7 18 00	18	22	21	14 39	11	13
7 22 17	19	23	22	15 27	12	14
7 26 33	20	24	23	16 15	13	14
7 30 49	21	25	24	17 03	14	15
7 35 04	22	26	25	17 51	15	16
7 39 19	23	27	26	18 38	15	17
7 43 33	24	28	27	19 26	16	18
7 47 46	25	29	27	20 13	17	19
7 51 59	26	♍	28	21 01	18	20
7 56 11	27	1	29	21 48	19	21
8 00 23	28	2	♎	22 35	20	22
8 04 33	29	3	1	23 21	21	23
8 08 44	♌	4	2	24 08	21	24
8 12 53	1	5	3	24 55	22	25
8 17 02	2	6	4	25 41	23	26
8 21 10	3	7	4	26 27	24	27
8 25 17	4	8	5	27 14	25	28
8 29 24	5	9	6	28 00	26	29
8 33 30	6	10	7	28 45	26	♑
8 37 35	7	11	8	29 31	27	0
8 41 40	8	12	9	0♏17	28	1
8 45 44	9	12	10	1 02	29	2
8 49 47	10	13	10	1 47	♐	3
8 53 49	11	14	11	2 32	1	4
8 57 51	12	15	12	3 17	1	5
9 01 52	13	16	13	4 02	2	6
9 05 52	14	17	14	4 47	3	7
HOUSES	4	5	6	7	8	9

LATITUDE 46° S.

LATITUDE 47° N.

SIDEREAL TIME h m s	10 ♋ °	11 ♌ °	12 ♍ °	Asc ♎ ° '	2 ♎ °	3 ♏ °
6 00 00	0	5	5	0 00	25	25
6 04 22	1	6	6	0 48	26	26
6 08 43	2	7	7	1 37	27	27
6 13 05	3	8	8	2 26	28	28
6 17 26	4	9	9	3 14	28	29
6 21 47	5	10	10	4 03	29	♐
6 26 08	6	11	11	4 52	♏	1
6 30 29	7	12	11	5 40	1	2
6 34 50	8	13	12	6 29	2	3
6 39 11	9	14	13	7 17	3	4
6 43 31	10	15	14	8 05	4	5
6 47 51	11	16	15	8 54	5	6
6 52 11	12	17	16	9 42	6	7
6 56 30	13	17	17	10 30	6	8
7 00 49	14	18	18	11 18	7	9
7 05 07	15	19	19	12 06	8	9
7 09 25	16	20	19	12 54	9	10
7 13 43	17	21	20	13 42	10	11
7 18 00	18	22	21	14 29	11	12
7 22 17	19	23	22	15 17	12	13
7 26 33	20	24	23	16 05	12	14
7 30 49	21	25	24	16 52	13	15
7 35 04	22	26	25	17 39	14	16
7 39 19	23	27	26	18 26	15	17
7 43 33	24	28	27	19 13	16	18
7 47 46	25	29	27	20 00	17	19
7 51 59	26	♍	28	20 47	18	20
7 56 11	27	1	29	21 34	18	21
8 00 23	28	2	♎	22 20	19	22
8 04 33	29	3	1	23 06	20	23
8 08 44	♌	4	2	23 53	21	24
8 12 53	1	5	3	24 39	22	25
8 17 02	2	6	4	25 25	23	25
8 21 10	3	7	4	26 10	24	26
8 25 17	4	8	5	26 56	24	27
8 29 24	5	9	6	27 41	25	28
8 33 30	6	10	7	28 27	26	29
8 37 35	7	11	8	29 12	27	♑
8 41 40	8	12	9	29 57	28	1
8 45 44	9	13	10	0♏42	29	2
8 49 47	10	13	10	1 27	29	3
8 53 49	11	14	11	2 11	♐	4
8 57 51	12	15	12	2 56	1	5
9 01 52	13	16	13	3 40	2	6
9 05 52	14	17	14	4 24	3	7
HOUSES	4	5	6	7	8	9

LATITUDE 47° S.

LATITUDE 45° N.

SIDEREAL TIME	10 ♌	11 ♍	12 ♎	Asc ♏	2 ♐	3 ♑
h m s	°	°	°	° '	°	°
9 09 51	15	18	15	5 54	4	8
9 13 50	16	19	16	6 38	5	9
9 17 48	17	20	16	7 23	6	10
9 21 46	18	21	17	8 08	7	11
9 25 42	19	22	18	8 52	8	12
9 29 38	20	23	19	9 36	8	13
9 33 33	21	24	20	10 21	9	14
9 37 28	22	25	21	11 05	10	15
9 41 22	23	26	21	11 49	11	16
9 45 15	24	26	22	12 32	12	17
9 49 08	25	27	23	13 16	13	18
9 53 00	26	28	24	14 00	13	19
9 56 51	27	29	25	14 43	14	20
10 00 42	28	♎	25	15 27	15	21
10 04 32	29	1	26	16 10	16	22
10 08 22	♍	2	27	16 53	17	23
10 12 10	1	3	28	17 36	18	23
10 15 59	2	4	29	18 19	18	24
10 19 47	3	5	29	19 02	19	25
10 23 34	4	6	♏	19 45	20	26
10 27 21	5	7	1	20 28	21	27
10 31 07	6	7	2	21 11	22	28
10 34 53	7	8	2	21 54	22	29
10 38 39	8	9	3	22 36	23	♒
10 42 24	9	10	4	23 19	24	1
10 46 08	10	11	5	24 02	25	2
10 49 52	11	12	6	24 44	26	3
10 53 36	12	13	6	25 27	27	4
10 57 19	13	14	7	26 09	27	5
11 01 03	14	14	8	26 52	28	6
11 04 45	15	15	9	27 34	29	7
11 08 28	16	16	9	28 17	♑	8
11 12 10	17	17	10	29 00	1	9
11 15 52	18	18	11	29 42	2	10
11 19 33	19	19	12	0♐25	3	11
11 23 15	20	20	12	1 07	3	12
11 26 56	21	21	13	1 50	4	13
11 30 37	22	21	14	2 33	5	14
11 34 17	23	22	15	3 16	6	15
11 37 58	24	23	15	3 59	7	17
11 41 39	25	24	16	4 42	8	18
11 45 19	26	25	17	5 25	9	19
11 48 59	27	26	18	6 08	10	20
11 52 40	28	27	18	6 51	10	21
11 56 20	29	27	19	7 35	11	22
HOUSES	4	5	6	7	8	9

LATITUDE 45° S.

LATITUDE 46° N.

SIDEREAL TIME	10 ♌	11 ♍	12 ♎	Asc ♏	2 ♐	3 ♑
h m s	°	°	°	° '	°	°
9 09 51	15	18	15	5 31	4	8
9 13 50	16	19	15	6 16	5	9
9 17 48	17	20	16	7 00	6	10
9 21 46	18	21	17	7 44	6	11
9 25 42	19	22	18	8 28	7	12
9 29 38	20	23	19	9 12	8	13
9 33 33	21	24	20	9 55	9	14
9 37 28	22	25	20	10 39	10	15
9 41 22	23	26	21	11 23	10	16
9 45 15	24	27	22	12 06	11	16
9 49 08	25	27	23	12 49	12	17
9 53 00	26	28	24	13 32	13	18
9 56 51	27	29	24	14 15	14	19
10 00 42	28	♎	25	14 58	15	20
10 04 32	29	1	26	15 41	15	21
10 08 22	♍	2	27	16 24	16	22
10 12 10	1	3	28	17 07	17	23
10 15 59	2	4	28	17 49	18	24
10 19 47	3	5	29	18 32	19	25
10 23 34	4	6	♏	19 14	19	26
10 27 21	5	6	1	19 57	20	27
10 31 07	6	7	1	20 39	21	28
10 34 53	7	8	2	21 22	22	29
10 38 39	8	9	3	22 04	23	♒
10 42 24	9	10	4	22 46	24	1
10 46 08	10	11	5	23 28	24	2
10 49 52	11	12	5	24 10	25	3
10 53 36	12	13	6	24 53	26	4
10 57 19	13	14	7	25 35	27	5
11 01 03	14	14	8	26 17	28	6
11 04 45	15	15	8	26 59	29	7
11 08 28	16	16	9	27 41	29	8
11 12 10	17	17	10	28 23	♑	9
11 15 52	18	18	11	29 06	1	10
11 19 33	19	19	11	29 48	2	11
11 23 15	20	20	12	0♐30	3	12
11 26 56	21	21	13	1 12	4	13
11 30 37	22	21	14	1 55	5	14
11 34 17	23	22	14	2 37	5	15
11 37 58	24	23	15	3 20	6	16
11 41 39	25	24	16	4 02	7	17
11 45 19	26	25	17	4 45	8	18
11 48 59	27	26	17	5 28	9	19
11 52 40	28	26	18	6 10	10	21
11 56 20	29	27	19	6 53	11	22
HOUSES	4	5	6	7	8	9

LATITUDE 46° S.

LATITUDE 47° N.

SIDEREAL TIME	10 ♌	11 ♍	12 ♎	Asc ♏	2 ♐	3 ♑
h m s	°	°	°	° '	°	°
9 09 51	15	18	15	5 08	3	8
9 13 50	16	19	15	5 52	4	9
9 17 48	17	20	16	6 36	5	10
9 21 46	18	21	17	7 20	6	10
9 25 42	19	22	18	8 03	7	11
9 29 38	20	23	19	8 47	7	12
9 33 33	21	24	19	9 30	8	13
9 37 28	22	25	20	10 13	9	14
9 41 22	23	26	21	10 56	10	15
9 45 15	24	27	22	11 39	11	16
9 49 08	25	27	23	12 22	12	17
9 53 00	26	28	23	13 05	12	18
9 56 51	27	29	24	13 47	13	19
10 00 42	28	♎	25	14 30	14	20
10 04 32	29	1	26	15 12	15	21
10 08 22	♍	2	27	15 54	16	22
10 12 10	1	3	27	16 37	16	23
10 15 59	2	4	28	17 19	17	24
10 19 47	3	5	29	18 01	18	25
10 23 34	4	6	♏	18 43	19	26
10 27 21	5	6	0	19 25	20	27
10 31 07	6	7	1	20 07	20	28
10 34 53	7	8	2	20 49	21	29
10 38 39	8	9	3	21 31	22	♒
10 42 24	9	10	4	22 12	23	1
10 46 08	10	11	4	22 54	24	2
10 49 52	11	12	5	23 36	25	3
10 53 36	12	13	6	24 18	25	4
10 57 19	13	13	7	24 59	26	5
11 01 03	14	14	7	25 41	27	6
11 04 45	15	15	8	26 23	28	7
11 08 28	16	16	9	27 04	29	8
11 12 10	17	17	10	27 46	♑	9
11 15 52	18	18	10	28 28	0	10
11 19 33	19	19	11	29 10	1	11
11 23 15	20	20	12	29 52	2	12
11 26 56	21	20	13	0♐33	3	13
11 30 37	22	21	13	1 15	4	14
11 34 17	23	22	14	1 57	5	15
11 37 58	24	23	15	2 39	6	16
11 41 39	25	24	16	3 22	7	17
11 45 19	26	25	16	4 04	7	18
11 48 59	27	26	17	4 46	8	19
11 52 40	28	26	18	5 28	9	20
11 56 20	29	27	19	6 11	10	21
HOUSES	4	5	6	7	8	9

LATITUDE 47° S.

	LATITUDE 45° N.						LATITUDE 46° N.						LATITUDE 47° N.					
SIDEREAL TIME	10 ♎	11 ♎	12 ♏	Asc ♐	2 ♑	3 ♒	10 ♎	11 ♎	12 ♏	Asc ♐	2 ♑	3 ♒	10 ♎	11 ♎	12 ♏	Asc ♐	2 ♑	3 ♒
h m s	°	°	°	° '	°	°	°	°	°	° '	°	°	°	°	°	° '	°	°
12 00 00	0	28	20	8 18	12	23	0	28	20	7 37	12	23	0	28	19	6 54	11	22
12 03 40	1	29	21	9 02	13	24	1	29	20	8 20	13	24	1	29	20	7 36	12	24
12 07 20	2	♏	22	9 46	14	25	2	♏	21	9 03	14	25	2	♏	21	8 19	13	25
12 11 01	3	1	22	10 30	15	26	3	1	22	9 47	14	26	3	1	21	9 03	14	26
12 14 41	4	2	23	11 14	16	27	4	2	23	10 30	15	27	4	1	22	9 46	15	27
12 18 21	5	3	24	11 58	17	28	5	2	23	11 14	16	28	5	2	23	10 29	16	28
12 22 02	6	3	25	12 43	18	29	6	3	24	11 58	17	29	6	3	24	11 13	17	29
12 25 43	7	4	25	13 27	19	♓	7	4	25	12 43	18	♓	7	4	24	11 57	18	♓
12 29 23	8	5	26	14 12	20	2	8	5	26	13 27	19	1	8	5	25	12 41	19	1
12 33 04	9	6	27	14 58	21	3	9	6	26	14 12	20	3	9	6	26	13 25	20	2
12 36 45	10	7	28	15 43	22	4	10	7	27	14 57	21	4	10	6	27	14 09	21	4
12 40 27	11	8	28	16 29	23	5	11	7	28	15 42	22	5	11	7	27	14 54	22	5
12 44 08	12	8	29	17 15	24	6	12	8	29	16 28	23	6	12	8	28	15 39	23	6
12 47 50	13	9	♐	18 01	25	7	13	9	29	17 13	24	7	13	9	29	16 25	24	7
12 51 32	14	10	1	18 47	26	8	14	10	♐	17 59	25	8	14	10	♐	17 10	25	8
12 55 15	15	11	1	19 34	27	10	15	11	1	18 46	26	9	15	11	0	17 56	26	9
12 58 57	16	12	2	20 21	28	11	16	12	2	19 32	27	11	16	11	1	18 42	27	10
13 02 41	17	13	3	21 08	29	12	17	13	2	20 19	28	12	17	12	2	19 29	28	12
13 06 24	18	14	4	21 56	♒	13	18	13	3	21 07	29	13	18	13	3	20 15	29	13
13 10 08	19	14	4	22 44	1	14	19	14	4	21 54	♒	14	19	14	3	21 03	♒	14
13 13 52	20	15	5	23 33	2	15	20	15	5	22 42	2	15	20	15	4	21 50	1	15
13 17 36	21	16	6	24 22	3	17	21	16	6	23 31	3	16	21	16	5	22 38	2	16
13 21 21	22	17	7	25 11	4	18	22	17	6	24 20	4	18	22	17	6	23 27	3	18
13 25 07	23	18	8	26 01	6	19	23	18	7	25 09	5	19	23	17	7	24 16	4	19
13 28 53	24	19	8	26 51	7	20	24	18	8	25 59	6	20	24	18	7	25 05	5	20
13 32 39	25	19	9	27 42	8	21	25	19	9	26 49	7	21	25	19	8	25 55	7	21
13 36 26	26	20	10	28 33	9	22	26	20	9	27 40	8	22	26	20	9	26 45	8	22
13 40 13	27	21	11	29 25	10	24	27	21	10	28 31	10	24	27	21	10	27 36	9	24
13 44 01	28	22	12	0♑17	11	25	28	22	11	29 23	11	25	28	22	10	28 27	10	25
13 47 49	29	23	12	1 10	13	26	29	23	12	0♑15	12	26	29	22	11	29 19	11	26
13 51 38	♏	24	13	2 03	14	27	♏	23	13	1 08	13	27	♏	23	12	0♑11	13	27
13 55 28	1	25	14	2 57	15	29	1	24	13	2 01	15	29	1	24	13	1 04	14	29
13 59 18	2	25	15	3 51	16	♈	2	25	14	2 56	16	♈	2	25	14	1 58	15	♈
14 03 09	3	26	16	4 47	18	1	3	26	15	3 50	17	1	3	26	14	2 52	16	1
14 07 00	4	27	16	5 42	19	2	4	27	16	4 46	18	2	4	27	15	3 47	18	2
14 10 52	5	28	17	6 39	20	3	5	28	17	5 42	20	3	5	28	16	4 42	19	4
14 14 45	6	29	18	7 36	21	5	6	29	18	6 39	21	5	6	28	17	5 39	20	5
14 18 38	7	♐	19	8 34	23	6	7	29	18	7 36	22	6	7	29	18	6 36	22	6
14 22 32	8	1	20	9 33	24	7	8	♐	19	8 34	24	7	8	♐	19	7 34	23	7
14 26 27	9	1	21	10 32	25	8	9	1	20	9 34	25	8	9	1	19	8 32	24	9
14 30 22	10	2	21	11 33	27	10	10	2	21	10 34	26	10	10	2	20	9 32	26	10
14 34 18	11	3	22	12 34	28	11	11	3	22	11 34	28	11	11	3	21	10 32	27	11
14 38 14	12	4	23	13 36	♓	12	12	4	23	12 36	29	12	12	4	22	11 34	29	12
14 42 12	13	5	24	14 39	1	13	13	5	23	13 39	♓	13	13	4	23	12 36	♓	14
14 46 10	14	6	25	15 43	2	15	14	6	24	14 42	2	15	14	5	24	13 39	2	15
HOUSES	4	5	6	7	8	9	4	5	6	7	8	9	4	5	6	7	8	9
	LATITUDE 45° S.						LATITUDE 46° S.						LATITUDE 47° S.					

LATITUDE 45° N.

SIDEREAL TIME	10 ♏	11 ♐	12 ♐	Asc ♑	2 ♓	3 ♈
h m s	°	°	°	° '	°	°
14 50 09	15	7	26	16 48	4	16
14 54 08	16	8	27	17 54	5	17
14 58 08	17	8	28	19 01	7	18
15 02 09	18	9	29	20 09	8	20
15 06 11	19	10	29	21 18	10	21
15 10 13	20	11	♑	22 28	11	22
15 14 16	21	12	1	23 40	13	23
15 18 20	22	13	2	24 53	14	25
15 22 25	23	14	3	26 07	16	26
15 26 30	24	15	4	27 22	17	27
15 30 36	25	16	5	28 39	19	28
15 34 43	26	17	6	29 57	20	♉
15 38 50	27	17	7	1♒17	22	1
15 42 58	28	18	8	2 38	23	2
15 47 07	29	19	9	4 01	25	3
15 51 16	♐	20	10	5 25	27	5
15 55 27	1	21	11	6 50	28	6
15 59 37	2	22	12	8 18	♈	7
16 03 49	3	23	13	9 47	1	8
16 08 01	4	24	14	11 18	3	9
16 12 14	5	25	15	12 50	5	11
16 16 27	6	26	16	14 24	6	12
16 20 41	7	27	18	16 00	8	13
16 24 56	8	28	19	17 38	10	14
16 29 11	9	29	20	19 17	11	15
16 33 27	10	♑	21	20 59	13	17
16 37 43	11	1	22	22 42	14	18
16 42 00	12	2	23	24 26	16	19
16 46 17	13	3	24	26 13	18	20
16 50 35	14	4	26	28 01	19	21
16 54 53	15	5	27	29 52	21	23
16 59 11	16	6	28	1♓43	22	24
17 03 30	17	7	29	3 37	24	25
17 07 49	18	8	♒	5 32	25	26
17 12 09	19	9	2	7 28	27	27
17 16 29	20	10	3	9 26	29	28
17 20 49	21	11	4	11 25	♉	♊
17 25 10	22	12	6	13 26	2	1
17 29 31	23	13	7	15 28	3	2
17 33 52	24	14	8	17 30	5	3
17 38 13	25	15	10	19 34	6	4
17 42 34	26	16	11	21 38	8	5
17 46 55	27	17	12	23 43	9	6
17 51 17	28	18	14	25 48	11	7
17 55 38	29	19	15	27 54	12	8
HOUSES	4	5	6	7	8	9

LATITUDE 45° S.

LATITUDE 46° N.

SIDEREAL TIME	10 ♏	11 ♐	12 ♐	Asc ♑	2 ♓	3 ♈
h m s	°	°	°	° '	°	°
14 50 09	15	6	25	15 47	3	16
14 54 08	16	7	26	16 53	5	17
14 58 08	17	8	27	17 59	6	18
15 02 09	18	9	28	19 07	8	20
15 06 11	19	10	29	20 16	9	21
15 10 13	20	11	♑	21 27	11	22
15 14 16	21	12	1	22 38	12	24
15 18 20	22	13	2	23 51	14	25
15 22 25	23	14	3	25 05	15	26
15 26 30	24	14	4	26 20	17	27
15 30 36	25	15	5	27 37	19	29
15 34 43	26	16	6	28 55	20	♉
15 38 50	27	17	6	0♒15	22	1
15 42 58	28	18	7	1 36	23	2
15 47 07	29	19	8	2 59	25	3
15 51 16	♐	20	10	4 23	27	5
15 55 27	1	21	11	5 50	28	6
15 59 37	2	22	12	7 17	♈	7
16 03 49	3	23	13	8 47	1	8
16 08 01	4	24	14	10 18	3	10
16 12 14	5	25	15	11 51	5	11
16 16 27	6	26	16	13 26	6	12
16 20 41	7	27	17	15 03	8	13
16 24 56	8	28	18	16 42	10	15
16 29 11	9	29	19	18 23	11	16
16 33 27	10	♑	20	20 05	13	17
16 37 43	11	0	21	21 50	15	18
16 42 00	12	1	23	23 36	16	19
16 46 17	13	2	24	25 25	18	21
16 50 35	14	3	25	27 15	19	22
16 54 53	15	4	26	29 07	21	23
16 59 11	16	5	27	1♓01	23	24
17 03 30	17	6	29	2 57	24	25
17 07 49	18	7	♒	4 54	26	26
17 12 09	19	9	1	6 53	27	28
17 16 29	20	10	2	8 54	29	29
17 20 49	21	11	4	10 56	♉	♊
17 25 10	22	12	5	12 59	2	1
17 29 31	23	13	6	15 04	4	2
17 33 52	24	14	8	17 10	5	3
17 38 13	25	15	9	19 17	7	4
17 42 34	26	16	10	21 24	8	5
17 46 55	27	17	12	23 33	10	7
17 51 17	28	18	13	25 41	11	8
17 55 38	29	19	15	27 50	13	9
HOUSES	4	5	6	7	8	9

LATITUDE 46° S.

LATITUDE 47° N.

SIDEREAL TIME	10 ♏	11 ♐	12 ♐	Asc ♑	2 ♓	3 ♈
h m s	°	°	°	° '	°	°
14 50 09	15	6	25	14 43	3	16
14 54 08	16	7	26	15 49	5	17
14 58 08	17	8	26	16 55	6	19
15 02 09	18	9	27	18 03	8	20
15 06 11	19	10	28	19 11	9	21
15 10 13	20	11	29	20 21	11	22
15 14 16	21	11	♑	21 33	12	24
15 18 20	22	12	1	22 45	14	25
15 22 25	23	13	2	23 59	15	26
15 26 30	24	14	3	25 14	17	27
15 30 36	25	15	4	26 31	18	29
15 34 43	26	16	5	27 49	20	♉
15 38 50	27	17	6	29 09	22	1
15 42 58	28	18	7	0♒30	23	2
15 47 07	29	19	8	1 53	25	4
15 51 16	♐	20	9	3 18	27	5
15 55 27	1	21	10	4 45	28	6
15 59 37	2	22	11	6 13	♈	7
16 03 49	3	22	12	7 43	2	9
16 08 01	4	23	13	9 15	3	10
16 12 14	5	24	14	10 49	5	11
16 16 27	6	25	15	12 25	6	12
16 20 41	7	26	16	14 02	8	14
16 24 56	8	27	17	15 42	10	15
16 29 11	9	28	18	17 24	11	16
16 33 27	10	29	20	19 08	13	17
16 37 43	11	♑	21	20 54	15	18
16 42 00	12	1	22	22 42	16	20
16 46 17	13	2	23	24 32	18	21
16 50 35	14	3	24	26 24	20	22
16 54 53	15	4	26	28 18	21	23
16 59 11	16	5	27	0♓15	23	24
17 03 30	17	6	28	2 13	25	25
17 07 49	18	7	29	4 13	26	27
17 12 09	19	8	♒	6 15	28	28
17 16 29	20	9	2	8 18	29	29
17 20 49	21	10	3	10 23	♉	♊
17 25 10	22	11	4	12 30	3	1
17 29 31	23	12	6	14 38	4	2
17 33 52	24	13	7	16 47	6	4
17 38 13	25	14	8	18 58	7	5
17 42 34	26	16	10	21 09	9	6
17 46 55	27	17	11	23 21	10	7
17 51 17	28	18	13	25 34	12	8
17 55 38	29	19	14	27 47	13	9
HOUSES	4	5	6	7	8	9

LATITUDE 47° S.

LATITUDE 45° N.

SIDEREAL TIME	10	11	12	Asc	2	3
	♑	♑	♒	♈	♉	♊
h m s	°	°	°	° '	°	°
18 00 00	0	20	17	0 00	13	10
18 04 22	1	22	18	2 06	15	11
18 08 43	2	23	19	4 11	16	12
18 13 05	3	24	21	6 17	18	13
18 17 26	4	25	22	8 22	19	14
18 21 47	5	26	24	10 26	20	15
18 26 08	6	27	25	12 29	22	16
18 30 29	7	28	27	14 32	23	17
18 34 50	8	29	28	16 34	24	18
18 39 11	9	♒	♓	18 34	26	19
18 43 31	10	2	1	20 33	27	20
18 47 51	11	3	3	22 31	28	21
18 52 11	12	4	5	24 28	♊	22
18 56 30	13	5	6	26 23	1	23
19 00 49	14	6	8	28 16	2	24
19 05 07	15	7	9	0♉08	3	25
19 09 25	16	9	11	1 58	4	26
19 13 43	17	10	12	3 47	6	27
19 18 00	18	11	14	5 33	7	28
19 22 17	19	12	16	7 18	8	29
19 26 33	20	13	17	9 01	9	♋
19 30 49	21	14	19	10 42	10	1
19 35 04	22	16	20	12 22	11	2
19 39 19	23	17	22	14 00	12	3
19 43 33	24	18	24	15 35	14	4
19 47 46	25	19	25	17 10	15	5
19 51 59	26	21	27	18 42	16	6
19 56 11	27	22	29	20 13	17	7
20 00 23	28	23	♈	21 42	18	8
20 04 33	29	24	2	23 09	19	9
20 08 44	♒	25	3	24 35	20	10
20 12 53	1	27	5	25 59	21	11
20 17 02	2	28	7	27 22	22	12
20 21 10	3	29	8	28 43	23	13
20 25 17	4	♓	10	0♊02	24	13
20 29 24	5	2	11	1 20	25	14
20 33 30	6	3	13	2 37	26	15
20 37 35	7	4	14	3 53	27	16
20 41 40	8	5	16	5 07	28	17
20 45 44	9	7	17	6 20	29	18
20 49 47	10	8	19	7 31	♋	19
20 53 49	11	9	20	8 42	1	20
20 57 51	12	10	22	9 51	1	21
21 01 52	13	12	23	10 59	2	22
21 05 52	14	13	25	12 06	3	22
HOUSES	4	5	6	7	8	9

LATITUDE 45° S.

LATITUDE 46° N.

SIDEREAL TIME	10	11	12	Asc	2	3
	♑	♑	♒	♈	♉	♊
h m s	°	°	°	° '	°	°
18 00 00	0	20	16	0 00	14	10
18 04 22	1	21	17	2 09	15	11
18 08 43	2	22	19	4 18	17	12
18 13 05	3	23	20	6 27	18	13
18 17 26	4	25	22	8 35	20	14
18 21 47	5	26	23	10 43	21	15
18 26 08	6	27	25	12 50	22	16
18 30 29	7	28	26	14 56	24	17
18 34 50	8	29	28	17 00	25	18
18 39 11	9	♒	29	19 04	26	19
18 43 31	10	1	♓	21 06	28	20
18 47 51	11	2	3	23 07	29	21
18 52 11	12	4	4	25 06	♊	23
18 56 30	13	5	6	27 03	1	24
19 00 49	14	6	7	28 59	3	25
19 05 07	15	7	9	0♉53	4	26
19 09 25	16	8	11	2 45	5	27
19 13 43	17	9	12	4 35	6	28
19 18 00	18	11	14	6 23	7	29
19 22 17	19	12	15	8 10	9	♋
19 26 33	20	13	17	9 54	10	0
19 30 49	21	14	19	11 37	11	1
19 35 04	22	15	20	13 18	12	2
19 39 19	23	17	22	14 56	13	3
19 43 33	24	18	24	16 33	14	4
19 47 46	25	19	25	18 08	15	5
19 51 59	26	20	27	19 41	16	6
19 56 11	27	22	29	21 13	17	7
20 00 23	28	23	♈	22 42	18	8
20 04 33	29	24	2	24 10	19	9
20 08 44	♒	25	3	25 36	20	10
20 12 53	1	26	5	27 01	22	11
20 17 02	2	28	7	28 24	23	12
20 21 10	3	29	8	29 45	24	13
20 25 17	4	♓	10	1♊05	24	14
20 29 24	5	1	11	2 23	25	15
20 33 30	6	3	13	3 40	26	16
20 37 35	7	4	15	4 55	27	16
20 41 40	8	5	16	6 09	28	17
20 45 44	9	6	18	7 22	29	18
20 49 47	10	8	19	8 33	♋	19
20 53 49	11	9	21	9 43	1	20
20 57 51	12	10	22	10 52	2	21
21 01 52	13	12	24	12 00	3	22
21 05 52	14	13	25	13 07	4	23
HOUSES	4	5	6	7	8	9

LATITUDE 46° S.

LATITUDE 47° N.

SIDEREAL TIME	10	11	12	Asc	2	3
	♑	♑	♒	♈	♉	♊
h m s	°	°	°	° '	°	°
18 00 00	0	20	15	0 00	15	10
18 04 22	1	21	17	2 13	16	11
18 08 43	2	22	18	4 26	17	12
18 13 05	3	23	20	6 39	19	13
18 17 26	4	24	21	8 51	20	14
18 21 47	5	25	23	11 02	22	16
18 26 08	6	26	24	13 12	23	17
18 30 29	7	28	26	15 22	24	18
18 34 50	8	29	27	17 30	26	19
18 39 11	9	♒	29	19 36	27	20
18 43 31	10	1	♓	21 41	28	21
18 47 51	11	2	2	23 45	♊	22
18 52 11	12	3	4	25 47	1	23
18 56 30	13	5	5	27 47	2	24
19 00 49	14	6	7	29 45	3	25
19 05 07	15	7	9	1♉41	4	26
19 09 25	16	8	10	3 35	6	27
19 13 43	17	9	12	5 28	7	28
19 18 00	18	10	14	7 18	8	29
19 22 17	19	12	15	9 06	9	♋
19 26 33	20	13	17	10 52	10	1
19 30 49	21	14	19	12 36	12	2
19 35 04	22	15	20	14 17	13	3
19 39 19	23	16	22	15 57	14	4
19 43 33	24	18	24	17 35	15	5
19 47 46	25	19	25	19 11	16	6
19 51 59	26	20	27	20 45	17	7
19 56 11	27	21	28	22 17	18	8
20 00 23	28	23	♈	23 47	19	8
20 04 33	29	24	2	25 15	20	9
20 08 44	♒	25	3	26 41	21	10
20 12 53	1	26	5	28 06	22	11
20 17 02	2	28	7	29 29	23	12
20 21 10	3	29	8	0♊51	24	13
20 25 17	4	♓	10	2 10	25	14
20 29 24	5	1	12	3 29	26	15
20 33 30	6	3	13	4 45	27	16
20 37 35	7	4	15	6 01	28	17
20 41 40	8	5	16	7 15	29	18
20 45 44	9	6	18	8 27	♋	19
20 49 47	10	8	19	9 38	1	19
20 53 49	11	9	21	10 48	2	20
20 57 51	12	10	22	11 57	3	21
21 01 52	13	11	24	13 05	4	22
21 05 52	14	13	25	14 11	4	23
HOUSES	4	5	6	7	8	9

LATITUDE 47° S.

LATITUDE 45° N.

SIDEREAL TIME	10 ♒	11 ♓	12 ♈	Asc ♊		2 ♋	3 ♋
h m s	°	°	°	°	'	°	°
21 09 51	15	14	26	13	12	4	23
21 13 50	16	15	28	14	17	5	24
21 17 48	17	17	29	15	21	6	25
21 21 46	18	18	♉	16	24	7	26
21 25 42	19	19	2	17	26	8	27
21 29 38	20	20	3	18	27	9	28
21 33 33	21	22	5	19	27	9	29
21 37 28	22	23	6	20	27	10	29
21 41 22	23	24	7	21	26	11	♌
21 45 15	24	25	9	22	24	12	1
21 49 08	25	27	10	23	21	13	2
21 53 00	26	28	11	24	17	14	3
21 56 51	27	29	12	25	13	14	4
22 00 42	28	♈	14	26	08	15	5
22 04 32	29	1	15	27	03	16	5
22 08 22	♓	3	16	27	57	17	6
22 12 10	1	4	17	28	50	18	7
22 15 59	2	5	19	29	43	18	8
22 19 47	3	6	20	0♋	35	19	9
22 23 34	4	7	21	1	27	20	10
22 27 21	5	9	22	2	18	21	11
22 31 07	6	10	23	3	08	22	11
22 34 53	7	11	24	3	59	22	12
22 38 39	8	12	26	4	48	23	13
22 42 24	9	13	27	5	38	24	14
22 46 08	10	15	28	6	27	25	15
22 49 52	11	16	29	7	15	26	16
22 53 36	12	17	♊	8	03	26	16
22 57 19	13	18	1	8	51	27	17
23 01 03	14	19	2	9	39	28	18
23 04 45	15	20	3	10	26	29	19
23 08 28	16	22	4	11	12	29	20
23 12 10	17	23	5	11	59	♌	21
23 15 52	18	24	6	12	45	1	22
23 19 33	19	25	7	13	31	2	22
23 23 15	20	26	8	14	17	2	23
23 26 56	21	27	9	15	02	3	24
23 30 37	22	28	10	15	47	4	25
23 34 17	23	29	11	16	32	5	26
23 37 58	24	♉	12	17	17	5	27
23 41 39	25	2	13	18	01	6	27
23 45 19	26	3	14	18	46	7	28
23 48 59	27	4	15	19	30	8	29
23 52 40	28	5	16	20	14	8	♍
23 56 20	29	6	17	20	58	9	1
HOUSES	4	5	6	7		8	9

LATITUDE 45° S.

LATITUDE 46° N.

SIDEREAL TIME	10 ♒	11 ♓	12 ♈	Asc ♊		2 ♋	3 ♋
h m s	°	°	°	°	'	°	°
21 09 51	15	14	27	14	13	5	24
21 13 50	16	15	28	15	17	6	24
21 17 48	17	17	29	16	21	7	25
21 21 46	18	18	♉	17	24	7	26
21 25 42	19	19	2	18	25	8	27
21 29 38	20	20	4	19	26	9	28
21 33 33	21	22	5	20	26	10	29
21 37 28	22	23	6	21	25	11	♌
21 41 22	23	24	8	22	24	12	1
21 45 15	24	25	9	23	21	12	1
21 49 08	25	27	10	24	18	13	2
21 53 00	26	28	12	25	14	14	3
21 56 51	27	29	13	26	09	15	4
22 00 42	28	♈	14	27	04	16	5
22 04 32	29	1	15	27	58	17	6
22 08 22	♓	3	17	28	52	17	7
22 12 10	1	4	18	29	45	18	7
22 15 59	2	5	19	0♋	37	19	8
22 19 47	3	6	20	1	29	20	9
22 23 34	4	8	22	2	20	21	10
22 27 21	5	9	23	3	11	21	11
22 31 07	6	10	24	4	01	22	12
22 34 53	7	11	25	4	51	23	12
22 38 39	8	12	26	5	40	24	13
22 42 24	9	14	27	6	29	24	14
22 46 08	10	15	28	7	17	25	15
22 49 52	11	16	29	8	05	26	16
22 53 36	12	17	♊	8	53	27	17
22 57 19	13	18	2	9	40	28	17
23 01 03	14	19	3	10	27	28	18
23 04 45	15	21	4	11	14	29	19
23 08 28	16	22	5	12	00	♌	20
23 12 10	17	23	6	12	46	1	21
23 15 52	18	24	7	13	32	1	22
23 19 33	19	25	8	14	18	2	23
23 23 15	20	26	9	15	03	3	23
23 26 56	21	27	10	15	48	4	24
23 30 37	22	29	11	16	32	4	25
23 34 17	23	♉	12	17	17	5	26
23 37 58	24	1	13	18	01	6	27
23 41 39	25	2	14	18	45	7	28
23 45 19	26	3	15	19	29	7	28
23 48 59	27	4	16	20	13	8	29
23 52 40	28	5	16	20	56	9	♍
23 56 20	29	6	17	21	40	10	1
HOUSES	4	5	6	7		8	9

LATITUDE 46° S.

LATITUDE 47° N.

SIDEREAL TIME	10 ♒	11 ♓	12 ♈	Asc ♊		2 ♋	3 ♋
h m s	°	°	°	°	'	°	°
21 09 51	15	14	27	15	16	5	24
21 13 50	16	15	28	16	21	6	25
21 17 48	17	16	♉	17	24	7	26
21 21 46	18	18	1	18	26	8	26
21 25 42	19	19	3	19	27	9	27
21 29 38	20	20	4	20	28	10	28
21 33 33	21	21	6	21	27	11	29
21 37 28	22	23	7	22	26	11	♌
21 41 22	23	24	8	23	24	12	1
21 45 15	24	25	10	24	21	13	2
21 49 08	25	26	11	25	17	14	2
21 53 00	26	28	12	26	13	15	3
21 56 51	27	29	14	27	08	16	4
22 00 42	28	♈	15	28	02	16	5
22 04 32	29	1	16	28	56	17	6
22 08 22	♓	3	17	29	49	18	7
22 12 10	1	4	19	0♋	41	19	8
22 15 59	2	5	20	1	33	20	8
22 19 47	3	6	21	2	24	20	9
22 23 34	4	8	22	3	15	21	10
22 27 21	5	9	23	4	05	22	11
22 31 07	6	10	24	4	55	23	12
22 34 53	7	11	26	5	44	23	13
22 38 39	8	12	27	6	33	24	13
22 42 24	9	14	28	7	21	25	14
22 46 08	10	15	29	8	09	26	15
22 49 52	11	16	♊	8	57	27	16
22 53 36	12	17	1	9	44	27	17
22 57 19	13	18	2	10	31	28	18
23 01 03	14	20	3	11	18	29	19
23 04 45	15	21	4	12	04	♌	19
23 08 28	16	22	5	12	50	0	20
23 12 10	17	23	6	13	35	1	21
23 15 52	18	24	7	14	20	2	22
23 19 33	19	25	8	15	05	3	23
23 23 15	20	26	9	15	50	3	24
23 26 56	21	28	10	16	35	4	24
23 30 37	22	29	11	17	19	5	25
23 34 17	23	♉	12	18	03	6	26
23 37 58	24	1	13	18	47	6	27
23 41 39	25	2	14	19	30	7	28
23 45 19	26	3	15	20	14	8	29
23 48 59	27	4	16	20	57	9	29
23 52 40	28	5	17	21	40	9	♍
23 56 20	29	6	18	22	23	10	1
HOUSES	4	5	6	7		8	9

LATITUDE 47° S.

LATITUDE 48° N.

SIDEREAL TIME			10	11	12	Asc		2	3
			♈	♉	♊	♋		♌	♍
h	m	s	°	°	°	°	'	°	°
0	00	00	0	8	20	23	50	11	2
0	03	40	1	9	21	24	32	12	3
0	07	20	2	10	22	25	14	13	4
0	11	01	3	11	22	25	56	13	5
0	14	41	4	12	23	26	38	14	5
0	18	21	5	13	24	27	20	15	6
0	22	02	6	14	25	28	01	16	7
0	25	43	7	15	26	28	43	16	8
0	29	23	8	16	27	29	25	17	9
0	33	04	9	17	28	0♌	06	18	10
0	36	45	10	18	29	0	47	19	11
0	40	27	11	19	29	1	29	19	11
0	44	08	12	20	♋	2	10	20	12
0	47	50	13	21	1	2	51	21	13
0	51	32	14	23	2	3	33	21	14
0	55	15	15	24	3	4	14	22	15
0	58	57	16	25	4	4	55	23	16
1	02	41	17	26	4	5	36	24	17
1	06	24	18	27	5	6	18	24	17
1	10	08	19	28	6	6	59	25	18
1	13	52	20	29	7	7	40	26	19
1	17	36	21	♊	8	8	22	27	20
1	21	21	22	1	9	9	03	28	21
1	25	07	23	2	9	9	44	28	22
1	28	53	24	3	10	10	26	29	23
1	32	39	25	4	11	11	07	♍	24
1	36	26	26	5	12	11	49	1	24
1	40	13	27	5	13	12	30	1	25
1	44	01	28	6	13	13	12	2	26
1	47	49	29	7	14	13	54	3	27
1	51	38	♉	8	15	14	35	4	28
1	55	28	1	9	16	15	17	4	29
1	59	18	2	10	17	15	59	5	♎
2	03	09	3	11	17	16	41	6	1
2	07	00	4	12	18	17	24	7	2
2	10	52	5	13	19	18	06	8	3
2	14	45	6	14	20	18	48	8	3
2	18	38	7	15	21	19	31	9	4
2	22	32	8	16	21	20	13	10	5
2	26	27	9	17	22	20	56	11	6
2	30	22	10	18	23	21	39	12	7
2	34	18	11	19	24	22	22	12	8
2	38	14	12	20	25	23	05	13	9
2	42	12	13	21	25	23	48	14	10
2	46	10	14	22	26	24	31	15	11
HOUSES			4	5	6	7		8	9

LATITUDE 48° S.

LATITUDE 49° N.

SIDEREAL TIME			10	11	12	Asc		2	3
			♈	♉	♊	♋		♌	♍
h	m	s	°	°	°	°	'	°	°
0	00	00	0	8	20	24	35	12	2
0	03	40	1	9	21	25	17	12	3
0	07	20	2	10	22	25	58	13	4
0	11	01	3	11	23	26	40	14	5
0	14	41	4	12	24	27	21	14	6
0	18	21	5	13	25	28	03	15	6
0	22	02	6	14	26	28	44	16	7
0	25	43	7	16	27	29	25	17	8
0	29	23	8	17	27	0♌	06	17	9
0	33	04	9	18	28	0	47	18	10
0	36	45	10	19	29	1	28	19	11
0	40	27	11	20	♋	2	09	20	11
0	44	08	12	21	1	2	50	20	12
0	47	50	13	22	2	3	30	21	13
0	51	32	14	23	3	4	11	22	14
0	55	15	15	24	3	4	52	23	15
0	58	57	16	25	4	5	33	23	16
1	02	41	17	26	5	6	13	24	17
1	06	24	18	27	6	6	54	25	17
1	10	08	19	28	7	7	35	26	18
1	13	52	20	29	8	8	16	26	19
1	17	36	21	♊	8	8	57	27	20
1	21	21	22	1	9	9	38	28	21
1	25	07	23	2	10	10	18	29	22
1	28	53	24	3	11	10	59	29	23
1	32	39	25	4	12	11	40	♍	24
1	36	26	26	5	12	12	22	1	24
1	40	13	27	6	13	13	03	2	25
1	44	01	28	7	14	13	44	2	26
1	47	49	29	8	15	14	25	3	27
1	51	38	♉	9	16	15	06	4	28
1	55	28	1	10	16	15	48	5	29
1	59	18	2	11	17	16	29	5	♎
2	03	09	3	12	18	17	11	6	1
2	07	00	4	13	19	17	53	7	2
2	10	52	5	14	20	18	34	8	3
2	14	45	6	15	20	19	16	9	3
2	18	38	7	15	21	19	58	9	4
2	22	32	8	16	22	20	40	10	5
2	26	27	9	17	23	21	23	11	6
2	30	22	10	18	24	22	05	12	7
2	34	18	11	19	24	22	47	13	8
2	38	14	12	20	25	23	30	13	9
2	42	12	13	21	26	24	13	14	10
2	46	10	14	22	27	24	55	15	11
HOUSES			4	5	6	7		8	9

LATITUDE 49° S.

LATITUDE 50° N.

SIDEREAL TIME			10	11	12	Asc		2	3
			♈	♉	♊	♋		♌	♍
h	m	s	°	°	°	°	'	°	°
0	00	00	0	8	21	25	22	12	2
0	03	40	1	9	22	26	03	13	3
0	07	20	2	10	23	26	44	13	4
0	11	01	3	12	24	27	25	14	5
0	14	41	4	13	25	28	06	15	6
0	18	21	5	14	26	28	46	16	7
0	22	02	6	15	27	29	27	16	7
0	25	43	7	16	27	0♌	08	17	8
0	29	23	8	17	28	0	48	18	9
0	33	04	9	18	29	1	29	18	10
0	36	45	10	19	♋	2	09	19	11
0	40	27	11	20	1	2	50	20	12
0	44	08	12	21	2	3	30	21	12
0	47	50	13	22	2	4	10	21	13
0	51	32	14	23	3	4	51	22	14
0	55	15	15	24	4	5	31	23	15
0	58	57	16	25	5	6	11	24	16
1	02	41	17	26	6	6	51	24	17
1	06	24	18	27	7	7	32	25	18
1	10	08	19	28	7	8	12	26	18
1	13	52	20	29	8	8	52	27	19
1	17	36	21	♊	9	9	33	27	20
1	21	21	22	1	10	10	13	28	21
1	25	07	23	2	11	10	53	29	22
1	28	53	24	3	11	11	34	♍	23
1	32	39	25	4	12	12	14	0	24
1	36	26	26	5	13	12	55	1	25
1	40	13	27	6	14	13	36	2	25
1	44	01	28	7	15	14	16	3	26
1	47	49	29	8	15	14	57	3	27
1	51	38	♉	9	16	15	38	4	28
1	55	28	1	10	17	16	19	5	29
1	59	18	2	11	18	17	00	6	♎
2	03	09	3	12	19	17	41	6	1
2	07	00	4	13	19	18	22	7	2
2	10	52	5	14	20	19	04	8	3
2	14	45	6	15	21	19	45	9	3
2	18	38	7	16	22	20	26	10	4
2	22	32	8	17	23	21	08	10	5
2	26	27	9	18	23	21	50	11	6
2	30	22	10	19	24	22	32	12	7
2	34	18	11	20	25	23	14	13	8
2	38	14	12	21	26	23	56	13	9
2	42	12	13	22	27	24	38	14	10
2	46	10	14	22	27	25	20	15	11
HOUSES			4	5	6	7		8	9

LATITUDE 50° S.

LATITUDE 48° N.

SIDEREAL TIME	10 ♉	11 ♊	12 ♋	Asc ♌		2 ♍	3 ♎
h m s	°	°	°	°	'	°	°
2 50 09	15	23	27	25	15	16	12
2 54 08	16	24	28	25	58	16	13
2 58 08	17	25	29	26	42	17	14
3 02 09	18	25	♌	27	26	18	15
3 06 11	19	26	0	28	10	19	15
3 10 13	20	27	1	28	54	20	16
3 14 16	21	28	2	29	38	21	17
3 18 20	22	29	3	0♍	23	21	18
3 22 25	23	♋	4	1	07	22	19
3 26 30	24	1	4	1	52	23	20
3 30 36	25	2	5	2	37	24	21
3 34 43	26	3	6	3	22	25	22
3 38 50	27	4	7	4	07	26	23
3 42 58	28	5	8	4	52	26	24
3 47 07	29	6	9	5	37	27	25
3 51 16	♊	7	9	6	23	28	26
3 55 27	1	8	10	7	09	29	27
3 59 37	2	9	11	7	55	♎	28
4 03 49	3	10	12	8	41	1	29
4 08 01	4	10	13	9	27	2	♏
4 12 14	5	11	14	10	13	3	1
4 16 27	6	12	14	10	59	3	2
4 20 41	7	13	15	11	46	4	3
4 24 56	8	14	16	12	32	5	4
4 29 11	9	15	17	13	19	6	5
4 33 27	10	16	18	14	06	7	6
4 37 43	11	17	19	14	53	8	7
4 42 00	12	18	20	15	40	9	7
4 46 17	13	19	20	16	27	10	8
4 50 35	14	20	21	17	14	10	9
4 54 53	15	21	22	18	02	11	10
4 59 11	16	22	23	18	49	12	11
5 03 30	17	23	24	19	37	13	12
5 07 49	18	24	25	20	24	14	13
5 12 09	19	25	26	21	12	15	14
5 16 29	20	26	27	22	00	16	15
5 20 49	21	27	27	22	48	17	16
5 25 10	22	27	28	23	35	18	17
5 29 31	23	28	29	24	23	18	18
5 33 52	24	29	♍	25	11	19	19
5 38 13	25	♌	1	25	59	20	20
5 42 34	26	1	2	26	47	21	21
5 46 55	27	2	3	27	36	22	22
5 51 17	28	3	4	28	24	23	23
5 55 38	29	4	4	29	12	24	24
HOUSES	4	5	6	7		8	9

LATITUDE 48° S.

LATITUDE 49° N.

SIDEREAL TIME	10 ♉	11 ♊	12 ♋	Asc ♌		2 ♍	3 ♎
h m s	°	°	°	°	'	°	°
2 50 09	15	23	28	25	38	16	12
2 54 08	16	24	28	26	21	17	13
2 58 08	17	25	29	27	05	17	14
3 02 09	18	26	♌	27	48	18	14
3 06 11	19	27	1	28	32	19	15
3 10 13	20	28	2	29	15	20	16
3 14 16	21	29	2	29	59	21	17
3 18 20	22	♋	3	0♍	43	21	18
3 22 25	23	1	4	1	27	22	19
3 26 30	24	1	5	2	11	23	20
3 30 36	25	2	6	2	55	24	21
3 34 43	26	3	7	3	40	25	22
3 38 50	27	4	7	4	25	26	23
3 42 58	28	5	8	5	09	27	24
3 47 07	29	6	9	5	54	27	25
3 51 16	♊	7	10	6	39	28	26
3 55 27	1	8	11	7	24	29	27
3 59 37	2	9	11	8	10	♎	28
4 03 49	3	10	12	8	55	1	29
4 08 01	4	11	13	9	41	2	♏
4 12 14	5	12	14	10	26	2	1
4 16 27	6	13	15	11	12	3	2
4 20 41	7	14	16	11	58	4	3
4 24 56	8	15	17	12	44	5	3
4 29 11	9	15	17	13	31	6	4
4 33 27	10	16	18	14	17	7	5
4 37 43	11	17	19	15	03	8	6
4 42 00	12	18	20	15	50	9	7
4 46 17	13	19	21	16	36	9	8
4 50 35	14	20	22	17	23	10	9
4 54 53	15	21	22	18	10	11	10
4 59 11	16	22	23	18	57	12	11
5 03 30	17	23	24	19	44	13	12
5 07 49	18	24	25	20	31	14	13
5 12 09	19	25	26	21	18	15	14
5 16 29	20	26	27	22	05	16	15
5 20 49	21	27	28	22	53	16	16
5 25 10	22	28	29	23	40	17	17
5 29 31	23	29	29	24	27	18	18
5 33 52	24	♌	♍	25	15	19	19
5 38 13	25	1	1	26	02	20	20
5 42 34	26	2	2	26	50	21	21
5 46 55	27	3	3	27	37	22	22
5 51 17	28	3	4	28	25	23	23
5 55 38	29	4	5	29	12	24	24
HOUSES	4	5	6	7		8	9

LATITUDE 49° S.

LATITUDE 50° N.

SIDEREAL TIME	10 ♉	11 ♊	12 ♋	Asc ♌		2 ♍	3 ♎
h m s	°	°	°	°	'	°	°
2 50 09	15	23	28	26	03	16	12
2 54 08	16	24	29	26	45	17	13
2 58 08	17	25	♌	27	28	17	13
3 02 09	18	26	1	28	11	18	14
3 06 11	19	27	1	28	54	19	15
3 10 13	20	28	2	29	37	20	16
3 14 16	21	29	3	0♍	20	21	17
3 18 20	22	♋	4	1	04	22	18
3 22 25	23	1	5	1	47	22	19
3 26 30	24	2	5	2	31	23	20
3 30 36	25	3	6	3	15	24	21
3 34 43	26	4	7	3	58	25	22
3 38 50	27	5	8	4	43	26	23
3 42 58	28	6	9	5	27	27	24
3 47 07	29	6	9	6	11	27	25
3 51 16	♊	7	10	6	56	28	26
3 55 27	1	8	11	7	40	29	27
3 59 37	2	9	12	8	25	♎	28
4 03 49	3	10	13	9	10	1	29
4 08 01	4	11	14	9	55	2	29
4 12 14	5	12	14	10	40	2	♏
4 16 27	6	13	15	11	26	3	1
4 20 41	7	14	16	12	11	4	2
4 24 56	8	15	17	12	57	5	3
4 29 11	9	16	18	13	42	6	4
4 33 27	10	17	19	14	28	7	5
4 37 43	11	18	19	15	14	8	6
4 42 00	12	19	20	16	00	9	7
4 46 17	13	20	21	16	46	9	8
4 50 35	14	20	22	17	32	10	9
4 54 53	15	21	23	18	18	11	10
4 59 11	16	22	24	19	05	12	11
5 03 30	17	23	25	19	51	13	12
5 07 49	18	24	25	20	38	14	13
5 12 09	19	25	26	21	24	15	14
5 16 29	20	26	27	22	11	15	15
5 20 49	21	27	28	22	58	16	16
5 25 10	22	28	29	23	44	17	17
5 29 31	23	29	♍	24	31	18	18
5 33 52	24	♌	1	25	18	19	19
5 38 13	25	1	1	26	05	20	20
5 42 34	26	2	2	26	52	21	21
5 46 55	27	3	3	27	39	22	21
5 51 17	28	4	4	28	26	22	22
5 55 38	29	5	5	29	13	23	23
HOUSES	4	5	6	7		8	9

LATITUDE 50° S.

LATITUDE 48° N.

SIDEREAL TIME	10	11	12	Asc	2	3
	♋	♌	♍	♎	♎	♏
h m s	°	°	°	° '	°	°
6 00 00	0	5	5	0 00	25	25
6 04 22	1	6	6	0 48	26	26
6 08 43	2	7	7	1 36	26	27
6 13 05	3	8	8	2 24	27	28
6 17 26	4	9	9	3 12	28	29
6 21 47	5	10	10	4 00	29	♐
6 26 08	6	11	11	4 48	♏	1
6 30 29	7	12	12	5 36	1	2
6 34 50	8	13	12	6 24	2	3
6 39 11	9	14	13	7 12	3	3
6 43 31	10	15	14	8 00	3	4
6 47 51	11	16	15	8 48	4	5
6 52 11	12	17	16	9 35	5	6
6 56 30	13	18	17	10 23	6	7
7 00 49	14	19	18	11 10	7	8
7 05 07	15	20	19	11 58	8	9
7 09 25	16	21	20	12 45	9	10
7 13 43	17	22	20	13 33	10	11
7 18 00	18	23	21	14 20	10	12
7 22 17	19	23	22	15 07	11	13
7 26 33	20	24	23	15 54	12	14
7 30 49	21	25	24	16 41	13	15
7 35 04	22	26	25	17 27	14	16
7 39 19	23	27	26	18 14	15	17
7 43 33	24	28	27	19 00	16	18
7 47 46	25	29	27	19 47	16	19
7 51 59	26	♍	28	20 33	17	20
7 56 11	27	1	29	21 19	18	20
8 00 23	28	2	♎	22 05	19	21
8 04 33	29	3	1	22 51	20	22
8 08 44	♌	4	2	23 37	21	23
8 12 53	1	5	3	24 22	21	24
8 17 02	2	6	4	25 08	22	25
8 21 10	3	7	4	25 53	23	26
8 25 17	4	8	5	26 38	24	27
8 29 24	5	9	6	27 23	25	28
8 33 30	6	10	7	28 08	26	29
8 37 35	7	11	8	28 53	26	♑
8 41 40	8	12	9	29 37	27	1
8 45 44	9	13	9	0♏21	28	2
8 49 47	10	14	10	1 06	29	3
8 53 49	11	15	11	1 50	♐	4
8 57 51	12	15	12	2 34	0	4
9 01 52	13	16	13	3 18	1	5
9 05 52	14	17	14	4 01	2	6
HOUSES	4	5	6	7	8	9

LATITUDE 48° S.

LATITUDE 49° N.

SIDEREAL TIME	10	11	12	Asc	2	3
	♋	♌	♍	♎	♎	♏
h m s	°	°	°	° '	°	°
6 00 00	0	5	6	0 00	24	25
6 04 22	1	6	6	0 47	25	26
6 08 43	2	7	7	1 35	26	27
6 13 05	3	8	8	2 22	27	27
6 17 26	4	9	9	3 10	28	28
6 21 47	5	10	10	3 57	29	29
6 26 08	6	11	11	4 45	♏	♐
6 30 29	7	12	12	5 32	1	1
6 34 50	8	13	13	6 20	1	2
6 39 11	9	14	14	7 07	2	3
6 43 31	10	15	14	7 54	3	4
6 47 51	11	16	15	8 42	4	5
6 52 11	12	17	16	9 29	5	6
6 56 30	13	18	17	10 16	6	7
7 00 49	14	19	18	11 03	7	8
7 05 07	15	20	19	11 50	8	9
7 09 25	16	21	20	12 36	8	10
7 13 43	17	22	21	13 23	9	11
7 18 00	18	23	21	14 10	10	12
7 22 17	19	24	22	14 56	11	13
7 26 33	20	25	23	15 43	12	14
7 30 49	21	26	24	16 29	13	15
7 35 04	22	27	25	17 15	13	15
7 39 19	23	27	26	18 01	14	16
7 43 33	24	28	27	18 47	15	17
7 47 46	25	29	27	19 33	16	18
7 51 59	26	♍	28	20 19	17	19
7 56 11	27	1	29	21 04	18	20
8 00 23	28	2	♎	21 50	19	21
8 04 33	29	3	1	22 35	19	22
8 08 44	♌	4	2	23 20	20	23
8 12 53	1	5	3	24 05	21	24
8 17 02	2	6	3	24 50	22	25
8 21 10	3	7	4	25 35	23	26
8 25 17	4	8	5	26 20	23	27
8 29 24	5	9	6	27 04	24	28
8 33 30	6	10	7	27 49	25	29
8 37 35	7	11	8	28 33	26	29
8 41 40	8	12	9	29 17	27	♑
8 45 44	9	13	9	0♏01	28	1
8 49 47	10	14	10	0 44	28	2
8 53 49	11	15	11	1 28	29	3
8 57 51	12	16	12	2 12	♐	4
9 01 52	13	16	13	2 55	1	5
9 05 52	14	17	13	3 38	2	6
HOUSES	4	5	6	7	8	9

LATITUDE 49° S.

LATITUDE 50° N.

SIDEREAL TIME	10	11	12	Asc	2	3
	♋	♌	♍	♎	♎	♏
h m s	°	°	°	° '	°	°
6 00 00	0	6	6	0 00	24	24
6 04 22	1	7	7	0 47	25	25
6 08 43	2	8	8	1 34	26	26
6 13 05	3	9	8	2 21	27	27
6 17 26	4	9	9	3 08	28	28
6 21 47	5	10	10	3 55	29	29
6 26 08	6	11	11	4 42	29	♐
6 30 29	7	12	12	5 28	♏	1
6 34 50	8	13	13	6 15	1	2
6 39 11	9	14	14	7 02	2	3
6 43 31	10	15	15	7 49	3	4
6 47 51	11	16	15	8 35	4	5
6 52 11	12	17	16	9 22	5	6
6 56 30	13	18	17	10 08	5	7
7 00 49	14	19	18	10 55	6	8
7 05 07	15	20	19	11 41	7	9
7 09 25	16	21	20	12 28	8	9
7 13 43	17	22	21	13 14	9	10
7 18 00	18	23	21	14 00	10	11
7 22 17	19	24	22	14 46	11	12
7 26 33	20	25	23	15 32	11	13
7 30 49	21	26	24	16 17	12	14
7 35 04	22	27	25	17 03	13	15
7 39 19	23	28	26	17 49	14	16
7 43 33	24	29	27	18 34	15	17
7 47 46	25	♍	28	19 19	16	18
7 51 59	26	1	28	20 05	16	19
7 56 11	27	1	29	20 50	17	20
8 00 23	28	2	♎	21 34	18	21
8 04 33	29	3	1	22 19	19	22
8 08 44	♌	4	2	23 04	20	23
8 12 53	1	5	3	23 48	21	24
8 17 02	2	6	3	24 33	21	24
8 21 10	3	7	4	25 17	22	25
8 25 17	4	8	5	26 01	23	26
8 29 24	5	9	6	26 45	24	27
8 33 30	6	10	7	27 29	25	28
8 37 35	7	11	8	28 13	25	29
8 41 40	8	12	8	28 56	26	♑
8 45 44	9	13	9	29 40	27	1
8 49 47	10	14	10	0♏23	28	2
8 53 49	11	15	11	1 06	29	3
8 57 51	12	16	12	1 49	29	4
9 01 52	13	17	13	2 32	♐	5
9 05 52	14	17	13	3 14	1	6
HOUSES	4	5	6	7	8	9

LATITUDE 50° S.

SIDEREAL TIME	LATITUDE 48° N.						LATITUDE 49° N.						LATITUDE 50° N.					
	10 ♌	11 ♍	12 ♎	Asc ♏	2 ♐	3 ♑	10 ♌	11 ♍	12 ♎	Asc ♏	2 ♐	3 ♑	10 ♌	11 ♍	12 ♎	Asc ♏	2 ♐	3 ♑
h m s	°	°	°	° '	°	°	°	°	°	° '	°	°	°	°	°	° '	°	°
9 09 51	15	18	14	4 45	3	7	15	18	14	4 21	2	7	15	18	14	3 57	2	7
9 13 50	16	19	15	5 28	4	8	16	19	15	5 04	3	8	16	19	15	4 40	3	8
9 17 48	17	20	16	6 12	5	9	17	20	16	5 47	4	9	17	20	16	5 22	3	8
9 21 46	18	21	17	6 55	5	10	18	21	17	6 30	5	10	18	21	17	6 04	4	9
9 25 42	19	22	18	7 38	6	11	19	22	17	7 12	6	11	19	22	17	6 46	5	10
9 29 38	20	23	18	8 21	7	12	20	23	18	7 55	6	12	20	23	18	7 28	6	11
9 33 33	21	24	19	9 04	8	13	21	24	19	8 37	7	13	21	24	19	8 10	7	12
9 37 28	22	25	20	9 46	9	14	22	25	20	9 19	8	14	22	25	20	8 52	7	13
9 41 22	23	26	21	10 29	9	15	23	26	21	10 01	9	15	23	26	20	9 33	8	14
9 45 15	24	27	22	11 11	10	16	24	27	21	10 43	10	15	24	27	21	10 15	9	15
9 49 08	25	27	22	11 54	11	17	25	27	22	11 25	10	16	25	27	22	10 56	10	16
9 53 00	26	28	23	12 36	12	18	26	28	23	12 07	11	17	26	28	23	11 37	11	17
9 56 51	27	29	24	13 18	13	19	27	29	24	12 49	12	18	27	29	24	12 19	11	18
10 00 42	28	♎	25	14 00	13	20	28	♎	25	13 30	13	19	28	♎	24	13 00	12	19
10 04 32	29	1	26	14 42	14	21	29	1	25	14 12	14	20	29	1	25	13 41	13	20
10 08 22	♍	2	26	15 24	15	22	♍	2	26	14 53	14	21	♍	2	26	14 22	14	21
10 12 10	1	3	27	16 06	16	23	1	3	27	15 35	15	22	1	3	27	15 02	15	22
10 15 59	2	4	28	16 48	17	24	2	4	28	16 16	16	23	2	4	27	15 43	15	23
10 19 47	3	5	29	17 29	17	25	3	5	28	16 57	17	24	3	5	28	16 24	16	24
10 23 34	4	6	29	18 11	18	25	4	6	29	17 38	18	25	4	5	29	17 05	17	25
10 27 21	5	6	♏	18 52	19	26	5	6	♏	18 19	18	26	5	6	♏	17 45	18	26
10 31 07	6	7	1	19 34	20	27	6	7	1	19 00	19	27	6	7	0	18 26	19	27
10 34 53	7	8	2	20 15	21	28	7	8	1	19 41	20	28	7	8	1	19 06	19	28
10 38 39	8	9	2	20 57	21	29	8	9	2	20 22	21	29	8	9	2	19 47	20	29
10 42 24	9	10	3	21 38	22	♒	9	10	3	21 03	22	♒	9	10	3	20 27	21	♒
10 46 08	10	11	4	22 19	23	1	10	11	4	21 44	22	1	10	11	3	21 07	22	1
10 49 52	11	12	5	23 01	24	2	11	12	4	22 25	23	2	11	12	4	21 48	23	2
10 53 36	12	13	6	23 42	25	3	12	12	5	23 05	24	3	12	12	5	22 28	23	3
10 57 19	13	13	6	24 23	26	4	13	13	6	23 46	25	4	13	13	6	23 08	24	4
11 01 03	14	14	7	25 04	26	5	14	14	7	24 27	26	5	14	14	6	23 49	25	5
11 04 45	15	15	8	25 46	27	6	15	15	7	25 08	27	6	15	15	7	24 29	26	6
11 08 28	16	16	8	26 27	28	7	16	16	8	25 49	27	7	16	16	8	25 09	27	7
11 12 10	17	17	9	27 08	29	9	17	17	9	26 29	28	8	17	17	9	25 49	28	8
11 15 52	18	18	10	27 50	♑	10	18	18	10	27 10	29	9	18	18	9	26 30	28	9
11 19 33	19	19	11	28 31	1	11	19	19	10	27 51	♑	10	19	18	10	27 10	29	10
11 23 15	20	19	11	29 12	1	12	20	19	11	28 32	1	11	20	19	11	27 50	♑	11
11 26 56	21	20	12	29 54	2	13	21	20	12	29 13	2	12	21	20	11	28 31	1	12
11 30 37	22	21	13	0♐35	3	14	22	21	13	29 54	3	13	22	21	12	29 11	2	13
11 34 17	23	22	14	1 17	4	15	23	22	13	0♐35	3	14	23	22	13	29 52	3	14
11 37 58	24	23	14	1 58	5	16	24	23	14	1 16	4	16	24	23	14	0♐32	3	15
11 41 39	25	24	15	2 40	6	17	25	24	15	1 57	5	17	25	23	14	1 13	4	16
11 45 19	26	25	16	3 22	7	18	26	24	16	2 38	6	18	26	24	15	1 54	5	17
11 48 59	27	25	17	4 03	8	19	27	25	16	3 20	7	19	27	25	16	2 35	6	18
11 52 40	28	26	17	4 45	8	20	28	26	17	4 01	8	20	28	26	17	3 16	7	20
11 56 20	29	27	18	5 27	9	21	29	27	18	4 43	9	21	29	27	17	3 57	8	21
HOUSES	4	5	6	7	8	9	4	5	6	7	8	9	4	5	6	7	8	9
	LATITUDE 48° S.						LATITUDE 49° S.						LATITUDE 50° S.					

LATITUDE 48° N.

SIDEREAL TIME h m s	10 ♎ °	11 ♎ °	12 ♏ °	Asc ♐ °	'	2 ♑ °	3 ♒ °
12 00 00	0	28	19	6	10	10	22
12 03 40	1	29	20	6	52	11	23
12 07 20	2	♏	20	7	34	12	24
12 11 01	3	0	21	8	17	13	26
12 14 41	4	1	22	9	00	14	27
12 18 21	5	2	23	9	43	15	28
12 22 02	6	3	23	10	26	16	29
12 25 43	7	4	24	11	09	17	♓
12 29 23	8	5	25	11	53	18	1
12 33 04	9	5	25	12	37	19	2
12 36 45	10	6	26	13	21	20	3
12 40 27	11	7	27	14	05	21	5
12 44 08	12	8	28	14	49	22	6
12 47 50	13	9	28	15	34	23	7
12 51 32	14	10	29	16	19	24	8
12 55 15	15	10	♐	17	05	25	9
12 58 57	16	11	1	17	50	26	10
13 02 41	17	12	1	18	36	27	12
13 06 24	18	13	2	19	23	28	13
13 10 08	19	14	3	20	09	29	14
13 13 52	20	15	4	20	56	♒	15
13 17 36	21	15	5	21	44	1	16
13 21 21	22	16	5	22	32	3	17
13 25 07	23	17	6	23	20	4	19
13 28 53	24	18	7	24	09	5	20
13 32 39	25	19	8	24	58	6	21
13 36 26	26	20	8	25	48	7	22
13 40 13	27	20	9	26	38	8	24
13 44 01	28	21	10	27	29	10	25
13 47 49	29	22	11	28	20	11	26
13 51 38	♏	23	12	29	12	12	27
13 55 28	1	24	12	0♑	04	13	29
13 59 18	2	25	13	0	57	15	♈
14 03 09	3	26	14	1	51	16	1
14 07 00	4	26	15	2	45	17	2
14 10 52	5	27	16	3	41	19	4
14 14 45	6	28	16	4	36	20	5
14 18 38	7	29	17	5	33	21	6
14 22 32	8	♐	18	6	30	23	7
14 26 27	9	1	19	7	28	24	9
14 30 22	10	2	20	8	28	25	10
14 34 18	11	2	21	9	27	27	11
14 38 14	12	3	21	10	28	28	12
14 42 12	13	4	22	11	30	♓	14
14 46 10	14	5	23	12	33	1	15
HOUSES	4	5	6	7		8	9

LATITUDE 48° S.

LATITUDE 49° N.

SIDEREAL TIME h m s	10 ♎ °	11 ♎ °	12 ♏ °	Asc ♐ °	'	2 ♑ °	3 ♒ °
12 00 00	0	28	18	5	24	10	22
12 03 40	1	29	19	6	06	10	23
12 07 20	2	29	20	6	48	11	24
12 11 01	3	♏	21	7	30	12	25
12 14 41	4	1	21	8	13	13	26
12 18 21	5	2	22	8	55	14	28
12 22 02	6	3	23	9	38	15	29
12 25 43	7	4	24	10	21	16	♓
12 29 23	8	4	24	11	04	17	1
12 33 04	9	5	25	11	47	18	2
12 36 45	10	6	26	12	30	19	3
12 40 27	11	7	27	13	14	20	4
12 44 08	12	8	27	13	58	21	6
12 47 50	13	9	28	14	42	22	7
12 51 32	14	9	29	15	27	23	8
12 55 15	15	10	29	16	12	24	9
12 58 57	16	11	♐	16	57	25	10
13 02 41	17	12	1	17	42	26	11
13 06 24	18	13	2	18	28	27	13
13 10 08	19	14	2	19	14	28	14
13 13 52	20	14	3	20	01	♒	15
13 17 36	21	15	4	20	48	1	16
13 21 21	22	16	5	21	35	2	17
13 25 07	23	17	6	22	23	3	19
13 28 53	24	18	6	23	11	4	20
13 32 39	25	19	7	23	59	5	21
13 36 26	26	19	8	24	49	6	22
13 40 13	27	20	9	25	38	8	24
13 44 01	28	21	9	26	28	9	25
13 47 49	29	22	10	27	19	10	26
13 51 38	♏	23	11	28	10	11	27
13 55 28	1	24	12	29	02	13	29
13 59 18	2	24	13	29	55	14	♈
14 03 09	3	25	13	0♑	48	15	1
14 07 00	4	26	14	1	42	17	2
14 10 52	5	27	15	2	36	18	4
14 14 45	6	28	16	3	31	19	5
14 18 38	7	29	17	4	27	21	6
14 22 32	8	♐	17	5	24	22	7
14 26 27	9	0	18	6	22	23	9
14 30 22	10	1	19	7	20	25	10
14 34 18	11	2	20	8	20	26	11
14 38 14	12	3	21	9	20	28	12
14 42 12	13	4	22	10	21	29	14
14 46 10	14	5	22	11	23	♓	15
HOUSES	4	5	6	7		8	9

LATITUDE 49° S.

LATITUDE 50° N.

SIDEREAL TIME h m s	10 ♎ °	11 ♎ °	12 ♏ °	Asc ♐ °	'	2 ♑ °	3 ♒ °
12 00 00	0	28	18	4	38	9	22
12 03 40	1	28	19	5	19	10	23
12 07 20	2	29	19	6	01	11	24
12 11 01	3	♏	20	6	42	12	25
12 14 41	4	1	21	7	24	12	26
12 18 21	5	2	22	8	06	13	27
12 22 02	6	3	22	8	48	14	28
12 25 43	7	3	23	9	30	15	♓
12 29 23	8	4	24	10	13	16	1
12 33 04	9	5	25	10	55	17	2
12 36 45	10	6	25	11	38	18	3
12 40 27	11	7	26	12	22	19	4
12 44 08	12	8	27	13	05	20	5
12 47 50	13	8	27	13	49	21	7
12 51 32	14	9	28	14	33	22	8
12 55 15	15	10	29	15	17	23	9
12 58 57	16	11	♐	16	01	24	10
13 02 41	17	12	0	16	46	26	11
13 06 24	18	13	1	17	31	27	12
13 10 08	19	13	2	18	17	28	14
13 13 52	20	14	3	19	03	29	15
13 17 36	21	15	3	19	49	♒	16
13 21 21	22	16	4	20	36	1	17
13 25 07	23	17	5	21	23	2	19
13 28 53	24	18	6	22	11	3	20
13 32 39	25	18	6	22	59	5	21
13 36 26	26	19	7	23	47	6	22
13 40 13	27	20	8	24	36	7	23
13 44 01	28	21	9	25	26	8	25
13 47 49	29	22	10	26	16	9	26
13 51 38	♏	23	10	27	06	11	27
13 55 28	1	23	11	27	58	12	29
13 59 18	2	24	12	28	49	13	♈
14 03 09	3	25	13	29	42	15	1
14 07 00	4	26	14	0♑	35	16	2
14 10 52	5	27	14	1	29	17	4
14 14 45	6	28	15	2	24	19	5
14 18 38	7	28	16	3	19	20	6
14 22 32	8	29	17	4	15	21	7
14 26 27	9	♐	18	5	12	23	9
14 30 22	10	1	18	6	10	24	10
14 34 18	11	2	19	7	08	26	11
14 38 14	12	3	20	8	08	27	13
14 42 12	13	4	21	9	09	29	14
14 46 10	14	4	22	10	10	♓	15
HOUSES	4	5	6	7		8	9

LATITUDE 50° S.

	LATITUDE 48° N.						LATITUDE 49° N.						LATITUDE 50° N.					
SIDEREAL TIME	10 ♏	11 ♐	12 ♐	Asc ♑	2 ♓	3 ♈	10 ♏	11 ♐	12 ♐	Asc ♑	2 ♓	3 ♈	10 ♏	11 ♐	12 ♐	Asc ♑	2 ♓	3 ♈
h m s	°	°	°	° '	°	°	°	°	°	° '	°	°	°	°	°	° '	°	°
14 50 09	15	6	24	13 37	3	16	15	6	23	12 27	2	16	15	5	23	11 13	2	16
14 54 08	16	7	25	14 42	4	17	16	6	24	13 31	4	18	16	6	24	12 17	3	18
14 58 08	17	8	26	15 48	6	19	17	7	25	14 37	5	19	17	7	24	13 22	5	19
15 02 09	18	9	27	16 55	7	20	18	8	26	15 43	7	20	18	8	25	14 28	6	20
15 06 11	19	9	28	18 03	9	21	19	9	27	16 51	8	21	19	9	26	15 35	8	22
15 10 13	20	10	29	19 13	10	23	20	10	28	18 00	10	23	20	10	27	16 44	10	23
15 14 16	21	11	29	20 24	12	24	21	11	29	19 11	12	24	21	11	28	17 54	11	24
15 18 20	22	12	♑	21 36	13	25	22	12	♑	20 23	13	25	22	11	29	19 06	13	25
15 22 25	23	13	1	22 50	15	26	23	13	1	21 36	15	27	23	12	♑	20 18	14	27
15 26 30	24	14	2	24 05	17	28	24	14	2	22 51	16	28	24	13	1	21 33	16	28
15 30 36	25	15	3	25 21	18	29	25	14	3	24 07	18	29	25	14	2	22 49	18	29
15 34 43	26	16	4	26 39	20	♉	26	15	3	25 25	20	♉	26	15	3	24 07	20	♉
15 38 50	27	17	5	27 59	22	1	27	16	4	26 45	21	2	27	16	4	25 26	21	2
15 42 58	28	18	6	29 21	23	3	28	17	5	28 06	23	3	28	17	5	26 47	23	3
15 47 07	29	18	7	0♒44	25	4	29	18	6	29 30	25	4	29	18	6	28 10	25	4
15 51 16	♐	19	8	2 09	26	5	♐	19	7	0♒55	26	5	♐	19	7	29 35	26	6
15 55 27	1	20	9	3 35	28	6	1	20	8	2 21	28	7	1	20	8	1♒02	28	7
15 59 37	2	21	10	5 04	♈	8	2	21	9	3 50	♈	8	2	21	9	2 31	♈	8
16 03 49	3	22	11	6 35	2	9	3	22	11	5 21	2	9	3	21	10	4 02	2	9
16 08 01	4	23	12	8 07	3	10	4	23	12	6 54	3	10	4	22	11	5 36	3	11
16 12 14	5	24	13	9 42	5	11	5	24	13	8 29	5	12	5	23	12	7 11	5	12
16 16 27	6	25	14	11 18	7	13	6	25	14	10 07	7	13	6	24	13	8 49	7	13
16 20 41	7	26	16	12 57	8	14	7	26	15	11 46	8	14	7	25	14	10 30	9	14
16 24 56	8	27	17	14 38	10	15	8	27	16	13 28	10	15	8	26	15	12 13	10	16
16 29 11	9	28	18	16 21	12	16	9	28	17	15 12	12	17	9	27	16	13 58	12	17
16 33 27	10	29	19	18 06	13	17	10	29	18	16 59	14	18	10	28	17	15 46	14	18
16 37 43	11	♑	20	19 53	15	19	11	29	19	18 48	15	19	11	29	19	17 36	16	19
16 42 00	12	1	21	21 43	17	20	12	♑	20	20 39	17	20	12	♑	20	19 29	17	20
16 46 17	13	2	22	23 35	18	21	13	1	22	22 33	19	21	13	1	21	21 25	19	22
16 50 35	14	3	24	25 29	20	22	14	2	23	24 29	20	23	14	2	22	23 24	21	23
16 54 53	15	4	25	27 26	22	23	15	3	24	26 28	22	24	15	3	23	25 25	22	24
16 59 11	16	5	26	29 24	23	25	16	4	25	28 29	24	25	16	4	25	27 28	24	25
17 03 30	17	6	27	1♓25	25	26	17	5	27	0♓33	25	26	17	5	26	29 35	26	26
17 07 49	18	7	29	3 28	27	27	18	6	28	2 38	27	27	18	6	27	1♓44	28	28
17 12 09	19	8	♒	5 33	28	28	19	8	29	4 46	29	28	19	7	28	3 55	29	29
17 16 29	20	9	1	7 39	♉	29	20	9	♒	6 56	♉	♊	20	8	♒	6 09	♉	♊
17 20 49	21	10	2	9 48	1	♊	21	10	2	9 08	2	1	21	9	1	8 25	2	1
17 25 10	22	11	4	11 58	3	2	22	11	3	11 22	4	2	22	10	2	10 43	4	2
17 29 31	23	12	5	14 10	5	3	23	12	4	13 38	5	3	23	11	4	13 03	6	3
17 33 52	24	13	6	16 23	6	4	24	13	6	15 55	7	4	24	12	5	15 25	7	5
17 38 13	25	14	8	18 37	8	5	25	14	7	18 14	8	5	25	13	6	17 48	9	6
17 42 34	26	15	9	20 52	9	6	26	15	8	20 34	10	6	26	14	8	20 13	10	7
17 46 55	27	16	11	23 08	11	7	27	16	10	22 54	11	8	27	16	9	22 39	12	8
17 51 17	28	17	12	25 25	12	8	28	17	11	25 16	13	9	28	17	11	25 05	13	9
17 55 38	29	18	13	27 42	14	9	29	18	13	27 38	14	10	29	18	12	27 32	15	10
HOUSES	4	5	6	7	8	9	4	5	6	7	8	9	4	5	6	7	8	9
	LATITUDE 48° S.						LATITUDE 49° S.						LATITUDE 50° S.					

LATITUDE 48° N.

SIDEREAL TIME	10 ♑	11 ♑	12 ♒	Asc ♈	2 ♉	3 ♊
h m s	°	°	°	° '	°	°
18 00 00	0	19	15	0 00	15	11
18 04 22	1	21	16	2 17	17	12
18 08 43	2	22	18	4 34	18	13
18 13 05	3	23	19	6 51	19	14
18 17 26	4	24	21	9 07	21	15
18 21 47	5	25	22	11 23	22	16
18 26 08	6	26	24	13 37	24	17
18 30 29	7	27	25	15 50	25	18
18 34 50	8	28	27	18 02	26	19
18 39 11	9	♒	29	20 12	28	20
18 43 31	10	1	♓	22 20	29	21
18 47 51	11	2	2	24 27	♊	22
18 52 11	12	3	3	26 32	1	23
18 56 30	13	4	5	28 35	3	24
19 00 49	14	5	7	0♉35	4	25
19 05 07	15	7	8	2 34	5	26
19 09 25	16	8	10	4 30	6	27
19 13 43	17	9	12	6 25	8	28
19 18 00	18	10	13	8 16	9	29
19 22 17	19	11	15	10 06	10	♋
19 26 33	20	13	17	11 54	11	1
19 30 49	21	14	18	13 39	12	2
19 35 04	22	15	20	15 22	13	3
19 39 19	23	16	22	17 03	14	4
19 43 33	24	17	23	18 42	16	5
19 47 46	25	19	25	20 18	17	6
19 51 59	26	20	27	21 53	18	7
19 56 11	27	21	28	23 25	19	8
20 00 23	28	22	♈	24 56	20	9
20 04 33	29	24	2	26 24	21	10
20 08 44	♒	25	3	27 51	22	11
20 12 53	1	26	5	29 16	23	12
20 17 02	2	27	7	0♊39	24	12
20 21 10	3	29	8	2 00	25	13
20 25 17	4	♓	10	3 20	26	14
20 29 24	5	1	12	4 38	27	15
20 33 30	6	2	13	5 55	28	16
20 37 35	7	4	15	7 10	29	17
20 41 40	8	5	17	8 24	♋	18
20 45 44	9	6	18	9 36	1	19
20 49 47	10	7	20	10 47	1	20
20 53 49	11	9	21	11 57	2	21
20 57 51	12	10	23	13 05	3	21
21 01 52	13	11	24	14 12	4	22
21 05 52	14	13	26	15 18	5	23
HOUSES	4	5	6	7	8	9

LATITUDE 48° S.

LATITUDE 49° N.

SIDEREAL TIME	10 ♑	11 ♑	12 ♒	Asc ♈	2 ♉	3 ♊
h m s	°	°	°	° '	°	°
18 00 00	0	19	14	0 00	16	11
18 04 22	1	20	16	2 22	17	12
18 08 43	2	21	17	4 44	19	13
18 13 05	3	22	19	7 05	20	14
18 17 26	4	24	20	9 26	22	15
18 21 47	5	25	22	11 46	23	16
18 26 08	6	26	23	14 04	24	17
18 30 29	7	27	25	16 22	26	18
18 34 50	8	28	26	18 37	27	19
18 39 11	9	29	28	20 51	28	20
18 43 31	10	♒	♓	23 03	♊	21
18 47 51	11	2	1	25 13	1	22
18 52 11	12	3	3	27 21	2	24
18 56 30	13	4	5	29 27	3	25
19 00 49	14	5	6	1♉31	5	26
19 05 07	15	6	8	3 32	6	27
19 09 25	16	7	10	5 30	7	28
19 13 43	17	9	11	7 27	8	29
19 18 00	18	10	13	9 20	10	♋
19 22 17	19	11	15	11 12	11	0
19 26 33	20	12	16	13 01	12	1
19 30 49	21	13	18	14 47	13	2
19 35 04	22	15	20	16 32	14	3
19 39 19	23	16	22	18 13	15	4
19 43 33	24	17	23	19 53	16	5
19 47 46	25	18	25	21 30	17	6
19 51 59	26	20	27	23 05	18	7
19 56 11	27	21	28	24 38	19	8
20 00 23	28	22	♈	26 09	21	9
20 04 33	29	23	2	27 38	22	10
20 08 44	♒	25	4	29 05	23	11
20 12 53	1	26	5	0♊30	24	12
20 17 02	2	27	7	1 53	25	13
20 21 10	3	28	9	3 15	26	14
20 25 17	4	♓	10	4 34	27	15
20 29 24	5	1	12	5 52	27	16
20 33 30	6	2	14	7 09	28	16
20 37 35	7	3	15	8 23	29	17
20 41 40	8	5	17	9 37	♋	18
20 45 44	9	6	18	10 49	1	19
20 49 47	10	7	20	11 59	2	20
20 53 49	11	9	22	13 08	3	21
20 57 51	12	10	23	14 16	4	22
21 01 52	13	11	25	15 23	5	23
21 05 52	14	12	26	16 29	6	24
HOUSES	4	5	6	7	8	9

LATITUDE 49° S.

LATITUDE 50° N.

SIDEREAL TIME	10 ♑	11 ♑	12 ♒	Asc ♈	2 ♉	3 ♊
h m s	°	°	°	° '	°	°
18 00 00	0	19	13	0 00	16	11
18 04 22	1	20	15	2 27	18	12
18 08 43	2	21	17	4 54	19	13
18 13 05	3	22	18	7 21	21	14
18 17 26	4	23	20	9 47	22	16
18 21 47	5	24	21	12 11	24	17
18 26 08	6	25	23	14 35	25	18
18 30 29	7	27	24	16 57	26	19
18 34 50	8	28	26	19 17	28	20
18 39 11	9	29	28	21 35	29	21
18 43 31	10	♒	29	23 51	♊	22
18 47 51	11	1	♓	26 05	2	23
18 52 11	12	2	2	28 16	3	24
18 56 30	13	4	4	0♉25	4	25
19 00 49	14	5	6	2 31	5	26
19 05 07	15	6	8	4 35	7	27
19 09 25	16	7	9	6 36	8	28
19 13 43	17	8	11	8 34	9	29
19 18 00	18	10	13	10 30	10	♋
19 22 17	19	11	14	12 23	11	1
19 26 33	20	12	16	14 14	13	2
19 30 49	21	13	18	16 02	14	3
19 35 04	22	14	20	17 47	15	4
19 39 19	23	16	21	19 30	16	5
19 43 33	24	17	23	21 10	17	6
19 47 46	25	18	25	22 48	18	7
19 51 59	26	19	27	24 24	19	8
19 56 11	27	21	28	25 57	20	9
20 00 23	28	22	♈	27 28	21	9
20 04 33	29	23	2	28 57	22	10
20 08 44	♒	24	4	0♊24	23	11
20 12 53	1	26	5	1 49	24	12
20 17 02	2	27	7	3 12	25	13
20 21 10	3	28	9	4 34	26	14
20 25 17	4	29	10	5 53	27	15
20 29 24	5	♓	12	7 11	28	16
20 33 30	6	2	14	8 27	29	17
20 37 35	7	3	16	9 41	♋	18
20 41 40	8	5	17	10 54	1	19
20 45 44	9	6	19	12 06	2	19
20 49 47	10	7	20	13 16	3	20
20 53 49	11	8	22	14 24	4	21
20 57 51	12	10	24	15 32	5	22
21 01 52	13	11	25	16 38	6	23
21 05 52	14	12	27	17 43	6	24
HOUSES	4	5	6	7	8	9

LATITUDE 50° S.

LATITUDE 48° N.

SIDEREAL TIME h	m	s	10 ♒ °	11 ♓ °	12 ♈ °	Asc ♊ °	'	2 ♋ °	3 ♋ °
21	09	51	15	14	27	16	23	6	24
21	13	50	16	15	29	17	27	7	25
21	17	48	17	16	♉	18	30	8	26
21	21	46	18	18	2	19	31	9	27
21	25	42	19	19	3	20	32	9	28
21	29	38	20	20	5	21	32	10	28
21	33	33	21	21	6	22	31	11	29
21	37	28	22	23	7	23	29	12	♌
21	41	22	23	24	9	24	27	13	1
21	45	15	24	25	10	25	23	14	2
21	49	08	25	26	11	26	19	14	3
21	53	00	26	28	13	27	14	15	4
21	56	51	27	29	14	28	09	16	4
22	00	42	28	♈	15	29	02	17	5
22	04	32	29	1	17	29	55	18	6
22	08	22	♓	3	18	0♋	48	18	7
22	12	10	1	4	19	1	40	19	8
22	15	59	2	5	20	2	31	20	9
22	19	47	3	6	22	3	22	21	9
22	23	34	4	8	23	4	12	22	10
22	27	21	5	9	24	5	02	22	11
22	31	07	6	10	25	5	51	23	12
22	34	53	7	11	26	6	40	24	13
22	38	39	8	12	27	7	28	25	14
22	42	24	9	14	29	8	16	25	15
22	46	08	10	15	♊	9	03	26	15
22	49	52	11	16	1	9	50	27	16
22	53	36	12	17	2	10	37	28	17
22	57	19	13	18	3	11	23	29	18
23	01	03	14	20	4	12	09	29	19
23	04	45	15	21	5	12	55	♌	20
23	08	28	16	22	6	13	40	1	20
23	12	10	17	23	7	14	25	2	21
23	15	52	18	24	8	15	10	2	22
23	19	33	19	25	9	15	55	3	23
23	23	15	20	27	10	16	39	4	24
23	26	56	21	28	11	17	23	5	25
23	30	37	22	29	12	18	07	5	25
23	34	17	23	♉	13	18	50	6	26
23	37	58	24	1	14	19	34	7	27
23	41	39	25	2	15	20	17	7	28
23	45	19	26	3	16	21	00	8	29
23	48	59	27	4	17	21	43	9	♍
23	52	40	28	6	18	22	25	10	0
23	56	20	29	7	19	23	08	10	1
HOUSES			4	5	6	7		8	9

LATITUDE 48° S.

LATITUDE 49° N.

SIDEREAL TIME h	m	s	10 ♒ °	11 ♓ °	12 ♈ °	Asc ♊ °	'	2 ♋ °	3 ♋ °
21	09	51	15	14	28	17	33	7	24
21	13	50	16	15	29	18	36	8	25
21	17	48	17	16	♉	19	39	8	26
21	21	46	18	18	2	20	40	9	27
21	25	42	19	19	4	21	40	10	28
21	29	38	20	20	5	22	39	11	29
21	33	33	21	21	7	23	38	12	♌
21	37	28	22	23	8	24	36	13	0
21	41	22	23	24	9	25	32	13	1
21	45	15	24	25	11	26	28	14	2
21	49	08	25	26	12	27	24	15	3
21	53	00	26	28	13	28	18	16	4
21	56	51	27	29	15	29	12	17	5
22	00	42	28	♈	16	0♋	05	17	6
22	04	32	29	1	17	0	57	18	6
22	08	22	♓	3	19	1	49	19	7
22	12	10	1	4	20	2	41	20	8
22	15	59	2	5	21	3	31	21	9
22	19	47	3	6	22	4	21	21	10
22	23	34	4	8	24	5	11	22	11
22	27	21	5	9	25	6	00	23	11
22	31	07	6	10	26	6	49	24	12
22	34	53	7	11	27	7	37	24	13
22	38	39	8	13	28	8	25	25	14
22	42	24	9	14	29	9	12	26	15
22	46	08	10	15	♊	9	59	27	16
22	49	52	11	16	2	10	46	28	16
22	53	36	12	17	3	11	32	28	17
22	57	19	13	19	4	12	17	29	18
23	01	03	14	20	5	13	03	♌	19
23	04	45	15	21	6	13	48	1	20
23	08	28	16	22	7	14	33	1	21
23	12	10	17	23	8	15	17	2	21
23	15	52	18	24	9	16	02	3	22
23	19	33	19	26	10	16	46	3	23
23	23	15	20	27	11	17	29	4	24
23	26	56	21	28	12	18	13	5	25
23	30	37	22	29	13	18	56	6	26
23	34	17	23	♉	14	19	39	6	26
23	37	58	24	1	15	20	22	7	27
23	41	39	25	2	16	21	05	8	28
23	45	19	26	4	17	21	47	9	29
23	48	59	27	5	18	22	29	9	♍
23	52	40	28	6	19	23	11	10	1
23	56	20	29	7	20	23	53	11	1
HOUSES			4	5	6	7		8	9

LATITUDE 49° S.

LATITUDE 50° N.

SIDEREAL TIME h	m	s	10 ♒ °	11 ♓ °	12 ♈ °	Asc ♊ °	'	2 ♋ °	3 ♋ °
21	09	51	15	14	28	18	47	7	25
21	13	50	16	15	♉	19	49	8	26
21	17	48	17	16	1	20	51	9	26
21	21	46	18	17	3	21	52	10	27
21	25	42	19	19	4	22	51	11	28
21	29	38	20	20	6	23	50	12	29
21	33	33	21	21	7	24	48	12	♌
21	37	28	22	23	9	25	45	13	1
21	41	22	23	24	10	26	41	14	2
21	45	15	24	25	11	27	36	15	2
21	49	08	25	26	13	28	31	16	3
21	53	00	26	28	14	29	25	16	4
21	56	51	27	29	15	0♋	18	17	5
22	00	42	28	♈	17	1	10	18	6
22	04	32	29	1	18	2	02	19	7
22	08	22	♓	3	19	2	53	20	7
22	12	10	1	4	21	3	44	20	8
22	15	59	2	5	22	4	34	21	9
22	19	47	3	7	23	5	23	22	10
22	23	34	4	8	24	6	12	23	11
22	27	21	5	9	25	7	01	24	12
22	31	07	6	10	27	7	49	24	12
22	34	53	7	11	28	8	37	25	13
22	38	39	8	13	29	9	24	26	14
22	42	24	9	14	♊	10	10	27	15
22	46	08	10	15	1	10	57	27	16
22	49	52	11	16	2	11	43	28	17
22	53	36	12	18	3	12	28	29	17
22	57	19	13	19	4	13	13	♌	18
23	01	03	14	20	6	13	58	0	19
23	04	45	15	21	7	14	43	1	20
23	08	28	16	22	8	15	27	2	21
23	12	10	17	23	9	16	11	3	22
23	15	52	18	25	10	16	55	3	22
23	19	33	19	26	11	17	38	4	23
23	23	15	20	27	12	18	21	5	24
23	26	56	21	28	13	19	04	5	25
23	30	37	22	29	14	19	47	6	26
23	34	17	23	♉	15	20	29	7	27
23	37	58	24	2	16	21	12	8	27
23	41	39	25	3	17	21	54	8	28
23	45	19	26	4	18	22	36	9	29
23	48	59	27	5	18	23	17	10	♍
23	52	40	28	6	19	23	59	11	1
23	56	20	29	7	20	24	40	11	1
HOUSES			4	5	6	7		8	9

LATITUDE 50° S.

	LATITUDE 51° N.						LATITUDE 52° N.						LATITUDE 53° N.					
SIDEREAL TIME	10 ♈	11 ♉	12 ♊	Asc ♋	2 ♌	3 ♍	10 ♈	11 ♉	12 ♊	Asc ♋	2 ♌	3 ♍	10 ♈	11 ♉	12 ♊	Asc ♋	2 ♌	3 ♍
h m s	°	°	°	° '	°	°	°	°	°	° '	°	°	°	°	°	° '	°	°
0 00 00	0	9	22	26 10	12	2	0	9	23	26 59	13	3	0	9	24	27 50	13	3
0 03 40	1	10	23	26 50	13	3	1	10	24	27 39	14	3	1	10	25	28 29	14	4
0 07 20	2	11	24	27 31	14	4	2	11	25	28 19	14	4	2	11	26	29 08	15	4
0 11 01	3	12	25	28 11	15	5	3	12	26	28 59	15	5	3	12	26	29 48	15	5
0 14 41	4	13	26	28 51	15	6	4	13	26	29 38	16	6	4	14	27	0♌27	16	6
0 18 21	5	14	26	29 32	16	7	5	14	27	0♌18	16	7	5	15	28	1 06	17	7
0 22 02	6	15	27	0♌12	17	7	6	15	28	0 58	17	8	6	16	29	1 45	18	8
0 25 43	7	16	28	0 52	17	8	7	16	29	1 37	18	8	7	17	♋	2 24	18	9
0 29 23	8	17	29	1 32	18	9	8	18	♋	2 17	19	9	8	18	1	3 03	19	9
0 33 04	9	18	♋	2 12	19	10	9	19	1	2 56	19	10	9	19	2	3 41	20	10
0 36 45	10	19	1	2 52	20	11	10	20	2	3 35	20	11	10	20	2	4 20	20	11
0 40 27	11	20	2	3 32	20	12	11	21	2	4 15	21	12	11	21	3	4 59	21	12
0 44 08	12	21	2	4 11	21	13	12	22	3	4 54	21	13	12	22	4	5 38	22	13
0 47 50	13	22	3	4 51	22	13	13	23	4	5 33	22	13	13	23	5	6 16	22	14
0 51 32	14	23	4	5 31	22	14	14	24	5	6 12	23	14	14	24	6	6 55	23	14
0 55 15	15	25	5	6 11	23	15	15	25	6	6 52	24	15	15	25	6	7 34	24	15
0 58 57	16	26	6	6 51	24	16	16	26	6	7 31	24	16	16	26	7	8 12	25	16
1 02 41	17	27	6	7 30	25	17	17	27	7	8 10	25	17	17	27	8	8 51	25	17
1 06 24	18	28	7	8 10	25	18	18	28	8	8 49	26	18	18	28	9	9 30	26	18
1 10 08	19	29	8	8 50	26	18	19	29	9	9 29	26	19	19	29	10	10 09	27	19
1 13 52	20	♊	9	9 30	27	19	20	♊	10	10 08	27	19	20	♊	10	10 47	28	19
1 17 36	21	1	10	10 10	28	20	21	1	10	10 47	28	20	21	1	11	11 26	28	20
1 21 21	22	2	11	10 49	28	21	22	2	11	11 27	29	21	22	2	12	12 05	29	21
1 25 07	23	3	11	11 29	29	22	23	3	12	12 06	29	22	23	3	13	12 44	♍	22
1 28 53	24	4	12	12 09	♍	23	24	4	13	12 46	♍	23	24	4	14	13 23	0	23
1 32 39	25	5	13	12 49	1	24	25	5	14	13 25	1	24	25	5	14	14 02	1	24
1 36 26	26	6	14	13 29	1	25	26	6	14	14 05	2	25	26	6	15	14 41	2	25
1 40 13	27	7	14	14 10	2	25	27	7	15	14 44	2	25	27	7	16	15 20	3	25
1 44 01	28	8	15	14 50	3	26	28	8	16	15 24	3	26	28	8	17	15 59	3	26
1 47 49	29	9	16	15 30	4	27	29	9	17	16 04	4	27	29	9	17	16 38	4	27
1 51 38	♉	9	17	16 10	4	28	♉	10	18	16 43	5	28	♉	10	18	17 17	5	28
1 55 28	1	10	18	16 51	5	29	1	11	18	17 23	5	29	1	11	19	17 57	6	29
1 59 18	2	11	18	17 31	6	♎	2	12	19	18 03	6	♎	2	12	20	18 36	6	♎
2 03 09	3	12	19	18 12	7	1	3	13	20	18 43	7	1	3	13	21	19 16	7	1
2 07 00	4	13	20	18 53	7	2	4	14	21	19 24	8	2	4	14	21	19 55	8	2
2 10 52	5	14	21	19 33	8	3	5	15	21	20 04	8	2	5	15	22	20 35	9	2
2 14 45	6	15	22	20 14	9	3	6	16	22	20 44	9	3	6	16	23	21 15	9	3
2 18 38	7	16	22	20 55	10	4	7	17	23	21 25	10	4	7	17	24	21 55	10	4
2 22 32	8	17	23	21 36	10	5	8	18	24	22 05	11	5	8	18	24	22 35	11	5
2 26 27	9	18	24	22 18	11	6	9	19	25	22 46	11	6	9	19	25	23 15	12	6
2 30 22	10	19	25	22 59	12	7	10	19	25	23 27	12	7	10	20	26	23 55	12	7
2 34 18	11	20	26	23 40	13	8	11	20	26	24 08	13	8	11	21	27	24 36	13	8
2 38 14	12	21	26	24 22	14	9	12	21	27	24 49	14	9	12	22	28	25 16	14	9
2 42 12	13	22	27	25 04	14	10	13	22	28	25 30	15	10	13	23	28	25 57	15	10
2 46 10	14	23	28	25 45	15	11	14	23	28	26 11	15	11	14	24	29	26 37	15	11
HOUSES	4	5	6	7	8	9	4	5	6	7	8	9	4	5	6	7	8	9
	LATITUDE 51° S.						LATITUDE 52° S.						LATITUDE 53° S.					

	LATITUDE 51° N.						LATITUDE 52° N.						LATITUDE 53° N.					
SIDEREAL TIME	10 ♉	11 ♊	12 ♋	Asc ♌	2 ♍	3 ♎	10 ♉	11 ♊	12 ♋	Asc ♌	2 ♍	3 ♎	10 ♉	11 ♊	12 ♌	Asc ♌	2 ♍	3 ♎
h m s	°	°	°	° '	°	°	°	°	°	° '	°	°	°	°	°	° '	°	°
2 50 09	15	24	29	26 27	16	12	15	24	29	26 53	16	12	15	25	0	27 18	16	11
2 54 08	16	25	29	27 09	17	12	16	25	♌	27 34	17	12	16	26	1	27 59	17	12
2 58 08	17	26	♌	27 52	18	13	17	26	1	28 16	18	13	17	27	1	28 40	18	13
3 02 09	18	27	1	28 34	18	14	18	27	2	28 58	19	14	18	27	2	29 22	19	14
3 06 11	19	28	2	29 16	19	15	19	28	2	29 39	19	15	19	28	3	0♍03	19	15
3 10 13	20	28	3	29 59	20	16	20	29	3	0♍22	20	16	20	29	4	0 45	20	16
3 14 16	21	29	3	0♍42	21	17	21	♋	4	1 04	21	17	21	♋	5	1 26	21	17
3 18 20	22	♋	4	1 25	22	18	22	1	5	1 46	22	18	22	1	5	2 08	22	18
3 22 25	23	1	5	2 08	22	19	23	2	6	2 29	23	19	23	2	6	2 50	23	19
3 26 30	24	2	6	2 51	23	20	24	3	6	3 11	23	20	24	3	7	3 32	23	20
3 30 36	25	3	7	3 34	24	21	25	4	7	3 54	24	21	25	4	8	4 14	24	21
3 34 43	26	4	7	4 17	25	22	26	4	8	4 37	25	22	26	5	8	4 57	25	22
3 38 50	27	5	8	5 01	26	23	27	5	9	5 20	26	23	27	6	9	5 39	26	22
3 42 58	28	6	9	5 45	27	24	28	6	10	6 03	27	24	28	7	10	6 22	27	23
3 47 07	29	7	10	6 29	27	25	29	7	10	6 46	27	24	29	8	11	7 04	27	24
3 51 16	♊	8	11	7 13	28	26	♊	8	11	7 30	28	25	♊	9	12	7 47	28	25
3 55 27	1	9	12	7 57	29	26	1	9	12	8 13	29	26	1	10	12	8 30	29	26
3 59 37	2	10	12	8 41	♎	27	2	10	13	8 57	♎	27	2	10	13	9 13	♎	27
4 03 49	3	11	13	9 25	1	28	3	11	14	9 41	1	28	3	11	14	9 57	1	28
4 08 01	4	12	14	10 10	2	29	4	12	14	10 25	2	29	4	12	15	10 40	2	29
4 12 14	5	12	15	10 54	2	♏	5	13	15	11 09	2	♏	5	13	16	11 23	2	♏
4 16 27	6	13	16	11 39	3	1	6	14	16	11 53	3	1	6	14	16	12 07	3	1
4 20 41	7	14	16	12 24	4	2	7	15	17	12 37	4	2	7	15	17	12 51	4	2
4 24 56	8	15	17	13 09	5	3	8	16	18	13 22	5	3	8	16	18	13 35	5	3
4 29 11	9	16	18	13 54	6	4	9	17	19	14 06	6	4	9	17	19	14 19	6	4
4 33 27	10	17	19	14 39	7	5	10	17	19	14 51	7	5	10	18	20	15 03	7	5
4 37 43	11	18	20	15 25	8	6	11	18	20	15 36	7	6	11	19	21	15 47	7	6
4 42 00	12	19	21	16 10	8	7	12	19	21	16 20	8	7	12	20	21	16 31	8	7
4 46 17	13	20	21	16 56	9	8	13	20	22	17 05	9	8	13	21	22	17 15	9	7
4 50 35	14	21	22	17 41	10	9	14	21	23	17 50	10	9	14	22	23	18 00	10	8
4 54 53	15	22	23	18 27	11	10	15	22	23	18 36	11	10	15	22	24	18 44	11	9
4 59 11	16	23	24	19 13	12	11	16	23	24	19 21	12	11	16	23	25	19 29	12	10
5 03 30	17	24	25	19 59	13	12	17	24	25	20 06	13	11	17	24	26	20 14	12	11
5 07 49	18	25	26	20 45	14	13	18	25	26	20 51	13	12	18	25	26	20 59	13	12
5 12 09	19	26	27	21 31	14	14	19	26	27	21 37	14	13	19	26	27	21 43	14	13
5 16 29	20	26	27	22 17	15	15	20	27	28	22 22	15	14	20	27	28	22 28	15	14
5 20 49	21	27	28	23 03	16	16	21	28	29	23 08	16	15	21	28	29	23 13	16	15
5 25 10	22	28	29	23 49	17	16	22	29	29	23 54	17	16	22	29	♍	23 58	17	16
5 29 31	23	29	♍	24 35	18	17	23	♌	♍	24 39	18	17	23	♌	1	24 43	18	17
5 33 52	24	♌	1	25 21	19	18	24	1	1	25 25	19	18	24	1	1	25 29	18	18
5 38 13	25	1	2	26 08	20	19	25	1	2	26 11	19	19	25	2	2	26 14	19	19
5 42 34	26	2	3	26 54	21	20	26	2	3	26 57	20	20	26	3	3	26 59	20	20
5 46 55	27	3	3	27 41	21	21	27	3	4	27 42	21	21	27	4	4	27 44	21	21
5 51 17	28	4	4	28 27	22	22	28	4	5	28 28	22	22	28	5	5	28 29	22	22
5 55 38	29	5	5	29 13	23	23	29	5	5	29 14	23	23	29	6	6	29 15	23	23
HOUSES	4	5	6	7	8	9	4	5	6	7	8	9	4	5	6	7	8	9
	LATITUDE 51° S.						LATITUDE 52° S.						LATITUDE 53° S.					

	LATITUDE 51° N.						LATITUDE 52° N.						LATITUDE 53° N.					
SIDEREAL TIME	10 ♋	11 ♌	12 ♍	Asc ♎	2 ♎	3 ♏	10 ♋	11 ♌	12 ♍	Asc ♎	2 ♎	3 ♏	10 ♋	11 ♌	12 ♍	Asc ♎	2 ♎	3 ♏
h m s	°	°	°	° '	°	°	°	°	°	° '	°	°	°	°	°	° '	°	°
6 00 00	0	6	6	0 00	24	24	0	6	6	0 00	24	24	0	6	6	0 00	24	24
6 04 22	1	7	7	0 46	25	25	1	7	7	0 46	25	25	1	7	7	0 45	24	24
6 08 43	2	8	8	1 33	26	26	2	8	8	1 31	25	26	2	8	8	1 30	25	25
6 13 05	3	9	9	2 19	27	27	3	9	9	2 17	26	27	3	9	9	2 16	26	26
6 17 26	4	10	9	3 05	27	28	4	10	10	3 03	27	28	4	10	10	3 01	27	27
6 21 47	5	11	10	3 52	28	29	5	11	11	3 49	28	29	5	11	11	3 46	28	28
6 26 08	6	12	11	4 38	29	♐	6	12	11	4 35	29	29	6	12	12	4 31	29	29
6 30 29	7	13	12	5 24	♏	1	7	13	12	5 20	♏	♐	7	13	12	5 16	29	♐
6 34 50	8	14	13	6 11	1	2	8	14	13	6 06	1	1	8	14	13	6 01	♏	1
6 39 11	9	14	14	6 57	2	3	9	15	14	6 52	1	2	9	15	14	6 46	1	2
6 43 31	10	15	15	7 43	3	4	10	16	15	7 37	2	3	10	16	15	7 31	2	3
6 47 51	11	16	16	8 29	3	4	11	17	16	8 23	3	4	11	17	16	8 16	3	4
6 52 11	12	17	16	9 15	4	5	12	18	17	9 08	4	5	12	18	17	9 01	4	5
6 56 30	13	18	17	10 01	5	6	13	19	17	9 54	5	6	13	19	18	9 46	4	6
7 00 49	14	19	18	10 47	6	7	14	19	18	10 39	6	7	14	20	18	10 31	5	7
7 05 07	15	20	19	11 33	7	8	15	20	19	11 24	6	8	15	21	19	11 15	6	8
7 09 25	16	21	20	12 18	8	9	16	21	20	12 09	7	9	16	22	20	12 00	7	8
7 13 43	17	22	21	13 04	9	10	17	22	21	12 54	8	10	17	23	21	12 44	8	9
7 18 00	18	23	22	13 50	9	11	18	23	22	13 39	9	11	18	23	22	13 29	9	10
7 22 17	19	24	22	14 35	10	12	19	24	22	14 24	10	12	19	24	23	14 13	9	11
7 26 33	20	25	23	15 20	11	13	20	25	23	15 09	11	13	20	25	23	14 57	10	12
7 30 49	21	26	24	16 06	12	14	21	26	24	15 53	11	13	21	26	24	15 41	11	13
7 35 04	22	27	25	16 51	13	15	22	27	25	16 38	12	14	22	27	25	16 25	12	14
7 39 19	23	28	26	17 36	14	16	23	28	26	17 22	13	15	23	28	26	17 09	13	15
7 43 33	24	29	27	18 21	14	17	24	29	27	18 07	14	16	24	29	27	17 53	14	16
7 47 46	25	♍	28	19 05	15	18	25	♍	28	18 51	15	17	25	♍	28	18 36	14	17
7 51 59	26	1	28	19 50	16	18	26	1	28	19 35	16	18	26	1	28	19 20	15	18
7 56 11	27	2	29	20 34	17	19	27	2	29	20 19	16	19	27	2	29	20 03	16	19
8 00 23	28	3	♎	21 19	18	20	28	3	♎	21 03	17	20	28	3	♎	20 46	17	20
8 04 33	29	4	1	22 03	18	21	29	4	1	21 46	18	21	29	4	1	21 29	18	20
8 08 44	♌	4	2	22 47	19	22	♌	5	2	22 30	19	22	♌	5	2	22 12	18	21
8 12 53	1	5	3	23 31	20	23	1	6	3	23 13	20	23	1	6	3	22 55	19	22
8 17 02	2	6	3	24 15	21	24	2	6	3	23 57	20	24	2	7	3	23 38	20	23
8 21 10	3	7	4	24 59	22	25	3	7	4	24 40	21	25	3	8	4	24 21	21	24
8 25 17	4	8	5	25 42	23	26	4	8	5	25 23	22	26	4	8	5	25 03	22	25
8 29 24	5	9	6	26 26	23	27	5	9	6	26 06	23	26	5	9	6	25 45	22	26
8 33 30	6	10	7	27 09	24	28	6	10	7	26 48	24	27	6	10	7	26 28	23	27
8 37 35	7	11	8	27 52	25	29	7	11	7	27 31	24	28	7	11	7	27 10	24	28
8 41 40	8	12	8	28 35	26	♑	8	12	8	28 14	25	29	8	12	8	27 52	25	29
8 45 44	9	13	9	29 18	27	1	9	13	9	28 56	26	♑	9	13	9	28 33	25	♑
8 49 47	10	14	10	0♏01	27	2	10	14	10	29 38	27	1	10	14	10	29 15	26	1
8 53 49	11	15	11	0 43	28	2	11	15	11	0♏20	28	2	11	15	11	29 57	27	2
8 57 51	12	16	12	1 26	29	3	12	16	11	1 02	28	3	12	16	11	0♏38	28	3
9 01 52	13	17	12	2 08	♐	4	13	17	12	1 44	29	4	13	17	12	1 19	29	3
9 05 52	14	18	13	2 50	1	5	14	18	13	2 26	♐	5	14	18	13	2 00	29	4
HOUSES	4	5	6	7	8	9	4	5	6	7	8	9	4	5	6	7	8	9
	LATITUDE 51° S.						LATITUDE 52° S.						LATITUDE 53° S.					

	LATITUDE 51° N.						LATITUDE 52° N.						LATITUDE 53° N.					
SIDEREAL TIME	10 ♌	11 ♍	12 ♎	Asc ♏	2 ♐	3 ♑	10 ♌	11 ♍	12 ♎	Asc ♏	2 ♐	3 ♑	10 ♌	11 ♍	12 ♎	Asc ♏	2 ♐	3 ♑
h m s	°	°	°	° '	°	°	°	°	°	° '	°	°	°	°	°	° '	°	°
9 09 51	15	18	14	3 32	1	6	15	18	14	3 07	1	6	15	19	14	2 41	0	5
9 13 50	16	19	15	4 14	2	7	16	19	15	3 49	2	7	16	19	15	3 22	1	6
9 17 48	17	20	16	4 56	3	8	17	20	15	4 30	2	8	17	20	15	4 03	2	7
9 21 46	18	21	16	5 38	4	9	18	21	16	5 11	3	9	18	21	16	4 44	2	8
9 25 42	19	22	17	6 19	4	10	19	22	17	5 52	4	10	19	22	17	5 24	3	9
9 29 38	20	23	18	7 01	5	11	20	23	18	6 33	5	11	20	23	18	6 04	4	10
9 33 33	21	24	19	7 42	6	12	21	24	19	7 14	5	11	21	24	18	6 45	5	11
9 37 28	22	25	20	8 23	7	13	22	25	19	7 54	6	12	22	25	19	7 25	6	12
9 41 22	23	26	20	9 04	8	14	23	26	20	8 35	7	13	23	26	20	8 05	6	13
9 45 15	24	27	21	9 45	8	15	24	27	21	9 15	8	14	24	27	21	8 45	7	14
9 49 08	25	27	22	10 26	9	16	25	27	22	9 56	9	15	25	28	21	9 25	8	15
9 53 00	26	28	23	11 07	10	17	26	28	22	10 36	9	16	26	28	22	10 04	9	16
9 56 51	27	29	23	11 48	11	18	27	29	23	11 16	10	17	27	29	23	10 44	9	17
10 00 42	28	♎	24	12 28	12	19	28	♎	24	11 56	11	18	28	♎	24	11 24	10	18
10 04 32	29	1	25	13 09	12	20	29	1	25	12 36	12	19	29	1	24	12 03	11	19
10 08 22	♍	2	26	13 49	13	21	♍	2	25	13 16	12	20	♍	2	25	12 42	12	20
10 12 10	1	3	26	14 30	14	21	1	3	26	13 56	13	21	1	3	26	13 22	13	21
10 15 59	2	4	27	15 10	15	22	2	4	27	14 36	14	22	2	4	27	14 01	13	22
10 19 47	3	5	28	15 50	16	23	3	5	28	15 15	15	23	3	5	27	14 40	14	23
10 23 34	4	5	29	16 30	16	24	4	5	28	15 55	16	24	4	5	28	15 19	15	24
10 27 21	5	6	29	17 10	17	25	5	6	29	16 35	16	25	5	6	29	15 58	16	25
10 31 07	6	7	♏	17 50	18	26	6	7	♏	17 14	17	26	6	7	♏	16 37	16	26
10 34 53	7	8	1	18 30	19	27	7	8	1	17 54	18	27	7	8	0	17 16	17	27
10 38 39	8	9	2	19 10	19	28	8	9	1	18 33	19	28	8	9	1	17 55	18	28
10 42 24	9	10	2	19 50	20	29	9	10	2	19 12	20	29	9	10	2	18 34	19	29
10 46 08	10	11	3	20 30	21	♒	10	11	3	19 52	20	♒	10	11	2	19 12	20	♒
10 49 52	11	12	4	21 10	22	1	11	11	4	20 31	21	1	11	11	3	19 51	20	1
10 53 36	12	12	5	21 50	23	2	12	12	4	21 10	22	2	12	12	4	20 30	21	2
10 57 19	13	13	5	22 29	24	3	13	13	5	21 49	23	3	13	13	5	21 08	22	3
11 01 03	14	14	6	23 09	24	4	14	14	6	22 29	24	4	14	14	5	21 47	23	4
11 04 45	15	15	7	23 49	25	5	15	15	6	23 08	24	5	15	15	6	22 26	24	5
11 08 28	16	16	7	24 29	26	7	16	16	7	23 47	25	6	16	16	7	23 05	24	6
11 12 10	17	17	8	25 08	27	8	17	17	8	24 26	26	7	17	16	7	23 43	25	7
11 15 52	18	17	9	25 48	28	9	18	17	9	25 06	27	8	18	17	8	24 22	26	8
11 19 33	19	18	10	26 28	28	10	19	18	9	25 45	28	9	19	18	9	25 01	27	9
11 23 15	20	19	10	27 08	29	11	20	19	10	26 24	28	10	20	19	10	25 39	28	10
11 26 56	21	20	11	27 48	♑	12	21	20	11	27 04	29	11	21	20	10	26 18	28	11
11 30 37	22	21	12	28 28	1	13	22	21	11	27 43	♑	12	22	21	11	26 57	29	12
11 34 17	23	22	13	29 08	2	14	23	22	12	28 22	1	14	23	21	12	27 36	♑	13
11 37 58	24	23	13	29 48	3	15	24	22	13	29 02	2	15	24	22	12	28 15	1	14
11 41 39	25	23	14	0♐28	4	16	25	23	14	29 42	3	16	25	23	13	28 54	2	15
11 45 19	26	24	15	1 08	4	17	26	24	14	0♐21	4	17	26	24	14	29 33	3	16
11 48 59	27	25	15	1 49	5	18	27	25	15	1 01	4	18	27	25	15	0♐12	4	18
11 52 40	28	26	16	2 29	6	19	28	26	16	1 41	5	19	28	26	15	0 51	4	19
11 56 20	29	27	17	3 09	7	20	29	27	16	2 21	6	20	29	26	16	1 31	5	20
HOUSES	4	5	6	7	8	9	4	5	6	7	8	9	4	5	6	7	8	9
	LATITUDE 51° S.						LATITUDE 52° S.						LATITUDE 53° S.					

LATITUDE 51° N.

SIDEREAL TIME	10 ♎	11 ♎	12 ♏	Asc ♐		2 ♑	3 ♒
h m s	°	°	°	°	'	°	°
12 00 00	0	28	18	3	50	8	21
12 03 40	1	28	18	4	31	9	23
12 07 20	2	29	19	5	12	10	24
12 11 01	3	♏	20	5	53	11	25
12 14 41	4	1	20	6	34	12	26
12 18 21	5	2	21	7	15	13	27
12 22 02	6	2	22	7	57	14	28
12 25 43	7	3	23	8	39	15	29
12 29 23	8	4	23	9	20	15	♓
12 33 04	9	5	24	10	03	16	2
12 36 45	10	6	25	10	45	17	3
12 40 27	11	7	26	11	27	18	4
12 44 08	12	7	26	12	10	19	5
12 47 50	13	8	27	12	53	20	6
12 51 32	14	9	28	13	37	21	8
12 55 15	15	10	28	14	20	23	9
12 58 57	16	11	29	15	04	24	10
13 02 41	17	12	♐	15	48	25	11
13 06 24	18	12	1	16	33	26	12
13 10 08	19	13	1	17	18	27	14
13 13 52	20	14	2	18	03	28	15
13 17 36	21	15	3	18	49	29	16
13 21 21	22	16	4	19	35	♒	17
13 25 07	23	16	4	20	21	1	18
13 28 53	24	17	5	21	08	3	20
13 32 39	25	18	6	21	56	4	21
13 36 26	26	19	7	22	43	5	22
13 40 13	27	20	7	23	32	6	23
13 44 01	28	21	8	24	21	7	25
13 47 49	29	21	9	25	10	9	26
13 51 38	♏	22	10	26	00	10	27
13 55 28	1	23	10	26	50	11	28
13 59 18	2	24	11	27	42	13	♈
14 03 09	3	25	12	28	33	14	1
14 07 00	4	26	13	29	26	15	2
14 10 52	5	26	14	0♑	19	17	4
14 14 45	6	27	14	1	13	18	5
14 18 38	7	28	15	2	07	19	6
14 22 32	8	29	16	3	03	21	7
14 26 27	9	♐	17	3	59	22	9
14 30 22	10	1	18	4	56	24	10
14 34 18	11	2	19	5	54	25	11
14 38 14	12	2	19	6	53	27	13
14 42 12	13	3	20	7	53	28	14
14 46 10	14	4	21	8	54	♓	15
HOUSES	4	5	6	7		8	9

LATITUDE 51° S.

LATITUDE 52° N.

SIDEREAL TIME	10 ♎	11 ♎	12 ♏	Asc ♐		2 ♑	3 ♒
h m s	°	°	°	°	'	°	°
12 00 00	0	27	17	3	01	7	21
12 03 40	1	28	18	3	41	8	22
12 07 20	2	29	19	4	21	9	23
12 11 01	3	♏	19	5	02	10	25
12 14 41	4	1	20	5	42	11	26
12 18 21	5	1	21	6	23	12	27
12 22 02	6	2	21	7	04	13	28
12 25 43	7	3	22	7	45	14	29
12 29 23	8	4	23	8	26	15	♓
12 33 04	9	5	24	9	08	16	1
12 36 45	10	6	24	9	50	17	3
12 40 27	11	6	25	10	31	18	4
12 44 08	12	7	26	11	14	19	5
12 47 50	13	8	26	11	56	20	6
12 51 32	14	9	27	12	39	21	7
12 55 15	15	10	28	13	22	22	9
12 58 57	16	10	29	14	05	23	10
13 02 41	17	11	29	14	49	24	11
13 06 24	18	12	♐	15	32	25	12
13 10 08	19	13	1	16	17	26	13
13 13 52	20	14	2	17	01	27	15
13 17 36	21	15	2	17	46	28	16
13 21 21	22	15	3	18	32	29	17
13 25 07	23	16	4	19	17	♒	18
13 28 53	24	17	5	20	03	2	20
13 32 39	25	18	5	20	50	3	21
13 36 26	26	19	6	21	37	4	22
13 40 13	27	20	7	22	25	5	23
13 44 01	28	20	8	23	13	7	25
13 47 49	29	21	8	24	01	8	26
13 51 38	♏	22	9	24	51	9	27
13 55 28	1	23	10	25	40	10	28
13 59 18	2	24	11	26	31	12	♈
14 03 09	3	24	11	27	22	13	1
14 07 00	4	25	12	28	13	14	2
14 10 52	5	26	13	29	06	16	4
14 14 45	6	27	14	29	59	17	5
14 18 38	7	28	15	0♑	52	19	6
14 22 32	8	29	15	1	47	20	8
14 26 27	9	♐	16	2	42	22	9
14 30 22	10	0	17	3	39	23	10
14 34 18	11	1	18	4	36	24	11
14 38 14	12	2	19	5	34	26	13
14 42 12	13	3	19	6	33	28	14
14 46 10	14	4	20	7	33	29	15
HOUSES	4	5	6	7		8	9

LATITUDE 52° S.

LATITUDE 53° N.

SIDEREAL TIME	10 ♎	11 ♎	12 ♏	Asc ♐		2 ♑	3 ♒
h m s	°	°	°	°	'	°	°
12 00 00	0	27	17	2	10	6	21
12 03 40	1	28	17	2	50	7	22
12 07 20	2	29	18	3	29	8	23
12 11 01	3	♏	19	4	09	9	24
12 14 41	4	0	20	4	49	10	25
12 18 21	5	1	20	5	29	11	27
12 22 02	6	2	21	6	09	12	28
12 25 43	7	3	22	6	50	13	29
12 29 23	8	4	22	7	31	14	♓
12 33 04	9	5	23	8	11	15	1
12 36 45	10	5	24	8	52	16	2
12 40 27	11	6	24	9	34	17	4
12 44 08	12	7	25	10	15	18	5
12 47 50	13	8	26	10	57	19	6
12 51 32	14	9	27	11	39	20	7
12 55 15	15	9	27	12	21	21	8
12 58 57	16	10	28	13	04	22	10
13 02 41	17	11	29	13	47	23	11
13 06 24	18	12	29	14	30	24	12
13 10 08	19	13	♐	15	13	25	13
13 13 52	20	14	1	15	57	26	15
13 17 36	21	14	2	16	41	27	16
13 21 21	22	15	2	17	26	28	17
13 25 07	23	16	3	18	11	♒	18
13 28 53	24	17	4	18	56	1	20
13 32 39	25	18	5	19	42	2	21
13 36 26	26	18	5	20	28	3	22
13 40 13	27	19	6	21	15	4	23
13 44 01	28	20	7	22	02	6	25
13 47 49	29	21	8	22	50	7	26
13 51 38	♏	22	8	23	38	8	27
13 55 28	1	23	9	24	27	10	28
13 59 18	2	23	10	25	17	11	♈
14 03 09	3	24	11	26	07	12	1
14 07 00	4	25	11	26	58	14	2
14 10 52	5	26	12	27	49	15	4
14 14 45	6	27	13	28	41	16	5
14 18 38	7	28	14	29	34	18	6
14 22 32	8	28	15	0♑	28	19	8
14 26 27	9	29	15	1	22	21	9
14 30 22	10	♐	16	2	18	22	10
14 34 18	11	1	17	3	14	24	12
14 38 14	12	2	18	4	11	25	13
14 42 12	13	3	19	5	09	27	14
14 46 10	14	3	20	6	08	28	15
HOUSES	4	5	6	7		8	9

LATITUDE 53° S.

	LATITUDE 51° N.						LATITUDE 52° N.						LATITUDE 53° N.					
SIDEREAL	10	11	12	Asc	2	3	10	11	12	Asc	2	3	10	11	12	Asc	2	3
TIME	♏	♐	♐	♑	♓	♈	♏	♐	♐	♑	♓	♈	♏	♐	♐	♑	♓	♈
h m s	°	°	°	° '	°	°	°	°	°	° '	°	°	°	°	°	° '	°	°
14 50 09	15	5	22	9 56	1	17	15	5	21	8 34	1	17	15	4	20	7 08	0	17
14 54 08	16	6	23	10 59	3	18	16	6	22	9 37	2	18	16	5	21	8 10	2	18
14 58 08	17	7	24	12 03	4	19	17	6	23	10 40	4	19	17	6	22	9 12	3	19
15 02 09	18	8	25	13 09	6	20	18	7	24	11 45	5	21	18	7	23	10 16	5	21
15 06 11	19	8	25	14 15	8	22	19	8	25	12 51	7	22	19	8	24	11 21	7	22
15 10 13	20	9	26	15 23	9	23	20	9	26	13 58	9	23	20	9	25	12 27	8	23
15 14 16	21	10	27	16 33	11	24	21	10	26	15 07	10	24	21	10	26	13 35	10	25
15 18 20	22	11	28	17 44	13	26	22	11	27	16 17	12	26	22	10	27	14 44	12	26
15 22 25	23	12	29	18 56	14	27	23	12	28	17 28	14	27	23	11	27	15 55	14	27
15 26 30	24	13	♑	20 10	16	28	24	13	29	18 42	16	28	24	12	28	17 08	15	29
15 30 36	25	14	1	21 25	18	29	25	13	♑	19 57	17	♉	25	13	29	18 22	17	♉
15 34 43	26	15	2	22 43	19	♉	26	14	1	21 13	19	1	26	14	♑	19 38	19	1
15 38 50	27	16	3	24 02	21	2	27	15	2	22 32	21	2	27	15	1	20 56	21	3
15 42 58	28	17	4	25 23	23	3	28	16	3	23 52	23	4	28	16	2	22 15	22	4
15 47 07	29	17	5	26 45	25	5	29	17	4	25 15	24	5	29	17	3	23 37	24	5
15 51 16	♐	18	6	28 10	26	6	♐	18	5	26 39	26	6	♐	18	4	25 01	26	6
15 55 27	1	19	7	29 37	28	7	1	19	6	28 06	28	7	1	18	5	26 27	28	8
15 59 37	2	20	8	1♒06	♈	8	2	20	7	29 35	♈	9	2	19	6	27 56	♈	9
16 03 49	3	21	9	2 38	2	10	3	21	8	1♒06	2	10	3	20	7	29 27	2	10
16 08 01	4	22	10	4 11	3	11	4	22	9	2 40	3	11	4	21	8	1♒01	4	12
16 12 14	5	23	11	5 47	5	12	5	23	10	4 16	5	12	5	22	9	2 37	5	13
16 16 27	6	24	12	7 26	7	13	6	24	11	5 55	7	14	6	23	10	4 16	7	14
16 20 41	7	25	13	9 07	9	15	7	24	12	7 37	9	15	7	24	11	5 58	9	15
16 24 56	8	26	14	10 50	11	16	8	25	13	9 21	11	16	8	25	12	7 43	11	17
16 29 11	9	27	15	12 37	12	17	9	26	15	11 08	13	17	9	26	14	9 31	13	18
16 33 27	10	28	17	14 26	14	18	10	27	16	12 59	14	19	10	27	15	11 23	15	19
16 37 43	11	29	18	16 18	16	20	11	28	17	14 52	16	20	11	28	16	13 18	17	20
16 42 00	12	♑	19	18 13	18	21	12	29	18	16 49	18	21	12	29	17	15 16	18	22
16 46 17	13	1	20	20 11	19	22	13	♑	19	18 48	20	22	13	♑	18	17 17	20	23
16 50 35	14	2	21	22 11	21	23	14	1	20	20 51	22	24	14	1	19	19 23	22	24
16 54 53	15	3	22	24 15	23	24	15	2	22	22 58	23	25	15	2	21	21 31	24	25
16 59 11	16	4	24	26 21	25	26	16	3	23	25 07	25	26	16	3	22	23 44	26	26
17 03 30	17	5	25	28 31	26	27	17	4	24	27 20	27	27	17	4	23	26 00	27	28
17 07 49	18	6	26	0♓43	28	28	18	5	25	29 36	29	28	18	5	24	28 20	29	29
17 12 09	19	7	27	2 58	♉	29	19	6	27	1♓55	♉	♊	19	6	26	0♓43	♉	♊
17 16 29	20	8	29	5 16	1	♊	20	7	28	4 17	2	1	20	7	27	3 10	3	1
17 20 49	21	9	♒	7 36	3	1	21	8	29	6 42	4	2	21	8	28	5 40	4	2
17 25 10	22	10	1	9 59	5	3	22	9	♒	9 09	5	3	22	9	♒	8 13	6	3
17 29 31	23	11	3	12 24	6	4	23	10	2	11 40	7	4	23	10	1	10 49	8	5
17 33 52	24	12	4	14 51	8	5	24	12	3	14 12	9	5	24	11	2	13 28	9	6
17 38 13	25	13	6	17 19	10	6	25	13	5	16 47	10	6	25	12	4	16 10	11	7
17 42 34	26	14	7	19 50	11	7	26	14	6	19 23	12	8	26	13	5	18 53	13	8
17 46 55	27	15	8	22 21	13	8	27	15	8	22 01	13	9	27	14	7	21 38	14	9
17 51 17	28	16	10	24 53	14	9	28	16	9	24 40	15	10	28	15	8	24 25	16	10
17 55 38	29	17	11	27 26	16	11	29	17	10	27 20	16	11	29	16	10	27 12	17	11
HOUSES	4	5	6	7	8	9	4	5	6	7	8	9	4	5	6	7	8	9
	LATITUDE 51° S.						LATITUDE 52° S.						LATITUDE 53° S.					

LATITUDE 51° N.

SIDEREAL TIME	10 ♑	11 ♑	12 ♒	Asc ♈	2 ♉	3 ♊
h m s	°	°	°	° '	°	°
18 00 00	0	18	13	0 00	17	12
18 04 22	1	19	14	2 33	19	13
18 08 43	2	21	16	5 06	20	14
18 13 05	3	22	17	7 39	22	15
18 17 26	4	23	19	10 10	23	16
18 21 47	5	24	20	12 40	24	17
18 26 08	6	25	22	15 09	26	18
18 30 29	7	26	24	17 36	27	19
18 34 50	8	27	25	20 01	29	20
18 39 11	9	29	27	22 23	♊	21
18 43 31	10	♒	29	24 44	1	22
18 47 51	11	1	♓	27 01	3	23
18 52 11	12	2	2	29 16	4	24
18 56 30	13	3	4	1♉29	5	25
19 00 49	14	4	5	3 38	6	26
19 05 07	15	6	7	5 45	8	27
19 09 25	16	7	9	7 48	9	28
19 13 43	17	8	11	9 49	10	29
19 18 00	18	9	12	11 47	11	♋
19 22 17	19	10	14	13 42	12	1
19 26 33	20	12	16	15 34	13	2
19 30 49	21	13	18	17 23	15	3
19 35 04	22	14	19	19 09	16	4
19 39 19	23	15	21	20 53	17	5
19 43 33	24	17	23	22 34	18	6
19 47 46	25	18	25	24 12	19	7
19 51 59	26	19	27	25 48	20	8
19 56 11	27	20	28	27 22	21	9
20 00 23	28	22	♈	28 53	22	10
20 04 33	29	23	2	0♊22	23	11
20 08 44	♒	24	4	1 49	24	12
20 12 53	1	25	5	3 14	25	13
20 17 02	2	27	7	4 37	26	13
20 21 10	3	28	9	5 58	27	14
20 25 17	4	29	11	7 17	28	15
20 29 24	5	♓	12	8 34	29	16
20 33 30	6	2	14	9 50	♋	17
20 37 35	7	3	16	11 04	1	18
20 41 40	8	4	17	12 16	2	19
20 45 44	9	6	19	13 27	3	20
20 49 47	10	7	21	14 36	4	21
20 53 49	11	8	22	15 44	5	22
20 57 51	12	10	24	16 51	5	22
21 01 52	13	11	26	17 57	6	23
21 05 52	14	12	27	19 01	7	24
HOUSES	4	5	6	7	8	9

LATITUDE 51° S.

LATITUDE 52° N.

SIDEREAL TIME	10 ♑	11 ♑	12 ♒	Asc ♈	2 ♉	3 ♊
h m s	°	°	°	° '	°	°
18 00 00	0	18	12	0 00	18	12
18 04 22	1	19	13	2 40	20	13
18 08 43	2	20	15	5 20	21	14
18 13 05	3	21	17	7 59	22	15
18 17 26	4	22	18	10 36	24	16
18 21 47	5	24	20	13 13	25	17
18 26 08	6	25	21	15 47	27	18
18 30 29	7	26	23	18 20	28	20
18 34 50	8	27	25	20 50	29	21
18 39 11	9	28	26	23 18	♊	22
18 43 31	10	29	28	25 43	2	23
18 47 51	11	♒	♓	28 05	3	24
18 52 11	12	2	1	0♉24	5	25
18 56 30	13	3	3	2 40	6	26
19 00 49	14	4	5	4 53	7	27
19 05 07	15	5	7	7 02	8	28
19 09 25	16	6	8	9 08	10	29
19 13 43	17	8	10	11 11	11	♋
19 18 00	18	9	12	13 11	12	1
19 22 17	19	10	14	15 07	13	2
19 26 33	20	11	16	17 01	14	3
19 30 49	21	13	17	18 51	15	4
19 35 04	22	14	19	20 39	17	5
19 39 19	23	15	21	22 23	18	5
19 43 33	24	16	23	24 05	19	6
19 47 46	25	18	25	25 44	20	7
19 51 59	26	19	27	27 20	21	8
19 56 11	27	20	28	28 54	22	9
20 00 23	28	21	♈	0♊25	23	10
20 04 33	29	23	2	1 54	24	11
20 08 44	♒	24	4	3 20	25	12
20 12 53	1	25	6	4 45	26	13
20 17 02	2	26	7	6 07	27	14
20 21 10	3	28	9	7 28	28	15
20 25 17	4	29	11	8 46	29	16
20 29 24	5	♓	13	10 03	♋	17
20 33 30	6	2	14	11 18	1	17
20 37 35	7	3	16	12 31	2	18
20 41 40	8	4	18	13 43	3	19
20 45 44	9	6	20	14 53	4	20
20 49 47	10	7	21	16 02	4	21
20 53 49	11	8	23	17 09	5	22
20 57 51	12	9	25	18 15	6	23
21 01 52	13	11	26	19 20	7	24
21 05 52	14	12	28	20 23	8	24
HOUSES	4	5	6	7	8	9

LATITUDE 52° S.

LATITUDE 53° N.

SIDEREAL TIME	10 ♑	11 ♑	12 ♒	Asc ♈	2 ♉	3 ♊
h m s	°	°	°	° '	°	°
18 00 00	0	18	11	0 00	19	12
18 04 22	1	19	13	2 48	20	14
18 08 43	2	20	14	5 35	22	15
18 13 05	3	21	16	8 21	23	16
18 17 26	4	22	17	11 07	25	17
18 21 47	5	23	19	13 50	26	18
18 26 08	6	24	21	16 31	28	19
18 30 29	7	25	22	19 10	29	20
18 34 50	8	27	24	21 46	♊	21
18 39 11	9	28	26	24 20	2	22
18 43 31	10	29	27	26 50	3	23
18 47 51	11	♒	29	29 17	4	24
18 52 11	12	1	♓	1♉40	6	25
18 56 30	13	2	3	4 00	7	26
19 00 49	14	4	4	6 16	8	27
19 05 07	15	5	6	8 28	9	28
19 09 25	16	6	8	10 37	11	29
19 13 43	17	7	10	12 42	12	♋
19 18 00	18	8	12	14 44	13	1
19 22 17	19	10	13	16 42	14	2
19 26 33	20	11	15	18 37	15	3
19 30 49	21	12	17	20 28	16	4
19 35 04	22	13	19	22 16	18	5
19 39 19	23	15	21	24 01	19	6
19 43 33	24	16	23	25 43	20	7
19 47 46	25	17	25	27 23	21	8
19 51 59	26	18	26	28 59	22	9
19 56 11	27	20	28	0♊32	23	10
20 00 23	28	21	♈	2 04	24	11
20 04 33	29	22	2	3 32	25	12
20 08 44	♒	24	4	4 58	26	12
20 12 53	1	25	6	6 22	27	13
20 17 02	2	26	8	7 44	28	14
20 21 10	3	27	9	9 04	29	15
20 25 17	4	29	11	10 22	♋	16
20 29 24	5	♓	13	11 38	1	17
20 33 30	6	1	15	12 52	2	18
20 37 35	7	3	16	14 04	3	19
20 41 40	8	4	18	15 15	3	20
20 45 44	9	5	20	16 24	4	20
20 49 47	10	7	22	17 32	5	21
20 53 49	11	8	23	18 39	6	22
20 57 51	12	9	25	19 44	7	23
21 01 52	13	11	27	20 47	8	24
21 05 52	14	12	28	21 50	9	25
HOUSES	4	5	6	7	8	9

LATITUDE 53° S.

LATITUDE 51° N. / LATITUDE 51° S.

SIDEREAL TIME			10 ♒	11 ♓	12 ♈	Asc ♊		2 ♋	3 ♋
h	m	s	°	°	°	°	'	°	°
21	09	51	15	13	29	20	04	8	25
21	13	50	16	15	♉	21	06	9	26
21	17	48	17	16	2	22	07	10	27
21	21	46	18	17	3	23	07	11	28
21	25	42	19	19	5	24	06	11	28
21	29	38	20	20	6	25	04	12	29
21	33	33	21	21	8	26	01	13	♌
21	37	28	22	23	9	26	57	14	1
21	41	22	23	24	11	27	52	15	2
21	45	15	24	25	12	28	47	16	3
21	49	08	25	26	13	29	41	16	4
21	53	00	26	28	15	0♋	34	17	4
21	56	51	27	29	16	1	26	18	5
22	00	42	28	♈	17	2	18	19	6
22	04	32	29	2	19	3	09	20	7
22	08	22	♓	3	20	4	00	20	8
22	12	10	1	4	21	4	50	21	9
22	15	59	2	5	23	5	39	22	9
22	19	47	3	7	24	6	28	23	10
22	23	34	4	8	25	7	16	23	11
22	27	21	5	9	26	8	04	24	12
22	31	07	6	10	27	8	51	25	13
22	34	53	7	12	29	9	38	26	14
22	38	39	8	13	♊	10	25	26	14
22	42	24	9	14	1	11	11	27	15
22	46	08	10	15	2	11	56	28	16
22	49	52	11	16	3	12	42	29	17
22	53	36	12	18	4	13	27	29	18
22	57	19	13	19	5	14	11	♌	18
23	01	03	14	20	6	14	55	1	19
23	04	45	15	21	7	15	39	2	20
23	08	28	16	22	8	16	23	2	21
23	12	10	17	24	10	17	06	3	22
23	15	52	18	25	11	17	49	4	23
23	19	33	19	26	12	18	32	4	23
23	23	15	20	27	13	19	15	5	24
23	26	56	21	28	14	19	57	6	25
23	30	37	22	29	15	20	39	7	26
23	34	17	23	♉	15	21	21	7	27
23	37	58	24	2	16	22	03	8	28
23	41	39	25	3	17	22	44	9	28
23	45	19	26	4	18	23	26	10	29
23	48	59	27	5	19	24	07	10	♍
23	52	40	28	6	20	24	48	11	1
23	56	20	29	7	21	25	29	12	2
HOUSES			4	5	6	7		8	9

LATITUDE 52° N. / LATITUDE 52° S.

SIDEREAL TIME			10 ♒	11 ♓	12 ♈	Asc ♊		2 ♋	3 ♋
h	m	s	°	°	°	°	'	°	°
21	09	51	15	13	29	21	25	9	25
21	13	50	16	15	♉	22	27	10	26
21	17	48	17	16	2	23	27	10	27
21	21	46	18	17	4	24	26	11	28
21	25	42	19	19	6	25	24	12	29
21	29	38	20	20	7	26	21	13	♌
21	33	33	21	21	8	27	17	14	0
21	37	28	22	22	10	28	13	15	1
21	41	22	23	24	11	29	07	15	2
21	45	15	24	25	13	0♋	01	16	3
21	49	08	25	26	14	0	54	17	4
21	53	00	26	28	16	1	46	18	5
21	56	51	27	29	17	2	38	19	6
22	00	42	28	♈	18	3	29	19	6
22	04	32	29	2	20	4	19	20	7
22	08	22	♓	3	21	5	09	21	8
22	12	10	1	4	22	5	58	22	9
22	15	59	2	5	23	6	47	22	10
22	19	47	3	7	25	7	35	23	10
22	23	34	4	8	26	8	22	24	11
22	27	21	5	9	27	9	10	25	12
22	31	07	6	10	28	9	56	25	13
22	34	53	7	12	29	10	42	26	14
22	38	39	8	13	♊	11	28	27	15
22	42	24	9	14	2	12	13	28	15
22	46	08	10	15	3	12	58	28	16
22	49	52	11	17	4	13	43	29	17
22	53	36	12	18	5	14	27	♌	18
22	57	19	13	19	6	15	11	1	19
23	01	03	14	20	7	15	55	1	20
23	04	45	15	21	8	16	38	2	20
23	08	28	16	23	9	17	21	3	21
23	12	10	17	24	10	18	04	4	22
23	15	52	18	25	11	18	46	4	23
23	19	33	19	26	12	19	28	5	24
23	23	15	20	27	13	20	10	6	24
23	26	56	21	29	14	20	52	6	25
23	30	37	22	♉	15	21	33	7	26
23	34	17	23	1	16	22	15	8	27
23	37	58	24	2	17	22	56	9	28
23	41	39	25	3	18	23	37	9	29
23	45	19	26	4	19	24	17	10	29
23	48	59	27	5	20	24	58	11	♍
23	52	40	28	7	21	25	38	11	1
23	56	20	29	8	22	26	19	12	2
HOUSES			4	5	6	7		8	9

LATITUDE 53° N. / LATITUDE 53° S.

SIDEREAL TIME			10 ♒	11 ♓	12 ♉	Asc ♊		2 ♋	3 ♋
h	m	s	°	°	°	°	'	°	°
21	09	51	15	13	0	22	51	10	26
21	13	50	16	15	2	23	51	10	27
21	17	48	17	16	3	24	51	11	27
21	21	46	18	17	5	25	49	12	28
21	25	42	19	18	6	26	46	13	29
21	29	38	20	20	8	27	42	14	♌
21	33	33	21	21	9	28	37	15	1
21	37	28	22	22	11	29	32	15	2
21	41	22	23	24	12	0♋	25	16	2
21	45	15	24	25	14	1	18	17	3
21	49	08	25	26	15	2	11	18	4
21	53	00	26	28	16	3	02	19	5
21	56	51	27	29	18	3	53	19	6
22	00	42	28	♈	19	4	43	20	7
22	04	32	29	2	20	5	32	21	7
22	08	22	♓	3	22	6	21	22	8
22	12	10	1	4	23	7	09	22	9
22	15	59	2	5	24	7	57	23	10
22	19	47	3	7	26	8	45	24	11
22	23	34	4	8	27	9	31	25	12
22	27	21	5	9	28	10	18	25	12
22	31	07	6	10	29	11	03	26	13
22	34	53	7	12	♊	11	49	27	14
22	38	39	8	13	2	12	34	28	15
22	42	24	9	14	3	13	18	28	16
22	46	08	10	15	4	14	03	29	16
22	49	52	11	17	5	14	46	♌	17
22	53	36	12	18	6	15	30	0	18
22	57	19	13	19	7	16	13	1	19
23	01	03	14	20	8	16	56	2	20
23	04	45	15	22	9	17	38	3	21
23	08	28	16	23	10	18	21	3	21
23	12	10	17	24	11	19	03	4	22
23	15	52	18	25	12	19	44	5	23
23	19	33	19	26	13	20	26	6	24
23	23	15	20	28	14	21	07	6	25
23	26	56	21	29	15	21	48	7	25
23	30	37	22	♉	16	22	29	8	26
23	34	17	23	1	17	23	10	8	27
23	37	58	24	2	18	23	50	9	28
23	41	39	25	3	19	24	30	10	29
23	45	19	26	5	20	25	11	10	♍
23	48	59	27	6	21	25	51	11	0
23	52	40	28	7	22	26	30	12	1
23	56	20	29	8	23	27	10	13	2
HOUSES			4	5	6	7		8	9

			LATITUDE 54° N.							LATITUDE 55° N.							LATITUDE 56° N.						
SIDEREAL TIME			10 ♈	11 ♉	12 ♊	Asc ♋		2 ♌	3 ♍	10 ♈	11 ♉	12 ♊	Asc ♋		2 ♌	3 ♍	10 ♈	11 ♉	12 ♊	Asc ♌		2 ♌	3 ♍
h	m	s	°	°	°	°	'	°	°	°	°	°	°	'	°	°	°	°	°	°	'	°	°
0	00	00	0	9	25	28	42	14	3	0	10	26	29	36	14	3	0	10	27	0	32	15	3
0	03	40	1	11	26	29	21	14	4	1	11	27	0♌	14	15	4	1	11	28	1	09	15	4
0	07	20	2	12	27	29	59	15	5	2	12	28	0	52	16	5	2	12	29	1	46	16	5
0	11	01	3	13	27	0♌	38	16	5	3	13	28	1	30	16	6	3	14	29	2	24	17	6
0	14	41	4	14	28	1	17	17	6	4	14	29	2	08	17	6	4	15	♋	3	01	18	7
0	18	21	5	15	29	1	55	17	7	5	15	♋	2	46	18	7	5	16	1	3	38	18	7
0	22	02	6	16	♋	2	33	18	8	6	16	1	3	23	18	8	6	17	2	4	15	19	8
0	25	43	7	17	1	3	12	19	9	7	18	2	4	01	19	9	7	18	3	4	52	20	9
0	29	23	8	18	2	3	50	19	9	8	19	3	4	39	20	10	8	19	4	5	29	20	10
0	33	04	9	19	2	4	28	20	10	9	20	3	5	16	20	10	9	20	4	6	06	21	11
0	36	45	10	20	3	5	06	21	11	10	21	4	5	54	21	11	10	21	5	6	43	22	11
0	40	27	11	21	4	5	45	21	12	11	22	5	6	31	22	12	11	22	6	7	20	22	12
0	44	08	12	23	5	6	23	22	13	12	23	6	7	09	23	13	12	23	7	7	57	23	13
0	47	50	13	24	6	7	01	23	14	13	24	7	7	46	23	14	13	24	8	8	33	24	14
0	51	32	14	25	7	7	39	24	14	14	25	7	8	24	24	15	14	26	8	9	10	24	15
0	55	15	15	26	7	8	17	24	15	15	26	8	9	01	25	15	15	27	9	9	47	25	16
0	58	57	16	27	8	8	55	25	16	16	27	9	9	39	25	16	16	28	10	10	24	26	16
1	02	41	17	28	9	9	33	26	17	17	28	10	10	16	26	17	17	29	11	11	01	26	17
1	06	24	18	29	10	10	11	26	18	18	29	11	10	54	27	18	18	♊	12	11	38	27	18
1	10	08	19	♊	10	10	49	27	19	19	♊	11	11	32	27	19	19	1	12	12	15	28	19
1	13	52	20	1	11	11	28	28	20	20	1	12	12	09	28	20	20	2	13	12	52	29	20
1	17	36	21	2	12	12	06	29	20	21	2	13	12	47	29	20	21	3	14	13	29	29	20
1	21	21	22	3	13	12	44	29	21	22	3	14	13	24	♍	21	22	4	15	14	06	♍	21
1	25	07	23	4	14	13	22	♍	22	23	4	14	14	02	0	22	23	5	15	14	43	1	22
1	28	53	24	5	14	14	01	1	23	24	5	15	14	40	1	23	24	6	16	15	20	1	23
1	32	39	25	6	15	14	39	1	24	25	6	16	15	18	2	24	25	7	17	15	57	2	24
1	36	26	26	7	16	15	18	2	25	26	7	17	15	56	2	25	26	8	18	16	35	3	25
1	40	13	27	8	17	15	56	3	26	27	8	17	16	33	3	26	27	9	18	17	12	3	26
1	44	01	28	9	17	16	35	4	26	28	9	18	17	11	4	26	28	10	19	17	49	4	26
1	47	49	29	10	18	17	13	4	27	29	10	19	17	50	5	27	29	11	20	18	27	5	27
1	51	38	♉	11	19	17	52	5	28	♉	11	20	18	28	5	28	♉	12	21	19	04	6	28
1	55	28	1	12	20	18	31	6	29	1	12	21	19	06	6	29	1	13	21	19	42	6	29
1	59	18	2	13	21	19	10	7	♎	2	13	21	19	44	7	♎	2	14	22	20	20	7	♎
2	03	09	3	14	21	19	49	7	1	3	14	22	20	23	8	1	3	15	23	20	57	8	1
2	07	00	4	15	22	20	28	8	2	4	15	23	21	01	8	2	4	16	24	21	35	9	2
2	10	52	5	16	23	21	07	9	2	5	16	24	21	40	9	2	5	17	24	22	13	9	2
2	14	45	6	17	24	21	46	10	3	6	17	24	22	18	10	3	6	18	25	22	51	10	3
2	18	38	7	18	24	22	26	10	4	7	18	25	22	57	11	4	7	19	26	23	30	11	4
2	22	32	8	19	25	23	05	11	5	8	19	26	23	36	11	5	8	20	27	24	08	11	5
2	26	27	9	19	26	23	45	12	6	9	20	27	24	15	12	6	9	21	27	24	46	12	6
2	30	22	10	20	27	24	24	13	7	10	21	27	24	54	13	7	10	21	28	25	25	13	7
2	34	18	11	21	27	25	04	13	8	11	22	28	25	34	14	8	11	22	29	26	04	14	8
2	38	14	12	22	28	25	44	14	9	12	23	29	26	13	14	9	12	23	♌	26	42	14	9
2	42	12	13	23	29	26	24	15	10	13	24	♌	26	52	15	10	13	24	0	27	21	15	9
2	46	10	14	24	♌	27	04	16	10	14	25	0	27	32	16	10	14	25	1	28	00	16	10
HOUSES			4	5	6	7		8	9	4	5	6	7		8	9	4	5	6	7		8	9
			LATITUDE 54° S.							LATITUDE 55° S.							LATITUDE 56° S.						

LATITUDE 54° N.

SIDEREAL TIME			10 ♉	11 ♊	12 ♌	Asc ♌		2 ♍	3 ♎
h	m	s	°	°	°	°	'	°	°
2	50	09	15	25	0	27	45	16	11
2	54	08	16	26	1	28	25	17	12
2	58	08	17	27	2	29	06	18	13
3	02	09	18	28	3	29	46	19	14
3	06	11	19	29	4	0♍	27	20	15
3	10	13	20	♋	4	1	08	20	16
3	14	16	21	1	5	1	49	21	17
3	18	20	22	2	6	2	30	22	18
3	22	25	23	3	7	3	12	23	19
3	26	30	24	3	7	3	53	23	20
3	30	36	25	4	8	4	35	24	20
3	34	43	26	5	9	5	17	25	21
3	38	50	27	6	10	5	59	26	22
3	42	58	28	7	11	6	41	27	23
3	47	07	29	8	11	7	23	27	24
3	51	16	♊	9	12	8	05	28	25
3	55	27	1	10	13	8	47	29	26
3	59	37	2	11	14	9	30	♎	27
4	03	49	3	12	15	10	13	1	28
4	08	01	4	13	15	10	55	2	29
4	12	14	5	14	16	11	38	2	♏
4	16	27	6	15	17	12	21	3	1
4	20	41	7	15	18	13	05	4	2
4	24	56	8	16	19	13	48	5	3
4	29	11	9	17	19	14	31	6	4
4	33	27	10	18	20	15	15	7	4
4	37	43	11	19	21	15	58	7	5
4	42	00	12	20	22	16	42	8	6
4	46	17	13	21	23	17	26	9	7
4	50	35	14	22	23	18	10	10	8
4	54	53	15	23	24	18	53	11	9
4	59	11	16	24	25	19	38	12	10
5	03	30	17	25	26	20	22	12	11
5	07	49	18	26	27	21	06	13	12
5	12	09	19	27	28	21	50	14	13
5	16	29	20	27	28	22	34	15	14
5	20	49	21	28	29	23	19	16	15
5	25	10	22	29	♍	24	03	17	16
5	29	31	23	♌	1	24	48	17	17
5	33	52	24	1	2	25	32	18	18
5	38	13	25	2	3	26	17	19	19
5	42	34	26	3	3	27	01	20	19
5	46	55	27	4	4	27	46	21	20
5	51	17	28	5	5	28	31	22	21
5	55	38	29	6	6	29	15	22	22
HOUSES			4	5	6	7		8	9

LATITUDE 54° S.

LATITUDE 55° N.

SIDEREAL TIME			10 ♉	11 ♊	12 ♌	Asc ♌		2 ♍	3 ♎
h	m	s	°	°	°	°	'	°	°
2	50	09	15	26	1	28	12	17	11
2	54	08	16	27	2	28	52	17	12
2	58	08	17	27	3	29	32	18	13
3	02	09	18	28	3	0♍	12	19	14
3	06	11	19	29	4	0	52	20	15
3	10	13	20	♋	5	1	32	20	16
3	14	16	21	1	6	2	13	21	17
3	18	20	22	2	6	2	53	22	18
3	22	25	23	3	7	3	34	23	19
3	26	30	24	4	8	4	15	24	19
3	30	36	25	5	9	4	56	24	20
3	34	43	26	6	10	5	37	25	21
3	38	50	27	7	10	6	19	26	22
3	42	58	28	8	11	7	00	27	23
3	47	07	29	9	12	7	42	28	24
3	51	16	♊	9	13	8	23	28	25
3	55	27	1	10	13	9	05	29	26
3	59	37	2	11	14	9	47	♎	27
4	03	49	3	12	15	10	29	1	28
4	08	01	4	13	16	11	11	2	29
4	12	14	5	14	17	11	54	2	♏
4	16	27	6	15	17	12	36	3	1
4	20	41	7	16	18	13	19	4	1
4	24	56	8	17	19	14	01	5	2
4	29	11	9	18	20	14	44	6	3
4	33	27	10	19	21	15	27	6	4
4	37	43	11	20	21	16	10	7	5
4	42	00	12	20	22	16	53	8	6
4	46	17	13	21	23	17	36	9	7
4	50	35	14	22	24	18	19	10	8
4	54	53	15	23	25	19	03	11	9
4	59	11	16	24	25	19	46	11	10
5	03	30	17	25	26	20	30	12	11
5	07	49	18	26	27	21	13	13	12
5	12	09	19	27	28	21	57	14	13
5	16	29	20	28	29	22	41	15	14
5	20	49	21	29	♍	23	24	16	14
5	25	10	22	♌	0	24	08	16	15
5	29	31	23	1	1	24	52	17	16
5	33	52	24	2	2	25	36	18	17
5	38	13	25	2	3	26	20	19	18
5	42	34	26	3	4	27	04	20	19
5	46	55	27	4	4	27	48	21	20
5	51	17	28	5	5	28	32	21	21
5	55	38	29	6	6	29	16	22	22
HOUSES			4	5	6	7		8	9

LATITUDE 55° S.

LATITUDE 56° N.

SIDEREAL TIME			10 ♉	11 ♊	12 ♌	Asc ♌		2 ♍	3 ♎
h	m	s	°	°	°	°	'	°	°
2	50	09	15	26	2	28	39	17	11
2	54	08	16	27	2	29	19	17	12
2	58	08	17	28	3	29	58	18	13
3	02	09	18	29	4	0♍	38	19	14
3	06	11	19	♋	5	1	17	20	15
3	10	13	20	1	6	1	57	21	16
3	14	16	21	2	6	2	37	21	17
3	18	20	22	3	7	3	17	22	18
3	22	25	23	4	8	3	57	23	18
3	26	30	24	4	9	4	37	24	19
3	30	36	25	5	9	5	18	24	20
3	34	43	26	6	10	5	58	25	21
3	38	50	27	7	11	6	39	26	22
3	42	58	28	8	12	7	20	27	23
3	47	07	29	9	12	8	01	28	24
3	51	16	♊	10	13	8	42	28	25
3	55	27	1	11	14	9	23	29	26
3	59	37	2	12	15	10	05	♎	27
4	03	49	3	13	15	10	46	1	28
4	08	01	4	14	16	11	28	2	28
4	12	14	5	15	17	12	09	2	29
4	16	27	6	15	18	12	51	3	♏
4	20	41	7	16	19	13	33	4	1
4	24	56	8	17	19	14	15	5	2
4	29	11	9	18	20	14	57	6	3
4	33	27	10	19	21	15	39	6	4
4	37	43	11	20	22	16	22	7	5
4	42	00	12	21	23	17	04	8	6
4	46	17	13	22	23	17	47	9	7
4	50	35	14	23	24	18	29	10	8
4	54	53	15	24	25	19	12	10	9
4	59	11	16	25	26	19	55	11	10
5	03	30	17	25	27	20	38	12	11
5	07	49	18	26	27	21	21	13	11
5	12	09	19	27	28	22	04	14	12
5	16	29	20	28	29	22	47	15	13
5	20	49	21	29	♍	23	30	15	14
5	25	10	22	♌	1	24	13	16	15
5	29	31	23	1	1	24	56	17	16
5	33	52	24	2	2	25	40	18	17
5	38	13	25	3	3	26	23	19	18
5	42	34	26	4	4	27	06	20	19
5	46	55	27	5	5	27	50	20	20
5	51	17	28	6	6	28	33	21	21
5	55	38	29	7	6	29	16	22	22
HOUSES			4	5	6	7		8	9

LATITUDE 56° S.

LATITUDE 54° N.

SIDEREAL TIME h m s	10 ♋ °	11 ♌ °	12 ♍ °	Asc ♎ ° '	2 ♎ °	3 ♏ °
6 00 00	0	7	7	0 00	23	23
6 04 22	1	8	8	0 44	24	24
6 08 43	2	9	8	1 29	25	25
6 13 05	3	10	9	2 14	26	26
6 17 26	4	11	10	2 58	27	27
6 21 47	5	11	11	3 43	27	28
6 26 08	6	12	12	4 27	28	29
6 30 29	7	13	13	5 12	29	♐
6 34 50	8	14	13	5 56	♏	1
6 39 11	9	15	14	6 41	1	2
6 43 31	10	16	15	7 25	2	3
6 47 51	11	17	16	8 10	2	3
6 52 11	12	18	17	8 54	3	4
6 56 30	13	19	18	9 38	4	5
7 00 49	14	20	18	10 22	5	6
7 05 07	15	21	19	11 06	6	7
7 09 25	16	22	20	11 50	7	8
7 13 43	17	23	21	12 34	7	9
7 18 00	18	24	22	13 18	8	10
7 22 17	19	25	23	14 01	9	11
7 26 33	20	26	23	14 45	10	12
7 30 49	21	26	24	15 28	11	13
7 35 04	22	27	25	16 12	11	14
7 39 19	23	28	26	16 55	12	15
7 43 33	24	29	27	17 38	13	15
7 47 46	25	♍	28	18 21	14	16
7 51 59	26	1	28	19 04	15	17
7 56 11	27	2	29	19 47	15	18
8 00 23	28	3	♎	20 30	16	19
8 04 33	29	4	1	21 12	17	20
8 08 44	♌	5	2	21 55	18	21
8 12 53	1	6	3	22 37	19	22
8 17 02	2	7	3	23 19	19	23
8 21 10	3	8	4	24 01	20	24
8 25 17	4	9	5	24 43	21	25
8 29 24	5	10	6	25 25	22	26
8 33 30	6	10	7	26 06	23	27
8 37 35	7	11	7	26 48	23	27
8 41 40	8	12	8	27 29	24	28
8 45 44	9	13	9	28 10	25	29
8 49 47	10	14	10	28 51	26	♑
8 53 49	11	15	10	29 32	26	1
8 57 51	12	16	11	0♏13	27	2
9 01 52	13	17	12	0 54	28	3
9 05 52	14	18	13	1 34	29	4
HOUSES	4	5	6	7	8	9

LATITUDE 54° S.

LATITUDE 55° N.

SIDEREAL TIME h m s	10 ♋ °	11 ♌ °	12 ♍ °	Asc ♎ ° '	2 ♎ °	3 ♏ °
6 00 00	0	7	7	0 00	23	23
6 04 22	1	8	8	0 44	24	24
6 08 43	2	9	9	1 28	25	25
6 13 05	3	10	9	2 12	26	26
6 17 26	4	11	10	2 56	26	27
6 21 47	5	12	11	3 40	27	28
6 26 08	6	13	12	4 24	28	28
6 30 29	7	14	13	5 08	29	29
6 34 50	8	15	14	5 51	♏	♐
6 39 11	9	15	14	6 35	0	1
6 43 31	10	16	15	7 19	1	2
6 47 51	11	17	16	8 03	2	3
6 52 11	12	18	17	8 46	3	4
6 56 30	13	19	18	9 30	4	5
7 00 49	14	20	19	10 13	5	6
7 05 07	15	21	19	10 57	5	7
7 09 25	16	22	20	11 40	6	8
7 13 43	17	23	21	12 23	7	9
7 18 00	18	24	22	13 07	8	10
7 22 17	19	25	23	13 50	9	10
7 26 33	20	26	24	14 33	9	11
7 30 49	21	27	24	15 16	10	12
7 35 04	22	28	25	15 58	11	13
7 39 19	23	29	26	16 41	12	14
7 43 33	24	29	27	17 24	13	15
7 47 46	25	♍	28	18 06	13	16
7 51 59	26	1	28	18 48	14	17
7 56 11	27	2	29	19 30	15	18
8 00 23	28	3	♎	20 13	16	19
8 04 33	29	4	1	20 54	17	20
8 08 44	♌	5	2	21 36	17	21
8 12 53	1	6	2	22 18	18	21
8 17 02	2	7	3	23 00	19	22
8 21 10	3	8	4	23 41	20	23
8 25 17	4	9	5	24 22	20	24
8 29 24	5	10	6	25 03	21	25
8 33 30	6	11	6	25 45	22	26
8 37 35	7	11	7	26 25	23	27
8 41 40	8	12	8	27 06	24	28
8 45 44	9	13	9	27 47	24	29
8 49 47	10	14	10	28 27	25	♑
8 53 49	11	15	10	29 08	26	1
8 57 51	12	16	11	29 48	27	2
9 01 52	13	17	12	0♏28	27	3
9 05 52	14	18	13	1 08	28	3
HOUSES	4	5	6	7	8	9

LATITUDE 55° S.

LATITUDE 56° N.

SIDEREAL TIME h m s	10 ♋ °	11 ♌ °	12 ♍ °	Asc ♎ ° '	2 ♎ °	3 ♏ °
6 00 00	0	7	7	0 00	23	23
6 04 22	1	8	8	0 43	24	23
6 08 43	2	9	9	1 27	24	24
6 13 05	3	10	10	2 10	25	25
6 17 26	4	11	10	2 53	26	26
6 21 47	5	12	11	3 37	27	27
6 26 08	6	13	12	4 20	28	28
6 30 29	7	14	13	5 03	29	29
6 34 50	8	15	14	5 46	29	♐
6 39 11	9	16	15	6 30	♏	1
6 43 31	10	17	15	7 13	1	2
6 47 51	11	18	16	7 56	2	3
6 52 11	12	19	17	8 39	3	4
6 56 30	13	19	18	9 22	3	4
7 00 49	14	20	19	10 05	4	5
7 05 07	15	21	20	10 47	5	6
7 09 25	16	22	20	11 30	6	7
7 13 43	17	23	21	12 13	7	8
7 18 00	18	24	22	12 55	7	9
7 22 17	19	25	23	13 38	8	10
7 26 33	20	26	24	14 20	9	11
7 30 49	21	27	24	15 02	10	12
7 35 04	22	28	25	15 45	11	13
7 39 19	23	29	26	16 27	11	14
7 43 33	24	♍	27	17 09	12	15
7 47 46	25	1	28	17 50	13	15
7 51 59	26	2	28	18 32	14	16
7 56 11	27	2	29	19 14	15	17
8 00 23	28	3	♎	19 55	15	18
8 04 33	29	4	1	20 36	16	19
8 08 44	♌	5	2	21 18	17	20
8 12 53	1	6	2	21 59	18	21
8 17 02	2	7	3	22 40	18	22
8 21 10	3	8	4	23 20	19	23
8 25 17	4	9	5	24 01	20	24
8 29 24	5	10	6	24 42	21	25
8 33 30	6	11	6	25 22	21	25
8 37 35	7	12	7	26 02	22	26
8 41 40	8	12	8	26 43	23	27
8 45 44	9	13	9	27 23	24	28
8 49 47	10	14	9	28 03	24	29
8 53 49	11	15	10	28 42	25	♑
8 57 51	12	16	11	29 22	26	1
9 01 52	13	17	12	0♏02	27	2
9 05 52	14	18	13	0 41	27	3
HOUSES	4	5	6	7	8	9

LATITUDE 56° S.

LATITUDE 54° N.

SIDEREAL TIME			10 ♌	11 ♍	12 ♎	Asc ♏		2 ♐	3 ♑
h	m	s	°	°	°	°	'	°	°
9	09	51	15	19	14	2	15	0	5
9	13	50	16	20	14	2	55	0	6
9	17	48	17	20	15	3	35	1	7
9	21	46	18	21	16	4	15	2	8
9	25	42	19	22	17	4	55	3	9
9	29	38	20	23	17	5	35	3	10
9	33	33	21	24	18	6	15	4	11
9	37	28	22	25	19	6	55	5	11
9	41	22	23	26	20	7	34	6	12
9	45	15	24	27	20	8	13	6	13
9	49	08	25	28	21	8	53	7	14
9	53	00	26	28	22	9	32	8	15
9	56	51	27	29	23	10	11	9	16
10	00	42	28	♎	23	10	50	9	17
10	04	32	29	1	24	11	29	10	18
10	08	22	♍	2	25	12	08	11	19
10	12	10	1	3	26	12	46	12	20
10	15	59	2	4	26	13	25	13	21
10	19	47	3	4	27	14	04	13	22
10	23	34	4	5	28	14	42	14	23
10	27	21	5	6	29	15	20	15	24
10	31	07	6	7	29	15	59	16	25
10	34	53	7	8	♏	16	37	16	26
10	38	39	8	9	1	17	16	17	27
10	42	24	9	10	1	17	54	18	28
10	46	08	10	10	2	18	32	19	29
10	49	52	11	11	3	19	10	20	♒
10	53	36	12	12	4	19	48	20	1
10	57	19	13	13	4	20	26	21	2
11	01	03	14	14	5	21	05	22	3
11	04	45	15	15	6	21	43	23	4
11	08	28	16	16	6	22	21	23	5
11	12	10	17	16	7	22	59	24	6
11	15	52	18	17	8	23	37	25	7
11	19	33	19	18	9	24	15	26	9
11	23	15	20	19	9	24	53	27	10
11	26	56	21	20	10	25	31	28	11
11	30	37	22	20	11	26	10	28	12
11	34	17	23	21	11	26	48	29	13
11	37	58	24	22	12	27	26	♑	14
11	41	39	25	23	13	28	05	1	15
11	45	19	26	24	13	28	43	2	16
11	48	59	27	25	14	29	22	3	17
11	52	40	28	25	15	0 ♐	00	3	18
11	56	20	29	26	16	0	39	4	19
HOUSES			4	5	6	7		8	9

LATITUDE 55° N.

SIDEREAL TIME			10 ♌	11 ♍	12 ♎	Asc ♏		2 ♏	3 ♑
h	m	s	°	°	°	°	'	°	°
9	09	51	15	19	13	1	48	29	4
9	13	50	16	20	14	2	28	♐	5
9	17	48	17	20	15	3	07	0	6
9	21	46	18	21	16	3	47	1	7
9	25	42	19	22	16	4	26	2	8
9	29	38	20	23	17	5	05	3	9
9	33	33	21	24	18	5	44	3	10
9	37	28	22	25	19	6	23	4	11
9	41	22	23	26	19	7	02	5	12
9	45	15	24	27	20	7	41	6	13
9	49	08	25	28	21	8	20	6	14
9	53	00	26	28	22	8	58	7	15
9	56	51	27	29	22	9	37	8	16
10	00	42	28	♎	23	10	15	9	17
10	04	32	29	1	24	10	54	9	18
10	08	22	♍	2	25	11	32	10	19
10	12	10	1	3	25	12	10	11	20
10	15	59	2	4	26	12	48	12	21
10	19	47	3	4	27	13	26	13	22
10	23	34	4	5	28	14	04	13	23
10	27	21	5	6	28	14	42	14	24
10	31	07	6	7	29	15	20	15	25
10	34	53	7	8	♏	15	58	16	26
10	38	39	8	9	0	16	35	16	27
10	42	24	9	10	1	17	13	17	28
10	46	08	10	10	2	17	50	18	29
10	49	52	11	11	3	18	28	19	♒
10	53	36	12	12	3	19	06	19	1
10	57	19	13	13	4	19	43	20	2
11	01	03	14	14	5	20	21	21	3
11	04	45	15	15	5	20	58	22	4
11	08	28	16	15	6	21	36	23	5
11	12	10	17	16	7	22	13	23	6
11	15	52	18	17	7	22	51	24	7
11	19	33	19	18	8	23	28	25	8
11	23	15	20	19	9	24	06	26	9
11	26	56	21	20	10	24	43	27	10
11	30	37	22	20	10	25	21	27	11
11	34	17	23	21	11	25	59	28	12
11	37	58	24	22	12	26	36	29	14
11	41	39	25	23	12	27	14	♑	15
11	45	19	26	24	13	27	52	1	16
11	48	59	27	24	14	28	30	2	17
11	52	40	28	25	14	29	08	2	18
11	56	20	29	26	15	29	46	3	19
HOUSES			4	5	6	7		8	9

LATITUDE 56° N.

SIDEREAL TIME			10 ♌	11 ♍	12 ♎	Asc ♏		2 ♏	3 ♑
h	m	s	°	°	°	°	'	°	°
9	09	51	15	19	13	1	20	28	4
9	13	50	16	20	14	1	59	29	5
9	17	48	17	21	15	2	38	♐	6
9	21	46	18	21	16	3	17	0	7
9	25	42	19	22	16	3	56	1	8
9	29	38	20	23	17	4	35	2	9
9	33	33	21	24	18	5	13	3	9
9	37	28	22	25	19	5	52	3	10
9	41	22	23	26	19	6	30	4	11
9	45	15	24	27	20	7	08	5	12
9	49	08	25	28	21	7	46	6	13
9	53	00	26	28	21	8	24	6	14
9	56	51	27	29	22	9	02	7	15
10	00	42	28	♎	23	9	40	8	16
10	04	32	29	1	24	10	18	9	17
10	08	22	♍	2	24	10	55	9	18
10	12	10	1	3	25	11	33	10	19
10	15	59	2	4	26	12	10	11	20
10	19	47	3	4	27	12	48	12	21
10	23	34	4	5	27	13	25	12	22
10	27	21	5	6	28	14	02	13	23
10	31	07	6	7	29	14	40	14	24
10	34	53	7	8	29	15	17	15	25
10	38	39	8	9	♏	15	54	15	26
10	42	24	9	10	1	16	31	16	27
10	46	08	10	10	1	17	08	17	28
10	49	52	11	11	2	17	45	18	29
10	53	36	12	12	3	18	22	18	♒
10	57	19	13	13	4	18	59	19	1
11	01	03	14	14	4	19	36	20	2
11	04	45	15	14	5	20	12	21	3
11	08	28	16	15	6	20	49	22	4
11	12	10	17	16	6	21	26	22	6
11	15	52	18	17	7	22	03	23	7
11	19	33	19	18	8	22	40	24	8
11	23	15	20	19	8	23	17	25	9
11	26	56	21	19	9	23	54	26	10
11	30	37	22	20	10	24	31	26	11
11	34	17	23	21	10	25	08	27	12
11	37	58	24	22	11	25	45	28	13
11	41	39	25	23	12	26	22	29	14
11	45	19	26	23	12	26	59	♑	15
11	48	59	27	24	13	27	36	1	16
11	52	40	28	25	14	28	13	1	18
11	56	20	29	26	15	28	51	2	19
HOUSES			4	5	6	7		8	9

LATITUDE 54° S. LATITUDE 55° S. LATITUDE 56° S.

LATITUDE 54° N.

SIDEREAL TIME	10 ♎	11 ♎	12 ♏	Asc ♐	2 ♑	3 ♒
h m s	°	°	°	° '	°	°
12 00 00	0	27	16	1 18	5	21
12 03 40	1	28	17	1 57	6	22
12 07 20	2	29	18	2 36	7	23
12 11 01	3	29	18	3 15	8	24
12 14 41	4	♏	19	3 54	9	25
12 18 21	5	1	20	4 34	10	26
12 22 02	6	2	20	5 13	11	27
12 25 43	7	3	21	5 53	12	29
12 29 23	8	4	22	6 33	13	♓
12 33 04	9	4	23	7 13	14	1
12 36 45	10	5	23	7 53	15	2
12 40 27	11	6	24	8 34	16	3
12 44 08	12	7	25	9 15	17	5
12 47 50	13	8	25	9 56	18	6
12 51 32	14	8	26	10 37	19	7
12 55 15	15	9	27	11 18	20	8
12 58 57	16	10	27	12 00	21	9
13 02 41	17	11	28	12 42	22	11
13 06 24	18	12	29	13 25	23	12
13 10 08	19	12	♐	14 07	24	13
13 13 52	20	13	0	14 50	25	14
13 17 36	21	14	1	15 34	26	16
13 21 21	22	15	2	16 18	27	17
13 25 07	23	16	3	17 02	29	18
13 28 53	24	17	3	17 46	♒	19
13 32 39	25	17	4	18 31	1	21
13 36 26	26	18	5	19 17	2	22
13 40 13	27	19	5	20 03	3	23
13 44 01	28	20	6	20 49	5	25
13 47 49	29	21	7	21 36	6	26
13 51 38	♏	21	8	22 23	7	27
13 55 28	1	22	8	23 11	9	28
13 59 18	2	23	9	24 00	10	♈
14 03 09	3	24	10	24 49	11	1
14 07 00	4	25	11	25 39	13	2
14 10 52	5	26	12	26 29	14	4
14 14 45	6	26	12	27 20	16	5
14 18 38	7	27	13	28 12	17	6
14 22 32	8	28	14	29 05	18	8
14 26 27	9	29	15	29 58	20	9
14 30 22	10	♐	15	0♑53	21	10
14 34 18	11	1	16	1 48	23	12
14 38 14	12	1	17	2 44	25	13
14 42 12	13	2	18	3 41	26	14
14 46 10	14	3	19	4 39	28	16
HOUSES	4	5	6	7	8	9

LATITUDE 54° S.

LATITUDE 55° N.

SIDEREAL TIME	10 ♎	11 ♎	12 ♏	Asc ♐	2 ♑	3 ♒
h m s	°	°	°	° '	°	°
12 00 00	0	27	16	0 24	4	20
12 03 40	1	28	16	1 02	5	21
12 07 20	2	29	17	1 40	6	23
12 11 01	3	29	18	2 19	7	24
12 14 41	4	♏	18	2 57	8	25
12 18 21	5	1	19	3 36	9	26
12 22 02	6	2	20	4 15	10	27
12 25 43	7	3	21	4 54	11	28
12 29 23	8	3	21	5 33	12	♓
12 33 04	9	4	22	6 13	13	1
12 36 45	10	5	23	6 52	13	2
12 40 27	11	6	23	7 32	14	3
12 44 08	12	7	24	8 12	15	4
12 47 50	13	7	25	8 52	16	6
12 51 32	14	8	25	9 33	18	7
12 55 15	15	9	26	10 13	19	8
12 58 57	16	10	27	10 54	20	9
13 02 41	17	11	28	11 36	21	10
13 06 24	18	11	28	12 17	22	12
13 10 08	19	12	29	12 59	23	13
13 13 52	20	13	♐	13 41	24	14
13 17 36	21	14	0	14 24	25	16
13 21 21	22	15	1	15 07	26	17
13 25 07	23	15	2	15 50	27	18
13 28 53	24	16	3	16 34	29	19
13 32 39	25	17	3	17 18	♒	21
13 36 26	26	18	4	18 02	1	22
13 40 13	27	19	5	18 47	2	23
13 44 01	28	19	5	19 32	4	25
13 47 49	29	20	6	20 18	5	26
13 51 38	♏	21	7	21 05	6	27
13 55 28	1	22	8	21 52	8	28
13 59 18	2	23	8	22 39	9	♈
14 03 09	3	24	9	23 27	10	1
14 07 00	4	24	10	24 16	12	2
14 10 52	5	25	11	25 05	13	4
14 14 45	6	26	12	25 56	15	5
14 18 38	7	27	12	26 46	16	6
14 22 32	8	28	13	27 38	18	8
14 26 27	9	29	14	28 30	19	9
14 30 22	10	29	15	29 23	21	10
14 34 18	11	♐	15	0♑17	22	12
14 38 14	12	1	16	1 12	24	13
14 42 12	13	2	17	2 08	25	14
14 46 10	14	3	18	3 05	27	16
HOUSES	4	5	6	7	8	9

LATITUDE 55° S.

LATITUDE 56° N.

SIDEREAL TIME	10 ♎	11 ♎	12 ♏	Asc ♏	2 ♑	3 ♒
h m s	°	°	°	° '	°	°
12 00 00	0	27	15	29 28	3	20
12 03 40	1	28	16	0♐06	4	21
12 07 20	2	28	17	0 43	5	22
12 11 01	3	29	17	1 21	6	23
12 14 41	4	♏	18	1 59	7	25
12 18 21	5	1	19	2 37	8	26
12 22 02	6	2	19	3 15	9	27
12 25 43	7	2	20	3 53	9	28
12 29 23	8	3	21	4 32	10	29
12 33 04	9	4	21	5 10	11	♓
12 36 45	10	5	22	5 49	12	2
12 40 27	11	6	23	6 28	13	3
12 44 08	12	6	23	7 07	14	4
12 47 50	13	7	24	7 47	15	5
12 51 32	14	8	25	8 26	16	7
12 55 15	15	9	26	9 06	17	8
12 58 57	16	10	26	9 46	18	9
13 02 41	17	10	27	10 27	19	10
13 06 24	18	11	28	11 07	21	12
13 10 08	19	12	28	11 48	22	13
13 13 52	20	13	29	12 30	23	14
13 17 36	21	14	♐	13 11	24	15
13 21 21	22	14	0	13 53	25	17
13 25 07	23	15	1	14 35	26	18
13 28 53	24	16	2	15 18	27	19
13 32 39	25	17	3	16 01	29	21
13 36 26	26	18	3	16 45	♒	22
13 40 13	27	18	4	17 28	1	23
13 44 01	28	19	5	18 13	2	24
13 47 49	29	20	5	18 58	4	26
13 51 38	♏	21	6	19 43	5	27
13 55 28	1	22	7	20 29	6	28
13 59 18	2	22	8	21 15	8	♈
14 03 09	3	23	8	22 02	9	1
14 07 00	4	24	9	22 50	11	2
14 10 52	5	25	10	23 38	12	4
14 14 45	6	26	11	24 27	14	5
14 18 38	7	26	11	25 16	15	6
14 22 32	8	27	12	26 07	17	8
14 26 27	9	28	13	26 58	18	9
14 30 22	10	29	14	27 49	20	11
14 34 18	11	♐	15	28 42	21	12
14 38 14	12	1	15	29 36	23	13
14 42 12	13	1	16	0♑30	25	15
14 46 10	14	2	17	1 26	26	16
HOUSES	4	5	6	7	8	9

LATITUDE 56° S.

LATITUDE 54° N.

SIDEREAL TIME	10 ♏	11 ♐	12 ♐	Asc ♑	2 ♒	3 ♈
h m s	°	°	°	° '	°	°
14 50 09	15	4	20	5 38	29	17
14 54 08	16	5	20	6 38	♓	18
14 58 08	17	6	21	7 40	3	20
15 02 09	18	7	22	8 42	4	21
15 06 11	19	7	23	9 46	6	22
15 10 13	20	8	24	10 52	8	24
15 14 16	21	9	25	11 58	10	25
15 18 20	22	10	26	13 06	11	26
15 22 25	23	11	27	14 16	13	28
15 26 30	24	12	27	15 28	15	29
15 30 36	25	13	28	16 41	17	♉
15 34 43	26	14	29	17 56	19	1
15 38 50	27	14	♑	19 13	20	3
15 42 58	28	15	1	20 32	22	4
15 47 07	29	16	2	21 53	24	5
15 51 16	♐	17	3	23 16	26	7
15 55 27	1	18	4	24 41	28	8
15 59 37	2	19	5	26 09	♈	9
16 03 49	3	20	6	27 40	2	11
16 08 01	4	21	7	29 13	4	12
16 12 14	5	22	8	0♒49	6	13
16 16 27	6	23	9	2 28	7	14
16 20 41	7	24	10	4 11	9	16
16 24 56	8	25	11	5 56	11	17
16 29 11	9	26	13	7 45	13	18
16 33 27	10	26	14	9 37	15	19
16 37 43	11	27	15	11 33	17	21
16 42 00	12	28	16	13 33	19	22
16 46 17	13	29	17	15 36	21	23
16 50 35	14	♑	18	17 44	22	24
16 54 53	15	1	20	19 55	24	26
16 59 11	16	2	21	22 11	26	27
17 03 30	17	3	22	24 30	28	28
17 07 49	18	4	23	26 54	♉	29
17 12 09	19	5	25	29 22	2	♊
17 16 29	20	6	26	1♓54	3	2
17 20 49	21	7	27	4 30	5	3
17 25 10	22	9	29	7 09	7	4
17 29 31	23	10	♒	9 52	8	5
17 33 52	24	11	1	12 38	10	6
17 38 13	25	12	3	15 27	12	7
17 42 34	26	13	4	18 18	13	8
17 46 55	27	14	6	21 12	15	10
17 51 17	28	15	7	24 07	17	11
17 55 38	29	16	9	27 03	18	12
HOUSES	4	5	6	7	8	9

LATITUDE 54° S.

LATITUDE 55° N.

SIDEREAL TIME	10 ♏	11 ♐	12 ♐	Asc ♑	2 ♒	3 ♈
h m s	°	°	°	° '	°	°
14 50 09	15	4	19	4 03	29	17
14 54 08	16	4	20	5 02	♓	18
14 58 08	17	5	20	6 02	2	20
15 02 09	18	6	21	7 03	4	21
15 06 11	19	7	22	8 06	6	22
15 10 13	20	8	23	9 10	7	24
15 14 16	21	9	24	10 15	9	25
15 18 20	22	10	25	11 22	11	26
15 22 25	23	10	26	12 31	13	28
15 26 30	24	11	26	13 41	15	29
15 30 36	25	12	27	14 53	16	♉
15 34 43	26	13	28	16 06	18	2
15 38 50	27	14	29	17 22	20	3
15 42 58	28	15	♑	18 40	22	4
15 47 07	29	16	1	20 00	24	6
15 51 16	♐	17	2	21 22	26	7
15 55 27	1	18	3	22 47	28	8
15 59 37	2	19	4	24 14	♈	10
16 03 49	3	19	5	25 44	2	11
16 08 01	4	20	6	27 16	4	12
16 12 14	5	21	7	28 52	6	14
16 16 27	6	22	8	0♒31	8	15
16 20 41	7	23	9	2 13	10	16
16 24 56	8	24	10	3 58	12	17
16 29 11	9	25	11	5 47	13	19
16 33 27	10	26	13	7 40	15	20
16 37 43	11	27	14	9 37	17	21
16 42 00	12	28	15	11 38	19	22
16 46 17	13	29	16	13 43	21	24
16 50 35	14	♑	17	15 52	23	25
16 54 53	15	1	18	18 07	25	26
16 59 11	16	2	20	20 25	27	27
17 03 30	17	3	21	22 48	29	28
17 07 49	18	4	22	25 17	♉	♊
17 12 09	19	5	23	27 49	2	1
17 16 29	20	6	25	0♓27	4	2
17 20 49	21	7	26	3 09	6	3
17 25 10	22	8	27	5 55	8	4
17 29 31	23	9	29	8 45	9	6
17 33 52	24	10	♒	11 40	11	7
17 38 13	25	11	2	14 37	13	8
17 42 34	26	12	3	17 38	14	9
17 46 55	27	13	5	20 41	16	10
17 51 17	28	14	6	23 46	18	11
17 55 38	29	15	8	26 53	19	12
HOUSES	4	5	6	7	8	9

LATITUDE 55° S.

LATITUDE 56° N.

SIDEREAL TIME	10 ♏	11 ♐	12 ♐	Asc ♑	2 ♒	3 ♈
h m s	°	°	°	° '	°	°
14 50 09	15	3	18	2 22	28	17
14 54 08	16	4	19	3 20	♓	19
14 58 08	17	5	19	4 18	1	20
15 02 09	18	6	20	5 18	3	21
15 06 11	19	7	21	6 19	5	23
15 10 13	20	7	22	7 22	7	24
15 14 16	21	8	23	8 26	9	25
15 18 20	22	9	24	9 31	10	27
15 22 25	23	10	25	10 38	12	28
15 26 30	24	11	25	11 47	14	29
15 30 36	25	12	26	12 57	16	♉
15 34 43	26	13	27	14 09	18	2
15 38 50	27	14	28	15 24	20	3
15 42 58	28	14	29	16 40	22	5
15 47 07	29	15	♑	17 58	24	6
15 51 16	♐	16	1	19 19	26	7
15 55 27	1	17	2	20 43	28	9
15 59 37	2	18	3	22 08	♈	10
16 03 49	3	19	4	23 37	2	11
16 08 01	4	20	5	25 09	4	13
16 12 14	5	21	6	26 43	6	14
16 16 27	6	22	7	28 21	8	15
16 20 41	7	23	8	0♒03	10	16
16 24 56	8	24	9	1 48	12	18
16 29 11	9	25	10	3 37	14	19
16 33 27	10	25	11	5 30	16	20
16 37 43	11	26	13	7 27	18	22
16 42 00	12	27	14	9 29	20	23
16 46 17	13	28	15	11 36	22	24
16 50 35	14	29	16	13 47	24	25
16 54 53	15	♑	17	16 04	26	26
16 59 11	16	1	18	18 25	27	28
17 03 30	17	2	20	20 52	29	29
17 07 49	18	3	21	23 25	♉	♊
17 12 09	19	4	22	26 02	3	1
17 16 29	20	5	24	28 46	5	3
17 20 49	21	6	25	1♓35	7	4
17 25 10	22	7	26	4 28	9	5
17 29 31	23	8	28	7 27	10	6
17 33 52	24	10	29	10 31	12	7
17 38 13	25	11	♒	13 39	14	8
17 42 34	26	12	2	16 50	15	9
17 46 55	27	13	3	20 05	17	11
17 51 17	28	14	5	23 22	19	12
17 55 38	29	15	7	26 40	20	13
HOUSES	4	5	6	7	8	9

LATITUDE 56° S.

LATITUDE 54° N.

SIDEREAL TIME	10 ♑	11 ♑	12 ♒	Asc ♈		2 ♉	3 ♊
h m s	°	°	°	°	'	°	°
18 00 00	0	17	10	0	00	20	13
18 04 22	1	18	12	2	56	21	14
18 08 43	2	19	13	5	53	23	15
18 13 05	3	20	15	8	48	24	16
18 17 26	4	22	17	11	41	26	17
18 21 47	5	23	18	14	33	27	18
18 26 08	6	24	20	17	22	29	19
18 30 29	7	25	22	20	08	♊	20
18 34 50	8	26	23	22	51	1	21
18 39 11	9	27	25	25	30	3	23
18 43 31	10	28	27	28	06	4	24
18 47 51	11	♒	28	0♉	38	5	25
18 52 11	12	1	♓	3	06	7	26
18 56 30	13	2	2	5	29	8	27
19 00 49	14	3	4	7	49	9	28
19 05 07	15	4	6	10	05	10	29
19 09 25	16	6	8	12	16	12	♋
19 13 43	17	7	9	14	23	13	1
19 18 00	18	8	11	16	27	14	2
19 22 17	19	9	13	18	27	15	3
19 26 33	20	11	15	20	22	16	4
19 30 49	21	12	17	22	15	17	4
19 35 04	22	13	19	24	04	19	5
19 39 19	23	14	21	25	49	20	6
19 43 33	24	16	23	27	31	21	7
19 47 46	25	17	24	29	10	22	8
19 51 59	26	18	26	0♊	46	23	9
19 56 11	27	19	28	2	20	24	10
20 00 23	28	21	♈	3	50	25	11
20 04 33	29	22	2	5	18	26	12
20 08 44	♒	23	4	6	44	27	13
20 12 53	1	25	6	8	07	28	14
20 17 02	2	26	8	9	28	29	15
20 21 10	3	27	10	10	47	♋	16
20 25 17	4	28	11	12	04	1	16
20 29 24	5	♓	13	13	19	2	17
20 33 30	6	1	15	14	32	3	18
20 37 35	7	2	17	15	43	3	19
20 41 40	8	4	19	16	53	4	20
20 45 44	9	5	20	18	01	5	21
20 49 47	10	6	22	19	08	6	22
20 53 49	11	8	24	20	13	7	23
20 57 51	12	9	26	21	17	8	23
21 01 52	13	10	27	22	20	9	24
21 05 52	14	12	29	23	21	10	25
HOUSES	4	5	6	7		8	9

LATITUDE 54° S.

LATITUDE 55° N.

SIDEREAL TIME	10 ♑	11 ♑	12 ♒	Asc ♈		2 ♉	3 ♊
h m s	°	°	°	°	'	°	°
18 00 00	0	17	9	0	00	21	13
18 04 22	1	18	11	3	07	22	15
18 08 43	2	19	12	6	13	24	16
18 13 05	3	20	14	9	18	25	17
18 17 26	4	21	16	12	22	27	18
18 21 47	5	22	17	15	22	28	19
18 26 08	6	23	19	18	20	♊	20
18 30 29	7	24	21	21	14	1	21
18 34 50	8	26	22	24	05	2	22
18 39 11	9	27	24	26	51	4	23
18 43 31	10	28	26	29	33	5	24
18 47 51	11	29	28	2♉	10	6	25
18 52 11	12	♒	♓	4	43	8	26
18 56 30	13	2	1	7	11	9	27
19 00 49	14	3	3	9	34	10	28
19 05 07	15	4	5	11	53	12	29
19 09 25	16	5	7	14	07	13	♋
19 13 43	17	6	9	16	17	14	1
19 18 00	18	8	11	18	22	15	2
19 22 17	19	9	13	20	23	16	3
19 26 33	20	10	15	22	20	17	4
19 30 49	21	11	17	24	12	19	5
19 35 04	22	13	18	26	02	20	6
19 39 19	23	14	20	27	47	21	7
19 43 33	24	15	22	29	29	22	8
19 47 46	25	16	24	1♊	08	23	9
19 51 59	26	18	26	2	43	24	10
19 56 11	27	19	28	4	16	25	11
20 00 23	28	20	♈	5	46	26	11
20 04 33	29	22	2	7	13	27	12
20 08 44	♒	23	4	8	38	28	13
20 12 53	1	24	6	10	00	29	14
20 17 02	2	26	8	11	20	♋	15
20 21 10	3	27	10	12	37	1	16
20 25 17	4	28	12	13	53	2	17
20 29 24	5	♓	14	15	07	3	18
20 33 30	6	1	15	16	19	3	19
20 37 35	7	2	17	17	29	4	20
20 41 40	8	4	19	18	37	5	20
20 45 44	9	5	21	19	44	6	21
20 49 47	10	6	23	20	50	7	22
20 53 49	11	8	24	21	54	8	23
20 57 51	12	9	26	22	56	9	24
21 01 52	13	10	28	23	58	10	25
21 05 52	14	12	♉	24	58	10	26
HOUSES	4	5	6	7		8	9

LATITUDE 55° S.

LATITUDE 56° N.

SIDEREAL TIME	10 ♑	11 ♑	12 ♒	Asc ♈		2 ♉	3 ♊
h m s	°	°	°	°	'	°	°
18 00 00	0	16	8	0	00	22	14
18 04 22	1	17	10	3	19	23	15
18 08 43	2	18	11	6	38	25	16
18 13 05	3	19	13	9	55	27	17
18 17 26	4	21	15	13	09	28	18
18 21 47	5	22	16	16	21	29	19
18 26 08	6	23	18	19	29	♊	20
18 30 29	7	24	20	22	32	2	21
18 34 50	8	25	21	25	31	4	23
18 39 11	9	26	23	28	25	5	24
18 43 31	10	27	25	1♉	14	6	25
18 47 51	11	29	27	3	57	8	26
18 52 11	12	♒	29	6	35	9	27
18 56 30	13	1	♓	9	07	10	28
19 00 49	14	2	3	11	34	12	29
19 05 07	15	3	4	13	56	13	♋
19 09 25	16	5	6	16	13	14	1
19 13 43	17	6	8	18	24	15	2
19 18 00	18	7	10	20	30	16	3
19 22 17	19	8	12	22	32	17	4
19 26 33	20	10	14	24	30	19	5
19 30 49	21	11	16	26	23	20	5
19 35 04	22	12	18	28	12	21	6
19 39 19	23	14	20	29	57	22	7
19 43 33	24	15	22	1♊	38	23	8
19 47 46	25	16	24	3	16	24	9
19 51 59	26	17	26	4	51	25	10
19 56 11	27	19	28	6	23	26	11
20 00 23	28	20	♈	7	51	27	12
20 04 33	29	21	2	9	17	28	13
20 08 44	♒	23	4	10	40	29	14
20 12 53	1	24	6	12	01	♋	15
20 17 02	2	25	8	13	20	1	16
20 21 10	3	27	10	14	36	2	16
20 25 17	4	28	12	15	50	3	17
20 29 24	5	29	14	17	02	4	18
20 33 30	6	♓	16	18	13	5	19
20 37 35	7	2	18	19	21	5	20
20 41 40	8	3	20	20	28	6	21
20 45 44	9	5	21	21	34	7	22
20 49 47	10	6	23	22	38	8	23
20 53 49	11	7	25	23	40	9	23
20 57 51	12	9	27	24	41	10	24
21 01 52	13	10	29	25	41	11	25
21 05 52	14	11	♉	26	40	11	26
HOUSES	4	5	6	7		8	9

LATITUDE 56° S.

	LATITUDE 54° N.						LATITUDE 55° N.						LATITUDE 56° N.					
SIDEREAL TIME	10 ♒	11 ♓	12 ♉	Asc ♊	2 ♋	3 ♋	10 ♒	11 ♓	12 ♉	Asc ♊	2 ♋	3 ♋	10 ♒	11 ♓	12 ♉	Asc ♊	2 ♋	3 ♋
h m s	°	°	°	° '	°	°	°	°	°	° '	°	°	°	°	°	° '	°	°
21 09 51	15	13	1	24 22	10	26	15	13	1	25 57	11	26	15	13	2	27 38	12	27
21 13 50	16	14	2	25 21	11	27	16	14	3	26 55	12	27	16	14	4	28 34	13	28
21 17 48	17	16	4	26 19	12	28	17	16	5	27 52	13	28	17	15	5	29 30	14	29
21 21 46	18	17	5	27 16	13	29	18	17	6	28 48	14	29	18	17	7	0♋24	15	29
21 25 42	19	18	7	28 12	14	29	19	18	8	29 42	15	♌	19	18	9	1 18	15	♌
21 29 38	20	20	9	29 07	15	♌	20	20	9	0♋36	15	1	20	19	10	2 10	16	1
21 33 33	21	21	10	0♋01	15	1	21	21	11	1 30	16	1	21	21	12	3 02	17	2
21 37 28	22	22	12	0 55	16	2	22	22	12	2 22	17	2	22	22	13	3 53	18	3
21 41 22	23	24	13	1 47	17	3	23	24	14	3 13	18	3	23	24	15	4 43	19	4
21 45 15	24	25	14	2 39	18	4	24	25	15	4 04	18	4	24	25	16	5 33	19	4
21 49 08	25	26	16	3 30	18	4	25	26	17	4 54	19	5	25	26	18	6 22	20	5
21 53 00	26	28	17	4 21	19	5	26	28	18	5 44	20	6	26	28	19	7 10	21	6
21 56 51	27	29	19	5 11	20	6	27	29	20	6 32	21	6	27	29	21	7 58	22	7
22 00 42	28	♈	20	6 00	21	7	28	♈	21	7 20	22	7	28	♈	22	8 44	22	8
22 04 32	29	2	21	6 48	22	8	29	2	22	8 08	22	8	29	2	24	9 31	23	8
22 08 22	♓	3	23	7 36	22	9	♓	3	24	8 55	23	9	♓	3	25	10 17	24	9
22 12 10	1	4	24	8 24	23	9	1	4	25	9 41	24	10	1	4	26	11 02	25	10
22 15 59	2	5	25	9 11	24	10	2	5	26	10 27	25	11	2	6	28	11 47	25	11
22 19 47	3	7	27	9 57	25	11	3	7	28	11 13	25	11	3	7	29	12 31	26	12
22 23 34	4	8	28	10 43	25	12	4	8	29	11 57	26	12	4	8	♊	13 15	27	12
22 27 21	5	9	29	11 28	26	13	5	9	♊	12 42	27	13	5	9	1	13 59	27	13
22 31 07	6	11	♊	12 13	27	13	6	11	1	13 26	27	14	6	11	3	14 42	28	14
22 34 53	7	12	1	12 58	27	14	7	12	3	14 10	28	15	7	12	4	15 24	29	15
22 38 39	8	13	3	13 42	28	15	8	13	4	14 53	29	15	8	13	5	16 07	♌	16
22 42 24	9	14	4	14 26	29	16	9	14	5	15 36	♌	16	9	15	6	16 49	0	16
22 46 08	10	16	5	15 09	♌	17	10	16	6	16 18	0	17	10	16	7	17 30	1	17
22 49 52	11	17	6	15 52	0	18	11	17	7	17 00	1	18	11	17	8	18 11	2	18
22 53 36	12	18	7	16 35	1	18	12	18	8	17 42	2	19	12	18	9	18 52	2	19
22 57 19	13	19	8	17 17	2	19	13	20	9	18 24	2	19	13	20	10	19 33	3	20
23 01 03	14	21	9	17 59	3	20	14	21	10	19 05	3	20	14	21	12	20 13	4	20
23 04 45	15	22	10	18 41	3	21	15	22	11	19 46	4	21	15	22	13	20 54	4	21
23 08 28	16	23	11	19 23	4	22	16	23	12	20 27	5	22	16	23	14	21 33	5	22
23 12 10	17	24	12	20 04	5	22	17	24	14	21 07	5	23	17	25	15	22 13	6	23
23 15 52	18	25	13	20 45	5	23	18	26	15	21 48	6	23	18	26	16	22 52	7	24
23 19 33	19	27	14	21 26	6	24	19	27	16	22 28	7	24	19	27	17	23 32	7	24
23 23 15	20	28	15	22 06	7	25	20	28	17	23 07	7	25	20	28	18	24 11	8	25
23 26 56	21	29	16	22 47	7	26	21	29	17	23 47	8	26	21	♉	19	24 49	9	26
23 30 37	22	♉	17	23 27	8	26	22	♉	18	24 26	9	27	22	1	20	25 28	9	27
23 34 17	23	1	18	24 07	9	27	23	2	19	25 06	9	27	23	2	21	26 06	10	28
23 37 58	24	3	19	24 46	10	28	24	3	20	25 45	10	28	24	3	21	26 45	11	28
23 41 39	25	4	20	25 26	10	29	25	4	21	26 24	11	29	25	4	22	27 23	11	29
23 45 19	26	5	21	26 06	11	♍	26	5	22	27 02	12	♍	26	5	23	28 01	12	♍
23 48 59	27	6	22	26 45	12	0	27	6	23	27 41	12	1	27	7	24	28 39	13	1
23 52 40	28	7	23	27 24	12	1	28	7	24	28 19	13	1	28	8	25	29 16	13	2
23 56 20	29	8	24	28 03	13	2	29	9	25	28 58	14	2	29	9	26	29 54	14	2
HOUSES	4	5	6	7	8	9	4	5	6	7	8	9	4	5	6	7	8	9
	LATITUDE 54° S.						LATITUDE 55° S.						LATITUDE 56° S.					

LATITUDE 57° N.

SIDEREAL TIME h m s	10 ♈ °	11 ♉ °	12 ♊ °	Asc ♌ °	Asc ♌ '	2 ♌ °	3 ♍ °
0 00 00	0	11	28	1	29	15	3
0 03 40	1	12	29	2	06	16	4
0 07 20	2	13	♋	2	42	17	5
0 11 01	3	14	1	3	19	17	6
0 14 41	4	15	1	3	55	18	7
0 18 21	5	16	2	4	32	19	7
0 22 02	6	17	3	5	08	19	8
0 25 43	7	18	4	5	45	20	9
0 29 23	8	20	5	6	21	21	10
0 33 04	9	21	6	6	57	21	11
0 36 45	10	22	6	7	33	22	12
0 40 27	11	23	7	8	10	23	12
0 44 08	12	24	8	8	46	23	13
0 47 50	13	25	9	9	22	24	14
0 51 32	14	26	9	9	58	25	15
0 55 15	15	27	10	10	34	25	16
0 58 57	16	28	11	11	11	26	16
1 02 41	17	29	12	11	47	27	17
1 06 24	18	♊	12	12	23	28	18
1 10 08	19	1	13	12	59	28	19
1 13 52	20	2	14	13	36	29	20
1 17 36	21	3	15	14	12	♍	21
1 21 21	22	4	15	14	48	0	21
1 25 07	23	5	16	15	25	1	22
1 28 53	24	6	17	16	01	2	23
1 32 39	25	7	18	16	38	2	24
1 36 26	26	8	18	17	15	3	25
1 40 13	27	9	19	17	51	4	26
1 44 01	28	10	20	18	28	4	26
1 47 49	29	11	21	19	05	5	27
1 51 38	♉	12	21	19	42	6	28
1 55 28	1	13	22	20	19	7	29
1 59 18	2	14	23	20	56	7	♎
2 03 09	3	15	24	21	33	8	1
2 07 00	4	16	24	22	10	9	2
2 10 52	5	17	25	22	48	9	2
2 14 45	6	18	26	23	25	10	3
2 18 38	7	19	27	24	03	11	4
2 22 32	8	20	27	24	41	12	5
2 26 27	9	21	28	25	18	12	6
2 30 22	10	22	29	25	56	13	7
2 34 18	11	23	29	26	34	14	8
2 38 14	12	24	♌	27	13	15	9
2 42 12	13	25	1	27	51	15	9
2 46 10	14	26	2	28	29	16	10
HOUSES	4	5	6	7		8	9

LATITUDE 57° S.

LATITUDE 58° N.

SIDEREAL TIME h m s	10 ♈ °	11 ♉ °	12 ♊ °	Asc ♌ °	Asc ♌ '	2 ♌ °	3 ♍ °
0 00 00	0	11	29	2	29	16	4
0 03 40	1	12	♋	3	05	17	4
0 07 20	2	13	1	3	40	17	5
0 11 01	3	14	2	4	16	18	6
0 14 41	4	16	3	4	52	19	7
0 18 21	5	17	3	5	28	19	8
0 22 02	6	18	4	6	03	20	8
0 25 43	7	19	5	6	39	21	9
0 29 23	8	20	6	7	14	21	10
0 33 04	9	21	7	7	50	22	11
0 36 45	10	22	7	8	25	23	12
0 40 27	11	23	8	9	01	23	12
0 44 08	12	24	9	9	36	24	13
0 47 50	13	26	10	10	12	25	14
0 51 32	14	27	11	10	47	25	15
0 55 15	15	28	11	11	23	26	16
0 58 57	16	29	12	11	58	27	17
1 02 41	17	♊	13	12	34	27	17
1 06 24	18	1	14	13	10	28	18
1 10 08	19	2	14	13	45	29	19
1 13 52	20	3	15	14	21	29	20
1 17 36	21	4	16	14	56	♍	21
1 21 21	22	5	16	15	32	1	21
1 25 07	23	6	17	16	08	1	22
1 28 53	24	7	18	16	44	2	23
1 32 39	25	8	19	17	20	3	24
1 36 26	26	9	19	17	56	3	25
1 40 13	27	10	20	18	32	4	26
1 44 01	28	11	21	19	08	5	26
1 47 49	29	12	22	19	44	5	27
1 51 38	♉	13	22	20	20	6	28
1 55 28	1	14	23	20	57	7	29
1 59 18	2	15	24	21	33	8	♎
2 03 09	3	16	24	22	10	8	1
2 07 00	4	17	25	22	47	9	2
2 10 52	5	18	26	23	23	10	2
2 14 45	6	19	27	24	00	10	3
2 18 38	7	20	27	24	37	11	4
2 22 32	8	21	28	25	14	12	5
2 26 27	9	22	29	25	51	13	6
2 30 22	10	23	♌	26	29	13	7
2 34 18	11	24	0	27	06	14	8
2 38 14	12	25	1	27	44	15	8
2 42 12	13	26	2	28	21	16	9
2 46 10	14	26	2	28	59	16	10
HOUSES	4	5	6	7		8	9

LATITUDE 58° S.

LATITUDE 59° N.

SIDEREAL TIME h m s	10 ♈ °	11 ♉ °	12 ♋ °	Asc ♌ °	Asc ♌ '	2 ♌ °	3 ♍ °
0 00 00	0	11	1	3	30	16	4
0 03 40	1	13	2	4	05	17	5
0 07 20	2	14	2	4	40	18	5
0 11 01	3	15	3	5	15	18	6
0 14 41	4	16	4	5	50	19	7
0 18 21	5	17	5	6	25	20	8
0 22 02	6	18	6	7	00	20	9
0 25 43	7	20	6	7	35	21	9
0 29 23	8	21	7	8	09	22	10
0 33 04	9	22	8	8	44	22	11
0 36 45	10	23	9	9	19	23	12
0 40 27	11	24	9	9	54	24	13
0 44 08	12	25	10	10	29	24	13
0 47 50	13	26	11	11	03	25	14
0 51 32	14	27	12	11	38	26	15
0 55 15	15	28	12	12	13	26	16
0 58 57	16	29	13	12	48	27	17
1 02 41	17	♊	14	13	23	28	17
1 06 24	18	2	15	13	57	28	18
1 10 08	19	3	15	14	32	29	19
1 13 52	20	4	16	15	07	♍	20
1 17 36	21	5	17	15	42	0	21
1 21 21	22	6	18	16	17	1	22
1 25 07	23	7	18	16	52	2	22
1 28 53	24	8	19	17	28	2	23
1 32 39	25	9	20	18	03	3	24
1 36 26	26	10	20	18	38	4	25
1 40 13	27	11	21	19	14	4	26
1 44 01	28	12	22	19	49	5	26
1 47 49	29	13	23	20	25	6	27
1 51 38	♉	14	23	21	00	6	28
1 55 28	1	15	24	21	36	7	29
1 59 18	2	16	25	22	12	8	♎
2 03 09	3	17	25	22	48	9	1
2 07 00	4	18	26	23	24	9	2
2 10 52	5	19	27	24	00	10	2
2 14 45	6	20	28	24	36	11	3
2 18 38	7	21	28	25	12	11	4
2 22 32	8	22	29	25	49	12	5
2 26 27	9	22	♌	26	25	13	6
2 30 22	10	23	0	27	02	14	7
2 34 18	11	24	1	27	39	14	8
2 38 14	12	25	2	28	15	15	8
2 42 12	13	26	2	28	52	16	9
2 46 10	14	27	3	29	30	16	10
HOUSES	4	5	6	7		8	9

LATITUDE 59° S.

	LATITUDE 57° N.						LATITUDE 58° N.						LATITUDE 59° N.					
SIDEREAL TIME	10 ♉	11 ♊	12 ♌	Asc ♌	2 ♍	3 ♎	10 ♉	11 ♊	12 ♌	Asc ♌	2 ♍	3 ♎	10 ♉	11 ♊	12 ♌	Asc ♍	2 ♍	3 ♎
h m s	°	°	°	° '	°	°	°	°	°	° '	°	°	°	°	°	° '	°	°
2 50 09	15	27	2	29 08	17	11	15	27	3	29 37	17	11	15	28	4	0 07	17	11
2 54 08	16	28	3	29 46	18	12	16	28	4	0♍15	18	12	16	29	5	0 44	18	12
2 58 08	17	29	4	0♍25	18	13	17	29	5	0 53	18	13	17	♋	5	1 22	19	13
3 02 09	18	♋	5	1 04	19	14	18	♋	5	1 31	19	14	18	1	6	1 59	19	14
3 06 11	19	0	5	1 43	20	15	19	1	6	2 10	20	15	19	2	7	2 37	20	14
3 10 13	20	1	6	2 22	21	16	20	2	7	2 48	21	15	20	3	8	3 15	21	15
3 14 16	21	2	7	3 02	21	16	21	3	8	3 27	21	16	21	4	8	3 53	22	16
3 18 20	22	3	8	3 41	22	17	22	4	8	4 06	22	17	22	4	9	4 31	22	17
3 22 25	23	4	8	4 21	23	18	23	5	9	4 45	23	18	23	5	10	5 09	23	18
3 26 30	24	5	9	5 00	24	19	24	6	10	5 24	24	19	24	6	10	5 48	24	19
3 30 36	25	6	10	5 40	24	20	25	7	11	6 03	25	20	25	7	11	6 26	25	20
3 34 43	26	7	11	6 20	25	21	26	7	11	6 42	25	21	26	8	12	7 05	25	21
3 38 50	27	8	11	7 00	26	22	27	8	12	7 22	26	22	27	9	13	7 44	26	22
3 42 58	28	9	12	7 40	27	23	28	9	13	8 01	27	23	28	10	13	8 23	27	22
3 47 07	29	10	13	8 21	28	24	29	10	14	8 41	28	24	29	11	14	9 02	28	23
3 51 16	♊	11	14	9 01	28	25	♊	11	14	9 21	28	24	♊	12	15	9 41	28	24
3 55 27	1	11	14	9 42	29	26	1	12	15	10 01	29	25	1	13	16	10 20	29	25
3 59 37	2	12	15	10 22	♎	26	2	13	16	10 41	♎	26	2	13	16	11 00	♎	26
4 03 49	3	13	16	11 03	1	27	3	14	17	11 21	1	27	3	14	17	11 39	1	27
4 08 01	4	14	17	11 44	2	28	4	15	17	12 01	1	28	4	15	18	12 19	1	28
4 12 14	5	15	18	12 25	2	29	5	16	18	12 42	2	29	5	16	19	12 58	2	29
4 16 27	6	16	18	13 06	3	♏	6	16	19	13 22	3	♏	6	17	19	13 38	3	♏
4 20 41	7	17	19	13 48	4	1	7	17	20	14 03	4	1	7	18	20	14 18	4	1
4 24 56	8	18	20	14 29	5	2	8	18	20	14 44	5	2	8	19	21	14 58	5	1
4 29 11	9	19	21	15 11	5	3	9	19	21	15 25	5	3	9	20	22	15 39	5	2
4 33 27	10	20	21	15 52	6	4	10	20	22	16 05	6	4	10	21	22	16 19	6	3
4 37 43	11	20	22	16 34	7	5	11	21	23	16 47	7	4	11	22	23	16 59	7	4
4 42 00	12	21	23	17 16	8	6	12	22	23	17 28	8	5	12	22	24	17 40	8	5
4 46 17	13	22	24	17 58	9	7	13	23	24	18 09	9	6	13	23	25	18 20	9	6
4 50 35	14	23	25	18 40	10	7	14	24	25	18 50	9	7	14	24	25	19 01	9	7
4 54 53	15	24	25	19 22	10	8	15	25	26	19 32	10	8	15	25	26	19 42	10	8
4 59 11	16	25	26	20 04	11	9	16	25	27	20 13	11	9	16	26	27	20 23	11	9
5 03 30	17	26	27	20 46	12	10	17	26	27	20 55	12	10	17	27	28	21 04	12	10
5 07 49	18	27	28	21 29	13	11	18	27	28	21 36	13	11	18	28	29	21 45	12	11
5 12 09	19	28	29	22 11	14	12	19	28	29	22 18	13	12	19	29	29	22 26	13	11
5 16 29	20	29	29	22 53	14	13	20	29	♍	23 00	14	13	20	♌	♍	23 07	14	12
5 20 49	21	♌	♍	23 36	15	14	21	♌	1	23 42	15	14	21	0	1	23 48	15	13
5 25 10	22	0	1	24 18	16	15	22	1	1	24 24	16	15	22	1	2	24 29	16	14
5 29 31	23	1	2	25 01	17	16	23	2	2	25 06	17	15	23	2	2	25 10	16	15
5 33 52	24	2	3	25 44	18	17	24	3	3	25 48	17	16	24	3	3	25 52	17	16
5 38 13	25	3	3	26 26	18	18	25	4	4	26 30	18	17	25	4	4	26 33	18	17
5 42 34	26	4	4	27 09	19	19	26	5	5	27 12	19	18	26	5	5	27 14	19	18
5 46 55	27	5	5	27 52	20	19	27	5	5	27 54	20	19	27	6	6	27 56	20	19
5 51 17	28	6	6	28 34	21	20	28	6	6	28 36	21	20	28	7	6	28 37	20	20
5 55 38	29	7	7	29 17	22	21	29	7	7	29 18	21	21	29	8	7	29 18	21	21
HOUSES	4	5	6	7	8	9	4	5	6	7	8	9	4	5	6	7	8	9
	LATITUDE 57° S.						LATITUDE 58° S.						LATITUDE 59° S.					

	LATITUDE 57° N.						LATITUDE 58° N.						LATITUDE 59° N.					
SIDEREAL TIME	10	11	12	Asc	2	3	10	11	12	Asc	2	3	10	11	12	Asc	2	3
	♋	♌	♍	♎	♎	♏	♋	♌	♍	♎	♎	♏	♋	♌	♍	♎	♎	♏
h m s	°	°	°	° '	°	°	°	°	°	° '	°	°	°	°	°	° '	°	°
6 00 00	0	8	7	0 00	23	22	0	8	8	0 00	22	22	0	9	8	0 00	22	21
6 04 22	1	9	8	0 43	23	23	1	9	9	0 42	23	23	1	9	9	0 41	23	22
6 08 43	2	10	9	1 25	24	24	2	10	9	1 24	24	24	2	10	10	1 23	24	23
6 13 05	3	11	10	2 08	25	25	3	11	10	2 06	25	25	3	11	10	2 04	24	24
6 17 26	4	11	11	2 51	26	26	4	12	11	2 48	25	25	4	12	11	2 45	25	25
6 21 47	5	12	12	3 33	27	27	5	13	12	3 30	26	26	5	13	12	3 27	26	26
6 26 08	6	13	12	4 16	27	28	6	14	13	4 12	27	27	6	14	13	4 08	27	27
6 30 29	7	14	13	4 59	28	29	7	15	13	4 54	28	28	7	15	14	4 49	28	28
6 34 50	8	15	14	5 41	29	♐	8	15	14	5 36	29	29	8	16	14	5 31	28	29
6 39 11	9	16	15	6 24	♏	0	9	16	15	6 18	29	♐	9	17	15	6 12	29	♐
6 43 31	10	17	16	7 06	1	1	10	17	16	7 00	♏	1	10	18	16	6 53	♏	0
6 47 51	11	18	16	7 49	1	2	11	18	17	7 41	1	2	11	19	17	7 34	1	1
6 52 11	12	19	17	8 31	2	3	12	19	17	8 23	2	3	12	19	18	8 15	1	2
6 56 30	13	20	18	9 13	3	4	13	20	18	9 05	3	4	13	20	18	8 56	2	3
7 00 49	14	21	19	9 56	4	5	14	21	19	9 46	3	5	14	21	19	9 37	3	4
7 05 07	15	22	20	10 38	5	6	15	22	20	10 28	4	5	15	22	20	10 18	4	5
7 09 25	16	23	20	11 20	5	7	16	23	21	11 09	5	6	16	23	21	10 59	5	6
7 13 43	17	23	21	12 02	6	8	17	24	21	11 51	6	7	17	24	21	11 39	5	7
7 18 00	18	24	22	12 44	7	9	18	25	22	12 32	7	8	18	25	22	12 20	6	8
7 22 17	19	25	23	13 26	8	10	19	26	23	13 13	7	9	19	26	23	13 00	7	8
7 26 33	20	26	24	14 07	9	10	20	26	24	13 54	8	10	20	27	24	13 41	8	9
7 30 49	21	27	24	14 49	9	11	21	27	25	14 35	9	11	21	28	25	14 21	8	10
7 35 04	22	28	25	15 30	10	12	22	28	25	15 16	10	12	22	29	25	15 01	9	11
7 39 19	23	29	26	16 12	11	13	23	29	26	15 57	10	13	23	29	26	15 41	10	12
7 43 33	24	♍	27	16 53	12	14	24	♍	27	16 37	11	14	24	♍	27	16 21	11	13
7 47 46	25	1	28	17 34	12	15	25	1	28	17 18	12	14	25	1	28	17 01	11	14
7 51 59	26	2	28	18 15	13	16	26	2	29	17 58	13	15	26	2	29	17 41	12	15
7 56 11	27	3	29	18 56	14	17	27	3	29	18 39	13	16	27	3	29	18 21	13	16
8 00 23	28	4	♎	19 37	15	18	28	4	♎	19 19	14	17	28	4	♎	19 00	14	16
8 04 33	29	4	1	20 18	16	19	29	5	1	19 59	15	18	29	5	1	19 39	14	17
8 08 44	♌	5	2	20 58	16	19	♌	6	2	20 39	16	19	♌	6	2	20 19	15	18
8 12 53	1	6	2	21 39	17	20	1	6	2	21 19	16	20	1	7	2	20 58	16	19
8 17 02	2	7	3	22 19	18	21	2	7	3	21 58	17	21	2	8	3	21 37	17	20
8 21 10	3	8	4	23 00	19	22	3	8	4	22 38	18	22	3	8	4	22 16	17	21
8 25 17	4	9	5	23 40	19	23	4	9	5	23 17	19	23	4	9	5	22 55	18	22
8 29 24	5	10	6	24 20	20	24	5	10	5	23 57	19	23	5	10	5	23 33	19	23
8 33 30	6	11	6	24 59	21	25	6	11	6	24 36	20	24	6	11	6	24 12	20	24
8 37 35	7	12	7	25 39	22	26	7	12	7	25 15	21	25	7	12	7	24 50	20	25
8 41 40	8	13	8	26 19	22	27	8	13	8	25 54	22	26	8	13	8	25 29	21	25
8 45 44	9	13	9	26 58	23	28	9	14	9	26 33	22	27	9	14	8	26 07	22	26
8 49 47	10	14	9	27 37	24	29	10	15	9	27 11	23	28	10	15	9	26 45	22	27
8 53 49	11	15	10	28 16	25	♑	11	15	10	27 50	24	29	11	15	10	27 23	23	28
8 57 51	12	16	11	28 56	25	0	12	16	11	28 28	25	♑	12	16	11	28 00	24	29
9 01 52	13	17	12	29 34	26	1	13	17	12	29 07	25	1	13	17	11	28 38	25	♑
9 05 52	14	18	12	0♏13	27	2	14	18	12	29 45	26	2	14	18	12	29 15	25	1
HOUSES	4	5	6	7	8	9	4	5	6	7	8	9	4	5	6	7	8	9
	LATITUDE 57° S.						LATITUDE 58° S.						LATITUDE 59° S.					

LATITUDE 57° N.

SIDEREAL TIME	10 ♌	11 ♍	12 ♎	Asc ♏	2 ♏	3 ♑
h m s	°	°	°	° '	°	°
9 09 51	15	19	13	0 52	28	3
9 13 50	16	20	14	1 30	28	4
9 17 48	17	21	15	2 09	29	5
9 21 46	18	21	15	2 47	♐	6
9 25 42	19	22	16	3 25	1	7
9 29 38	20	23	17	4 03	1	8
9 33 33	21	24	18	4 41	2	9
9 37 28	22	25	18	5 19	3	10
9 41 22	23	26	19	5 57	3	11
9 45 15	24	27	20	6 34	4	12
9 49 08	25	28	21	7 12	5	13
9 53 00	26	28	21	7 49	6	14
9 56 51	27	29	22	8 26	6	15
10 00 42	28	♎	23	9 04	7	16
10 04 32	29	1	23	9 41	8	17
10 08 22	♍	2	24	10 18	9	18
10 12 10	1	3	25	10 55	9	19
10 15 59	2	4	26	11 32	10	20
10 19 47	3	4	26	12 08	11	21
10 23 34	4	5	27	12 45	12	22
10 27 21	5	6	28	13 22	12	23
10 31 07	6	7	28	13 58	13	24
10 34 53	7	8	29	14 35	14	25
10 38 39	8	9	♏	15 11	14	26
10 42 24	9	9	0	15 48	15	27
10 46 08	10	10	1	16 24	16	28
10 49 52	11	11	2	17 00	17	29
10 53 36	12	12	2	17 37	18	♒
10 57 19	13	13	3	18 13	18	1
11 01 03	14	14	4	18 49	19	2
11 04 45	15	14	5	19 25	20	3
11 08 28	16	15	5	20 02	21	4
11 12 10	17	16	6	20 38	21	5
11 15 52	18	17	7	21 14	22	6
11 19 33	19	18	7	21 50	23	7
11 23 15	20	18	8	22 26	24	8
11 26 56	21	19	9	23 03	24	9
11 30 37	22	20	9	23 39	25	10
11 34 17	23	21	10	24 15	26	12
11 37 58	24	22	11	24 51	27	13
11 41 39	25	23	11	25 28	28	14
11 45 19	26	23	12	26 04	29	15
11 48 59	27	24	13	26 41	29	16
11 52 40	28	25	13	27 17	♑	17
11 56 20	29	26	14	27 54	1	18
HOUSES	4	5	6	7	8	9

LATITUDE 57° S.

LATITUDE 58° N.

SIDEREAL TIME	10 ♌	11 ♍	12 ♎	Asc ♏	2 ♏	3 ♑
h m s	°	°	°	° '	°	°
9 09 51	15	19	13	0 23	27	3
9 13 50	16	20	14	1 01	28	4
9 17 48	17	21	14	1 38	28	4
9 21 46	18	22	15	2 16	29	5
9 25 42	19	22	16	2 54	♐	6
9 29 38	20	23	17	3 31	0	7
9 33 33	21	24	17	4 08	1	8
9 37 28	22	25	18	4 45	2	9
9 41 22	23	26	19	5 23	3	10
9 45 15	24	27	20	5 59	3	11
9 49 08	25	28	20	6 36	4	12
9 53 00	26	28	21	7 13	5	13
9 56 51	27	29	22	7 50	6	14
10 00 42	28	♎	22	8 26	6	15
10 04 32	29	1	23	9 03	7	16
10 08 22	♍	2	24	9 39	8	17
10 12 10	1	3	25	10 15	8	18
10 15 59	2	4	25	10 52	9	19
10 19 47	3	4	26	11 28	10	20
10 23 34	4	5	27	12 04	11	21
10 27 21	5	6	27	12 40	11	22
10 31 07	6	7	28	13 16	12	23
10 34 53	7	8	29	13 52	13	24
10 38 39	8	9	29	14 27	14	25
10 42 24	9	9	♏	15 03	14	26
10 46 08	10	10	1	15 39	15	27
10 49 52	11	11	1	16 15	16	28
10 53 36	12	12	2	16 50	16	29
10 57 19	13	13	3	17 26	17	♒
11 01 03	14	13	3	18 01	18	1
11 04 45	15	14	4	18 37	19	2
11 08 28	16	15	5	19 12	19	3
11 12 10	17	16	5	19 48	20	4
11 15 52	18	17	6	20 23	21	6
11 19 33	19	18	7	20 59	22	7
11 23 15	20	18	7	21 34	23	8
11 26 56	21	19	8	22 10	23	9
11 30 37	22	20	9	22 45	24	10
11 34 17	23	21	9	23 21	25	11
11 37 58	24	22	10	23 56	26	12
11 41 39	25	22	11	24 32	27	13
11 45 19	26	23	11	25 08	27	14
11 48 59	27	24	12	25 43	28	16
11 52 40	28	25	13	26 19	29	17
11 56 20	29	26	13	26 55	♑	18
HOUSES	4	5	6	7	8	9

LATITUDE 58° S.

LATITUDE 59° N.

SIDEREAL TIME	10 ♌	11 ♍	12 ♎	Asc ♎	2 ♏	3 ♑
h m s	°	°	°	° '	°	°
9 09 51	15	19	13	29 53	26	2
9 13 50	16	20	14	0♏30	27	3
9 17 48	17	21	14	1 07	28	4
9 21 46	18	22	15	1 44	28	5
9 25 42	19	22	16	2 21	29	6
9 29 38	20	23	16	2 58	♐	7
9 33 33	21	24	17	3 34	0	8
9 37 28	22	25	18	4 11	1	8
9 41 22	23	26	19	4 47	2	9
9 45 15	24	27	19	5 24	2	10
9 49 08	25	28	20	6 00	3	11
9 53 00	26	28	21	6 36	4	12
9 56 51	27	29	21	7 12	5	13
10 00 42	28	♎	22	7 48	5	14
10 04 32	29	1	23	8 24	6	15
10 08 22	♍	2	24	8 59	7	16
10 12 10	1	3	24	9 35	7	17
10 15 59	2	4	25	10 11	8	18
10 19 47	3	4	26	10 46	9	19
10 23 34	4	5	26	11 21	10	20
10 27 21	5	6	27	11 57	10	21
10 31 07	6	7	28	12 32	11	22
10 34 53	7	8	28	13 07	12	23
10 38 39	8	8	29	13 42	12	24
10 42 24	9	9	♏	14 17	13	25
10 46 08	10	10	0	14 52	14	26
10 49 52	11	11	1	15 27	15	27
10 53 36	12	12	2	16 02	15	28
10 57 19	13	13	2	16 37	16	♒
11 01 03	14	13	3	17 12	17	1
11 04 45	15	14	4	17 47	18	2
11 08 28	16	15	4	18 22	18	3
11 12 10	17	16	5	18 56	19	4
11 15 52	18	17	6	19 31	20	5
11 19 33	19	17	6	20 06	21	6
11 23 15	20	18	7	20 41	21	7
11 26 56	21	19	8	21 15	22	8
11 30 37	22	20	8	21 50	23	9
11 34 17	23	21	9	22 25	24	10
11 37 58	24	21	10	23 00	24	12
11 41 39	25	22	10	23 35	25	13
11 45 19	26	23	11	24 09	26	14
11 48 59	27	24	12	24 44	27	15
11 52 40	28	25	12	25 19	28	16
11 56 20	29	25	13	25 54	28	17
HOUSES	4	5	6	7	8	9

LATITUDE 59° S.

LATITUDE 57° N.

SIDEREAL TIME	10 ♎	11 ♎	12 ♏	Asc ♏	2 ♑	3 ♒
h m s	°	°	°	° ′	°	°
12 00 00	0	27	15	28 30	2	19
12 03 40	1	27	15	29 07	3	21
12 07 20	2	28	16	29 44	4	22
12 11 01	3	29	17	0♐21	5	23
12 14 41	4	♏	17	0 58	5	24
12 18 21	5	1	18	1 35	6	25
12 22 02	6	1	19	2 13	7	27
12 25 43	7	2	19	2 50	8	28
12 29 23	8	3	20	3 28	9	29
12 33 04	9	4	21	4 06	10	♓
12 36 45	10	4	21	4 44	11	1
12 40 27	11	5	22	5 22	12	3
12 44 08	12	6	23	6 00	13	4
12 47 50	13	7	23	6 39	14	5
12 51 32	14	8	24	7 17	15	6
12 55 15	15	8	25	7 56	16	8
12 58 57	16	9	26	8 35	17	9
13 02 41	17	10	26	9 15	18	10
13 06 24	18	11	27	9 55	19	11
13 10 08	19	12	28	10 35	20	13
13 13 52	20	12	28	11 15	22	14
13 17 36	21	13	29	11 55	23	15
13 21 21	22	14	♐	12 36	24	17
13 25 07	23	15	0	13 18	25	18
13 28 53	24	16	1	13 59	26	19
13 32 39	25	16	2	14 41	27	20
13 36 26	26	17	3	15 24	29	22
13 40 13	27	18	3	16 06	♒	23
13 44 01	28	19	4	16 50	1	24
13 47 49	29	20	5	17 33	3	26
13 51 38	♏	20	5	18 17	4	27
13 55 28	1	21	6	19 02	5	28
13 59 18	2	22	7	19 47	7	♈
14 03 09	3	23	8	20 33	8	1
14 07 00	4	24	8	21 19	9	2
14 10 52	5	24	9	22 06	11	4
14 14 45	6	25	10	22 54	12	5
14 18 38	7	26	11	23 42	14	7
14 22 32	8	27	11	24 31	15	8
14 26 27	9	28	12	25 20	17	9
14 30 22	10	29	13	26 11	19	11
14 34 18	11	29	14	27 02	20	12
14 38 14	12	♐	14	27 54	22	13
14 42 12	13	1	15	28 47	24	15
14 46 10	14	2	16	29 41	25	16
HOUSES	4	5	6	7	8	9

LATITUDE 57° S.

LATITUDE 58° N.

SIDEREAL TIME	10 ♎	11 ♎	12 ♏	Asc ♏	2 ♑	3 ♒
h m s	°	°	°	° ′	°	°
12 00 00	0	26	14	27 31	1	19
12 03 40	1	27	15	28 07	2	20
12 07 20	2	28	15	28 43	2	21
12 11 01	3	29	16	29 19	3	23
12 14 41	4	♏	17	29 55	4	24
12 18 21	5	0	17	0♐32	5	25
12 22 02	6	1	18	1 08	6	26
12 25 43	7	2	19	1 45	7	27
12 29 23	8	3	19	2 22	8	29
12 33 04	9	3	20	2 59	9	♓
12 36 45	10	4	21	3 36	10	1
12 40 27	11	5	21	4 13	11	2
12 44 08	12	6	22	4 50	12	4
12 47 50	13	7	23	5 28	13	5
12 51 32	14	7	23	6 06	14	6
12 55 15	15	8	24	6 44	15	7
12 58 57	16	9	25	7 22	16	9
13 02 41	17	10	26	8 00	17	10
13 06 24	18	11	26	8 39	18	11
13 10 08	19	11	27	9 18	19	12
13 13 52	20	12	28	9 57	20	14
13 17 36	21	13	28	10 37	21	15
13 21 21	22	14	29	11 17	22	16
13 25 07	23	15	♐	11 57	24	18
13 28 53	24	15	0	12 37	25	19
13 32 39	25	16	1	13 18	26	20
13 36 26	26	17	2	13 59	27	22
13 40 13	27	18	2	14 41	28	23
13 44 01	28	18	3	15 23	♒	24
13 47 49	29	19	4	16 05	1	26
13 51 38	♏	20	5	16 48	2	27
13 55 28	1	21	5	17 32	4	28
13 59 18	2	22	6	18 15	5	♈
14 03 09	3	22	7	19 00	7	1
14 07 00	4	23	7	19 45	8	2
14 10 52	5	24	8	20 30	10	4
14 14 45	6	25	9	21 16	11	5
14 18 38	7	26	10	22 03	13	7
14 22 32	8	27	10	22 50	14	8
14 26 27	9	27	11	23 38	16	9
14 30 22	10	28	12	24 27	17	11
14 34 18	11	29	13	25 17	19	12
14 38 14	12	♐	13	26 07	21	13
14 42 12	13	1	14	26 58	23	15
14 46 10	14	1	15	27 50	24	16
HOUSES	4	5	6	7	8	9

LATITUDE 58° S.

LATITUDE 59° N.

SIDEREAL TIME	10 ♎	11 ♎	12 ♏	Asc ♏	2 ♐	3 ♒
h m s	°	°	°	° ′	°	°
12 00 00	0	26	14	26 29	29	19
12 03 40	1	27	14	27 05	♑	20
12 07 20	2	28	15	27 40	1	21
12 11 01	3	29	16	28 15	2	22
12 14 41	4	29	16	28 51	3	23
12 18 21	5	♏	17	29 26	4	25
12 22 02	6	1	18	0♐02	4	26
12 25 43	7	2	18	0 37	5	27
12 29 23	8	2	19	1 13	6	28
12 33 04	9	3	19	1 49	7	29
12 36 45	10	4	20	2 25	8	♓
12 40 27	11	5	21	3 02	9	2
12 44 08	12	6	21	3 38	10	3
12 47 50	13	6	22	4 15	11	4
12 51 32	14	7	23	4 51	12	6
12 55 15	15	8	23	5 28	13	7
12 58 57	16	9	24	6 06	14	8
13 02 41	17	9	25	6 43	15	10
13 06 24	18	10	25	7 21	16	11
13 10 08	19	11	26	7 59	17	12
13 13 52	20	12	27	8 37	18	14
13 17 36	21	13	27	9 15	20	15
13 21 21	22	13	28	9 54	21	16
13 25 07	23	14	29	10 33	22	18
13 28 53	24	15	♐	11 12	23	19
13 32 39	25	16	0	11 52	24	20
13 36 26	26	17	1	12 32	26	22
13 40 13	27	17	2	13 12	27	23
13 44 01	28	18	2	13 53	28	24
13 47 49	29	19	3	14 34	♒	26
13 51 38	♏	20	4	15 15	1	27
13 55 28	1	20	4	15 57	2	28
13 59 18	2	21	5	16 39	4	♈
14 03 09	3	22	6	17 22	5	1
14 07 00	4	23	6	18 06	7	3
14 10 52	5	24	7	18 50	8	4
14 14 45	6	24	8	19 34	10	5
14 18 38	7	25	9	20 19	11	7
14 22 32	8	26	9	21 05	13	8
14 26 27	9	27	10	21 51	14	9
14 30 22	10	28	11	22 38	16	11
14 34 18	11	29	12	23 26	18	12
14 38 14	12	29	12	24 14	20	14
14 42 12	13	♐	13	25 04	21	15
14 46 10	14	1	14	25 54	23	16
HOUSES	4	5	6	7	8	9

LATITUDE 59° S.

LATITUDE 57° N.

SIDEREAL TIME			10	11	12	Asc		2	3
			♏	♐	♐	♑		♒	♈
h	m	s	°	°	°	°	'	°	°
14	50	09	15	3	17	0	36	27	17
14	54	08	16	4	18	1	32	29	19
14	58	08	17	4	18	2	29	♓	20
15	02	09	18	5	19	3	27	2	22
15	06	11	19	6	20	4	26	4	23
15	10	13	20	7	21	5	27	6	24
15	14	16	21	8	22	6	29	8	26
15	18	20	22	9	23	7	33	10	27
15	22	25	23	10	24	8	38	12	28
15	26	30	24	10	24	9	45	14	♉
15	30	36	25	11	25	10	54	16	1
15	34	43	26	12	26	12	04	18	2
15	38	50	27	13	27	13	16	20	4
15	42	58	28	14	28	14	31	22	5
15	47	07	29	15	29	15	47	24	6
15	51	16	♐	16	♑	17	06	26	8
15	55	27	1	17	1	18	28	28	9
15	59	37	2	17	2	19	52	♈	10
16	03	49	3	18	3	21	19	2	12
16	08	01	4	19	4	22	49	4	13
16	12	14	5	20	5	24	23	6	14
16	16	27	6	21	6	25	59	8	16
16	20	41	7	22	7	27	40	10	17
16	24	56	8	23	8	29	24	12	18
16	29	11	9	24	9	1♒	12	14	19
16	33	27	10	25	10	3	05	16	21
16	37	43	11	26	11	5	02	18	22
16	42	00	12	27	12	7	05	20	23
16	46	17	13	28	14	9	12	22	25
16	50	35	14	29	15	11	25	24	26
16	54	53	15	♑	16	13	43	26	27
16	59	11	16	1	17	16	08	28	28
17	03	30	17	2	18	18	38	♉	29
17	07	49	18	3	20	21	15	2	♊
17	12	09	19	4	21	23	58	4	2
17	16	29	20	5	22	26	48	6	3
17	20	49	21	6	24	29	44	8	4
17	25	10	22	7	25	2♓	46	10	5
17	29	31	23	8	26	5	55	11	7
17	33	52	24	9	28	9	09	13	8
17	38	13	25	10	29	12	29	15	9
17	42	34	26	11	♒	15	53	17	10
17	46	55	27	12	2	19	21	18	11
17	51	17	28	13	4	22	52	20	12
17	55	38	29	14	5	26	26	22	13
HOUSES			4	5	6	7		8	9

LATITUDE 57° S.

LATITUDE 58° N.

SIDEREAL TIME			10	11	12	Asc		2	3
			♏	♐	♐	♐		♒	♈
h	m	s	°	°	°	°	'	°	°
14	50	09	15	2	16	28	44	26	18
14	54	08	16	3	17	29	38	28	19
14	58	08	17	4	17	0♑	33	♓	20
15	02	09	18	5	18	1	29	2	22
15	06	11	19	6	19	2	27	3	23
15	10	13	20	6	20	3	25	5	25
15	14	16	21	7	21	4	26	7	26
15	18	20	22	8	22	5	27	9	27
15	22	25	23	9	22	6	30	11	29
15	26	30	24	10	23	7	35	13	♉
15	30	36	25	11	24	8	41	15	1
15	34	43	26	12	25	9	49	17	3
15	38	50	27	13	26	11	00	19	4
15	42	58	28	13	27	12	12	21	5
15	47	07	29	14	28	13	26	23	7
15	51	16	♐	15	29	14	43	26	8
15	55	27	1	16	♑	16	02	28	10
15	59	37	2	17	1	17	24	♈	11
16	03	49	3	18	2	18	49	2	12
16	08	01	4	19	3	20	17	4	13
16	12	14	5	20	4	21	48	6	15
16	16	27	6	21	5	23	23	8	16
16	20	41	7	22	6	25	02	10	17
16	24	56	8	22	7	26	44	13	19
16	29	11	9	23	8	28	31	15	20
16	33	27	10	24	9	0♒	23	17	21
16	37	43	11	25	10	2	19	19	23
16	42	00	12	26	11	4	21	21	24
16	46	17	13	27	12	6	29	23	25
16	50	35	14	28	13	8	43	25	26
16	54	53	15	29	15	11	02	27	28
16	59	11	16	♑	16	13	29	29	29
17	03	30	17	1	17	16	03	♉	♊
17	07	49	18	2	18	18	44	3	1
17	12	09	19	3	20	21	32	5	2
17	16	29	20	4	21	24	28	7	4
17	20	49	21	5	22	27	33	9	5
17	25	10	22	6	24	0♓	44	11	6
17	29	31	23	7	25	4	04	12	7
17	33	52	24	8	26	7	30	14	8
17	38	13	25	9	28	11	04	16	10
17	42	34	26	10	29	14	43	18	11
17	46	55	27	12	♒	18	28	20	12
17	51	17	28	13	2	22	16	21	13
17	55	38	29	14	4	26	07	23	14
HOUSES			4	5	6	7		8	9

LATITUDE 58° S.

LATITUDE 59° N.

SIDEREAL TIME			10	11	12	Asc		2	3
			♏	♐	♐	♐		♒	♈
h	m	s	°	°	°	°	'	°	°
14	50	09	15	2	15	26	45	25	18
14	54	08	16	3	15	27	37	27	19
14	58	08	17	3	16	28	30	29	21
15	02	09	18	4	17	29	24	♓	22
15	06	11	19	5	18	0♑	20	2	23
15	10	13	20	6	19	1	16	4	25
15	14	16	21	7	19	2	14	6	26
15	18	20	22	8	20	3	13	8	28
15	22	25	23	8	21	4	14	11	29
15	26	30	24	9	22	5	16	13	♉
15	30	36	25	10	23	6	20	15	2
15	34	43	26	11	24	7	25	17	3
15	38	50	27	12	25	8	33	19	5
15	42	58	28	13	25	9	42	21	6
15	47	07	29	14	26	10	54	23	7
15	51	16	♐	15	27	12	08	25	9
15	55	27	1	15	28	13	24	28	10
15	59	37	2	16	29	14	43	♈	11
16	03	49	3	17	♑	16	05	2	13
16	08	01	4	18	1	17	30	4	14
16	12	14	5	19	2	18	59	6	15
16	16	27	6	20	3	20	31	9	17
16	20	41	7	21	4	22	07	11	18
16	24	56	8	22	5	23	47	13	19
16	29	11	9	23	6	25	32	15	21
16	33	27	10	24	7	27	21	17	22
16	37	43	11	25	8	29	16	20	23
16	42	00	12	26	10	1♒	16	22	24
16	46	17	13	27	11	3	23	24	26
16	50	35	14	27	12	5	36	26	27
16	54	53	15	28	13	7	57	28	28
16	59	11	16	29	14	10	25	♉	29
17	03	30	17	♑	15	13	01	2	♊
17	07	49	18	1	17	15	45	4	2
17	12	09	19	2	18	18	39	6	3
17	16	29	20	3	19	21	42	8	4
17	20	49	21	4	21	24	54	10	6
17	25	10	22	6	22	28	16	12	7
17	29	31	23	7	23	1♓	47	14	8
17	33	52	24	8	25	5	28	16	9
17	38	13	25	9	26	9	18	17	10
17	42	34	26	10	28	13	16	19	11
17	46	55	27	11	29	17	20	21	13
17	51	17	28	12	♒	21	30	23	14
17	55	38	29	13	2	25	44	24	15
HOUSES			4	5	6	7		8	9

LATITUDE 59° S.

	LATITUDE 57° N.						LATITUDE 58° N.						LATITUDE 59° N.					
SIDEREAL TIME	10 ♑	11 ♑	12 ♒	Asc ♈	2 ♉	3 ♊	10 ♑	11 ♑	12 ♒	Asc ♈	2 ♉	3 ♊	10 ♑	11 ♑	12 ♒	Asc ♈	2 ♉	3 ♊
h m s	°	°	°	° '	°	°	°	°	°	° '	°	°	°	°	°	° '	°	°
18 00 00	0	15	7	0 00	23	15	0	15	5	0 00	24	15	0	14	4	0 00	26	16
18 04 22	1	17	8	3 34	25	16	1	16	7	3 52	26	16	1	15	6	4 16	28	17
18 08 43	2	18	10	7 07	26	17	2	17	9	7 44	28	17	2	16	7	8 29	29	18
18 13 05	3	19	12	10 38	28	18	3	18	10	11 32	29	18	3	17	9	12 39	♊	19
18 17 26	4	20	13	14 07	29	19	4	19	12	15 17	♊	20	4	19	11	16 44	2	20
18 21 47	5	21	15	17 31	♊	20	5	20	14	18 56	2	21	5	20	13	20 42	4	21
18 26 08	6	22	17	20 50	2	21	6	22	16	22 29	4	22	6	21	14	24 31	5	22
18 30 29	7	23	19	24 05	4	22	7	23	18	25 56	5	23	7	22	16	28 12	7	23
18 34 50	8	25	20	27 13	5	23	8	24	19	29 15	6	24	8	23	18	1♉44	8	24
18 39 11	9	26	22	0♉16	6	24	9	25	21	2♉27	8	25	9	24	20	5 06	9	26
18 43 31	10	27	24	3 12	8	25	10	26	23	5 31	9	26	10	26	22	8 18	11	27
18 47 51	11	28	26	6 01	9	26	11	28	25	8 27	10	27	11	27	24	11 21	12	28
18 52 11	12	29	28	8 45	10	27	12	29	27	11 16	12	28	12	28	26	14 14	13	29
18 56 30	13	♒	♓	11 21	12	28	13	♒	29	13 57	13	29	13	29	28	16 59	15	♋
19 00 49	14	2	2	13 52	13	29	14	1	♓	16 31	14	♋	14	♒	♓	19 35	16	1
19 05 07	15	3	4	16 16	14	♋	15	2	3	18 57	15	1	15	2	2	22 03	17	2
19 09 25	16	4	6	18 35	15	1	16	4	5	21 17	17	2	16	3	4	24 23	18	3
19 13 43	17	5	8	20 48	16	2	17	5	7	23 31	18	3	17	4	6	26 36	19	3
19 18 00	18	7	10	22 55	18	3	18	6	9	25 38	19	4	18	6	8	28 43	20	4
19 22 17	19	8	12	24 57	19	4	19	7	11	27 40	20	5	19	7	10	0♊44	22	5
19 26 33	20	9	14	26 55	20	5	20	9	13	29 37	21	6	20	8	13	2 39	23	6
19 30 49	21	10	16	28 47	21	6	21	10	15	1♊28	22	7	21	9	15	4 28	24	7
19 35 04	22	12	18	0♊36	22	7	22	11	17	3 15	23	8	22	11	17	6 13	25	8
19 39 19	23	13	20	2 20	23	8	23	13	20	4 58	24	8	23	12	19	7 53	26	9
19 43 33	24	14	22	4 00	24	9	24	14	22	6 37	25	9	24	13	21	9 29	27	10
19 47 46	25	16	24	5 37	25	10	25	15	24	8 11	26	10	25	15	24	11 01	28	11
19 51 59	26	17	26	7 10	26	11	26	17	26	9 43	27	11	26	16	26	12 29	29	12
19 56 11	27	18	28	8 40	27	12	27	18	28	11 11	28	12	27	17	28	13 54	♋	13
20 00 23	28	20	♈	10 07	28	12	28	19	♈	12 35	29	13	28	19	♈	15 16	1	14
20 04 33	29	21	2	11 32	29	13	29	20	2	13 57	♋	14	29	20	2	16 36	2	15
20 08 44	♒	22	4	12 53	♋	14	♒	22	4	15 17	1	15	♒	21	5	17 52	3	15
20 12 53	1	24	6	14 12	1	15	1	23	7	16 33	2	16	1	23	7	19 06	4	16
20 17 02	2	25	8	15 29	2	16	2	25	9	17 48	3	17	2	24	9	20 18	4	17
20 21 10	3	26	10	16 43	3	17	3	26	11	19 00	4	17	3	25	11	21 27	5	18
20 25 17	4	28	12	17 56	4	18	4	27	13	20 10	5	18	4	27	13	22 35	6	19
20 29 24	5	29	14	19 06	5	19	5	29	15	21 18	6	19	5	28	15	23 40	7	20
20 33 30	6	♓	16	20 15	6	20	6	♓	17	22 25	7	20	6	♓	17	24 44	8	21
20 37 35	7	2	18	21 21	6	20	7	1	19	23 29	8	21	7	1	19	25 46	9	22
20 41 40	8	3	20	22 27	7	21	8	3	21	24 33	8	22	8	2	22	26 47	10	22
20 45 44	9	4	22	23 30	8	22	9	4	23	25 34	9	23	9	4	24	27 46	11	23
20 49 47	10	6	24	24 32	9	23	10	5	25	26 34	10	24	10	5	26	28 44	11	24
20 53 49	11	7	26	25 33	10	24	11	7	27	27 33	11	24	11	7	27	29 40	12	25
20 57 51	12	8	28	26 33	11	25	12	8	28	28 30	12	25	12	8	29	0♋35	13	26
21 01 52	13	10	29	27 31	12	26	13	10	♉	29 27	13	26	13	9	♉	1 29	14	27
21 05 52	14	11	♉	28 28	12	26	14	11	2	0♋22	13	27	14	11	3	2 23	15	27
HOUSES	4	5	6	7	8	9	4	5	6	7	8	9	4	5	6	7	8	9
	LATITUDE 57° S.						LATITUDE 58° S.						LATITUDE 59° S.					

LATITUDE 57° N.

SIDEREAL TIME h	m	s	10 ♒ °	11 ♓ °	12 ♉ °	Asc ♊ ° '	2 ♋ °	3 ♋ °
21	09	51	15	13	3	29 24	13	27
21	13	50	16	14	5	0♋19	14	28
21	17	48	17	15	6	1 13	15	29
21	21	46	18	17	8	2 06	16	♌
21	25	42	19	18	10	2 58	16	1
21	29	38	20	19	11	3 49	17	1
21	33	33	21	21	13	4 39	18	2
21	37	28	22	22	15	5 29	19	3
21	41	22	23	23	16	6 18	19	4
21	45	15	24	25	18	7 06	20	5
21	49	08	25	26	19	7 53	21	6
21	53	00	26	28	21	8 40	22	6
21	56	51	27	29	22	9 27	22	7
22	00	42	28	♈	23	10 12	23	8
22	04	32	29	2	25	10 58	24	9
22	08	22	♓	3	26	11 42	25	10
22	12	10	1	4	27	12 26	25	10
22	15	59	2	6	29	13 10	26	11
22	19	47	3	7	♊	13 53	27	12
22	23	34	4	8	1	14 36	27	13
22	27	21	5	10	3	15 18	28	14
22	31	07	6	11	4	16 00	29	14
22	34	53	7	12	5	16 42	♌	15
22	38	39	8	13	6	17 23	0	16
22	42	24	9	15	7	18 04	1	17
22	46	08	10	16	8	18 45	2	18
22	49	52	11	17	10	19 25	2	18
22	53	36	12	19	11	20 05	3	19
22	57	19	13	20	12	20 45	4	20
23	01	03	14	21	13	21 24	4	21
23	04	45	15	22	14	22 03	5	22
23	08	28	16	24	15	22 42	6	22
23	12	10	17	25	16	23 21	7	23
23	15	52	18	26	17	24 00	7	24
23	19	33	19	27	18	24 38	8	25
23	23	15	20	29	19	25 16	9	25
23	26	56	21	♉	20	25 54	9	26
23	30	37	22	1	21	26 32	10	27
23	34	17	23	2	22	27 09	11	28
23	37	58	24	3	23	27 47	11	29
23	41	39	25	5	24	28 24	12	29
23	45	19	26	6	25	29 02	13	♍
23	48	59	27	7	25	29 39	13	1
23	52	40	28	8	26	0♌16	14	2
23	56	20	29	9	27	0 52	15	3
HOUSES			4	5	6	7	8	9

LATITUDE 57° S.

LATITUDE 58° N.

SIDEREAL TIME h	m	s	10 ♒ °	11 ♓ °	12 ♉ °	Asc ♋ ° '	2 ♋ °	3 ♋ °
21	09	51	15	12	4	1 16	14	28
21	13	50	16	14	6	2 09	15	29
21	17	48	17	15	7	3 01	16	29
21	21	46	18	16	9	3 53	17	♌
21	25	42	19	18	11	4 43	17	1
21	29	38	20	19	13	5 33	18	2
21	33	33	21	21	14	6 21	19	3
21	37	28	22	22	16	7 09	20	3
21	41	22	23	23	17	7 57	20	4
21	45	15	24	25	19	8 43	21	5
21	49	08	25	26	20	9 30	22	6
21	53	00	26	28	22	10 15	23	7
21	56	51	27	29	23	11 00	23	8
22	00	42	28	♈	25	11 44	24	8
22	04	32	29	2	26	12 28	25	9
22	08	22	♓	3	28	13 11	25	10
22	12	10	1	4	29	13 54	26	11
22	15	59	2	6	♊	14 37	27	12
22	19	47	3	7	1	15 19	28	12
22	23	34	4	8	3	16 00	28	13
22	27	21	5	10	4	16 41	29	14
22	31	07	6	11	5	17 22	♌	15
22	34	53	7	12	6	18 03	0	15
22	38	39	8	14	8	18 43	1	16
22	42	24	9	15	9	19 23	2	17
22	46	08	10	16	10	20 02	2	18
22	49	52	11	18	11	20 42	3	19
22	53	36	12	19	12	21 21	4	19
22	57	19	13	20	13	21 59	4	20
23	01	03	14	21	14	22 38	5	21
23	04	45	15	23	15	23 16	6	22
23	08	28	16	24	16	23 54	7	23
23	12	10	17	25	17	24 32	7	23
23	15	52	18	26	18	25 09	8	24
23	19	33	19	28	19	25 47	9	25
23	23	15	20	29	20	26 24	9	26
23	26	56	21	♉	21	27 01	10	27
23	30	37	22	1	22	27 38	11	27
23	34	17	23	3	23	28 15	11	28
23	37	58	24	4	24	28 51	12	29
23	41	39	25	5	25	29 28	13	♍
23	45	19	26	6	26	0♌04	13	0
23	48	59	27	7	27	0 40	14	1
23	52	40	28	9	28	1 17	15	2
23	56	20	29	10	28	1 53	15	3
HOUSES			4	5	6	7	8	9

LATITUDE 58° S.

LATITUDE 59° N.

SIDEREAL TIME h	m	s	10 ♒ °	11 ♓ °	12 ♉ °	Asc ♋ ° '	2 ♋ °	3 ♋ °
21	09	51	15	12	5	3 15	15	28
21	13	50	16	14	7	4 06	16	29
21	17	48	17	15	9	4 56	17	♌
21	21	46	18	16	10	5 45	18	1
21	25	42	19	18	12	6 34	18	1
21	29	38	20	19	14	7 21	19	2
21	33	33	21	21	16	8 09	20	3
21	37	28	22	22	17	8 55	21	4
21	41	22	23	23	19	9 41	21	5
21	45	15	24	25	20	10 26	22	6
21	49	08	25	26	22	11 10	23	6
21	53	00	26	27	23	11 54	24	7
21	56	51	27	29	25	12 37	24	8
22	00	42	28	♈	26	13 20	25	9
22	04	32	29	2	28	14 03	26	10
22	08	22	♓	3	29	14 45	26	10
22	12	10	1	4	♊	15 26	27	11
22	15	59	2	6	2	16 07	28	12
22	19	47	3	7	3	16 48	28	13
22	23	34	4	8	4	17 28	29	13
22	27	21	5	10	6	18 08	♌	14
22	31	07	6	11	7	18 48	0	15
22	34	53	7	12	8	19 27	1	16
22	38	39	8	14	9	20 06	2	17
22	42	24	9	15	10	20 45	3	17
22	46	08	10	16	12	21 23	3	18
22	49	52	11	18	13	22 01	4	19
22	53	36	12	19	14	22 39	5	20
22	57	19	13	20	15	23 17	5	21
23	01	03	14	22	16	23 54	6	21
23	04	45	15	23	17	24 31	7	22
23	08	28	16	24	18	25 08	7	23
23	12	10	17	26	19	25 45	8	24
23	15	52	18	27	20	26 22	9	24
23	19	33	19	28	21	26 58	9	25
23	23	15	20	29	22	27 34	10	26
23	26	56	21	♉	23	28 10	11	27
23	30	37	22	2	24	28 46	11	28
23	34	17	23	3	25	29 22	12	28
23	37	58	24	4	26	29 58	12	29
23	41	39	25	5	26	0♌34	13	♍
23	45	19	26	7	27	1 09	14	1
23	48	59	27	8	28	1 45	14	1
23	52	40	28	9	29	2 20	15	2
23	56	20	29	10	♋	2 55	16	3
HOUSES			4	5	6	7	8	9

LATITUDE 59° S.

LATITUDE 60° N. (LATITUDE 60° S.)

SIDEREAL TIME	10 ♈	11 ♉	12 ♋	Asc ♌	2 ♌	3 ♍
h m s	°	°	°	° '	°	°
0 00 00	0	12	2	4 34	17	4
0 03 40	1	13	3	5 08	18	5
0 07 20	2	14	4	5 42	18	6
0 11 01	3	15	5	6 16	19	6
0 14 41	4	17	5	6 50	20	7
0 18 21	5	18	6	7 24	20	8
0 22 02	6	19	7	7 59	21	9
0 25 43	7	20	8	8 33	22	10
0 29 23	8	21	8	9 07	22	10
0 33 04	9	22	9	9 40	23	11
0 36 45	10	23	10	10 14	23	12
0 40 27	11	25	11	10 48	24	13
0 44 08	12	26	11	11 22	25	14
0 47 50	13	27	12	11 56	25	14
0 51 32	14	28	13	12 30	26	15
0 55 15	15	29	14	13 05	27	16
0 58 57	16	♊	14	13 39	27	17
1 02 41	17	1	15	14 13	28	18
1 06 24	18	2	16	14 47	29	18
1 10 08	19	3	17	15 21	29	19
1 13 52	20	4	17	15 55	♍	20
1 17 36	21	5	18	16 30	1	21
1 21 21	22	6	19	17 04	1	22
1 25 07	23	7	19	17 38	2	22
1 28 53	24	8	20	18 13	3	23
1 32 39	25	10	21	18 47	3	24
1 36 26	26	11	21	19 22	4	25
1 40 13	27	12	22	19 57	5	26
1 44 01	28	13	23	20 31	5	27
1 47 49	29	14	24	21 06	6	27
1 51 38	♉	15	24	21 41	7	28
1 55 28	1	16	25	22 16	7	29
1 59 18	2	17	26	22 51	8	♎
2 03 09	3	17	26	23 26	9	1
2 07 00	4	18	27	24 02	10	2
2 10 52	5	19	28	24 37	10	2
2 14 45	6	20	28	25 13	11	3
2 18 38	7	21	29	25 48	12	4
2 22 32	8	22	♌	26 24	12	5
2 26 27	9	23	1	27 00	13	6
2 30 22	10	24	1	27 36	14	7
2 34 18	11	25	2	28 12	14	7
2 38 14	12	26	3	28 48	15	8
2 42 12	13	27	3	29 25	16	9
2 46 10	14	28	4	0♍01	17	10
HOUSES	4	5	6	7	8	9

LATITUDE 61° N. (LATITUDE 61° S.)

SIDEREAL TIME	10 ♈	11 ♉	12 ♋	Asc ♌	2 ♌	3 ♍
h m s	°	°	°	° '	°	°
0 00 00	0	13	4	5 40	18	4
0 03 40	1	14	5	6 13	18	5
0 07 20	2	15	5	6 46	19	6
0 11 01	3	16	6	7 20	20	7
0 14 41	4	17	7	7 53	20	7
0 18 21	5	18	8	8 26	21	8
0 22 02	6	20	8	8 59	21	9
0 25 43	7	21	9	9 32	22	10
0 29 23	8	22	10	10 05	23	11
0 33 04	9	23	11	10 39	23	11
0 36 45	10	24	11	11 12	24	12
0 40 27	11	25	12	11 45	25	13
0 44 08	12	26	13	12 18	25	14
0 47 50	13	28	14	12 51	26	14
0 51 32	14	29	14	13 25	27	15
0 55 15	15	♊	15	13 58	27	16
0 58 57	16	1	16	14 31	28	17
1 02 41	17	2	16	15 04	29	18
1 06 24	18	3	17	15 38	29	18
1 10 08	19	4	18	16 11	♍	19
1 13 52	20	5	18	16 45	0	20
1 17 36	21	6	19	17 18	1	21
1 21 21	22	7	20	17 52	2	22
1 25 07	23	8	21	18 26	2	22
1 28 53	24	9	21	18 59	3	23
1 32 39	25	10	22	19 33	4	24
1 36 26	26	11	23	20 07	4	25
1 40 13	27	12	23	20 41	5	26
1 44 01	28	13	24	21 15	6	27
1 47 49	29	14	25	21 49	6	27
1 51 38	♉	15	25	22 23	7	28
1 55 28	1	16	26	22 58	8	29
1 59 18	2	17	27	23 32	8	♎
2 03 09	3	18	27	24 06	9	1
2 07 00	4	19	28	24 41	10	2
2 10 52	5	20	29	25 16	11	2
2 14 45	6	21	29	25 51	11	3
2 18 38	7	22	♌	26 26	12	4
2 22 32	8	23	1	27 01	13	5
2 26 27	9	24	1	27 36	13	6
2 30 22	10	25	2	28 11	14	7
2 34 18	11	26	3	28 46	15	7
2 38 14	12	27	3	29 22	15	8
2 42 12	13	28	4	29 58	16	9
2 46 10	14	29	5	0♍33	17	10
HOUSES	4	5	6	7	8	9

LATITUDE 62° N. (LATITUDE 62° S.)

SIDEREAL TIME	10 ♈	11 ♉	12 ♋	Asc ♌	2 ♌	3 ♍
h m s	°	°	°	° '	°	°
0 00 00	0	13	6	6 48	18	4
0 03 40	1	14	6	7 20	19	5
0 07 20	2	16	7	7 53	20	6
0 11 01	3	17	8	8 25	20	7
0 14 41	4	18	9	8 57	21	8
0 18 21	5	19	9	9 30	21	8
0 22 02	6	20	10	10 02	22	9
0 25 43	7	22	11	10 34	23	10
0 29 23	8	23	12	11 06	23	11
0 33 04	9	24	12	11 39	24	11
0 36 45	10	25	13	12 11	25	12
0 40 27	11	26	14	12 43	25	13
0 44 08	12	27	14	13 16	26	14
0 47 50	13	28	15	13 48	26	15
0 51 32	14	♊	16	14 20	27	15
0 55 15	15	1	16	14 53	28	16
0 58 57	16	2	17	15 25	28	17
1 02 41	17	3	18	15 58	29	18
1 06 24	18	4	18	16 30	♍	19
1 10 08	19	5	19	17 03	0	19
1 13 52	20	6	20	17 36	1	20
1 17 36	21	7	20	18 09	2	21
1 21 21	22	8	21	18 41	2	22
1 25 07	23	9	22	19 14	3	23
1 28 53	24	10	22	19 47	4	23
1 32 39	25	11	23	20 20	4	24
1 36 26	26	12	24	20 53	5	25
1 40 13	27	13	24	21 27	5	26
1 44 01	28	14	25	22 00	6	27
1 47 49	29	15	26	22 33	7	27
1 51 38	♉	16	26	23 07	7	28
1 55 28	1	17	27	23 40	8	29
1 59 18	2	18	28	24 14	9	♎
2 03 09	3	19	28	24 48	9	1
2 07 00	4	20	29	25 22	10	1
2 10 52	5	21	♌	25 56	11	2
2 14 45	6	22	0	26 30	11	3
2 18 38	7	23	1	27 04	12	4
2 22 32	8	24	2	27 38	13	5
2 26 27	9	25	2	28 13	14	6
2 30 22	10	26	3	28 47	14	6
2 34 18	11	27	4	29 22	15	7
2 38 14	12	28	4	29 57	16	8
2 42 12	13	29	5	0♍32	16	9
2 46 10	14	♋	6	1 07	17	10
HOUSES	4	5	6	7	8	9

LATITUDE 60° N.

SIDEREAL TIME h	m	s	10 ♉ °	11 ♊ °	12 ♌ °	Asc ♍ °	'	2 ♍ °	3 ♎ °
2	50	09	15	29	5	0	38	17	11
2	54	08	16	♋	5	1	14	18	12
2	58	08	17	1	6	1	51	19	13
3	02	09	18	2	7	2	28	20	14
3	06	11	19	3	8	3	05	20	14
3	10	13	20	3	8	3	42	21	15
3	14	16	21	4	9	4	20	22	16
3	18	20	22	5	10	4	57	22	17
3	22	25	23	6	10	5	35	23	18
3	26	30	24	7	11	6	12	24	19
3	30	36	25	8	12	6	50	25	20
3	34	43	26	9	13	7	28	25	21
3	38	50	27	10	13	8	06	26	21
3	42	58	28	11	14	8	45	27	22
3	47	07	29	11	15	9	23	28	23
3	51	16	♊	12	15	10	01	28	24
3	55	27	1	13	16	10	40	29	25
3	59	37	2	14	17	11	19	♎	26
4	03	49	3	15	18	11	58	1	27
4	08	01	4	16	18	12	37	1	28
4	12	14	5	17	19	13	16	2	29
4	16	27	6	18	20	13	55	3	29
4	20	41	7	19	21	14	34	4	♏
4	24	56	8	19	21	15	14	5	1
4	29	11	9	20	22	15	53	5	2
4	33	27	10	21	23	16	33	6	3
4	37	43	11	22	24	17	12	7	4
4	42	00	12	23	24	17	52	8	5
4	46	17	13	24	25	18	32	8	6
4	50	35	14	25	26	19	12	9	7
4	54	53	15	26	27	19	52	10	8
4	59	11	16	27	27	20	32	11	8
5	03	30	17	27	28	21	13	12	9
5	07	49	18	28	29	21	53	12	10
5	12	09	19	29	♍	22	33	13	11
5	16	29	20	♌	1	23	14	14	12
5	20	49	21	1	1	23	54	15	13
5	25	10	22	2	2	24	35	15	14
5	29	31	23	3	3	25	15	16	15
5	33	52	24	4	4	25	56	17	16
5	38	13	25	5	4	26	36	18	17
5	42	34	26	5	5	27	17	19	17
5	46	55	27	6	6	27	58	19	18
5	51	17	28	7	7	28	38	20	19
5	55	38	29	8	8	29	19	21	20
HOUSES			4	5	6	7		8	9

LATITUDE 60° S.

LATITUDE 61° N.

SIDEREAL TIME h	m	s	10 ♉ °	11 ♋ °	12 ♌ °	Asc ♍ °	'	2 ♍ °	3 ♎ °
2	50	09	15	0	6	1	09	18	11
2	54	08	16	1	6	1	45	18	12
2	58	08	17	2	7	2	21	19	13
3	02	09	18	2	8	2	58	20	13
3	06	11	19	3	8	3	34	20	14
3	10	13	20	4	9	4	10	21	15
3	14	16	21	5	10	4	47	22	16
3	18	20	22	6	10	5	24	23	17
3	22	25	23	7	11	6	01	23	18
3	26	30	24	8	12	6	38	24	19
3	30	36	25	9	13	7	15	25	19
3	34	43	26	10	13	7	52	25	20
3	38	50	27	10	14	8	30	26	21
3	42	58	28	11	15	9	07	27	22
3	47	07	29	12	15	9	45	28	23
3	51	16	♊	13	16	10	23	28	24
3	55	27	1	14	17	11	01	29	25
3	59	37	2	15	18	11	39	♎	26
4	03	49	3	16	18	12	17	1	27
4	08	01	4	17	19	12	55	1	27
4	12	14	5	17	20	13	33	2	28
4	16	27	6	18	20	14	12	3	29
4	20	41	7	19	21	14	51	4	♏
4	24	56	8	20	22	15	29	4	1
4	29	11	9	21	23	16	08	5	2
4	33	27	10	22	23	16	47	6	3
4	37	43	11	23	24	17	26	7	4
4	42	00	12	24	25	18	05	8	5
4	46	17	13	24	26	18	44	8	5
4	50	35	14	25	26	19	24	9	6
4	54	53	15	26	27	20	03	10	7
4	59	11	16	27	28	20	42	11	8
5	03	30	17	28	29	21	22	11	9
5	07	49	18	29	29	22	01	12	10
5	12	09	19	♌	♍	22	41	13	11
5	16	29	20	1	1	23	21	14	12
5	20	49	21	1	2	24	01	14	13
5	25	10	22	2	2	24	40	15	13
5	29	31	23	3	3	25	20	16	14
5	33	52	24	4	4	26	00	17	15
5	38	13	25	5	5	26	40	18	16
5	42	34	26	6	6	27	20	18	17
5	46	55	27	7	6	28	00	19	18
5	51	17	28	8	7	28	40	20	19
5	55	38	29	9	8	29	20	21	20
HOUSES			4	5	6	7		8	9

LATITUDE 61° S.

LATITUDE 62° N.

SIDEREAL TIME h	m	s	10 ♉ °	11 ♋ °	12 ♌ °	Asc ♍ °	'	2 ♍ °	3 ♎ °
2	50	09	15	1	6	1	42	18	11
2	54	08	16	2	7	2	17	18	12
2	58	08	17	2	8	2	52	19	12
3	02	09	18	3	8	3	28	20	13
3	06	11	19	4	9	4	04	21	14
3	10	13	20	5	10	4	39	21	15
3	14	16	21	6	10	5	15	22	16
3	18	20	22	7	11	5	51	23	17
3	22	25	23	8	12	6	28	23	18
3	26	30	24	9	13	7	04	24	18
3	30	36	25	10	13	7	40	25	19
3	34	43	26	10	14	8	17	26	20
3	38	50	27	11	15	8	54	26	21
3	42	58	28	12	15	9	30	27	22
3	47	07	29	13	16	10	07	28	23
3	51	16	♊	14	17	10	44	28	24
3	55	27	1	15	17	11	22	29	25
3	59	37	2	16	18	11	59	♎	25
4	03	49	3	17	19	12	36	1	26
4	08	01	4	17	20	13	14	1	27
4	12	14	5	18	20	13	52	2	28
4	16	27	6	19	21	14	29	3	29
4	20	41	7	20	22	15	07	4	♏
4	24	56	8	21	23	15	45	4	1
4	29	11	9	22	23	16	23	5	2
4	33	27	10	23	24	17	02	6	2
4	37	43	11	23	25	17	40	7	3
4	42	00	12	24	25	18	18	7	4
4	46	17	13	25	26	18	57	8	5
4	50	35	14	26	27	19	35	9	6
4	54	53	15	27	28	20	14	10	7
4	59	11	16	28	28	20	53	10	8
5	03	30	17	29	29	21	31	11	9
5	07	49	18	29	♍	22	10	12	10
5	12	09	19	♌	1	22	49	13	10
5	16	29	20	1	1	23	28	13	11
5	20	49	21	2	2	24	07	14	12
5	25	10	22	3	3	24	46	15	13
5	29	31	23	4	4	25	25	16	14
5	33	52	24	5	4	26	04	17	15
5	38	13	25	6	5	26	44	17	16
5	42	34	26	6	6	27	23	18	17
5	46	55	27	7	7	28	02	19	17
5	51	17	28	8	7	28	41	20	18
5	55	38	29	9	8	29	21	20	19
HOUSES			4	5	6	7		8	9

LATITUDE 62° S.

LATITUDE 60° N.

SIDEREAL TIME h m s	10 ♋ °	11 ♌ °	12 ♍ °	Asc ♎ °	Asc ♎ '	2 ♎ °	3 ♏ °
6 00 00	0	9	8	0	00	22	21
6 04 22	1	10	9	0	41	22	22
6 08 43	2	11	10	1	21	23	23
6 13 05	3	12	11	2	02	24	24
6 17 26	4	13	11	2	43	25	25
6 21 47	5	13	12	3	23	26	25
6 26 08	6	14	13	4	04	26	26
6 30 29	7	15	14	4	44	27	27
6 34 50	8	16	15	5	25	28	28
6 39 11	9	17	15	6	06	29	29
6 43 31	10	18	16	6	46	29	♐
6 47 51	11	19	17	7	26	♏	1
6 52 11	12	20	18	8	07	1	2
6 56 30	13	21	18	8	47	2	3
7 00 49	14	22	19	9	27	3	3
7 05 07	15	22	20	10	07	3	4
7 09 25	16	23	21	10	47	4	5
7 13 43	17	24	22	11	27	5	6
7 18 00	18	25	22	12	07	6	7
7 22 17	19	26	23	12	47	6	8
7 26 33	20	27	24	13	27	7	9
7 30 49	21	28	25	14	06	8	10
7 35 04	22	29	25	14	46	9	11
7 39 19	23	♍	26	15	25	9	11
7 43 33	24	1	27	16	05	10	12
7 47 46	25	1	28	16	44	11	13
7 51 59	26	2	29	17	23	12	14
7 56 11	27	3	29	18	02	12	15
8 00 23	28	4	♎	18	41	13	16
8 04 33	29	5	1	19	20	14	17
8 08 44	♌	6	2	19	58	15	18
8 12 53	1	7	2	20	37	15	19
8 17 02	2	8	3	21	15	16	19
8 21 10	3	9	4	21	53	17	20
8 25 17	4	9	5	22	31	17	21
8 29 24	5	10	5	23	09	18	22
8 33 30	6	11	6	23	47	19	23
8 37 35	7	12	7	24	25	20	24
8 41 40	8	13	8	25	03	20	25
8 45 44	9	14	8	25	40	21	26
8 49 47	10	15	9	26	17	22	27
8 53 49	11	16	10	26	55	22	27
8 57 51	12	16	10	27	32	23	28
9 01 52	13	17	11	28	09	24	29
9 05 52	14	18	12	28	45	25	♑
HOUSES	4	5	6	7		8	9

LATITUDE 60° S.

LATITUDE 61° N.

SIDEREAL TIME h m s	10 ♋ °	11 ♌ °	12 ♍ °	Asc ♎ °	Asc ♎ '	2 ♎ °	3 ♏ °
6 00 00	0	9	9	0	00	21	21
6 04 22	1	10	9	0	40	22	21
6 08 43	2	11	10	1	20	23	22
6 13 05	3	12	11	2	00	24	23
6 17 26	4	13	12	2	40	24	24
6 21 47	5	14	12	3	20	25	25
6 26 08	6	15	13	4	00	26	26
6 30 29	7	16	14	4	39	27	27
6 34 50	8	17	15	5	19	28	28
6 39 11	9	17	16	5	59	28	29
6 43 31	10	18	16	6	39	29	29
6 47 51	11	19	17	7	19	♏	♐
6 52 11	12	20	18	7	58	1	1
6 56 30	13	21	19	8	38	1	2
7 00 49	14	22	19	9	17	2	3
7 05 07	15	23	20	9	57	3	4
7 09 25	16	24	21	10	36	4	5
7 13 43	17	25	22	11	15	4	6
7 18 00	18	25	22	11	55	5	6
7 22 17	19	26	23	12	34	6	7
7 26 33	20	27	24	13	13	7	8
7 30 49	21	28	25	13	52	7	9
7 35 04	22	29	26	14	30	8	10
7 39 19	23	♍	26	15	09	9	11
7 43 33	24	1	27	15	48	10	12
7 47 46	25	2	28	16	26	10	13
7 51 59	26	3	29	17	05	11	13
7 56 11	27	3	29	17	43	12	14
8 00 23	28	4	♎	18	21	12	15
8 04 33	29	5	1	18	59	13	16
8 08 44	♌	6	2	19	37	14	17
8 12 53	1	7	2	20	15	15	18
8 17 02	2	8	3	20	52	15	19
8 21 10	3	9	4	21	30	16	20
8 25 17	4	10	5	22	07	17	20
8 29 24	5	11	5	22	45	17	21
8 33 30	6	11	6	23	22	18	22
8 37 35	7	12	7	23	59	19	23
8 41 40	8	13	7	24	36	20	24
8 45 44	9	14	8	25	13	20	25
8 49 47	10	15	9	25	49	21	26
8 53 49	11	16	10	26	26	22	27
8 57 51	12	17	10	27	02	22	28
9 01 52	13	17	11	27	38	23	28
9 05 52	14	18	12	28	14	24	29
HOUSES	4	5	6	7		8	9

LATITUDE 61° S.

LATITUDE 62° N.

SIDEREAL TIME h m s	10 ♋ °	11 ♌ °	12 ♍ °	Asc ♎ °	Asc ♎ '	2 ♎ °	3 ♏ °
6 00 00	0	10	9	0	00	21	20
6 04 22	1	11	10	0	39	22	21
6 08 43	2	12	10	1	18	23	22
6 13 05	3	13	11	1	58	23	23
6 17 26	4	13	12	2	37	24	24
6 21 47	5	14	13	3	16	25	24
6 26 08	6	15	13	3	55	26	25
6 30 29	7	16	14	4	34	26	26
6 34 50	8	17	15	5	13	27	27
6 39 11	9	18	16	5	53	28	28
6 43 31	10	19	17	6	32	29	29
6 47 51	11	20	17	7	11	29	♐
6 52 11	12	20	18	7	49	♏	1
6 56 30	13	21	19	8	28	1	1
7 00 49	14	22	20	9	07	2	2
7 05 07	15	23	20	9	46	2	3
7 09 25	16	24	21	10	24	3	4
7 13 43	17	25	22	11	03	4	5
7 18 00	18	26	23	11	41	5	6
7 22 17	19	27	23	12	20	5	7
7 26 33	20	28	24	12	58	6	7
7 30 49	21	28	25	13	36	7	8
7 35 04	22	29	26	14	14	7	9
7 39 19	23	♍	26	14	52	8	10
7 43 33	24	1	27	15	30	9	11
7 47 46	25	2	28	16	08	10	12
7 51 59	26	3	29	16	46	10	13
7 56 11	27	4	29	17	23	11	13
8 00 23	28	5	♎	18	01	12	14
8 04 33	29	5	1	18	38	13	15
8 08 44	♌	6	2	19	15	13	16
8 12 53	1	7	2	19	52	14	17
8 17 02	2	8	3	20	29	15	18
8 21 10	3	9	4	21	06	15	19
8 25 17	4	10	4	21	43	16	20
8 29 24	5	11	5	22	19	17	20
8 33 30	6	12	6	22	56	17	21
8 37 35	7	12	7	23	32	18	22
8 41 40	8	13	7	24	08	19	23
8 45 44	9	14	8	24	44	19	24
8 49 47	10	15	9	25	20	20	25
8 53 49	11	16	9	25	56	21	26
8 57 51	12	17	10	26	32	22	27
9 01 52	13	18	11	27	07	22	28
9 05 52	14	18	12	27	43	23	28
HOUSES	4	5	6	7		8	9

LATITUDE 62° S.

	LATITUDE 60° N.						LATITUDE 61° N.						LATITUDE 62° N.					
SIDEREAL TIME	10 ♌	11 ♍	12 ♎	Asc ♎	2 ♏	3 ♑	10 ♌	11 ♍	12 ♎	Asc ♎	2 ♏	3 ♑	10 ♌	11 ♍	12 ♎	Asc ♎	2 ♏	3 ♐
h m s	°	°	°	° '	°	°	°	°	°	° '	°	°	°	°	°	° '	°	°
9 09 51	15	19	13	29 22	25	1	15	19	12	28 50	24	0	15	19	12	28 18	24	29
9 13 50	16	20	13	29 59	26	2	16	20	13	29 26	25	1	16	20	13	28 53	24	♑
9 17 48	17	21	14	0♏35	27	3	17	21	14	0♏02	26	2	17	21	14	29 28	25	1
9 21 46	18	22	15	1 11	27	4	18	22	15	0 38	27	3	18	22	14	0♏03	26	2
9 25 42	19	23	16	1 48	28	5	19	23	15	1 13	27	4	19	23	15	0 38	26	3
9 29 38	20	23	16	2 24	29	6	20	23	16	1 49	28	5	20	23	16	1 12	27	4
9 33 33	21	24	17	3 00	29	7	21	24	17	2 24	29	6	21	24	16	1 47	28	5
9 37 28	22	25	18	3 36	♐	8	22	25	17	2 59	29	7	22	25	17	2 21	28	6
9 41 22	23	26	18	4 11	1	9	23	26	18	3 34	♐	8	23	26	18	2 56	29	7
9 45 15	24	27	19	4 47	2	10	24	27	19	4 09	1	9	24	27	19	3 30	♐	8
9 49 08	25	28	20	5 22	2	11	25	28	19	4 44	1	10	25	28	19	4 04	0	9
9 53 00	26	28	20	5 58	3	12	26	28	20	5 19	2	11	26	28	20	4 38	1	10
9 56 51	27	29	21	6 33	4	12	27	29	21	5 53	3	12	27	29	21	5 12	2	11
10 00 42	28	♎	22	7 08	4	13	28	♎	22	6 28	3	13	28	♎	21	5 46	2	12
10 04 32	29	1	23	7 43	5	14	29	1	22	7 02	4	14	29	1	22	6 19	3	13
10 08 22	♍	2	23	8 19	6	15	♍	2	23	7 36	5	15	♍	2	23	6 53	4	14
10 12 10	1	3	24	8 53	6	16	1	3	24	8 11	5	16	1	3	23	7 26	4	15
10 15 59	2	3	25	9 28	7	17	2	3	24	8 45	6	17	2	3	24	8 00	5	16
10 19 47	3	4	25	10 03	8	18	3	4	25	9 19	7	18	3	4	25	8 33	6	17
10 23 34	4	5	26	10 38	9	19	4	5	26	9 53	7	19	4	5	25	9 06	6	18
10 27 21	5	6	27	11 12	9	20	5	6	26	10 27	8	20	5	6	26	9 39	7	19
10 31 07	6	7	27	11 47	10	21	6	7	27	11 00	9	21	6	7	26	10 12	8	20
10 34 53	7	8	28	12 21	11	23	7	8	28	11 34	9	22	7	7	27	10 45	8	21
10 38 39	8	8	29	12 56	11	24	8	8	28	12 08	10	23	8	8	28	11 18	9	22
10 42 24	9	9	29	13 30	12	25	9	9	29	12 41	11	24	9	9	28	11 51	10	23
10 46 08	10	10	♏	14 04	13	26	10	10	♏	13 15	12	25	10	10	29	12 24	10	24
10 49 52	11	11	1	14 39	13	27	11	11	0	13 48	12	26	11	11	♏	12 57	11	25
10 53 36	12	12	1	15 13	14	28	12	12	1	14 22	13	27	12	11	0	13 29	12	26
10 57 19	13	12	2	15 47	15	29	13	12	1	14 55	14	28	13	12	1	14 02	12	27
11 01 03	14	13	3	16 21	16	♒	14	13	2	15 29	14	29	14	13	2	14 34	13	28
11 04 45	15	14	3	16 55	16	1	15	14	3	16 02	15	♒	15	14	2	15 07	14	29
11 08 28	16	15	4	17 29	17	2	16	15	3	16 35	16	1	16	15	3	15 39	14	♒
11 12 10	17	16	5	18 03	18	3	17	16	4	17 08	16	2	17	15	4	16 12	15	2
11 15 52	18	16	5	18 37	19	4	18	16	5	17 42	17	4	18	16	4	16 44	16	3
11 19 33	19	17	6	19 11	19	5	19	17	5	18 15	18	5	19	17	5	17 16	16	4
11 23 15	20	18	7	19 45	20	6	20	18	6	18 48	19	6	20	18	5	17 49	17	5
11 26 56	21	19	7	20 19	21	8	21	19	7	19 21	19	7	21	19	6	18 21	18	6
11 30 37	22	20	8	20 53	22	9	22	19	7	19 54	20	8	22	19	7	18 53	18	7
11 34 17	23	20	8	21 27	22	10	23	20	8	20 27	21	9	23	20	7	19 26	19	8
11 37 58	24	21	9	22 01	23	11	24	21	9	21 01	22	10	24	21	8	19 58	20	10
11 41 39	25	22	10	22 35	24	12	25	22	9	21 34	22	12	25	22	9	20 30	21	11
11 45 19	26	23	10	23 09	25	13	26	23	10	22 07	23	13	26	22	9	21 02	21	12
11 48 59	27	24	11	23 43	25	15	27	23	10	22 40	24	14	27	23	10	21 35	22	13
11 52 40	28	24	12	24 17	26	16	28	24	11	23 13	25	15	28	24	10	22 07	23	14
11 56 20	29	25	12	24 52	27	17	29	25	12	23 47	25	16	29	25	11	22 39	24	16
HOUSES	4	5	6	7	8	9	4	5	6	7	8	9	4	5	6	7	8	9
	LATITUDE 60° S.						LATITUDE 61° S.						LATITUDE 62° S.					

LATITUDE 60° N.

SIDEREAL TIME			10 ♎	11 ♎	12 ♏	Asc ♏		2 ♐	3 ♒
h	m	s	°	°	°	°	'	°	°
12	00	00	0	26	13	25	26	28	18
12	03	40	1	27	14	26	00	29	19
12	07	20	2	28	14	26	34	29	20
12	11	01	3	28	15	27	09	♑	22
12	14	41	4	29	16	27	43	1	23
12	18	21	5	♏	16	28	18	2	24
12	22	02	6	1	17	28	53	3	25
12	25	43	7	1	18	29	27	4	27
12	29	23	8	2	18	0♐	02	5	28
12	33	04	9	3	19	0	37	6	29
12	36	45	10	4	19	1	12	6	♓
12	40	27	11	5	20	1	48	7	2
12	44	08	12	5	21	2	23	8	3
12	47	50	13	6	21	2	59	9	4
12	51	32	14	7	22	3	34	10	5
12	55	15	15	8	23	4	10	11	7
12	58	57	16	8	23	4	46	12	8
13	02	41	17	9	24	5	23	13	9
13	06	24	18	10	25	5	59	14	11
13	10	08	19	11	25	6	36	16	12
13	13	52	20	11	26	7	13	17	13
13	17	36	21	12	27	7	50	18	15
13	21	21	22	13	27	8	27	19	16
13	25	07	23	14	28	9	05	20	17
13	28	53	24	15	29	9	43	21	19
13	32	39	25	15	29	10	21	23	20
13	36	26	26	16	♐	11	00	24	21
13	40	13	27	17	1	11	39	25	23
13	44	01	28	18	1	12	18	26	24
13	47	49	29	19	2	12	58	28	26
13	51	38	♏	19	3	13	38	29	27
13	55	28	1	20	3	14	18	♒	28
13	59	18	2	21	4	14	59	2	♈
14	03	09	3	22	5	15	40	3	1
14	07	00	4	22	5	16	22	5	3
14	10	52	5	23	6	17	04	7	4
14	14	45	6	24	7	17	47	8	5
14	18	38	7	25	8	18	30	10	7
14	22	32	8	26	8	19	14	11	8
14	26	27	9	26	9	19	59	13	10
14	30	22	10	27	10	20	44	15	11
14	34	18	11	28	11	21	29	16	12
14	38	14	12	29	11	22	16	18	14
14	42	12	13	♐	12	23	03	20	15
14	46	10	14	0	13	23	51	22	17
HOUSES			4	5	6	7		8	9

LATITUDE 60° S.

LATITUDE 61° N.

SIDEREAL TIME			10 ♎	11 ♎	12 ♏	Asc ♏		2 ♐	3 ♒
h	m	s	°	°	°	°	'	°	°
12	00	00	0	26	12	24	20	26	17
12	03	40	1	27	13	24	53	27	19
12	07	20	2	27	14	25	27	28	20
12	11	01	3	28	14	26	00	29	21
12	14	41	4	29	15	26	34	29	22
12	18	21	5	♏	16	27	07	♑	24
12	22	02	6	0	16	27	41	1	25
12	25	43	7	1	17	28	15	2	26
12	29	23	8	2	17	28	49	3	27
12	33	04	9	3	18	29	23	4	29
12	36	45	10	3	19	29	57	5	♓
12	40	27	11	4	19	0♐	31	6	1
12	44	08	12	5	20	1	05	7	2
12	47	50	13	6	21	1	40	7	4
12	51	32	14	7	21	2	14	8	5
12	55	15	15	7	22	2	49	9	6
12	58	57	16	8	23	3	24	10	8
13	02	41	17	9	23	3	59	11	9
13	06	24	18	10	24	4	34	13	10
13	10	08	19	10	24	5	10	14	12
13	13	52	20	11	25	5	46	15	13
13	17	36	21	12	26	6	21	16	14
13	21	21	22	13	26	6	58	17	16
13	25	07	23	13	27	7	34	18	17
13	28	53	24	14	28	8	10	19	19
13	32	39	25	15	28	8	47	21	20
13	36	26	26	16	29	9	24	22	21
13	40	13	27	17	♐	10	02	23	23
13	44	01	28	17	0	10	40	24	24
13	47	49	29	18	1	11	18	26	26
13	51	38	♏	19	2	11	56	27	27
13	55	28	1	20	2	12	35	29	28
13	59	18	2	20	3	13	14	♒	♈
14	03	09	3	21	4	13	54	2	1
14	07	00	4	22	4	14	33	3	3
14	10	52	5	23	5	15	14	5	4
14	14	45	6	24	6	15	55	6	5
14	18	38	7	24	7	16	36	8	7
14	22	32	8	25	7	17	18	10	8
14	26	27	9	26	8	18	00	11	10
14	30	22	10	27	9	18	43	13	11
14	34	18	11	28	9	19	27	15	13
14	38	14	12	28	10	20	11	17	14
14	42	12	13	29	11	20	56	18	15
14	46	10	14	♐	12	21	42	20	17
HOUSES			4	5	6	7		8	9

LATITUDE 61° S.

LATITUDE 62° N.

SIDEREAL TIME			10 ♎	11 ♎	12 ♏	Asc ♏		2 ♐	3 ♒
h	m	s	°	°	°	°	'	°	°
12	00	00	0	26	12	23	12	24	17
12	03	40	1	26	12	23	44	25	18
12	07	20	2	27	13	24	17	26	19
12	11	01	3	28	14	24	49	27	21
12	14	41	4	29	14	25	22	28	22
12	18	21	5	29	15	25	54	28	23
12	22	02	6	♏	15	26	27	29	24
12	25	43	7	1	16	27	00	♑	26
12	29	23	8	2	17	27	32	1	27
12	33	04	9	2	17	28	05	2	28
12	36	45	10	3	18	28	38	3	29
12	40	27	11	4	19	29	11	3	♓
12	44	08	12	5	19	29	44	4	2
12	47	50	13	5	20	0♐	18	5	3
12	51	32	14	6	20	0	51	6	5
12	55	15	15	7	21	1	25	7	6
12	58	57	16	8	22	1	58	8	7
13	02	41	17	8	22	2	32	9	9
13	06	24	18	9	23	3	06	10	10
13	10	08	19	10	24	3	40	11	11
13	13	52	20	11	24	4	15	12	13
13	17	36	21	12	25	4	49	14	14
13	21	21	22	12	26	5	24	15	16
13	25	07	23	13	26	5	59	16	17
13	28	53	24	14	27	6	34	17	18
13	32	39	25	15	27	7	09	18	20
13	36	26	26	15	28	7	45	20	21
13	40	13	27	16	29	8	21	21	23
13	44	01	28	17	29	8	57	22	24
13	47	49	29	18	♐	9	33	23	25
13	51	38	♏	18	1	10	10	25	27
13	55	28	1	19	1	10	47	26	28
13	59	18	2	20	2	11	24	28	♈
14	03	09	3	21	3	12	02	29	1
14	07	00	4	21	3	12	40	♒	3
14	10	52	5	22	4	13	18	2	4
14	14	45	6	23	5	13	57	4	6
14	18	38	7	24	5	14	37	6	7
14	22	32	8	25	6	15	16	7	8
14	26	27	9	25	7	15	56	9	10
14	30	22	10	26	7	16	37	11	11
14	34	18	11	27	8	17	18	13	13
14	38	14	12	28	9	18	00	15	14
14	42	12	13	29	10	18	42	17	16
14	46	10	14	29	10	19	25	19	17
HOUSES			4	5	6	7		8	9

LATITUDE 62° S.

	LATITUDE 60° N.						LATITUDE 61° N.						LATITUDE 62° N.					
SIDEREAL TIME	10 ♏	11 ♐	12 ♐	Asc ♐	2 ♒	3 ♈	10 ♏	11 ♐	12 ♐	Asc ♐	2 ♒	3 ♈	10 ♏	11 ♐	12 ♐	Asc ♐	2 ♒	3 ♈
h m s	°	°	°	° '	°	°	°	°	°	° '	°	°	°	°	°	° '	°	°
14 50 09	15	1	14	24 40	24	18	15	1	12	22 28	22	18	15	0	11	20 09	21	19
14 54 08	16	2	14	25 30	26	20	16	2	13	23 15	24	20	16	1	12	20 53	23	20
14 58 08	17	3	15	26 20	28	21	17	2	14	24 03	26	21	17	2	12	21 39	25	22
15 02 09	18	4	16	27 12	29	22	18	3	15	24 52	28	23	18	3	13	22 24	27	23
15 06 11	19	5	17	28 05	♓	24	19	4	15	25 42	♓	24	19	3	14	23 11	29	24
15 10 13	20	5	17	28 59	4	25	20	5	16	26 33	2	26	20	4	15	23 59	♓	26
15 14 16	21	6	18	29 54	6	27	21	6	17	27 25	5	27	21	5	15	24 48	3	27
15 18 20	22	7	19	0♑50	8	28	22	6	18	28 18	7	28	22	6	16	25 37	6	29
15 22 25	23	8	20	1 48	10	29	23	7	18	29 13	9	♉	23	7	17	26 28	8	♉
15 26 30	24	9	21	2 47	12	♉	24	8	19	0♑09	11	1	24	7	18	27 20	10	2
15 30 36	25	10	22	3 48	14	2	25	9	20	1 06	13	3	25	8	18	28 13	13	3
15 34 43	26	10	22	4 50	16	4	26	10	21	2 05	16	4	26	9	19	29 08	15	5
15 38 50	27	11	23	5 55	19	5	27	11	22	3 05	18	5	27	10	20	0♑04	17	6
15 42 58	28	12	24	7 01	21	6	28	12	23	4 08	20	7	28	11	21	1 02	20	7
15 47 07	29	13	25	8 09	23	8	29	12	23	5 12	23	8	29	12	22	2 01	22	9
15 51 16	♐	14	26	9 20	25	9	♐	13	24	6 18	25	10	♐	12	23	3 03	25	10
15 55 27	1	15	27	10 33	28	10	1	14	25	7 27	27	11	1	13	23	4 06	27	12
15 59 37	2	16	28	11 48	♈	12	2	15	26	8 38	♈	12	2	14	24	5 12	♈	13
16 03 49	3	17	29	13 06	2	13	3	16	27	9 52	2	14	3	15	25	6 20	2	14
16 08 01	4	17	♑	14 28	4	15	4	17	28	11 08	5	15	4	16	26	7 31	5	16
16 12 14	5	18	1	15 53	7	16	5	18	29	12 28	7	16	5	17	27	8 45	7	17
16 16 27	6	19	2	17 21	9	17	6	19	♑	13 52	9	18	6	18	28	10 02	10	19
16 20 41	7	20	3	18 53	11	19	7	19	1	15 19	12	19	7	19	29	11 23	12	20
16 24 56	8	21	4	20 30	14	20	8	20	2	16 50	14	21	8	19	♑	12 47	15	21
16 29 11	9	22	5	22 11	16	21	9	21	3	18 27	16	22	9	20	1	14 17	17	23
16 33 27	10	23	6	23 57	18	22	10	22	4	20 08	19	23	10	21	2	15 51	20	24
16 37 43	11	24	7	25 49	20	24	11	23	5	21 54	21	25	11	22	3	17 30	22	25
16 42 00	12	25	8	27 46	23	25	12	24	6	23 47	23	26	12	23	4	19 16	25	27
16 46 17	13	26	9	29 51	25	26	13	25	7	25 47	26	27	13	24	5	21 08	27	28
16 50 35	14	27	10	2♒02	27	28	14	26	8	27 55	28	28	14	25	6	23 09	29	29
16 54 53	15	28	11	4 22	29	29	15	27	9	0♒11	♉	♊	15	26	7	25 18	♉	♊
16 59 11	16	29	12	6 49	♉	♊	16	28	11	2 36	2	1	16	27	8	27 37	4	2
17 03 30	17	♑	14	9 26	3	1	17	29	12	5 11	5	2	17	28	9	0♒07	6	3
17 07 49	18	1	15	12 13	5	3	18	♑	13	7 58	7	3	18	29	11	2 50	8	4
17 12 09	19	2	16	15 10	7	4	19	1	14	10 57	9	5	19	♑	12	5 47	11	6
17 16 29	20	3	17	18 19	9	5	20	2	15	14 10	11	6	20	1	13	9 00	13	7
17 20 49	21	4	19	21 39	11	6	21	3	17	17 37	13	7	21	2	14	12 31	15	8
17 25 10	22	5	20	25 12	13	7	22	4	18	21 20	15	8	22	3	16	16 21	17	9
17 29 31	23	6	22	28 57	15	9	23	5	20	25 19	17	10	23	4	17	20 33	19	10
17 33 52	24	7	23	2♓54	17	10	24	6	21	29 35	19	11	24	5	19	25 08	21	12
17 38 13	25	8	24	7 04	19	11	25	7	22	4♓07	21	12	25	6	20	0♓07	23	13
17 42 34	26	9	26	11 24	21	12	26	8	24	8 55	23	13	26	7	22	5 29	25	14
17 46 55	27	10	27	15 54	23	13	27	9	25	13 57	24	14	27	8	23	11 14	27	15
17 51 17	28	11	29	20 31	24	14	28	10	27	19 11	26	15	28	9	25	17 17	28	16
17 55 38	29	12	♒	25 14	26	16	29	11	29	24 33	28	16	29	10	26	23 35	♊	17
HOUSES	4	5	6	7	8	9	4	5	6	7	8	9	4	5	6	7	8	9
	LATITUDE 60° S.						LATITUDE 61° S.						LATITUDE 62° S.					

	LATITUDE 60° N.						LATITUDE 61° N.						LATITUDE 62° N.					
SIDEREAL TIME	10 ♑	11 ♑	12 ♒	Asc ♈	2 ♉	3 ♊	10 ♑	11 ♑	12 ♒	Asc ♈	2 ♊	3 ♊	10 ♑	11 ♑	12 ♑	Asc ♈	2 ♊	3 ♊
h m s	°	°	°	° '	°	°	°	°	°	° '	°	°	°	°	°	° '	°	°
18 00 00	0	13	2	0 00	28	17	0	12	0	0 00	0	18	0	11	28	0 00	2	19
18 04 22	1	14	4	4 46	29	18	1	14	2	5 26	1	19	1	13	♒	6 25	4	20
18 08 43	2	16	6	9 29	♊	19	2	15	4	10 49	3	20	2	14	2	12 42	5	21
18 13 05	3	17	7	14 06	3	20	3	16	6	16 02	5	21	3	15	3	18 46	7	22
18 17 26	4	18	9	18 36	4	21	4	17	7	21 04	6	22	4	16	5	24 30	8	23
18 21 47	5	19	11	22 56	6	22	5	18	9	25 52	8	23	5	17	7	29 53	10	24
18 26 08	6	20	13	27 05	7	23	6	19	11	0♉25	9	24	6	18	9	4♉52	11	25
18 30 29	7	21	15	1♉03	8	24	7	20	13	4 40	10	25	7	20	11	9 27	13	26
18 34 50	8	23	17	4 48	10	25	8	22	15	8 40	12	26	8	21	13	13 39	14	27
18 39 11	9	24	19	8 20	11	26	9	23	17	12 22	13	27	9	22	15	17 29	15	28
18 43 31	10	25	21	11 41	13	27	10	24	19	15 50	15	28	10	23	17	21 00	17	29
18 47 51	11	26	23	14 49	14	28	11	25	21	19 02	16	29	11	24	19	24 13	18	♋
18 52 11	12	27	25	17 47	15	29	12	27	23	22 02	17	♋	12	26	22	27 10	19	1
18 56 30	13	29	27	20 33	16	♋	13	28	25	24 48	18	1	13	27	24	29 52	21	2
19 00 49	14	♒	29	23 10	18	1	14	29	28	27 24	19	2	14	28	26	2♊23	22	3
19 05 07	15	1	♓	25 38	19	2	15	♒	♓	29 49	21	3	15	29	28	4 42	23	4
19 09 25	16	2	3	27 57	20	3	16	2	2	2♊05	22	4	16	♒	♓	6 51	24	5
19 13 43	17	4	5	0♊09	21	4	17	3	4	4 12	23	5	17	2	3	8 51	25	6
19 18 00	18	5	7	2 13	22	5	18	4	7	6 12	24	6	18	3	5	10 44	26	7
19 22 17	19	6	10	4 11	23	6	19	5	9	8 05	25	7	19	5	8	12 29	27	8
19 26 33	20	8	12	6 03	24	7	20	7	11	9 52	26	8	20	6	10	14 09	28	9
19 30 49	21	9	14	7 49	25	8	21	8	14	11 33	27	9	21	7	13	15 43	29	10
19 35 04	22	10	16	9 30	26	9	22	9	16	13 09	28	10	22	9	15	17 12	♋	11
19 39 19	23	11	19	11 06	27	10	23	11	18	14 41	29	11	23	10	18	18 37	1	11
19 43 33	24	13	21	12 39	28	11	24	12	21	16 08	♋	11	24	11	20	19 58	2	12
19 47 46	25	14	23	14 07	29	12	25	13	23	17 31	1	12	25	13	23	21 15	3	13
19 51 59	26	15	26	15 32	♋	13	26	15	25	18 51	2	13	26	14	25	22 29	4	14
19 56 11	27	17	28	16 53	1	13	27	16	28	20 08	3	14	27	16	28	23 39	5	15
20 00 23	28	18	♈	18 12	2	14	28	18	♈	21 22	4	15	28	17	♈	24 48	6	16
20 04 33	29	20	2	19 27	3	15	29	19	3	22 33	5	16	29	18	3	25 53	7	17
20 08 44	♒	21	5	20 40	4	16	♒	20	5	23 41	6	17	♒	20	5	26 57	7	18
20 12 53	1	22	7	21 50	5	17	1	22	7	24 48	7	18	1	21	8	27 58	8	18
20 17 02	2	24	9	22 59	6	18	2	23	10	25 52	7	18	2	23	10	28 58	9	19
20 21 10	3	25	11	24 05	7	19	3	25	12	26 54	8	19	3	24	13	29 56	10	20
20 25 17	4	26	14	25 09	8	20	4	26	14	27 55	9	20	4	25	15	0♋52	11	21
20 29 24	5	28	16	26 12	8	20	5	27	17	28 54	10	21	5	27	17	1 46	12	22
20 33 30	6	29	18	27 12	9	21	6	29	19	29 51	11	22	6	28	20	2 40	12	23
20 37 35	7	♓	20	28 12	10	22	7	♓	21	0♋47	12	23	7	♓	22	3 32	13	23
20 41 40	8	2	22	29 09	11	23	8	2	23	1 41	12	24	8	1	24	4 22	14	24
20 45 44	9	3	24	0♋06	12	24	9	3	25	2 34	13	24	9	3	27	5 12	15	25
20 49 47	10	5	26	1 01	13	25	10	4	28	3 26	14	25	10	4	29	6 01	15	26
20 53 49	11	6	29	1 55	13	25	11	6	♉	4 17	15	26	11	6	♉	6 48	16	27
20 57 51	12	8	♉	2 47	14	26	12	7	2	5 07	15	27	12	7	3	7 35	17	27
21 01 52	13	9	2	3 39	15	27	13	9	4	5 56	16	28	13	8	5	8 21	18	28
21 05 52	14	10	4	4 30	16	28	14	10	6	6 44	17	28	14	10	7	9 06	18	29
HOUSES	4	5	6	7	8	9	4	5	6	7	8	9	4	5	6	7	8	9
	LATITUDE 60° S.						LATITUDE 61° S.						LATITUDE 62° S.					

	LATITUDE 60° N.						LATITUDE 61° N.						LATITUDE 62° N.					
SIDEREAL TIME	10 ♒	11 ♓	12 ♉	Asc ♋	2 ♋	3 ♋	10 ♒	11 ♓	12 ♉	Asc ♋	2 ♋	3 ♋	10 ♒	11 ♓	12 ♉	Asc ♋	2 ♋	3 ♌
h m s	°	°	°	° '	°	°	°	°	°	° '	°	°	°	°	°	° '	°	°
21 09 51	15	12	6	5 20	16	29	15	12	8	7 32	18	29	15	11	9	9 51	19	0
21 13 50	16	13	8	6 08	17	♌	16	13	10	8 18	18	♌	16	13	11	10 34	20	1
21 17 48	17	15	10	6 57	18	0	17	15	12	9 04	19	1	17	14	13	11 17	20	1
21 21 46	18	16	12	7 44	19	1	18	16	13	9 48	20	2	18	16	15	12 00	21	2
21 25 42	19	18	14	8 30	19	2	19	17	15	10 33	21	2	19	17	17	12 41	22	3
21 29 38	20	19	15	9 16	20	3	20	19	17	11 16	21	3	20	19	19	13 23	23	4
21 33 33	21	20	17	10 01	21	4	21	20	19	11 59	22	4	21	20	21	14 03	23	5
21 37 28	22	22	19	10 46	22	4	22	22	20	12 42	23	5	22	22	23	14 43	24	5
21 41 22	23	23	20	11 29	22	5	23	23	22	13 24	23	6	23	23	24	15 23	25	6
21 45 15	24	25	22	12 13	23	6	24	25	24	14 05	24	6	24	24	26	16 02	25	7
21 49 08	25	26	23	12 55	24	7	25	26	25	14 46	25	7	25	26	28	16 41	26	8
21 53 00	26	27	25	13 38	24	8	26	27	27	15 26	26	8	26	27	29	17 20	27	8
21 56 51	27	29	27	14 19	25	8	27	29	28	16 06	26	9	27	29	♊	17 58	27	9
22 00 42	28	♈	28	15 01	26	9	28	♈	♊	16 46	27	10	28	♈	2	18 35	28	10
22 04 32	29	2	29	15 41	27	10	29	2	1	17 25	28	10	29	2	4	19 13	29	11
22 08 22	♓	3	♊	16 22	27	11	♓	3	3	18 04	28	11	♓	3	5	19 50	29	12
22 12 10	1	4	2	17 02	28	11	1	4	4	18 42	29	12	1	5	7	20 26	♌	12
22 15 59	2	6	4	17 42	29	12	2	6	6	19 20	♌	13	2	6	8	21 03	1	13
22 19 47	3	7	5	18 21	29	13	3	7	7	19 58	0	13	3	7	9	21 39	1	14
22 23 34	4	9	6	19 00	♌	14	4	9	8	20 35	1	14	4	9	10	22 15	2	15
22 27 21	5	10	7	19 38	1	15	5	10	9	21 12	2	15	5	10	12	22 50	3	15
22 31 07	6	11	9	20 17	1	15	6	11	11	21 49	2	16	6	12	13	23 26	3	16
22 34 53	7	13	10	20 55	2	16	7	13	12	22 26	3	17	7	13	14	24 01	4	17
22 38 39	8	14	11	21 32	3	17	8	14	13	23 02	4	17	8	14	15	24 36	4	18
22 42 24	9	15	12	22 10	3	18	9	16	14	23 38	4	18	9	16	16	25 10	5	18
22 46 08	10	17	13	22 47	4	19	10	17	15	24 14	5	19	10	17	18	25 45	6	19
22 49 52	11	18	14	23 24	5	19	11	18	16	24 50	5	20	11	19	19	26 19	6	20
22 53 36	12	19	15	24 00	5	20	12	20	17	25 25	6	20	12	20	20	26 53	7	21
22 57 19	13	21	17	24 37	6	21	13	21	19	26 01	7	21	13	21	21	27 27	8	22
23 01 03	14	22	18	25 13	7	22	14	22	20	26 36	7	22	14	23	22	28 01	8	22
23 04 45	15	23	19	25 49	7	22	15	24	21	27 11	8	23	15	24	23	28 35	9	23
23 08 28	16	25	20	26 25	8	23	16	25	22	27 45	9	23	16	25	24	29 08	10	24
23 12 10	17	26	21	27 01	9	24	17	26	23	28 20	9	24	17	27	25	29 42	10	25
23 15 52	18	27	22	27 37	9	25	18	27	23	28 54	10	25	18	28	26	0♌15	11	25
23 19 33	19	28	23	28 12	10	25	19	29	24	29 29	11	26	19	29	27	0 48	11	26
23 23 15	20	♉	24	28 47	11	26	20	♉	25	0♌03	11	27	20	♉	27	1 21	12	27
23 26 56	21	1	24	29 22	11	27	21	1	26	0 37	12	27	21	2	28	1 54	13	28
23 30 37	22	2	25	29 57	12	28	22	3	27	1 11	13	28	22	3	29	2 27	13	28
23 34 17	23	3	26	0♌32	12	29	23	4	28	1 45	13	29	23	4	♋	3 00	14	29
23 37 58	24	5	27	1 07	13	29	24	5	29	2 19	14	♍	24	6	1	3 33	15	♍
23 41 39	25	6	28	1 42	14	♍	25	6	♋	2 52	14	0	25	7	2	4 05	15	1
23 45 19	26	7	29	2 16	14	1	26	8	1	3 26	15	1	26	8	2	4 38	16	1
23 48 59	27	8	♋	2 51	15	2	27	9	1	3 59	16	2	27	9	3	5 11	16	2
23 52 40	28	10	1	3 25	16	2	28	10	2	4 33	16	3	28	11	4	5 43	17	3
23 56 20	29	11	1	4 00	16	3	29	11	3	5 06	17	3	29	12	5	6 16	18	4
HOUSES	4	5	6	7	8	9	4	5	6	7	8	9	4	5	6	7	8	9
	LATITUDE 60° S.						LATITUDE 61° S.						LATITUDE 62° S.					

SIDEREAL TIME	LATITUDE 63° N.						LATITUDE 64° N.						LATITUDE 65° N.					
	10	11	12	Asc	2	3	10	11	12	Asc	2	3	10	11	12	Asc	2	3
	♈	♉	♋	♌	♌	♍	♈	♉	♋	♌	♌	♍	♈	♉	♋	♌	♌	♍
h m s	°	°	°	° '	°	°	°	°	°	° '	°	°	°	°	°	° '	°	°
0 00 00	0	14	8	7 59	19	5	0	15	10	9 12	20	5	0	16	12	10 28	20	5
0 03 40	1	15	8	8 30	20	5	1	16	10	9 42	20	6	1	17	13	10 57	21	6
0 07 20	2	16	9	9 01	20	6	2	17	11	10 13	21	6	2	18	13	11 26	22	7
0 11 01	3	18	10	9 33	21	7	3	18	12	10 43	21	7	3	19	14	11 56	22	7
0 14 41	4	19	10	10 04	21	8	4	20	12	11 13	22	8	4	21	15	12 25	23	8
0 18 21	5	20	11	10 35	22	9	5	21	13	11 44	23	9	5	22	15	12 54	23	9
0 22 02	6	21	12	11 07	23	9	6	22	14	12 14	23	10	6	23	16	13 24	24	10
0 25 43	7	22	13	11 38	23	10	7	23	14	12 44	24	10	7	25	16	13 53	24	10
0 29 23	8	24	13	12 09	24	11	8	25	15	13 15	24	11	8	26	17	14 22	25	11
0 33 04	9	25	14	12 41	24	12	9	26	16	13 45	25	12	9	27	18	14 52	26	12
0 36 45	10	26	15	13 12	25	12	10	27	16	14 16	26	13	10	28	18	15 21	26	13
0 40 27	11	27	15	13 44	26	13	11	28	17	14 46	26	13	11	29	19	15 51	27	14
0 44 08	12	28	16	14 15	26	14	12	29	18	15 17	27	14	12	♊	19	16 20	27	14
0 47 50	13	29	17	14 47	27	15	13	♊	18	15 47	27	15	13	2	20	16 50	28	15
0 51 32	14	♊	17	15 18	28	16	14	2	19	16 18	28	16	14	3	21	17 20	29	16
0 55 15	15	2	18	15 50	28	16	15	3	19	16 49	29	16	15	4	21	17 50	29	17
0 58 57	16	3	19	16 21	29	17	16	4	20	17 19	29	17	16	5	22	18 19	♍	17
1 02 41	17	4	19	16 53	29	18	17	5	21	17 50	♍	18	17	7	22	18 49	0	18
1 06 24	18	5	20	17 25	♍	19	18	6	21	18 21	1	19	18	8	23	19 19	1	19
1 10 08	19	6	20	17 57	1	19	19	7	22	18 52	1	20	19	9	24	19 49	2	20
1 13 52	20	7	21	18 29	1	20	20	8	23	19 23	2	20	20	10	24	20 20	2	20
1 17 36	21	8	22	19 01	2	21	21	10	23	19 54	2	21	21	11	25	20 50	3	21
1 21 21	22	9	22	19 33	3	22	22	11	24	20 25	3	22	22	12	25	21 20	4	22
1 25 07	23	10	23	20 05	3	23	23	12	24	20 57	4	23	23	13	26	21 50	4	23
1 28 53	24	11	24	20 37	4	23	24	13	25	21 28	4	23	24	14	26	22 21	5	24
1 32 39	25	12	24	21 09	5	24	25	14	26	21 59	5	24	25	16	27	22 52	5	24
1 36 26	26	14	25	21 41	5	25	26	15	26	22 31	6	25	26	17	28	23 22	6	25
1 40 13	27	15	26	22 14	6	26	27	16	27	23 03	6	26	27	18	28	23 53	7	26
1 44 01	28	16	26	22 46	6	27	28	17	28	23 34	7	27	28	19	29	24 24	7	27
1 47 49	29	17	27	23 19	7	27	29	18	28	24 06	8	27	29	20	29	24 55	8	27
1 51 38	♉	18	28	23 52	8	28	♉	19	29	24 38	8	28	♉	21	♌	25 26	9	28
1 55 28	1	19	28	24 24	8	29	1	20	29	25 10	9	29	1	22	1	25 57	9	29
1 59 18	2	20	29	24 57	9	♎	2	21	♌	25 42	9	♎	2	23	1	26 28	10	♎
2 03 09	3	21	29	25 30	10	1	3	22	1	26 14	10	1	3	24	2	27 00	10	1
2 07 00	4	22	♌	26 03	10	1	4	23	1	26 47	11	1	4	25	2	27 31	11	1
2 10 52	5	23	1	26 37	11	2	5	24	2	27 19	11	2	5	26	3	28 03	12	2
2 14 45	6	23	1	27 10	12	3	6	25	3	27 52	12	3	6	27	4	28 34	12	3
2 18 38	7	24	2	27 43	12	4	7	26	3	28 24	13	4	7	28	4	29 06	13	4
2 22 32	8	25	3	28 17	13	5	8	27	4	28 57	13	5	8	29	5	29 38	14	5
2 26 27	9	26	3	28 51	14	6	9	28	4	29 30	14	6	9	29	5	0♍10	14	5
2 30 22	10	27	4	29 24	14	6	10	29	5	0♍03	15	6	10	♋	6	0 43	15	6
2 34 18	11	28	5	29 58	15	7	11	♋	6	0 36	15	7	11	1	7	1 15	16	7
2 38 14	12	29	5	0♍32	16	8	12	0	6	1 09	16	8	12	2	7	1 47	16	8
2 42 12	13	♋	6	1 07	16	9	13	1	7	1 43	17	9	13	3	8	2 20	17	9
2 46 10	14	1	7	1 41	17	10	14	2	8	2 16	17	10	14	4	9	2 53	18	10
HOUSES	4	5	6	7	8	9	4	5	6	7	8	9	4	5	6	7	8	9
	LATITUDE 63° S.						LATITUDE 64° S.						LATITUDE 65° S.					

LATITUDE 63° N.

SIDEREAL TIME			10 ♉	11 ♋	12 ♌	Asc ♍		2 ♍	3 ♎
h	m	s	°	°	°	°	'	°	°
2	50	09	15	2	7	2	15	18	11
2	54	08	16	3	8	2	50	19	11
2	58	08	17	4	9	3	24	19	12
3	02	09	18	4	9	3	59	20	13
3	06	11	19	5	10	4	34	21	14
3	10	13	20	6	11	5	09	21	15
3	14	16	21	7	11	5	44	22	16
3	18	20	22	8	12	6	20	23	17
3	22	25	23	9	13	6	55	23	17
3	26	30	24	10	13	7	31	24	18
3	30	36	25	11	14	8	06	25	19
3	34	43	26	11	15	8	42	26	20
3	38	50	27	12	15	9	18	26	21
3	42	58	28	13	16	9	54	27	22
3	47	07	29	14	17	10	31	28	23
3	51	16	♊	15	17	11	07	28	23
3	55	27	1	16	18	11	43	29	24
3	59	37	2	17	19	12	20	♎	25
4	03	49	3	17	20	12	57	1	26
4	08	01	4	18	20	13	33	1	27
4	12	14	5	19	21	14	10	2	28
4	16	27	6	20	22	14	47	3	29
4	20	41	7	21	22	15	25	4	♏
4	24	56	8	22	23	16	02	4	0
4	29	11	9	22	24	16	39	5	1
4	33	27	10	23	25	17	17	6	2
4	37	43	11	24	25	17	54	7	3
4	42	00	12	25	26	18	32	7	4
4	46	17	13	26	27	19	09	8	5
4	50	35	14	27	27	19	47	9	6
4	54	53	15	28	28	20	25	10	7
4	59	11	16	28	29	21	03	10	7
5	03	30	17	29	♍	21	41	11	8
5	07	49	18	♌	0	22	19	12	9
5	12	09	19	1	1	22	57	13	10
5	16	29	20	2	2	23	36	13	11
5	20	49	21	3	3	24	14	14	12
5	25	10	22	4	3	24	52	15	13
5	29	31	23	4	4	25	31	16	14
5	33	52	24	5	5	26	09	16	14
5	38	13	25	6	6	26	47	17	15
5	42	34	26	7	6	27	26	18	16
5	46	55	27	8	7	28	04	19	17
5	51	17	28	9	8	28	43	19	18
5	55	38	29	10	8	29	21	20	19
HOUSES			4	5	6	7		8	9

LATITUDE 63° S.

LATITUDE 64° N.

SIDEREAL TIME			10 ♉	11 ♋	12 ♌	Asc ♍		2 ♍	3 ♎
h	m	s	°	°	°	°	'	°	°
2	50	09	15	3	8	2	50	18	11
2	54	08	16	4	9	3	24	19	11
2	58	08	17	5	10	3	58	19	12
3	02	09	18	6	10	4	32	20	13
3	06	11	19	7	11	5	06	21	14
3	10	13	20	7	12	5	40	21	15
3	14	16	21	8	12	6	14	22	16
3	18	20	22	9	13	6	49	23	16
3	22	25	23	10	13	7	24	24	17
3	26	30	24	11	14	7	58	24	18
3	30	36	25	12	15	8	33	25	19
3	34	43	26	13	15	9	09	26	20
3	38	50	27	13	16	9	44	26	21
3	42	58	28	14	17	10	19	27	22
3	47	07	29	15	18	10	54	28	22
3	51	16	♊	16	18	11	30	29	23
3	55	27	1	17	19	12	06	29	24
3	59	37	2	18	20	12	42	♎	25
4	03	49	3	18	20	13	17	1	26
4	08	01	4	19	21	13	54	1	27
4	12	14	5	20	22	14	30	2	28
4	16	27	6	21	22	15	06	3	28
4	20	41	7	22	23	15	42	4	29
4	24	56	8	22	24	16	19	4	♏
4	29	11	9	23	24	16	55	5	1
4	33	27	10	24	25	17	32	6	2
4	37	43	11	25	26	18	09	6	3
4	42	00	12	26	27	18	46	7	4
4	46	17	13	27	27	19	23	8	4
4	50	35	14	27	28	20	00	9	5
4	54	53	15	28	29	20	37	9	6
4	59	11	16	29	29	21	14	10	7
5	03	30	17	♌	♍	21	51	11	8
5	07	49	18	1	1	22	29	12	9
5	12	09	19	2	2	23	06	12	10
5	16	29	20	2	2	23	43	13	10
5	20	49	21	3	3	24	21	14	11
5	25	10	22	4	4	24	58	15	12
5	29	31	23	5	4	25	36	15	13
5	33	52	24	6	5	26	14	16	14
5	38	13	25	7	6	26	51	17	15
5	42	34	26	8	7	27	29	17	16
5	46	55	27	8	7	28	07	18	16
5	51	17	28	9	8	28	44	19	17
5	55	38	29	10	9	29	22	20	18
HOUSES			4	5	6	7		8	9

LATITUDE 64° S.

LATITUDE 65° N.

SIDEREAL TIME			10 ♉	11 ♋	12 ♌	Asc ♍		2 ♍	3 ♎
h	m	s	°	°	°	°	'	°	°
2	50	09	15	5	9	3	26	18	10
2	54	08	16	6	10	3	59	19	11
2	58	08	17	6	10	4	32	20	12
3	02	09	18	7	11	5	05	20	13
3	06	11	19	8	12	5	38	21	14
3	10	13	20	9	12	6	12	22	15
3	14	16	21	10	13	6	45	22	15
3	18	20	22	11	14	7	19	23	16
3	22	25	23	11	14	7	53	24	17
3	26	30	24	12	15	8	27	24	18
3	30	36	25	13	16	9	01	25	19
3	34	43	26	14	16	9	35	26	20
3	38	50	27	15	17	10	10	26	20
3	42	58	28	15	18	10	44	27	21
3	47	07	29	16	18	11	19	28	22
3	51	16	♊	17	19	11	54	29	23
3	55	27	1	18	20	12	29	29	24
3	59	37	2	19	20	13	04	♎	25
4	03	49	3	19	21	13	39	1	26
4	08	01	4	20	22	14	14	1	26
4	12	14	5	21	22	14	50	2	27
4	16	27	6	22	23	15	25	3	28
4	20	41	7	23	24	16	01	3	29
4	24	56	8	23	24	16	36	4	♏
4	29	11	9	24	25	17	12	5	1
4	33	27	10	25	26	17	48	6	1
4	37	43	11	26	26	18	24	6	2
4	42	00	12	27	27	19	00	7	3
4	46	17	13	27	28	19	36	8	4
4	50	35	14	28	29	20	12	8	5
4	54	53	15	29	29	20	49	9	6
4	59	11	16	♌	♍	21	25	10	7
5	03	30	17	1	1	22	02	11	7
5	07	49	18	2	1	22	38	11	8
5	12	09	19	2	2	23	15	12	9
5	16	29	20	3	3	23	51	13	10
5	20	49	21	4	3	24	28	14	11
5	25	10	22	5	4	25	05	14	12
5	29	31	23	6	5	25	42	15	13
5	33	52	24	7	6	26	18	16	13
5	38	13	25	7	6	26	55	16	14
5	42	34	26	8	7	27	32	17	15
5	46	55	27	9	8	28	09	18	16
5	51	17	28	10	8	28	46	19	17
5	55	38	29	11	9	29	23	19	18
HOUSES			4	5	6	7		8	9

LATITUDE 65° S.

SIDEREAL TIME	LATITUDE 63° N.							LATITUDE 64° N.							LATITUDE 65° N.						
	10	11	12	Asc		2	3	10	11	12	Asc		2	3	10	11	12	Asc		2	3
	♋	♌	♍	♎		♎	♏	♋	♌	♍	♎		♎	♏	♋	♌	♍	♎		♎	♏
h m s	°	°	°	°	'	°	°	°	°	°	°	'	°	°	°	°	°	°	'	°	°
6 00 00	0	10	9	0	00	21	20	0	11	10	0	00	20	19	0	12	10	0	00	20	18
6 04 22	1	11	10	0	38	22	20	1	12	10	0	38	21	20	1	12	11	0	37	21	19
6 08 43	2	12	11	1	17	22	21	2	13	11	1	15	22	21	2	13	11	1	14	22	20
6 13 05	3	13	11	1	55	23	22	3	14	12	1	53	23	22	3	14	12	1	51	22	21
6 17 26	4	14	12	2	34	24	23	4	14	13	2	31	23	22	4	15	13	2	28	23	22
6 21 47	5	15	13	3	12	24	24	5	15	13	3	08	24	23	5	16	14	3	04	24	23
6 26 08	6	16	14	3	51	25	25	6	16	14	3	46	25	24	6	17	14	3	41	24	23
6 30 29	7	16	14	4	29	26	26	7	17	15	4	24	26	25	7	17	15	4	18	25	24
6 34 50	8	17	15	5	07	27	26	8	18	15	5	01	26	26	8	18	16	4	55	26	25
6 39 11	9	18	16	5	46	27	27	9	19	16	5	39	27	27	9	19	16	5	32	27	26
6 43 31	10	19	17	6	24	28	28	10	20	17	6	16	28	28	10	20	17	6	08	27	27
6 47 51	11	20	17	7	02	29	29	11	20	18	6	54	28	28	11	21	18	6	45	28	28
6 52 11	12	21	18	7	40	♏	♐	12	21	18	7	31	29	29	12	22	19	7	22	29	28
6 56 30	13	22	19	8	18	0	1	13	22	19	8	08	♏	♐	13	23	19	7	58	29	29
7 00 49	14	23	20	8	57	1	2	14	23	20	8	46	1	1	14	23	20	8	35	♏	♐
7 05 07	15	23	20	9	34	2	2	15	24	21	9	23	1	2	15	24	21	9	11	1	1
7 09 25	16	24	21	10	12	3	3	16	25	21	10	00	2	3	16	25	21	9	47	1	2
7 13 43	17	25	22	10	50	3	4	17	26	22	10	37	3	3	17	26	22	10	23	2	3
7 18 00	18	26	23	11	28	4	5	18	26	23	11	14	3	4	18	27	23	11	00	3	3
7 22 17	19	27	23	12	06	5	6	19	27	24	11	51	4	5	19	28	24	11	36	4	4
7 26 33	20	28	24	12	43	5	7	20	28	24	12	28	5	6	20	29	24	12	12	4	5
7 30 49	21	29	25	13	20	6	8	21	29	25	13	04	6	7	21	29	25	12	48	5	6
7 35 04	22	♍	26	13	58	7	8	22	♍	26	13	41	6	8	22	♍	26	13	23	6	7
7 39 19	23	0	26	14	35	8	9	23	1	26	14	17	7	8	23	1	27	13	59	6	7
7 43 33	24	1	27	15	12	8	10	24	2	27	14	54	8	9	24	2	27	14	35	7	8
7 47 46	25	2	28	15	49	9	11	25	2	28	15	30	8	10	25	3	28	15	10	8	9
7 51 59	26	3	29	16	26	10	12	26	3	29	16	06	9	11	26	4	29	15	45	8	10
7 56 11	27	4	29	17	03	10	13	27	4	29	16	42	10	12	27	4	29	16	21	9	11
8 00 23	28	5	♎	17	40	11	13	28	5	♎	17	18	10	12	28	5	♎	16	56	10	11
8 04 33	29	6	1	18	16	12	14	29	6	1	17	54	11	13	29	6	1	17	31	10	12
8 08 44	♌	7	2	18	53	13	15	♌	7	1	18	30	12	14	♌	7	1	18	06	11	13
8 12 53	1	7	2	19	29	13	16	1	8	2	19	05	12	15	1	8	2	18	41	12	14
8 17 02	2	8	3	20	05	14	17	2	8	3	19	41	13	16	2	9	3	19	15	12	15
8 21 10	3	9	4	20	41	15	18	3	9	4	20	16	14	17	3	10	4	19	50	13	15
8 25 17	4	10	4	21	17	15	19	4	10	4	20	51	15	17	4	10	4	20	24	14	16
8 29 24	5	11	5	21	53	16	19	5	11	5	21	26	15	18	5	11	5	20	58	14	17
8 33 30	6	12	6	22	29	17	20	6	12	6	22	01	16	19	6	12	6	21	33	15	18
8 37 35	7	13	7	23	04	17	21	7	13	6	22	36	17	20	7	13	6	22	07	16	19
8 41 40	8	13	7	23	40	18	22	8	14	7	23	11	17	21	8	14	7	22	40	16	19
8 45 44	9	14	8	24	15	19	23	9	14	8	23	45	18	22	9	15	8	23	14	17	20
8 49 47	10	15	9	24	50	19	24	10	15	9	24	20	18	23	10	15	8	23	48	18	21
8 53 49	11	16	9	25	25	20	25	11	16	9	24	54	19	23	11	16	9	24	21	18	22
8 57 51	12	17	10	26	00	21	26	12	17	10	25	28	20	24	12	17	10	24	55	19	23
9 01 52	13	18	11	26	35	21	26	13	18	11	26	02	20	25	13	18	10	25	28	20	24
9 05 52	14	19	11	27	10	22	27	14	19	11	26	36	21	26	14	19	11	26	01	20	24
HOUSES	4	5	6	7		8	9	4	5	6	7		8	9	4	5	6	7		8	9
	LATITUDE 63° S.							LATITUDE 64° S.							LATITUDE 65° S.						

LATITUDE 63° N.

SIDEREAL TIME	10 ♌	11 ♍	12 ♎	Asc ♎	2 ♏	3 ♐
h m s	°	°	°	° '	°	°
9 09 51	15	19	12	27 44	23	28
9 13 50	16	20	13	28 19	23	29
9 17 48	17	21	13	28 53	24	♑
9 21 46	18	22	14	29 27	25	1
9 25 42	19	23	15	0♏01	25	2
9 29 38	20	24	16	0 35	26	3
9 33 33	21	24	16	1 09	27	4
9 37 28	22	25	17	1 43	27	5
9 41 22	23	26	18	2 16	28	6
9 45 15	24	27	18	2 50	29	7
9 49 08	25	28	19	3 23	29	7
9 53 00	26	29	20	3 56	♐	8
9 56 51	27	29	20	4 29	1	9
10 00 42	28	♎	21	5 02	1	10
10 04 32	29	1	22	5 35	2	11
10 08 22	♍	2	22	6 08	2	12
10 12 10	1	3	23	6 41	3	13
10 15 59	2	3	24	7 13	4	14
10 19 47	3	4	24	7 46	4	15
10 23 34	4	5	25	8 18	5	16
10 27 21	5	6	25	8 51	6	18
10 31 07	6	7	26	9 23	6	19
10 34 53	7	7	27	9 55	7	20
10 38 39	8	8	27	10 27	8	21
10 42 24	9	9	28	10 59	8	22
10 46 08	10	10	29	11 31	9	23
10 49 52	11	11	29	12 03	10	24
10 53 36	12	11	♏	12 35	10	25
10 57 19	13	12	1	13 06	11	26
11 01 03	14	13	1	13 38	11	27
11 04 45	15	14	2	14 10	12	28
11 08 28	16	14	2	14 41	13	29
11 12 10	17	15	3	15 13	13	♒
11 15 52	18	16	4	15 44	14	2
11 19 33	19	17	4	16 16	15	3
11 23 15	20	18	5	16 47	15	4
11 26 56	21	18	6	17 19	16	5
11 30 37	22	19	6	17 50	17	6
11 34 17	23	20	7	18 22	17	8
11 37 58	24	21	7	18 53	18	9
11 41 39	25	21	8	19 24	19	10
11 45 19	26	22	9	19 56	20	11
11 48 59	27	23	9	20 27	20	12
11 52 40	28	24	10	20 58	21	14
11 56 20	29	25	10	21 30	22	15
HOUSES	4	5	6	7	8	9

LATITUDE 63° S.

LATITUDE 64° N.

SIDEREAL TIME	10 ♌	11 ♍	12 ♎	Asc ♎	2 ♏	3 ♐
h m s	°	°	°	° '	°	°
9 09 51	15	19	12	27 10	22	27
9 13 50	16	20	13	27 43	22	28
9 17 48	17	21	13	28 17	23	29
9 21 46	18	22	14	28 50	24	♑
9 25 42	19	23	15	29 24	24	0
9 29 38	20	24	15	29 57	25	1
9 33 33	21	24	16	0♏30	26	2
9 37 28	22	25	17	1 03	26	3
9 41 22	23	26	17	1 35	27	4
9 45 15	24	27	18	2 08	27	5
9 49 08	25	28	19	2 41	28	6
9 53 00	26	29	19	3 13	29	7
9 56 51	27	29	20	3 45	29	8
10 00 42	28	♎	21	4 18	♐	9
10 04 32	29	1	21	4 50	1	10
10 08 22	♍	2	22	5 22	1	11
10 12 10	1	3	22	5 54	2	12
10 15 59	2	3	23	6 25	2	13
10 19 47	3	4	24	6 57	3	14
10 23 34	4	5	24	7 29	4	15
10 27 21	5	6	25	8 00	4	16
10 31 07	6	7	26	8 32	5	17
10 34 53	7	7	26	9 03	6	18
10 38 39	8	8	27	9 34	6	19
10 42 24	9	9	28	10 05	7	20
10 46 08	10	10	28	10 36	7	22
10 49 52	11	10	29	11 08	8	23
10 53 36	12	11	29	11 38	9	24
10 57 19	13	12	♏	12 09	9	25
11 01 03	14	13	1	12 40	10	26
11 04 45	15	14	1	13 11	11	27
11 08 28	16	14	2	13 42	11	28
11 12 10	17	15	3	14 12	12	29
11 15 52	18	16	3	14 43	12	♒
11 19 33	19	17	4	15 13	13	2
11 23 15	20	17	4	15 44	14	3
11 26 56	21	18	5	16 14	14	4
11 30 37	22	19	6	16 45	15	5
11 34 17	23	20	6	17 15	16	7
11 37 58	24	20	7	17 46	16	8
11 41 39	25	21	7	18 16	17	9
11 45 19	26	22	8	18 46	18	10
11 48 59	27	23	9	19 17	18	12
11 52 40	28	24	9	19 47	19	13
11 56 20	29	24	10	20 17	20	14
HOUSES	4	5	6	7	8	9

LATITUDE 64° S.

LATITUDE 65° N.

SIDEREAL TIME	10 ♌	11 ♍	12 ♎	Asc ♎	2 ♏	3 ♐
h m s	°	°	°	° '	°	°
9 09 51	15	20	12	26 34	21	25
9 13 50	16	20	12	27 07	21	26
9 17 48	17	21	13	27 40	22	27
9 21 46	18	22	14	28 12	23	28
9 25 42	19	23	14	28 45	23	29
9 29 38	20	24	15	29 17	24	♑
9 33 33	21	24	16	29 49	24	1
9 37 28	22	25	16	0♏21	25	1
9 41 22	23	26	17	0 53	26	2
9 45 15	24	27	18	1 25	26	3
9 49 08	25	28	18	1 57	27	4
9 53 00	26	29	19	2 29	28	5
9 56 51	27	29	20	3 00	28	6
10 00 42	28	♎	20	3 31	29	7
10 04 32	29	1	21	4 03	29	8
10 08 22	♍	2	21	4 34	♐	9
10 12 10	1	3	22	5 05	1	10
10 15 59	2	3	23	5 36	1	11
10 19 47	3	4	23	6 07	2	12
10 23 34	4	5	24	6 37	2	13
10 27 21	5	6	25	7 08	3	14
10 31 07	6	6	25	7 39	4	16
10 34 53	7	7	26	8 09	4	17
10 38 39	8	8	26	8 40	5	18
10 42 24	9	9	27	9 10	5	19
10 46 08	10	10	28	9 40	6	20
10 49 52	11	10	28	10 10	6	21
10 53 36	12	11	29	10 40	7	22
10 57 19	13	12	♏	11 10	8	23
11 01 03	14	13	0	11 40	8	25
11 04 45	15	13	1	12 10	9	26
11 08 28	16	14	1	12 40	9	27
11 12 10	17	15	2	13 09	10	28
11 15 52	18	16	3	13 39	11	29
11 19 33	19	16	3	14 09	11	♒
11 23 15	20	17	4	14 38	12	2
11 26 56	21	18	4	15 08	12	3
11 30 37	22	19	5	15 37	13	4
11 34 17	23	20	6	16 07	14	5
11 37 58	24	20	6	16 36	14	7
11 41 39	25	21	7	17 05	15	8
11 45 19	26	22	7	17 35	15	9
11 48 59	27	23	8	18 04	16	11
11 52 40	28	23	8	18 33	17	12
11 56 20	29	24	9	19 03	17	13
HOUSES	4	5	6	7	8	9

LATITUDE 65° S.

LATITUDE 63° N.

SIDEREAL TIME h m s	10 ♌ °	11 ♌ °	12 ♏ °	Asc ♏ ° '	2 ♐ °	3 ♒ °
12 00 00	0	25	11	22 01	22	16
12 03 40	1	26	12	22 32	23	17
12 07 20	2	27	12	23 04	24	19
12 11 01	3	28	13	23 35	25	20
12 14 41	4	28	14	24 07	25	21
12 18 21	5	29	14	24 38	26	22
12 22 02	6	♏	15	25 10	27	24
12 25 43	7	1	15	25 41	28	25
12 29 23	8	1	16	26 13	29	26
12 33 04	9	2	17	26 45	29	28
12 36 45	10	3	17	27 17	♑	29
12 40 27	11	4	18	27 49	1	♓
12 44 08	12	4	18	28 21	2	2
12 47 50	13	5	19	28 53	3	3
12 51 32	14	6	20	29 25	4	4
12 55 15	15	7	20	29 57	5	6
12 58 57	16	7	21	0 ♐ 29	6	7
13 02 41	17	8	21	1 02	7	8
13 06 24	18	9	22	1 35	8	10
13 10 08	19	10	23	2 07	9	11
13 13 52	20	10	23	2 40	10	13
13 17 36	21	11	24	3 13	11	14
13 21 21	22	12	25	3 46	12	15
13 25 07	23	13	25	4 20	13	17
13 28 53	24	13	26	4 53	14	18
13 32 39	25	14	26	5 27	16	20
13 36 26	26	15	27	6 01	17	21
13 40 13	27	16	28	6 35	18	22
13 44 01	28	16	28	7 10	19	24
13 47 49	29	17	29	7 44	21	25
13 51 38	♏	18	♐	8 19	22	27
13 55 28	1	19	0	8 54	24	28
13 59 18	2	19	1	9 30	25	♈
14 03 09	3	20	2	10 05	27	1
14 07 00	4	21	2	10 41	28	3
14 10 52	5	22	3	11 18	♒	4
14 14 45	6	23	4	11 54	1	6
14 18 38	7	23	4	12 31	3	7
14 22 32	8	24	5	13 09	5	9
14 26 27	9	25	5	13 46	7	10
14 30 22	10	26	6	14 25	9	12
14 34 18	11	26	7	15 03	11	13
14 38 14	12	27	8	15 42	12	14
14 42 12	13	28	8	16 22	14	16
14 46 10	14	29	9	17 02	16	17
HOUSES	4	5	6	7	8	9

LATITUDE 63° S.

LATITUDE 64° N.

SIDEREAL TIME h m s	10 ♌ °	11 ♌ °	12 ♏ °	Asc ♏ ° '	2 ♐ °	3 ♒ °
12 00 00	0	25	10	20 48	20	15
12 03 40	1	26	11	21 18	21	17
12 07 20	2	27	12	21 48	22	18
12 11 01	3	27	12	22 19	22	19
12 14 41	4	28	13	22 49	23	20
12 18 21	5	29	13	23 20	24	22
12 22 02	6	♏	14	23 50	25	23
12 25 43	7	0	15	24 20	25	24
12 29 23	8	1	15	24 51	26	26
12 33 04	9	2	16	25 21	27	27
12 36 45	10	2	16	25 52	28	28
12 40 27	11	3	17	26 23	28	♓
12 44 08	12	4	18	26 53	29	1
12 47 50	13	5	18	27 24	♑	2
12 51 32	14	5	19	27 55	1	4
12 55 15	15	6	19	28 26	2	5
12 58 57	16	7	20	28 57	3	7
13 02 41	17	8	21	29 28	4	8
13 06 24	18	8	21	29 59	5	9
13 10 08	19	9	22	0 ♐ 31	6	11
13 13 52	20	10	22	1 02	7	12
13 17 36	21	11	23	1 33	8	14
13 21 21	22	11	24	2 05	9	15
13 25 07	23	12	24	2 37	10	17
13 28 53	24	13	25	3 09	11	18
13 32 39	25	14	25	3 41	12	19
13 36 26	26	14	26	4 13	13	21
13 40 13	27	15	27	4 45	15	22
13 44 01	28	16	27	5 18	16	24
13 47 49	29	17	28	5 51	17	25
13 51 38	♏	17	29	6 24	19	27
13 55 28	1	18	29	6 57	20	28
13 59 18	2	19	♐	7 30	22	♈
14 03 09	3	20	0	8 04	23	1
14 07 00	4	20	1	8 37	25	3
14 10 52	5	21	2	9 11	27	4
14 14 45	6	22	2	9 46	28	6
14 18 38	7	23	3	10 20	♒	7
14 22 32	8	23	4	10 55	2	9
14 26 27	9	24	4	11 30	4	10
14 30 22	10	25	5	12 06	6	12
14 34 18	11	26	5	12 42	8	13
14 38 14	12	26	6	13 18	10	15
14 42 12	13	27	7	13 54	12	16
14 46 10	14	28	7	14 31	14	18
HOUSES	4	5	6	7	8	9

LATITUDE 64° S.

LATITUDE 65° N.

SIDEREAL TIME h m s	10 ♌ °	11 ♌ °	12 ♏ °	Asc ♏ ° '	2 ♐ °	3 ♒ °
12 00 00	0	25	10	19 32	18	14
12 03 40	1	25	10	20 01	19	16
12 07 20	2	26	11	20 30	19	17
12 11 01	3	27	11	20 59	20	18
12 14 41	4	28	12	21 29	20	20
12 18 21	5	28	13	21 58	21	21
12 22 02	6	29	13	22 27	22	22
12 25 43	7	♏	14	22 56	22	24
12 29 23	8	1	14	23 26	23	25
12 33 04	9	1	15	23 55	24	26
12 36 45	10	2	16	24 24	25	28
12 40 27	11	3	16	24 54	25	29
12 44 08	12	4	17	25 23	26	♓
12 47 50	13	4	17	25 52	27	2
12 51 32	14	5	18	26 22	28	3
12 55 15	15	6	18	26 51	28	5
12 58 57	16	7	19	27 21	29	6
13 02 41	17	7	20	27 50	♑	8
13 06 24	18	8	20	28 20	1	9
13 10 08	19	9	21	28 50	2	10
13 13 52	20	9	21	29 20	3	12
13 17 36	21	10	22	29 50	4	13
13 21 21	22	11	23	0 ♐ 20	5	15
13 25 07	23	12	23	0 50	6	16
13 28 53	24	12	24	1 20	7	18
13 32 39	25	13	24	1 50	8	19
13 36 26	26	14	25	2 20	9	21
13 40 13	27	15	26	2 51	10	22
13 44 01	28	15	26	3 22	12	24
13 47 49	29	16	27	3 52	13	25
13 51 38	♏	17	27	4 23	14	27
13 55 28	1	18	28	4 54	16	28
13 59 18	2	18	29	5 25	17	♈
14 03 09	3	19	29	5 57	19	1
14 07 00	4	20	♐	6 28	21	3
14 10 52	5	21	0	7 00	22	4
14 14 45	6	21	1	7 31	24	6
14 18 38	7	22	2	8 03	26	7
14 22 32	8	23	2	8 36	28	9
14 26 27	9	24	3	9 08	♒	10
14 30 22	10	24	3	9 41	2	12
14 34 18	11	25	4	10 14	4	13
14 38 14	12	26	5	10 47	6	15
14 42 12	13	27	5	11 20	9	17
14 46 10	14	27	6	11 54	11	18
HOUSES	4	5	6	7	8	9

LATITUDE 65° S.

LATITUDE 63° N.

SIDEREAL TIME	10 ♏	11 ♏	12 ♐	Asc ♐	2 ♒	3 ♈
h m s	°	°	°	° '	°	°
14 50 09	15	29	10	17 43	19	19
14 54 08	16	♐	10	18 24	21	20
14 58 08	17	1	11	19 06	23	22
15 02 09	18	2	12	19 48	25	23
15 06 11	19	3	12	20 32	27	25
15 10 13	20	3	13	21 16	♓	26
15 14 16	21	4	14	22 01	2	28
15 18 20	22	5	15	22 46	4	29
15 22 25	23	6	15	23 33	7	♉
15 26 30	24	7	16	24 21	9	2
15 30 36	25	7	17	25 09	12	4
15 34 43	26	8	18	25 59	14	5
15 38 50	27	9	18	26 50	17	7
15 42 58	28	10	19	27 43	19	8
15 47 07	29	11	20	28 37	22	9
15 51 16	♐	12	21	29 33	25	11
15 55 27	1	12	22	0♑30	27	12
15 59 37	2	13	22	1 29	♈	14
16 03 49	3	14	23	2 31	2	15
16 08 01	4	15	24	3 35	5	17
16 12 14	5	16	25	4 41	8	18
16 16 27	6	17	26	5 51	10	19
16 20 41	7	18	27	7 03	13	21
16 24 56	8	19	28	8 19	16	22
16 29 11	9	19	29	9 39	18	24
16 33 27	10	20	♑	11 04	21	25
16 37 43	11	21	1	12 33	23	26
16 42 00	12	22	2	14 08	26	28
16 46 17	13	23	3	15 50	28	29
16 50 35	14	24	4	17 40	♉	♊
16 54 53	15	25	5	19 37	3	2
16 59 11	16	26	6	21 45	6	3
17 03 30	17	27	7	24 04	8	4
17 07 49	18	28	8	26 37	10	5
17 12 09	19	29	9	29 24	13	7
17 16 29	20	♑	11	2♒30	15	8
17 20 49	21	1	12	5 57	17	9
17 25 10	22	2	13	9 48	19	10
17 29 31	23	3	14	14 07	21	12
17 33 52	24	4	16	18 58	23	13
17 38 13	25	5	17	24 24	25	14
17 42 34	26	6	19	0♓27	27	15
17 46 55	27	7	20	7 08	29	16
17 51 17	28	8	22	14 23	♊	18
17 55 38	29	9	24	22 04	3	19
HOUSES	4	5	6	7	8	9

LATITUDE 63° S.

LATITUDE 64° N.

SIDEREAL TIME	10 ♏	11 ♏	12 ♐	Asc ♐	2 ♒	3 ♈
h m s	°	°	°	° '	°	°
14 50 09	15	29	8	15 09	16	19
14 54 08	16	♐	9	15 47	18	21
14 58 08	17	0	9	16 25	21	22
15 02 09	18	1	10	17 04	23	24
15 06 11	19	2	11	17 44	25	25
15 10 13	20	3	11	18 24	28	27
15 14 16	21	3	12	19 04	♓	28
15 18 20	22	4	13	19 46	3	♉
15 22 25	23	5	14	20 28	5	1
15 26 30	24	6	14	21 11	8	3
15 30 36	25	7	15	21 54	11	4
15 34 43	26	7	16	22 39	13	6
15 38 50	27	8	16	23 24	16	7
15 42 58	28	9	17	24 11	19	9
15 47 07	29	10	18	24 59	21	10
15 51 16	♐	11	19	25 48	24	12
15 55 27	1	12	19	26 38	27	13
15 59 37	2	12	20	27 30	♈	15
16 03 49	3	13	21	28 24	3	16
16 08 01	4	14	22	29 20	5	17
16 12 14	5	15	23	0♑17	8	19
16 16 27	6	16	23	1 17	11	20
16 20 41	7	17	24	2 19	14	22
16 24 56	8	17	25	3 25	17	23
16 29 11	9	18	26	4 33	19	25
16 33 27	10	19	27	5 46	22	26
16 37 43	11	20	28	7 02	25	27
16 42 00	12	21	29	8 23	27	29
16 46 17	13	22	♑	9 50	♉	♊
16 50 35	14	23	1	11 23	3	1
16 54 53	15	24	2	13 04	5	3
16 59 11	16	25	3	14 54	8	4
17 03 30	17	25	4	16 54	10	5
17 07 49	18	26	5	19 06	13	7
17 12 09	19	27	6	21 34	15	8
17 16 29	20	28	7	24 20	17	9
17 20 49	21	29	9	27 29	20	10
17 25 10	22	♑	10	1♒05	22	12
17 29 31	23	1	11	5 15	24	13
17 33 52	24	2	13	10 07	26	14
17 38 13	25	3	14	15 50	28	15
17 42 34	26	4	16	22 33	♊	17
17 46 55	27	6	17	0♓24	2	18
17 51 17	28	7	19	9 24	4	19
17 55 38	29	8	20	19 24	6	20
HOUSES	4	5	6	7	8	9

LATITUDE 64° S.

LATITUDE 65° N.

SIDEREAL TIME	10 ♏	11 ♏	12 ♐	Asc ♐	2 ♒	3 ♈
h m s	°	°	°	° '	°	°
14 50 09	15	28	7	12 28	13	20
14 54 08	16	29	7	13 02	16	21
14 58 08	17	♐	8	13 37	18	23
15 02 09	18	0	8	14 12	20	24
15 06 11	19	1	9	14 47	23	26
15 10 13	20	2	10	15 23	26	27
15 14 16	21	3	10	15 59	28	29
15 18 20	22	3	11	16 35	♓	♉
15 22 25	23	4	12	17 12	4	2
15 26 30	24	5	12	17 50	6	3
15 30 36	25	6	13	18 28	9	5
15 34 43	26	6	14	19 07	12	6
15 38 50	27	7	14	19 46	15	8
15 42 58	28	8	15	20 26	18	10
15 47 07	29	9	16	21 07	21	11
15 51 16	♐	10	16	21 49	24	13
15 55 27	1	10	17	22 32	27	14
15 59 37	2	11	18	23 15	♈	15
16 03 49	3	12	19	24 00	3	17
16 08 01	4	13	19	24 46	6	18
16 12 14	5	14	20	25 33	9	20
16 16 27	6	14	21	26 22	12	21
16 20 41	7	15	22	27 13	15	23
16 24 56	8	16	22	28 05	18	24
16 29 11	9	17	23	29 00	21	26
16 33 27	10	18	24	29 57	24	27
16 37 43	11	19	25	0♑57	26	29
16 42 00	12	20	26	2 01	29	♊
16 46 17	13	20	26	3 08	♉	1
16 50 35	14	21	27	4 20	5	3
16 54 53	15	22	28	5 37	8	4
16 59 11	16	23	29	7 01	10	5
17 03 30	17	24	♑	8 32	13	7
17 07 49	18	25	1	10 13	16	8
17 12 09	19	26	2	12 06	18	10
17 16 29	20	27	3	14 14	21	11
17 20 49	21	28	5	16 42	23	12
17 25 10	22	29	6	19 34	26	13
17 29 31	23	♑	7	22 59	28	15
17 33 52	24	1	8	27 10	♊	16
17 38 13	25	2	10	2♒24	2	17
17 42 34	26	3	11	9 05	4	18
17 46 55	27	4	13	17 48	6	20
17 51 17	28	5	14	29 10	8	21
17 55 38	29	6	16	13♓30	10	22
HOUSES	4	5	6	7	8	9

LATITUDE 65° S.

LATITUDE 63° N.

SIDEREAL TIME	10	11	12	Asc		2	3
	♑	♑	♑	♈		♊	♊
h m s	°	°	°	°	'	°	°
18 00 00	0	10	25	0	00	5	20
18 04 22	1	11	27	7	56	6	21
18 08 43	2	12	29	15	37	8	22
18 13 05	3	14	♒	22	51	10	23
18 17 26	4	15	3	29	32	11	24
18 21 47	5	16	5	5♉	36	13	25
18 26 08	6	17	7	11	02	14	26
18 30 29	7	18	9	15	52	16	27
18 34 50	8	20	11	20	12	17	28
18 39 11	9	21	13	24	03	18	29
18 43 31	10	22	15	27	29	19	♋
18 47 51	11	23	17	0♊	35	21	1
18 52 11	12	25	20	3	23	22	2
18 56 30	13	26	22	5	55	23	3
19 00 49	14	27	24	8	15	24	4
19 05 07	15	28	27	10	22	25	5
19 09 25	16	♒	29	12	20	26	6
19 13 43	17	1	♓	14	09	27	7
19 18 00	18	2	4	15	51	28	8
19 22 17	19	4	7	17	26	29	9
19 26 33	20	5	9	18	56	♋	10
19 30 49	21	6	12	20	21	1	11
19 35 04	22	8	14	21	41	2	11
19 39 19	23	9	17	22	57	3	12
19 43 33	24	11	20	24	09	4	13
19 47 46	25	12	22	25	18	5	14
19 51 59	26	13	25	26	25	6	15
19 56 11	27	15	28	27	29	7	16
20 00 23	28	16	♈	28	30	8	17
20 04 33	29	18	3	29	30	8	18
20 08 44	♒	19	5	0♋	27	9	18
20 12 53	1	21	8	1	23	10	19
20 17 02	2	22	11	2	17	11	20
20 21 10	3	23	13	3	09	12	21
20 25 17	4	25	16	4	00	12	22
20 29 24	5	26	18	4	50	13	22
20 33 30	6	28	21	5	39	14	23
20 37 35	7	29	23	6	27	15	24
20 41 40	8	♓	26	7	13	15	25
20 45 44	9	2	28	7	59	16	26
20 49 47	10	4	♉	8	44	17	27
20 53 49	11	5	3	9	28	18	27
20 57 51	12	7	5	10	11	18	28
21 01 52	13	8	7	10	54	19	29
21 05 52	14	10	9	11	36	20	♌
HOUSES	4	5	6	7		8	9

LATITUDE 63° S.

LATITUDE 64° N.

SIDEREAL TIME	10	11	12	Asc		2	3
	♑	♑	♑	♈		♊	♊
h m s	°	°	°	°	'	°	°
18 00 00	0	9	22	0	00	8	21
18 04 22	1	10	24	10	35	10	22
18 08 43	2	11	26	20	36	11	23
18 13 05	3	12	28	29	36	13	24
18 17 26	4	13	♒	7♉	27	14	26
18 21 47	5	15	2	14	10	16	27
18 26 08	6	16	4	19	53	17	28
18 30 29	7	17	6	24	45	19	29
18 34 50	8	18	8	28	55	20	♋
18 39 11	9	20	10	2♊	31	21	1
18 43 31	10	21	13	5	39	23	2
18 47 51	11	22	15	8	25	24	3
18 52 11	12	23	17	10	53	25	4
18 56 30	13	25	20	13	06	26	4
19 00 49	14	26	22	15	06	27	5
19 05 07	15	27	25	16	56	28	6
19 09 25	16	29	27	18	36	29	7
19 13 43	17	♒	♓	20	10	♋	8
19 18 00	18	1	3	21	36	1	9
19 22 17	19	3	5	22	58	2	10
19 26 33	20	4	8	24	14	3	11
19 30 49	21	5	11	25	26	4	12
19 35 04	22	7	13	26	35	5	13
19 39 19	23	8	16	27	40	6	13
19 43 33	24	10	19	28	43	7	14
19 47 46	25	11	22	29	42	7	15
19 51 59	26	13	25	0♋	40	8	16
19 56 11	27	14	27	1	36	9	17
20 00 23	28	15	♈	2	29	10	18
20 04 33	29	17	3	3	21	11	18
20 08 44	♒	18	6	4	12	11	19
20 12 53	1	20	9	5	01	12	20
20 17 02	2	21	11	5	49	13	21
20 21 10	3	23	14	6	35	14	22
20 25 17	4	24	17	7	21	14	23
20 29 24	5	26	19	8	05	15	23
20 33 30	6	27	22	8	49	16	24
20 37 35	7	29	25	9	32	16	25
20 41 40	8	♓	27	10	14	17	26
20 45 44	9	2	♉	10	55	18	27
20 49 47	10	3	2	11	36	19	27
20 53 49	11	5	5	12	16	19	28
20 57 51	12	6	7	12	56	20	29
21 01 52	13	8	9	13	34	21	♌
21 05 52	14	9	12	14	13	21	0
HOUSES	4	5	6	7		8	9

LATITUDE 64° S.

LATITUDE 65° N.

SIDEREAL TIME	10	11	12	Asc		2	3
	♑	♑	♑	♈		♊	♊
h m s	°	°	°	°	'	°	°
18 00 00	0	7	18	0	00	12	23
18 04 22	1	8	20	16	30	14	24
18 08 43	2	9	22	0♉	49	16	25
18 13 05	3	10	23	12	12	17	26
18 17 26	4	12	26	20	54	19	27
18 21 47	5	13	28	27	36	20	28
18 26 08	6	14	♒	2♊	49	22	29
18 30 29	7	15	2	7	00	23	♋
18 34 50	8	17	4	10	26	24	1
18 39 11	9	18	7	13	18	25	2
18 43 31	10	19	9	15	45	27	3
18 47 51	11	20	12	17	53	28	4
18 52 11	12	22	14	19	46	29	5
18 56 30	13	23	17	21	27	♋	6
19 00 49	14	25	20	22	59	1	7
19 05 07	15	26	22	24	22	2	8
19 09 25	16	27	25	25	40	3	9
19 13 43	17	29	28	26	51	4	10
19 18 00	18	♒	♓	27	59	4	10
19 22 17	19	1	4	29	02	5	11
19 26 33	20	3	6	0♋	02	6	12
19 30 49	21	4	9	0	59	7	13
19 35 04	22	6	12	1	54	8	14
19 39 19	23	7	15	2	47	8	15
19 43 33	24	9	18	3	37	9	16
19 47 46	25	10	21	4	26	10	16
19 51 59	26	12	24	5	14	11	17
19 56 11	27	13	27	6	00	11	18
20 00 23	28	15	♈	6	44	12	19
20 04 33	29	16	3	7	28	13	20
20 08 44	♒	17	6	8	11	14	20
20 12 53	1	19	9	8	52	14	21
20 17 02	2	20	12	9	33	15	22
20 21 10	3	22	15	10	13	16	23
20 25 17	4	24	18	10	53	16	24
20 29 24	5	25	21	11	32	17	24
20 33 30	6	27	24	12	10	18	25
20 37 35	7	28	26	12	47	18	26
20 41 40	8	♓	29	13	24	19	27
20 45 44	9	1	♉	14	01	20	27
20 49 47	10	3	4	14	37	20	28
20 53 49	11	4	7	15	13	21	29
20 57 51	12	6	10	15	48	22	♌
21 01 52	13	7	12	16	23	22	0
21 05 52	14	9	14	16	58	23	1
HOUSES	4	5	6	7		8	9

LATITUDE 65° S.

LATITUDE 63° N.

SIDEREAL TIME			10 ♒	11 ♓	12 ♉	Asc ♋		2 ♋	3 ♌
h	m	s	°	°	°	°	'	°	°
21	09	51	15	11	11	12	17	20	0
21	13	50	16	13	14	12	58	21	1
21	17	48	17	14	16	13	38	22	2
21	21	46	18	16	18	14	17	22	3
21	25	42	19	17	19	14	56	23	4
21	29	38	20	18	21	15	35	24	4
21	33	33	21	20	23	16	13	25	5
21	37	28	22	21	25	16	51	25	6
21	41	22	23	23	27	17	28	26	7
21	45	15	24	24	29	18	05	26	7
21	49	08	25	26	♊	18	42	27	8
21	53	00	26	27	2	19	18	28	9
21	56	51	27	29	3	19	54	28	10
22	00	42	28	♈	5	20	30	29	11
22	04	32	29	2	6	21	05	♌	11
22	08	22	♓	3	8	21	40	0	12
22	12	10	1	5	9	22	15	1	13
22	15	59	2	6	11	22	50	2	14
22	19	47	3	8	12	23	24	2	14
22	23	34	4	9	13	23	58	3	15
22	27	21	5	10	14	24	32	4	16
22	31	07	6	12	16	25	06	4	17
22	34	53	7	13	17	25	40	5	17
22	38	39	8	15	18	26	13	5	18
22	42	24	9	16	19	26	46	6	19
22	46	08	10	17	20	27	19	7	20
22	49	52	11	19	21	27	52	7	20
22	53	36	12	20	22	28	25	8	21
22	57	19	13	22	23	28	58	9	22
23	01	03	14	23	24	29	30	9	23
23	04	45	15	24	25	0♌	03	10	23
23	08	28	16	26	26	0	35	10	24
23	12	10	17	27	27	1	07	11	25
23	15	52	18	28	28	1	39	12	26
23	19	33	19	♉	29	2	11	12	26
23	23	15	20	1	♋	2	43	13	27
23	26	56	21	2	1	3	15	13	28
23	30	37	22	4	1	3	46	14	29
23	34	17	23	5	2	4	18	15	29
23	37	58	24	6	3	4	50	15	♍
23	41	39	25	8	4	5	21	16	1
23	45	19	26	9	5	5	53	16	2
23	48	59	27	10	5	6	24	17	2
23	52	40	28	11	6	6	56	18	3
23	56	20	29	13	7	7	27	18	4
HOUSES			4	5	6	7		8	9

LATITUDE 63° S.

LATITUDE 64° N.

SIDEREAL TIME			10 ♒	11 ♓	12 ♉	Asc ♋		2 ♋	3 ♌
h	m	s	°	°	°	°	'	°	°
21	09	51	15	11	14	14	51	22	1
21	13	50	16	12	16	15	28	23	2
21	17	48	17	14	18	16	05	23	3
21	21	46	18	15	20	16	42	24	3
21	25	42	19	17	22	17	18	25	4
21	29	38	20	18	24	17	54	25	5
21	33	33	21	20	26	18	29	26	6
21	37	28	22	21	28	19	04	26	7
21	41	22	23	23	♊	19	39	27	7
21	45	15	24	24	2	20	14	28	8
21	49	08	25	26	3	20	48	28	9
21	53	00	26	27	5	21	22	29	10
21	56	51	27	29	7	21	56	♌	10
22	00	42	28	♈	8	22	30	0	11
22	04	32	29	2	10	23	03	1	12
22	08	22	♓	3	11	23	36	1	13
22	12	10	1	5	13	24	09	2	13
22	15	59	2	6	14	24	42	3	14
22	19	47	3	8	15	25	14	3	15
22	23	34	4	9	17	25	47	4	16
22	27	21	5	11	18	26	19	5	16
22	31	07	6	12	19	26	51	5	17
22	34	53	7	13	20	27	23	6	18
22	38	39	8	15	21	27	55	6	19
22	42	24	9	16	22	28	26	7	19
22	46	08	10	18	23	28	58	8	20
22	49	52	11	19	24	29	29	8	21
22	53	36	12	21	25	0♌	00	9	22
22	57	19	13	22	26	0	32	9	22
23	01	03	14	23	27	1	03	10	23
23	04	45	15	25	28	1	34	11	24
23	08	28	16	26	29	2	05	11	25
23	12	10	17	28	♋	2	35	12	25
23	15	52	18	29	1	3	06	12	26
23	19	33	19	♉	2	3	37	13	27
23	23	15	20	2	2	4	08	14	27
23	26	56	21	3	3	4	38	14	28
23	30	37	22	4	4	5	09	15	29
23	34	17	23	6	5	5	39	15	♍
23	37	58	24	7	5	6	10	16	0
23	41	39	25	8	6	6	40	17	1
23	45	19	26	10	7	7	10	17	2
23	48	59	27	11	8	7	41	18	3
23	52	40	28	12	8	8	11	18	3
23	56	20	29	13	9	8	42	19	4
HOUSES			4	5	6	7		8	9

LATITUDE 64° S.

LATITUDE 65° N.

SIDEREAL TIME			10 ♒	11 ♓	12 ♉	Asc ♋		2 ♋	3 ♌
h	m	s	°	°	°	°	'	°	°
21	09	51	15	10	17	17	32	23	2
21	13	50	16	12	19	18	06	24	3
21	17	48	17	13	21	18	40	25	3
21	21	46	18	15	24	19	13	25	4
21	25	42	19	17	26	19	46	26	5
21	29	38	20	18	28	20	19	27	6
21	33	33	21	20	♊	20	52	27	6
21	37	28	22	21	2	21	24	28	7
21	41	22	23	23	4	21	56	28	8
21	45	15	24	24	6	22	28	29	9
21	49	08	25	26	8	23	00	♌	9
21	53	00	26	27	9	23	32	0	10
21	56	51	27	29	11	24	03	1	11
22	00	42	28	♈	13	24	34	1	12
22	04	32	29	2	14	25	06	2	12
22	08	22	♓	3	16	25	37	3	13
22	12	10	1	5	17	26	07	3	14
22	15	59	2	6	18	26	38	4	15
22	19	47	3	8	20	27	09	4	15
22	23	34	4	9	21	27	39	5	16
22	27	21	5	11	22	28	10	6	17
22	31	07	6	12	23	28	40	6	18
22	34	53	7	14	24	29	10	7	18
22	38	39	8	15	25	29	40	7	19
22	42	24	9	17	26	0♌	10	8	20
22	46	08	10	18	27	0	40	9	20
22	49	52	11	20	28	1	10	9	21
22	53	36	12	21	29	1	39	10	22
22	57	19	13	22	♋	2	09	10	23
23	01	03	14	24	1	2	39	11	23
23	04	45	15	25	2	3	08	12	24
23	08	28	16	27	2	3	38	12	25
23	12	10	17	28	3	4	07	13	26
23	15	52	18	29	4	4	37	13	26
23	19	33	19	♉	5	5	06	14	27
23	23	15	20	2	5	5	35	14	28
23	26	56	21	4	6	6	05	15	29
23	30	37	22	5	7	6	34	16	29
23	34	17	23	6	8	7	03	16	♍
23	37	58	24	8	8	7	32	17	1
23	41	39	25	9	9	8	02	17	2
23	45	19	26	10	10	8	31	18	2
23	48	59	27	12	10	9	00	19	3
23	52	40	28	13	11	9	29	19	4
23	56	20	29	14	11	9	59	20	5
HOUSES			4	5	6	7		8	9

LATITUDE 65° S.

LATITUDE 66° N.

SIDEREAL TIME	10 ♈	11 ♉	12 ♋	Asc ♌	2 ♌	3 ♍
h m s	°	°	°	° '	°	°
0 00 00	0	17	15	11 47	21	6
0 03 40	1	18	15	12 15	22	6
0 07 20	2	19	16	12 43	22	7
0 11 01	3	21	16	13 11	23	8
0 14 41	4	22	17	13 39	23	8
0 18 21	5	23	17	14 07	24	9
0 22 02	6	25	18	14 36	25	10
0 25 43	7	26	18	15 04	25	11
0 29 23	8	27	19	15 32	26	11
0 33 04	9	29	19	16 01	26	12
0 36 45	10	♊	20	16 29	27	13
0 40 27	11	1	21	16 58	27	14
0 44 08	12	2	21	17 27	28	14
0 47 50	13	4	22	17 55	29	15
0 51 32	14	5	22	18 24	29	16
0 55 15	15	6	23	18 53	♍	17
0 58 57	16	7	23	19 22	0	17
1 02 41	17	9	24	19 51	1	18
1 06 24	18	10	24	20 20	2	19
1 10 08	19	11	25	20 49	2	20
1 13 52	20	12	26	21 18	3	21
1 17 36	21	13	26	21 47	3	21
1 21 21	22	15	27	22 17	4	22
1 25 07	23	16	27	22 46	5	23
1 28 53	24	17	28	23 16	5	24
1 32 39	25	18	28	23 45	6	24
1 36 26	26	19	29	24 15	6	25
1 40 13	27	20	♌	24 45	7	26
1 44 01	28	21	0	25 15	8	27
1 47 49	29	22	1	25 45	8	27
1 51 38	♉	24	1	26 15	9	28
1 55 28	1	25	2	26 46	10	29
1 59 18	2	26	2	27 16	10	♎
2 03 09	3	27	3	27 47	11	1
2 07 00	4	28	4	28 17	11	1
2 10 52	5	28	4	28 48	12	2
2 14 45	6	29	5	29 19	13	3
2 18 38	7	♋	5	29 50	13	4
2 22 32	8	1	6	0♍21	14	5
2 26 27	9	2	7	0 52	15	5
2 30 22	10	3	7	1 24	15	6
2 34 18	11	4	8	1 55	16	7
2 38 14	12	4	8	2 27	17	8
2 42 12	13	5	9	2 59	17	9
2 46 10	14	6	10	3 30	18	9
HOUSES	4	5	6	7	8	9

LATITUDE 66° S.

LATITUDE 66° N.

SIDEREAL TIME	10 ♉	11 ♋	12 ♌	Asc ♍	2 ♍	3 ♎
h m s	°	°	°	° '	°	°
2 50 09	15	7	10	4 02	18	10
2 54 08	16	8	11	4 35	19	11
2 58 08	17	8	11	5 07	20	12
3 02 09	18	9	12	5 39	20	13
3 06 11	19	10	13	6 12	21	14
3 10 13	20	11	13	6 45	22	14
3 14 16	21	12	14	7 17	22	15
3 18 20	22	12	15	7 50	23	16
3 22 25	23	13	15	8 23	24	17
3 26 30	24	14	16	8 57	24	18
3 30 36	25	15	16	9 30	25	19
3 34 43	26	15	17	10 03	26	19
3 38 50	27	16	18	10 37	27	20
3 42 58	28	17	18	11 11	27	21
3 47 07	29	18	19	11 45	28	22
3 51 16	♊	18	20	12 18	29	23
3 55 27	1	19	20	12 53	29	24
3 59 37	2	20	21	13 27	♎	24
4 03 49	3	21	22	14 01	1	25
4 08 01	4	21	22	14 36	1	26
4 12 14	5	22	23	15 10	2	27
4 16 27	6	23	24	15 45	3	28
4 20 41	7	24	24	16 19	3	29
4 24 56	8	25	25	16 54	4	29
4 29 11	9	25	26	17 29	5	♏
4 33 27	10	26	26	18 04	6	1
4 37 43	11	27	27	18 40	6	2
4 42 00	12	28	28	19 15	7	3
4 46 17	13	28	28	19 50	8	4
4 50 35	14	29	29	20 26	8	4
4 54 53	15	♌	♍	21 01	9	5
4 59 11	16	1	0	21 37	10	6
5 03 30	17	2	1	22 12	10	7
5 07 49	18	2	2	22 48	11	8
5 12 09	19	3	3	23 24	12	9
5 16 29	20	4	3	24 00	13	10
5 20 49	21	5	4	24 35	13	10
5 25 10	22	6	5	25 11	14	11
5 29 31	23	6	5	25 47	15	12
5 33 52	24	7	6	26 23	15	13
5 38 13	25	8	7	26 59	16	14
5 42 34	26	9	7	27 35	17	15
5 46 55	27	10	8	28 12	18	15
5 51 17	28	11	9	28 48	18	16
5 55 38	29	11	10	29 24	19	17
HOUSES	4	5	6	7	8	9

LATITUDE 66° S.

LATITUDE 66° N.

SIDEREAL TIME			10 ♋	11 ♌	12 ♍	Asc ♎		2 ♎	3 ♏
h	m	s	°	°	°	°	'	°	°
6	00	00	0	12	10	0	00	20	18
6	04	22	1	13	11	0	36	20	19
6	08	43	2	14	12	1	12	21	19
6	13	05	3	15	12	1	48	22	20
6	17	26	4	15	13	2	24	23	21
6	21	47	5	16	14	3	00	23	22
6	26	08	6	17	15	3	36	24	23
6	30	29	7	18	15	4	12	25	24
6	34	50	8	19	16	4	48	25	24
6	39	11	9	20	17	5	24	26	25
6	43	31	10	20	17	6	00	27	26
6	47	51	11	21	18	6	36	27	27
6	52	11	12	22	19	7	12	28	28
6	56	30	13	23	20	7	47	29	28
7	00	49	14	24	20	8	23	♏	29
7	05	07	15	25	21	8	59	0	♐
7	09	25	16	26	22	9	34	1	1
7	13	43	17	26	22	10	09	2	2
7	18	00	18	27	23	10	45	2	2
7	22	17	19	28	24	11	20	3	3
7	26	33	20	29	24	11	55	4	4
7	30	49	21	♍	25	12	30	4	5
7	35	04	22	1	26	13	05	5	5
7	39	19	23	1	27	13	40	6	6
7	43	33	24	2	27	14	15	6	7
7	47	46	25	3	28	14	50	7	8
7	51	59	26	4	29	15	24	8	9
7	56	11	27	5	29	15	59	8	9
8	00	23	28	6	♎	16	33	9	10
8	04	33	29	6	1	17	07	10	11
8	08	44	♌	7	1	17	41	10	12
8	12	53	1	8	2	18	15	11	12
8	17	02	2	9	3	18	49	12	13
8	21	10	3	10	3	19	23	12	14
8	25	17	4	11	4	19	56	13	15
8	29	24	5	11	5	20	30	14	15
8	33	30	6	12	6	21	03	14	16
8	37	35	7	13	6	21	36	15	17
8	41	40	8	14	7	22	09	15	18
8	45	44	9	15	8	22	42	16	18
8	49	47	10	16	8	23	15	17	19
8	53	49	11	16	9	23	48	17	20
8	57	51	12	17	10	24	20	18	21
9	01	52	13	18	10	24	53	19	22
9	05	52	14	19	11	25	25	19	22
HOUSES			4	5	6	7		8	9

LATITUDE 66° S.

LATITUDE 66° N.

SIDEREAL TIME			10 ♌	11 ♍	12 ♎	Asc ♎		2 ♏	3 ♐
h	m	s	°	°	°	°	'	°	°
9	09	51	15	20	12	25	57	20	23
9	13	50	16	21	12	26	29	20	24
9	17	48	17	21	13	27	01	21	25
9	21	46	18	22	13	27	33	22	26
9	25	42	19	23	14	28	05	22	26
9	29	38	20	24	15	28	36	23	27
9	33	33	21	25	15	29	07	23	28
9	37	28	22	25	16	29	39	24	29
9	41	22	23	26	17	0♏	10	25	♑
9	45	15	24	27	17	0	41	25	1
9	49	08	25	28	18	1	12	26	2
9	53	00	26	29	19	1	42	26	2
9	56	51	27	29	19	2	13	27	3
10	00	42	28	♎	20	2	44	28	4
10	04	32	29	1	20	3	14	28	5
10	08	22	♍	2	21	3	44	29	6
10	12	10	1	3	22	4	15	29	8
10	15	59	2	3	22	4	45	♐	9
10	19	47	3	4	23	5	15	0	10
10	23	34	4	5	24	5	44	1	11
10	27	21	5	6	24	6	14	2	12
10	31	07	6	6	25	6	44	2	13
10	34	53	7	7	25	7	13	3	14
10	38	39	8	8	26	7	43	3	15
10	42	24	9	9	27	8	12	4	17
10	46	08	10	9	27	8	42	4	18
10	49	52	11	10	28	9	11	5	19
10	53	36	12	11	28	9	40	6	20
10	57	19	13	12	29	10	09	6	21
11	01	03	14	13	♏	10	38	7	23
11	04	45	15	13	0	11	07	7	24
11	08	28	16	14	1	11	36	8	25
11	12	10	17	15	1	12	04	8	26
11	15	52	18	16	2	12	33	9	28
11	19	33	19	16	3	13	02	9	29
11	23	15	20	17	3	13	30	10	♒
11	26	56	21	18	4	13	59	11	1
11	30	37	22	19	4	14	27	11	3
11	34	17	23	19	5	14	56	12	4
11	37	58	24	20	5	15	24	12	5
11	41	39	25	21	6	15	52	13	7
11	45	19	26	22	7	16	20	13	8
11	48	59	27	22	7	16	49	14	9
11	52	40	28	23	8	17	17	14	11
11	56	20	29	24	8	17	45	15	12
HOUSES			4	5	6	7		8	9

LATITUDE 66° S.

LATITUDE 66° N.

SIDEREAL TIME			10 ♎	11 ♎	12 ♏	Asc ♏		2 ♐	3 ♒
h	m	s	°	°	°	°	'	°	°
12	00	00	0	24	9	18	13	15	13
12	03	40	1	25	9	18	41	16	15
12	07	20	2	26	10	19	09	17	16
12	11	01	3	27	11	19	37	17	17
12	14	41	4	27	11	20	05	18	19
12	18	21	5	28	12	20	33	18	20
12	22	02	6	29	12	21	01	19	21
12	25	43	7	♏	13	21	29	19	23
12	29	23	8	0	14	21	57	20	24
12	33	04	9	1	14	22	25	20	26
12	36	45	10	2	15	22	53	21	27
12	40	27	11	2	15	23	21	22	28
12	44	08	12	3	16	23	49	22	♓
12	47	50	13	4	16	24	17	23	1
12	51	32	14	5	17	24	45	23	3
12	55	15	15	5	18	25	13	24	4
12	58	57	16	6	18	25	41	25	6
13	02	41	17	7	19	26	09	25	7
13	06	24	18	8	19	26	37	26	9
13	10	08	19	8	20	27	05	27	10
13	13	52	20	9	20	27	33	28	11
13	17	36	21	10	21	28	02	28	13
13	21	21	22	10	22	28	30	29	14
13	25	07	23	11	22	28	58	♑	16
13	28	53	24	12	23	29	26	1	17
13	32	39	25	13	23	29	55	2	19
13	36	26	26	13	24	0♐	23	3	21
13	40	13	27	14	24	0	52	4	22
13	44	01	28	15	25	1	20	5	24
13	47	49	29	16	26	1	49	6	25
13	51	38	♏	16	26	2	18	8	27
13	55	28	1	17	27	2	46	9	28
13	59	18	2	18	27	3	15	11	♈
14	03	09	3	18	28	3	44	13	1
14	07	00	4	19	28	4	13	15	3
14	10	52	5	20	29	4	42	16	4
14	14	45	6	21	♐	5	11	18	6
14	18	38	7	21	0	5	41	21	8
14	22	32	8	22	1	6	10	23	9
14	26	27	9	23	1	6	40	25	11
14	30	22	10	24	2	7	09	27	12
14	34	18	11	24	3	7	39	29	14
14	38	14	12	25	3	8	09	♒	15
14	42	12	13	26	4	8	39	4	17
14	46	10	14	26	4	9	09	7	19
HOUSES			4	5	6	7		8	9

LATITUDE 66° S.

LATITUDE 66° N.

SIDEREAL TIME			10 ♏	11 ♏	12 ♐	Asc ♐		2 ♒	3 ♈
h	m	s	°	°	°	°	'	°	°
14	50	09	15	27	5	9	39	9	20
14	54	08	16	28	6	10	10	12	22
14	58	08	17	29	6	10	40	14	23
15	02	09	18	29	7	11	11	17	25
15	06	11	19	♐	7	11	42	20	26
15	10	13	20	1	8	12	13	23	28
15	14	16	21	2	9	12	44	26	♉
15	18	20	22	2	9	13	16	28	1
15	22	25	23	3	10	13	47	♓	3
15	26	30	24	4	10	14	19	4	4
15	30	36	25	5	11	14	52	7	6
15	34	43	26	5	12	15	24	11	7
15	38	50	27	6	12	15	57	14	9
15	42	58	28	7	13	16	30	17	10
15	47	07	29	8	14	17	03	20	12
15	51	16	♐	8	14	17	37	23	14
15	55	27	1	9	15	18	11	26	15
15	59	37	2	10	15	18	45	♈	17
16	03	49	3	11	16	19	20	3	18
16	08	01	4	12	17	19	56	6	20
16	12	14	5	12	17	20	32	9	21
16	16	27	6	13	18	21	08	13	23
16	20	41	7	14	19	21	46	16	24
16	24	56	8	15	19	22	24	19	26
16	29	11	9	15	20	23	02	22	27
16	33	27	10	16	21	23	42	26	29
16	37	43	11	17	21	24	23	29	♊
16	42	00	12	18	22	25	06	♉	2
16	46	17	13	19	23	25	50	5	3
16	50	35	14	19	23	26	35	8	5
16	54	53	15	20	24	27	23	11	6
16	59	11	16	21	25	28	14	14	7
17	03	30	17	22	26	29	07	17	9
17	07	49	18	23	26	0♑	05	19	10
17	12	09	19	24	27	1	08	22	12
17	16	29	20	24	28	2	17	25	13
17	20	49	21	25	29	3	34	28	14
17	25	10	22	26	♑	5	04	♊	16
17	29	31	23	27	1	6	50	3	17
17	33	52	24	28	2	9	00	5	18
17	38	13	25	29	3	11	49	8	20
17	42	34	26	♑	5	15	42	10	21
17	46	55	27	1	6	21	32	12	22
17	51	17	28	2	8	1♒	32	15	23
17	55	38	29	3	9	21	25	17	25
HOUSES			4	5	6	7		8	9

LATITUDE 66° S.

LATITUDE 66° N.

SIDEREAL TIME	10 ♑	11 ♑	12 ♑	Asc ♈	2 ♊	3 ♊
h m s	°	°	°	° '	°	°
18 00 00	0	4	11	0 00	19	26
18 04 22	1	5	13	8♉35	21	27
18 08 43	2	7	15	28 27	22	28
18 13 05	3	8	18	8♊27	24	29
18 17 26	4	9	20	14 18	25	♋
18 21 47	5	10	22	18 11	27	1
18 26 08	6	12	25	20 59	28	2
18 30 29	7	13	27	23 10	29	3
18 34 50	8	14	♒	24 56	♋	4
18 39 11	9	16	2	26 25	1	5
18 43 31	10	17	5	27 43	2	6
18 47 51	11	18	8	28 52	3	6
18 52 11	12	20	11	29 55	4	7
18 56 30	13	21	13	0♋52	4	8
19 00 49	14	23	16	1 46	5	9
19 05 07	15	24	19	2 36	6	10
19 09 25	16	25	22	3 24	7	11
19 13 43	17	27	25	4 10	7	11
19 18 00	18	28	28	4 54	8	12
19 22 17	19	♒	♓	5 36	9	13
19 26 33	20	1	4	6 17	9	14
19 30 49	21	3	8	6 57	10	15
19 35 04	22	4	11	7 36	11	15
19 39 19	23	6	14	8 14	11	16
19 43 33	24	7	17	8 51	12	17
19 47 46	25	9	21	9 28	13	18
19 51 59	26	10	24	10 04	13	18
19 56 11	27	12	27	10 39	14	19
20 00 23	28	13	♈	11 14	15	20
20 04 33	29	15	4	11 49	15	21
20 08 44	♒	16	7	12 23	16	22
20 12 53	1	18	10	12 57	16	22
20 17 02	2	20	13	13 30	17	23
20 21 10	3	21	16	14 03	18	24
20 25 17	4	23	19	14 36	18	25
20 29 24	5	24	23	15 08	19	25
20 33 30	6	26	26	15 40	20	26
20 37 35	7	27	29	16 12	20	27
20 41 40	8	29	♉	16 44	21	28
20 45 44	9	♓	4	17 15	21	28
20 49 47	10	2	7	17 47	22	29
20 53 49	11	4	10	18 18	23	♌
20 57 51	12	5	13	18 49	23	1
21 01 52	13	7	16	19 19	24	1
21 05 52	14	8	18	19 50	24	2
HOUSES	4	5	6	7	8	9

LATITUDE 66° S.

LATITUDE 66° N.

SIDEREAL TIME	10 ♒	11 ♓	12 ♉	Asc ♋	2 ♋	3 ♌
h m s	°	°	°	° '	°	°
21 09 51	15	10	21	20 20	25	3
21 13 50	16	11	23	20 51	26	4
21 17 48	17	13	26	21 21	26	4
21 21 46	18	15	28	21 51	27	5
21 25 42	19	16	♊	22 21	27	6
21 29 38	20	18	3	22 50	28	6
21 33 33	21	19	5	23 20	29	7
21 37 28	22	21	7	23 50	29	8
21 41 22	23	22	9	24 19	♌	9
21 45 15	24	24	12	24 48	0	9
21 49 08	25	26	14	25 17	1	10
21 53 00	26	27	15	25 46	2	11
21 56 51	27	29	17	26 15	2	12
22 00 42	28	♈	19	26 44	3	12
22 04 32	29	2	21	27 13	3	13
22 08 22	♓	3	22	27 42	4	14
22 12 10	1	5	24	28 11	4	14
22 15 59	2	6	25	28 39	5	15
22 19 47	3	8	26	29 08	6	16
22 23 34	4	9	27	29 36	6	17
22 27 21	5	11	28	0♌05	7	17
22 31 07	6	13	29	0 33	7	18
22 34 53	7	14	♋	1 01	8	19
22 38 39	8	16	1	1 30	8	20
22 42 24	9	17	2	1 58	9	20
22 46 08	10	19	2	2 26	10	21
22 49 52	11	20	3	2 54	10	22
22 53 36	12	21	4	3 22	11	22
22 57 19	13	23	5	3 51	11	23
23 01 03	14	24	5	4 19	12	24
23 04 45	15	26	6	4 47	12	25
23 08 28	16	27	7	5 15	13	25
23 12 10	17	29	7	5 43	14	26
23 15 52	18	♉	8	6 11	14	27
23 19 33	19	2	8	6 39	15	27
23 23 15	20	3	9	7 07	15	28
23 26 56	21	4	10	7 35	16	29
23 30 37	22	6	10	8 03	16	♍
23 34 17	23	7	11	8 31	17	0
23 37 58	24	9	11	8 58	18	1
23 41 39	25	10	12	9 26	18	2
23 45 19	26	11	12	9 54	19	3
23 48 59	27	13	13	10 22	19	3
23 52 40	28	14	13	10 50	20	4
23 56 20	29	15	14	11 19	20	5
HOUSES	4	5	6	7	8	9

LATITUDE 66° S.

LOGICIELS ASTROLOGIQUES

Pour ceux qui possèdent un ordinateur PC (ou un Macintosh avec environnement Windows), nous proposons les outils idéaux de l'astrologue : des logiciels pratiques, puissants et simples d'utilisation, qui vous permettront d'obtenir rapidement – sur écran ou imprimante – tous vos thèmes avec une excellente qualité.

Des versions de démonstration peuvent être téléchargées sur notre site internet. Avec la plupart d'entre elles, vous pouvez introduire les données de naissance de votre thème astrologique et tester toutes les fonctions du programme.

Catalogue gratuit sur simple demande.

ASTRO-PC

(pour compatibles PC)

Astro-PC est le plus complet et le plus vendu de nos logiciels. Très précis et complet, il est ergonomique, esthétique et entièrement paramétrable.

• Astro-PC est capable de monter toutes sortes de thèmes pour n'importe quelle date et n'importe quel endroit du monde. Plage de dates très étendue : jusqu'à 12 000 ans d'éphémérides (calendrier Julien et Grégorien).

• Heures d'été préprogrammées pour le monde entier : plus de 500 pays, états et îles (USA, CEI...).

• Plusieurs milliers de coordonnées de ville disponibles. Près de 3000 thèmes de célébrités, classés par domaine, sont déjà fournis avec le programme.

• Astro-PC s'adapte à toutes les astrologies et astrologues : plus de 300 choix et options disponibles.

• Exemples : 30 méthodes d'affichage du thème , 13 méthodes de calcul des forces planétaires, 27 aspects disponibles, 18 Astéroïdes, Nœuds lunaires, Soleil noir, 4 Lunes noires, Planètes transneptuniennes, Points spéciaux, Zodiaque tropical ou sidéral, etc.

• Affichage des thèmes pleine page, juxtaposés, superposés sur 2 ou 3 niveaux, ou en mosaïque.

• Couleurs entièrement modifiables, ainsi que la dimension des planètes, zodiaque, caractères...

• Astro-PC effectue tous les thèmes courants : Thème natal, Révolutions Solaires et Lunaires, Transits, Directions Primaires et Secondaires (Progressions), Directions Converses et Symboliques et de très nombreux autres thèmes spécifiques.

• Comparaisons de thèmes : Thèmes comparés, Thème de Mi-points, Thème Mi-espace Mi-temps.

• Carte Azimutale, Carte Astro-géographique, Carte céleste (en sphère ou à plat), Cycles graphiques, Chaînes planétaires & Forces planétaires graphiques. Nombreux tableaux de données disponibles.

• Fonctions de Recherches de dates performantes et entièrement paramétrables pour de nombreuses méthodes prévisionnelles. Fonctions d'Aspectarian.

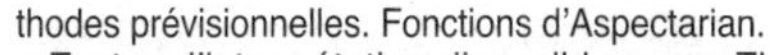

• Textes d'interprétation disponibles pour Thème Natal, Révolutions solaires, Comparaisons, Transits, Forces, Degrés symboliques (selon 4 auteurs)...

• Manuel d'utilisation avec exercices, aide à l'écran complète et accessible à tout moment.

GAMME INFOCIEL

(pour compatibles PC Windows)

Les logiciels Infociel, avec leurs différentes versions, sont issus de notre programme Astro-PC et ont donc les mêmes qualités. Chaque version d'Infociel regroupe un certain nombre de fonctions d'Astro-PC pour répondre aux diverses demandes des utilisateurs. L'avantage de ces différentes versions est qu'elles peuvent s'assembler si vous en achetez plusieurs.

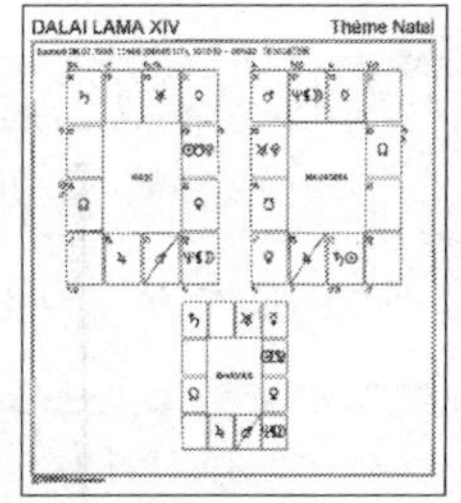

Vous pouvez ainsi démarrer avec un seul module de base et en rajouter par la suite selon vos besoins pour constituer l'ensemble qui répondra le mieux à vos habitudes de travail.

Voici les différentes versions d'Infociel :

- Infociel Windows (astrologie traditionnelle et humaniste)
- Infociel Interprétation
- Astrologie Karmique Irène Andrieu
- Astrologie Catherine Aubier
- Astrologie Elizabeth Teissier
- Infociel Recherche de Dates (astrologie prévisionnelle et karmique)
- Spécial Astrologie Uranienne

Nous diffusons également d'autres logiciels d'astrologie, ainsi que des programmes de numérologie, tarots et biorythmes.

Consultez notre site www.aureas.com

MATERIEL ASTROLOGIQUE

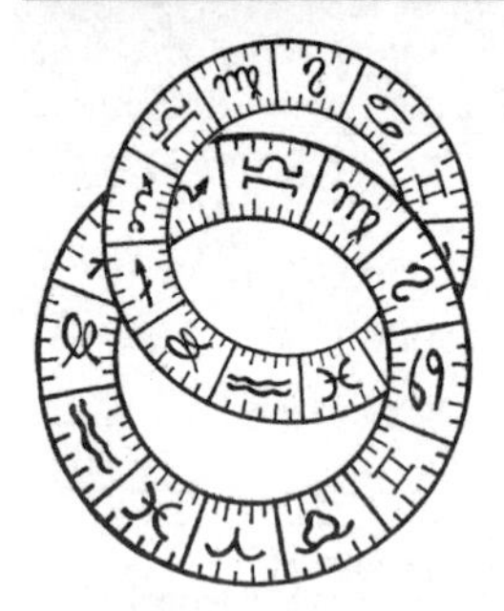

Tampons pour monter les thèmes :

Ø 8 cm **(12,50 €)**

Ø 10 cm **(15,50 €)**

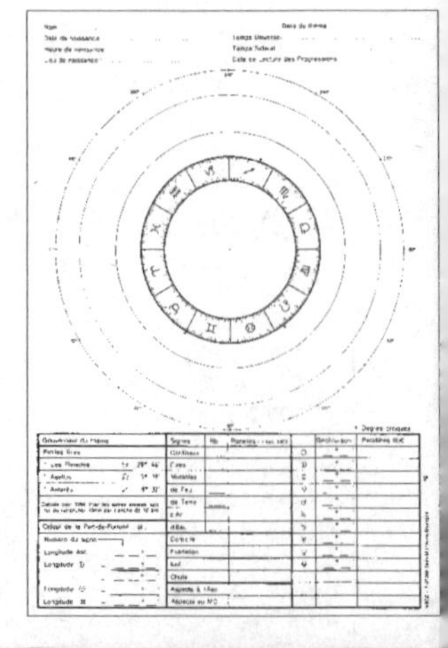

Feuilles de thèmes vierges (bloc de 50) :

avec Asc. ou Bélier à gauche

et formulaire de calcul au verso **(8 €)**

AUTRES LOGICIELS

Pour ceux qui s'intéressent à des sciences divinatoires complémentaires à l'astrologie, nous proposons plusieurs logiciels dans le domaine de la numérologie, des tarots et des biorythmes. Voici quelques exemples. *(Logiciels disponibles pour PC Windows uniquement).*

NUMÉROLOGIE J.D.Fermier

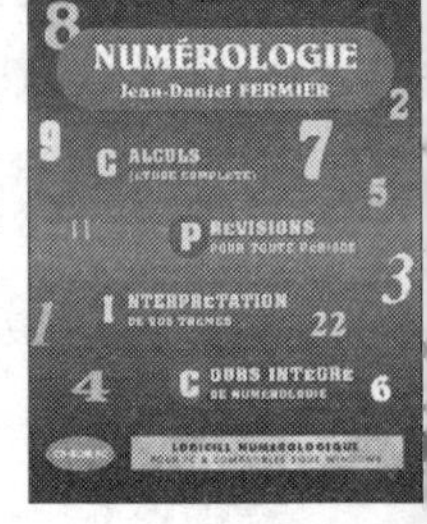

Ce logiciel pour ordinateurs PC est pratique, complet et simple d'utilisation. Il regroupe les fonctions les plus utilisées par les numérologues. Il a été créé en collaboration avec Jean-Daniel Fermier, numérologue renommé, auteur de nombreux ouvrages. Ce programme inclut ses méthodes de calculs et de prévisions, l'interprétation des thèmes, ainsi qu'un cours de numérologie en 17 leçons (pour débutants et amateurs).

Prix : 150 €

LE TAROT DE MARSEILLE

Créé en collaboration avec Sandrine Millet, ce logiciel pour PC vous permet de tirer vous-même les tarots. Grâce aux deux tirages proposés (Tirage en Croix de 4 cartes et Tirage Astrologique de 12 cartes), vous obtiendrez des renseignements précieux sur toute question concernant le domaine des finances, des sentiments ou du travail, ainsi que sur ce qui peut vous attendre dans les mois à venir. Un cours sur les Tarots est intégré au programme.

Prix : 90 €